आर॰ गुप्ता® कृत

पॉपुलर मास्टर गाइड

HSSC हरियाणा कर्मचारी चयन आयोग

स्टाफ नर्स

नर्स/सिस्टर ट्यूटर

संयुक्त प्रवेश परीक्षा (CET)

फेज-II, ग्रुप-C पद

RPH संपादक मंडल

द्वारा संपादित

2027 EDITION

रमेश पब्लिशिंग हाउस, नई दिल्ली

प्रकाशक

ओ॰पी॰ गुप्ता, **रमेश पब्लिशिंग हाउस**

प्रशासनिक कार्यालय

12-H, न्यू दरियागंज रोड, ऑफिसर्स मेस के सामने,
नई दिल्ली-110002 ✆ 23275224, 23245124

E-mail: info@rameshpublishinghouse.com
For Online Shopping: www.rameshpublishinghouse.com

विक्रय केन्द्र

- बालाजी मार्किट, नई सड़क, दिल्ली-110006 ✆ 23282525 📱 9354373464
- 4457, नई सड़क, दिल्ली-110006

Book Code: R-2920

ISBN: 978-93-5477-843-8

मूल्यः ₹ 540

मुद्रकः दीपक ऑफसैट, दिल्ली

अनुक्रमणिका

SCHEME OF EXAMINATION

1. General Awareness, Reasoning, Mathematics, Science, History including Haryana Related History, Current Affairs, Literature, Geography, Civics, Environment, Culture etc.

(Weightage 20%)

2. Computer Terminology, Fundamentals, Word Software, Excel Software, Power Point, Internet, Web Browsing, Communication, Emails, Downloading and Uploading Data on Websites etc.

(Weightage 10%)

3. **Subject Related Syllabus—** **(Weightage 70%)**

- Anatomy
- Physiology
- Nutrition
- Biochemistry
- Nursing Foundations
- Psychology
- Microbiology
- Sociology
- Pharmacology
- Pathology
- Genetics
- Medical Surgical Nursing (Adult including Geriatrics)
- Community Health Nursing
- Communication & Education Technology
- Child Health Nursing
- Mental Health Nursing
- Nursing Research and Statistics
- Midwifery and Obstetrical Nursing
- Management of Nursing Services & Education.

पिछले प्रश्न-पत्र

हरियाणा कर्मचारी चयन आयोग (HSSC)

स्टाफ नर्स, भर्ती परीक्षा, 2023

(Exam held on 31 December, 2023)

1. .... शरीर की सबसे छोटी कार्यात्मक इकाइयाँ हैं।
A. ऊतक
B. कोशिका
C. फाइबर
D. उपास्थि
E. अप्रयासित

2. .... नॉनपैरामेट्रिक टेस्ट है।
A. छात्रों की t परीक्षा
B. कै–स्क्वेर परीक्षण
C. Z परीक्षण
D. एनोवा
E. अप्रयासित

3. मनोविश्लेषण .... द्वारा प्रचारित किया जाता है।
A. विलियम जेम्स
B. सिगमंड फ्रायड
C. विल्हेम वुंड्ट
D. जॉन बी. वाटसन
E. अप्रयासित

4. 'इग्नाइटेड माइंड्स' पुस्तक .... द्वारा लिखी गई है।
A. ए.पी.जे. अब्दुल कलाम
B. सलमान रश्दी
C. अटल बिहारी वाजपेयी
D. उक्त में से कोई नहीं
E. अप्रयासित

5. .... उद्देश्यों को पूरा करने के लिए सुधारात्मक कार्रवाई करने की प्रक्रिया है।
A. निर्णय लेना
B. क्रियान्वयन
C. मूल्यांकन
D. समस्या को सुलझाना
E. अप्रयासित

6. निम्नलिखित में से कौन आपको टेक्स्ट खोजने और स्वचालित रूप से इसे किसी चीज से बदलने की सुविधा देता है?
A. गोटू
B. ईजी टेक्स्ट
C. कॉपी
D. रिप्लेस
E. अप्रयासित

7. .... विवाह, विवाह का वह रूप है जिसमें एक पुरुष एक महिला से विवाह करता है।
A. पॉलीगैमी
B. ग्रुप
C. पॉलीयांड्री
D. मोनोगैमी
E. अप्रयासित

8. मानव अधिकारों की सार्वत्रिक घोषणा (UDHR) को संयुक्त राष्ट्र ने अपने संकल्प के माध्यम से कब स्वीकार किया था?
A. 24 दिसंबर, 1945
B. 10 अक्टूबर, 1948
C. 10 दिसंबर, 1948
D. 10 दिसंबर, 1945
E. अप्रयासित

9. "रूबिओला" शब्द का अर्थ है :
A. सफेद धब्बे
B. लाल धब्बे
C. नीले धब्बे
D. काले धब्बे
E. अप्रयासित

10. .... को जीवन के पहले महीने के दौरान कंजक्टिवा की सूजन के रूप में परिभाषित किया गया है।
A. कंजक्टिविटिस
B. माइक्रोफ्थेल्मिया
C. एनोफ्थेल्मिया
D. आफ्थेल्मिया नियोनटोरम
E. अप्रयासित

11. तंत्रिका तंत्र में बड़ी संख्या में इकाइयाँ होती हैं जिन्हें .... कहा जाता है।
A. न्यूरोग्लिया
B. प्रोटॉन
C. प्रोटीन
D. न्यूरॉन्स
E. अप्रयासित

12. 100 डिग्री सेंटीग्रेड पर पानी में खाना पकाने को .... कहा जाता है।
A. रोस्टिंग
B. बॉइलिंग
C. स्टीमिंग
D. इनमें से कोई नहीं
E. अप्रयासित

13. गर्भावस्था के दौरान आयरन की आवश्यकता लगभग .... मिलीग्राम होती है।
A. 1500
B. 2000
C. 2500
D. 1000
E. अप्रयासित

1. B	**2.** B	**3.** B	**4.** A	**5.** D	**6.** D	**7.** D
8. C	**9.** B	**10.** D	**11.** D	**12.** B	**13.** D	

14. **कथन :** A < B = C, D > C, D ≤ E < F.
निष्कर्ष : I) B < E II) A < F
A. केवल II अनुसरण करता है
B. I और II दोनों अनुसरण करते हैं
C. न तो I न ही II अनुसरण करता है
D. केवल I अनुसरण करता है
E. अप्रयासित

15. एक अनुसंधान डिजाइन जिसमें शोधकर्ता वर्तमान को भविष्य से जोड़ता है, एक .... है।
A. पूर्वव्यापी अनुसंधान डिजाइन
B. महत्वाकांक्षी अनुसंधान डिजाइन
C. तुलनात्मक अनुसंधान डिजाइन
D. भावी अनुसंधान डिजाइन
E. अप्रयासित

16. .... की-बोर्ड एक सॉफ्टवेयर डिवाइस है जो आपको हार्डवेयर की-बोर्ड की तरह डेटा इनपुट करने की सुविधा देता है।
A. स्टैन्डर्ड B. एर्गोनोमिक
C. कॉम्पैक्ट D. वर्जुअल
E. अप्रयासित

17. .... एक या एक से अधिक प्रेक्षणात्मक इकाइयों पर दर्ज मूल्यों का एक समूह है या शोध अध्ययन के दौरान एकत्रित की गई तथ्यात्मक जानकारी है।
A. चर B. पैरामीटर
C. तराजू D. आंकड़े
E. अप्रयासित

18. .... मानव मस्तिष्क का मुख्य भाग बनता है।
A. अधश्चेतक B. प्रमस्तिष्क
C. मज्जा D. चेतक
E. अप्रयासित

19. .... को संक्रामक हेपेटाइटिस या महामारी पीलिया के रूप में जाना जाता है।
A. हेपेटाइटिस B B. हेपेटाइटिस C
C. हेपेटाइटिस E D. हेपेटाइटिस A
E. अप्रयासित

20. .... एक हल्की लचीली ट्यूब के माध्यम से शरीर प्रणाली या भाग का प्रत्यक्ष दृश्य है।
A. सीटी स्कैन B. एमआरआई
C. एंडोस्कोपी D. छाती का एक्स किरणें
E. अप्रयासित

21. ये अंतःस्रावी ग्रंथियों द्वारा संश्लेषित रासायनिक यौगिक हैं :
A. गैसों B. हार्मोन
C. पोषक तत्व सामग्री D. एंटीबॉडी
E. अप्रयासित

22. .... वह प्रतिरक्षा है जो प्राप्तकर्ता को तैयार रूप में हस्तांतरित की जाती है।
A. निष्क्रिय प्रतिरक्षा B. प्राकृतिक सक्रिय प्रतिरक्षा
C. कृत्रिम प्रतिरक्षा D. सक्रिय प्रतिरक्षा
E. अप्रयासित

23. शुक्राणु का उर्वरण जीवन काल होता है।
A. 13-47 घंटे B. 48-72 घंटे
C. 73-80 घंटे D. 6-12 घंटे
E. अप्रयासित

24. एक स्पर्शज्याधारामापी से विद्युत मापने की त्रुटि न्यूनतम हैं जब विक्षेपण लगभग .... है।
A. 30° B. 45°
C. 60° D. 0°
E. अप्रयासित

25. .... किसी अन्य व्यक्ति के बारे में झूठा बयान जारी करना है जिससे उस व्यक्ति को नुकसान होता है।
A. गोपनीयता का आक्रमण B. धोखा
C. बैटरी D. मानहानि
E. अप्रयासित

26. .... ने एक पावर लूम का आविष्कार किया जो चित्रों और टेक्स्ट सहित अविश्वसनीय रूप से विस्तृत पैटर्न को स्वचालित रूप से बुनने के लिए छिद्रित लकड़ी के कार्ड का उपयोग करता था।
A. ब्लेज पास्कल B. जोसेफ मेरी जैक्वार्ड
C. नेपियर्स बोन्स D. गॉटफ्रीड लीबनिज
E. अप्रयासित

27. थ्योरी (सिद्धांत) शब्द .... ग्रीक शब्द से आया है।
A. थिऑरियम B. थिऑरिशिया
C. थिऑरैय D. थिऑरिया
E. अप्रयासित

28. हरियाणा में धमाल नृत्य के दौरान निम्नलिखित में से कौन-सा संगीत वाद्य यंत्र प्रयोग किया जाता है?
A. डमरू B. डेरू
C. ढोलक D. डफ
E. अप्रयासित

14. B	15. D	16. D	17. D	18. B	19. D	20. C	21. B
22. A	23. B	24. B	25. D	26. B	27. D	28. C	

29. वेरिसेला एक तीव्र, अत्यधिक संक्रामक रोग .... से होता है।
A. इन्फ्लूएंजा वायरस B. वेरिसेला-जोस्टर वायरस
C. रूबेला वायरस D. पोलियो वायरस
E. अप्रयासित

30. लंबे समय तक प्रसव का मतलब है जब प्रसव के पहले और दूसरे चरण की संयुक्त अवधि .... घंटे से अधिक हो।
A. 17 B. 18
C. 15 D. 16
E. अप्रयासित

31. .... प्रसव के दौरान प्रमुख डेटा (मातृ और भ्रूण) का एक संयुक्त ग्राफिकल रिकॉर्ड है, जो कागज के एक टुकड़े में समय के साथ दर्ज किया जाता है।
A. सर्विकोग्राफ B. एफएचआर चार्ट
C. पार्टोग्राफ D. बायोमेट्री चार्ट
E. अप्रयासित

32. .... दर को "आबादी में समय की विशिष्ट अवधि के दौरान होने वाले नए मामलों की संख्या" के रूप में परिभाषित किया गया है।
A. घटना B. रुग्णता
C. मर्त्यता D. प्रसार
E. अप्रयासित

33. .... (जीवन की भावना) महिलाओं द्वारा सक्रिय भ्रूण संचलन की धारणा को दर्शाता है।
A. ऑस्लैंडर्स साइन B. गुडेल का लक्षण
C. स्पन्दन D. ब्रेक्सटन्स-हिक्स संकुचन
E. अप्रयासित

34. .... विचार और धारणाओं का मौखिक आदान-प्रदान है।
A. निर्णय लेना B. समन्वय
C. संघर्ष D. संचार
E. अप्रयासित

35. प्रश्न चिन्ह के स्थान पर कौन-सी संख्या आएगी?
4832, 5840, 6848, ?
A. 7880 B. 7856
C. 7890 D. 7815
E. अप्रयासित

36. स्प्रेडशीट में, रो और कॉलम के इंटरसेक्शन को .... कहा जाता है।
A. सेल B. फाइल
C. फोल्डर D. मेनू
E. अप्रयासित

37. .... अध्ययन तमिलनाडु के चयनित गाँवों में सुनामी पीड़ितों के जीवित अनुभवों का एक उदाहरण है।
A. घटना-क्रिया
B. कार्य
C. ऐतिहासिक
D. नृवंशविज्ञान
E. अप्रयासित

38. द्वितीय पीढ़ी का इथेनॉल संयंत्र 2022 में हरियाणा किस स्थान पर राष्ट्र को समर्पित किया गया?
A. करनाल B. पानीपत
C. जींद D. कुरुक्षेत्र
E. अप्रयासित

39. बिटोट के धब्बे .... की कमी दर्शाया।
A. विटामिन C B. विटामिन B
C. विटामिन D D. विटामिन A
E. अप्रयासित

40. एक स्वस्थ महिला के लिए एक सिंगलटन गर्भावस्था के दौरान वजन बढ़ना औसतन .... किग्रा. होता है।
A. 11 B. 15
C. 20 D. 6
E. अप्रयासित

41. ....कोशिकाएँ इन्सुलिन का स्राव करती है।
A. बीटा B. डेल्टा
C. मस्तूल D. आल्फा
E. अप्रयासित

42. .... मूत्रवाहिनी की सूजन है।
A. मूत्रमार्गशोथ B. पित्ताशय
C. यकृत D. गुर्दे
E. अप्रयासित

43. .... आयोजन प्रक्रिया है जिसके द्वारा हम संवेदी इनपुट की व्याख्या करते हैं।
A. अनुभूति B. सहज वृत्ति
C. प्रेरणा D. इन्द्रियों
E. अप्रयासित

44. संयुक्त राष्ट्र पर्यावरण कार्यक्रम (UNEP) का मुख्यालय .... में स्थित है।
A. वाशिंगटन B. जेनेवा
C. नैरोबी D. न्यूयॉर्क
E. अप्रयासित

29. B	**30.** B	**31.** C	**32.** A	**33.** C	**34.** D	**35.** B	**36.** A
37. A	**38.** B	**39.** D	**40.** A	**41.** A	**42.** A	**43.** A	**44.** C

45. .... को आबादी या अध्ययन समूह में एक व्यक्ति के रूप में परिभाषित किया गया है, जिसकी पहचान विशेष बीमारी, स्वास्थ्य विकार या जाँच के तहत स्थिति के रूप में की गई है।

A. प्रतिनिधि B. मामले
C. मेजबान D. वाहक
E. अप्रयासित

46. निम्नलिखित में से कौन-सा इम्पैक्ट प्रिंटर है?

A. लेजर B. डॉट मैट्रिक्स
C. थर्मल D. इंकजेट
E. अप्रयासित

47. .... व्यक्ति, वस्तु या परिस्थितियों के गुण, विशेषता या लक्षण हैं, जो बदलती हैं या परिवर्तित होती हैं।

A. वर्णनात्मक संबंध B. नियत
C. चर D. कारण और प्रभाव संबंध
E. अप्रयासित

48. भारत का संविधान कब अधिनियमित किया गया था?

A. 26 नवंबर, 1950 B. 26 नवंबर, 1949
C. 26 जनवरी, 1949 D. उपर्युक्त में से कोई नहीं
E. अप्रयासित

49. .... अद्वितीय है क्योंकि यह सूर्य के प्रकाश और भोजन से प्राप्त होता है।

A. विटामिन B B. विटामिन C
C. विटामिन D D. विटामिन A
E. अप्रयासित

50. .... भ्रूण की लंबी धुरी का केंद्रीकृत गर्भाशय या मातृ रीढ़ की लंबी धुरी के संबंध को संदर्भित करता है।

A. प्रस्तुति B. पद
C. लाई D. उपर्युक्त में से कोई नहीं
E. अप्रयासित

51. .... शब्द को लगभग सभी लोगों के स्वास्थ्य को बनाए रखने के लिए पर्याप्त पोषक तत्वों की मात्रा के रूप में परिभाषित किया गया है।

A. अनुशंसित सामयिक पर भत्ता
B. अनुशंसित साप्ताहिक भत्ता
C. अनुशंसित वार्षिक भत्ता
D. अनुशंसित दैनिक भत्ता
E. अप्रयासित

52. .... दूसरे व्यक्ति के खिलाफ हिंसा का अपराध है।

A. हमला B. धोखा
C. गोपनीयता का आक्रमण D. मानहानि
E. अप्रयासित

53. .... अनिवार्य रूप से एक संज्ञानात्मक गतिविधि है।

A. विचार B. याद
C. गणना D. वजह
E. अप्रयासित

54. यदि $A = \begin{bmatrix} \cos 2\theta & -\sin 2\theta \\ \sin 2\theta & \cos 2\theta \end{bmatrix}$ और $A + A^T = I$, जहाँ I, 2×2 की इकाई आव्यूह और A^T A, का अनुप्रस्थ है, तो θ का मान बराबर है।

A. $\frac{\pi}{3}$ B. π
C. $\frac{3\pi}{2}$ D. $\frac{\pi}{6}$
E. अप्रयासित

55. पूर्वव्यापी अध्ययनों को अक्सर .... कहा जाता है।

A. मुद्दा नियंत्रण B. वर्णनात्मक
C. क्रॉस अनुभागीय D. मुद्दा
E. अप्रयासित

56. निम्नलिखित में से कौन इंटरनेट द्वारा व्यापारिक संव्यवहार करता है?

A. ई-कॉमर्स
B. फाइल ट्रान्सफर प्रोटोकॉल (एफटीपी)
C. न्यूज ग्रुप
D. ई-मेल
E. अप्रयासित

57. .... अध्ययन के तहत दो या दो से अधिक चर के बीच अपेक्षित संबंध का एक औपचारिक अस्थायी बयान है।

A. अवधारणा परिभाषा B. परिकल्पना
C. अनुसंधान प्रश्न D. समस्या का विवरण
E. अप्रयासित

58. हरियाणा नगर निगम अधिनियम .... में पारित किया गया।

A. 1973 B. 1974
C. 1994 D. 1970
E. अप्रयासित

59. ब्रुसेलोसिस प्रमुख .... जूनोसिस में से एक है।

A. वायरल B. फंगल
C. प्रोटोजोअल D. जीवाणु
E. अप्रयासित

45. B	**46.** B	**47.** C	**48.** B	**49.** C	**50.** C	**51.** D	**52.** A
53. A	**54.** D	**55.** A	**56.** A	**57.** B	**58.** A	**59.** D	

60. .... विसंगति, खोपड़ी और मस्तिष्क के ऊतकों की वॉल्ट के विकास में कमी का परिणाम है, लेकिन चेहरे का भाग सामान्य होता है।

A. स्पाइना बिफिडा B. दिमागी बुखार
C. अभिमस्तिष्कता D. हाइड्रोसेफालस
E. अप्रयासित

61. .... किडनी की संरचनात्मक और कार्यात्मक इकाई है।

A. केशिकागुच्छ B. नेफ्रॉन
C. कोर्टिसोल D. न्यूरॉन
E. अप्रयासित

62. .... सहसंबंध का प्रकार है जब ($r = +1$)।

A. पूर्ण नकारात्मक सहसंबंध B. मध्यम सकारात्मक सहसंबंध
C. मध्यम नकारात्मक सहसंबंध D. पूर्ण सकारात्मक सहसंबंध
E. अप्रयासित

63. .... को सीरम हेपेटाइटिस के रूप में जाना जाता है।

A. हेपेटाइटिस B B. हेपेटाइटिस C
C. हेपेटाइटिस E D. हेपेटाइटिस A
E. अप्रयासित

64. A, B, C, D, E, F, और G एक परिवार के सात सदस्य हैं। B, E की माता है। C, E का पुत्र है। D, C और G की इकलौती बहन है। E, G के पिता हैं। A, E के माता या पिता हैं। K, G के माता या पिता हैं।
K, B से किस प्रकार संबंधित है?

A. पुत्रवधु B. पिता
C. माता D. पुत्री
E. अप्रयासित

65. डिस्क से लिखी या पढ़ी जा सकने वाली सबसे छोटी इकाई .... है।

A. सेक्टर B. बैकअप
C. मेमोरी D. ट्रैक
E. अप्रयासित

66. .... वह प्रक्रिया है जिसमें विशिष्ट लक्ष्यों या उद्देश्यों को प्राप्त करने के लिए लोग या चीजें मिलकर काम करते हैं।

A. संचार B. संघर्ष
C. समन्वय D. निगम
E. अप्रयासित

67. .... वह मान है जिसमें डेटा की उच्चतम आवृत्ति होती है।

A. बहुलक B. माध्यिक
C. श्रेणी D. मध्य
E. अप्रयासित

68. क्लोरोबेंजीन को 623 K तापमान और 300 एट्मोस्फीयर दाब पर जलीय सोडियम हाइड्रॉक्साइड विलयन में गर्म करके .... में परिवर्तित किया जा सकता है।

A. एसीटॉन B. फिनॉल
C. एनीलिन D. बेंजीन
E. अप्रयासित

69. आंतों का बुखार शब्द में शामिल है :

A. फ्लू का बुखार B. टाइफाइड बुखार
C. डेंग्यू रक्त स्रावी बुखार D. मलेरिया बुखार
E. अप्रयासित

70. वयस्क के लिए औसत दैनिक तरल पदार्थ का सेवन लगभग .... मिली है।

A. 500-900 B. 1000-1400
C. 1500-2000 D. 100-400
E. अप्रयासित

71. राइबोफ्लेविन को .... भी कहा जाता है।

A. विटामिन B_{12} B. विटामिन B_1
C. विटामिन B_3 D. विटामिन B_2
E. अप्रयासित

72. .... कोई अन्य व्यक्ति या जानवर है जहाँ जीव का पोषण होता है और उसे आश्रय मिलता है।

A. जलाशय B. वाहक
C. वाहन D. मेजबान
E. अप्रयासित

73. संरचनावाद .... द्वारा प्रचारित किया जाता है।

A. विलियम जेम्स B. सिगमंड फ्रायड
C. विल्हेम वुंड्ट D. जॉन बी. वाटसन
E. अप्रयासित

74. तमिलनाडु का शास्त्रीय नृत्य है :

A. कथक B. मोहिनीअट्टम
C. कुचीपुडी D. भरतनाट्यम
E. अप्रयासित

75. .... वह विज्ञान है जो जीवित तंत्र पर दवाओं के प्रभाव से संबंधित है।

A. फार्माकोलॉजी B. फार्माकोकाइनेटिक्स
C. फार्माकोडायनामिक्स D. फार्मसी
E. अप्रयासित

60. C	**61.** B	**62.** D	**63.** A	**64.** A	**65.** A	**66.** C	**67.** A
68. B	**69.** B	**70.** C	**71.** D	**72.** D	**73.** C	**74.** D	**75.** A

76. .... एक समीकरण है जो वर्कशीट डेटा पर संचालन करता है।

A. फोर्मूला B. एक्सप्रेशन
C. सेल D. लाइब्रेरी
E. अप्रयासित

77. .... परिवार में पत्नी शादी के बाद पति के घर जाती है और रहती है।

A. मातृस्थानीय B. पितृमातृस्थानीय
C. नियोलोकल D. पितृस्थानीय
E. अप्रयासित

78. हरियाणा में सिरसा .... का सबसे बड़ा उत्पादक है।

A. चावल B. ज्वार
C. बाजरा D. गेहूँ
E. अप्रयासित

79. शब्द रोग .... विशेष रूप से सभी वर्तमान मामलों (पुराने और नए) को संदर्भित करता है जो किसी निश्चित समय पर या किसी निश्चित आबादी में समय की अवधि में मौजूद होते हैं।

A. घटना B. प्रसार
C. पता लगाने D. निदान
E. अप्रयासित

80. स्तनपान कराने के दौरान स्वस्थ माँ प्रतिदिन लगभग .... दूध का उत्पादन करेगी।

A. 100-200 मिली B. 300-400 मिली
C. 500-900 मिली D. 10-100 मिली
E. अप्रयासित

81. हृदय .... गुहिका में होता है।

A. पेल्विक B. थौरैसिक
C. क्रेनियल D. ऐब्डॉमिनल
E. अप्रयासित

82. इम्यूनोलॉजी के जनक .... हैं।

A. रॉबर्ट कोच B. एडवर्ड जेनर
C. लुई पास्चर D. एंटोनी वैन ल्यूवेनहोक
E. अप्रयासित

83. .... अन्तर्जात और जन्मजात प्रवृत्तियाँ या मनोवैज्ञानिक स्वभाव हैं।

A. अनुभूति B. सहज वृत्ति
C. प्रेरणा D. इन्द्रियों
E. अप्रयासित

84. $\left(x^2-\frac{1}{x^2}\right)^{16}$ के विस्तार में नियत पद है।

A. $^{16}C_7$ B. $^{16}C_9$
C. $^{16}C_{10}$ D. $^{16}C_8$
E. अप्रयासित

85. .... निर्माता से वास्तविक टीकाकरण स्थल तक कम तापमान पर टीकों के भंडारण और परिवहन की एक प्रणाली है।

A. बर्फ के पैक B. टीका वाहक
C. ठंडी चैन D. गर्म चैन
E. अप्रयासित

86. .... एक आउटपुट डिवाइस है जो कंप्यूटर से कमांड के आधार पर कागज पर चित्र बनाता है।

A. लेजर B. प्लॉटर
C. डॉट मैट्रिक्स D. इंकजेट
E. अप्रयासित

87. .... वह है जिसमें अनुसंधानकर्ता किसी विशेष समय बिंदु पर आंकड़े एकत्र करता है।

A. अनुदैर्ध्य अनुसंधान डिजाइन
B. प्रवृत्ति अध्ययन
C. पैनल अध्ययन
D. पार अनुभागीय अनुसंधान डिजाइन
E. अप्रयासित

88. प्रसिद्ध डल झील किस नदी द्वारा बनाई गई है?

A. झेलम B. रावी
C. ब्यास D. चिनाब
E. अप्रयासित

89. चिकनपॉक्स एक व्यक्ति से दूसरे व्यक्ति में .... के संक्रमण से फैलता है।

A. वेक्टर B. छोटी बूँद
C. वेहिकल D. धूल
E. अप्रयासित

90. हाइपोनेट्रेमिया को .... mEq/L से कम प्लाज्मा सोडियम स्तर के रूप में परिभाषित किया गया है।

A. 140 B. 150
C. 160 D. 135
E. अप्रयासित

91. आरबीसी सेल की सामान्य जीवनावधि लगभग .... होती है।

A. 112 दिन B. 120 दिन
C. 122 दिन D. 102 दिन
E. अप्रयासित

76. A	**77.** D	**78.** D	**79.** B	**80.** C	**81.** B	**82.** B	**83.** B
84. D	**85.** C	**86.** B	**87.** D	**88.** A	**89.** B	**90.** D	**91.** B

92. .... डेटा के उच्चतम और निम्नतम मूल्य के बीच का अंतर है।

A. चतुर्थक विचलन B. मध्य विचलन
C. श्रेणी D. मानक विचलन
E. अप्रयासित

93. खसरा का .... के रूप में भी जाना जाता है।

A. रूबेला B. जर्मन खसरा
C. मंप्स D. रूबिओला
E. अप्रयासित

94. एक थैले में 1 से 17 अंक लिखी 17 टिकटें हैं। यादृच्छिक रूप से एक टिकट निकाली जाती है। फिर उसे वापस रखे बिना दूसरी टिकट निकाली जाती है। दोनों टिकटों पर सम संख्या हो, इसकी प्रायिकता है।

A. $\frac{8}{17}$ B. $\frac{7}{16}$
C. $\frac{7}{17}$ D. $\frac{7}{34}$
E. अप्रयासित

95. स्थानीय कार्रवाई के लिए विभिन्न स्थलों पर त्वचा या श्लेष्मा झिल्ली पर लगाई जाने वाली .... दवा होती है।

A. प्रणालीगत B. एंटरल
C. आंत्रेतर D. सामयिक
E. अप्रयासित

96. निम्नलिखित में से कौन-सा विकल्प आपको चयनित भाग में पेपर का रंग बदलने या चयनित भाग के चारों ओर बॉर्डर को जोड़ने की अनुमति देता है?

A. पैराग्राफ B. टेक्स्ट रैप
C. कॉलम्स D. बॉर्डर एण्ड शेडिंग
E. अप्रयासित

97. .... नॉमिनल लेवल मापन का एक उदाहरण है।

A. तापमान B. स्वास्थ्य की स्थिति
C. वजन D. लिंग
E. अप्रयासित

98. महाराजा अग्रसेन हरियाणा के किस स्थान से संबंधित हैं?

A. पीहोवा B. रोहतक
C. अग्रोहा D. सिरसा
E. अप्रयासित

99. .... को पतला रोग कहा जाता है।

A. एड्स B. क्लैमाइडिया
C. सुजाक D. उपदंश
E. अप्रयासित

100. एक .... गर्भावस्था वह है जिसमें निषेचित डिंब प्रत्यारोपित होता है और सामान्य एंडोमेट्रियल कैविटी के बाहर विकसित होता है।

A. अन्तरालीय B. अस्थानिक
C. डिम्बग्रंथि D. पेट
E. अप्रयासित

व्याख्यात्मक उत्तर

1. शरीर की सबसे छोटी संरचनात्मक और कार्यात्मक इकाई कोशिका होती है। सभी जीवन क्रियाएँ जैसे श्वसन, पोषण, वृद्धि और प्रजनन कोशिका के स्तर पर होती हैं। ऊतक कई कोशिकाओं से मिलकर बनते हैं, इसलिए वे बड़ी इकाई हैं। अतः कोशिका ही सबसे छोटी कार्यात्मक इकाई है।

2. कै-स्क्वेर परीक्षण एक नॉनपैरामेट्रिक टेस्ट है क्योंकि इसमें सामान्य वितरण की आवश्यकता नहीं होती और यह श्रेणीबद्ध डेटा पर आधारित होता है। इसके विपरीत t-test और ANOVA जैसे परीक्षण पैरामेट्रिक होते हैं, इसलिए सही उत्तर कै-स्क्वेर परीक्षण है।

3. मनोविश्लेषण का सिद्धांत सिगमंड फ्रायड द्वारा विकसित किया गया। इसमें अवचेतन मन, स्वप्नों का विश्लेषण और व्यक्तित्व के विकास की व्याख्या की जाती है। अन्य विकल्प अलग-अलग मनोवैज्ञानिक धाराओं से संबंधित हैं, इसलिए सही उत्तर फ्रायड है।

4. 'इग्नाइटेड माइंड्स' पुस्तक ए.पी.जे. अब्दुल कलाम द्वारा लिखी गई है। यह पुस्तक युवाओं को प्रेरित करने और देश के विकास में उनकी भूमिका को उजागर करती है। इसलिए सही उत्तर ए.पी.जे. अब्दुल कलाम है।

5. समस्या को सुलझाना वह प्रक्रिया है जिसमें उद्देश्यों को प्राप्त करने के लिए बाधाओं की पहचान की जाती है और सुधारात्मक कदम उठाए जाते हैं। इसमें स्थिति का विश्लेषण कर सही समाधान लागू किया जाता है ताकि लक्ष्य प्राप्त हो सके, इसलिए यह परिभाषा समस्या समाधान से पूरी तरह मेल खाती है।

6. वर्ड प्रोसेसिंग सॉफ्टवेयर में 'Replace' फीचर का उपयोग किसी विशेष टेक्स्ट को खोजने और उसे स्वतः किसी अन्य टेक्स्ट से बदलने के लिए किया जाता है। यह सुविधा बड़े दस्तावेजों में एक ही शब्द या वाक्य को बार-बार बदलने में बहुत उपयोगी होती है। अन्य विकल्प जैसे Copy या Goto इस प्रकार का स्वचालित परिवर्तन नहीं करते।

7. मोनोगैमी वह विवाह प्रणाली है जिसमें एक पुरुष एक ही महिला से विवाह करता है। यह विवाह का सबसे सामान्य और सामाजिक रूप से स्वीकार्य स्वरूप है। इसके विपरीत, पॉलीगैमी में एक से अधिक जीवनसाथी होते हैं, इसलिए सही उत्तर मोनोगैमी है।

8. मानव अधिकारों की सार्वत्रिक घोषणा (UDHR) को संयुक्त राष्ट्र महासभा द्वारा 10 दिसंबर 1948 को स्वीकार किया गया था। इस

92. C	93. D	94. D	95. D	96. D	97. D	98. C	99. A	100. B

दिन को विश्वभर में मानवाधिकार दिवस के रूप में मनाया जाता है। यह घोषणा सभी मनुष्यों के मौलिक अधिकारों और स्वतंत्रताओं को स्थापित करती है।

9. 'रूबिओला' शब्द का संबंध खसरा (Measles) रोग से है, जिसमें त्वचा पर लाल रंग के दाने या धब्बे दिखाई देते हैं। यह एक संक्रामक रोग है और इसका प्रमुख लक्षण लाल चकत्ते होते हैं, इसलिए इसका अर्थ लाल धब्बे होता है।

10. आफ्थेल्मिया नियोनटोरम नवजात शिशु में जीवन के पहले महीने के दौरान कंजक्टिवा की सूजन को कहा जाता है। यह प्रायः संक्रमण के कारण होता है और समय पर उपचार न मिलने पर गंभीर जटिलताएँ उत्पन्न कर सकता है, इसलिए यह परिभाषा इसी विकल्प से मेल खाती है।

11. तंत्रिका तंत्र की संरचनात्मक और कार्यात्मक इकाइयाँ न्यूरॉन्स होती हैं। ये विशेष कोशिकाएँ होती हैं जो तंत्रिका आवेगों का संचार करती हैं और पूरे शरीर में संदेश पहुँचाने का कार्य करती हैं। न्यूरोग्लिया सहायक कोशिकाएँ हैं, परन्तु मुख्य इकाई न्यूरॉन्स ही होते हैं।

12. 100 डिग्री सेंटीग्रेड तापमान पर पानी में भोजन पकाने की प्रक्रिया को बॉइलिंग कहा जाता है। इस प्रक्रिया में पानी उबलता है और उसमें भोजन पकाया जाता है। रोस्टिंग सूखी गर्मी में होती है और स्टीमिंग में भाप का उपयोग होता है, इसलिए सही उत्तर बॉइलिंग है।

13. गर्भावस्था के दौरान कुल आयरन की आवश्यकता लगभग 1000 मिलीग्राम होती है। यह आयरन भ्रूण के विकास, माँ के रक्त की मात्रा बढ़ाने और प्रसव के दौरान होने वाले रक्तस्राव की पूर्ति के लिए आवश्यक होता है। इसलिए 1000 mg सही उत्तर है।

14. दिया गया है : $A < B = C, D > C, D \leq E < F$

$B = C \Rightarrow B$ और C समान हैं

$D > C \Rightarrow D > B$

$D \leq E \Rightarrow E \geq D \Rightarrow E > B \Rightarrow B < E$ (निष्कर्ष I सही)

अब $A < B$ और $B < E$ तथा $E < F \Rightarrow A < F$ (निष्कर्ष II सही)

इस प्रकार दोनों निष्कर्ष सही हैं।

15. भावी (Prospective) अनुसंधान डिजाइन में शोधकर्ता वर्तमान स्थिति का अध्ययन करके भविष्य में होने वाले परिणामों का अनुसरण करता है। इसमें प्रतिभागियों को समय के साथ ट्रैक किया जाता है और आगे के प्रभावों का अध्ययन किया जाता है, इसलिए यह वर्तमान को भविष्य से जोड़ता है।

16. वर्चुअल की-बोर्ड एक सॉफ्टवेयर आधारित इनपुट डिवाइस होता है जो स्क्रीन पर दिखाई देता है और उपयोगकर्ता को बिना हार्डवेयर की-बोर्ड के डेटा टाइप करने की सुविधा देता है। इसे माउस, टच या स्टाइलस की मदद से चलाया जाता है, इसलिए यह हार्डवेयर की-बोर्ड जैसा कार्य करता है।

17. आंकड़े (Data) उन मूल्यों या तथ्यों का समूह होते हैं जो एक या अधिक प्रेक्षणात्मक इकाइयों पर दर्ज किए जाते हैं। शोध अध्ययन के दौरान एकत्रित की गई जानकारी को डेटा कहा जाता है, जो विश्लेषण के लिए आधार प्रदान करती है। इसलिए यह परिभाषा आंकड़ों से मेल खाती है।

18. प्रमस्तिष्क (Cerebrum) मानव मस्तिष्क का सबसे बड़ा और मुख्य भाग होता है। यह सोचने, स्मृति, बुद्धि, निर्णय लेने और स्वैच्छिक क्रियाओं को नियंत्रित करता है। इसलिए यह मस्तिष्क का प्रमुख भाग माना जाता है।

19. हेपेटाइटिस A को संक्रामक हेपेटाइटिस या महामारी पीलिया कहा जाता है। यह दूषित भोजन और पानी के माध्यम से फैलता है और अक्सर सामूहिक रूप से फैलने की प्रवृत्ति रखता है, इसलिए इसे महामारी पीलिया भी कहा जाता है।

20. एंडोस्कोपी एक चिकित्सा प्रक्रिया है जिसमें एक पतली, लचीली ट्यूब (एंडोस्कोप) के माध्यम से शरीर के आंतरिक भागों का प्रत्यक्ष निरीक्षण किया जाता है। इसमें कैमरा और प्रकाश होता है जिससे डॉक्टर बिना बड़ी सर्जरी के अंदर की स्थिति देख सकते हैं।

21. अंतःस्रावी ग्रंथियाँ रासायनिक द्रव्य बनाती हैं जिन्हें हार्मोन कहा जाता है। ये सीधे रक्त में स्रावित होते हैं और शरीर के विभिन्न अंगों तथा प्रक्रियाओं जैसे वृद्धि, चयापचय और प्रजनन को नियंत्रित करते हैं। इसलिए हार्मोन ही सही उत्तर है।

22. निष्क्रिय प्रतिरक्षा वह होती है जिसमें तैयार एंटीबॉडी किसी व्यक्ति को सीधे दी जाती हैं। इसमें शरीर स्वयं एंटीबॉडी नहीं बनाता बल्कि बाहरी स्रोत से प्राप्त करता है, जैसे माँ से शिशु को या इंजेक्शन के माध्यम से। इसलिए यह तैयार रूप में हस्तांतरित प्रतिरक्षा है।

23. शुक्राणु का उर्वरण जीवन काल लगभग 48 से 72 घंटे होता है। इस अवधि के दौरान शुक्राणु महिला प्रजनन तंत्र में जीवित रहकर अंडाणु को निषेचित करने में सक्षम होते हैं, इसलिए यही सही विकल्प है।

24. स्पर्शज्याधारामापी (tangent galvanometer) में माप की त्रुटि न्यूनतम तब होती है जब विक्षेपण लगभग 45° हो। इस कोण पर $\tan \theta$ का परिवर्तन अधिक संतुलित होता है, जिससे मापन अधिक सटीक होता है। इसलिए 45° सही उत्तर है।

25. किसी व्यक्ति के बारे में झूठा बयान देना जिससे उसकी प्रतिष्ठा को नुकसान पहुंचे, उसे मानहानि कहा जाता है। यह कानूनी अपराध है और इसमें व्यक्ति की सामाजिक छवि को क्षति पहुँचती है, इसलिए सही उत्तर मानहानि है।

26. जोसेफ मेरी जैक्वार्ड ने एक विशेष पावर लूम का आविष्कार किया जिसमें छिद्रित लकड़ी के कार्डो का उपयोग किया जाता था। इन कार्डों की मदद से जटिल डिजाइन, चित्र और टेक्स्ट को स्वचालित रूप से बुना जा सकता था। यह तकनीक बाद में कंप्यूटर प्रोग्रामिंग के विकास में भी महत्वपूर्ण सिद्ध हुई।

27. 'थ्योरी' शब्द ग्रीक शब्द 'थिऑरिया' (Theoria) से आया है, जिसका अर्थ है चिंतन या अवलोकन। यह किसी विषय को समझने और व्याख्या करने के लिए विचारों का एक व्यवस्थित समूह होता है, इसलिए यही सही उत्तर है।

28. हरियाणा के धमाल नृत्य में ताल और लय बनाए रखने के लिए ढोलक का उपयोग किया जाता है। यह एक पारंपरिक ताल वाद्य यंत्र है जो समूह नृत्य में ऊर्जा और गति प्रदान करता है, इसलिए सही उत्तर ढोलक है।

29. वेरिसेला (चिकनपॉक्स) एक अत्यधिक संक्रामक रोग है जो वेरिसेला-जोस्टर वायरस के कारण होता है। इसमें शरीर पर खुजलीदार दाने निकलते हैं और यह मुख्यतः श्वसन मार्ग से फैलता है, इसलिए यही सही उत्तर है।

30. लंबे समय तक प्रसव (Prolonged labour) तब माना जाता है जब प्रसव के पहले और दूसरे चरण की संयुक्त अवधि 18 घंटे से अधिक हो जाती है। इससे माँ और शिशु दोनों के लिए जोखिम बढ़ सकता है, इसलिए 18 घंटे सही सीमा है।

31. पार्टोग्राफ एक संयुक्त ग्राफिकल रिकॉर्ड होता है जिसमें प्रसव के दौरान मातृ और भ्रूण से संबंधित महत्वपूर्ण जानकारी समय के अनुसार दर्ज की जाती है। इसमें गर्भाशय ग्रीवा का फैलाव, भ्रूण की हृदय गति, संकुचन आदि को एक ही चार्ट पर दर्शाया जाता है, जिससे प्रसव की प्रगति की निगरानी की जा सके।

32. घटना दर (Incidence rate) वह दर है जो किसी आबादी में एक निश्चित समय अवधि के दौरान उत्पन्न होने वाले नए मामलों की संख्या को दर्शाती है।

यह रोग के प्रसार के जोखिम को समझने में सहायक होती है, जबकि प्रसार (Prevalence) में पुराने और नए दोनों मामले शामिल होते हैं।

33. स्पन्दन (Quickening) उस अवस्था को दर्शाता है जब गर्भवती महिला पहली बार भ्रूण की सक्रिय हलचल को महसूस करती है। यह गर्भावस्था का एक महत्वपूर्ण संकेत होता है और आमतौर पर मध्य गर्भावस्था में अनुभव किया जाता है।

34. संचार वह प्रक्रिया है जिसमें विचारों, भावनाओं और सूचनाओं का मौखिक या अन्य माध्यमों से आदान-प्रदान होता है। जब विशेष रूप से मौखिक आदान-प्रदान की बात होती है, तो इसे संचार कहा जाता है।

35. दिए गए क्रम में अंतर निकालते हैं :

5840 – 4832 = 1008

6848 – 5840 = 1008

अर्थात् हर बार 1008 जोड़ा जा रहा है।

अब अगला पद : 6848 + 1008 = 7856

इसलिए प्रश्न चिह्न के स्थान पर 7856 आएगा।

36. स्प्रेडशीट में जहाँ एक पंक्ति (row) और एक स्तंभ (column) आपस में मिलते हैं, उसे सेल कहा जाता है। प्रत्येक सेल में डेटा, संख्या या सूत्र दर्ज किया जा सकता है और इसका एक विशिष्ट पता होता है जैसे A1, B2 आदि। इसलिए इंटरसेक्शन को सेल कहा जाता है।

37. किसी विशेष घटना से प्रभावित व्यक्तियों के वास्तविक जीवन के अनुभवों का अध्ययन घटना-क्रिया (Phenomenological) अध्ययन कहलाता है।

इसमें शोधकर्ता व्यक्तियों की अनुभूतियों और अनुभवों को समझने का प्रयास करता है, जैसे सुनामी पीड़ितों के जीवन अनुभवों का अध्ययन। इसलिए यह घटना-क्रिया अध्ययन का उदाहरण है।

38. द्वितीय पीढ़ी का एथेनॉल संयंत्र हरियाणा के पानीपत में 2022 में राष्ट्र को समर्पित किया गया। यह संयंत्र कृषि अवशेषों से एथेनॉल उत्पादन के लिए स्थापित किया गया है और पर्यावरण संरक्षण में महत्वपूर्ण भूमिका निभाता है।

39. बिटोट के धब्बे आँखों की कंजक्टिवा पर सफेद झागदार धब्बों के रूप में दिखाई देते हैं और यह विटामिन A की कमी का प्रमुख लक्षण है। यह कमी दृष्टि पर प्रभाव डालती है और रात में देखने में कठिनाई उत्पन्न कर सकती है।

40. एक स्वस्थ महिला में सामान्य सिंगलटन गर्भावस्था के दौरान औसत वजन बढ़ना लगभग 11 किलोग्राम होता है। यह वृद्धि भ्रूण, प्लेसेंटा, अम्नियोटिक द्रव और मातृ ऊतकों के विकास के कारण होती है, जो स्वस्थ गर्भावस्था के लिए आवश्यक है।

41. अग्न्याशय के लैंगरहैंस की द्वीपिकाओं में बीटा कोशिकाएँ इन्सुलिन का स्राव करती हैं। इन्सुलिन रक्त में ग्लूकोज के स्तर को नियंत्रित करता है और कोशिकाओं में ग्लूकोज के प्रवेश को बढ़ाता है। अल्फा कोशिकाएँ ग्लूकागन स्रावित करती हैं, इसलिए सही उत्तर बीटा कोशिकाएँ हैं।

42. मूत्रवाहिनी (ureter) की सूजन को चिकित्सकीय रूप से यूरेटराइटिस कहा जाता है, जिसका हिन्दी में अर्थ मूत्रमार्गशोथ या मूत्रवाहिनी की सूजन होता है। '-शोथ' शब्द का अर्थ सूजन होता है, इसलिए यह विकल्प परिभाषा से मेल खाता है।

43. अनुभूति (Perception) वह प्रक्रिया है जिसके द्वारा हम संवेदी सूचनाओं को व्यवस्थित करके उनका अर्थ निकालते हैं। यह केवल इन्द्रियों द्वारा प्राप्त जानकारी को ग्रहण करना नहीं बल्कि उसे समझना और व्याख्या करना भी शामिल करता है, इसलिए सही उत्तर अनुभूति है।

44. संयुक्त राष्ट्र पर्यावरण कार्यक्रम (UNEP) का मुख्यालय केन्या की राजधानी नैरोबी में स्थित है। यह संयुक्त राष्ट्र का एकमात्र प्रमुख कार्यक्रम है जिसका मुख्यालय विकासशील देश में है और यह वैश्विक पर्यावरण संरक्षण से संबंधित कार्य करता है।

45. महामारी विज्ञान में 'मामले' (Cases) उस व्यक्ति को कहा जाता है जिसकी पहचान किसी विशेष रोग, विकार या स्थिति से प्रभावित होने के रूप में की गई हो। यह रोग की गणना और अध्ययन के लिए एक मूलभूत इकाई होती है, इसलिए सही उत्तर मामले है।

46. डॉट मैट्रिक्स प्रिंटर एक इम्पैक्ट प्रिंटर होता है जो स्याही लगी रिबन पर छोटे-छोटे पिन मारकर अक्षरों और चित्रों को बनाता है। लेजर, थर्मल और इंकजेट प्रिंटर इम्पैक्ट नहीं होते क्योंकि इनमें कागज पर सीधे प्रहार नहीं किया जाता।

47. चर (Variables) वे गुण, विशेषताएँ या लक्षण होते हैं जो व्यक्ति, वस्तु या परिस्थितियों में बदलते रहते हैं। शोध में इन्हें मापा या विश्लेषित किया जाता है ताकि विभिन्न संबंधों को समझा जा सके। इसलिए यह परिभाषा चर से मेल खाती है।

48. भारत का संविधान 26 नवंबर 1949 को अधिनियमित (adopt) किया गया था। इसके बाद यह 26 जनवरी 1950 को लागू हुआ, जिसे गणतंत्र दिवस के रूप में मनाया जाता है। इसलिए अधिनियमन की तिथि 26 नवंबर 1949 है।

49. विटामिन D विशेष है क्योंकि यह सूर्य के प्रकाश के संपर्क में त्वचा में बनता है और भोजन से भी प्राप्त किया जा सकता है। अन्य विटामिन मुख्यतः केवल आहार से ही मिलते हैं, इसलिए यह अद्वितीय माना जाता है।

50. प्रसूति विज्ञान में 'लाई' (Lie) उस संबंध को दर्शाता है जिसमें भ्रूण की लंबी धुरी और गर्भाशय या मातृ रीढ़ की लंबी धुरी के बीच संबंध होता है। यह longitudinal, transverse या oblique हो सकता है, इसलिए सही उत्तर लाई है।

51. अनुशंसित दैनिक भत्ता (Recommended Daily Allowance) वह मात्रा है जो लगभग सभी स्वस्थ व्यक्तियों के पोषण की आवश्यकता को पूरा करने के लिए पर्याप्त मानी जाती है। यह प्रतिदिन आवश्यक पोषक तत्वों की औसत मात्रा को दर्शाता है, जिससे शरीर का सामान्य कार्य और स्वास्थ्य बनाए रखा जा सके।

52. हमला (Assault) दूसरे व्यक्ति के खिलाफ हिंसा का अपराध होता है, जिसमें किसी को शारीरिक क्षति पहुँचाने या उसके प्रति हिंसात्मक व्यवहार का खतरा उत्पन्न किया जाता है। यह एक दंडनीय अपराध है, इसलिए सही उत्तर हमला है।

53. विचार (Thinking) एक संज्ञानात्मक गतिविधि है जिसमें व्यक्ति जानकारी का विश्लेषण, निर्णय और समस्या समाधान करता है। यह मानसिक प्रक्रिया है जो तर्क और समझ पर आधारित होती है, इसलिए यह संज्ञानात्मक क्रिया के अंतर्गत आती है।

54. दिया है, $A = \begin{bmatrix} \cos 2\theta & -\sin 2\theta \\ \sin 2\theta & \cos 2\theta \end{bmatrix}$

यह एक रोटेशन मैट्रिक्स है

चरण 1: A^T हल करने पर :

$$A^T = \begin{bmatrix} \cos 2\theta & \sin 2\theta \\ -\sin 2\theta & \cos 2\theta \end{bmatrix}$$

चरण 2: $A + A^T$ योग करने पर :

$$A + A^T = \begin{bmatrix} \cos 2\theta + \cos 2\theta & -\sin 2\theta + \sin 2\theta \\ \sin 2\theta - \sin 2\theta & \cos 2\theta + \cos 2\theta \end{bmatrix}$$

$$= \begin{bmatrix} 2\cos 2\theta & 0 \\ 0 & 2\cos 2\theta \end{bmatrix}$$

$$= 2\cos(2\theta)\, I$$

चरण 3: दी गई शर्तों के अनुसार,

$$A + A^T = I$$

अतः

$$2\cos(2\theta) I = I$$

यह प्रदान करता है :

$$2\cos(2\theta) = 1$$

$$\cos(2\theta) = \frac{1}{2}$$

चरण 4: हल करने पर :

$$2\theta = \frac{\pi}{3} \Rightarrow \theta = \frac{\pi}{6}.$$

55. पूर्वव्यापी अध्ययन (Retrospective studies) को अक्सर केस-कंट्रोल (Case control) अध्ययन कहा जाता है।

इसमें पहले से मौजूद मामलों (cases) और नियंत्रण (controls) की तुलना करके अतीत के कारणों का विश्लेषण किया जाता है, इसलिए सही उत्तर मुद्दा नियंत्रण है।

56. ई-कॉमर्स वह प्रणाली है जिसमें इंटरनेट के माध्यम से वस्तुओं और सेवाओं की खरीद-बिक्री की जाती है। इसमें ऑनलाइन भुगतान, ऑर्डर और व्यापारिक लेन-देन शामिल होते हैं, इसलिए यह सीधे व्यापारिक संव्यवहार से संबंधित है।

57. परिकल्पना (Hypothesis) एक औपचारिक और अस्थायी कथन होता है जो अध्ययन में दो या दो से अधिक चरों के बीच संभावित संबंध को व्यक्त करता है। इसे शोध के दौरान परीक्षण करके सत्य या असत्य सिद्ध किया जाता है, इसलिए यह परिभाषा परिकल्पना से मेल खाती है।

58. हरियाणा नगर निगम अधिनियम 1973 में पारित किया गया था। यह अधिनियम राज्य में नगर निकायों के गठन, कार्य और प्रशासन को नियंत्रित करने के लिए बनाया गया था, इसलिए सही उत्तर 1973 है।

59. ब्रुसेलोसिस एक जीवाणु जनित (Bacterial) जूनोसिस रोग है जो ब्रुसेला नामक बैक्टीरिया से होता है। यह पशुओं से मनुष्यों में फैल सकता है, इसलिए इसे प्रमुख जीवाणु जूनोसिस माना जाता है।

60. अभिमस्तिष्कता (Anencephaly) एक जन्मजात विसंगति है जिसमें खोपड़ी की ऊपरी हड्डियों और मस्तिष्क के ऊतकों का विकास नहीं हो पाता, जबकि चेहरे का भाग सामान्य रहता है। यह एक गंभीर न्यूरल ट्यूब दोष है, इसलिए यही सही उत्तर है।

61. किडनी की संरचनात्मक और कार्यात्मक इकाई नेफ्रॉन होता है। यही रक्त का निस्यंदन करके मूत्र बनाता है और पुनर्शोषण व स्राव जैसी प्रक्रियाओं द्वारा जल-लवण संतुलन बनाए रखता है। केशिकागुच्छ (ग्लोमेरुलस) नेफ्रॉन का एक भाग है, पूरी इकाई नहीं।

62. जब सहसंबंध गुणांक $r = +1$ होता है, तब यह पूर्ण सकारात्मक सहसंबंध दर्शाता है। इसका अर्थ है कि एक चर बढ़े तो दूसरा चर भी समान अनुपात में बढ़ता है और दोनों के बीच बिल्कुल सीधा रैखिक संबंध होता है।

63. हेपेटाइटिस B को सीरम हेपेटाइटिस कहा जाता है क्योंकि इसका प्रसार मुख्यतः रक्त, सुई/सीरिंज, संक्रमित शारीरिक द्रवों और रक्त-सम्पर्क से होता है। इसके विपरीत हेपेटाइटिस A को संक्रामक/एपिडेमिक जॉन्डिस कहा जाता है।

64. B, E की माता है, यानी E, B का पुत्र है। E, G का पिता है, इसलिए G का दूसरा अभिभावक K होगा (क्योंकि K, G की माता या पिता बताया गया है और पिता पहले से E है)। अतः K, G की माता होगी और वह E की पत्नी होगी। E, B का पुत्र है, इसलिए K, B की पुत्रवधु (daughter-in-law) हुई।

65. डिस्क पर डेटा लिखने/पढ़ने की सबसे छोटी इकाई सेक्टर होती है। ट्रैक कई सेक्टरों से मिलकर बनता है, इसलिए ट्रैक बड़ी इकाई है। इसी कारण रीड/राइट ऑपरेशन मूलतः सेक्टर स्तर पर ही किए जाते हैं।

66. समन्वय वह प्रक्रिया है जिसमें विभिन्न व्यक्ति या समूह एक साथ मिलकर कार्य करते हैं ताकि निर्धारित लक्ष्यों को प्रभावी ढंग से प्राप्त किया जा सके। इसमें कार्यों का संतुलन, सामंजस्य और सहयोग सुनिश्चित किया जाता है, जिससे संगठनात्मक उद्देश्यों की पूर्ति होती है।

67. बहुलक (Mode) वह मान होता है जिसकी आवृत्ति डेटा में सबसे अधिक होती है। यह उस मान को दर्शाता है जो सबसे अधिक बार आता है, इसलिए इसे उच्चतम आवृत्ति वाला मान कहा जाता है।

68. क्लोरोबेंजीन को उच्च ताप (623 K) और उच्च दाब (300 atm) पर जलीय सोडियम हाइड्रॉक्साइड के साथ अभिक्रिया कराने पर फिनॉल प्राप्त होता है। यह प्रक्रिया न्यूक्लियोफिलिक प्रतिस्थापन की एक उदाहरण है, जिसे Dow process कहा जाता है।

69. आंतों का बुखार (Enteric fever) मुख्य रूप से टाइफाइड और पैराटाइफाइड बुखार को शामिल करता है, जो साल्मोनेला बैक्टीरिया से होता है। दिए गए विकल्पों में टाइफाइड बुखार ही इसका सही प्रतिनिधित्व करता है।

70. एक स्वस्थ वयस्क के लिए औसत दैनिक तरल पदार्थ का सेवन लगभग 1500 से 2000 मिलीलीटर होता है। यह शरीर के जल संतुलन, चयापचय और अपशिष्ट निष्कासन के लिए आवश्यक है।

71. राइबोफ्लेविन को विटामिन B_2 कहा जाता है। यह जल में घुलनशील विटामिन है जो ऊर्जा उत्पादन, कोशिकीय कार्यों और त्वचा व आँखों के स्वास्थ्य के लिए आवश्यक होता है।

72. मेजबान (Host) वह व्यक्ति या जानवर होता है जिसमें कोई जीव (जैसे परजीवी या रोगजनक) रहता है, पोषण प्राप्त करता है और अपना जीवन चक्र पूरा करता है। इसलिए यह परिभाषा मेजबान से मेल खाती है।

73. संरचनावाद (Structuralism) का प्रचार विल्हेम वुंड्ट ने किया था। उन्होंने मानसिक प्रक्रियाओं को छोटे-छोटे घटकों में विभाजित कर अध्ययन करने पर जोर दिया, इसलिए उन्हें आधुनिक मनोविज्ञान का जनक भी कहा जाता है।

74. भरतनाट्यम तमिलनाडु का प्रमुख शास्त्रीय नृत्य है। यह प्राचीन नृत्य शैली है जिसमें भाव, राग और ताल का समन्वय होता है और यह मंदिरों से उत्पन्न हुआ है।

75. फार्माकोलॉजी वह विज्ञान है जो जीवित तंत्र पर दवाओं के प्रभाव का अध्ययन करता है। इसमें दवाओं की क्रिया, उपयोग, प्रभाव और दुष्प्रभावों का अध्ययन किया जाता है, इसलिए यही सही उत्तर है।

76. स्प्रेडशीट में फॉर्मूला एक ऐसा समीकरण होता है जो वर्कशीट के डेटा पर गणनाएँ या संचालन करता है। इसमें संख्याएँ, सेल संदर्भ और ऑपरेटर शामिल होते हैं, जिससे विभिन्न प्रकार की गणनाएँ स्वतः की जा सकती हैं।

77. पितृस्थानीय (Patrilocal) परिवार में विवाह के बाद पत्नी, पति के घर जाकर रहती है। यह व्यवस्था पितृसत्तात्मक समाजों में सामान्य होती है जहाँ परिवार का केंद्र पुरुष होता है।

78. हरियाणा का सिरसा जिला गेहूँ के उत्पादन के लिए प्रसिद्ध है। यहाँ की उपजाऊ भूमि और सिंचाई सुविधाओं के कारण गेहूँ का उत्पादन अधिक मात्रा में होता है, इसलिए यह सबसे बड़ा उत्पादक माना जाता है।

79. प्रसार (Prevalence) वह माप है जिसमें किसी आबादी में एक निश्चित समय पर या अवधि में मौजूद सभी मामलों (पुराने और नए दोनों) को शामिल किया जाता है। यह रोग के कुल भार को दर्शाता है, इसलिए यह परिभाषा प्रसार से मेल खाती है।

80. एक स्वस्थ स्तनपान कराने वाली माँ प्रतिदिन लगभग 500 से 900 मिलीलीटर दूध का उत्पादन करती है। यह मात्रा शिशु की पोषण आवश्यकताओं को पूरा करने के लिए पर्याप्त होती है और माँ के स्वास्थ्य पर भी निर्भर करती है।

81. हृदय शरीर की थोरैसिक (छाती) गुहा में स्थित होता है। यह फेफड़ों के बीच मेडियास्टिनम क्षेत्र में पाया जाता है और पसलियों द्वारा सुरक्षित रहता है। इसलिए हृदय का स्थान थोरैसिक गुहा है।

82. एडवर्ड जेनर को इम्यूनोलॉजी का जनक माना जाता है क्योंकि उन्होंने 1796 में चेचक के खिलाफ पहला सफल टीका विकसित किया था। उनके कार्य ने प्रतिरक्षा विज्ञान की नींव रखी, इसलिए यह सही उत्तर है।

83. सहज वृत्तियाँ (Instincts) जन्मजात और अंतर्जात प्रवृत्तियाँ होती हैं जो बिना सीखे स्वाभाविक रूप से प्रकट होती हैं। ये व्यवहार और मानसिक प्रतिक्रियाओं को नियंत्रित करती हैं, इसलिए यह परिभाषा सहज वृत्ति से मेल खाती है।

84. दिया गया व्यंजन :

$$\left(x^2 - \frac{1}{x^2}\right)^{16}$$

सामान्य पद :

$$T_{r+1} = \binom{16}{r}(x^2)^{16-r}\left(-\frac{1}{x^2}\right)^r$$

अब x की घात के लिए हल करने पर :

$$(x^2)^{16-r} = x^{2(16-r)} = x^{32-2r}$$

$$\left(\frac{1}{x^2}\right)^r = x^{-2r}$$

अतः,
$$T_{r+1} = \binom{16}{r}(-1)^r x^{32-2r} \cdot x^{-2r}$$

$$= \binom{16}{r}(-1)^r x^{32-4r}$$

नियत पद के लिए, x की घात 0 होनी चाहिए

$$32 - 4r = 0$$
$$4r = 32$$
$$r = 8$$

अतः नियत पद : $\binom{16}{8}$

अतः अभीष्ट उत्तर $^{16}C_8$ है।

85. ठंडी चैन (Cold chain) वह प्रणाली है जिसमें टीकों को निर्माता से लेकर टीकाकरण स्थल तक लगातार कम तापमान पर संग्रहित और परिवाहित किया जाता है। इससे टीकों की प्रभावशीलता बनी रहती है, इसलिए सही उत्तर ठंडी चैन है।

86. प्लॉटर एक आउटपुट डिवाइस है जो कंप्यूटर के निर्देशों के आधार पर कागज पर रेखाचित्र, ग्राफ और डिजाइन बनाता है। यह विशेष रूप से इंजीनियरिंग और आर्किटेक्चर में उपयोग होता है जहाँ सटीक चित्र बनाना आवश्यक होता है।

87. पार अनुभागीय (Cross-sectional) अनुसंधान डिजाइन में शोधकर्ता एक निश्चित समय बिंदु पर डेटा एकत्र करता है। यह अध्ययन किसी स्थिति का तत्काल चित्र प्रस्तुत करता है और समय के साथ परिवर्तन का अध्ययन नहीं करता।

88. डल झील जम्मू-कश्मीर में स्थित है और यह झेलम नदी प्रणाली से जुड़ी हुई है। इसलिए इसे झेलम नदी द्वारा निर्मित माना जाता है।

89. चिकनपॉक्स मुख्यतः छोटी बूँदों (droplet infection) के माध्यम से एक व्यक्ति से दूसरे व्यक्ति में फैलता है। संक्रमित व्यक्ति के खाँसने या छींकने से यह संक्रमण आसानी से फैल सकता है।

90. हाइपोनेट्रेमिया वह स्थिति है जिसमें रक्त में सोडियम का स्तर 135 mEq/L से कम हो जाता है। यह शरीर में तरल संतुलन को प्रभावित करता है और विभिन्न लक्षण उत्पन्न कर सकता है, इसलिए सही उत्तर 135 है।

91. लाल रक्त कणिकाओं (RBC) की सामान्य जीवनावधि लगभग 120 दिन होती है। इस अवधि के बाद ये कोशिकाएँ नष्ट हो जाती हैं और नई कोशिकाएँ अस्थि मज्जा में बनती हैं। RBC का मुख्य कार्य ऑक्सीजन का परिवहन करना है।

92. श्रेणी (Range) डेटा के उच्चतम और निम्नतम मान के बीच का अंतर होती है। यह प्रसार का सबसे सरल माप है और डेटा के फैलाव का एक सामान्य संकेत देती है।

93. खसरा (Measles) को रूबिओला भी कहा जाता है। यह एक संक्रामक वायरल रोग है जिसमें शरीर पर लाल दाने निकलते हैं। रूबेला (German measles) एक अलग रोग है, इसलिए सही उत्तर रूबिओला है।

94. कुल टिकट = 17 (1 से 17 तक गिनती)

सम संख्या = 2, 4, 6, 8, 10, 12, 14, 16 → कुल = 8

पहली बार सम संख्या आने की प्रायिकता = $\frac{8}{17}$

एक टिकट निकालने के बाद, शेष टिकट = 16

शेष सम टिकट = 7

दूसरी बार सम संख्या आने की प्रायिकता = $\frac{7}{16}$

बिना बदले निकालने के बाद, प्रायिकता :

$$\frac{8}{17}\times\frac{7}{16} = \frac{56}{272} = \frac{7}{34}$$

अतः अभीष्ट प्रायिकता = $\frac{7}{34}$.

95. सामयिक (Topical) दवाएँ त्वचा या श्लेष्मा झिल्ली पर सीधे लगाई जाती हैं और स्थानीय प्रभाव उत्पन्न करती हैं। ये दवाएँ शरीर में व्यापक रूप से नहीं फैलतीं बल्कि केवल उस स्थान पर कार्य करती हैं जहाँ उन्हें लगाया जाता है, इसलिए सही उत्तर सामयिक है।

96. वर्ड प्रोसेसिंग में 'Borders and Shading' विकल्प का उपयोग चयनित टेक्स्ट के चारों ओर बॉर्डर लगाने या उसके बैकग्राउंड (पेपर) का रंग बदलने के लिए किया जाता है। यह दस्तावेज को आकर्षक और व्यवस्थित बनाने में मदद करता है।

97. नाममात्र स्तर (Nominal level) मापन में डेटा को केवल श्रेणियों में वर्गीकृत किया जाता है, जिनमें कोई क्रम या माप नहीं होता। लिंग (Gender) एक ऐसी ही श्रेणी है जिसमें कोई क्रम नहीं होता, इसलिए यह नाममात्र स्तर का उदाहरण है।

98. महाराजा अग्रसेन हरियाणा के अग्रोहा से संबंधित माने जाते हैं। यह स्थान उनका प्राचीन राज्य था और आज भी ऐतिहासिक एवं सांस्कृतिक दृष्टि से महत्वपूर्ण है।

99. एड्स को 'पतला रोग' (Slim disease) कहा जाता है क्योंकि इसमें व्यक्ति का अत्यधिक वजन कम हो जाता है और शरीर कमजोर हो जाता है। यह HIV संक्रमण के कारण होता है जो प्रतिरक्षा तंत्र को प्रभावित करता है।

100. अस्थानिक (Ectopic) गर्भावस्था वह होती है जिसमें निषेचित अंडाणु गर्भाशय के सामान्य स्थान के बाहर, जैसे फेलोपियन ट्यूब में, विकसित होता है। यह स्थिति गंभीर होती है और तुरंत चिकित्सा उपचार की आवश्यकता होती है।

नर्सिंग

1. शरीर रचना (Anatomy)

1. मानव शरीर की सबसे छोटी क्रियात्मक इकाई (functional unit) है

A. अंग (Organ)
B. कोशिका (Cell)
C. ऊतक द्रव्यमान (Tissue mass)
D. तंत्र (System)

2. शारीरिक स्थिति (anatomical position) का अर्थ है शरीर का खड़ा होना

A. हथेलियाँ पीछे की ओर (With palms backward)
B. मेज पर सीधा लेटा हुआ (Supine on table)
C. सामने की ओर मुख करके (Facing forward)
D. भुजाएँ सिर के ऊपर (Arms above head)

3. वह तल (plane) जो शरीर को समान दाएँ और बाएँ भागों में विभाजित करता है, है

A. फ्रंटल तल (Frontal plane)
B. अनुप्रस्थ तल (Transverse plane)
C. सैजिटल तल (Sagittal plane)
D. तिर्यक खंड (Oblique section)

4. मानव शरीर की सबसे लंबी अस्थि (bone) है

A. ह्यूमरस　　B. टिबिया
C. फीमर　　D. रेडियस

5. मस्तिष्क (brain) का कौन सा भाग संतुलन (balance) और आसन (posture) को नियंत्रित करता है?

A. सेरिबिलम　　B. मेडुला
C. सेरिब्रम　　D. हाइपोथैलेमस

6. मानव हृदय (heart) में कक्षों (chambers) की संख्या है

A. दो कक्ष (Two chambers)
B. तीन गुहाएँ (Three cavities)
C. चार कक्ष (Four chambers)
D. पाँच भाग (Five sections)

7. गुर्दे (kidney) की क्रियात्मक इकाई (functional unit) है

A. न्यूरॉन　　B. नेफ्रॉन
C. एल्वियोली　　D. नलिका

8. गैसों के आदान-प्रदान (gas exchange) के लिए उत्तरदायी अंग है

A. ट्रेकिया　　B. ब्रोंकस
C. फेफड़े　　D. लैरिंक्स

9. कौन-सी संरचना मांसपेशियों को अस्थियों से जोड़ती है?

A. लिगामेंट　　B. टेंडन
C. कार्टिलेज　　D. फेशिया

10. निम्नलिखित का मिलान कीजिए :

कॉलम-I	कॉलम-II
A. फीमर	1. जांघ की अस्थि
B. ह्यूमरस	2. अग्रबाहु की अस्थि
C. रेडियस	3. निचले पैर की अस्थि
D. टिबिया	4. ऊपरी भुजा की अस्थि

A. A-1, B-4, C-2, D-3
B. A-4, B-1, C-3, D-2
C. A-1, B-2, C-4, D-3
D. A-3, B-4, C-1, D-2

11. वयस्क मानव कंकाल (adult human skeleton) में अस्थियों (bones) की संख्या है

A. 196　　B. 206
C. 216　　D. 226

12. खोपड़ी (skull) में .... अस्थियाँ (bones) होती हैं।

A. बाईस (22)　　B. चौबीस (24)
C. बीस (20)　　D. छब्बीस (26)

13. वयस्क में कशेरुक स्तंभ (vertebral column) में .... कशेरुकाएँ (vertebrae) होती हैं।

A. 31　　B. 33
C. 35　　D. 29

14. दो कशेरुकाओं (vertebrae) के बीच उपस्थित संधि (joint) है

A. रेशेदार संधि (Fibrous joint)
B. सिनोवियल संधि (Synovial joint)
C. उपास्थिय संधि (Cartilaginous joint)
D. गेंद-गह्वर संधि (Ball socket joint)

15. कौन-सी अस्थि (bone) को कॉलर बोन (collar bone) कहा जाता है?

A. स्कैपुला
B. क्लैविकल
C. स्टर्नम
D. रिब

16. स्कैपुला स्थित होता है

A. श्रोणि क्षेत्र (Pelvic region)
B. कंधा क्षेत्र (Shoulder region)
C. वक्ष गुहा (Thoracic cavity)
D. कपाल गुहा (Cranial cavity)

17. पटेला स्थित होता है

A. कोहनी (Elbow)
B. घुटना (Knee)
C. टखना (Ankle)
D. कलाई (Wrist)

18. ऊपरी अंग (upper limb) की सबसे लंबी अस्थि (bone) है

A. रेडियस
B. उल्ना
C. ह्यूमरस
D. स्कैपुला

19. शरीर की सबसे छोटी अस्थि है

A. इन्कस
B. मैलियस
C. स्टेप्स
D. कोक्लिया

20. रिब्स (ribs) पीछे की ओर (posteriorly) जुड़ी होती हैं

A. स्टर्नम
B. कशेरुक स्तंभ
C. क्लैविकल
D. स्कैपुला

21. स्टर्नम (sternum) स्थित होता है

A. पीठ क्षेत्र (Back region)
B. वक्ष क्षेत्र (Chest region)
C. गर्दन क्षेत्र (Neck region)
D. उदर (Abdomen)

22. वह संधि (joint) जो अधिकतम गति (maximum movement) की अनुमति देती है

A. हिंज संधि (Hinge joint)
B. पिवट संधि (Pivot joint)
C. बॉल एंड सॉकेट संधि (Ball and socket joint)
D. ग्लाइडिंग संधि (Gliding joint)

23. कोहनी (elbow) में उपस्थित संधि (joint) है

A. पिवट संधि (Pivot joint)
B. हिंज संधि (Hinge joint)
C. बॉल सॉकेट (Ball socket)
D. सैडल संधि (Saddle joint)

24. कार्टिलेज एक प्रकार का होता है

A. एपिथीलियल ऊतक (Epithelial tissue)
B. पेशीय ऊतक (Muscular tissue)
C. संयोजी ऊतक (Connective tissue)
D. तंत्रिका ऊतक (Nervous tissue)

25. निम्नलिखित में से कौन-सी अस्थि (bone) मस्तिष्क (brain) की रक्षा करती है?

A. रिब (Rib)
B. फीमर (Femur)
C. खोपड़ी (Skull)
D. कशेरुका (Vertebra)

26. निम्नलिखित का मिलान कीजिए :

कॉलम-I	कॉलम-II
A. एटलस	1. प्रथम ग्रीवा कशेरुका
B. एक्सिस	2. पूंछ अस्थि
C. सैक्रम	3. संयुक्त कशेरुकाएँ
D. कॉक्सिक्स	4. द्वितीय ग्रीवा कशेरुका

A. A-1, B-4, C-3, D-2
B. A-4, B-1, C-2, D-3
C. A-3, B-2, C-4, D-1
D. A-2, B-3, C-1, D-4

27. ग्रीवा कशेरुकाओं (cervical vertebrae) की संख्या है

A. पाँच
B. छह
C. सात
D. आठ

28. श्रोणि गर्डल (pelvic girdle) का निर्माण होता है

A. दो अस्थियों
B. तीन अस्थियों
C. चार अस्थियों
D. पाँच अस्थियों

29. **कथन I:** सिनोवियल संधियाँ (synovial joints) स्वतंत्र गति (free movement) की अनुमति देती हैं।

कथन II: इनमें सिनोवियल द्रव (synovial fluid) होता है।

A. दोनों कथन सही हैं
B. I सही है, II गलत है
C. दोनों कथन गलत हैं
D. I गलत है, II सही है

30. **कथन I:** लाल अस्थि मज्जा (red bone marrow) रक्त कोशिकाएँ (blood cells) बनाती है।

कथन II: पीली अस्थि मज्जा (yellow bone marrow) RBCs बनाती है।

A. दोनों कथन सही हैं
B. I सही है, II गलत है
C. दोनों कथन गलत हैं
D. I गलत है, II सही है

31. तंत्रिका तंत्र (nervous system) की मूल क्रियात्मक कोशिका (functional cell) है

A. न्यूरोग्लिया कोशिका B. न्यूरॉन
C. एपिथीलियल कोशिका D. मांसपेशी तंतु

32. न्यूरॉन का वह भाग जो कोशिका शरीर (cell body) से दूर आवेग (impulses) ले जाता है

A. डेंड्राइट B. सिनैप्टिक नॉब
C. निस्ल बॉडी D. एक्सॉन

33. दो न्यूरॉनों के बीच का अंतराल (gap) जहाँ आवेग संचरण (impulse transmission) होता है, कहलाता है

A. न्यूरोमस्क्युलर जंक्शन B. एंड प्लेट क्षेत्र
C. सिनेप्स D. इंटरकलेटेड डिस्क

34. अनेक एक्सॉनों (axons) के चारों ओर स्थित इन्सुलेटिंग आवरण (insulating covering) है

A. सारकोलेम्मा B. माइलिन शीथ
C. पेरिओस्टियम D. सिनोवियल कैप्सूल

35. मस्तिष्क का वह भाग जो मुख्य रूप से उच्च मानसिक क्रियाओं (higher mental functions) के लिए उत्तरदायी है

A. सेरिब्रम B. सेरिबेलम
C. मेडुला ऑब्लोंगाटा D. पोंस

36. आयतन (volume) के आधार पर मानव मस्तिष्क (human brain) का सबसे बड़ा भाग है

A. थैलेमस B. मेडुला
C. सेरिब्रम D. हाइपोथैलेमस

37. वह संरचना (structure) जो दोनों सेरिब्रल हेमीस्फियर्स को जोड़ती है

A. पिट्यूटरी स्टॉक B. कॉर्पस कॉलोसुम
C. ऑप्टिक चायज्मा D. पीनियल बॉडी

38. मस्तिष्क का वह भाग जो मुख्य रूप से श्वसन (breathing) और हृदय गति (heart rate) को नियंत्रित करता है

A. सेरिब्रम B. सेरिबेलम
C. मेडुला ऑब्लोंगाटा D. फ्रंटल लोब

39. मनुष्यों (humans) में कपाल तंत्रिकाओं (cranial nerves) की संख्या है

A. दस युग्म B. ग्यारह युग्म
C. बारह युग्म D. तेरह युग्म

40. मेरुरज्जु (spinal cord) लगभग जिस स्तर (level) पर समाप्त होती है

A. L5 कशेरुका (L5 vertebra)
B. S1 कशेरुका (S1 vertebra)
C. L1–L2 कशेरुकाएँ (L1–L2 vertebrae)
D. T12 कशेरुका (T12 vertebra)

41. मस्तिष्क और मेरुरज्जु (spinal cord) की सुरक्षात्मक परतें (protective coverings) कहलाती हैं

A. प्ल्यूरा B. पेरिटोनियम
C. मेनिन्जीस D. फेशिया

42. निम्नलिखित का मिलान कीजिए :

कॉलम-I	कॉलम-II
A. सेरिब्रम	1. रिफ्लेक्स पाथवे संचरण
B. सेरिबेलम	2. गतियों का समन्वय
C. मेडुला ऑब्लोंगाटा	3. उच्च मानसिक क्रियाएँ
D. स्पाइनल कॉर्ड	4. जीवन केंद्र नियंत्रण

A. A-2, B-3, C-4, D-1
B. A-3, B-2, C-4, D-1
C. A-4, B-2, C-3, D-1
D. A-3, B-4, C-2, D-1

43. **कथन I:** केंद्रीय तंत्रिका तंत्र (central nervous system) में मस्तिष्क और मेरुरज्जु शामिल होते हैं।

कथन II: कपाल तंत्रिकाएँ (cranial nerves) केवल मेरुरज्जु (spinal cord) से निकलती हैं।

A. दोनों कथन सही हैं B. I सही है, II गलत है
C. दोनों कथन गलत हैं D. I गलत है, II सही है

44. परिधीय तंत्रिका तंत्र (peripheral nervous system) मुख्य रूप से बना होता है

A. मस्तिष्क के लोब्स (Brain lobes)
B. कपाल और स्पाइनल तंत्रिकाएँ (Cranial and spinal nerves)
C. केवल मेनिन्जीस (Meninges only)
D. मस्तिष्क के वेंट्रिकल्स (Ventricles of brain)

45. तंत्रिका ऊतक (nervous tissue) की संरचनात्मक और क्रियात्मक इकाई है

A. न्यूरोग्लिया B. सिनेप्स
C. न्यूरॉन D. माइलिन

46. हृदय (heart) स्थित होता है

A. कपाल गुहा (Cranial cavity)
B. वक्ष गुहा (Thoracic cavity)
C. उदर क्षेत्र (Abdominal region)
D. श्रोणि गुहा (Pelvic cavity)

47. हृदय (heart) में .... एट्रिया होते हैं।

A. एक B. दो
C. तीन D. चार

48. बाएँ एट्रियम (left atrium) और बाएँ वेंट्रिकल (left ventricle) के बीच उपस्थित वाल्व है

A. ट्राइकस्पिड वाल्व B. पल्मोनरी वाल्व
C. बाइकस्पिड वाल्व D. एओर्टिक वाल्व

49. शरीर (body) की सबसे बड़ी धमनी (artery) है

A. पल्मोनरी आर्टरी B. कैरोटिड आर्टरी
C. फीमोरल आर्टरी D. एओर्टा

50. वह रक्त वाहिका (blood vessel) जो फेफड़ों (lungs) से हृदय (heart) तक ऑक्सीजन युक्त रक्त (oxygenated blood) ले जाती है

A. पल्मोनरी आर्टरी B. पल्मोनरी वेन
C. एओर्टा D. वेना कावा

51. दायाँ वेंट्रिकल (right ventricle) रक्त को पंप करता है

A. एओर्टा B. पल्मोनरी आर्टरी
C. वेना कावा D. कोरोनरी आर्टरी

52. परिसंचरण (circulation) की क्रियात्मक इकाई (functional unit) है

A. नेफ्रॉन B. एल्वियोलस
C. केशिका D. न्यूरॉन

53. निम्नलिखित का मिलान कीजिए :

कॉलम-I	कॉलम-II
A. दायाँ एट्रियम	1. शरीर को रक्त पंप करता है
B. बायाँ एट्रियम	2. डीऑक्सीजनयुक्त रक्त प्राप्त करता है
C. दायाँ वेंट्रिकल	3. फेफड़ों को रक्त पंप करता है
D. बायाँ वेंट्रिकल	4. ऑक्सीजनयुक्त रक्त प्राप्त करता है

A. A-2, B-4, C-3, D-1
B. A-4, B-2, C-1, D-3
C. A-3, B-1, C-4, D-2
D. A-2, B-3, C-1, D-4

54. **कथन I:** धमनियाँ (arteries) हृदय से रक्त को दूर ले जाती हैं।

कथन II: सभी धमनियाँ ऑक्सीजनयुक्त रक्त ले जाती हैं।

A. दोनों कथन सही हैं B. I सही है, II गलत है
C. दोनों कथन गलत हैं D. I गलत है, II सही है

55. हृदय (heart) की दीवार मुख्य रूप से बनी होती है

A. चिकनी मांसपेशी (Smooth muscle)
B. कंकाली मांसपेशी (Skeletal muscle)
C. संयोजी ऊतक (Connective tissue)
D. हृदय पेशी (Cardiac muscle)

56. श्वसन (respiration) के लिए उत्तरदायी अंग है

A. हृदय (Heart) B. फेफड़े (Lungs)
C. यकृत (Liver) D. गुर्दा (Kidney)

57. ट्रेकिया विभाजित होती है दो

A. ब्रोंकाई में B. ब्रोंकियोल्स में
C. एल्वियोली में D. प्ल्यूरा में

58. फेफड़ों (lung) की सबसे छोटी क्रियात्मक इकाई है

A. ब्रोंकस B. ब्रोंकियोल
C. एल्वियोलस D. लैरिंक्स

59. गैसों का आदान-प्रदान (exchange of gases) होता है

A. ट्रेकिया B. ब्रोंकाई
C. एल्वियोली D. प्ल्यूरल गुहा

60. फेफड़ों का आवरण (covering) कहलाता है

A. पेरिटोनियम B. प्ल्यूरा
C. पेरिकार्डियम D. मेनिन्जीस

61. वॉयस बॉक्स कहलाता है

A. फैरिंक्स B. लैरिंक्स
C. ट्रेकिया D. ब्रोंकस

62. डायफ्राम वक्ष गुहा (thoracic cavity) को अलग करता है

A. कपाल गुहा (Cranial cavity) से
B. श्रोणि गुहा (Pelvic cavity) से
C. उदर गुहा (Abdominal cavity) से
D. कशेरुकी गुहा (Vertebral cavity) से

63. निम्नलिखित का मिलान कीजिए :

कॉलम-I	कॉलम-II
A. ट्रेकिया	1. गैस विनिमय का स्थान
B. ब्रोंकाई	2. वायु परिवहन नली
C. एल्वियोली	3. ट्रेकिया की शाखाएँ
D. डायफ्राम	4. श्वसन की मांसपेशी

A. A-2, B-3, C-1, D-4
B. A-3, B-2, C-4, D-1
C. A-1, B-4, C-2, D-3
D. A-2, B-1, C-3, D-4

64. **कथन I:** ऑक्सीजन फेफड़ों से ऊतकों (tissues) तक पहुँचाई जाती है।

कथन II: कार्बन डाइऑक्साइड ऊतकों से फेफड़ों तक पहुँचाई जाती है।

A. दोनों कथन सही हैं
B. I सही है, II गलत है
C. दोनों कथन गलत हैं
D. I गलत है, II सही है

65. दाएँ फेफड़े (right lung) में .... लोब्स होते हैं।

A. दो B. तीन
C. चार D. एक

66. पाचन तंत्र (digestive tract) का पहला भाग है

A. मुख (Mouth)
B. इसोफेगस (Esophagus)
C. आमाशय (Stomach)
D. डुओडेनम (Duodenum)

67. लार (saliva) में उपस्थित एंजाइम (enzyme) है

A. पेप्सिन B. लाइपेस
C. एमाइलेज D. ट्रिप्सिन

68. भोजन नली (food pipe) कहलाती है

A. ट्रेकिया B. इसोफेगस
C. ब्रोंकस D. इलियम

69. शरीर की सबसे बड़ी ग्रंथि (gland) है

A. अग्न्याशय (Pancreas)
B. थायरॉयड (Thyroid)
C. यकृत (Liver)
D. लार ग्रंथि (Salivary gland)

70. पित्त (bile) का निर्माण होता है

A. अग्न्याशय (Pancreas)
B. गॉलब्लैडर (Gall bladder)
C. यकृत (Liver)
D. डुओडेनम (Duodenum)

71. पाचन (digestion) का मुख्य स्थान है

A. मुख (Mouth)
B. आमाशय (Stomach)
C. छोटी आंत (Small intestine)
D. बड़ी आंत (Large intestine).

72. एंजाइम पेप्सिन (pepsin) किस पर कार्य करता है

A. वसा B. प्रोटीन
C. कार्बोहाइड्रेट D. विटामिन

73. निम्नलिखित का मिलान कीजिए :

कॉलम-I	कॉलम-II
A. आमाशय	1. पोषक तत्वों का अवशोषण
B. यकृत	2. पित्त का निर्माण
C. पैंक्रियास	3. पाचक एंजाइमों का निर्माण
D. छोटी आंत	4. गैस्ट्रिक रस का स्राव

A. A-4, B-2, C-3, D-1
B. A-2, B-1, C-4, D-3
C. A-1, B-3, C-2, D-4
D. A-3, B-4, C-1, D-2

74. **कथन I:** छोटी आंत (small intestine) अवशोषण (absorption) का मुख्य स्थान है।

कथन II: बड़ी आंत (large intestine) जल (water) का अवशोषण करती है।

A. दोनों कथन सही हैं B. I सही है, II गलत है
C. दोनों कथन गलत हैं D. I गलत है, II सही है

75. आमाशय (stomach) का वह भाग जो छोटी आंत (small intestine) से जुड़ता है

A. कार्डियक भाग (Cardiac part)
B. फंडस (Fundus)
C. बॉडी (Body)
D. पाइलोरस (Pylorus)

76. उत्सर्जन (excretion) का मुख्य अंग है

A. यकृत (Liver) B. गुर्दा (Kidney)
C. फेफड़ा (Lung) D. त्वचा (Skin)

77. गुर्दे (kidney) की क्रियात्मक इकाई (functional unit) है

A. न्यूरॉन B. नेफ्रॉन
C. एल्वियोलस D. ग्लोमेरुलस

78. मूत्र (urine) को गुर्दे से मूत्राशय (urinary bladder) तक ले जाया जाता है

A. यूरेथ्रा B. नेफ्रॉन
C. यूरेटर D. रीनल आर्टरी

79. निम्नलिखित का मिलान कीजिए :

कॉलम-I	कॉलम-II
A. किडनी	1. मूत्र का संग्रह
B. यूरेटर	2. मूत्र को बाहर ले जाना
C. मूत्राशय	3. मूत्र का निर्माण
D. यूरेथ्रा	4. मूत्र को मूत्राशय तक ले जाना

A. A-3, B-4, C-1, D-2
B. A-4, B-3, C-2, D-1
C. A-1, B-2, C-3, D-4
D. A-2, B-1, C-4, D-3

80. **कथन I:** गुर्दे (kidneys) द्रव (fluid) और इलेक्ट्रोलाइट संतुलन (electrolyte balance) को नियंत्रित करते हैं।

कथन II: गुर्दों का रक्तचाप (blood pressure) नियंत्रण में कोई भूमिका नहीं होती।

A. दोनों कथन सही हैं B. I सही है, II गलत है
C. दोनों कथन गलत हैं D. I गलत है, II सही है

81. पुरुष प्रजनन अंग (male reproductive organ) जो शुक्राणु (sperm) बनाता है

A. प्रोस्टेट ग्रंथि (Prostate gland)
B. वृषण (Testis)
C. एपिडिडिमिस (Epididymis)
D. सीमिनल वेसिकल (Seminal vesicle)

82. स्त्री में निषेचन (fertilization) का स्थान है

A. गर्भाशय (Uterus)
B. अंडाशय (Ovary)
C. फैलोपियन ट्यूब (Fallopian tube)
D. सर्विक्स (CerviÛ)

83. स्त्री गैमेट (female gamete) कहलाता है

A. शुक्राणु (Sperm) B. अंडाणु (Ovum)
C. युग्मनज (Zygote) D. भ्रूण (Embryo)

84. वह अंग जहाँ भ्रूण (fetus) का विकास होता है

A. अंडाशय (Ovary)
B. फैलोपियन ट्यूब (Fallopian tube)
C. गर्भाशय (Uterus)
D. योनि (Vagina)

85. पुरुष में द्वितीयक लैंगिक लक्षणों (male secondary sexual characters) के विकास के लिए उत्तरदायी हार्मोन है

A. एस्ट्रोजन B. प्रोजेस्टेरोन
C. टेस्टोस्टेरोन D. ऑक्सीटोसिन

86. वह संरचना (structure) जो शुक्राणु (sperm) को अस्थायी रूप से संग्रहित करती है

A. वास डिफरेंस B. एपिडिडिमिस
C. यूरेथ्रा D. प्रोस्टेट

87. गर्भाशय (uterus) की सबसे बाहरी परत (outermost layer) है

A. एंडोमेट्रियम B. मायोमेट्रियम
C. पेरिमेट्रियम D. सर्विक्स

88. अंडाशय (ovary) से अंडाणु (ovum) के निकलने की प्रक्रिया (process) कहलाती है

A. निषेचन (Fertilization)
B. ओव्यूलेशन (Ovulation)
C. आरोपण (Implantation)
D. मासिक धर्म (Menstruation)

89. निम्नलिखित का मिलान कीजिए :

कॉलम-I	**कॉलम-II**
A. वृषण	1. स्त्री गैमेट का निर्माण
B. अंडाशय	2. पुरुष गैमेट का निर्माण
C. गर्भाशय	3. शुक्राणु का परिवहन
D. वास डिफरेंस	4. भ्रूण का विकास

A. A-2, B-1, C-4, D-3
B. A-1, B-2, C-3, D-4
C. A-3, B-4, C-1, D-2
D. A-4, B-3, C-2, D-1

90. **कथन I:** निषेचन (fertilization) सामान्यतः फैलोपियन ट्यूब (fallopian tube) में होता है।

कथन II: आरोपण (implantation) गर्भाशय (uterus) में होता है।

A. दोनों कथन सही हैं B. I सही है, II गलत है
C. दोनों कथन गलत हैं D. I गलत है, II सही है

व्याख्यात्मक उत्तर

1. (B): कोशिका जीवन की मूल संरचनात्मक और क्रियात्मक इकाई है। प्रत्येक ऊतक और अंग कोशिकाओं से बना होता है जो विशिष्ट कार्य करते हैं। कोशिकाओं के बिना शरीर की उच्च स्तरीय संरचना संभव नहीं है।

2. (C): शारीरिक स्थिति में शरीर सीधा खड़ा रहता है, चेहरा सामने की ओर होता है, भुजाएँ शरीर के पास और हथेलियाँ सामने की ओर रहती हैं। यह स्थिति शरीर के अंगों का समान रूप से वर्णन करने के लिए मानक मानी जाती है।

3. (C): सैजिटल तल शरीर को दाएँ और बाएँ भागों में विभाजित करता है। जब दोनों भाग समान होते हैं, तो इसे मध्य सैजिटल तल कहा जाता है। इसका उपयोग शरीर की संरचना समझने में किया जाता है।

4. (C): फीमर जांघ की अस्थि है और यह शरीर की सबसे लंबी तथा मजबूत अस्थि होती है। यह शरीर का भार वहन करती है और चलने-फिरने में सहायता करती है।

5. (A): सेरिबेलम शरीर के संतुलन और आसन को नियंत्रित करता है तथा स्वैच्छिक गतियों का समन्वय करता है। इसके क्षतिग्रस्त होने पर शरीर की गति असंतुलित हो जाती है।

6. (C): मानव हृदय में दो आलिंद और दो निलय होते हैं। यह संरचना ऑक्सीजनयुक्त और अशुद्ध रक्त को अलग-अलग रखने में सहायक होती है।

7. (B): नेफ्रॉन गुर्दे की क्रियात्मक इकाई है जो रक्त को छानकर मूत्र का निर्माण करती है। इसमें निस्यंदन (filtration), पुनरवशोषण (reabsorption) और स्राव (secretion) जैसी प्रक्रियाएँ होती हैं।

8. (C): फेफड़ों के एल्वियोली में गैसों का आदान-प्रदान होता है जहाँ ऑक्सीजन रक्त में प्रवेश करती है और कार्बन डाइऑक्साइड बाहर निकलती है। यह प्रक्रिया कोशिकीय श्वसन (cellular respiration) के लिए आवश्यक है।

9. (B): टेंडन मांसपेशियों को अस्थियों से जोड़ने वाले मजबूत रेशेदार ऊतक होते हैं। ये मांसपेशियों द्वारा उत्पन्न बल को अस्थियों तक पहुँचाकर गति संभव बनाते हैं।

10. (A): फीमर जांघ की अस्थि है, ह्यूमरस ऊपरी भुजा की अस्थि है, रेडियस अग्रबाहु की अस्थि है और टिबिया निचले पैर की अस्थि है। यह सही मिलान शरीर की संरचना समझने में सहायक होता है।

अतः सही मिलान A-1, B-4, C-2, D-3 है।

11. (B): वयस्क मानव कंकाल में 206 अस्थियाँ होती हैं। जन्म के समय इनकी संख्या अधिक होती है, जो विकास के साथ आपस में जुड़ जाती हैं।

12. (A): खोपड़ी 22 अस्थियों से बनी होती है जो मस्तिष्क की रक्षा करती हैं और चेहरे की संरचना बनाती हैं। ये अस्थियाँ अधिकांशतः स्थिर होती हैं।

13. (B): कशेरुक स्तंभ में प्रारंभ में 33 कशेरुकाएँ होती हैं, जिनमें से कुछ मिलकर सैक्रम (sacrum) और कॉक्सिक्स (coccyx) बनाती हैं। यह मेरुरज्जु की रक्षा करता है।

14. (C): कशेरुकाओं के बीच उपास्थि संधियाँ होती हैं जो थोड़ी गति और लचीलापन प्रदान करती हैं। ये झटकों को सहन करने में सहायक होती हैं।

15. (B): क्लैविकल स्टर्नम को स्कैपुला से जोड़ती है और इसे कॉलर बोन कहा जाता है। यह कंधे को स्थिर रखती है।

16. (B): स्कैपुला कंधे के पीछे स्थित एक चपटी अस्थि है जो भुजा की गति में सहायक होती है।

17. (B): पटेला घुटने के सामने स्थित अस्थि है जो संधि की रक्षा करती है और मांसपेशियों की क्रिया को प्रभावी बनाती है।

18. (C): ह्यूमरस ऊपरी भुजा की सबसे लंबी अस्थि है जो कंधे से कोहनी तक फैली होती है।

19. (C): स्टेप्स शरीर की सबसे छोटी अस्थि है जो मध्य कर्ण में पाई जाती है और ध्वनि को आगे पहुँचाती है।

20. (B): रिब्स पीछे की ओर कशेरुक स्तंभ से जुड़ी होती हैं और आगे स्टर्नम से जुड़ती हैं, जिससे वक्ष पिंजरा बनता है।

21. (B): स्टर्नम छाती के सामने स्थित होता है और रिब्स को जोड़ता है, जिससे हृदय और फेफड़ों की रक्षा होती है।

22. (C): यह संधि सभी दिशाओं में गति की अनुमति देती है जैसे कंधा और कूल्हा।

23. (B): कोहनी में हिंज संधि होती है जो केवल एक दिशा में गति की अनुमति देती है।

24. (C): कार्टिलेज एक विशेष संयोजी ऊतक है जो लचीलापन और सहारा प्रदान करता है।

25. (C): खोपड़ी मस्तिष्क को ढककर उसकी रक्षा करती है और चेहरे का ढाँचा बनाती है।

26. (A): एटलस पहली ग्रीवा कशेरुका है, एक्सिस दूसरी, सैक्रम जुड़ी हुई कशेरुकाएँ हैं और कॉक्सिक्स पूंछ अस्थि है।

अतः सही मिलान A-1, B-4, C-3, D-2 है।

27. (C): मानव में सात ग्रीवा कशेरुकाएँ होती हैं जो सिर को सहारा देती हैं।

28. (A): पेल्विक गर्डल दो कूल्हे की अस्थियों से बना होता है, जो इलियम, इस्कियम और प्यूबिस के संलयन से बनती हैं।

29. (A): सिनोवियल संधियाँ स्वतंत्र गति देती हैं क्योंकि इनमें सिनोवियल द्रव होता है जो घर्षण कम करता है।

अतः दोनों कथन सही हैं।

30. (B): लाल मज्जा रक्त कोशिकाएँ बनाती है जबकि पीली मज्जा मुख्यतः वसा का भंडारण करती है।

अतः I सही है, II गलत है।

31. (B): न्यूरॉन तंत्रिका तंत्र की मुख्य कोशिका है जो संदेशों को ग्रहण और संचरित करती है। यह शरीर के विभिन्न भागों के बीच संचार स्थापित करता है।

32. (D): एक्सॉन कोशिका शरीर से संदेशों को दूर ले जाकर अन्य कोशिकाओं तक पहुँचाता है, जिससे संकेतों का प्रवाह सुनिश्चित होता है।

33. (C): सिनेप्स दो न्यूरॉनों के बीच का स्थान है जहाँ संदेश रासायनिक माध्यम से स्थानांतरित होते हैं।

34. (B): माइलिन आवरण तंत्रिका तंतुओं को ढककर संदेशों के तीव्र संचरण में सहायता करता है।

35. (A): सेरिब्रम सोच, स्मृति, सीखने और स्वैच्छिक क्रियाओं का नियंत्रण करता है।

36. (C): सेरिब्रम मस्तिष्क का सबसे बड़ा भाग है और यह शरीर की अधिकांश गतिविधियों को नियंत्रित करता है।

37. (B): कॉर्पस कॉलोसुम मस्तिष्क के दोनों भागों को जोड़कर उनके बीच सूचना का आदान-प्रदान कराता है।

38. (C): यह मस्तिष्क का भाग श्वसन, हृदय गति और रक्तचाप को नियंत्रित करता है।

39. (C): मनुष्यों में 12 जोड़ी कपाल तंत्रिकाएँ होती हैं जो शरीर के विभिन्न भागों को नियंत्रित करती हैं।

40. (C): वयस्कों में मेरुरज्जु सामान्यतः L1–L2 स्तर पर समाप्त होती है, जो चिकित्सकीय दृष्टि से महत्वपूर्ण है।

41. **(C):** मेनिन्जीस मस्तिष्क और मेरुरज्जु को ढकने वाली तीन सुरक्षात्मक परतें होती हैं—ड्यूरा मेटर, ऐरैक्नॉयड मेटर और पिया मेटर। ये यांत्रिक सुरक्षा प्रदान करती हैं तथा सेरेब्रोस्पाइनल द्रव (cerebrospinal fluid) के संचरण में सहायता करती हैं। इनमें संक्रमण होने पर मेनिन्जाइटिस (meningitis) रोग होता है।

42. **(B):** सेरिब्रम उच्च मानसिक कार्यों से संबंधित है, सेरिबेलम शरीर की गतियों के समन्वय से, मेडुला ऑब्लोंगाटा जीवन-आवश्यक केंद्रों से तथा स्पाइनल कॉर्ड संदेश संचरण और रिफ्लेक्स क्रियाओं से संबंधित है। यह मिलान प्रत्येक संरचना के मुख्य कार्य को दर्शाता है।

अतः सही मिलान A-3, B-2, C-4, D-1 है।

43. **(B):** केंद्रीय तंत्रिका तंत्र में मस्तिष्क और मेरुरज्जु शामिल होते हैं, इसलिए पहला कथन सही है। कपाल तंत्रिकाएँ मस्तिष्क से निकलती हैं, केवल मेरुरज्जु से नहीं, इसलिए दूसरा कथन गलत है।

अतः I सही है, II गलत है।

44. **(B):** परिधीय तंत्रिका तंत्र में वे तंत्रिकाएँ शामिल होती हैं जो केंद्रीय तंत्रिका तंत्र को शरीर के अन्य भागों से जोड़ती हैं। कपाल तंत्रिकाएँ सिर और गर्दन को तथा स्पाइनल तंत्रिकाएँ शरीर और अंगों को नियंत्रित करती हैं।

45. **(C):** न्यूरॉन तंत्रिका ऊतक की संरचनात्मक और क्रियात्मक इकाई है जो आवेगों का संचरण करती है। इसमें कोशिका शरीर, डेंड्राइट और एक्सॉन होते हैं जो संकेतों के आदान-प्रदान में सहायक होते हैं।

46. **(B):** हृदय वक्ष गुहा के मध्य भाग में फेफड़ों के बीच स्थित होता है और थोड़ा बाईं ओर झुका रहता है। यह स्थिति पूरे शरीर और फेफड़ों में रक्त प्रवाह को संतुलित रूप से बनाए रखती है।

47. **(B):** हृदय में दो एट्रिया होते हैं—दायाँ और बायाँ। दायाँ एट्रिया अशुद्ध रक्त प्राप्त करता है जबकि बायाँ एट्रिया शुद्ध रक्त प्राप्त करता है।

48. **(C):** बाइकस्पिड वाल्व बाएँ एट्रियम और बाएँ वेंट्रिकल के बीच स्थित होता है। यह रक्त को वापस लौटने से रोकता है और रक्त के एक दिशा में प्रवाह को बनाए रखता है।

49. **(D):** एओर्टा शरीर की सबसे बड़ी धमनी है जो बाएँ निलय से निकलती है। यह शुद्ध रक्त को पूरे शरीर में पहुँचाती है और इसकी दीवार मोटी होती है ताकि उच्च दाब सह सके।

50. **(B):** पल्मोनरी शिराएँ फेफड़ों से शुद्ध रक्त को हृदय के बाएँ आलिंद तक लाती हैं। यह एक अपवाद है क्योंकि अधिकांश शिराएँ अशुद्ध रक्त ले जाती हैं।

51. **(B):** दायाँ निलय अशुद्ध रक्त को फेफड़ों तक पहुँचाने के लिए पल्मोनरी धमनी में पंप करता है। यह भी एक अपवाद है क्योंकि यह धमनी अशुद्ध रक्त ले जाती है।

52. **(C):** केशिकाएँ बहुत सूक्ष्म रक्त वाहिकाएँ होती हैं जहाँ गैसों, पोषक तत्वों और अपशिष्टों का आदान-प्रदान होता है। इनकी पतली दीवारें विसरण (diffusion) को आसान बनाती हैं।

53. **(A):** दायाँ आलिंद अशुद्ध रक्त प्राप्त करता है, बायाँ आलिंद शुद्ध रक्त प्राप्त करता है, दायाँ निलय फेफड़ों में रक्त भेजता है और बायाँ निलय पूरे शरीर में रक्त भेजता है।

अतः सही मिलान A-2, B-4, C-3, D-1 है।

54. **(B):** धमनियाँ हृदय से रक्त को दूर ले जाती हैं, परंतु सभी धमनियाँ शुद्ध रक्त नहीं ले जातीं क्योंकि पल्मोनरी धमनी अशुद्ध रक्त ले जाती है।

अतः I सही है, II गलत है।

55. **(D):** हृदय की दीवार विशेष प्रकार की पेशियों से बनी होती है जो स्वतः और नियमित रूप से संकुचित होती हैं। यह निरंतर रक्त पंप करने में सहायक होती है।

56. **(B):** फेफड़े श्वसन के मुख्य अंग हैं जहाँ ऑक्सीजन रक्त में प्रवेश करती है और कार्बन डाइऑक्साइड बाहर निकलती है।

57. **(A):** ट्रेकिया दो भागों में विभाजित होकर दाएँ और बाएँ ब्रोंकाई बनाती है। ये आगे छोटे ब्रोंकियोल्स में विभाजित होती हैं।

58. **(C):** एल्वियोलस छोटे वायु थैले होते हैं जहाँ गैसों का आदान-प्रदान होता है। इन्हें फेफड़ों की क्रियात्मक इकाई माना जाता है।

59. **(C):** ऑक्सीजन और कार्बन डाइऑक्साइड का आदान-प्रदान एल्वियोली की पतली दीवारों के माध्यम से होता है।

60. **(B):** प्ल्यूरा दोहरी परत वाली झिल्ली है जो फेफड़ों को ढकती है और श्वसन के दौरान घर्षण को कम करती है।

61. **(B):** लैरिंक्स को वॉयस बॉक्स कहा जाता है क्योंकि इसमें स्वर रज्जु होते हैं। यह ध्वनि उत्पन्न करने में सहायता करता है।

62. **(C):** डायफ्राम एक गुंबदाकार पेशी है जो वक्ष गुहा और उदर गुहा को अलग करती है और श्वसन में महत्वपूर्ण भूमिका निभाती है।

63. **(A):** ट्रेकिया वायु का मार्ग है, ब्रोंकाई उसकी शाखाएँ हैं, एल्वियोली गैस विनिमय का स्थान हैं और डायफ्राम श्वसन में सहायता करता है।

अतः सही मिलान A-2, B-3, C-1, D-4 है।

64. **(A):** ऑक्सीजन फेफड़ों से ऊतकों तक और कार्बन डाइऑक्साइड ऊतकों से फेफड़ों तक पहुँचती है, जिससे गैसों का संतुलन बना रहता है।

अतः दोनों कथन सही हैं।

65. **(B):** दाएँ फेफड़े में तीन लोब होते हैं—ऊपरी, मध्य और निचला। बाएँ फेफड़े में दो लोब होते हैं।

66. **(A):** पाचन की प्रक्रिया मुख से शुरू होती है जहाँ भोजन को चबाकर और लार के साथ मिलाकर प्रारंभिक पाचन होता है।

67. **(C):** लार में उपस्थित एमाइलेज स्टार्च को सरल शर्करा में तोड़ता है और कार्बोहाइड्रेट के पाचन की शुरुआत करता है।

68. **(B):** इसोफेगस एक पेशीय नली है जो भोजन को ग्रसनी से आमाशय तक पहुँचाती है और इसमें पेरिस्टाल्टिक गति होती है।

69. **(C):** यकृत शरीर की सबसे बड़ी ग्रंथि है जो पित्त का निर्माण करता है और कई चयापचय क्रियाएँ करता है।

70. **(C):** पित्त का निर्माण यकृत में होता है और यह वसा के पाचन में सहायक होता है।

71. **(C):** अधिकांश पाचन और अवशोषण छोटी आंत में होता है जहाँ एंजाइम और बड़ी सतह क्षेत्र के कारण पोषक तत्वों का अवशोषण होता है।

72. (B): पेप्सिन एक प्रोटीन विघटन एंजाइम है जो आमाशय में प्रोटीन को छोटे पेप्टाइड्स में तोड़ता है।

73. (A): आमाशय गैस्ट्रिक रस बनाता है, यकृत पित्त बनाता है, पैंक्रियास एंजाइम बनाता है और छोटी आंत पोषक तत्वों का अवशोषण करती है।

अतः सही मिलान A-4, B-2, C-3, D-1 है।

74. (A): छोटी आंत पोषक तत्वों का अवशोषण करती है और बड़ी आंत मुख्यतः जल का अवशोषण करती है।

अतः दोनों कथन सही हैं।

75. (D): पाइलोरस आमाशय का अंतिम भाग है जो डुओडेनम से जुड़ता है और भोजन के प्रवाह को नियंत्रित करता है।

76. (B): गुर्दे उत्सर्जन के मुख्य अंग हैं जो रक्त को छानकर अपशिष्ट पदार्थ बाहर निकालते हैं और जल संतुलन बनाए रखते हैं।

77. (B): नेफ्रॉन गुर्दे की क्रियात्मक इकाई है जो मूत्र निर्माण की सभी प्रक्रियाएँ करता है।

78. (C): यूरेटर नलिकाएँ हैं जो मूत्र को गुर्दों से मूत्राशय तक पहुँचाती हैं।

79. (A): किडनी मूत्र बनाती है, यूरेटर उसे मूत्राशय तक ले जाता है, मूत्राशय उसे संग्रहित करता है और यूरेथ्रा उसे बाहर निकालता है।

अतः सही मिलान A-3, B-4, C-1, D-2 है।

80. (B): गुर्दे द्रव और इलेक्ट्रोलाइट संतुलन नियंत्रित करते हैं तथा रेनिन-एंजियोटेंसिन तंत्र के माध्यम से रक्तचाप भी नियंत्रित करते हैं।

अतः I सही है, II गलत है।

81. (B): वृषण पुरुष जनन अंग हैं जो शुक्राणु बनाते हैं और टेस्टोस्टेरोन हार्मोन स्रावित करते हैं।

82. (C): निषेचन सामान्यतः फैलोपियन ट्यूब में होता है जहाँ शुक्राणु और अंडाणु मिलते हैं।

83. (B): अंडाणु स्त्री गैमेट है जो निषेचन के समय शुक्राणु से मिलकर युग्मनज बनाता है।

84. (C): गर्भाशय वह अंग है जहाँ भ्रूण का विकास होता है और उसे पोषण मिलता है।

85. (C): टेस्टोस्टेरोन पुरुष हार्मोन है जो द्वितीयक लैंगिक लक्षणों के विकास के लिए उत्तरदायी होता है।

86. (B): एपिडिडिमिस एक कुंडलित नली है जहाँ शुक्राणु परिपक्व होते हैं और अस्थायी रूप से संग्रहित रहते हैं।

87. (C): गर्भाशय की तीन परतें होती हैं—एंडोमेट्रियम, मायोमेट्रियम और पेरिमेट्रियम। बाहरी परत पेरिमेट्रियम होती है।

88. (B): ओव्यूलेशन वह प्रक्रिया है जिसमें अंडाशय से परिपक्व अंडाणु निकलता है।

89. (A): वृषण शुक्राणु बनाता है, अंडाशय अंडाणु बनाता है, गर्भाशय भ्रूण के विकास का स्थान है और वास डिफरेंस शुक्राणु को ले जाता है।

अतः सही मिलान A-2, B-1, C-4, D-3 है।

90. (A): निषेचन फैलोपियन ट्यूब में और आरोपण गर्भाशय में होता है, जो मानव प्रजनन की क्रमिक प्रक्रियाएँ हैं।

अतः दोनों कथन सही हैं।

2. शरीर क्रिया विज्ञान (Physiology)

1. जीवन की मूल इकाई है

A. ऊतक (Tissue) B. कोशिका (Cell)
C. अंग (Organ) D. तंत्र (System)

2. वह प्रक्रिया जिसके द्वारा अणु उच्च सांद्रता से निम्न सांद्रता की ओर जाते हैं, कहलाती है

A. सक्रिय परिवहन (Active transport)
B. प्रसरण (Diffusion)
C. एन्डोसाइटोसिस (Endocytosis)
D. परासरण (Osmosis)

3. अर्धपारगम्य झिल्ली (Semipermeable membrane) के पार जल का संचलन कहलाता है

A. प्रसरण (Diffusion)
B. सक्रिय परिवहन (Active transport)
C. परासरण (Osmosis)
D. निस्यंदन (Filtration)

4. कोशिका झिल्ली (Cell membrane) मुख्यतः बनी होती है

A. केवल प्रोटीन (Proteins only)
B. लिपिड और प्रोटीन (Lipids and proteins)
C. केवल कार्बोहाइड्रेट (Carbohydrates only)
D. खनिज (Minerals)

5. कोशिका की ऊर्जा मुद्रा (Energy currency) है

A. ADP B. ATP
C. AMP D. NADH

6. प्रोटीन संश्लेषण (Protein synthesis) के लिए उत्तरदायी कोशिकांग (Organelle) है

A. माइटोकॉन्ड्रिया (Mitochondria)
B. राइबोसोम (Ribosome)
C. गोल्जी निकाय (Golgi body)
D. लाइसोसोम (Lysosome)

7. कोशिका का पावरहाउस कहलाता है

A. राइबोसोम (Ribosome)
B. नाभिक (Nucleus)
C. माइटोकॉन्ड्रिया (Mitochondria)
D. एंडोप्लाज्मिक रेटिकुलम (Endoplasmic reticulum)

8. कोशिका का नियंत्रण केंद्र (Control centre) है

A. साइटोप्लाज्म (Cytoplasm)
B. नाभिक (Nucleus)
C. माइटोकॉन्ड्रिया (Mitochondria)
D. लाइसोसोम (Lysosome)

9. निम्नलिखित का मिलान कीजिए :

कॉलम-I	**कॉलम-II**
A. नाभिक	1. प्रोटीन संश्लेषण
B. माइटोकॉन्ड्रिया	2. ऊर्जा केंद्र
C. राइबोसोम	3. नियंत्रण केंद्र
D. लाइसोसोम	4. कोशिका के भीतर पाचन

A. A-3, B-2, C-1, D-4
B. A-1, B-3, C-4, D-2
C. A-2, B-1, C-3, D-4
D. A-4, B-2, C-3, D-1

10. **कथन I:** सक्रिय परिवहन (Active transport) में ऊर्जा की आवश्यकता होती है।

कथन II: प्रसरण (Diffusion) में ऊर्जा की आवश्यकता नहीं होती है।

A. दोनों कथन सही हैं
B. I सही है, II गलत है
C. दोनों कथन गलत हैं
D. I गलत है, II सही है

11. तंत्रिका तंत्र (Nervous system) की मूल क्रियात्मक इकाई है

A. न्यूरॉन B. एक्सॉन
C. डेंड्राइट D. सिनेप्स

12. न्यूरॉन में आवेग (Impulse) का संचरण होता है

A. एक्सॉन से डेंड्राइट (Axon to dendrite)
B. कोशिका शरीर से डेंड्राइट (Cell body to dendrite)
C. डेंड्राइट से एक्सॉन (Dendrite to axon)
D. सिनेप्स से नाभिक (Synapse to nucleus)

13. आवेग संचरण (Impulse conduction) की गति बढ़ती है

A. सिनेप्स (Synapse)
B. माइलिन आवरण (Myelin sheath)
C. कोशिका शरीर (Cell body)
D. न्यूरोग्लिया (Neuroglia)

14. सिनेप्स पर मुक्त होने वाला रसायन है

A. हार्मोन B. न्यूरोट्रांसमीटर
C. एंजाइम D. प्रोटीन

15. रिफ्लेक्स क्रिया (Reflex action) नियंत्रित होती है

A. मस्तिष्क (Brain)
B. मेरुरज्जु (Spinal cord)
C. सेरिबेलम (Cerebellum)
D. हाइपोथैलेमस (Hypothalamus)

16. स्वायत्त तंत्रिका तंत्र (Autonomic nervous system) नियंत्रित करता है

A. स्वैच्छिक क्रियाएँ (Voluntary actions)
B. सचेत गतियाँ (Conscious movements)
C. अनैच्छिक क्रियाएँ (Involuntary activities)
D. संवेदनाएँ (Sensory perception)

17. सहानुभूति तंत्रिका तंत्र (Sympathetic nervous system) शरीर को तैयार करता है

A. विश्राम और पाचन (Rest and digestion)
B. आराम (Relaxation)
C. संघर्ष या पलायन (Fight or flight)
D. नींद (Sleep)

18. परासहानुभूति तंत्र (Parasympathetic system) मुख्यतः उत्पन्न करता है

A. हृदय गति में वृद्धि (Increased heart rate)
B. पुतलियों का फैलना (Dilated pupils)
C. विश्राम (Relaxation)
D. श्वसन में वृद्धि (Increased respiration)

19. निम्नलिखित का मिलान कीजिए :

कॉलम-I	**कॉलम-II**
A. संवेदी न्यूरॉन	1. न्यूरॉनों को जोड़ता है
B. मोटर न्यूरॉन	2. मांसपेशियों तक आवेग ले जाता है
C. इंटरन्यूरॉन	3. उद्दीपन को ग्रहण करता है
D. रिसेप्टर	4. केंद्रीय तंत्रिका तंत्र तक आवेग ले जाता है

A. A-4, B-2, C-1, D-3
B. A-3, B-4, C-2, D-1
C. A-2, B-1, C-3, D-4
D. A-1, B-3, C-4, D-2

20. **कथन I:** न्यूरॉन (Neuron) आसानी से पुनर्जीवित नहीं होते हैं।

कथन II: न्यूरोग्लिया (Neuroglia) न्यूरॉनों को समर्थन देते हैं।

A. दोनों कथन सही हैं
B. I सही है, II गलत है
C. दोनों कथन गलत हैं
D. I गलत है, II सही है

21. हृदय में उपस्थित मांसपेशी का प्रकार है

A. कंकाली मांसपेशी (Skeletal muscle)
B. चिकनी मांसपेशी (Smooth muscle)
C. हृदय मांसपेशी (Cardiac muscle)
D. स्वैच्छिक मांसपेशी (Voluntary muscle)

22. वह मांसपेशी जो स्वैच्छिक नियंत्रण में होती है

A. हृदय मांसपेशी (Cardiac muscle)
B. चिकनी मांसपेशी (Smooth muscle)
C. कंकाली मांसपेशी (Skeletal muscle)
D. अनैच्छिक मांसपेशी (Involuntary muscle)

23. मांसपेशी संकुचन (Muscle contraction) की क्रियात्मक इकाई है

A. मायोफाइब्रिल (Myofibril)
B. सारकोमियर (Sarcomere)
C. एक्टिन (Actin)
D. मायोसिन (Myosin)

24. मांसपेशी संकुचन के लिए ऊर्जा प्रदान करता है

A. ADP B. ATP
C. क्रिएटिनिन D. ग्लूकोज

25. मांसपेशी संकुचन के लिए उत्तरदायी प्रोटीन है

A. कोलेजन B. एक्टिन और मायोसिन
C. केराटिन D. इलास्टिन

26. चिकनी मांसपेशियाँ पाई जाती हैं

A. अस्थियों में (Bones) B. हृदय में (Heart)
C. आंत में (Intestine) D. त्वचा में (Skin)

27. मांसपेशी का संकुचन प्रारंभ होता है

A. कैल्शियम आयन B. सोडियम आयन
C. पोटैशियम आयन D. क्लोराइड आयन

28. मांसपेशी थकान (Muscle fatigue) होती है

A. ऑक्सीजन के संचय से
B. ग्लूकोज के संचय से
C. लैक्टिक अम्ल के संचय से
D. ATP के संचय से

29. निम्नलिखित का मिलान कीजिए :

कॉलम-I	कॉलम-II
A. कंकाली मांसपेशी	1. अंगों की अनैच्छिक मांसपेशी
B. हृदय मांसपेशी	2. संकुचन इकाई
C. चिकनी मांसपेशी	3. स्वैच्छिक मांसपेशी
D. सारकोमियर	4. हृदय की मांसपेशी

A. A-3, B-4, C-1, D-2
B. A-1, B-2, C-3, D-4
C. A-2, B-3, C-4, D-1
D. A-4, B-1, C-2, D-3

30. **कथन I:** कंकाली मांसपेशियाँ रेखित (striated) होती हैं।

कथन II: चिकनी मांसपेशियाँ अरेखित (non-striated) होती हैं।

A. दोनों कथन सही हैं
B. I सही है, II गलत है
C. दोनों कथन गलत हैं
D. I गलत है, II सही है

31. वयस्कों में सामान्य हृदय दर (Heart rate) लगभग होती है

A. 60–100 धड़कन/मिनट
B. 40–60 धड़कन/मिनट
C. 100–120 धड़कन/मिनट
D. 120–140 धड़कन/मिनट

32. हृदय के संकुचन (contraction) की अवस्था कहलाती है

A. डायस्टोल (Diastole)
B. सिस्टोल (Systole)
C. विश्राम अवस्था (Relaxation phase)
D. भरने की अवस्था (Filling phase)

33. सामान्य रक्तचाप (Blood pressure) लगभग होता है

A. 100/60 mmHg B. 110/70 mmHg
C. 120/80 mmHg D. 140/90 mmHg

34. हृदय का पेसमेकर (Pacemaker) है

A. AV नोड (AV node)
B. हिस का बंडल (Bundle of His)
C. SA नोड (SA node)
D. पुर्किंजे तंतु (Purkinje fibres)

35. वह रक्त वाहिका जो रक्त को हृदय से दूर ले जाती है

A. शिरा (Vein) B. धमनी (Artery)
C. केशिका (Capillary) D. वेन्यूल (Venule)

36. रक्त में ऑक्सीजन ले जाने वाला वर्णक (pigment) है

A. प्लाज्मा (Plasma)
B. प्लेटलेट्स (Platelets)
C. हीमोग्लोबिन (Hemoglobin)
D. श्वेत रक्त कोशिका (WBC)

37. रक्त समूह प्रणाली (Blood group system) आधारित है

A. RBC के आकार (RBC size) पर
B. हीमोग्लोबिन स्तर (Hemoglobin level) पर
C. RBC पर उपस्थित एंटीजन (Antigens on RBC) पर
D. प्लाज्मा प्रोटीन (Plasma proteins) पर

38. वयस्कों में हीमोग्लोबिन का सामान्य स्तर होता है

A. 8–10 g/dL B. 10–12 g/dL
C. 12–16 g/dL D. 16–20 g/dL

39. निम्नलिखित का मिलान कीजिए :

कॉलम-I	कॉलम-II
A. धमनी	1. ऑक्सीजन का वहन
B. शिरा	2. पदार्थों का आदान-प्रदान
C. केशिका	3. रक्त को हृदय से दूर ले जाना
D. हीमोग्लोबिन	4. रक्त को हृदय तक लाना

A. A-3, B-4, C-2, D-1
B. A-4, B-3, C-1, D-2
C. A-2, B-1, C-3, D-4
D. A-1, B-2, C-4, D-3

40. **कथन I:** प्लेटलेट्स (Platelets) रक्त के थक्के (blood clotting) में सहायता करते हैं।

कथन II: लाल रक्त कोशिकाएँ (RBCs) प्रतिरक्षा (immunity) के लिए उत्तरदायी होती हैं।

A. दोनों कथन सही हैं B. I सही है, II गलत है
C. दोनों कथन गलत हैं D. I गलत है, II सही है

41. श्वास लेने की प्रक्रिया कहलाती है

A. एक्सपिरेशन B. वेंटिलेशन
C. इंस्पिरेशन D. रेस्पिरेशन

42. एल्वियोली और रक्त के बीच गैसों का आदान-प्रदान कहलाता है

A. आंतरिक श्वसन (Internal respiration)
B. बाह्य श्वसन (External respiration)
C. कोशिकीय श्वसन (Cellular respiration)
D. पल्मोनरी वेंटिलेशन (Pulmonary ventilation)

43. ऑक्सीजन मुख्यतः रक्त में .... द्वारा परिवाहित होती है।

A. प्लाज्मा प्रोटीन B. हीमोग्लोबिन
C. प्लेटलेट्स D. ल्यूकोसाइट्स

44. वयस्कों में सामान्य श्वसन दर .... प्रति मिनट होती है।

A. 8–10 B. 10–12
C. 12–20 D. 20–30

45. श्वसन केंद्र स्थित होता है

A. सेरिब्रम B. सेरिबेलम
C. मेडुला ऑब्लोंगाटा D. हाइपोथैलेमस

46. वह गैस जो रक्त से एल्वियोली में जाती है

A. ऑक्सीजन B. नाइट्रोजन
C. कार्बन डाइऑक्साइड D. हाइड्रोजन

47. इंस्पिरेशन के दौरान डायफ्राम हो जाता है

A. शिथिल (Relaxed)
B. चपटा (Flattened)
C. ऊँचा उठा हुआ (Elevated)
D. ऊपर की ओर संकुचित (Contracted upward)

48. श्वसन का प्रमुख उद्दीपन रक्त में .... की वृद्धि है।

A. ऑक्सीजन B. कार्बन डाइऑक्साइड
C. नाइट्रोजन D. pH

49. निम्नलिखित का मिलान कीजिए :

कॉलम-I	**कॉलम-II**
A. इंस्पिरेशन	1. गैसों का आदान-प्रदान
B. एक्सपिरेशन	2. ऑक्सीजन का परिवहन
C. हीमोग्लोबिन	3. श्वास छोड़ना
D. एल्वियोली	4. श्वास लेना

A. A-4, B-3, C-2, D-1
B. A-3, B-4, C-1, D-2
C. A-2, B-1, C-4, D-3
D. A-1, B-2, C-3, D-4

50. **कथन I:** ऑक्सीजन एल्वियोली से रक्त में जाती है।

कथन II: कार्बन डाइऑक्साइड रक्त से एल्वियोली में जाती है।

A. दोनों कथन सही हैं B. I सही है, II गलत है
C. दोनों कथन गलत हैं D. I गलत है, II सही है

51. एंजाइम .... मुख में कार्बोहाइड्रेट के पाचन की शुरुआत करता है।

A. पेप्सिन B. एमाइलेज
C. लाइपेस D. ट्रिप्सिन

52. पोषक तत्वों के अवशोषण का मुख्य स्थान है

A. आमाशय (Stomach)
B. छोटी आंत (Small intestine)
C. बड़ी आंत (Large intestine)
D. इसोफेगस (Esophagus)

53. हार्मोन .... गैस्ट्रिक रस के स्राव को उत्तेजित करता है।

A. इंसुलिन B. गैस्ट्रिन
C. सीक्रेटिन D. ग्लूकागोन

54. एंजाइम पेप्सिन मुख्यतः कार्य करता है

A. वसा (Fats)
B. प्रोटीन (Proteins)
C. कार्बोहाइड्रेट (Carbohydrates)
D. खनिज (Minerals)

55. पित्त (Bile) सहायता करता है

A. प्रोटीन के पाचन में B. वसा के पाचन में
C. कार्बोहाइड्रेट के पाचन में D. विटामिन के पाचन में

56. पैंक्रियाटिक रस (Pancreatic juice) में एंजाइम होते हैं जो पचाते हैं

A. केवल वसा B. केवल प्रोटीन
C. सभी खाद्य घटक D. केवल कार्बोहाइड्रेट

57. भोजन का आहार नली में संचलन कहलाता है

A. सेगमेंटेशन (Segmentation)
B. पेरिस्टाल्सिस (Peristalsis)
C. प्रसरण (Diffusion)
D. निस्यंदन (Filtration)

58. हार्मोन .... पैंक्रियाटिक रस के स्राव के लिए उत्तरदायी है।

A. गैस्ट्रिन B. सीक्रेटिन
C. इंसुलिन D. एल्डोस्टेरोन

59. निम्नलिखित का मिलान कीजिए :

कॉलम-I	**कॉलम-II**
A. एमाइलेज	1. प्रोटीन का पाचन
B. पेप्सिन	2. वसा का पाचन
C. लाइपेस	3. कार्बोहाइड्रेट का पाचन
D. ट्रिप्सिन	4. पैंक्रियाटिक एंजाइम

A. A-3, B-1, C-2, D-4 B. A-1, B-3, C-4, D-2
C. A-2, B-4, C-1, D-3 D. A-4, B-2, C-3, D-1

60. **कथन I:** बड़ी आंत जल का अवशोषण करती है।

कथन II: छोटी आंत पाचन का मुख्य स्थान है।

A. दोनों कथन सही हैं
B. I सही है, II गलत है
C. दोनों कथन गलत हैं
D. I गलत है, II सही है

61. मूत्र (Urine) के निर्माण की प्रक्रिया प्रारंभ होती है

A. पुनरवशोषण (Reabsorption)
B. निस्यंदन (Filtration)
C. स्राव (Secretion)
D. उत्सर्जन (EÛcretion)

62. रक्त का निस्यंदन (Filtration) नेफ्रॉन के .... में होता है।

A. हेनले का लूप (Loop of Henle)
B. ग्लोमेरुलस (Glomerulus)
C. कलेक्टिंग डक्ट (Collecting duct)
D. डिस्टल ट्यूब्यूल (Distal tubule)

63. उपयोगी पदार्थों का पुनरवशोषण (Reabsorption) मुख्यतः होता है

A. प्रॉक्सिमल कुंडलित नलिका (Proximal convoluted tubule)
B. डिस्टल ट्यूब्यूल (Distal tubule)
C. कलेक्टिंग डक्ट (Collecting duct)
D. ग्लोमेरुलस (Glomerulus)

64. हार्मोन ADH (Antidiuretic hormone) .... के पुनरवशोषण को बढ़ाता है।

A. सोडियम
B. ग्लूकोज
C. जल
D. पोटैशियम

65. **कथन I:** गुर्दे अम्ल-क्षार संतुलन बनाए रखने में सहायता करते हैं।

कथन II: गुर्दे इलेक्ट्रोलाइट संतुलन को नियंत्रित नहीं करते हैं।

A. दोनों कथन सही हैं
B. I सही है, II गलत है
C. दोनों कथन गलत हैं
D. I गलत है, II सही है

66. हार्मोन .... रक्त ग्लूकोज स्तर को नियंत्रित करता है।

A. थायरॉक्सिन
B. इंसुलिन
C. एड्रेनालिन
D. कैल्सीटोनिन

67. मास्टर ग्रंथि (Master gland) कहलाती है

A. थायरॉयड
B. पिट्यूटरी
C. एड्रेनल
D. पैराथायरॉयड

68. हार्मोन थायरॉक्सिन का स्राव होता है

A. पिट्यूटरी ग्रंथि (Pituitary gland)
B. एड्रेनल ग्रंथि (Adrenal gland)
C. थायरॉयड ग्रंथि (Thyroid gland)
D. अग्न्याशय (Pancreas)

69. निम्नलिखित का मिलान कीजिए :

कॉलम-I	**कॉलम-II**
A. इंसुलिन	1. चयापचय बढ़ाता है
B. थायरॉक्सिन	2. कैल्शियम को नियंत्रित करता है
C. एड्रेनालिन	3. रक्त ग्लूकोज कम करता है
D. पैराथायरॉयड हार्मोन	4. तनाव हार्मोन

A. A-3, B-1, C-4, D-2
B. A-1, B-2, C-3, D-4
C. A-2, B-3, C-1, D-4
D. A-4, B-3, C-2, D-1

70. **कथन I:** हार्मोन रासायनिक संदेशवाहक होते हैं।

कथन II: हार्मोन सीधे रक्त में स्रावित होते हैं।

A. दोनों कथन सही हैं
B. I सही है, II गलत है
C. दोनों कथन गलत हैं
D. I गलत है, II सही है

71. टीकाकरण (Vaccination) के बाद प्राप्त प्रतिरक्षा कहलाती है

A. प्राकृतिक प्रतिरक्षा (Natural immunity)
B. निष्क्रिय प्रतिरक्षा (Passive immunity)
C. सक्रिय प्रतिरक्षा (Active immunity)
D. कृत्रिम निष्क्रिय प्रतिरक्षा (Artificial passive immunity)

72. प्रतिरक्षा के लिए उत्तरदायी कोशिकाएँ हैं

A. लाल रक्त कोशिकाएँ (RBC)
B. प्लेटलेट्स (Platelets)
C. श्वेत रक्त कोशिकाएँ (WBC)
D. प्लाज्मा कोशिकाएँ (Plasma cells)

73. एंटीबॉडी (Antibodies) का निर्माण होता है

A. T लिंफोसाइट्स
B. B लिंफोसाइट्स
C. न्यूट्रोफिल्स
D. मैक्रोफेज

74. निम्नलिखित का मिलान कीजिए :

कॉलम-I	**कॉलम-II**
A. सक्रिय प्रतिरक्षा	1. बाहरी पदार्थ
B. निष्क्रिय प्रतिरक्षा	2. प्रतिक्रिया में बना प्रोटीन
C. एंटीबॉडी	3. दीर्घकालिक प्रतिरक्षा
D. एंटीजन	4. त्वरित सुरक्षा

A. A-3, B-4, C-2, D-1
B. A-4, B-3, C-1, D-2
C. A-2, B-1, C-4, D-3
D. A-1, B-2, C-3, D-4

75. **कथन I:** सक्रिय प्रतिरक्षा धीरे विकसित होती है लेकिन दीर्घकालिक होती है।

कथन II: निष्क्रिय प्रतिरक्षा त्वरित सुरक्षा प्रदान करती है।

A. दोनों कथन सही हैं
B. I सही है, II गलत है
C. दोनों कथन गलत हैं
D. I गलत है, II सही है

व्याख्यात्मक उत्तर

1. **(B):** कोशिका जीवन की सबसे छोटी संरचनात्मक और क्रियात्मक इकाई है जो सभी जीवन प्रक्रियाएँ कर सकती है। सभी ऊतक और अंग कोशिकाओं से बने होते हैं, इसलिए इसे जीवन की मूल इकाई माना जाता है।

2. **(B):** प्रसरण वह प्रक्रिया है जिसमें अणु उच्च सांद्रता से निम्न सांद्रता की ओर बिना ऊर्जा के चलते हैं। यह गैसों के आदान-प्रदान और कोशिकीय क्रियाओं के लिए आवश्यक है।

3. **(C):** परासरण में जल अर्धपारगम्य झिल्ली के पार कम विलेय सांद्रता से अधिक विलेय सांद्रता की ओर जाता है। यह कोशिका के आयतन और द्रव संतुलन को बनाए रखता है।

4. **(B):** कोशिका झिल्ली मुख्यतः फॉस्फोलिपिड द्विपरत (phospholipid bilayer) से बनी होती है जिसमें प्रोटीन अंतःस्थापित होते हैं। यह संरचना चयनात्मक पारगम्यता प्रदान करती है और पदार्थों के प्रवेश व निकास को नियंत्रित करती है।

5. **(B):** ATP कोशिका की ऊर्जा मुद्रा है जो विभिन्न क्रियाओं के लिए ऊर्जा प्रदान करती है। यह मुख्यतः माइटोकॉन्ड्रिया में बनता है और सक्रिय परिवहन तथा संश्लेषण जैसी प्रक्रियाओं में उपयोग होता है।

6. **(B):** राइबोसोम प्रोटीन संश्लेषण के लिए उत्तरदायी होते हैं। ये आनुवंशिक सूचना को कार्यात्मक प्रोटीन में परिवर्तित करते हैं और स्वतंत्र या रफ एंडोप्लाज्मिक रेटिकुलम से जुड़े हो सकते हैं।

7. **(C):** माइटोकॉन्ड्रिया कोशिकीय श्वसन द्वारा ATP बनाते हैं, इसलिए इन्हें कोशिका का पावरहाउस कहा जाता है। ये ऊर्जा उत्पादन के लिए अत्यंत आवश्यक हैं।

8. **(B):** नाभिक में आनुवंशिक पदार्थ होता है और यह कोशिका की गतिविधियों को नियंत्रित करता है। यह वृद्धि, चयापचय और प्रजनन को नियंत्रित करता है, इसलिए इसे नियंत्रण केंद्र माना जाता है।

9. **(A):** नाभिक कोशिका की गतिविधियों को नियंत्रित करता है, माइटोकॉन्ड्रिया ऊर्जा उत्पन्न करते हैं, राइबोसोम प्रोटीन बनाते हैं और लाइसोसोम आंतरिक पाचन करते हैं।

   अतः सही मिलान A-3, B-2, C-1, D-4 है।

10. **(A):** सक्रिय परिवहन में पदार्थ सांद्रता प्रवणता के विपरीत ले जाए जाते हैं, इसलिए ऊर्जा की आवश्यकता होती है। प्रसरण एक निष्क्रिय प्रक्रिया है जिसमें ऊर्जा की आवश्यकता नहीं होती।

    अतः दोनों कथन सही हैं।

11. **(A):** न्यूरॉन तंत्रिका तंत्र की मूल इकाई है जो आवेगों का संचालन करती है। यह संकेतों को ग्रहण, संसाधित और प्रेषित करता है।

12. **(C):** तंत्रिका आवेग डेंड्राइट से कोशिका शरीर होते हुए एक्सॉन की ओर जाता है। यह दिशा संकेतों के सही संचरण के लिए आवश्यक है।

13. **(B):** माइलिन आवरण आवेग संचरण की गति को बढ़ाता है। यह साल्टेटरी कंडक्शन (saltatory conduction) द्वारा संकेतों को तेजी से आगे बढ़ाता है।

14. **(B):** सिनेप्स पर न्यूरोट्रांसमीटर नामक रसायन निकलते हैं जो एक न्यूरॉन से दूसरे तक आवेग पहुँचाते हैं। यह तंत्रिका संचार में महत्वपूर्ण भूमिका निभाते हैं।

15. **(B):** रिफ्लेक्स क्रियाएँ मेरुरज्जु द्वारा नियंत्रित होती हैं और ये त्वरित तथा अनैच्छिक प्रतिक्रियाएँ होती हैं।

16. **(C):** स्वायत्त तंत्रिका तंत्र हृदय गति, पाचन और श्वसन जैसी अनैच्छिक क्रियाओं को नियंत्रित करता है।

17. **(C):** सहानुभूति तंत्रिका तंत्र (Sympathetic Nervous System) शरीर को अचानक तनाव, आपातकाल या संघर्ष या पलायन (Fight or Flight) की स्थिति के लिए तैयार करता है। यह हृदय गति बढ़ाकर, श्वसन को तेज करके और रक्त प्रवाह को मांसपेशियों की ओर मोड़कर शरीर को ऊर्जा-खर्च करने वाली गतिविधियों (जैसे खतरे से निपटना) के लिए सक्रिय करता है।

18. **(C):** परासहानुभूति तंत्र विश्राम और पाचन को बढ़ावा देता है तथा ऊर्जा का संरक्षण करता है।

19. **(A):** संवेदी न्यूरॉन आवेग को केंद्रीय तंत्रिका तंत्र तक ले जाते हैं, मोटर न्यूरॉन मांसपेशियों तक, इंटरन्यूरॉन आपस में जोड़ते हैं और रिसेप्टर उद्दीपन ग्रहण करते हैं।

    अतः सही मिलान A-4, B-2, C-1, D-3 है।

20. **(A):** न्यूरॉन की पुनर्जनन क्षमता सीमित होती है जबकि न्यूरोग्लिया कोशिकाएँ उन्हें सहारा और पोषण प्रदान करती हैं।

    अतः दोनों कथन सही हैं।

21. **(C):** हृदय मांसपेशी केवल हृदय में पाई जाती है। यह अनैच्छिक होती है और नियमित लय में संकुचन करती है।

22. **(C):** कंकाली मांसपेशियाँ स्वैच्छिक नियंत्रण में होती हैं और अस्थियों से जुड़ी होती हैं, जिससे शरीर की गति संभव होती है।

23. **(B):** सारकोमियर मांसपेशी संकुचन की सबसे छोटी इकाई है जिसमें एक्टिन और मायोसिन होते हैं। इसके संकुचन से मांसपेशी छोटी होती है।

24. **(B):** ATP मांसपेशी संकुचन के लिए ऊर्जा प्रदान करता है। यह क्रॉस-ब्रिज बनने और टूटने में उपयोग होता है।

25. **(B):** ये संकुचनशील प्रोटीन हैं जो स्लाइडिंग फिलामेंट सिद्धांत के अनुसार कार्य करते हैं और मांसपेशी संकुचन कराते हैं।

26. **(C):** चिकनी मांसपेशियाँ आंत जैसे आंतरिक अंगों की दीवारों में पाई जाती हैं और अनैच्छिक होती हैं।

27. **(A):** कैल्शियम आयन मांसपेशी संकुचन में महत्वपूर्ण भूमिका निभाते हैं और एक्टिन व मायोसिन की क्रिया को सक्रिय करते हैं।

28. **(C):** मांसपेशी थकान लैक्टिक अम्ल के संचय के कारण होती है, जो pH को कम कर देता है और दर्द उत्पन्न करता है।

29. **(A):** कंकाली मांसपेशी स्वैच्छिक होती है, हृदय मांसपेशी हृदय में होती है, चिकनी मांसपेशी अनैच्छिक होती है और सारकोमियर संकुचन इकाई है।

    अतः सही मिलान A-3, B-4, C-1, D-2 है।

30. (A): कंकाली मांसपेशियाँ रेखित होती हैं जबकि चिकनी मांसपेशियाँ अरेखित होती हैं।

अतः दोनों कथन सही हैं।

31. (A): वयस्कों में सामान्य हृदय दर 60–100 प्रति मिनट होती है और यह स्वास्थ्य का महत्वपूर्ण संकेत है।

32. (B): सिस्टोल हृदय के संकुचन की अवस्था है जिसमें रक्त बाहर पंप होता है।

33. (C): सामान्य रक्तचाप लगभग 120/80 mmHg होता है जिसमें पहला मान सिस्टोलिक और दूसरा डायस्टोलिक होता है।

34. (C): SA नोड हृदय का प्राकृतिक पेसमेकर है जो विद्युत आवेग उत्पन्न करता है और हृदय की लय को नियंत्रित करता है।

35. (B): धमनियाँ रक्त को हृदय से दूर ले जाती हैं और उनकी दीवारें मोटी होती हैं।

36. (C): हीमोग्लोबिन RBC में पाया जाता है और ऑक्सीजन का वहन करता है।

37. (C): रक्त समूह RBC की सतह पर उपस्थित एंटीजन पर आधारित होता है, जैसे ABO प्रणाली।

38. (C): वयस्कों में सामान्य हीमोग्लोबिन स्तर लगभग 12–16 g/dL होता है।

39. (A): धमनियाँ रक्त को हृदय से दूर ले जाती हैं, शिराएँ हृदय तक लाती हैं, केशिकाएँ आदान-प्रदान करती हैं और हीमोग्लोबिन ऑक्सीजन वहन करता है।

अतः सही मिलान A-3, B-4, C-2, D-1 है।

40. (B): प्लेटलेट्स रक्त के थक्के बनाने में सहायक होते हैं जबकि प्रतिरक्षा का कार्य मुख्यतः श्वेत रक्त कोशिकाएँ करती हैं, RBC नहीं।

अतः I सही है, II गलत है।

41. (C): इंस्पिरेशन वह प्रक्रिया है जिसमें वायु फेफड़ों के भीतर प्रवेश करती है। इसमें डायफ्राम (diaphragm) संकुचित होकर नीचे की ओर चपटा हो जाता है और वक्ष गुहा का आयतन बढ़ जाता है। इससे फेफड़ों में वायु प्रवेश करती है।

42. (B): बाह्य श्वसन वह प्रक्रिया है जिसमें एल्वियोली (alveoli) और रक्त के बीच गैसों का आदान-प्रदान होता है। ऑक्सीजन रक्त में प्रवेश करती है और कार्बन डाइऑक्साइड बाहर निकलती है। इससे गैस संतुलन बना रहता है।

43. (B): हीमोग्लोबिन ऑक्सीजन को ऑक्सीहीमोग्लोबिन (oxyhemoglobin) के रूप में वहन करता है। यह फेफड़ों से ऊतकों तक ऑक्सीजन पहुँचाता है। यह श्वसन में महत्वपूर्ण भूमिका निभाता है।

44. (C): वयस्कों में सामान्य श्वसन दर 12–20 श्वास प्रति मिनट होती है। यह गतिविधि और स्वास्थ्य के अनुसार बदल सकती है। यह एक महत्वपूर्ण जीवन संकेत है।

45. (C): श्वसन केंद्र मेडुला में स्थित होता है। यह श्वसन की लय को स्वतः नियंत्रित करता है और कार्बन डाइऑक्साइड के स्तर के अनुसार कार्य करता है।

46. (C): कार्बन डाइऑक्साइड रक्त से एल्वियोली में विसरित होकर बाहर निकाली जाती है। यह अम्ल-क्षार संतुलन बनाए रखने में सहायता करती है।

47. (B): इंस्पिरेशन के समय डायफ्राम संकुचित होकर चपटा हो जाता है। इससे वक्ष गुहा का आयतन बढ़ता है और वायु फेफड़ों में प्रवेश करती है।

48. (B): रक्त में CO_2 की मात्रा बढ़ने से श्वसन केंद्र उत्तेजित होता है। इससे श्वसन दर बढ़ती है और गैस संतुलन बना रहता है।

49. (A): इंस्पिरेशन का अर्थ श्वास लेना है, एक्सपिरेशन श्वास छोड़ना है, हीमोग्लोबिन ऑक्सीजन का वहन करता है और एल्वियोली गैस विनिमय का स्थान हैं।

अतः सही मिलान A-4, B-3, C-2, D-1 है।

50. (A): ऑक्सीजन एल्वियोली से रक्त में और कार्बन डाइऑक्साइड रक्त से एल्वियोली में जाती है। यह प्रक्रिया प्रसरण (diffusion) द्वारा होती है।

अतः दोनों कथन सही हैं।

51. (B): लार में उपस्थित एमाइलेज कार्बोहाइड्रेट के पाचन की शुरुआत करता है। यह स्टार्च को सरल शर्करा में बदलता है।

52. (B): अधिकांश पोषक तत्वों का अवशोषण छोटी आंत में होता है। यहाँ विली (villi) और माइक्रोविली (microvilli) सतह क्षेत्र बढ़ाते हैं।

53. (B): गैस्ट्रिन हार्मोन आमाशय से स्रावित होकर गैस्ट्रिक रस के स्राव को बढ़ाता है। यह पाचन प्रक्रिया में महत्वपूर्ण है।

54. (B): पेप्सिन प्रोटीन को छोटे पेप्टाइड्स में तोड़ता है। यह अम्लीय माध्यम में सक्रिय रहता है।

55. (B): पित्त वसा का इमल्सीकरण करता है जिससे उनका पाचन आसान हो जाता है। यह एंजाइम नहीं होता लेकिन पाचन में सहायक होता है।

56. (C): अग्न्याशयी रस में एमाइलेज, लाइपेस और प्रोटीज होते हैं जो कार्बोहाइड्रेट, वसा और प्रोटीन का पाचन करते हैं।

57. (B): पेरिस्टाल्सिस मांसपेशियों का लयबद्ध संकुचन है जो भोजन को आगे बढ़ाता है। यह पूरी आहार नली में होता है।

58. (B): सीक्रेटिन अग्न्याशय को क्षारीय रस स्रावित करने के लिए उत्तेजित करता है जिससे अम्लीय काइम (chyme) का निष्क्रियकरण होता है।

59. (A): एमाइलेज कार्बोहाइड्रेट को पचाता है, पेप्सिन प्रोटीन को, लाइपेस वसा को और ट्रिप्सिन अग्न्याशयी एंजाइम है जो प्रोटीन पर कार्य करता है।

अतः सही मिलान A-3, B-1, C-2, D-4 है।

60. (A): बड़ी आंत जल का अवशोषण करती है जबकि छोटी आंत पाचन और अवशोषण का मुख्य स्थान है।

अतः दोनों कथन सही हैं।

61. (B): मूत्र निर्माण की शुरुआत ग्लोमेरुलस में निस्यंदन से होती है। रक्त से जल और छोटे अणु छनकर बोमैन कैप्सूल में प्रवेश करते हैं।

62. (B): ग्लोमेरुलस केशिकाओं का जाल है जहाँ निस्यंदन होता है। बड़े अणु जैसे प्रोटीन रक्त में ही रहते हैं।

63. (A): अधिकांश पुनरवशोषण PCT में होता है। यहाँ ग्लूकोज, अमीनो अम्ल और आयन पुनः अवशोषित होते हैं।

64. (C): ADH डिस्टल नलिकाओं और कलेक्टिंग डक्ट में जल के पुनरवशोषण को बढ़ाता है, जिससे मूत्र सघन होता है।

65. (B): गुर्दे अम्ल-क्षार संतुलन बनाए रखते हैं और इलेक्ट्रोलाइट जैसे सोडियम व पोटैशियम को भी नियंत्रित करते हैं।

अतः I सही है, II गलत है।

66. (B): इंसुलिन अग्न्याशय से स्रावित होता है और रक्त ग्लूकोज स्तर को कम करता है। यह कोशिकाओं में ग्लूकोज के प्रवेश को बढ़ाता है।

67. (B): पिट्यूटरी ग्रंथि को मास्टर ग्रंथि कहा जाता है क्योंकि यह अन्य अंतःस्रावी ग्रंथियों को नियंत्रित करती है।

68. (C): थायरॉक्सिन थायरॉयड ग्रंथि से स्रावित होता है और चयापचय को नियंत्रित करता है।

69. (A): इंसुलिन रक्त ग्लूकोज कम करता है, थायरॉक्सिन चयापचय बढ़ाता है, एड्रेनालिन तनाव हार्मोन है और पैराथायरॉयड हार्मोन कैल्शियम को नियंत्रित करता है।

अतः सही मिलान A-3, B-1, C-4, D-2 है।

70. (A): हार्मोन रासायनिक संदेशवाहक होते हैं और सीधे रक्त में स्रावित होते हैं जिससे वे शरीर के विभिन्न भागों तक पहुँचते हैं।

अतः दोनों कथन सही हैं।

71. (C): टीकाकरण द्वारा शरीर में एंटीजन प्रवेश कराए जाते हैं जिससे शरीर स्वयं एंटीबॉडी बनाता है। यह दीर्घकालिक सुरक्षा प्रदान करता है।

72. (C): WBC शरीर को संक्रमण से बचाती हैं और प्रतिरक्षा प्रतिक्रिया में मुख्य भूमिका निभाती हैं।

73. (B): लिंफोसाइट्स प्लाज्मा कोशिकाओं में बदलकर एंटीबॉडी बनाते हैं जो रोगाणुओं को निष्क्रिय करते हैं।

74. (A): सक्रिय प्रतिरक्षा दीर्घकालिक होती है, निष्क्रिय प्रतिरक्षा त्वरित सुरक्षा देती है, एंटीबॉडी प्रोटीन होते हैं और एंटीजन बाहरी पदार्थ होते हैं।

अतः सही मिलान A-3, B-4, C-2, D-1 है।

75. (A): सक्रिय प्रतिरक्षा धीरे विकसित होती है लेकिन लंबे समय तक रहती है, जबकि निष्क्रिय प्रतिरक्षा तुरंत सुरक्षा देती है लेकिन अस्थायी होती है।

अतः दोनों कथन सही हैं।

3. पोषण तथा जैव रसायन (Nutrition & Biochemistry)

1. आहार में ऊर्जा का मुख्य स्रोत है

A. प्रोटीन
B. कार्बोहाइड्रेट
C. विटामिन
D. खनिज

2. 1 ग्राम कार्बोहाइड्रेट से प्राप्त ऊर्जा .... किलोकैलोरी होती है।

A. 2
B. 4
C. 7
D. 9

3. शरीर निर्माण करने वाला पोषक तत्व है

A. कार्बोहाइड्रेट
B. वसा
C. प्रोटीन
D. विटामिन

4. 1 ग्राम वसा से प्राप्त ऊर्जा है

A. 4 kcal
B. 7 kcal
C. 9 kcal
D. 2 kcal

5. आवश्यक वसीय अम्ल मुख्यतः प्राप्त होते हैं

A. पशु वसा
B. वनस्पति तेल
C. जल
D. खनिज

6. वृद्धि और मरम्मत के लिए आवश्यक पोषक तत्व है

A. कार्बोहाइड्रेट
B. प्रोटीन
C. वसा
D. विटामिन

7. शरीर में कार्बोहाइड्रेट का मुख्य संचय रूप है

A. ग्लूकोज
B. ग्लाइकोजन
C. फ्रक्टोज
D. लैक्टोज

8. प्रोटीन की कमी से होता है

A. मोटापा (Obesity)
B. क्वाशिओरकर (Kwashiorkor)
C. मधुमेह (Diabetes)
D. उच्च रक्तचाप (Hypertension)

9. निम्नलिखित का मिलान कीजिए :

कॉलम-I	कॉलम-II
A. कार्बोहाइड्रेट	1. शरीर सोष्ठव (Body building)
B. प्रोटीन	2. ऊर्जा स्रोत (Energy source)
C. वसा	3. सुरक्षात्मक आहार (Protective food)
D. विटामिन	4. सघन ऊर्जा (Concentrated energy)

A. A-2, B-1, C-4, D-3
B. A-1, B-2, C-3, D-4
C. A-3, B-4, C-2, D-1
D. A-4, B-3, C-1, D-2

10. **कथन** I: कार्बोहाइड्रेट ऊर्जा का प्रमुख स्रोत हैं।

कथन II: प्रोटीन मुख्यतः ऊर्जा उत्पादन के लिए उपयोग होते हैं।

A. दोनों कथन सही हैं
B. I सही है, II गलत है
C. दोनों कथन गलत हैं
D. I गलत है, II सही है

11. वयस्क की दैनिक ऊर्जा आवश्यकता निर्भर करती है

A. आयु
B. कार्य स्तर
C. लिंग
D. उपरोक्त सभी

12. प्रोटीन से भरपूर भोजन है

A. चावल
B. गेहूं
C. दालें
D. चीनी

13. अतिरिक्त कार्बोहाइड्रेट यकृत में .... के रूप में संग्रहित होते हैं।

A. वसा
B. ग्लाइकोजन
C. प्रोटीन
D. स्टार्च

14. वह पोषक तत्व जो शरीर को ऊष्मा संरक्षण देता है

A. प्रोटीन
B. कार्बोहाइड्रेट
C. वसा
D. खनिज

15. न्यूनतम दैनिक प्रोटीन आवश्यकता लगभग होती है

A. 0.5 g/kg B. 1 g/kg
C. 2 g/kg D. 3 g/kg

16. विटामिन A की कमी से होता है

A. रिकेट्स B. स्कर्वी
C. रतौंधी D. बेरी-बेरी

17. रक्त के थक्के बनने के लिए आवश्यक विटामिन है

A. विटामिन A B. विटामिन D
C. विटामिन K D. विटामिन C

18. विटामिन D की कमी से होता है

A. स्कर्वी B. रिकेट्स
C. पेलाग्रा D. रतौंधी

19. विटामिन C को भी कहा जाता है

A. रेटिनॉल
B. कैल्सीफेरोल
C. एस्कॉर्बिक अम्ल
D. थायमिन

20. कैल्शियम के अवशोषण के लिए आवश्यक विटामिन है

A. विटामिन A B. विटामिन D
C. विटामिन E D. विटामिन K

21. विटामिन B1 की कमी से होता है

A. पेलाग्रा B. बेरी-बेरी
C. स्कर्वी D. एनीमिया

22. .... विटामिन दृष्टि के लिए आवश्यक है।

A. विटामिन A B. विटामिन B
C. विटामिन C D. विटामिन D

23. विटामिन C की कमी से होता है

A. रिकेट्स B. स्कर्वी
C. ऑस्टियोमलेशिया D. बेरी-बेरी

24. विटामिन E मुख्यतः कार्य करता है

A. हार्मोन के रूप में
B. एंजाइम के रूप में
C. एंटीऑक्सीडेंट के रूप में
D. कोएंजाइम के रूप में

25. लाल रक्त कोशिकाओं के निर्माण के लिए उत्तरदायी विटामिन है

A. विटामिन B12 B. विटामिन A
C. विटामिन D D. विटामिन K

26. निम्नलिखित का मिलान कीजिए :

कॉलम-I	कॉलम-II
A. विटामिन A	1. रक्त का थक्का बनना
B. विटामिन D	2. दृष्टि
C. विटामिन C	3. अस्थि स्वास्थ्य
D. विटामिन K	4. घाव भरना

A. A-2, B-3, C-4, D-1
B. A-1, B-2, C-3, D-4
C. A-3, B-4, C-1, D-2
D. A-4, B-1, C-2, D-3

27. सूर्य के प्रकाश से त्वचा में बनने वाला विटामिन है

A. विटामिन A B. विटामिन D
C. विटामिन C D. विटामिन E

28. नियासिन (Niacin) की कमी से होता है

A. स्कर्वी B. पेलाग्रा
C. रिकेट्स D. बेरी-बेरी

29. **कथन I:** वसा में घुलनशील विटामिन शरीर में संग्रहीत हो सकते हैं।

कथन II: जल में घुलनशील विटामिन मूत्र के द्वारा बाहर निकल जाते हैं।

A. दोनों कथन सही हैं
B. I सही है, II गलत है
C. दोनों कथन गलत हैं
D. I गलत है, II सही है

30. कोलेजन के निर्माण के लिए आवश्यक विटामिन है

A. विटामिन A B. विटामिन B12
C. विटामिन C D. विटामिन D

31. हीमोग्लोबिन के निर्माण के लिए आवश्यक खनिज है

A. कैल्शियम B. आयरन
C. फॉस्फोरस D. सोडियम

32. आयरन की कमी से होता है

A. रिकेट्स B. स्कर्वी
C. एनीमिया D. गण्डमाला

33. अस्थियों और दांतों के निर्माण के लिए आवश्यक खनिज है

A. आयरन B. कैल्शियम
C. सोडियम D. पोटैशियम

34. आयोडीन की कमी से होता है

A. एनीमिया B. गण्डमाला (Goiter)
C. रिकेट्स D. स्कर्वी

35. तंत्रिका आवेग संचरण के लिए महत्वपूर्ण खनिज है

A. आयरन B. कैल्शियम
C. सोडियम D. आयोडीन

36. मांसपेशी संकुचन के लिए आवश्यक खनिज है

A. कैल्शियम B. आयरन
C. क्लोराइड D. जिंक

37. .... खनिज द्रव संतुलन बनाए रखने में सहायता करता है।

A. आयरन B. कैल्शियम
C. सोडियम D. मैग्नीशियम

38. जिंक महत्वपूर्ण भूमिका निभाता है

A. ऑक्सीजन परिवहन (Oxygen transport) में
B. एंजाइम क्रिया (Enzyme function) में
C. अस्थि निर्माण (Bone formation) में
D. जल संतुलन (Water balance) में

39. निम्नलिखित का मिलान कीजिए :

कॉलम-I	कॉलम-II
A. आयरन	1. थायरॉयड कार्य
B. कैल्शियम	2. हीमोग्लोबिन निर्माण
C. आयोडीन	3. द्रव संतुलन
D. सोडियम	4. अस्थि निर्माण

A. A-2, B-4, C-1, D-3
B. A-1, B-2, C-3, D-4
C. A-3, B-1, C-4, D-2
D. A-4, B-3, C-2, D-1

40. **कथन I:** कैल्शियम अस्थि निर्माण के लिए आवश्यक है।

कथन II: आयरन ऑक्सीजन परिवहन के लिए आवश्यक है।

A. दोनों कथन सही हैं
B. I सही है, II गलत है
C. दोनों कथन गलत हैं
D. I गलत है, II सही है

41. वयस्क के लिए सामान्य दैनिक जल आवश्यकता लगभग .... लीटर होती है।

A. 1–1.5 B. 2–3
C. 4–5 D. 5–6

42. मुख्य अंतःकोशिकीय धनायन (Intracellular cation) है

A. सोडियम B. पोटैशियम
C. कैल्शियम D. मैग्नीशियम

43. मुख्य बाह्यकोशिकीय धनायन (Extracellular cation) है

A. पोटैशियम B. सोडियम
C. कैल्शियम D. आयरन

44. निम्नलिखित का मिलान कीजिए :

कॉलम-I	कॉलम-II
A. सोडियम	1. अस्थि निर्माण (Bone formation)
B. पोटैशियम	2. अंतःकोशिकीय धनायन (Intracellular cation)
C. कैल्शियम	3. बाह्यकोशिकीय धनायन (Extracellular cation)
D. क्लोराइड	4. अम्ल-क्षार संतुलन (Acid-base balance)

A. A-3, B-2, C-1, D-4
B. A-2, B-3, C-4, D-1
C. A-1, B-4, C-3, D-2
D. A-4, B-1, C-2, D-3

45. **कथन I:** इलेक्ट्रोलाइट द्रव संतुलन बनाए रखने में सहायता करते हैं।

कथन II: इलेक्ट्रोलाइट का तंत्रिका संचरण में कोई भूमिका नहीं होती।

A. दोनों कथन सही हैं B. I सही है, II गलत है
C. दोनों कथन गलत हैं D. I गलत है, II सही है

46. संतुलित आहार में होता है

A. केवल कार्बोहाइड्रेट
B. केवल प्रोटीन
C. सभी पोषक तत्व उचित अनुपात में
D. केवल वसा

47. अनुशंसित आहार भत्ता (Recommended Dietary Allowance) का अर्थ है

A. न्यूनतम पोषक तत्व की मात्रा
B. अधिकतम पोषक तत्व की मात्रा
C. औसत आवश्यकता
D. स्वस्थ व्यक्तियों के लिए पर्याप्त दैनिक मात्रा

48. किसी व्यक्ति की ऊर्जा आवश्यकता मुख्यतः निर्भर करती है

A. जलवायु
B. आयु, लिंग और कार्य स्तर
C. धर्म
D. केवल आहार आदतों पर

49. गर्भवती महिला का आहार .... से समृद्ध होना चाहिए।

A. केवल कार्बोहाइड्रेट B. प्रोटीन और आयरन
C. केवल वसा D. केवल विटामिन

50. गर्भावस्था के दौरान अतिरिक्त कैलोरी आवश्यकता लगभग होती है

A. 100 kcal B. 200 kcal
C. 300 kcal D. 500 kcal

51. वह आहार जिसमें सभी पोषक तत्व पर्याप्त मात्रा में हों कहलाता है

A. चिकित्सीय आहार (Therapeutic diet)
B. संतुलित आहार
C. द्रव आहार (Liquid diet)
D. विशेष आहार (Special diet)

52. प्रोटीन की आवश्यकता बढ़ जाती है

A. वृद्धावस्था में
B. बचपन में
C. गर्भावस्था और स्तनपान में
D. विश्राम के समय

53. शिशुओं का आहार होना चाहिए

A. प्रोटीन से भरपूर B. वसा से भरपूर
C. कार्बोहाइड्रेट से भरपूर D. सभी पोषक तत्वों से युक्त

54. निम्नलिखित का मिलान कीजिए :

कॉलम-I	**कॉलम-II**
A. संतुलित आहार	1. विशेष समूह के लिए अतिरिक्त भोजन
B. अनुशंसित आहार भत्ता	2. पोषक तत्वों की कमी या अधिकता
C. कुपोषण	3. स्वस्थ जीवन के लिए पर्याप्त आहार
D. पूरक आहार	4. अनुशंसित दैनिक मात्रा

A. A-3, B-4, C-2, D-1
B. A-4, B-3, C-1, D-2
C. A-2, B-1, C-4, D-3
D. A-1, B-2, C-3, D-4

55. कथन I: संतुलित आहार अभावजनित रोगों को रोकता है।

कथन II: अनुशंसित आहार भत्ता आयु और लिंग के अनुसार बदलता है।

A. दोनों कथन सही हैं B. I सही है, II गलत है
C. दोनों कथन गलत हैं D. I गलत है, II सही है

56. वह पकाने की विधि जो अधिकतम पोषक तत्व सुरक्षित रखती है

A. तलना B. उबालना
C. भाप में पकाना D. भूनना

57. भोजन पकाने से सुधार होता है

A. पाचन क्षमता (Digestibility)
B. पोषक तत्वों की हानि
C. खराब होना (Spoilage)
D. विषाक्तता (Toxicity)

58. वह विधि जिसमें शुष्क ऊष्मा (Dry heat) से भोजन पकाया जाता है

A. उबालना (Boiling)
B. भाप में पकाना (Steaming)
C. भूनना (Roasting)
D. पोचिंग (Poaching)

59. सब्जियों को अधिक पकाने से हानि होती है

A. कार्बोहाइड्रेट की B. प्रोटीन की
C. विटामिन की D. खनिज की

60. कथन I: भोजन पकाने से सूक्ष्मजीव नष्ट हो जाते हैं।

कथन II: पकाने से हमेशा विटामिन की मात्रा बढ़ती है।

A. दोनों कथन सही हैं B. I सही है, II गलत है
C. दोनों कथन गलत हैं D. I गलत है, II सही है

61. कोशिका झिल्ली मुख्यतः .... और प्रोटीन से बनी होती है।

A. कार्बोहाइड्रेट B. लिपिड
C. खनिज D. पानी

62. पदार्थों का अधिक सांद्रता से कम सांद्रता की ओर जाना कहलाता है

A. सक्रिय परिवहन (Active transport)
B. प्रसार (Diffusion)
C. एंडोसाइटोसिस (Endocytosis)
D. परासरण (Osmosis)

63. एंजाइम .... जैविक उत्प्रेरक के रूप में कार्य करता है।

A. प्रोटीन B. एंजाइम
C. लिपिड D. हार्मोन

64. वह विशेष स्थान जहाँ सब्स्ट्रेट एंजाइम से जुड़ता है कहलाता है

A. बाइंडिंग क्षेत्र
B. सक्रिय स्थल (Active site)
C. सतह क्षेत्र
D. अभिक्रिया स्थल

65. निम्नलिखित का मिलान कीजिए :

कॉलम-I	**कॉलम-II**
A. प्रसार	1. पानी का गमन
B. परासरण	2. ऊर्जा की आवश्यकता
C. सक्रिय परिवहन	3. निष्क्रिय परिवहन
D. सहायक प्रसार	4. वाहक द्वारा परिवहन

A. A-3, B-1, C-2, D-4
B. A-1, B-2, C-3, D-4
C. A-2, B-3, C-4, D-1
D. A-4, B-3, C-1, D-2

66. शरीर में होने वाली सभी रासायनिक अभिक्रियाओं का योग कहलाता है

A. पाचन B. चयापचय (Metabolism)
C. श्वसन D. परिसंचरण

67. जटिल पदार्थों का सरल पदार्थों में टूटना कहलाता है

A. एनाबोलिज्म B. कैटाबोलिज्म
C. चयापचय D. पाचन

68. सरल अणुओं से जटिल अणुओं का निर्माण कहलाता है

A. कैटाबोलिज्म B. पाचन
C. एनाबोलिज्म D. श्वसन

69. ग्लाइकोलाइसिस की प्रक्रिया .... में होती है।

A. नाभिक B. साइटोप्लाज्म
C. माइटोकॉन्ड्रिया D. राइबोसोम

70. वायवीय श्वसन का अंतिम उत्पाद होता है

A. लैक्टिक अम्ल
B. कार्बन डाइऑक्साइड और पानी
C. एथेनॉल
D. पाइरुविक अम्ल

71. ऊर्जा उत्पादन के लिए उत्तरदायी कोशिकांग है

A. राइबोसोम B. नाभिक
C. माइटोकॉन्ड्रिया D. गोल्जी बॉडी

72. भोजन से प्राप्त ऊर्जा .... के रूप में संग्रहित होती है।

A. ADP B. ATP
C. AMP D. NADH

73. गैर-कार्बोहाइड्रेट से ग्लूकोज बनने की प्रक्रिया कहलाती है

A. ग्लाइकोलाइसिस B. ग्लाइकोजेनिसिस
C. ग्लुकोनियोजेनेसिस D. ग्लाइकोजेनोलाइसिस

74. **कथन I:** एनाबोलिज्म में ऊर्जा की आवश्यकता होती है।

कथन II: कैटाबोलिज्म में ऊर्जा मुक्त होती है।

A. दोनों कथन सही हैं B. I सही है, II गलत है
C. दोनों कथन गलत हैं D. I गलत है, II सही है

75. वह चयापचय प्रक्रिया जिसमें ग्लूकोज ग्लाइकोजन में परिवर्तित होता है कहलाती है

A. ग्लाइकोजेनोलाइसिस B. ग्लाइकोलाइसिस
C. ग्लाइकोजेनिसिस D. ग्लुकोनियोजेनेसिस

व्याख्यात्मक उत्तर

1. (B): कार्बोहाइड्रेट आहार में ऊर्जा का मुख्य स्रोत होते हैं। ये आसानी से टूटकर ग्लूकोज में परिवर्तित हो जाते हैं। यह ग्लूकोज कोशिकाओं द्वारा ऊर्जा के लिए उपयोग किया जाता है।

2. (B): कार्बोहाइड्रेट 1 ग्राम पर 4 किलोकैलोरी ऊर्जा प्रदान करते हैं। यह पोषण गणना में मानक मान है। इससे दैनिक ऊर्जा आवश्यकता निर्धारित की जाती है।

3. (C): प्रोटीन शरीर की वृद्धि और ऊतकों की मरम्मत के लिए आवश्यक होते हैं। ये शरीर के संरचनात्मक घटक बनाते हैं। इसलिए इन्हें शरीर-निर्माण पोषक कहा जाता है।

4. (C): वसा 1 ग्राम पर 9 किलोकैलोरी ऊर्जा प्रदान करती है, जिससे यह सबसे सघन ऊर्जा स्रोत बनती है। यह शरीर को इन्सुलेशन और ऊर्जा भंडारण भी देती है।

5. (B): आवश्यक फैटी अम्ल जैसे लिनोलिक अम्ल वनस्पति तेलों से प्राप्त होते हैं। ये कोशिका संरचना और चयापचय के लिए महत्वपूर्ण होते हैं।

6. (B): प्रोटीन शरीर के ऊतकों की मरम्मत और रखरखाव में सहायता करते हैं। ये एंजाइम, हार्मोन और एंटीबॉडी के निर्माण में आवश्यक हैं।

7. (B): ग्लाइकोजन यकृत और मांसपेशियों में ग्लूकोज का भंडारित रूप है। आवश्यकता पड़ने पर यह पुनः ग्लूकोज में परिवर्तित हो जाता है। यह रक्त शर्करा स्तर को बनाए रखता है।

8. (B): क्वाशिओरकर (Kwashiorkor) प्रोटीन की कमी से होने वाला रोग है। इसमें सूजन, मांसपेशियों का क्षय और वृद्धि में कमी होती है। यह बच्चों में अधिक देखा जाता है।

9. (A): कार्बोहाइड्रेट ऊर्जा देते हैं, प्रोटीन शरीर निर्माण करते हैं, वसा सघन ऊर्जा देती है और विटामिन शरीर की सुरक्षा करते हैं। यह मूल पोषण वर्गीकरण है।

अतः सही मिलान A-2, B-1, C-4, D-3 है।

10. (B): कार्बोहाइड्रेट ऊर्जा का मुख्य स्रोत हैं। प्रोटीन मुख्यतः वृद्धि और मरम्मत के लिए उपयोग होते हैं, न कि ऊर्जा के लिए।

अतः I सही है, II गलत है।

11. (D): ऊर्जा की आवश्यकता आयु, लिंग और कार्य स्तर पर निर्भर करती है। ये सभी कारक चयापचय को प्रभावित करते हैं। इसलिए सभी विकल्प सही हैं।

12. (C): दालें प्रोटीन से भरपूर होती हैं। ये प्रोटीन का महत्वपूर्ण वनस्पति स्रोत हैं।

13. (B): अतिरिक्त कार्बोहाइड्रेट ग्लाइकोजन में परिवर्तित हो जाते हैं। यह यकृत और मांसपेशियों में संग्रहीत रहता है और ऊर्जा का भंडार होता है।

14. (C): वसा शरीर को ऊष्मा से बचाती है और अंगों की सुरक्षा करती है। यह ऊर्जा का भंडार भी है।

15. (B): सामान्यतः प्रोटीन की आवश्यकता लगभग 1 ग्राम प्रति किलोग्राम शरीर भार होती है। यह वृद्धि और मरम्मत के लिए आवश्यक है।

16. (C): विटामिन A की कमी से दृष्टि प्रभावित होती है, विशेषकर कम रोशनी में। इससे रतौंधी हो जाती है और आगे चलकर आँखों के रोग हो सकते हैं।

17. (C): विटामिन K रक्त के थक्के बनने में आवश्यक है। इसकी कमी से रक्तस्राव की समस्या होती है।

18. (B): विटामिन D की कमी से हड्डियाँ कमजोर हो जाती हैं। बच्चों में यह रिकेट्स के रूप में दिखाई देता है।

19. (C): विटामिन C को एस्कॉर्बिक अम्ल कहा जाता है। यह कोलेजन निर्माण और घाव भरने में मदद करता है।

20. (B): विटामिन D कैल्शियम और फॉस्फोरस के अवशोषण में मदद करता है। यह हड्डियों के निर्माण के लिए आवश्यक है।

21. (B): विटामिन B1 की कमी से बेरीबेरी होता है। यह तंत्रिका और हृदय तंत्र को प्रभावित करता है।

22. (A): विटामिन A दृष्टि के लिए आवश्यक है, विशेषकर कम रोशनी में देखने के लिए।

23. (B): विटामिन C की कमी से स्कर्वी होता है। इसमें मसूड़ों से खून आना और घाव न भरना शामिल है।

24. (C): विटामिन E एक एंटीऑक्सीडेंट की तरह कार्य करता है। यह कोशिकाओं को क्षति से बचाता है।

25. (A): विटामिन B12 लाल रक्त कोशिकाओं के निर्माण के लिए आवश्यक है। इसकी कमी से एनीमिया होता है।

26. (A): विटामिन A दृष्टि के लिए, विटामिन D हड्डियों के लिए, विटामिन C घाव भरने के लिए और विटामिन K रक्त के थक्के के लिए आवश्यक है।

अतः सही मिलान A-2, B-3, C-4, D-1 है।

27. (B): विटामिन D त्वचा में सूर्य के प्रकाश की सहायता से बनता है। यह अन्य विटामिनों से भिन्न विशेषता रखता है।

28. (B): नियासिन की कमी से पेलाग्रा होता है, जिसमें त्वचा, पाचन और मानसिक लक्षण दिखाई देते हैं।

29. (A): वसा में घुलनशील विटामिन शरीर में संचित होते हैं, जबकि जल में घुलनशील विटामिन मूत्र द्वारा बाहर निकल जाते हैं।

अतः दोनों कथन सही हैं।

30. (C): विटामिन C कोलेजन निर्माण के लिए आवश्यक है। यह संयोजी ऊतकों के स्वास्थ्य और घाव भरने में सहायक है।

31. (B): आयरन हीमोग्लोबिन का महत्वपूर्ण घटक है। यह रक्त में ऑक्सीजन के परिवहन में सहायक है।

32. (C): आयरन की कमी से एनीमिया होता है। इसमें कमजोरी और थकान होती है।

33. (B): कैल्शियम हड्डियों और दांतों के निर्माण के लिए आवश्यक है। यह मांसपेशियों और रक्त के कार्यों में भी भाग लेता है।

34. (B): आयोडीन की कमी से थायरॉयड ग्रंथि का बढ़ना गण्डमाला कहलाता है।

35. (C): सोडियम तंत्रिका आवेग के संचार में महत्वपूर्ण भूमिका निभाता है। यह कोशिका झिल्ली की क्षमता बनाए रखता है।

36. (A): कैल्शियम मांसपेशियों के संकुचन में आवश्यक होता है। यह प्रोटीनों के कार्य को नियंत्रित करता है।

37. (C): सोडियम शरीर में द्रव संतुलन बनाए रखता है। यह रक्तचाप और जल वितरण को नियंत्रित करता है।

38. (B): जिंक कई एंजाइमों के सह-कारक के रूप में कार्य करता है। यह वृद्धि और प्रतिरक्षा में सहायक है।

39. (A): आयरन हीमोग्लोबिन के लिए, कैल्शियम हड्डियों के लिए, आयोडीन थायरॉयड के लिए और सोडियम द्रव संतुलन के लिए आवश्यक है।

अतः सही मिलान A-2, B-4, C-1, D-3 है।

40. (A): कैल्शियम हड्डियों के निर्माण के लिए आवश्यक है और आयरन ऑक्सीजन के परिवहन में महत्वपूर्ण है।

अतः दोनों कथन सही हैं।

41. (B): एक वयस्क के लिए दैनिक जल की आवश्यकता लगभग 2–3 लीटर होती है। यह कार्य, जलवायु और स्वास्थ्य की स्थिति के अनुसार बदलती है। पर्याप्त जल सेवन चयापचय और तापमान नियंत्रण के लिए आवश्यक है।

42. (B): पोटैशियम मुख्य अंतःकोशिकीय धनायन होता है। यह कोशिका के कार्य, तंत्रिका आवेग संचरण और मांसपेशी संकुचन में सहायता करता है। इसकी असंतुलन स्थिति हृदय कार्य को प्रभावित कर सकती है।

43. (B): सोडियम मुख्य बहिर्कोशिकीय धनायन होता है। यह द्रव संतुलन और परासरण दाब को नियंत्रित करता है। यह तंत्रिका और मांसपेशी कार्य में भी महत्वपूर्ण भूमिका निभाता है।

44. (A): सोडियम बहिर्कोशिकीय धनायन है, पोटैशियम अंतःकोशिकीय धनायन है, कैल्शियम हड्डियों के लिए आवश्यक है और क्लोराइड अम्ल-क्षार संतुलन बनाए रखता है।

अतः सही मिलान A-3, B-2, C-1, D-4 है।

45. (B): इलेक्ट्रोलाइट शरीर में द्रव संतुलन बनाए रखते हैं और परासरण दाब को नियंत्रित करते हैं। वे तंत्रिका संचरण और मांसपेशी क्रिया में भी महत्वपूर्ण होते हैं, इसलिए दूसरा कथन गलत है।

अतः I सही है, II गलत है।

46. (C): सभी पोषक तत्व उचित मात्रा में : संतुलित आहार में कार्बोहाइड्रेट, प्रोटीन, वसा, विटामिन, खनिज और जल उचित अनुपात में होते हैं। यह शरीर के विकास और स्वास्थ्य को बनाए रखता है।

47. (D): RDA वह मात्रा है जो अधिकांश स्वस्थ व्यक्तियों की पोषण आवश्यकता को पूरा करती है। यह आयु, लिंग और शारीरिक अवस्था के अनुसार बदलती है।

48. (B): ऊर्जा की आवश्यकता आयु, लिंग और शारीरिक गतिविधि पर निर्भर करती है। अधिक सक्रिय व्यक्तियों को अधिक ऊर्जा की आवश्यकता होती है।

49. (B): गर्भावस्था में भ्रूण की वृद्धि के लिए प्रोटीन और हीमोग्लोबिन निर्माण के लिए आयरन आवश्यक होता है। इनकी कमी से जटिलताएँ हो सकती हैं।

50. (C): गर्भावस्था के दौरान लगभग 300 किलोकैलोरी अतिरिक्त ऊर्जा की आवश्यकता होती है। यह भ्रूण और माता दोनों के स्वास्थ्य के लिए आवश्यक है।

51. (B): संतुलित आहार सभी पोषक तत्वों को पर्याप्त मात्रा में प्रदान करता है। यह शरीर के सामान्य कार्यों को बनाए रखता है और स्वास्थ्य के लिए आवश्यक है।

52. (C): इन अवस्थाओं में प्रोटीन की आवश्यकता बढ़ जाती है। यह भ्रूण की वृद्धि और दूध उत्पादन के लिए आवश्यक है।

53. (D): शिशुओं को तीव्र वृद्धि के लिए सभी पोषक तत्वों की आवश्यकता होती है। संतुलित आहार आवश्यक है और मातृ दूध पूर्ण पोषण प्रदान करता है।

54. (A): संतुलित आहार पर्याप्त पोषण देता है, RDA दैनिक आवश्यकता बताता है, कुपोषण पोषक तत्वों का असंतुलन है और पूरक आहार अतिरिक्त पोषण प्रदान करता है।

अतः सही मिलान A-3, B-4, C-2, D-1 है।

55. (A): संतुलित आहार कमी से होने वाले रोगों को रोकता है और RDA आयु व लिंग के अनुसार बदलता है।

अतः दोनों कथन सही हैं।

56. (C): स्टीमिंग में भोजन सीधे पानी के संपर्क में नहीं आता जिससे पोषक तत्व सुरक्षित रहते हैं। यह जल में घुलनशील विटामिनों की हानि को कम करता है।

57. (A): पकाने से भोजन नरम हो जाता है जिससे पाचन आसान होता है। यह स्वाद और सुगंध भी बढ़ाता है।

58. (C): रोस्टिंग में शुष्क ऊष्मा का उपयोग किया जाता है। इससे भोजन का स्वाद और बनावट बेहतर होती है।

59. (C): अधिक पकाने से गर्मी-संवेदनशील विटामिन जैसे विटामिन C और B समूह नष्ट हो जाते हैं। उचित पकाने से पोषक तत्व सुरक्षित रहते हैं।

60. (B): पकाने से सूक्ष्मजीव नष्ट होते हैं और भोजन सुरक्षित बनता है। लेकिन अधिक पकाने से विटामिन की मात्रा घटती है, इसलिए दूसरा कथन गलत है।

अतः I सही है, II गलत है।

61. (B): कोशिका झिल्ली लिपिड द्विपरत और प्रोटीन से बनी होती है। लिपिड संरचना और लचीलापन प्रदान करते हैं तथा चयनात्मक पारगम्यता बनाए रखते हैं।

62. (B): विसरण (Diffusion) प्रक्रिया उच्च से निम्न सांद्रता की ओर पदार्थों के संचलन को दर्शाती है। इसमें ऊर्जा की आवश्यकता नहीं होती और यह निष्क्रिय परिवहन है।

63. (B): एंजाइम जैव उत्प्रेरक होते हैं जो रासायनिक अभिक्रियाओं की गति बढ़ाते हैं। ये विशिष्ट होते हैं और स्वयं उपभोग नहीं होते।

64. (B): सक्रिय स्थल (Active site) एंजाइम का वह भाग है जहाँ सब्सट्रेट जुड़ता है। यहीं एंजाइम-सब्सट्रेट संकुल बनता है और अभिक्रिया होती है।

65. (A): विसरण निष्क्रिय प्रक्रिया है, परासरण जल का संचलन है, सक्रिय परिवहन में ऊर्जा लगती है और सहायक विसरण में वाहक प्रोटीन कार्य करते हैं।

अतः सही मिलान A-3, B-1, C-2, D-4 है।

66. (B): शरीर की सभी रासायनिक अभिक्रियाओं का कुल योग चयापचय कहलाता है। इसमें निर्माण और विघटन दोनों प्रक्रियाएँ शामिल होती हैं।

67. (B): जटिल अणुओं का सरल अणुओं में टूटना अपचयन कहलाता है। इसमें ऊर्जा मुक्त होती है।

68. (C): सरल अणुओं से जटिल अणुओं का निर्माण संश्लेषण कहलाता है। इसमें ऊर्जा की आवश्यकता होती है और यह वृद्धि के लिए आवश्यक है।

69. (B): ग्लाइकोलाइसिस कोशिका के साइटोप्लाज्म में होती है। यह ग्लूकोज के विघटन की पहली अवस्था है और इसमें ऑक्सीजन की आवश्यकता नहीं होती।

70. (B): वायवीय श्वसन में CO_2 और जल अंतिम उत्पाद होते हैं। इसमें अधिक ऊर्जा उत्पन्न होती है।

71. (C): माइटोकॉन्ड्रिया ऊर्जा उत्पादन के लिए जिम्मेदार होते हैं। यहाँ ATP का निर्माण होता है, इसलिए इन्हें पावरहाउस कहा जाता है।

72. (B): भोजन से प्राप्त ऊर्जा ATP के रूप में संग्रहीत होती है। यह कोशिका की ऊर्जा मुद्रा है और विभिन्न कार्यों में प्रयुक्त होती है।

73. (C): ग्लूकोनियोजेनेसिस प्रक्रिया गैर-कार्बोहाइड्रेट पदार्थों से ग्लूकोज बनाने की होती है। यह मुख्यतः यकृत में होती है।

74. (A): संश्लेषण में ऊर्जा की आवश्यकता होती है जबकि अपचयन में ऊर्जा मुक्त होती है। दोनों चयापचय के महत्वपूर्ण भाग हैं।

अतः दोनों कथन सही हैं।

75. (C): ग्लाइकोजेनेसिस प्रक्रिया में ग्लूकोज को ग्लाइकोजन में परिवर्तित किया जाता है। यह ऊर्जा के भंडारण के लिए यकृत और मांसपेशियों में होती है।

4. नर्सिंग फाउंडेशन (Nursing Foundations)

1. नर्सिंग प्रक्रिया (nursing process) का पहला चरण है

A. निदान (Diagnosis)
B. आकलन (Assessment)
C. योजना (Planning)
D. मूल्यांकन (Evaluation)

2. रोगी डेटा एकत्र करने की प्रक्रिया कहलाती है

A. निदान (Diagnosis)
B. आकलन (Assessment)
C. कार्यान्वयन (Implementation)
D. मूल्यांकन (Evaluation)

3. नर्सिंग निदान (nursing diagnosis) आधारित होता है

A. चिकित्सीय निष्कर्ष (Medical findings)
B. रोगी डेटा (Patient data)
C. केवल प्रयोगशाला रिपोर्ट (Lab reports only)
D. डॉक्टर के आदेश (Doctor's orders)

4. योजना चरण (planning phase) में शामिल होता है

A. निदान (Diagnosis)
B. लक्ष्य (Goals)
C. उपचार (Treatment)
D. आकलन (Assessment)

5. कार्यान्वयन चरण (implementation phase) में शामिल है

A. देखभाल की योजना बनाना (Planning care)
B. देखभाल प्रदान करना (Providing care)
C. देखभाल का मूल्यांकन (Evaluating care)
D. निदान करना (Diagnosing)

6. मूल्यांकन चरण (evaluation step) निर्धारित करता है

A. रोगी की स्थिति (Patient condition)
B. लक्ष्यों की प्राप्ति (Achievement of goals)
C. निदान (Diagnosis)
D. आकलन (Assessment)

7. नर्सिंग प्रक्रिया एक .... दृष्टिकोण (approach) है।

A. स्थिर (Static)
B. गतिशील (Dynamic)
C. रैखिक (Linear)
D. निश्चित (Fixed)

8. नर्सिंग प्रक्रिया में .... चरण होते हैं।

A. 3 B. 4
C. 5 D. 6

9. नर्सिंग निदान चिकित्सीय निदान से अलग है क्योंकि यह केंद्रित होता है

A. रोग (Disease)
B. रोगी प्रतिक्रिया (Patient response)
C. उपचार (Treatment)
D. विकृति (Pathology)

10. आकलन (assessment) के दौरान एकत्रित डेटा हो सकता है

A. वस्तुनिष्ठ (Objective)
B. व्यक्तिनिष्ठ (Subjective)
C. A और B दोनों
D. केवल प्रयोगशाला डेटा (Only lab data)

11. ...... चरण में देखभाल की प्राथमिकताएँ निर्धारित की जाती हैं।

A. आकलन (Assessment)
B. निदान (Diagnosis)
C. योजना (Planning)
D. मूल्यांकन (Evaluation)

12. मूल्यांकन चरण उत्तर देता है कि .... प्राप्त हुए या नहीं।

A. निदान (Diagnoses)

B. लक्ष्य (Goals)

C. आकलन (Assessment)

D. उपचार (Treatment)

13. नर्सिंग प्रक्रिया रोगी-केंद्रित और .... होती है।

A. रोग उन्मुख (Disease oriented)

B. लक्ष्य उन्मुख (Goal oriented)

C. कार्य उन्मुख (Task oriented)

D. समय उन्मुख (Time oriented)

14. रोगी समस्याओं की पहचान की प्रक्रिया कहलाती है

A. आकलन (Assessment)

B. निदान (Diagnosis)

C. योजना (Planning)

D. मूल्यांकन (Evaluation)

15. .... चरण में नर्सिंग हस्तक्षेप किए जाते हैं।

A. आकलन (Assessment)

B. योजना (Planning)

C. कार्यान्वयन (Implementation)

D. मूल्यांकन (Evaluation)

16. निम्न का मिलान कीजिए :

कॉलम-I	कॉलम-II
A. आकलन	1. डेटा संग्रह
B. निदान	2. समस्याओं की पहचान
C. योजना	3. लक्ष्य निर्धारित करना
D. कार्यान्वयन	4. देखभाल प्रदान करना

A. A-1, B-2, C-3, D-4

B. A-2, B-3, C-4, D-1

C. A-3, B-1, C-2, D-4

D. A-4, B-3, C-1, D-2

17. **कथन I:** नर्सिंग प्रक्रिया चक्रीय (cyclic) होती है।

कथन II: मूल्यांकन अंतिम चरण है लेकिन प्रक्रिया जारी रहती है।

A. दोनों कथन सही हैं B. I सही है, II गलत है

C. दोनों कथन गलत हैं D. I गलत है, II सही है

18. आकलन में रोगी से .... डेटा एकत्र किया जाता है।

A. केवल वस्तुनिष्ठ (Only objective)

B. केवल व्यक्तिनिष्ठ (Only subjective)

C. दोनों व्यक्तिनिष्ठ और वस्तुनिष्ठ (Both subjective and objective)

D. केवल प्रयोगशाला (Only laboratory)

19. नर्सिंग देखभाल योजना तैयार की जाती है :

A. आकलन चरण में B. निदान चरण में

C. योजना चरण में D. मूल्यांकन चरण में

20. नर्सिंग देखभाल का परिणाम निर्धारित किया जाता है

A. कार्यान्वयन (Implementation) में

B. योजना (Planning) में

C. मूल्यांकन (Evaluation) में

D. निदान (Diagnosis) में

21. नर्सिंग नैतिकता का सिद्धांत है

A. उपकारिता (Beneficence)

B. अहानिकरता (Non-maleficence)

C. स्वायत्तता (Autonomy)

D. उपरोक्त सभी

22. रोगी की जानकारी को गोपनीय रखना कहलाता है

A. गोपनीयता (Confidentiality)

B. उत्तरदायित्व (Accountability)

C. सहानुभूति (Empathy)

D. सत्यता (Veracity)

23. रोगी की अनुमति के बिना उपचार देना कहलाता है

A. सहमति (Consent)

B. आक्रमण (Battery)

C. लापरवाही (Negligence)

D. कर्तव्य (Duty)

24. सूचित सहमति का अर्थ है

A. मौखिक सहमति

B. लिखित सहमति

C. जानकारी के साथ सहमति

D. अप्रत्यक्ष सहमति

25. नर्स की जिम्मेदारी है

A. देखभाल प्रदान करना B. रिकॉर्ड रखना

C. रोगी की सुरक्षा D. उपरोक्त सभी

26. लापरवाही का अर्थ है

A. जानबूझकर हानि पहुँचाना

B. उचित देखभाल का अभाव

C. गलत दवा देना

D. नियमों का पालन करना

27. सहानुभूति का अर्थ है

A. रोगी की भावनाओं को समझना

B. रोगी पर दया करना

C. आदेश देना

D. उपेक्षा करना

28. संचार का मुख्य उद्देश्य है

A. जानकारी देना
B. संबंध बनाना
C. देखभाल में सुधार
D. उपरोक्त सभी

29. चिकित्सीय संचार में शामिल है

A. सक्रिय सुनना
B. बीच में रोकना
C. निर्णय देना
D. आलोचना करना

30. गैर-मौखिक संचार का उदाहरण है

A. बोलना
B. लिखना
C. इशारे
D. पढ़ना

31. नर्सिंग रिकॉर्ड का उद्देश्य है

A. कानूनी प्रमाण
B. संचार
C. देखभाल की निरंतरता
D. उपरोक्त सभी

32. संक्रमण नियंत्रण का मुख्य उद्देश्य है

A. संक्रमण रोकना
B. रोगी की देखभाल
C. उपचार देना
D. रिकॉर्ड रखना

33. हाथ धोना किया जाता है

A. संक्रमण रोकने के लिए
B. केवल साफ दिखने के लिए
C. समय बचाने के लिए
D. आवश्यकता नहीं

34. व्यक्तिगत सुरक्षा उपकरण का उपयोग किया जाता है

A. संक्रमण से बचाव के लिए
B. सजावट के लिए
C. आराम के लिए
D. पहचान के लिए

35. बायोमेडिकल कचरे का निपटान किया जाता है

A. खुले में
B. जलाकर
C. नियमों के अनुसार
D. पानी में

36. नसबंदी का अर्थ है

A. सभी सूक्ष्मजीवों का नाश
B. कुछ जीवाणुओं का नाश
C. सफाई
D. धोना

37. विसंक्रमण का अर्थ है

A. सभी सूक्ष्मजीवों का नाश
B. रोगजनक जीवाणुओं का नाश
C. सफाई
D. सुखाना

38. अलगाव का उद्देश्य है

A. संक्रमण रोकना
B. रोगी को अलग करना
C. दोनों A और B
D. कोई नहीं

39. मिलान कीजिए :

कॉलम-I	**कॉलम-II**
A. नसबंदी	1. सभी सूक्ष्मजीवों का नाश
B. विसंक्रमण	2. रोगजनक जीवाणुओं का नाश
C. एंटीसेप्सिस	3. जीवित ऊतकों पर उपयोग
D. एसेप्सिस	4. संक्रमण रहित स्थिति

A. A-1, B-2, C-3, D-4
B. A-2, B-1, C-4, D-3
C. A-3, B-4, C-1, D-2
D. A-4, B-3, C-2, D-1

40. **कथन I:** हाथ धोना संक्रमण रोकता है।

कथन II: हाथ धोना आवश्यक नहीं है।

A. दोनों कथन सही हैं
B. I सही है, II गलत है
C. दोनों कथन गलत हैं
D. I गलत है, II सही है

41. रोगी को अस्पताल में भर्ती करने की प्रक्रिया कहलाती है

A. डिस्चार्ज
B. एडमिशन
C. रेफरल
D. ट्रांसफर

42. भर्ती प्रक्रिया का उद्देश्य रोगी को .... करना है।

A. उपचार करना
B. आकलन करना और परिचित कराना
C. निदान करना
D. छुट्टी देना

43. भर्ती का पहला चरण है

A. उपचार
B. आकलन
C. पंजीकरण
D. निदान

44. भर्ती के समय रोगी की वस्तुओं को .... चाहिए।

A. नजरअंदाज करना
B. जाँचकर दर्ज करना
C. त्याग देना
D. बिना दर्ज किए रखना

45. रोगी का अभिविन्यास (orientation) में समझाना शामिल है

A. रोग
B. वार्ड की दिनचर्या
C. उपचार
D. शल्यक्रिया

46. डिस्चार्ज योजना शुरू होनी चाहिए

A. उपचार के समय
B. भर्ती के समय
C. निदान के समय
D. शल्यक्रिया के समय

47. रोगी की छुट्टी की जाती है जब .... ।

A. रोगी अनुरोध करे B. डॉक्टर आदेश दे
C. नर्स निर्णय ले D. परिजन निर्णय लें

48. डिस्चार्ज सारांश में शामिल होता है

A. निदान B. दिया गया उपचार
C. अनुवर्ती सलाह D. उपरोक्त सभी

49. कथन I: उचित भर्ती रोगी की चिंता कम करती है।

कथन II: डिस्चार्ज योजना केवल अंत में की जाती है।

A. दोनों कथन सही हैं B. I सही है, II गलत है
C. दोनों कथन गलत हैं D. I गलत है, II सही है

50. डिस्चार्ज के समय रोगी शिक्षा में शामिल है

A. आहार संबंधी सलाह B. दवा के निर्देश
C. अनुवर्ती देखभाल D. उपरोक्त सभी

51. संचार (Communication) को .... के आदान-प्रदान के रूप में परिभाषित किया जाता है।

A. शब्द B. सूचना
C. संकेत D. केवल विचार

52. संचार के मूल तत्वों में प्रेषक, संदेश और .... शामिल होते हैं।

A. शोर (Noise) B. प्राप्तकर्ता (Receiver)
C. माध्यम (Channel) D. प्रत्युत्तर (Feedback)

53. संदेश को प्राप्त और व्याख्या करने की प्रक्रिया कहलाती है

A. एन्कोडिंग B. डिकोडिंग
C. फीडबैक D. ट्रांसमिशन

54. गैर-मौखिक संचार में शामिल है

A. बोलना B. लिखना
C. इशारे D. पढ़ना

55. बिना शब्दों के होने वाला संचार कहलाता है

A. मौखिक B. गैर-मौखिक
C. लिखित D. मौखिक

56. चिकित्सीय संचार का उपयोग किया जाता है

A. मनोरंजन के लिए B. संबंध बनाने के लिए
C. निर्देश देने के लिए D. सूचना देने के लिए

57. सक्रिय सुनना में शामिल है

A. केवल सुनना B. ध्यान देना
C. अनदेखा करना D. बोलना

58. संचार में बाधा में शामिल है

A. शोर B. स्पष्टता
C. फीडबैक D. समझ

59. संचार का .... संदेह स्पष्ट करने में मदद करता है।

A. फीडबैक B. एन्कोडिंग
C. शोर D. माध्यम

60. संचार में नेत्र संपर्क दर्शाता है

A. अरुचि B. ध्यान
C. क्रोध D. भय

61. आवाज का स्वर .... संचार का भाग है।

A. मौखिक B. गैर-मौखिक
C. लिखित D. औपचारिक

62. नर्स और रोगी के बीच का संचार कहलाता है

A. सामाजिक संचार B. चिकित्सीय संचार
C. औपचारिक संचार D. समूह संचार

63. प्रभावी संचार के लिए आवश्यक है

A. स्पष्टता B. सरलता
C. समझ D. उपरोक्त सभी

64. मिलान कीजिए :

कॉलम-I	कॉलम-II
A. प्रेषक (Sender)	1. प्रतिक्रिया
B. संदेश (Message)	2. भेजने वाला व्यक्ति
C. प्राप्तकर्ता (Receiver)	3. विषयवस्तु
D. फीडबैक (Feedback)	4. प्राप्त करने वाला व्यक्ति

A. A-2, B-3, C-4, D-1
B. A-3, B-4, C-1, D-2
C. A-1, B-2, C-3, D-4
D. A-4, B-1, C-2, D-3

65. कथन I: संचार रोगी देखभाल को बेहतर बनाता है।

कथन II: नर्सिंग में संचार महत्वपूर्ण नहीं है।

A. दोनों कथन सही हैं B. I सही है, II गलत है
C. दोनों कथन गलत हैं D. I गलत है, II सही है

66. नर्सिंग में डॉक्यूमेंटेशन का अर्थ है रिकॉर्ड करना

A. केवल उपचार B. रोगी देखभाल
C. केवल निदान D. केवल दवाइयाँ

67. डॉक्यूमेंटेशन का उद्देश्य .... रोगी देखभाल है।

A. विलंब करना B. सुधारना
C. नजरअंदाज करना D. बचना

68. डॉक्यूमेंटेशन .... और सटीक होना चाहिए।

A. अपूर्ण B. स्पष्ट
C. असंगठित D. विलंबित

69. नर्सिंग में कानूनी दस्तावेज है

A. मौखिक रिपोर्ट B. लिखित रिकॉर्ड
C. मौखिक संचार D. टेलीफोन संदेश

70. डॉक्यूमेंटेशन किया जाना चाहिए

A. देखभाल से पहले B. देखभाल के बाद
C. देखभाल के दौरान D. कभी भी

71. डॉक्यूमेंटेशन में प्रयुक्त संक्षेप होना चाहिए

A. अप्रमानित B. मानक
C. व्यक्तिगत D. जटिल

72. डॉक्यूमेंटेशन स्वास्थ्य टीम के बीच .... में मदद करता है।

A. भ्रम B. संचार
C. विलंब D. संघर्ष

73. रिकॉर्ड में प्रविष्टि .... स्याही से करनी चाहिए।

A. लाल B. नीली या काली
C. हरी D. पेंसिल

74. मिलान कीजिए :

कॉलम-I	**कॉलम-II**
A. शुद्धता	1. सभी डेटा दर्ज करना
B. समयबद्धता	2. रोगी जानकारी की सुरक्षा
C. पूर्णता	3. सही जानकारी
D. गोपनीयता	4. तुरंत दर्ज करना

A. A-3, B-4, C-1, D-2
B. A-1, B-2, C-3, D-4
C. A-2, B-3, C-4, D-1
D. A-4, B-3, C-2, D-1

75. **कथन I:** डॉक्यूमेंटेशन कानूनी उद्देश्यों के लिए महत्वपूर्ण है।
कथन II: रोगी देखभाल में डॉक्यूमेंटेशन आवश्यक नहीं है।

A. दोनों कथन सही हैं B. I सही है, II गलत है
C. दोनों कथन गलत हैं D. I गलत है, II सही है

76. संक्रमण को परिभाषित किया जाता है शरीर में .... के प्रवेश के रूप में।

A. रसायन B. सूक्ष्मजीव
C. कोशिकाएँ D. ऊतक

77. संक्रमण शृंखला में एजेंट, होस्ट और .... शामिल होते हैं।

A. उपचार B. पर्यावरण
C. दवा D. निदान

78. संक्रमण नियंत्रण का पहला चरण है

A. नसबंदी B. हाथ स्वच्छता
C. विसंक्रमण D. अलगाव

79. संक्रमण रोकने का सबसे सामान्य तरीका है

A. मास्क B. दस्ताने
C. हाथ धोना D. गाउन

80. संक्रमण के संचरण के तरीके में शामिल हैं

A. वायु B. संपर्क
C. बूंदें D. उपरोक्त सभी

81. .... शब्द का अर्थ सूक्ष्मजीवों की अनुपस्थिति है।

A. विसंक्रमण B. नसबंदी
C. स्वच्छता D. अलगाव

82. अलगाव (Isolation) तकनीक का उपयोग किया जाता है

A. रोगी का उपचार करने के लिए
B. संक्रमण के फैलाव को रोकने के लिए
C. रोग का निदान करने के लिए
D. प्रतिरक्षा बढ़ाने के लिए

83. व्यक्तिगत सुरक्षा उपकरण में शामिल हैं

A. दस्ताने B. मास्क
C. गाउन D. उपरोक्त सभी

84. अस्पताल में होने वाला संक्रमण कहलाता है

A. सामुदायिक संक्रमण B. नोसोकॉमियल संक्रमण
C. दीर्घकालिक संक्रमण D. तीव्र संक्रमण

85. संक्रमण का भंडार (reservoir) है

A. सूक्ष्मजीवों का स्रोत B. होस्ट
C. वाहक (Vector) D. कैरियर (Carrier)

86. प्रवेश द्वार (portal of entry) है

A. निकास मार्ग B. प्रवेश मार्ग
C. संचरण D. कैरियर

87. दस्ताने का उपयोग किया जाता है

A. चोट से बचाव के लिए
B. संक्रमण से बचाव के लिए
C. दर्द से बचाव के लिए
D. रक्तस्राव रोकने के लिए

88. भाप द्वारा की जाने वाली नसबंदी (Sterilization) विधि है

A. शुष्क ऊष्मा B. ऑटोक्लेविंग
C. विकिरण D. निस्पंदन

89. विसंक्रामक (disinfectant) का उपयोग किया जाता है

A. बीजाणुओं को नष्ट करने के लिए
B. रोगजनकों को नष्ट करने के लिए
C. गंदगी हटाने के लिए
D. सतह साफ करने के लिए

90. हाथ धोना कम से कम .... सेकंड तक करना चाहिए।

A. 10 B. 20
C. 30 D. 60

91. संक्रमण नियंत्रण में उचित .... निपटान शामिल है।

A. कचरा B. पानी
C. भोजन D. वायु

92. बायोमेडिकल कचरे का पृथक्करण किया जाता है

A. बैग B. रंग
C. लेबल D. बॉक्स

93. मास्क का उपयोग .... संचरण को रोकने के लिए किया जाता है।

A. संपर्क B. बूंद
C. वाहक D. प्रत्यक्ष

94. नसबंदी .... को नष्ट करती है।

A. केवल बैक्टीरिया B. सभी सूक्ष्मजीव
C. केवल वायरस D. केवल फंगस

95. सफाई वह प्रक्रिया है जिसमें .... हटाए जाते हैं।

A. सूक्ष्मजीव B. गंदगी
C. बीजाणु D. वायरस

96. संक्रमण .... के माध्यम से फैलता है।

A. भोजन B. पानी
C. वायु D. उपरोक्त सभी

97. PPE का उपयोग .... के जोखिम को कम करता है।

A. संक्रमण B. चोट
C. दर्द D. थकान

98. मिलान कीजिए :

कॉलम-I	कॉलम-II
A. हाथ धोना	1. सभी सूक्ष्मजीवों को नष्ट करना
B. नसबंदी	2. सूक्ष्मजीवों को कम करना
C. विसंक्रमण	3. फैलाव रोकना
D. अलगाव	4. अस्थायी जीवाणुओं को हटाना

A. A-4, B-1, C-2, D-3
B. A-1, B-2, C-3, D-4
C. A-2, B-3, C-4, D-1
D. A-3, B-4, C-1, D-2

99. **कथन I:** संक्रमण नियंत्रण रोग फैलाव को कम करता है।

कथन II: हाथ स्वच्छता संक्रमण नियंत्रण में महत्वपूर्ण नहीं है।

A. दोनों कथन सही हैं B. I सही है, II गलत है
C. दोनों कथन गलत हैं D. I गलत है, II सही है

100. मानक सावधानियों में शामिल हैं

A. हाथ स्वच्छता B. PPE का उपयोग
C. सुरक्षित निपटान D. उपरोक्त सभी

101. एसेप्सिस का अर्थ है :

A. संक्रमण की उपस्थिति
B. सूक्ष्मजीवों की अनुपस्थिति
C. संक्रमण का फैलाव
D. बैक्टीरिया की वृद्धि

102. सूक्ष्मजीवों की संख्या कम करने वाली एसेप्सिस का प्रकार कहलाता है

A. सर्जिकल एसेप्सिस B. मेडिकल एसेप्सिस
C. आइसोलेशन D. डिसइन्फेक्शन

103. सर्जिकल एसेप्सिस को .... तकनीक भी कहते हैं।

A. क्लीन B. स्टेराइल
C. डर्टी D. डिसइन्फेक्शन

104. एसेप्सिस का सिद्धांत .... को रोकना है।

A. चोट B. संक्रमण
C. दर्द D. रक्तस्राव

105. स्टेराइल फील्ड को रखना चाहिए

A. कमर के नीचे B. कमर के ऊपर
C. जमीन के स्तर पर D. कहीं भी

106. स्टेराइल वस्तुओं को .... से नहीं छूना चाहिए।

A. स्टेराइल हाथ B. साफ हाथ
C. अस्टेराइल हाथ D. ग्लव्स वाले हाथ

107. स्टेराइल फील्ड का बाहरी 1 इंच भाग माना जाता है

A. स्टेराइल B. दूषित
C. साफ D. सुरक्षित

108. मेडिकल एसेप्सिस में शामिल है

A. स्टेरिलाइजेशन B. सफाई
C. डिसइन्फेक्शन D. उपरोक्त सभी

109. स्टेराइल ग्लव्स का उपयोग किया जाता है

A. क्लीन प्रक्रिया में B. सर्जिकल प्रक्रिया में
C. सामान्य देखभाल में D. बेसिक देखभाल में

110. स्टेराइल फील्ड दूषित हो जाता है यदि

A. स्टेराइल वस्तु से छुआ जाए
B. बिना देखरेख छोड़ा जाए
C. सूखा रखा जाए
D. ढका हुआ हो

111. एसेप्टिक तकनीक आवश्यक होती है .... प्रक्रियाओं में।

A. सामान्य B. सर्जिकल
C. दैनिक D. बेसिक

112. स्टेराइल घोल को .... इंच ऊँचाई से डालना चाहिए।

A. 1 B. 2
C. 4 D. 6

113. हैंड हाइजीन .... एसेप्सिस का भाग है।

A. सर्जिकल B. मेडिकल
C. आइसोलेशन D. डिसइन्फेक्शन

114. मिलान कीजिए :

कॉलम-I	**कॉलम-II**
A. मेडिकल एसेप्सिस	1. क्लीन तकनीक
B. सर्जिकल एसेप्सिस	2. सभी सूक्ष्मजीवों को नष्ट करना
C. स्टेरिलाइजेशन	3. सूक्ष्मजीवों को कम करना
D. डिसइन्फेक्शन	4. स्टेराइल तकनीक

A. A-1, B-4, C-2, D-3
B. A-2, B-3, C-1, D-4
C. A-3, B-2, C-4, D-1
D. A-4, B-1, C-3, D-2

115. **कथन I:** एसेप्टिक तकनीक संक्रमण को रोकती है।

कथन II: स्टेराइल फील्ड को नंगे हाथों से छुआ जा सकता है।

A. दोनों कथन सही हैं B. I सही है, II गलत है
C. दोनों कथन गलत हैं D. I गलत है, II सही है

116. दैनिक जीवन की गतिविधियों में शामिल हैं

A. स्नान B. भोजन करना
C. कपड़े पहनना D. उपरोक्त सभी

117. बेड बनाने का उद्देश्य रोगी को .... प्रदान करना है।

A. आराम B. उपचार
C. निदान D. व्यायाम

118. श्वसन सुधारने के लिए उपयोग की जाने वाली स्थिति है

A. सुपाइन B. फाउलर
C. लैटरल D. प्रोन

119. मुख स्वच्छता .... को रोकने में मदद करती है।

A. संक्रमण B. दर्द
C. रक्तस्राव D. चोट

120. बेड बाथ उन रोगियों को दिया जाता है जो .... होते हैं।

A. चलने-फिरने वाले B. अचल
C. सक्रिय D. चल रहे हैं

121. पीठ की देखभाल का उद्देश्य .... को रोकना है।

A. दर्द B. प्रेशर सोर
C. संक्रमण D. रक्तस्राव

122. रोगी को करवट बदलना, हर .... घंटे में करना चाहिए।

A. 1 B. 2
C. 4 D. 6

123. प्रेशर सोर लंबे समय तक .... के कारण होता है।

A. गति B. दबाव
C. व्यायाम D. मालिश

124. रेक्टल परीक्षण के लिए उपयोग की जाने वाली स्थिति है

A. फाउलर B. सिम्स
C. सुपाइन D. प्रोन

125. मुख देखभाल का उद्देश्य .... बनाए रखना है।

A. स्वच्छता B. पोषण
C. जल संतुलन D. आराम

126. रेंज ऑफ मोशन एक्सरसाइज .... बनाए रखने में मदद करती है।

A. शक्ति B. लचीलापन
C. गतिशीलता D. उपरोक्त सभी

127. बेडपैन का उपयोग उन रोगियों के लिए होता है जो .... होते हैं।

A. चलने वाले B. अचल
C. सक्रिय D. बैठे हुए

128. व्यक्तिगत स्वच्छता में शामिल है

A. स्नान B. साज-संवार
C. मुख देखभाल D. उपरोक्त सभी

129. मिलान कीजिए :

कॉलम-I	**कॉलम-II**
A. फाउलर स्थिति	1. पेट के बल लेटना
B. सिम्स स्थिति	2. पीठ के बल लेटना
C. सुपाइन स्थिति	3. करवट लेकर लेटना
D. प्रोन स्थिति	4. बैठने की स्थिति

A. A-4, B-3, C-2, D-1
B. A-3, B-2, C-1, D-4
C. A-2, B-4, C-3, D-1
D. A-1, B-4, C-2, D-3

130. **कथन I:** नियमित रूप से स्थिति बदलने से प्रेशर सोर नहीं होते।

कथन II: अचल रोगियों को त्वचा की देखभाल की आवश्यकता नहीं होती।

A. दोनों कथन सही हैं B. I सही है, II गलत है
C. दोनों कथन गलत हैं D. I गलत है, II सही है

131. सही रोगी दवा देने के .... में से एक है।

A. सिद्धांत B. अधिकार
C. नियम D. विधि

132. मुँह के माध्यम से दवा देने का मार्ग कहलाता है

A. अंतःशिरा B. ओरल
C. अंतःमांसपेशीय D. त्वचा के नीचे

133. IM का पूर्ण रूप है

A. इंट्राडर्मल B. इंट्रामस्क्युलर
C. इंट्रावीनस D. आंतरिक चिकित्सा

134. त्वचा के नीचे दी जाने वाली इंजेक्शन कहलाती है

A. इंट्राडर्मल B. सबक्यूटेनियस
C. इंट्रामस्क्युलर D. इंट्रावीनस

135. दवा देने का सबसे तेज मार्ग है

A. ओरल B. इंट्रामस्क्युलर
C. सबक्यूटेनियस D. इंट्रावीनस

136. दवा के आदेश को .... के लिए जाँचना चाहिए।

A. मात्रा B. मार्ग
C. समय D. उपरोक्त सभी

137. दवा की समाप्ति तिथि जाँचने का उद्देश्य .... को रोकना है।

A. संक्रमण B. विषाक्तता
C. प्रभावहीनता D. एलर्जी

138. नर्स को दवा देने से .... हाथ धोना चाहिए।

A. बाद में B. पहले
C. दौरान D. कभी भी

139. वयस्कों में IM इंजेक्शन का सही स्थान है

A. डेल्टॉइड B. ग्लूटियल
C. वास्टस लैटरालिस D. उपरोक्त सभी

140. सबलिंगुअल मार्ग का अर्थ है दवा को .... रखना।

A. जीभ के नीचे B. जीभ पर
C. गाल में D. गले में

141. दवा देने का उद्देश्य .... है।

A. रोग का उपचार B. रोग की रोकथाम
C. लक्षणों से राहत D. उपरोक्त सभी

142. नर्स को रोगी की पहचान .... से करनी चाहिए।

A. नाम B. पहचान पट्टी (ID band)
C. बेड नंबर D. उपरोक्त सभी

143. दवा त्रुटि को .... का पालन करके रोका जा सकता है।

A. अनुभव B. दवा देने के अधिकार
C. गति D. अनुमान

144. मिलान कीजिए :

कॉलम-I	कॉलम-II
A. ओरल	1. त्वचा के नीचे
B. इंट्रावीनस	2. नस में
C. इंट्रामस्क्युलर	3. मांसपेशी में
D. सबक्यूटेनियस	4. मुँह द्वारा

A. A-4, B-2, C-3, D-1
B. A-2, B-3, C-4, D-1
C. A-3, B-1, C-2, D-4
D. A-1, B-4, C-3, D-2

145. **कथन I:** सही दवा प्रशासन रोगी की सुरक्षा सुनिश्चित करता है।
कथन II: दवा त्रुटियाँ रोगी के परिणाम को प्रभावित नहीं करती।

A. दोनों कथन सही हैं B. I सही है, II गलत है
C. दोनों कथन गलत हैं D. I गलत है, II सही है

146. सर्जरी से पहले दी जाने वाली देखभाल कहलाती है

A. पोस्टऑपरेटिव केयर B. प्रीऑपरेटिव केयर
C. इंट्राऑपरेटिव केयर D. आपातकालीन केयर

147. प्रीऑपरेटिव केयर का उद्देश्य रोगी को सर्जरी के लिए .... करना है।

A. निदान करना B. तैयार करना
C. उपचार करना D. छुट्टी देना

148. सर्जरी से पहले लिया जाने वाला सहमति कहलाता है .... सहमति।

A. लिखित B. मौखिक
C. सूचित (Informed) D. कानूनी

149. सर्जरी से पहले रोगी को NPO रखा जाता है ताकि .... को रोका जा सके।

A. दर्द B. संक्रमण
C. एस्पिरेशन D. रक्तस्राव

150. सर्जिकल क्षेत्र की शेविंग .... को रोकने के लिए की जाती है।

A. दर्द B. संक्रमण
C. रक्तस्राव D. चोट

151. सर्जरी से .... जीवन संकेतों (Vital signs) की जाँच करनी चाहिए।

A. बाद में B. पहले
C. दौरान D. कभी भी

152. पोस्टऑपरेटिव केयर सर्जरी के .... शुरू होती है।

A. पहले B. बाद
C. दौरान D. दिन के अंत में

153. सर्जरी के बाद सबसे महत्वपूर्ण निरीक्षण है

A. दर्द
B. रक्तस्राव
C. जीवन संकेत (Vital signs)
D. ड्रेसिंग

154. सर्जरी के बाद जटिलताओं में शामिल हैं

A. संक्रमण B. रक्तस्राव
C. शॉक D. उपरोक्त सभी

155. सर्जरी के बाद की स्थिति निर्भर करती है

A. रोगी की इच्छा B. सर्जरी के प्रकार पर
C. नर्स के निर्णय पर D. कमरे की स्थिति पर

156. गहरी साँस लेने के व्यायाम .... को रोकने के लिए दिए जाते हैं।

A. दर्द B. संक्रमण
C. एटलेक्टेसिस D. रक्तस्राव

157. घाव की ड्रेसिंग को .... रखना चाहिए।

A. साफ और सूखा B. गीला
C. ढीला D. खुला

158. पोस्टऑपरेटिव रोगी की निगरानी .... के लिए करनी चाहिए।

A. जीवन संकेत B. दर्द
C. जटिलताएँ D. उपरोक्त सभी

159. मिलान कीजिए :

कॉलम-I	**कॉलम-II**
A. प्रीऑपरेटिव केयर	1. सर्जरी के बाद
B. पोस्टऑपरेटिव केयर	2. सर्जरी से पहले
C. NPO	3. मुँह से कुछ नहीं
D. कंसेंट	4. रोगी की अनुमति

A. A-2, B-1, C-3, D-4
B. A-1, B-2, C-4, D-3
C. A-3, B-4, C-1, D-2
D. A-4, B-3, C-2, D-1

160. कथन I: प्रीऑपरेटिव केयर सर्जरी के जोखिम को कम करती है।

कथन II: पोस्टऑपरेटिव केयर महत्वपूर्ण नहीं है।

A. दोनों कथन सही हैं
B. I सही है, II गलत है
C. दोनों कथन गलत हैं
D. I गलत है, II सही है

161. रोगी सुरक्षा का अर्थ .... की रोकथाम है।

A. रोग B. हानि
C. दर्द D. संक्रमण

162. अस्पताल में रोगी को चोट का सबसे सामान्य कारण है

A. जलना B. गिरना
C. संक्रमण D. एलर्जी

163. साइड रेल का उपयोग .... को रोकने के लिए किया जाता है।

A. संक्रमण B. गिरना
C. दर्द D. रक्तस्राव

164. पहचान पट्टी का उपयोग .... रोगी सुनिश्चित करने के लिए किया जाता है।

A. सही B. सुरक्षित
C. उचित D. उपचारित

165. दवा त्रुटि को .... द्वारा रोका जा सकता है।

A. अनुभव B. लापरवाही
C. प्रोटोकॉल का पालन D. गति

166. अग्नि सुरक्षा उपकरण में शामिल हैं

A. अग्निशामक (Extinguisher)
B. अलार्म (Alarm)
C. स्प्रिंकलर (Sprinkler)
D. उपरोक्त सभी

167. रोगी स्थानांतरण के दौरान सुरक्षा में .... का उपयोग शामिल है।

A. बल B. उचित तकनीक
C. गति D. नियमों की अनदेखी

168. नर्स को रोगी में .... के जोखिम का आकलन करना चाहिए।

A. संक्रमण B. गिरना
C. दर्द D. रक्तस्राव

169. विद्युत उपकरण को .... होना चाहिए।

A. टूटा हुआ B. नियमित रूप से जाँचा हुआ
C. पुराना D. खुला

170. कथन I: रोगी सुरक्षा नर्सिंग देखभाल में आवश्यक है।

कथन II: अस्पताल में सुरक्षा उपाय आवश्यक नहीं हैं।

A. दोनों कथन सही हैं
B. I सही है, II गलत है
C. दोनों कथन गलत हैं
D. I गलत है, II सही है

व्याख्यात्मक उत्तर

1. **(B):** नर्सिंग प्रक्रिया का आरम्भ आकलन से होता है। इसमें रोगी के बारे में पूर्ण डेटा एकत्र किया जाता है। यह आगे के सभी चरणों का आधार बनता है।

2. **(B):** डेटा संग्रह आकलन चरण में किया जाता है। इसमें इतिहास, परीक्षण और जाँचें शामिल होती हैं। यह समस्याओं की पहचान में सहायता करता है।

3. **(B):** नर्सिंग निदान एकत्रित रोगी डेटा पर आधारित होता है। यह रोग के प्रति रोगी की प्रतिक्रिया पर केंद्रित होता है। यह चिकित्सीय निदान से अलग होता है।

4. **(B):** योजना चरण में मापनीय लक्ष्य निर्धारित किए जाते हैं। ये लक्ष्य नर्सिंग हस्तक्षेपों का मार्गदर्शन करते हैं। ये रोगी-केंद्रित होने चाहिए।

5. **(B):** कार्यान्वयन में नियोजित हस्तक्षेपों को करना शामिल होता है। यह क्रिया चरण होता है। इसमें प्रत्यक्ष रोगी देखभाल शामिल होती है।

6. **(B):** मूल्यांकन में देखा जाता है कि लक्ष्य प्राप्त हुए या नहीं। यह देखभाल योजना में आवश्यक परिवर्तन में मदद करता है। यह देखभाल की प्रभावशीलता सुनिश्चित करता है।

7. **(B):** नर्सिंग प्रक्रिया गतिशील और सतत होती है। यह रोगी की स्थिति के अनुसार बदलती रहती है। यह प्रकृति से लचीली होती है।

8. **(C):** नर्सिंग प्रक्रिया के पाँच चरण होते हैं : आकलन, निदान, योजना, कार्यान्वयन और मूल्यांकन। यह एक व्यवस्थित दृष्टिकोण है।

9. **(B):** नर्सिंग निदान रोगी की प्रतिक्रिया पर केंद्रित होता है। चिकित्सीय निदान रोग पर केंद्रित होता है। यह अंतर महत्वपूर्ण है।

10. **(C):** आकलन में व्यक्तिनिष्ठ (subjective) और वस्तुनिष्ठ (objective) दोनों डेटा शामिल होते हैं। दोनों देखभाल के लिए आवश्यक हैं।

11. **(C):** योजना में प्राथमिकताएँ और लक्ष्य निर्धारित किए जाते हैं। यह देखभाल को व्यवस्थित करने में मदद करता है। यह एक व्यवस्थित दृष्टिकोण सुनिश्चित करता है।

12. **(B):** मूल्यांकन यह निर्धारित करता है कि लक्ष्य प्राप्त हुए या नहीं। यह हस्तक्षेपों की प्रभावशीलता का आकलन करता है। यह आगे की देखभाल का मार्गदर्शन करता है।

13. **(B):** नर्सिंग प्रक्रिया लक्ष्य उन्मुख होती है। इसका उद्देश्य रोगी के स्वास्थ्य में सुधार करना होता है। यह गुणवत्तापूर्ण देखभाल सुनिश्चित करती है।

14. **(B):** निदान में रोगी की समस्याओं की पहचान की जाती है। यह आकलन डेटा पर आधारित होता है। यह योजना बनाने का आधार देता है।

15. **(C):** कार्यान्वयन में हस्तक्षेपों को करना शामिल होता है। यह देखभाल योजना का निष्पादन होता है। इसमें सभी नर्सिंग क्रियाएँ शामिल होती हैं।

16. **(A):** आकलन में डेटा संग्रह होता है, निदान में समस्याएँ पहचानी जाती हैं, योजना में लक्ष्य बनते हैं और कार्यान्वयन में देखभाल दी जाती है। यही क्रम नर्सिंग प्रक्रिया बनाता है।

    अतः सही मिलान A-1, B-2, C-3, D-4 है।

17. **(A):** नर्सिंग प्रक्रिया चक्रीय और सतत होती है। मूल्यांकन के बाद पुनः आकलन की आवश्यकता हो सकती है। इससे निरंतर सुधार होता है।

    अतः दोनों कथन सही हैं।

18. **(C):** आकलन में व्यक्तिनिष्ठ डेटा जैसे लक्षण और वस्तुनिष्ठ डेटा जैसे चिह्न शामिल होते हैं। सही निदान के लिए दोनों आवश्यक हैं।

19. **(C):** नर्सिंग देखभाल योजना योजना चरण में तैयार की जाती है। इसमें लक्ष्य और हस्तक्षेप शामिल होते हैं। यह रोगी देखभाल का मार्गदर्शन करती है।

20. **(C):** मूल्यांकन में देखभाल के परिणाम का निर्धारण किया जाता है। इसमें हस्तक्षेपों की प्रभावशीलता देखी जाती है। यह देखभाल योजना को संशोधित करने में मदद करता है।

21. **(B):** सामान्य शरीर तापमान 36·5°C से 37·5°C के बीच होता है। यह आयु, दिन के समय और गतिविधि के अनुसार बदल सकता है। यह चयापचय गतिविधि को दर्शाता है।

22. **(B):** वयस्कों में सामान्य नाड़ी दर 60–100 बीट प्रति मिनट होती है। यह गतिविधि और स्वास्थ्य स्थिति के अनुसार बदलती है। यह एक महत्वपूर्ण जीवन संकेत है।

23. **(C):** सामान्य श्वसन दर 12–20 श्वास प्रति मिनट होती है। यह श्वसन कार्य को दर्शाती है। बीमारी में इसमें परिवर्तन हो सकता है।

24. **(C):** रक्तचाप स्फिग्मोमैनोमीटर से मापा जाता है। इसे स्टेथोस्कोप के साथ उपयोग किया जाता है। यह सिस्टोलिक और डायस्टोलिक दबाव मापता है।

25. **(B):** सिस्टोलिक दबाव निलयों के संकुचन के समय होता है। यह अधिकतम दबाव दर्शाता है। यह ऊपरी मान होता है।

26. **(B):** डायस्टोलिक दबाव शिथिलन चरण में होता है। यह न्यूनतम दबाव दर्शाता है। यह परिधीय प्रतिरोध का संकेत देता है।

27. **(B):** नाड़ी जाँच के लिए सबसे सामान्य स्थान रेडियल धमनी है। यह आसानी से उपलब्ध होती है। यह सटीक नाड़ी रीडिंग देती है।

28. **(C):** सामान्य रक्तचाप लगभग 120/80 mmHg होता है। यह आयु और स्वास्थ्य के अनुसार बदल सकता है। परिसंचरण के लिए यह महत्वपूर्ण है।

29. **(B):** हाइपोथैलेमस शरीर तापमान को नियंत्रित करता है। यह होमियोस्टेसिस बनाए रखता है। यह पर्यावरणीय परिवर्तनों के प्रति प्रतिक्रिया करता है।

30. **(B):** व्यायाम के दौरान नाड़ी दर बढ़ जाती है। इससे ऊतकों को अधिक ऑक्सीजन मिलती है। यह हृदय गतिविधि को दर्शाती है।

31. **(C):** 38°C से ऊपर तापमान को ज्वर माना जाता है। यह संक्रमण या सूजन का संकेत हो सकता है। यह एक सुरक्षात्मक प्रतिक्रिया है।

32. **(B):** श्वसन दर छाती के उठने-गिरने को देखकर गिनी जाती है। इसे बिना ध्यान आकर्षित किए मापना चाहिए। यह श्वास पैटर्न दर्शाती है।

33. **(A):** रक्तचाप की इकाई mmHg (मिलीमीटर ऑफ मर्करी) होती है। यह मानक इकाई है। यह धमनियों के दबाव को दर्शाती है।

34. (C): सामान्य ऑक्सीजन संतृप्ति 95–100% होती है। यह ऑक्सीजनकरण स्थिति दर्शाती है। कम मान हाइपोक्सिया (Hypoxia) का संकेत देते हैं।

35. (B): पल्स ऑक्सीमीटर ऑक्सीजन संतृप्ति मापता है। यह नॉन-इनवेसिव होता है। इसका उपयोग क्लिनिकल अभ्यास में व्यापक है।

36. (A): शरीर तापमान सेल्सियस में मापा जाता है। इसे फारेनहाइट में भी मापा जा सकता है। यह एक महत्वपूर्ण जीवन संकेत है।

37. (A): पल्स डेफिसिट (Pulse deficit) एपिकल पल्स (Apical pulse) और परिधीय पल्स (Peripheral pulse) के बीच का अंतर होता है। यह हृदय की अक्षमता का संकेत दे सकता है। यह क्लिनिकल रूप से महत्वपूर्ण है।

38. (B): मेडुला श्वसन को नियंत्रित करता है। यह श्वसन की लय को नियमित करता है। यह CO_2 स्तरों के प्रति प्रतिक्रिया करता है।

39. (A): तापमान ऊष्मा से, नाड़ी हृदय धड़कनों से, श्वसन छाती की गति से, और BP धमनियों के दबाव से संबंधित है। यह मिलान जीवन संकेतों की समझ दर्शाता है।

अतः सही मिलान A-3, B-4, C-1, D-2 है।

40. (B): ज्वर अक्सर संक्रमण का संकेत होता है। व्यायाम के दौरान नाड़ी दर बढ़ती है, घटती नहीं। इसलिए दूसरा कथन गलत है।

अतः I सही है, II गलत है।

41. (B): प्रवेश वह प्रक्रिया है जिसमें रोगी को उपचार हेतु अस्पताल में स्वीकार किया जाता है। इसमें पंजीकरण और प्रारम्भिक आकलन शामिल होता है। यह उचित दस्तावेजीकरण सुनिश्चित करता है।

42. (B): प्रवेश के समय रोगी की स्थिति का आकलन किया जाता है और उसे अस्पताल के वातावरण से परिचित कराया जाता है। इससे रोगी की चिंता कम होती है। यह उपचार के लिए तैयारी करता है।

43. (C): प्रवेश का पहला औपचारिक चरण पंजीकरण होता है। इसमें रोगी की जानकारी दर्ज की जाती है। यह पहचान और कानूनी रिकॉर्ड सुनिश्चित करता है।

44. (B): रोगी के सामान की जाँच कर उसे दर्ज किया जाना चाहिए। इससे वस्तुओं के खोने या विवाद से बचाव होता है। यह उत्तरदायित्व सुनिश्चित करता है।

45. (B): अभिमुखीकरण में वार्ड के नियम, दिनचर्या और सुविधाओं की जानकारी दी जाती है। इससे रोगी को वातावरण में समायोजन करने में मदद मिलती है। यह सहयोग बढ़ाता है।

46. (B): डिस्चार्ज योजना प्रवेश के समय से ही शुरू हो जाती है। प्रारम्भिक योजना से देखभाल की निरंतरता बनी रहती है। इससे बेहतर स्वास्थ्य लाभ होता है।

47. (B): रोगी को केवल डॉक्टर के आदेश पर ही छुट्टी दी जाती है। इससे यह सुनिश्चित होता है कि रोगी चिकित्सकीय रूप से ठीक है। यह कानूनी सुरक्षा बनाए रखता है।

48. (D): डिस्चार्ज सारांश में निदान, दिया गया उपचार और फॉलो-अप सलाह शामिल होती है। यह देखभाल की निरंतरता बनाए रखता है। यह एक महत्वपूर्ण दस्तावेज है।

49. (B): सही प्रवेश प्रक्रिया रोगी की चिंता कम करती है। डिस्चार्ज योजना शुरुआत से ही की जाती है, केवल अंत में नहीं। इसलिए दूसरा कथन गलत है।

अतः I सही है, II गलत है।

50. (D): डिस्चार्ज के समय रोगी को आहार, दवा और फॉलो-अप की जानकारी दी जाती है। इससे सही रिकवरी होती है। यह जटिलताओं को रोकता है।

51. (B): संचार सूचना, विचार और भावनाओं के आदान-प्रदान की प्रक्रिया है। यह समझ विकसित करने के लिए आवश्यक है। यह परस्पर संबंधों का आधार है।

52. (B): संचार में प्रेषक, संदेश और प्राप्तकर्ता होते हैं। प्राप्तकर्ता संदेश को समझता है। फीडबैक प्रक्रिया को पूर्ण करता है।

53. (B): डीकोडिंग का अर्थ प्राप्त संदेश की व्याख्या करना है। यह समझ बनाने में सहायता करता है। यह ज्ञान और अनुभव पर निर्भर करता है।

54. (C): गैर-मौखिक संचार में हाव-भाव, मुद्रा और चेहरे के भाव शामिल होते हैं। यह भावनाएँ व्यक्त करता है। यह मौखिक संचार का समर्थन करता है।

55. (B): बिना शब्दों के होने वाला संचार गैर-मौखिक कहलाता है। इसमें संकेत और भाव शामिल होते हैं। यह रोगी देखभाल में महत्वपूर्ण है।

56. (B): चिकित्सीय संचार (Therapeutic communication) विश्वास बनाने में मदद करता है। यह नर्स और रोगी के संबंध को मजबूत करता है। यह देखभाल की गुणवत्ता बढ़ाता है।

57. (B): सक्रिय सुनना (Active listening) में पूरा ध्यान देना शामिल है। इसमें समझना और प्रतिक्रिया देना भी शामिल होता है। यह संचार को बेहतर बनाता है।

58. (A): शोर संचार में बाधा डालता है। यह स्पष्टता को कम करता है। यह समझ को प्रभावित करता है।

59. (A): प्रतिपुष्टि समझ की पुष्टि करती है। यह संदेहों को स्पष्ट करती है। यह संचार प्रक्रिया को पूर्ण करती है।

60. (B): आँखों का संपर्क रुचि और ध्यान दर्शाता है। यह संचार को प्रभावी बनाता है। यह विश्वास बढ़ाता है।

61. (B): आवाज का स्वर भावनाओं को दर्शाता है। यह गैर-मौखिक संचार का भाग है। यह संदेश के अर्थ को प्रभावित करता है।

62. (B): नर्स और रोगी के बीच का संचार चिकित्सीय होता है। इसका उद्देश्य रोगी के स्वास्थ्य में सुधार करना होता है। यह विश्वास स्थापित करता है।

63. (D): प्रभावी संचार के लिए स्पष्टता, सरलता और समझ आवश्यक है। ये सभी कारक संदेश को सही तरीके से पहुँचाते हैं। यह गलतफहमी को रोकते हैं।

64. (A): प्रेषक संदेश भेजता है, संदेश सामग्री होता है, प्राप्तकर्ता उसे प्राप्त करता है और प्रतिपुष्टि प्रतिक्रिया होती है। यह संचार प्रक्रिया को दर्शाता है।

अतः सही मिलान A-2, B-3, C-4, D-1 है।

65. **(B):** संचार रोगी देखभाल में सुधार करता है। नर्सिंग में संचार अत्यंत आवश्यक है। इसलिए दूसरा कथन गलत है।
अतः I सही है, II गलत है।

66. **(B):** दस्तावेजीकरण में रोगी की देखभाल का पूरा रिकॉर्ड रखा जाता है। यह स्थायी रिकॉर्ड प्रदान करता है। यह देखभाल की निरंतरता सुनिश्चित करता है।

67. **(B):** सही दस्तावेजीकरण रोगी देखभाल में सुधार करता है। यह योजना और संचार में मदद करता है। यह गुणवत्ता सुनिश्चित करता है।

68. **(B):** दस्तावेजीकरण स्पष्ट, सटीक और पूर्ण होना चाहिए। यह आसानी से समझ में आना चाहिए। इससे त्रुटियाँ कम होती हैं।

69. **(B):** लिखित रिकॉर्ड कानूनी दस्तावेज होता है। इसका उपयोग न्यायालय में किया जा सकता है। यह देखभाल का प्रमाण होता है।

70. **(B):** दस्तावेजीकरण तुरंत देखभाल के बाद किया जाना चाहिए। इससे सटीकता बनी रहती है। विलंब से त्रुटियाँ हो सकती हैं।

71. **(B):** केवल मानक संक्षेपों का उपयोग करना चाहिए। इससे भ्रम नहीं होता। यह स्पष्टता बनाए रखता है।

72. **(B):** दस्तावेजीकरण स्वास्थ्य टीम के बीच संचार में सहायता करता है। यह समन्वित देखभाल सुनिश्चित करता है। यह परिणाम सुधारता है।

73. **(B):** दस्तावेजीकरण नीली या काली स्याही से करना चाहिए। इससे बदलाव नहीं किया जा सकता। यह रिकॉर्ड की विश्वसनीयता बनाए रखता है।

74. **(A):** शुद्धता का अर्थ सही जानकारी, समयबद्धता का अर्थ तुरंत रिकॉर्ड, पूर्णता का अर्थ सभी जानकारी, और गोपनीयता का अर्थ जानकारी की सुरक्षा है।
अतः सही मिलान A-3, B-4, C-1, D-2 है।

75. **(B):** डॉक्यूमेंटेशन कानूनी रूप से महत्वपूर्ण है। यह रोगी देखभाल के लिए आवश्यक है। इसलिए दूसरा कथन गलत है।
अतः I सही है, II गलत है।

76. **(B):** संक्रमण तब होता है जब सूक्ष्मजीव शरीर में प्रवेश करते हैं। इनमें बैक्टीरिया, वायरस आदि शामिल हैं। ये रोग उत्पन्न कर सकते हैं।
अतः I सही है, II गलत है।

77. **(B):** संक्रमण शृंखला में कारक, होस्ट और पर्यावरण शामिल होते हैं। किसी एक कड़ी को तोड़ने से संक्रमण रोका जा सकता है। यह नियंत्रण में महत्वपूर्ण है।

78. **(B):** हाथ स्वच्छता सबसे महत्वपूर्ण कदम है। यह सूक्ष्मजीवों के प्रसार को रोकता है। यह सरल और प्रभावी तरीका है।

79. **(C):** हाथ धोने से रोगजनक हटते हैं। इससे संक्रमण का जोखिम कम होता है। यह सबसे सामान्य रोकथाम विधि है।

80. **(D):** संक्रमण वायु, संपर्क और बूंदों के माध्यम से फैल सकता है। इसके कई माध्यम होते हैं। उचित सावधानियाँ आवश्यक हैं।

81. **(B):** नसबंदी का अर्थ सभी सूक्ष्मजीवों का पूर्ण विनाश होता है, जिसमें बीजाणु (spores) भी शामिल होते हैं। यह महत्वपूर्ण उपकरणों के लिए उपयोग किया जाता है। इससे संक्रमण का पूर्ण नियंत्रण होता है।

82. **(B):** आइसोलेशन (Isolation) संक्रमित रोगी को अलग रखने की प्रक्रिया है। यह संक्रमण के फैलाव को रोकता है। इससे अन्य व्यक्तियों की सुरक्षा होती है।

83. **(D):** व्यक्तिगत सुरक्षा उपकरण (PPE) में दस्ताने, मास्क और गाउन शामिल होते हैं। ये स्वास्थ्यकर्मियों को संक्रमण से बचाते हैं। यह सुरक्षा के लिए आवश्यक है।

84. **(B):** अस्पताल में रहने के दौरान होने वाले संक्रमण को नोसोकॉमियल संक्रमण कहा जाता है। यह रोकथाम योग्य होते हैं। उचित सावधानी से इन्हें कम किया जा सकता है।

85. **(A):** रिजर्वायर वह स्थान होता है जहाँ सूक्ष्मजीव रहते हैं। यह मानव, पशु या पर्यावरण हो सकता है। यह संक्रमण शृंखला का भाग है।

86. **(B):** पोर्टल ऑफ एंट्री वह मार्ग है जिससे रोगजनक शरीर में प्रवेश करते हैं। इसमें त्वचा, श्लेष्मा झिल्ली आदि शामिल हैं। इससे संक्रमण होता है।

87. **(B):** दस्तानों का उपयोग संक्रमण से बचाव के लिए किया जाता है। यह रोगजनकों के सीधे संपर्क को रोकता है। यह PPE का हिस्सा है।

88. **(B):** ऑटोक्लेविंग में भाप और दाब का उपयोग होता है। यह सभी सूक्ष्मजीवों को नष्ट करता है। यह सबसे प्रभावी विधि है।

89. **(B):** विसंक्रामक (Disinfectant) रोगजनक जीवों को नष्ट करते हैं। इनका उपयोग सतहों पर किया जाता है। ये बीजाणुओं को नष्ट नहीं करते।

90. **(B):** हाथ कम से कम 20 सेकंड तक धोने चाहिए। इससे सूक्ष्मजीवों का उचित निष्कासन होता है। यह मानक समय है।

91. **(A):** उचित अपशिष्ट निपटान संक्रमण को रोकता है। जैव-चिकित्सा अपशिष्ट का सही प्रबंधन आवश्यक है। इससे प्रदूषण कम होता है।

92. **(B):** जैव-चिकित्सा अपशिष्ट को रंगीन बैगों से अलग किया जाता है। इससे सुरक्षित निपटान संभव होता है। यह मिश्रण को रोकता है।

93. **(B):** मास्क बूंद संचरण को रोकते हैं। यह श्वसन संक्रमण से सुरक्षा देता है। यह आवश्यक सुरक्षा उपाय है।

94. **(B):** नसबंदी सभी प्रकार के सूक्ष्मजीवों को नष्ट करती है। इसमें बीजाणु भी शामिल होते हैं। यह पूर्ण सुरक्षा सुनिश्चित करती है।

95. **(B):** सफाई का अर्थ गंदगी और कार्बनिक पदार्थ हटाना है। यह सूक्ष्मजीवों की संख्या कम करता है। यह पहला कदम होता है।

96. **(D):** संक्रमण भोजन, पानी और वायु से फैल सकता है। इसके कई मार्ग होते हैं। रोकथाम आवश्यक है।

97. **(A):** PPE संक्रमण के जोखिम को कम करता है। यह सुरक्षा अवरोध का कार्य करता है। यह स्वास्थ्यकर्मियों की रक्षा करता है।

98. **(A):** हाथ धोना अस्थायी जीवाणु हटाता है, नसबंदी सभी सूक्ष्मजीव नष्ट करती है, विसंक्रमण सूक्ष्मजीव कम करता है और आइसोलेशन फैलाव रोकता है। यह संक्रमण नियंत्रण को दर्शाता है।
अतः सही मिलान A-4, B-1, C-2, D-3 है।

99. **(B):** संक्रमण नियंत्रण रोग फैलाव को कम करता है। हाथ स्वच्छता अत्यंत महत्वपूर्ण है। इसलिए दूसरा कथन गलत है।
अतः I सही है, II गलत है।

100. (D): मानक सावधानियों में हाथ स्वच्छता, PPE का उपयोग और सुरक्षित निपटान शामिल हैं। यह संक्रमण रोकने के लिए आवश्यक हैं।

101. (B): एसेप्सिस (Asepsis) का अर्थ रोगजनक सूक्ष्मजीवों की अनुपस्थिति है। यह संक्रमण को रोकता है। यह रोगी सुरक्षा के लिए आवश्यक है।

102. (B): चिकित्सा एसेप्सिस (Medical asepsis) में सूक्ष्मजीवों की संख्या कम की जाती है। इसमें सफाई और कीटाणुनाशन शामिल है। यह सामान्य देखभाल में उपयोग होता है।

103. (B): सर्जिकल एसेप्सिस (Surgical asepsis) को स्टेराइल तकनीक कहा जाता है। इसमें सभी सूक्ष्मजीवों का अभाव होता है। यह शल्य क्रियाओं में उपयोग होता है।

104. (B): एसेप्सिस का मुख्य उद्देश्य संक्रमण को रोकना है। यह रोगी और स्वास्थ्यकर्मी दोनों की सुरक्षा करता है।

105. (B): स्टेराइल क्षेत्र को कमर से ऊपर रखना चाहिए। कमर के नीचे का क्षेत्र अस्वच्छ माना जाता है। इससे संक्रमण से बचाव होता है।

106. (C): स्टेराइल वस्तुओं को अस्टेराइल हाथों से नहीं छूना चाहिए। इससे संदूषण हो जाता है। उचित तकनीक आवश्यक है।

107. (B): स्टेराइल क्षेत्र का बाहरी 1 इंच हिस्सा दूषित माना जाता है। इसका उपयोग नहीं करना चाहिए। यह सुरक्षा बनाए रखता है।

108. (D): चिकित्सा एसेप्सिस में सफाई, स्टेरिलाइजेशन और डिसइन्फेक्शन शामिल है। यह संक्रमण नियंत्रण में सहायक है।

109. (B): स्टेराइल दस्ताने शल्य क्रियाओं में उपयोग होते हैं। यह संक्रमण से बचाते हैं। यह स्वच्छता बनाए रखते हैं।

110. (B): यदि स्टेराइल क्षेत्र को बिना देखरेख छोड़ा जाए तो वह संदूषित माना जाता है। निरंतर निगरानी आवश्यक है।

111. (B): एसेप्टिक तकनीक सर्जिकल प्रक्रियाओं में आवश्यक होती है। यह संक्रमण के जोखिम को कम करती है। यह सुरक्षा सुनिश्चित करती है।

112. (C): स्टेराइल घोल लगभग 4–6 इंच की ऊँचाई से डाला जाता है। इससे छींटे नहीं पड़ते। यह स्वच्छता बनाए रखता है।

113. (B): हैंड हाइजीन मेडिकल एसेप्सिस का भाग है। यह सूक्ष्मजीवों को कम करता है। यह सबसे सरल उपाय है।

114. (A): मेडिकल एसेप्सिस क्लीन तकनीक है, सर्जिकल एसेप्सिस स्टेराइल तकनीक है, स्टेरिलाइजेशन सभी सूक्ष्मजीव नष्ट करती है और डिसइन्फेक्शन सूक्ष्मजीवों को कम करता है।

अतः सही मिलान A-1, B-4, C-2, D-3 है।

115. (B): एसेप्टिक तकनीक संक्रमण को रोकती है। स्टेराइल क्षेत्र को नंगे हाथों से नहीं छूना चाहिए। इसलिए दूसरा कथन गलत है।
अतः I सही है, II गलत है।

116. (D): दैनिक जीवन क्रियाएँ (ADL) जैसे स्नान, भोजन और कपड़े पहनना शामिल हैं। ये सामान्य जीवन के लिए आवश्यक हैं। नर्स इसमें सहायता करती है।

117. (A): बेड बनाना रोगी को आराम देता है। यह स्वच्छता बनाए रखता है। यह दबाव घाव को रोकता है।

118. (B): फाउलर स्थिति (Fowler's) श्वसन में सुधार करती है। फेफड़ों का विस्तार बढ़ता है। यह श्वसन रोगियों में उपयोगी है।

119. (A): मुख की सफाई संक्रमण को रोकती है। यह बैक्टीरिया को कम करती है। यह आराम भी देती है।

120. (B): बेड बाथ उन रोगियों को दिया जाता है जो चल-फिर नहीं सकते। यह स्वच्छता बनाए रखता है। यह जटिलताओं को रोकता है।

121. (B): पीठ की देखभाल (Back care) से रक्त संचार सुधरता है और लंबे समय तक दबाव कम होता है। इससे त्वचा सुरक्षित रहती है। इसलिए यह प्रेशर सोर को रोकने में सहायक है।

122. (B): रोगी को हर 2 घंटे में करवट बदलनी चाहिए। इससे शरीर के किसी एक भाग पर अधिक दबाव नहीं पड़ता। इससे रक्त संचार बना रहता है और प्रेशर सोर नहीं बनते।

123. (B): प्रेशर सोर लंबे समय तक दबाव पड़ने से होते हैं। इससे ऊतकों में रक्त आपूर्ति कम हो जाती है। परिणामस्वरूप ऊतक नष्ट होने लगते हैं।

124. (B): सिम्स स्थिति (Sims') रेक्टल परीक्षण के लिए उपयोगी होती है। इसमें रोगी करवट लेकर लेटता है। इससे परीक्षण करना आसान होता है।

125. (A): मुख देखभाल से मुँह की स्वच्छता बनी रहती है। इससे संक्रमण की संभावना कम होती है। यह रोगी को आराम भी देता है।

126. (D): रेंज ऑफ मोशन व्यायाम से शक्ति, लचीलापन और गतिशीलता बढ़ती है। यह जोड़ों को कठोर होने से बचाता है। यह अचल रोगियों के लिए महत्वपूर्ण है।

127. (B): बेडपैन उन रोगियों के लिए उपयोग किया जाता है जो चल नहीं सकते। यह उत्सर्जन में सहायता करता है। इससे स्वच्छता बनी रहती है।

128. (D): व्यक्तिगत स्वच्छता में स्नान, साज-संवार और मुख देखभाल शामिल हैं। यह शरीर को साफ रखती है। इससे स्वास्थ्य अच्छा रहता है।

129. (A): फाउलर स्थिति बैठने की होती है, सिम्स करवट वाली, सुपाइन पीठ के बल और प्रोन पेट के बल होती है। ये स्थितियाँ रोगी देखभाल में उपयोगी हैं।

अतः सही मिलान A-4, B-3, C-2, D-1 है।

130. (B): नियमित रूप से स्थिति बदलने से प्रेशर सोर नहीं होते। अचल रोगियों को अधिक त्वचा देखभाल की आवश्यकता होती है। इसलिए दूसरा कथन गलत है।

अतः I सही है, II गलत है।

131. (B): दवा देने के अधिकारों में सही रोगी, दवा, मात्रा, मार्ग और समय शामिल हैं। ये सुरक्षा सुनिश्चित करते हैं। इससे त्रुटियाँ कम होती हैं।

132. (B): ओरल मार्ग सबसे सामान्य है। इसमें दवा मुँह से दी जाती है। यह सरल और सुरक्षित होता है।

133. (B): IM का पूर्णरूप इंट्रामस्क्युलर है। इसका अर्थ मांसपेशी में इंजेक्शन देना होता है। इससे दवा मध्यम गति से अवशोषित होती है। यह सामान्यतः उपयोग किया जाता है।

134. (B): सबक्यूटेनियस इंजेक्शन त्वचा के नीचे दिया जाता है। इसका उपयोग इंसुलिन और वैक्सीन के लिए होता है। इसका अवशोषण धीमा होता है।

135. (D): इंट्रावीनस मार्ग सबसे तेज होता है। दवा सीधे रक्त में जाती है। यह आपातकाल में उपयोगी होता है।

136. (D): दवा देते समय मात्रा, मार्ग और समय की जाँच जरूरी है। इससे सही दवा दी जाती है। यह त्रुटियों को रोकता है।

137. (C): समाप्त दवा प्रभावहीन हो सकती है। इससे अपेक्षित परिणाम नहीं मिलता। कुछ मामलों में यह हानिकारक भी हो सकती है।

138. (B): दवा देने से पहले हाथ धोना आवश्यक है। इससे संक्रमण का खतरा कम होता है। यह स्वच्छता बनाए रखता है।

139. (D): IM इंजेक्शन डेल्टॉइड, ग्लूटियल और वास्टस लेटरालिस में दिए जा सकते हैं। स्थान का चयन रोगी और दवा पर निर्भर करता है।

140. (A): सबलिंगुअल मार्ग में दवा जीभ के नीचे रखी जाती है। इससे तेजी से अवशोषण होता है। यह प्रथम-पास प्रभाव से बचाती है।

141. (D): दवाओं का उपयोग रोग को ठीक करने, रोकने और लक्षणों को कम करने के लिए किया जाता है। यह उपचार का महत्वपूर्ण भाग है।

142. (D): रोगी की पहचान नाम, पहचान पट्टी और बेड नम्बर से सुनिश्चित की जाती है। इससे सही रोगी को सही दवा मिलती है। यह सुरक्षा के लिए आवश्यक है।

143. (B): दवा प्रशासन के अधिकार का पालन करने से दवा त्रुटियाँ रोकी जा सकती हैं। यह रोगी सुरक्षा सुनिश्चित करता है। यह आवश्यक अभ्यास है।

144. (A): ओरल मुँह से, इंट्रावीनस नस में, इंट्रामस्क्युलर मांसपेशी में और सबक्यूटेनियस त्वचा के नीचे दिया जाता है। यह दवा देने के मार्ग दर्शाता है।

अतः सही मिलान A-4, B-2, C-3, D-1 है।

145. (B): सही दवा देने से रोगी सुरक्षित रहता है। दवा की त्रुटियाँ हानिकारक हो सकती हैं। इसलिए दूसरा कथन गलत है।

अतः I सही है, II गलत है।

146. (B): सर्जरी से पहले दी जाने वाली देखभाल को प्रीऑपरेटिव कहा जाता है। यह रोगी को तैयार करती है। इससे जोखिम कम होता है।

147. (B): प्रीऑपरेटिव केयर का उद्देश्य रोगी को सर्जरी के लिए तैयार करना है। इसमें निर्देश और जांच शामिल हैं। यह सुरक्षा सुनिश्चित करता है।

148. (C): सर्जरी से पहले ली जाने वाली सहमति सूचित सहमति कहलाती है। यह सहमति प्रक्रिया समझाने के बाद ली जाती है। यह कानूनी रूप से आवश्यक है। यह रोगी के अधिकारों की रक्षा करती है।

149. (C): NPO रखने से एनेस्थीसिया के दौरान उल्टी और एस्पिरेशन से बचाव होता है। यह सुरक्षा के लिए आवश्यक है।

150. (B): सर्जिकल क्षेत्र की शेविंग से संक्रमण का खतरा कम होता है। यह स्वच्छता बनाए रखता है।

151. (B): सर्जरी से पहले जीवन संकेतों की जाँच की जाती है। यह आधारभूत जानकारी देता है। इससे तुलना आसान होती है।

152. (B): पोस्टऑपरेटिव देखभाल सर्जरी के बाद शुरू होती है। यह रोगी की रिकवरी पर केंद्रित होती है।

153. (C): सर्जरी के बाद जीवन चिह्नों की निगरानी सबसे महत्वपूर्ण है। यह रोगी की स्थिति दर्शाता है। इससे जटिलताएँ पता चलती हैं।

154. (D): जटिलताओं में संक्रमण, रक्तस्राव और शॉक शामिल हैं। इनका शीघ्र पता लगाना जरूरी है। इससे परिणाम बेहतर होता है।

155. (B): रोगी की स्थिति सर्जरी के प्रकार पर निर्भर करती है। इससे आराम और सुरक्षा मिलती है। यह रिकवरी में सहायक है।

156. (C): गहरी साँस लेने से फेफड़ों का संकुचन नहीं होता। यह वेंटिलेशन सुधारता है। यह जटिलताओं को रोकता है।

157. (A): ड्रेसिंग को साफ और सूखा रखना चाहिए। इससे संक्रमण नहीं होता। यह घाव भरने में मदद करता है।

158. (D): रोगी की निगरानी में जीवन चिह्न, दर्द और जटिलताएँ शामिल हैं। यह उचित रिकवरी सुनिश्चित करता है।

159. (A): प्रीऑपरेटिव सर्जरी से पहले, पोस्टऑपरेटिव बाद में, NPO का अर्थ मुँह से कुछ नहीं और कंसेंट अनुमति है। यह सर्जिकल देखभाल को दर्शाता है।

अतः सही मिलान A-2, B-1, C-3, D-4 है।

160. (B): प्रीऑपरेटिव केयर जोखिम कम करती है। पोस्टऑपरेटिव केयर भी उतनी ही महत्वपूर्ण है। इसलिए दूसरा कथन गलत है।

अतः I सही है, II गलत है।

161. (B): रोगी सुरक्षा का मुख्य उद्देश्य रोगी को हानि से बचाना है। इसमें त्रुटियों और चोटों से बचाव शामिल होता है। यह गुणवत्तापूर्ण देखभाल सुनिश्चित करता है।

162. (B): अस्पताल में चोट का सबसे सामान्य कारण गिरना होता है। इससे फ्रैक्चर और अन्य जटिलताएँ हो सकती हैं। इसकी रोकथाम आवश्यक है।

163. (B): साइड रेल का उपयोग रोगी को बिस्तर से गिरने से बचाने के लिए किया जाता है। यह कमजोर या अचेत रोगियों में अधिक उपयोगी है। यह सुरक्षा प्रदान करता है।

164. (A): पहचान पट्टी सही रोगी की पहचान सुनिश्चित करती है। इससे उपचार में त्रुटियाँ नहीं होती हैं। यह सुरक्षा के लिए आवश्यक है।

165. (C): प्रोटोकॉल का पालन करने से दवा संबंधी त्रुटियाँ कम होती हैं। यह सुरक्षित कार्यप्रणाली सुनिश्चित करता है। इससे रोगी परिणाम बेहतर होते हैं।

166. (D): अग्नि सुरक्षा में अग्निशामक (Extinguisher), अलार्म (Alarm) और स्प्रिंकलर (Sprinkler) शामिल होते हैं। ये आग को नियंत्रित करने में मदद करते हैं। ये सुरक्षा सुनिश्चित करते हैं।

167. (B): रोगी को स्थानांतरित करते समय उचित तकनीक का उपयोग करना चाहिए। इससे चोट से बचाव होता है। यह रोगी और नर्स दोनों की सुरक्षा करता है।

168. (B): रोगी में गिरने के जोखिम का आकलन करना महत्वपूर्ण है। इससे दुर्घटनाओं को रोका जा सकता है। यह रोगी सुरक्षा सुनिश्चित करता है।

169. (B): उपकरणों की नियमित जाँच आवश्यक है। इससे खराबी का पता चलता है। यह दुर्घटनाओं को रोकता है।

170. (B): रोगी सुरक्षा नर्सिंग देखभाल का आवश्यक भाग है। अस्पताल में सुरक्षा उपाय हमेशा आवश्यक होते हैं। इसलिए दूसरा कथन गलत है।

अतः I सही है, II गलत है।

5. मनोविज्ञान (Psychology)

1. मनोविज्ञान .... का अध्ययन है

A. शरीर B. व्यवहार और मन
C. रोग D. समाज

2. आधुनिक मनोविज्ञान के जनक हैं

A. फ्रायड B. वॉटसन
C. वुंड्ट D. स्किनर

3. पहला मनोवैज्ञानिक प्रयोगशाला स्थापित किया गया था

A. फ्रायड द्वारा B. पावलोव द्वारा
C. वुंड्ट द्वारा D. स्किनर द्वारा

4. दिखाई देने वाले व्यवहार का अध्ययन कहलाता है

A. मनोविश्लेषण B. व्यवहारवाद
C. कार्यवाद D. संरचनावाद

5. मनोविश्लेषण के जनक हैं

A. फ्रायड B. वॉटसन
C. वुंड्ट D. जेम्स

6. व्यवहारवाद विद्यालय किस पर ध्यान देता है

A. चेतन व्यवहार
B. अवचेतन व्यवहार
C. प्रत्यक्ष व्यवहार
D. छिपा हुआ व्यवहार

7. कार्यवाद विद्यालय मन के .... पर ध्यान देता है।

A. संरचना B. कार्य
C. व्यवहार D. भावना

8. संरचनावाद विद्यालय मन के .... का अध्ययन करता है।

A. कार्य B. संरचना
C. व्यवहार D. भावना

9. मानवतावादी दृष्टिकोण किस पर केंद्रित है

A. व्यवहार
B. अवचेतन
C. आत्म-साक्षात्कार (Self-actualization)
D. प्रतिवर्त

10. संज्ञानात्मक मनोविज्ञान अध्ययन करता है

A. प्रतिवर्त B. सोच और स्मृति
C. केवल व्यवहार D. भावनाएँ

11. अधिगम (Learning) को परिभाषित किया जाता है

A. व्यवहार में अपेक्षाकृत स्थायी परिवर्तन
B. शरीर में परिवर्तन
C. संरचना में परिवर्तन
D. स्वास्थ्य में परिवर्तन

12. सूचना को बनाए रखने की प्रक्रिया कहलाती है

A. अधिगम B. स्मृति
C. सोच D. प्रत्यक्षण

13. प्रयत्न और त्रुटि अधिगम (Trial and error learning) दिया गया था

A. पावलोव द्वारा B. स्किनर द्वारा
C. थॉर्नडाइक द्वारा D. वॉटसन द्वारा

14. शास्त्रीय अनुबंधन (Classical conditioning) का प्रस्ताव दिया गया था

A. स्किनर द्वारा B. पावलोव द्वारा
C. थॉर्नडाइक द्वारा D. फ्रायड द्वारा

15. प्रचालन अनुबंधन (Operant conditioning) दिया गया था

A. पावलोव द्वारा B. स्किनर द्वारा
C. वॉटसन द्वारा D. फ्रायड द्वारा

16. वह स्मृति जो कुछ सेकंड तक रहती है कहलाती है

A. दीर्घकालिक स्मृति
B. अल्पकालिक स्मृति
C. संवेदी स्मृति (Sensory memory)
D. स्थायी स्मृति

17. संग्रहीत सूचना को याद करने की प्रक्रिया कहलाती है

A. एन्कोडिंग (Encoding) B. भंडारण
C. पुनर्प्राप्ति (Retrieval) D. अधिगम

18. सूचना को स्मृति में बदलने की प्रक्रिया कहलाती है

A. भंडारण B. पुनर्प्राप्ति
C. एन्कोडिंग D. स्मरण

19. भूलने का वक्र (Forgetting curve) दिया गया था

A. फ्रायड द्वारा B. पावलोव द्वारा
C. एब्बिंगहाउस द्वारा D. स्किनर द्वारा

20. सूचना की पुनरावृत्ति (Repetition) स्मृति को .... सहायक होती है।

A. कमजोर करने में B. मजबूत करने में
C. खोने में D. अनदेखा करने में

21. प्रेरणा (Motivation) वह प्रक्रिया है जो प्रारम्भ करती है और निर्देशित करती है

A. विचार B. व्यवहार
C. भावनाएँ D. प्रत्यक्षण

22. मूल शारीरिक आवश्यकताएँ (physiological needs) का वर्णन किया गया है

A. फ्रायड सिद्धान्त B. मास्लो श्रेणीक्रम
C. पावलोव सिद्धान्त D. स्किनर सिद्धान्त

23. मास्लो के श्रेणीक्रम (Maslow's hierarchy) में सबसे निम्न स्तर है

A. सम्मान की आवश्यकताएँ
B. सुरक्षा की आवश्यकताएँ
C. शारीरिक आवश्यकताएँ
D. आत्म-साक्षात्कार

24. सफलता प्राप्त करने की इच्छा को कहा जाता है

A. भावना B. प्रेरणा
C. प्रत्यक्षण D. अधिगम

25. मास्लो द्वारा दिया गया प्रेरणा का सिद्धान्त कहलाता है

A. प्रवृत्ति सिद्धान्त
B. ड्राइव सिद्धान्त
C. आवश्यकताओं का श्रेणीक्रम
D. सुदृढ़ीकरण सिद्धान्त

26. भावना (Emotion) एक अवस्था है

A. सोचने की B. महसूस करने की
C. क्रिया की D. अधिगम की

27. जेम्स-लैंगे सिद्धान्त के अनुसार भावना .... के बाद आती है।

A. सोच B. व्यवहार
C. शारीरिक परिवर्तन D. प्रत्यक्षण

28. कैनन-बार्ड सिद्धान्त के अनुसार भावना और शारीरिक परिवर्तन होते हैं

A. अलग-अलग B. एक साथ
C. क्रमशः D. स्वतंत्र रूप से

29. भय (Fear) की भावना शरीर को तैयार करती है

A. विश्राम के लिए
B. संघर्ष या पलायन के लिए
C. नींद के लिए
D. आराम के लिए

30. निम्नलिखित का मिलान कीजिए :

कॉलम-I	कॉलम-II
A. मास्लो	1. शास्त्रीय अनुबंधन
B. पावलोव	2. आवश्यकताओं का श्रेणीक्रम
C. स्किनर	3. प्रचालन अनुबंधन
D. थॉर्नडाइक	4. प्रयास और त्रुटि

A. A-2, B-1, C-3, D-4
B. A-1, B-2, C-4, D-3
C. A-3, B-4, C-1, D-2
D. A-4, B-3, C-2, D-1

31. व्यक्तित्व (Personality) व्यक्ति के .... का योग है।

A. व्यवहार B. गुण
C. विशेषताएँ D. उपरोक्त सभी

32. फ्रायड द्वारा दिया गया व्यक्तित्व सिद्धान्त कहलाता है

A. व्यवहारवादी B. मनोविश्लेषणात्मक
C. मानवतावादी D. गुण सिद्धान्त

33. फ्रायड के अनुसार व्यक्तित्व का वह भाग जो सुख सिद्धान्त (pleasure principle) पर कार्य करता है

A. ईगो B. सुपरइगो
C. इड D. चेतन

34. व्यक्तित्व का वह भाग जो यथार्थ सिद्धान्त (reality principle) का पालन करता है

A. इड B. ईगो
C. सुपरइगो D. अचेतन

35. सुपरइगो (Superego) दर्शाता है

A. इच्छा B. यथार्थ
C. नैतिकता D. व्यवहार

36. व्यक्तित्व का मानवतावादी सिद्धान्त दिया गया

A. फ्रायड B. स्किनर
C. रोजर्स D. पावलोव

37. आत्म-साक्षात्कार (self-actualization) की अवधारणा दी गई

A. फ्रायड B. मास्लो
C. स्किनर D. वाटसन

38. व्यक्तित्व के गुण अपेक्षाकृत .... होते हैं।

A. परिवर्तनशील B. स्थिर
C. अस्थायी D. कमजोर

39. व्यक्तित्व का आकलन किया जा सकता है

A. साक्षात्कार B. अवलोकन
C. परीक्षण D. उपरोक्त सभी

40. **कथन I:** व्यक्तित्व व्यवहार को प्रभावित करता है।

कथन II: व्यक्तित्व स्थिर होता है और बदल नहीं सकता।

A. दोनों कथन सही हैं
B. I सही है, II गलत है
C. दोनों कथन गलत हैं
D. I गलत है, II सही है

41. विकासात्मक मनोविज्ञान (Developmental psychology) में परिवर्तन का अध्ययन किया जाता है

A. व्यवहार B. मन
C. जीवन काल D. उपरोक्त सभी

42. जन्म से 1 वर्ष तक के विकास की अवस्था कहलाती है

A. बाल्यावस्था B. शैशवावस्था
C. किशोरावस्था D. प्रौढ़ावस्था

43. पियाजे (Piaget) के अनुसार संवेदी-प्रेरक अवस्था (sensorimotor stage) होती है

A. 0–2 वर्ष B. 2–7 वर्ष
C. 7–11 वर्ष D. 11–15 वर्ष

44. किशोरावस्था (adolescence) की विशेषता होती है

A. शारीरिक वृद्धि B. भावनात्मक परिवर्तन
C. पहचान निर्माण D. उपरोक्त सभी

45. अमूर्त सोच (abstract thinking) .... अवस्था में विकसित होती है।

A. संवेदी-प्रेरक B. पूर्व-संक्रियात्मक
C. ठोस संक्रियात्मक D. औपचारिक संक्रियात्मक

46. मानसिक स्वास्थ्य (mental health) को परिभाषित किया जाता है एक अवस्था के रूप में

A. रोग B. कल्याण
C. बीमारी D. विकार

47. तनाव (stress) से निपटने की क्षमता दर्शाती है अच्छा

A. बुद्धि B. व्यक्तित्व
C. मानसिक स्वास्थ्य D. व्यवहार

48. मानसिक रोग (mental illness) प्रभावित करता है

A. शरीर B. मन
C. समाज D. उपरोक्त सभी

49. मानसिक स्वास्थ्य के संवर्धन (promotion) में शामिल हैं

A. परामर्श B. तनाव प्रबंधन
C. सहयोग D. उपरोक्त सभी

50. **कथन I:** मानसिक स्वास्थ्य समग्र स्वास्थ्य के लिए महत्वपूर्ण है।

कथन II: मानसिक रोग केवल शारीरिक स्वास्थ्य को प्रभावित करता है।

A. दोनों कथन सही हैं
B. I सही है, II गलत है
C. दोनों कथन गलत हैं
D. I गलत है, II सही है

51. व्यवहार (Behavior) को परिभाषित किया जाता है व्यक्ति की कोई भी अवलोकनीय .... के रूप में।

A. विचार B. क्रिया
C. भावना D. विचार

52. प्रवृत्ति (Instinct) .... प्रकार का व्यवहार है।

A. सीखा हुआ B. जन्मजात
C. अस्थायी D. परिवर्तनीय

53. रिफ्लेक्स क्रिया (reflex action) .... व्यवहार का उदाहरण है।

A. सीखा हुआ B. स्वैच्छिक
C. अनैच्छिक D. चेतन

54. व्यवहार .... कारकों से प्रभावित होता है।

A. जैविक B. पर्यावरणीय
C. सामाजिक D. उपरोक्त सभी

55. **कथन I:** प्रवृत्तिगत व्यवहार जन्मजात होता है।

कथन II: व्यवहार पर्यावरण से प्रभावित नहीं होता।

A. दोनों कथन सही हैं
B. I सही है, II गलत है
C. दोनों कथन गलत हैं
D. I गलत है, II सही है

व्याख्यात्मक उत्तर

1. **(B):** मनोविज्ञान (Psychology) व्यवहार और मानसिक प्रक्रियाओं का अध्ययन करता है। इसमें विचार, भावनाएँ और क्रियाएँ शामिल होती हैं। यह मानव व्यवहार को समझने में सहायता करता है।

2. **(C):** विल्हेम वुंड्ट (Wilhelm Wundt) को आधुनिक मनोविज्ञान का जनक कहा जाता है। उन्होंने प्रथम प्रयोगशाला स्थापित की। उन्होंने मन के वैज्ञानिक अध्ययन की शुरुआत की।

3. **(C):** पहली मनोविज्ञान प्रयोगशाला 1879 में वुंड्ट द्वारा जर्मनी में स्थापित की गई। इससे वैज्ञानिक मनोविज्ञान की शुरुआत हुई। यह एक महत्वपूर्ण घटना थी।

4. **(B):** व्यवहारवाद (Behaviorism) प्रत्यक्ष दिखाई देने वाले व्यवहार का अध्ययन करता है। यह मानसिक प्रक्रियाओं को महत्व नहीं देता। यह उद्दीपन-प्रतिक्रिया (stimulus-response) पर आधारित है।

5. **(A):** सिगमंड फ्रायड (Freud) ने मनोविश्लेषण (psychoanalysis) का सिद्धांत दिया। उन्होंने अवचेतन मन का अध्ययन किया। उन्होंने बचपन के अनुभवों को महत्वपूर्ण माना।

6. **(C):** व्यवहारवाद केवल प्रत्यक्ष या प्रेक्षणीय (observable) व्यवहार पर ध्यान देता है। इसे मापा जा सकता है। इसमें आंतरिक विचार शामिल नहीं होते।

7. **(B):** कार्यात्मकतावाद (Functionalism) मानसिक प्रक्रियाओं के कार्यों का अध्ययन करता है। यह अनुकूलन पर जोर देता है। इसे विलियम जेम्स ने विकसित किया।

8. **(B):** संरचनावाद (Structuralism) मन की संरचना का अध्ययन करता है। यह चेतना के घटकों का विश्लेषण करता है। इसमें अंतर्दर्शन (introspection) का उपयोग होता है।

9. **(C):** मानवतावादी दृष्टिकोण (Humanistic approach) व्यक्तिगत विकास पर केंद्रित है। यह आत्म-साक्षात्कार (self-actualization) पर जोर देता है। यह मानव क्षमता को महत्व देता है।

10. **(B):** संज्ञानात्मक मनोविज्ञान (Cognitive psychology) सोच, स्मृति और धारणा का अध्ययन करता है। यह मानसिक प्रक्रियाओं पर ध्यान देता है। यह व्यवहार को समझाता है।

11. **(A):** अधिगम (Learning) अनुभव के कारण व्यवहार में अपेक्षाकृत स्थायी परिवर्तन है। यह अनुकूलन से संबंधित है। यह व्यक्ति के अनुभव पर आधारित होता है।

12. **(B):** स्मृति (Memory) जानकारी को संग्रहित और पुनः प्राप्त करने की क्षमता है। यह सीखने के लिए आवश्यक है। इसमें संकेतन (encoding), भंडारण (storage) और पुनर्प्राप्ति (retrieval) शामिल हैं।

13. **(C):** थॉर्नडाइक (Thorndike) ने प्रयास और त्रुटि (trial and error) अधिगम दिया। उन्होंने प्रभाव का नियम (law of effect) प्रस्तुत किया। परिणाम के आधार पर सीखना होता है।

14. **(B):** पावलोव (Pavlov) ने शास्त्रीय अनुबंधन (classical conditioning) दिया। यह संबंध (association) पर आधारित है। इसमें उद्दीपन और प्रतिक्रिया का संबंध होता है।

15. **(B):** स्किनर (Skinner) ने प्रचालन अनुबंधन (operant conditioning) दिया। व्यवहार सुदृढीकरण (reinforcement) से प्रभावित होता है। यह परिणामों पर आधारित होता है।

16. **(B):** अल्पकालिक स्मृति (short-term memory) कुछ सेकंड तक जानकारी रखती है। इसकी क्षमता सीमित होती है। यह अस्थायी होती है।

17. **(C):** पुनर्प्राप्ति (retrieval) संग्रहित जानकारी को वापस लाने की प्रक्रिया है। यह स्मृति के उपयोग के लिए आवश्यक है। यह संकेतों पर निर्भर करती है।

18. **(C):** संकेतन (encoding) जानकारी को स्मृति में बदलने की प्रक्रिया है। यह स्मृति का पहला चरण है। इसमें ध्यान की आवश्यकता होती है।

19. **(C):** एब्बिंगहाउस (Ebbinghaus) ने भूलने का वक्र (forgetting curve) दिया। इसमें प्रारंभ में तेजी से भूलना होता है। यह पुनरावृत्ति के महत्व को दर्शाता है।

20. **(B):** सुदृढ़ीकरण, पुनरावृत्ति स्मृति को मजबूत बनाती है। यह याद रखने की क्षमता बढ़ाती है। यह दीर्घकालिक भंडारण में मदद करती है।

21. **(B):** प्रेरणा (Motivation) व्यवहार को प्रारंभ और दिशा देती है। यह क्रियाओं को ऊर्जा प्रदान करती है। यह लक्ष्य प्राप्ति में सहायक होती है।

22. **(B):** मास्लो (Maslow) ने आवश्यकताओं की श्रेणी (hierarchy of needs) का सिद्धांत दिया। इसमें शारीरिक, सुरक्षा, सामाजिक, सम्मान और आत्म-साक्षात्कार शामिल हैं। यह प्रेरणा को समझाता है।

23. **(C):** शारीरिक आवश्यकताएँ (physiological needs) जैसे भोजन और जल सबसे निम्न स्तर पर होती हैं। इन्हें पहले पूरा करना आवश्यक है। ये जीवन के लिए आवश्यक हैं।

24. **(B):** प्रेरणा व्यक्ति को लक्ष्य की ओर बढ़ाती है। इसमें इच्छाएँ और आवश्यकताएँ शामिल होती हैं। यह व्यवहार को प्रभावित करती है।

25. **(C):** मास्लो का सिद्धांत आवश्यकताओं के क्रम (hierarchy of needs) पर आधारित है। आवश्यकताएँ स्तरों में व्यवस्थित होती हैं। निम्न आवश्यकताओं के बाद उच्च आवश्यकताएँ पूरी होती हैं।

26. **(B):** भावना (Emotion) एक अनुभवात्मक स्थिति है। इसमें मानसिक और शारीरिक परिवर्तन होते हैं। यह व्यवहार को प्रभावित करती है।

27. **(C):** जेम्स-लैंग सिद्धांत (James-Lange theory) के अनुसार पहले शारीरिक परिवर्तन होते हैं, फिर भावना उत्पन्न होती है। शरीर की प्रतिक्रिया के बाद भावना अनुभव होती है।

28. **(B):** कैनन-बार्ड सिद्धांत (Cannon-Bard theory) के अनुसार भावना और शारीरिक परिवर्तन एक साथ होते हैं। दोनों स्वतंत्र होते हैं।

29. **(B):** भय (fear) शरीर को 'लड़ो या भागो' (fight or flight) प्रतिक्रिया के लिए तैयार करता है। यह हृदय गति बढ़ाता है। यह जीवित रहने में सहायक होता है।

30. **(A):** मास्लो ने आवश्यकताओं का क्रम दिया, पावलोव ने शास्त्रीय अनुबंधन, स्किनर ने प्रचालन अनुबंधन, और थॉर्नडाइक ने प्रयास-त्रुटि अधिगम दिया।

अतः सही मिलान A-2, B-1, C-3, D-4 है।

31. (D): व्यक्तित्व (Personality) में व्यवहार, गुण और विशेषताएँ शामिल होती हैं। यह व्यक्ति के सोचने और व्यवहार करने का तरीका है। यह प्रत्येक व्यक्ति में अलग होता है।

32. (B): फ्रायड का सिद्धांत मनोविश्लेषणात्मक (psychoanalytic) कहलाता है। यह अवचेतन मन पर आधारित है। यह व्यक्तित्व विकास को समझाता है।

33. (C): इड (Id) सुख सिद्धांत (pleasure principle) पर कार्य करता है। यह तुरंत संतुष्टि चाहता है। यह जन्म से उपस्थित होता है।

34. (B): इगो (Ego) यथार्थ सिद्धांत (reality principle) पर कार्य करता है। यह इड और सुपरइगो के बीच संतुलन बनाता है। यह वास्तविकता से जुड़ा होता है।

35. (C): सुपरइगो (Superego) नैतिक मूल्यों का प्रतिनिधित्व करता है। यह सामाजिक मानकों से विकसित होता है। यह व्यवहार को नियंत्रित करता है।

36. (C): कार्ल रोजर्स (Rogers) ने मानवतावादी सिद्धांत दिया। यह आत्म-अवधारणा (self&concept) पर आधारित है। यह व्यक्तिगत विकास पर जोर देता है।

37. (B): मास्लो ने आत्म-साक्षात्कार (self-actualization) की अवधारणा दी। यह सबसे उच्च स्तर की आवश्यकता है। इसमें व्यक्ति अपनी क्षमता को प्राप्त करता है।

38. (B): व्यक्तित्व के गुण अपेक्षाकृत स्थिर (stable) होते हैं। वे समय के साथ बने रहते हैं। वे व्यवहार को प्रभावित करते हैं।

39. (D): व्यक्तित्व का आकलन साक्षात्कार, अवलोकन और परीक्षणों से किया जाता है। ये विभिन्न तरीकों से जानकारी प्रदान करते हैं। यह मूल्यांकन में सहायक होते हैं।

40. (B): व्यक्तित्व व्यवहार को प्रभावित करता है। व्यक्तित्व समय के साथ बदल सकता है। इसलिए दूसरा कथन गलत है।

अतः I सही है, II गलत है।

41. (D): विकासात्मक मनोविज्ञान (Developmental psychology) जीवन-काल (life span) के दौरान व्यवहार, मन और विकास में होने वाले परिवर्तनों का अध्ययन करता है। यह विकास के पैटर्न को समझाता है। यह सभी आयु समूहों को शामिल करता है।

42. (B): शैशवावस्था (Infancy) जन्म से एक वर्ष तक की अवस्था है। इसमें तीव्र शारीरिक और मानसिक विकास होता है। यह अत्यंत महत्वपूर्ण अवस्था है।

43. (A): संवेदी-गत्यात्मक अवस्था (Sensorimotor stage) 0–2 वर्ष तक होती है। इसमें बच्चा इंद्रियों और क्रियाओं के माध्यम से सीखता है। वस्तु स्थायित्व (object permanence) का विकास होता है।

44. (D): किशोरावस्था (Adolescence) में शारीरिक, भावनात्मक और सामाजिक परिवर्तन होते हैं। पहचान निर्माण (identity formation) इसका मुख्य गुण है। यह संक्रमणकालीन अवस्था है।

45. (D): औपचारिक संक्रियात्मक अवस्था (Formal operational stage) में अमूर्त चिंतन (abstract thinking) विकसित होता है। यह लगभग 11 वर्ष के बाद होता है। तार्किक सोच में सुधार होता है।

46. (B): मानसिक स्वास्थ्य (Mental health) कल्याण (well-being) की अवस्था है। यह व्यक्ति को तनाव से निपटने और उत्पादक कार्य करने में सक्षम बनाता है। यह समग्र स्वास्थ्य के लिए आवश्यक है।

47. (C): तनाव से निपटने की क्षमता अच्छे मानसिक स्वास्थ्य का संकेत है। यह भावनात्मक स्थिरता को दर्शाता है। यह दैनिक जीवन में सहायक होता है।

48. (D): मानसिक रोग (Mental illness) मन, शरीर और सामाजिक कार्यों को प्रभावित करता है। यह संपूर्ण स्वास्थ्य को प्रभावित करता है। इसके लिए समग्र देखभाल आवश्यक है।

49. (D): मानसिक स्वास्थ्य संवर्धन (promotion) में परामर्श (counseling), तनाव प्रबंधन (stress management) और सहयोग (support) शामिल हैं। ये संतुलन बनाए रखने में मदद करते हैं। ये विकारों की रोकथाम करते हैं।

50. (B): मानसिक स्वास्थ्य समग्र स्वास्थ्य के लिए आवश्यक है। मानसिक रोग केवल शारीरिक स्वास्थ्य को नहीं बल्कि मानसिक और सामाजिक स्वास्थ्य को भी प्रभावित करता है। इसलिए दूसरा कथन गलत है।

अतः I सही है, II गलत है।

51. (B): व्यवहार (Behavior) व्यक्ति की प्रेक्षणीय क्रियाओं को दर्शाता है। इसे देखा और मापा जा सकता है। यह मानसिक प्रक्रियाओं का प्रतिबिंब होता है।

52. (B): प्रवृत्ति (Instinct) जन्मजात (innate) व्यवहार है। इसे सीखने की आवश्यकता नहीं होती। यह जन्म से मौजूद होता है।

53. (C): प्रतिवर्ती क्रिया (Reflex action) अनैच्छिक (involuntary) होती है। यह स्वतः होती है। यह चेतन नियंत्रण में नहीं होती।

54. (D): व्यवहार जैविक (biological), पर्यावरणीय (environmental) और सामाजिक (social) कारकों से प्रभावित होता है। ये सभी मिलकर कार्य करते हैं। ये व्यक्तित्व को आकार देते हैं।

55. (B): प्रवृत्ति जन्मजात व्यवहार है। व्यवहार पर्यावरण से प्रभावित होता है। इसलिए दूसरा कथन गलत है।

अतः I सही है, II गलत है।

6. सूक्ष्मजीवविज्ञान (Microbiology)

1. सूक्ष्मजीवविज्ञान .... का अध्ययन है।

A. कोशिकाएँ B. सूक्ष्मजीव
C. ऊतक D. अंग

2. सूक्ष्मजीव वे जीव होते हैं जो

A. बड़े B. दिखाई देने वाले
C. सूक्ष्म D. बहुकोशिकीय

3. जीवाणु (Bacteria) होते हैं

A. यूकैरियोटिक B. प्रोकैरियोटिक
C. बहुकोशिकीय D. जटिल

4. जीवाणुओं के अध्ययन को कहा जाता है

A. विषाणुविज्ञान B. कवकविज्ञान
C. जीवाणुविज्ञान D. परजीवीविज्ञान

5. विषाणु (Viruses) होते हैं

A. जीवित कोशिकाएँ
B. पोषक (host) के बाहर निर्जीव
C. बहुकोशिकीय
D. यूकैरियोटिक

6. विषाणुओं के अध्ययन को कहा जाता है

A. कवकविज्ञान B. जीवाणुविज्ञान
C. विषाणुविज्ञान D. परजीवीविज्ञान

7. कवक (Fungi) होते हैं

A. प्रोकैरियोटिक B. यूकैरियोटिक
C. निर्जीव D. विषाणु

8. कवकों के अध्ययन को कहा जाता है

A. कवकविज्ञान B. विषाणुविज्ञान
C. जीवाणुविज्ञान D. परजीवीविज्ञान

9. प्रोटोजोआ (Protozoa) होते हैं

A. बहुकोशिकीय B. एककोशिकीय
C. निर्जीव D. विषाणु

10. वह सूक्ष्मजीव जिसमें कोशिकीय संरचना नहीं होती है

A. जीवाणु B. विषाणु
C. कवक D. प्रोटोजोआ

11. जीवाणु जनन करते हैं

A. मुकुलन द्वारा (budding)
B. द्विखंडन (binary fission)
C. बीजाणु निर्माण (spore formation)
D. खंडन (fragmentation)

12. जीवाणु देखे जा सकते हैं

A. दूरबीन से
B. सूक्ष्मदर्शी (microscope) से
C. लेंस से
D. नंगी आँख से

13. जीवाणुओं का आकार हो सकता है

A. कॉकाई (cocci) B. बैसिलाई (bacilli)
C. स्पाइरिला (spirilla) D. उपरोक्त सभी

14. मिलान कीजिए :

कॉलम-I	कॉलम-II
A. जीवाणु	1. एककोशिकीय जीव
B. विषाणु	2. कोशिकाहीन
C. कवक	3. यूकैरियोटिक
D. प्रोटोजोआ	4. प्रोकैरियोटिक

A. A-4, B-2, C-3, D-1
B. A-2, B-3, C-4, D-1
C. A-3, B-4, C-1, D-2
D. A-1, B-2, C-3, D-4

15. **कथन I:** विषाणु प्रजनन के लिए पोषक (host) की आवश्यकता होती है।

कथन II: जीवाणु स्वतंत्र रूप से प्रजनन नहीं कर सकते।

A. दोनों कथन सही हैं B. I सही है, II गलत है
C. दोनों कथन गलत हैं D. I गलत है, II सही है

16. रोगजनक (Pathogen) वह जीव है जो उत्पन्न करता है

A. स्वास्थ्य B. रोग
C. वृद्धि D. प्रतिरक्षा

17. किसी सूक्ष्मजीव की रोग उत्पन्न करने की क्षमता को कहते हैं

A. प्रतिरक्षा
B. रोगजनकता (pathogenicity)
C. विषाणुता (virulence)
D. प्रतिरोध

18. रोगजनकता की तीव्रता को कहते हैं

A. प्रतिरक्षा B. विषाणुता
C. संक्रमण D. प्रतिरोध

19. जीवाणुओं द्वारा उत्पन्न विषैले पदार्थों को कहते हैं

A. प्रतिजन (antigens) B. विष (toxins)
C. एंजाइम D. हार्मोन

20. एक्सोटॉक्सिन (Exotoxins) उत्पन्न होते हैं

A. ग्राम-पॉजिटिव जीवाणु
B. ग्राम-नेगेटिव जीवाणु
C. दोनों
D. कोई नहीं

21. एंडोटॉक्सिन (endotoxins) .... जीवाणुओं में पाए जाते हैं।

A. ग्राम-पॉजिटिव B. ग्राम-नेगेटिव
C. A एवं B दोनों D. कोई नहीं

22. रोगजनकों का प्रत्यक्ष संपर्क से संचरण .... संचरण कहलाता है।

A. अप्रत्यक्ष B. प्रत्यक्ष
C. वाहक D. वायुजनित

23. वाहक-जनित रोग (vector-borne disease) का संचरण होता है

A. जल द्वारा B. भोजन द्वारा
C. कीटों द्वारा D. वायु द्वारा

24. वह पोषक (host) जो बिना लक्षणों के रोगजनक को वहन करता है, कहलाता है

A. रोगी B. वाहक (carrier)
C. वेक्टर D. भंडार (reservoir)

25. समुदाय से प्राप्त संक्रमण कहलाता है

A. अस्पताल-जनित B. समुदाय-प्राप्त
C. दीर्घकालिक D. तीव्र

26. निर्गमन द्वार (portal of exit) वह मार्ग है जिससे रोगजनक पोषक को ....।

A. प्रवेश करता है B. छोड़ता है
C. वृद्धि करता है D. आक्रमण करता है

27. संक्रमण का भंडार (reservoir) हो सकता है

A. मानव B. पशु
C. पर्यावरण D. उपरोक्त सभी

28. ऊष्मायन अवधि (incubation period) .... और लक्षणों के बीच समय है।

A. संपर्क (exposure) B. उपचार
C. स्वस्थ होना D. निदान

29. मिलान कीजिए :

कॉलम-I	**कॉलम-II**
A. रोगजनकता	1. रोग की तीव्रता
B. विषाणुता	2. रोग उत्पन्न करना
C. वाहक	3. रोग फैलाना
D. वेक्टर	4. बिना लक्षण वाला पोषक

A. A-2, B-1, C-4, D-3
B. A-1, B-2, C-3, D-4
C. A-3, B-4, C-1, D-2
D. A-4, B-3, C-2, D-1

30. **कथन I:** रोगजनक रोग उत्पन्न कर सकते हैं।

कथन II: सभी सूक्ष्मजीव रोगजनक होते हैं।

A. दोनों कथन सही हैं B. I सही है, II गलत है
C. दोनों कथन गलत हैं D. I गलत है, II सही है

31. प्रतिरक्षा (immunity) शरीर की क्षमता है .... का प्रतिरोध करने की।

A. वृद्धि B. रोग
C. चोट D. दर्द

32. जन्म से उपस्थित प्रतिरक्षा कहलाती है

A. अर्जित B. निष्क्रिय
C. जन्मजात D. कृत्रिम

33. संक्रमण के बाद विकसित प्रतिरक्षा कहलाती है

A. जन्मजात B. अर्जित
C. निष्क्रिय D. प्राकृतिक

34. टीकाकरण (vaccination) से प्राप्त प्रतिरक्षा कहलाती है

A. प्राकृतिक
B. निष्क्रिय
C. कृत्रिम सक्रिय (artificial active)
D. जन्मजात

35. माता से शिशु को प्राप्त प्रतिरक्षा कहलाती है

A. कृत्रिम B. निष्क्रिय
C. सक्रिय D. अर्जित

36. प्रतिरक्षा के लिए जिम्मेदार कोशिकाएँ हैं

A. लाल रक्त कोशिकाएँ B. श्वेत रक्त कोशिकाएँ
C. प्लेटलेट्स D. प्लाज्मा

37. प्रतिपिंड (antibody) का निर्माण होता है

A. लाल रक्त कोशिकाएँ
B. प्लेटलेट्स
C. लिम्फोसाइट्स
D. न्यूट्रोफिल्स

38. प्रतिजन (antigen) वह पदार्थ है जो

A. शरीर की रक्षा करता है
B. प्रतिपिंड उत्पन्न करता है
C. प्रतिक्रिया उत्पन्न करता है
D. कोशिकाओं को नष्ट करता है

39. लिम्फोसाइट्स दो प्रकार के होते हैं

A. T और B कोशिकाएँ
B. लाल और श्वेत रक्त कोशिकाएँ
C. प्लेटलेट्स और प्लाज्मा
D. न्यूट्रोफिल्स और ईओसिनोफिल्स

40. T-कोशिकाएँ .... प्रतिरक्षा के लिए जिम्मेदार होती हैं।

A. द्रव B. कोशिकीय
C. निष्क्रिय D. कृत्रिम

41. B-कोशिकाएँ (B-cells) .... प्रतिरक्षा के लिए जिम्मेदार होती हैं।

A. कोशिकीय B. द्रव (humoral)
C. निष्क्रिय D. कृत्रिम

42. टीका (vaccine) .... प्रतिरक्षा को उत्तेजित करता है।

A. निष्क्रिय B. सक्रिय
C. जन्मजात D. कृत्रिम निष्क्रिय

43. रोग के बाद स्वाभाविक रूप से विकसित प्रतिरक्षा कहलाती है .... प्रतिरक्षा।

A. कृत्रिम सक्रिय B. प्राकृतिक सक्रिय
C. कृत्रिम निष्क्रिय D. जन्मजात

44. इम्युनोग्लोबुलिन (immunoglobulin) को .... भी कहा जाता है।

A. प्रतिजन B. प्रतिपिंड
C. विष D. एंजाइम

45. प्रथम रक्षा पंक्ति (first line of defense) में शामिल हैं

A. त्वचा
B. श्लेष्मा झिल्ली (mucous membrane)
C. स्राव (secretions)
D. उपरोक्त सभी

46. फैगोसाइटोसिस (phagocytosis) किया जाता है

A. लाल रक्त कोशिकाओं द्वारा
B. न्यूट्रोफिल्स (neutrophils) द्वारा
C. प्लेटलेट्स द्वारा
D. प्लाज्मा द्वारा

47. प्रतिपिंडों के इंजेक्शन से प्राप्त प्रतिरक्षा कहलाती है

A. सक्रिय B. निष्क्रिय
C. प्राकृतिक D. जन्मजात

48. स्मृति कोशिकाएँ (memory cells) जिम्मेदार होती हैं

A. त्वरित प्रतिक्रिया B. दीर्घकालिक प्रतिरक्षा
C. कमजोर प्रतिरक्षा D. कोई प्रतिक्रिया नहीं

49. मिलान कीजिए :

कॉलम-I	कॉलम-II
A. जन्मजात प्रतिरक्षा	1. संपर्क के बाद विकसित
B. अर्जित प्रतिरक्षा	2. जन्म से उपस्थित
C. निष्क्रिय प्रतिरक्षा	3. प्रतिपिंड स्थानांतरण
D. सक्रिय प्रतिरक्षा	4. प्रतिपिंड निर्माण

A. A-2, B-1, C-3, D-4
B. A-1, B-2, C-4, D-3
C. A-3, B-4, C-1, D-2
D. A-4, B-3, C-2, D-1

50. **कथन I:** टीकाकरण प्रतिरक्षा प्रदान करता है।

कथन II: जन्मजात प्रतिरक्षा जन्म के बाद विकसित होती है।

A. दोनों कथन सही हैं B. I सही है, II गलत है
C. दोनों कथन गलत हैं D. I गलत है, II सही है

51. नसबंदी (sterilization) वह प्रक्रिया है जिसमें नष्ट किए जाते हैं

A. केवल जीवाणु B. केवल विषाणु
C. सभी सूक्ष्मजीव D. केवल कवक

52. विसंक्रमण (disinfection) वह प्रक्रिया है जिसमें नष्ट किए जाते हैं

A. सभी सूक्ष्मजीव B. रोगजनक
C. बीजाणु D. केवल विषाणु

53. भाप द्वारा नसबंदी की विधि कहलाती है

A. शुष्क ऊष्मा B. ऑटोक्लेविंग
C. विकिरण D. निस्यंदन

54. ऑटोक्लेव (autoclave) किस सिद्धांत पर कार्य करता है

A. शुष्क ऊष्मा B. आर्द्र ऊष्मा (moist heat)
C. विकिरण D. निस्यंदन

55. ऑटोक्लेव में प्रयुक्त तापमान .... °C होता है।

A. 100 B. 121
C. 150 D. 180

56. ऑटोक्लेविंग के लिए आवश्यक समय .... मिनट होता है।

A. 10 B. 15
C. 30 D. 60

57. शुष्क ऊष्मा द्वारा नसबंदी की जाती है

A. ऑटोक्लेव द्वारा B. हॉट एयर ओवन द्वारा
C. निस्यंदन द्वारा D. विकिरण द्वारा

58. निस्यंदन (filtration) विधि का उपयोग किया जाता है

A. ठोस पदार्थों के लिए B. द्रवों के लिए
C. धातुओं के लिए D. कांच के लिए

59. विकिरण (radiation) द्वारा नसबंदी का उपयोग किया जाता है

A. द्रवों के लिए B. डिस्पोजेबल वस्तुओं के लिए
C. धातुओं के लिए D. खाद्य पदार्थों के लिए

60. रासायनिक विसंक्रमक (chemical disinfectant) का उपयोग किया जाता है

A. जीवित ऊतकों पर B. निर्जीव वस्तुओं पर
C. दोनों पर D. किसी पर नहीं

61. एंटीसेप्टिक का उपयोग .... पर किया जाता है।

A. त्वचा B. उपकरण
C. धातु D. कांच

62. उबालना (boiling) किसका एक तरीका है

A. नसबंदी B. विसंक्रमण
C. निस्यंदन D. विकिरण

63. अल्कोहल (alcohol) का उपयोग किया जाता है

A. नसबंदी एजेंट के रूप में
B. विसंक्रमक के रूप में
C. एंटीसेप्टिक के रूप में
D. B और C दोनों

64. फिनॉल (phenol) का उपयोग किया जाता है

A. एंटीसेप्टिक B. विसंक्रमक
C. नसबंदी एजेंट D. एंटीबायोटिक

65. बीजाणु (spores) नष्ट होते हैं

A. विसंक्रमण से B. नसबंदी से
C. सफाई से D. उबालने से

66. यूवी विकिरण (UV radiation) का उपयोग किया जाता है

A. सतही नसबंदी B. गहरी नसबंदी
C. द्रवों के लिए D. खाद्य पदार्थों के लिए

67. धूम्रीकरण (fumigation) के लिए उपयोग किया जाने वाला रसायन है

A. अल्कोहल B. फॉर्मेल्डिहाइड
C. फिनॉल D. क्लोरीन

68. क्लोरीन (chlorine) का उपयोग .... को विसंक्रमित करने के लिए किया जाता है।

A. वायु B. जल
C. त्वचा D. उपकरण

69. मिलान कीजिए :

कॉलम-I	**कॉलम-II**
A. ऑटोक्लेव	1. आर्द्र ऊष्मा
B. हॉट एयर ओवन	2. शुष्क ऊष्मा
C. निस्यंदन	3. द्रव
D. विकिरण	4. डिस्पोजेबल वस्तुएँ

A. A-1, B-2, C-3, D-4
B. A-2, B-1, C-4, D-3
C. A-3, B-4, C-1, D-2
D. A-4, B-3, C-2, D-1

70. **कथन I:** नसबंदी सभी सूक्ष्मजीवों को नष्ट करती है।

कथन II: विसंक्रमण बीजाणुओं को नष्ट करता है।

A. दोनों कथन सही हैं
B. I सही है, II गलत है
C. दोनों कथन गलत हैं
D. I गलत है, II सही है

71. संक्रमण नियंत्रण (infection control) का उद्देश्य है

A. रोग को रोकना B. संक्रमण को रोकना
C. चोट को रोकना D. दर्द को रोकना

72. संक्रमण नियंत्रण का सबसे प्रभावी तरीका है

A. मास्क B. दस्ताने
C. हाथ स्वच्छता D. पृथक्करण

73. संक्रमण शृंखला (chain of infection) में कारक, मेजबान और .... शामिल हैं।

A. पर्यावरण B. उपचार
C. दवा D. निदान

74. रोगी का पृथक्करण (isolation) किया जाता है

A. दर्द रोकने के लिए
B. संक्रमण फैलाव रोकने के लिए
C. चोट रोकने के लिए
D. रक्तस्राव रोकने के लिए

75. पीपीई (PPE) में शामिल हैं

A. दस्ताने B. मास्क
C. गाउन D. उपरोक्त सभी

76. अस्पताल में होने वाला संक्रमण कहलाता है

A. सामुदायिक संक्रमण
B. नोसोकोमियल संक्रमण
C. दीर्घकालिक संक्रमण
D. तीव्र संक्रमण

77. जैव-चिकित्सीय अपशिष्ट (biomedical waste) को .... कोडिंग द्वारा अलग किया जाता है।

A. रंग B. संख्या
C. अक्षर D. प्रतीक

78. हाथ कम से कम .... सेकंड तक धोना चाहिए।

A. 10 B. 20
C. 30 D. 60

79. मानक सावधानियों (standard precautions) में शामिल हैं

A. हाथ स्वच्छता B. पीपीई
C. सुरक्षित निपटान D. उपरोक्त सभी

80. मास्क .... संचरण को रोकता है।

A. संपर्क B. बूंद (droplet)
C. वाहक (vector) D. प्रत्यक्ष

81. प्रवेश द्वार (portal of entry) वह मार्ग है जिसके द्वारा रोगजनक (pathogen) शरीर में ....।

A. बाहर जाता है B. प्रवेश करता है
C. बढ़ता है D. फैलता है

82. वाहक-जनित रोग (vector-borne disease) का संचरण होता है

A. जल द्वारा B. वायु द्वारा
C. कीटों (insects) द्वारा D. भोजन द्वारा

83. संक्रमण नियंत्रण (infection control) में उचित .... का निपटान शामिल है।

A. भोजन B. जल
C. अपशिष्ट (waste) D. वायु

84. मिलान कीजिए :

कॉलम-I	**कॉलम-II**
A. हाथ स्वच्छता	1. फैलाव रोकना
B. पीपीई	2. सूक्ष्मजीवों को कम करना
C. पृथक्करण	3. स्वास्थ्यकर्मियों की सुरक्षा
D. अपशिष्ट निपटान	4. सुरक्षित निपटान

A. A-2, B-3, C-1, D-4
B. A-3, B-1, C-4, D-2
C. A-1, B-2, C-3, D-4
D. A-4, B-3, C-2, D-1

85. **कथन I:** संक्रमण नियंत्रण रोग के फैलाव को कम करता है।

कथन II: स्वास्थ्य सेवा में पीपीई (PPE) की आवश्यकता नहीं होती।

A. दोनों कथन सही हैं
B. I सही है, II गलत है
C. दोनों कथन गलत हैं
D. I गलत है, II सही है

86. तपेदिक (tuberculosis) किससे होता है?

A. विषाणु B. जीवाणु (bacteria)
C. कवक (fungi) D. प्रोटोजोआ

87. मलेरिया (malaria) किससे होता है?

A. विषाणु B. जीवाणु
C. प्रोटोजोआ D. कवक

88. एड्स (AIDS) किससे होता है?

A. जीवाणु B. विषाणु
C. कवक D. प्रोटोजोआ

89. मलेरिया का वाहक (vector) है

A. मक्खी B. मच्छर
C. टिक D. जूं

90. हैजा (cholera) का संचरण होता है

A. वायु द्वारा B. जल द्वारा
C. भोजन द्वारा D. संपर्क द्वारा

91. टाइफाइड का कारण कारक है

A. विषाणु B. जीवाणु
C. कवक D. प्रोटोजोआ

92. बूंदों (droplets) से फैलने वाला रोग है

A. मलेरिया B. तपेदिक
C. हैजा D. टाइफाइड

93. तपेदिक के लिए टीका है

A. डीपीटी (DPT) B. बीसीजी (BCG)
C. ओपीवी (OPV) D. एमएमआर (MMR)

94. हेपेटाइटिस बी (Hepatitis B) किस अंग को प्रभावित करता है

A. हृदय B. यकृत (liver)
C. गुर्दा (kidney) D. फेफड़े

95. यौन संपर्क से फैलने वाला रोग है

A. मलेरिया B. एड्स
C. हैजा D. टाइफाइड

96. दूषित भोजन से फैलने वाला रोग है

A. मलेरिया B. तपेदिक
C. हैजा D. टाइफाइड

97. डेंगू (dengue) का संचरण होता है

A. मक्खी B. मच्छर
C. टिक D. जूं

98. रेबीज का संचरण होता है

A. कीटों द्वारा B. पशु के काटने से
C. जल द्वारा D. भोजन द्वारा

99. मिलान कीजिए :

कॉलम-I	कॉलम-II
A. तपेदिक	1. प्रोटोजोआ
B. मलेरिया	2. जीवाणु
C. हैजा	3. जल जनित (waterborne)
D. एड्स	4. विषाणु

A. A-2, B-1, C-3, D-4
B. A-1, B-2, C-4, D-3
C. A-3, B-4, C-1, D-2
D. A-4, B-3, C-2, D-1

100. **कथन I:** टीकाकरण (vaccination) रोगों को रोकता है।

कथन II: सभी रोग असंक्रामक (non-communicable) होते हैं।

A. दोनों कथन सही हैं B. I सही है, II गलत है
C. दोनों कथन गलत हैं D. I गलत है, II सही है

व्याख्यात्मक उत्तर

1. (B): सूक्ष्मजीवविज्ञान में सूक्ष्मजीवों का अध्ययन किया जाता है। ये बहुत छोटे जीव होते हैं जो नग्न आँख से दिखाई नहीं देते। इसमें जीवाणु, विषाणु, कवक और प्रोटोजोआ शामिल होते हैं।

2. (C): सूक्ष्मजीव सूक्ष्म होते हैं और इन्हें देखने के लिए सूक्ष्मदर्शी (microscope) की आवश्यकता होती है। ये हर जगह पाए जाते हैं।

3. (B): जीवाणु प्रोकैरियोटिक कोशिकाएँ होती हैं जिनमें वास्तविक नाभिक नहीं होता। ये सरल संरचना वाले जीव होते हैं।

4. (C): जीवाणुविज्ञान में जीवाणुओं का अध्ययन किया जाता है। इसमें उनकी संरचना और कार्य शामिल होते हैं। यह चिकित्सा में महत्वपूर्ण है।

5. (B): विषाणु मेजबान (host) के बाहर निर्जीव होते हैं और प्रजनन के लिए जीवित कोशिका की आवश्यकता होती है।

6. (C): विषाणुविज्ञान में विषाणुओं का अध्ययन किया जाता है। इसमें उनकी संरचना और प्रतिकृति शामिल होती है।

7. (B): कवक यूकैरियोटिक जीव होते हैं जिनमें वास्तविक नाभिक होता है। ये एककोशिकीय या बहुकोशिकीय हो सकते हैं।

8. (A): कवकविज्ञान में कवकों का अध्ययन किया जाता है जैसे मोल्ड और यीस्ट। कुछ कवक रोग उत्पन्न करते हैं।

9. (B): प्रोटोजोआ एककोशिकीय यूकैरियोटिक जीव होते हैं। कुछ रोगजनक होते हैं।

10. (B): विषाणु में कोशिकीय संरचना नहीं होती। यह अकोशिकीय होता है और प्रजनन के लिए मेजबान पर निर्भर करता है।

11. (B): जीवाणु द्विखंडन द्वारा प्रजनन करते हैं। यह अलैंगिक और तीव्र प्रक्रिया है।

12. (B): जीवाणु इतने छोटे होते हैं कि इन्हें केवल सूक्ष्मदर्शी से ही देखा जा सकता है।

13. (D): जीवाणुओं के आकार कोक्की, बैसिली और स्पाइरिला हो सकते हैं। आकार पहचान में सहायक होता है।

14. (A): जीवाणु प्रोकैरियोटिक होते हैं, विषाणु अकोशिकीय होते हैं, कवक यूकैरियोटिक होते हैं और प्रोटोजोआ एककोशिकीय होते हैं।

अतः सही मिलान A-4, B-2, C-3, D-1 है।

15. (B): विषाणु को प्रजनन के लिए मेजबान चाहिए जबकि जीवाणु स्वतंत्र रूप से प्रजनन कर सकते हैं।

अतः I सही है, II गलत है।

16. (B): रोगजनक वे जीव होते हैं जो रोग उत्पन्न करते हैं। ये शरीर में प्रवेश कर वृद्धि करते हैं।

17. (B): रोगजनकता किसी सूक्ष्मजीव की रोग उत्पन्न करने की क्षमता है।

18. (B): विषाणुता रोग की तीव्रता को दर्शाती है। अधिक विषाणुता अधिक गंभीर रोग उत्पन्न करती है।

19. **(B):** जीवाणु विष उत्पन्न करते हैं जो ऊतकों को नुकसान पहुँचाते हैं और लक्षण पैदा करते हैं।

20. **(A):** एक्सोटॉक्सिन मुख्यतः ग्राम-पॉजिटिव जीवाणुओं द्वारा उत्पन्न होते हैं और बहुत प्रभावशाली होते हैं।

21. **(B):** एंडोटॉक्सिन ग्राम-नेगेटिव जीवाणुओं की कोशिका भित्ति का भाग होते हैं और कोशिका टूटने पर निकलते हैं।

22. **(B):** प्रत्यक्ष संचरण सीधे संपर्क से होता है और रोगजनकों को फैलाता है।

23. **(C):** वेक्टर-जनित रोग कीटों द्वारा फैलते हैं जैसे मलेरिया।

24. **(B):** वाहक बिना लक्षण के रोगजनक को धारण करता है और रोग फैला सकता है।

25. **(B):** यह संक्रमण अस्पताल के बाहर होता है और सामान्यतः समुदाय में पाया जाता है।

26. **(B):** निकास द्वार वह मार्ग है जिससे रोगजनक शरीर से बाहर निकलता है।

27. **(D):** संक्रमण का स्रोत मानव, पशु या पर्यावरण हो सकता है।

28. **(A):** ऊष्मायन काल संक्रमण के संपर्क और लक्षणों के बीच का समय होता है।

29. **(A):** रोगजनकता रोग उत्पन्न करने की क्षमता है, विषाणुता उसकी तीव्रता है, वाहक बिना लक्षण के होता है और वेक्टर रोग फैलाता है।

    अतः सही मिलान A-2, B-1, C-4, D-3 है।

30. **(B):** सभी सूक्ष्मजीव हानिकारक नहीं होते, केवल कुछ रोग उत्पन्न करते हैं।

    अतः I सही है, II गलत है।

31. **(B):** प्रतिरक्षा शरीर की रोगों से लड़ने की क्षमता है।

32. **(C):** जन्मजात प्रतिरक्षा जन्म से होती है और त्वरित सुरक्षा देती है।

33. **(B):** अर्जित प्रतिरक्षा संक्रमण के बाद विकसित होती है और विशिष्ट होती है।

34. **(C):** टीकाकरण से कृत्रिम सक्रिय प्रतिरक्षा उत्पन्न होती है जो एंटीबॉडी बनाती है।

35. **(B):** माँ से शिशु को मिलने वाली प्रतिरक्षा निष्क्रिय होती है और अस्थायी होती है।

36. **(B):** श्वेत रक्त कोशिकाएँ (WBC) प्रतिरक्षा के लिए जिम्मेदार होती हैं और संक्रमण से लड़ती हैं।

37. **(C):** लिम्फोसाइट एंटीबॉडी बनाते हैं और प्रतिरक्षा में महत्वपूर्ण भूमिका निभाते हैं।

38. **(B):** एंटीजन शरीर में एंटीबॉडी बनने को प्रेरित करता है।

39. **(A):** लिम्फोसाइट दो प्रकार के होते हैं—T कोशिकाएँ और B कोशिकाएँ।

40. **(B):** T कोशिकाएँ कोशिकीय प्रतिरक्षा प्रदान करती हैं और संक्रमित कोशिकाओं को नष्ट करती हैं।

41. **(B):** B-कोशिकाएँ एंटीबॉडी बनाती हैं। ये ह्यूमोरल प्रतिरक्षा प्रदान करती हैं। ये रोगजनकों के विरुद्ध कार्य करती हैं।

42. **(B):** टीकाकरण सक्रिय प्रतिरक्षा को उत्तेजित करता है। शरीर स्वयं एंटीबॉडी बनाता है। यह दीर्घकालीन सुरक्षा प्रदान करता है।

43. **(B):** प्राकृतिक सक्रिय प्रतिरक्षा संक्रमण के बाद विकसित होती है। यह लंबे समय तक रहती है। इसमें स्मृति कोशिकाएँ शामिल होती हैं।

44. **(B):** इम्युनोग्लोबुलिन को एंटीबॉडी भी कहा जाता है। यह एंटीजन से जुड़ता है। यह रोगजनकों को निष्क्रिय करता है।

45. **(D):** त्वचा, श्लेष्मा झिल्ली और स्राव शरीर की प्रथम रक्षा पंक्ति बनाते हैं। ये रोगजनकों के प्रवेश को रोकते हैं।

46. **(B):** न्यूट्रोफिल फैगोसाइटोसिस करते हैं। ये रोगजनकों को निगलकर नष्ट करते हैं। ये जन्मजात प्रतिरक्षा का भाग हैं।

47. **(B):** निष्क्रिय प्रतिरक्षा एंटीबॉडी के इंजेक्शन से प्राप्त होती है। यह तुरंत सुरक्षा देती है। यह अस्थायी होती है।

48. **(B):** स्मृति कोशिकाएँ दीर्घकालीन प्रतिरक्षा प्रदान करती हैं। पुनः संपर्क पर ये तेजी से प्रतिक्रिया देती हैं। ये सुरक्षा सुनिश्चित करती हैं।

49. **(A):** जन्मजात प्रतिरक्षा जन्म से होती है, अर्जित प्रतिरक्षा संपर्क के बाद विकसित होती है, निष्क्रिय प्रतिरक्षा एंटीबॉडी के स्थानांतरण से होती है और सक्रिय प्रतिरक्षा एंटीबॉडी निर्माण से होती है।

    अतः सही मिलान A-2, B-1, C-3, D-4 है।

50. **(B):** टीकाकरण प्रतिरक्षा प्रदान करता है जबकि जन्मजात प्रतिरक्षा जन्म से होती है, बाद में विकसित नहीं होती।

    अतः I सही है, II गलत है।

51. **(C):** स्टेरिलाइजेशन सभी सूक्ष्मजीवों को नष्ट करता है, जिसमें स्पोर भी शामिल हैं। यह पूर्ण रूप से समाप्त करता है और शल्य उपकरणों में उपयोग होता है।

52. **(B):** डिसइन्फेक्शन रोगजनक जीवों को नष्ट करता है। यह स्पोर को नष्ट नहीं करता। यह सतहों पर उपयोग होता है।

53. **(B):** ऑटोक्लेविंग में दाबयुक्त भाप का उपयोग होता है। यह सभी सूक्ष्मजीवों को नष्ट करता है। यह प्रभावी विधि है।

54. **(B):** ऑटोक्लेव आर्द्र ऊष्मा के सिद्धांत पर कार्य करता है। भाप अंदर तक प्रवेश करती है और सूक्ष्मजीवों को नष्ट करती है।

55. **(B):** ऑटोक्लेव का मानक तापमान 121°C होता है। यह पूर्ण स्टेरिलाइजेशन सुनिश्चित करता है।

56. **(B):** ऑटोक्लेविंग का समय लगभग 15 मिनट होता है। यह प्रभावशीलता सुनिश्चित करता है।

57. **(B):** शुष्क ऊष्मा स्टेरिलाइजेशन हॉट एयर ओवन में किया जाता है। यह काँच के उपकरणों के लिए उपयोगी है।

58. **(B):** निस्यंदन विधि ताप-संवेदनशील तरल पदार्थों के लिए उपयोग होती है। यह सूक्ष्मजीवों को हटाती है, नष्ट नहीं करती।

59. **(B):** विकिरण का उपयोग डिस्पोजेबल वस्तुओं को स्टेरिलाइज करने के लिए किया जाता है। इसमें गामा किरणें उपयोग होती हैं।

60. **(B):** रासायनिक डिसइन्फेक्टेंट निर्जीव वस्तुओं पर उपयोग होते हैं। ये रोगजनकों को नष्ट करते हैं।

61. (A): एंटीसेप्टिक जीवित ऊतकों जैसे त्वचा पर उपयोग होते हैं। ये संक्रमण को रोकते हैं।

62. (B): उबालना कई सूक्ष्मजीवों को नष्ट करता है परंतु स्पोर को नहीं। इसलिए यह डिसइन्फेक्शन है।

63. (D): अल्कोहल डिसइन्फेक्टेंट और एंटीसेप्टिक दोनों के रूप में कार्य करता है। यह जीवाणुओं को नष्ट करता है।

64. (B): फिनॉल एक डिसइन्फेक्टेंट है। यह सतहों पर सूक्ष्मजीवों को नष्ट करता है।

65. (B): स्पोर बहुत प्रतिरोधी होते हैं और केवल स्टेरिलाइजेशन से ही नष्ट होते हैं।

66. (A): UV विकिरण सतह की स्टेरिलाइजेशन के लिए उपयोग होता है। यह गहराई तक नहीं पहुँचता।

67. (B): फॉर्मल्डिहाइड फ्यूमिगेशन के लिए उपयोग होता है। यह हवा और सतहों को निष्क्रमित करता है।

68. (B): क्लोरीन का उपयोग जल को शुद्ध करने के लिए किया जाता है। यह रोगजनकों को नष्ट करता है।

69. (A): ऑटोक्लेव–आर्द्र ऊष्मा, हॉट एयर ओवन–शुष्क ऊष्मा, निस्यंदन–तरल के लिए और विकिरण–डिस्पोजेबल वस्तुओं के लिए उपयोग होता है।

अतः सही मिलान A-1, B-2, C-3, D-4 है।

70. (B): स्टेरिलाइजेशन सभी सूक्ष्मजीवों को नष्ट करता है जबकि डिसइन्फेक्शन स्पोर को नष्ट नहीं करता।

अतः I सही है, II गलत है।

71. (B): संक्रमण नियंत्रण का उद्देश्य संक्रमण को रोकना है। यह प्रसार को कम करता है।

72. (C): हाथों की स्वच्छता सबसे प्रभावी तरीका है। यह सूक्ष्मजीवों को हटाता है।

73. (A): संक्रमण श्रृंखला में कारक, मेजबान और पर्यावरण शामिल होते हैं।

74. (B): आइसोलेशन संक्रमण के फैलाव को रोकता है। यह संक्रमित रोगी को अलग करता है।

75. (D): PPE में दस्ताने, मास्क और गाउन शामिल होते हैं। ये स्वास्थ्य कर्मियों की रक्षा करते हैं।

76. (B): अस्पताल में होने वाला संक्रमण नोसोकॉमियल कहलाता है।

77. (A): बायोमेडिकल कचरे का पृथक्करण रंग-कोडिंग द्वारा किया जाता है।

78. (B): हाथों को कम से कम 20 सेकंड तक धोना चाहिए।

79. (D): मानक सावधानियों में हाथ स्वच्छता, PPE और सुरक्षित निपटान शामिल हैं।

80. (B): मास्क ड्रॉपलेट संक्रमण को रोकते हैं और श्वसन तंत्र की रक्षा करते हैं।

81. (B): पोर्टल ऑफ एंट्री वह मार्ग है जिससे रोगजनक शरीर में प्रवेश करते हैं। यह संक्रमण की शुरुआत का स्थान होता है।

82. (C): वेक्टर जनित रोग कीटों द्वारा फैलते हैं। ये कीट रोगजनकों को एक व्यक्ति से दूसरे तक पहुँचाते हैं, जैसे मलेरिया।

83. (C): उचित कचरा निपटान संक्रमण के फैलाव को रोकता है। जैव-चिकित्सीय कचरे का सही प्रबंधन सुरक्षा सुनिश्चित करता है।

84. (A): हाथ स्वच्छता सूक्ष्मजीवों को कम करती है, PPE स्वास्थ्यकर्मियों की रक्षा करता है, पृथक्करण फैलाव रोकता है और अपशिष्ट निपटान सुरक्षित निपटान होने के कारण सुरक्षा सुनिश्चित करता है।

अतः सही मिलान A-2, B-3, C-1, D-4 है।

85. (B): संक्रमण नियंत्रण रोग के फैलाव को कम करता है, जबकि PPE स्वास्थ्य सेवाओं में अत्यंत आवश्यक होता है।

अतः I सही है, II गलत है।

86. (B): क्षय रोग माइकोबैक्टीरियम ट्यूबरकुलोसिस बैक्टीरिया से होता है। यह मुख्यतः फेफड़ों को प्रभावित करता है और हवा द्वारा फैलता है।

87. (C): मलेरिया प्लाज्मोडियम प्रोटोजोआ से होता है। यह मच्छर द्वारा फैलता है और रक्त को प्रभावित करता है।

88. (B): एड्स HIV वायरस से होता है। यह प्रतिरक्षा प्रणाली को कमजोर करता है और शरीर की रोग प्रतिरोधक क्षमता घटाता है।

89. (B): मलेरिया मादा एनोफिलीज मच्छर द्वारा फैलता है। यह रोगजनक का वाहक होता है।

90. (B): हैजा दूषित पानी से फैलता है। यह दस्त का कारण बनता है और स्वच्छता से रोका जा सकता है।

91. (B): टाइफाइड साल्मोनेला टाइफी बैक्टीरिया से होता है। यह दूषित भोजन और पानी से फैलता है।

92. (B): क्षय रोग बूंदों (ड्रॉपलेट) के माध्यम से फैलता है। यह वायुजनित रोग है और फेफड़ों को प्रभावित करता है।

93. (B): BCG टीका क्षय रोग से सुरक्षा देता है। यह बचपन में दिया जाता है और प्रतिरक्षा विकसित करता है।

94. (B): हेपेटाइटिस B यकृत को प्रभावित करता है। यह सूजन उत्पन्न करता है और रक्त द्वारा फैलता है।

95. (B): एड्स यौन संपर्क से फैलता है। यह वायरस जनित रोग है और प्रतिरक्षा प्रणाली को प्रभावित करता है।

96. (D): टाइफाइड दूषित भोजन से फैलता है। यह बुखार उत्पन्न करता है और स्वच्छता से रोका जा सकता है।

97. (B): डेंगू एडीज मच्छर द्वारा फैलता है। यह बुखार का कारण बनता है और वेक्टर जनित रोग है।

98. (B): रेबीज संक्रमित पशु के काटने से फैलता है। यह तंत्रिका तंत्र को प्रभावित करता है और बिना उपचार के घातक हो सकता है।

99. (A): तपेदिक बैक्टीरिया से, मलेरिया प्रोटोजोआ से, हैजा जल जनित और एड्स वायरस जनित रोग है।

अतः सही मिलान A-2, B-1, C-3, D-4 है।

100. (B): टीकाकरण रोगों से सुरक्षा देता है, जबकि कई रोग संक्रामक होते हैं, सभी नहीं।

अतः I सही है, II गलत है।

7. समाजशास्त्र (Sociology)

1. समाजशास्त्र .... का अध्ययन है।

A. समाज B. शरीर
C. मन D. रोग

2. समाज की मूल इकाई है

A. समुदाय B. समूह
C. परिवार D. संस्था

3. एक पुरुष और एक महिला के बीच विवाह को कहते हैं

A. बहुविवाह B. एकविवाह
C. बहुपति विवाह D. अंतर्विवाह

4. एक पुरुष और अनेक महिलाओं के बीच विवाह को कहते हैं

A. बहुपति विवाह B. एकविवाह
C. बहिर्विवाह D. बहुपत्नी विवाह

5. एक ही समूह के भीतर विवाह को कहते हैं

A. अंतर्विवाह B. बहिर्विवाह
C. एकविवाह D. बहुविवाह

6. समूह के बाहर विवाह को कहते हैं

A. अंतर्विवाह B. बहुपत्नी विवाह
C. बहिर्विवाह D. बहुपति विवाह

7. माता-पिता और बच्चों से बना परिवार कहलाता है

A. संयुक्त परिवार
B. एकल परिवार
C. विस्तारित परिवार
D. बड़ा परिवार

8. कई पीढ़ियों वाला परिवार कहलाता है

A. एकल B. संयुक्त
C. छोटा D. एकल व्यक्ति

9. परिवार के कार्यों में शामिल हैं

A. समाजीकरण B. सुरक्षा
C. प्रजनन D. उपरोक्त सभी

10. विवाह एक .... संस्था है।

A. सामाजिक B. आर्थिक
C. राजनीतिक D. धार्मिक

11. सामाजिक समूह वह है जिसमें व्यक्ति

A. साथ काम करते हैं
B. समान रुचियाँ साझा करते हैं
C. अकेले रहते हैं
D. कोई संपर्क नहीं रखते

12. प्राथमिक समूह की विशेषता है

A. औपचारिक संबंध
B. द्वितीयक संबंध
C. निकट और व्यक्तिगत संबंध
D. अस्थायी संबंध

13. द्वितीयक समूह का उदाहरण है

A. परिवार B. मित्र
C. विद्यालय D. पड़ोसी

14. प्रत्यक्ष आमने-सामने संपर्क वाला समूह है

A. द्वितीयक समूह B. औपचारिक समूह
C. बड़ा समूह D. प्राथमिक समूह

15. द्वितीयक समूह की विशेषताएँ हैं

A. अनौपचारिक संबंध
B. भावनात्मक जुड़ाव
C. व्यक्तिगत संपर्क
D. औपचारिक संबंध

16. सामाजिक समस्या वह स्थिति है जो प्रभावित करती है

A. केवल व्यक्ति
B. समाज
C. केवल परिवार
D. केवल समुदाय

17. जनसंख्या से अभिप्राय है

A. घरों की संख्या
B. जानवरों की संख्या
C. लोगों की संख्या
D. संसाधन

18. अधिक जनसंख्या से होता है

A. विकास
B. संसाधनों की कमी
C. बेहतर जीवन
D. रोजगार

19. साक्षरता दर संकेतक है

A. स्वास्थ्य
B. अर्थव्यवस्था
C. शिक्षा
D. संस्कृति

20. **कथन I:** जनसंख्या वृद्धि संसाधनों को प्रभावित करती है।

कथन II: अधिक जनसंख्या जीवन की गुणवत्ता को सुधारती है।

A. दोनों कथन सही हैं
B. कथन I सही है, कथन II गलत है
C. दोनों कथन गलत हैं
D. कथन I गलत है, कथन II सही है

व्याख्यात्मक उत्तर

1. (A): समाजशास्त्र में समाज और सामाजिक संबंधों का अध्ययन किया जाता है। यह मानव व्यवहार और पारस्परिक क्रियाओं को समझने में सहायता करता है। इससे सामाजिक संरचना का ज्ञान मिलता है।

2. (C): परिवार समाज की मूल इकाई है। यह सदस्यों को सुरक्षा, देखभाल और सामाजिक मूल्य प्रदान करता है। यह व्यक्ति के विकास में महत्वपूर्ण भूमिका निभाता है।

3. (B): एक पुरुष और एक महिला के बीच विवाह यह एकविवाह (Monogamy) कहलाता है। इसमें एक पुरुष और एक महिला का विवाह होता है। यह समाज में स्थिरता बनाए रखता है।

4. (D): एक पुरुष और अनेक महिलाओं का विवाह इसे बहुपत्नी विवाह (Polygyny) कहते हैं। इसमें एक पुरुष कई महिलाओं से विवाह करता है। यह कुछ समाजों में पाया जाता है।

5. (A): एक ही समूह के भीतर विवाह इसे अंतर्विवाह (Endogamy) कहते हैं। इसमें विवाह अपने ही समूह में किया जाता है। इससे परंपराएँ बनी रहती हैं।

6. (C): समूह के बाहर विवाह इसे बहिर्विवाह (Exogamy) कहते हैं। इसमें व्यक्ति अपने समूह के बाहर विवाह करता है। इससे सामाजिक संपर्क बढ़ता है।

7. (B): माता-पिता और बच्चों वाला परिवार इसे एकल परिवार (Nuclear family) कहते हैं। यह छोटा परिवार होता है। यह आधुनिक समाज में सामान्य है।

8. (B): कई पीढ़ियों वाला परिवार इसे संयुक्त परिवार (Joint family) कहते हैं। इसमें एक से अधिक पीढ़ियाँ साथ रहती हैं। यह सहयोग और सुरक्षा प्रदान करता है।

9. (D): परिवार समाजीकरण, सुरक्षा और प्रजनन जैसे कार्य करता है। यह समाज की महत्वपूर्ण संस्था है।

10. (A): विवाह एक सामाजिक संस्था है। यह समाज द्वारा मान्यता प्राप्त होता है। यह संबंधों को नियंत्रित करता है।

11. (B): सामाजिक समूह उन व्यक्तियों का समूह है जो समान रुचियाँ रखते हैं। वे एक-दूसरे के साथ संपर्क में रहते हैं। इससे सामाजिक संबंध बनते हैं।

12. (C): प्राथमिक समूह में निकट और व्यक्तिगत संबंध होते हैं। इसमें भावनात्मक जुड़ाव होता है। परिवार इसका उदाहरण है।

13. (C): विद्यालय एक द्वितीयक समूह है। इसमें संबंध औपचारिक होते हैं। यह विशेष उद्देश्य के लिए बनाया जाता है।

14. (D): प्राथमिक समूह में आमने-सामने संपर्क होता है। इसमें मजबूत भावनात्मक संबंध होते हैं। परिवार इसका उदाहरण है।

15. (D): द्वितीयक समूह में संबंध औपचारिक और अवैयक्तिक होते हैं। यह बड़े आकार के होते हैं। यह लक्ष्य आधारित होते हैं।

16. (B): सामाजिक समस्या समाज के बड़े हिस्से को प्रभावित करती है। इसके समाधान के लिए सामूहिक प्रयास आवश्यक होता है।

17. (C): जनसंख्या किसी क्षेत्र में रहने वाले लोगों की संख्या को कहते हैं। यह संसाधनों और विकास को प्रभावित करती है।

18. (B): अधिक जनसंख्या से संसाधनों पर दबाव बढ़ता है। इससे जीवन स्तर प्रभावित होता है।

19. (C): साक्षरता दर शिक्षा का संकेत देती है। यह समाज के विकास को दर्शाती है।

20. (B): जनसंख्या वृद्धि संसाधनों को प्रभावित करती है। अधिक जनसंख्या जीवन की गुणवत्ता को घटाती है, इसलिए दूसरा कथन गलत है।

अतः कथन I सही है, कथन II गलत है।

8. औषध विज्ञान/रोग विज्ञान/आनुवंशिकी (Pharmacology/Pathology/Genetics)

1. औषध विज्ञान .... का अध्ययन है।

A. रोग B. दवाएँ
C. कोशिकाएँ D. ऊतक

2. फार्माकोडायनमिक्स (Pharmacodynamics) संबंधित है

A. दवा का अवशोषण
B. शरीर पर दवा की क्रिया
C. दवा का उत्सर्जन
D. दवा का उपापचय

3. फार्माकोकाइनेटिक्स (Pharmacokinetics) में शामिल है

A. दवा की क्रिया B. दवा के प्रभाव
C. ADME D. दवा की विषाक्तता

4. ADME का अर्थ है

A. अवशोषण, वितरण, उपापचय, उत्सर्जन
B. क्रिया, मात्रा, उपापचय, प्रभाव
C. अवशोषण, मात्रा, गति, उत्सर्जन
D. क्रिया, वितरण, उपापचय, निष्कासन

5. दवा का रक्त से ऊतकों में जाना कहलाता है

A. अवशोषण B. वितरण
C. उपापचय D. उत्सर्जन

6. दवा के उपापचय के लिए मुख्य अंग है

A. गुर्दा B. यकृत
C. हृदय D. फेफड़ा

7. शरीर से दवा का निष्कासन कहलाता है

A. अवशोषण B. वितरण
C. उपापचय D. उत्सर्जन

8. दवा से उत्पन्न प्रभाव कहलाता है

A. फार्माकोकाइनेटिक्स (Pharmacokinetics)
B. फार्माकोडायनमिक्स (Pharmacodynamics)
C. फार्माकोलॉजी (Pharmacology)
D. टॉक्सिकोलॉजी (Toxicology)

9. दवा का अवांछित प्रभाव कहलाता है

A. दुष्प्रभाव B. चिकित्सीय प्रभाव
C. क्रिया D. मात्रा

10. दवाओं के हानिकारक प्रभावों का अध्ययन कहलाता है

A. फार्माकोलॉजी (Pharmacology)
B. टॉक्सिकोलॉजी (Toxicology)
C. फार्माकोडायनमिक्स (Pharmacodynamics)
D. फार्माकोकाइनेटिक्स (Pharmacokinetics)

11. दवा की मात्रा निर्भर करती है

A. आयु B. वजन
C. अवस्था D. उपरोक्त सभी

12. दवा देने का मार्ग प्रभावित करता है

A. अवशोषण B. वितरण
C. उपापचय D. उत्सर्जन

13. शिरा के माध्यम से दी जाने वाली दवा कहलाती है

A. मौखिक
B. मांसपेशीय
C. अंतःशिरा (Intravenous)
D. त्वचा के नीचे (Subcutaneous)

14. दर्द कम करने वाली दवा कहलाती है

A. एंटीबायोटिक (Antibiotic)

B. एनाल्जेसिक (Analgesic)

C. एंटीपायरेटिक (Antipyretic)

D. सेडेटिव (Sedative)

15. बुखार कम करने वाली दवा कहलाती है

A. एनाल्जेसिक B. एंटीबायोटिक

C. एंटीपायरेटिक D. सेडेटिव

16. बैक्टीरिया को मारने वाली दवा कहलाती है

A. एंटीपायरेटिक B. एंटीबायोटिक

C. एनाल्जेसिक D. सेडेटिव

17. नींद लाने वाली दवा कहलाती है

A. एंटीबायोटिक B. एनाल्जेसिक

C. सेडेटिव D. एंटीपायरेटिक

18. दवा की जैवउपलब्धता (Bioavailability) का अर्थ है

A. वितरण B. अवशोषण

C. उत्सर्जन D. प्रभाव

19. दवा का अर्ध-आयु (Half-life) वह समय है जिसमें दवा का .... भाग समाप्त हो जाता है।

A. आधा B. पूरा

C. चौथाई D. दोगुना

20. प्रथम-पास प्रभाव (First-pass effect) होता है

A. गुर्दा B. यकृत

C. हृदय D. फेफड़ा

21. प्रतिकूल दवा प्रतिक्रिया (Adverse drug reaction) है

A. इच्छित प्रभाव B. अवांछित प्रभाव

C. चिकित्सीय प्रभाव D. सामान्य प्रभाव

22. चिकित्सीय सूचकांक (Therapeutic index) दर्शाता है

A. दवा की सुरक्षा B. दवा की विषाक्तता

C. प्रभावशीलता D. मात्रा

23. प्रारंभिक मात्रा (Loading dose) दी जाती है

A. स्तर बनाए रखने के लिए

B. शीघ्र प्रभाव प्राप्त करने के लिए

C. विषाक्तता कम करने के लिए

D. उत्सर्जन बढ़ाने के लिए

24. अनुरक्षण मात्रा (Maintenance dose) दी जाती है

A. प्रभाव प्राप्त करने के लिए

B. स्तर बनाए रखने के लिए

C. प्रभाव कम करने के लिए

D. दवा रोकने के लिए

25. सहनशीलता (Tolerance) का अर्थ है

A. बढ़ी हुई प्रतिक्रिया B. घटित प्रतिक्रिया

C. कोई प्रतिक्रिया नहीं D. विषाक्त प्रतिक्रिया

26. दवा अंतःक्रिया (Drug interaction) तब होती है जब

A. एक दवा कार्य करती है

B. दो दवाएँ साथ में कार्य करती हैं

C. दवा अवशोषित होती है

D. दवा उत्सर्जित होती है

27. प्लेसिबो (Placebo) है

A. सक्रिय दवा B. निष्क्रिय पदार्थ

C. एंटीबायोटिक D. हार्मोन

28. निषेध (Contraindication) का अर्थ है

A. संकेत B. निषेध

C. अनुशंसा D. सुझाव

29. मिलान कीजिए :

कॉलम-I	कॉलम-II
A. एनाल्जेसिक	1. बुखार कम करता है
B. एंटीपायरेटिक	2. बैक्टीरिया को मारता है
C. एंटीबायोटिक	3. दर्द कम करता है
D. सेडेटिव	4. नींद लाता है

A. A-3, B-1, C-2, D-4

B. A-1, B-2, C-3, D-4

C. A-2, B-3, C-4, D-1

D. A-4, B-3, C-1, D-2

30. **कथन I:** औषध विज्ञान (Pharmacology) दवाओं का अध्ययन करता है।

कथन II: दवाओं के कोई दुष्प्रभाव नहीं होते।

A. दोनों कथन सही हैं B. I सही है, II गलत है

C. दोनों कथन गलत हैं D. I गलत है, II सही है

31. कीमोथेरेपी (Chemotherapy) दवाओं का उपयोग है

A. दर्द के लिए B. संक्रमण के लिए

C. रोग के लिए D. बुखार के लिए

32. एंटीबायोटिक (Antibiotics) का उपयोग होता है

A. वायरल संक्रमण B. बैक्टीरियल संक्रमण

C. फंगल संक्रमण D. परजीवी संक्रमण

33. दवा प्रतिरोध (Drug resistance) तब होता है जब सूक्ष्मजीव

A. आसानी से मर जाते हैं

B. संवेदनशील हो जाते हैं

C. प्रतिरोधी बन जाते हैं

D. धीरे-धीरे बढ़ते हैं

34. व्यापक स्पेक्ट्रम एंटीबायोटिक (Broad-spectrum antibiotics) कार्य करते हैं

A. विशिष्ट बैक्टीरिया पर
B. सभी बैक्टीरिया पर
C. सीमित बैक्टीरिया पर
D. अनेक प्रकार के बैक्टीरिया पर

35. संकीर्ण स्पेक्ट्रम एंटीबायोटिक (Narrow-spectrum antibiotics) कार्य करते हैं

A. अनेक बैक्टीरिया पर
B. कुछ बैक्टीरिया पर
C. सभी बैक्टीरिया पर
D. वायरस पर

36. फंगल संक्रमण के लिए दवा कहलाती है

A. एंटीबायोटिक B. एंटीवायरल
C. एंटिफंगल D. एंटीपायरेटिक

37. वायरल संक्रमण के लिए दवा है

A. एंटीबायोटिक B. एंटीवायरल
C. एंटिफंगल D. एनाल्जेसिक

38. सल्फोनामाइड्स (Sulfonamides) उपयोग होते हैं

A. एंटिफंगल B. एंटीबायोटिक
C. एंटीवायरल D. एनाल्जेसिक

39. पेनिसिलिन (Penicillin) कार्य करता है

A. प्रोटीन संश्लेषण रोककर
B. डीएनए संश्लेषण रोककर
C. कोशिका भित्ति संश्लेषण रोककर
D. आरएनए संश्लेषण रोककर

40. टेट्रासाइक्लिन (Tetracycline) कार्य करता है

A. कोशिका भित्ति संश्लेषण रोककर
B. प्रोटीन संश्लेषण रोककर
C. डीएनए संश्लेषण रोककर
D. आरएनए संश्लेषण रोककर

41. क्षयरोग (Tuberculosis) में उपयोग की जाने वाली दवा है

A. पेनिसिलिन (Penicillin)
B. स्ट्रेप्टोमाइसिन (Streptomycin)
C. इंसुलिन (Insulin)
D. एस्पिरिन (Aspirin)

42. मलेरिया (Malaria) के लिए दवा है

A. पेनिसिलिन (Penicillin)
B. क्लोरोक्विन (Chloroquine)
C. एस्पिरिन (Aspirin)
D. पैरासिटामोल (Paracetamol)

43. एंटिफंगल दवा (Antifungal drug) है

A. एम्फोटेरिसिन B (Amphotericin B)
B. पेनिसिलिन (Penicillin)
C. टेट्रासाइक्लिन (Tetracycline)
D. एस्पिरिन (Aspirin)

44. एंटीवायरल दवा (Antiviral drug) है

A. एसाइक्लोविर (Acyclovir)
B. पेनिसिलिन (Penicillin)
C. स्ट्रेप्टोमाइसिन (Streptomycin)
D. इंसुलिन (Insulin)

45. संयोजन चिकित्सा (Combination therapy) का उपयोग किया जाता है

A. प्रभाव कम करने के लिए
B. प्रतिरोध बढ़ाने के लिए
C. प्रभावशीलता बढ़ाने के लिए
D. दवा रोकने के लिए

46. सुपरइन्फेक्शन (Superinfection) होता है

A. एंटीबायोटिक (Antibiotics) के अधिक उपयोग से
B. दवा के कम उपयोग से
C. बिना उपचार के
D. उचित उपचार से

47. दवा विषाक्तता (Drug toxicity) संबंधित है

A. कम मात्रा से B. अधिक मात्रा से
C. बिना मात्रा के D. उचित मात्रा से

48. कीमोथेरेपी दवाएँ (Chemotherapy drugs) दी जानी चाहिए

A. रोगी की इच्छा अनुसार
B. डॉक्टर के आदेश अनुसार
C. नर्स के निर्णय अनुसार
D. परिजन की सलाह अनुसार

49. मिलान कीजिए :

कॉलम-I	कॉलम-II
A. एंटीबायोटिक	1. फंगल संक्रमण
B. एंटिफंगल	2. वायरल संक्रमण
C. एंटीवायरल	3. बैक्टीरियल संक्रमण
D. एंटीमलेरियल	4. मलेरिया

A. A-3, B-1, C-2, D-4
B. A-1, B-2, C-3, D-4
C. A-2, B-3, C-4, D-1
D. A-4, B-3, C-1, D-2

50. **कथन I:** कीमोथेरेपी दवाएँ (Chemotherapy drugs) संक्रमण का उपचार करती हैं।

कथन II: एंटीबायोटिक वायरस पर प्रभावी होती हैं।

A. दोनों कथन सही हैं B. I सही है, II गलत है
C. दोनों कथन गलत हैं D. I गलत है, II सही है

51. गैस्ट्रिक अम्लता (Gastric acidity) कम करने वाली दवा है

A. एंटासिड B. एंटीबायोटिक
C. एनाल्जेसिक D. एंटीपायरेटिक

52. प्रोटॉन पंप इन्हिबिटर .... स्राव को रोकते हैं।

A. एंजाइम B. अम्ल
C. हार्मोन D. जल

53. H_2 ब्लॉकर पेट में .... के स्राव को कम करते हैं।

A. एंजाइम B. पित्त
C. अम्ल D. म्यूकस

54. कब्ज (Constipation) के लिए दवा है

A. एंटासिड B. लैक्सेटिव
C. एंटीएमेटिक D. एंटीबायोटिक

55. उल्टी (Vomiting) नियंत्रित करने की दवा है

A. एंटासिड B. लैक्सेटिव
C. एंटीएमेटिक D. एनाल्जेसिक

56. दस्त (Diarrhea) में उपयोग की जाने वाली दवा है

A. लैक्सेटिव B. एंटीडायरियल
C. एंटीबायोटिक D. एंटासिड

57. मेटोक्लोप्रामाइड (Metoclopramide) .... दवा के रूप में उपयोग होता है

A. लैक्सेटिव B. एंटासिड
C. एंटीएमेटिक D. एंटीबायोटिक

58. ओमेप्राजोल (Omeprazole) .... समूह से संबंधित है।

A. एंटासिड B. PPI
C. H_2 ब्लॉकर D. लैक्सेटिव

59. एंटासिड कार्य करता है गैस्ट्रिक अम्ल को ....।

A. बढ़ाकर B. निष्क्रिय करके
C. उत्पन्न करके D. अवशोषित करके

60. पेप्टिक अल्सर (Peptic ulcer) में उपयोग की जाने वाली दवा .... इन्हिबिटर है।

A. एंजाइम B. पंप
C. प्रोटीन D. अम्ल

61. मिलान कीजिए :

कॉलम-I	कॉलम-II
A. एंटासिड	1. उल्टी को रोकना
B. लैक्सेटिव	2. कब्ज से राहत देना
C. एंटीएमेटिक	3. अम्लता कम करना
D. एंटीडायरियल	4. दस्त को नियंत्रित करना

A. A-3, B-2, C-1, D-4
B. A-2, B-3, C-4, D-1
C. A-1, B-4, C-2, D-3
D. A-4, B-1, C-3, D-2

62. मिलान कीजिए :

A. ओमेप्राजोल	1. एंटीडायरियल
B. रैनिटिडीन	2. PPI
C. मेटोक्लोप्रामाइड	3. एंटीएमेटिक
D. लोपरामाइड	4. H_2 ब्लॉकर

A. A-2, B-4, C-3, D-1
B. A-4, B-2, C-1, D-3
C. A-3, B-1, C-4, D-2
D. A-1, B-3, C-2, D-4

63. **कथन I:** एंटासिड गैस्ट्रिक अम्ल को निष्क्रिय करते हैं।

कथन II: एंटासिड अम्ल स्राव को बढ़ाते हैं।

A. दोनों कथन सही हैं B. I सही है, II गलत है
C. दोनों कथन गलत हैं D. I गलत है, II सही है

64. **कथन I:** लैक्सेटिव कब्ज में उपयोग किए जाते हैं।

कथन II: लैक्सेटिव आंत की गति को कम करते हैं।

A. दोनों कथन सही हैं B. I सही है, II गलत है
C. दोनों कथन गलत हैं D. I गलत है, II सही है

65. गैस्ट्रिक म्यूकोसा (Gastric mucosa) की सुरक्षा के लिए उपयोग की जाने वाली दवा है

A. सुक्रालफेट B. एस्पिरिन
C. पैरासिटामोल D. एंटीबायोटिक

66. दवा .... पेट में हिस्टामिन रिसेप्टर (Histamine receptors) को अवरुद्ध करके कार्य करती है

A. ओमेप्राजोल B. रैनिटिडीन
C. लोपरामाइड D. मेटोक्लोप्रामाइड

67. दस्त (Diarrhea) में उपयोग की जाने वाली दवा .... की गतिशीलता को कम करती है

A. गैस्ट्रिक
B. आंत्र (Intestinal)
C. हृदय (Cardiac)
D. फुफ्फुसीय (Pulmonary)

68. एंटासिड (Antacids) के दुष्प्रभाव में .... शामिल हो सकता है।

A. दस्त
B. कब्ज
C. दोनों
D. कोई नहीं

69. दवा .... ढीले मल को रोकने के लिए उपयोग की जाती है।

A. लोपरामाइड (Loperamide)
B. ओमेप्राजोल (Omeprazole)
C. रैनिटिडीन (Ranitidine)
D. सुक्रालफेट (Sucralfate)

70. गैस्ट्रिक गतिशीलता (Gastric motility) बढ़ाने के लिए उपयोग की जाने वाली दवा है

A. लोपरामाइड (Loperamide)
B. मेटोक्लोप्रामाइड (Metoclopramide)
C. ओमेप्राजोल (Omeprazole)
D. रैनिटिडीन (Ranitidine)

71. ब्रोंकोस्पाज्म (Bronchospasm) से राहत के लिए उपयोग की जाने वाली दवा है

A. एंटासिड
B. ब्रोंकोडायलेटर
C. डाययूरेटिक
D. लैक्सेटिव

72. सालब्यूटामोल (Salbutamol) एक है

A. एंटीहिस्टामिन
B. ब्रोंकोडायलेटर
C. एंटीबायोटिक
D. एंटीपायरेटिक

73. एलर्जिक राइनाइटिस (Allergic rhinitis) में उपयोग की जाने वाली दवा है

A. एंटासिड
B. एंटीएमेटिक
C. एंटीहिस्टामिन
D. एंटीडायरियल

74. थियोफिलीन (Theophylline) .... समूह से संबंधित है।

A. मेथिलजैंथिन
B. स्टेरॉयड
C. एंटीबायोटिक
D. एनाल्जेसिक

75. अस्थमा (Asthma) में उपयोग किए जाने वाले कॉर्टिकोस्टेरॉयड (Corticosteroids) वायुमार्ग की .... को कम करते हैं।

A. रक्तस्राव
B. केवल स्पाज्म
C. सूजन
D. अम्लता

76. दवा .... कफ को ढीला करने के लिए एक्सपेक्टोरेंट (Expectorant) के रूप में उपयोग की जाती है।

A. रैनिटिडीन
B. सालब्यूटामोल
C. ग्वाइफेनेसिन
D. फ्यूरोसेमाइड

77. खांसी को दबाने वाली दवा को .... कहा जाता है।

A. एक्सपेक्टोरेंट
B. एंटिटसिव
C. ब्रोंकोडायलेटर
D. डीकंजेस्टेंट

78. ओपिओइड एंटिटसिव (Opioid antitussive) दवा है

A. कोडीन (Codeine)
B. सालब्यूटामोल
C. ग्वाइफेनेसिन
D. सेटिरिजीन (Cetirizine)

79. नाक की जकड़न (Nasal congestion) कम करने के लिए उपयोग की जाने वाली दवा है

A. एंटासिड
B. डीकंजेस्टेंट
C. एंटिटसिव
D. लैक्सेटिव

80. अस्थमा (Asthma) में ब्रोंकोडायलेटर (Bronchodilators) मुख्य रूप से .... को शिथिल करते हैं।

A. हृदय पेशी
B. कंकालीय पेशी
C. ब्रोंकाई की चिकनी पेशी (Smooth muscle of bronchi)
D. आंत्र पेशी

81. मिलान कीजिए :

कॉलम-I	कॉलम-II
A. सालब्यूटामोल	1. एंटिटसिव
B. सेटिरिजीन	2. एक्सपेक्टोरेंट
C. कोडीन	3. एंटीहिस्टामिन
D. ग्वाइफेनेसिन	4. ब्रोंकोडायलेटर

A. A-4, B-3, C-1, D-2
B. A-3, B-4, C-2, D-1
C. A-1, B-2, C-3, D-4
D. A-2, B-1, C-4, D-3

82. मिलान कीजिए :

कॉलम-I	कॉलम-II
A. डीकंजेस्टेंट	1. एलर्जी से राहत
B. ब्रोंकोडायलेटर	2. नाक की सूजन कम करता है
C. एंटीहिस्टामिन	3. सूजन कम करता है
D. स्टेरॉयड	4. ब्रोंकोस्पाज्म से राहत

A. A-2, B-4, C-1, D-3
B. A-4, B-1, C-3, D-2
C. A-1, B-2, C-4, D-3
D. A-3, B-4, C-2, D-1

83. **कथन I:** एंटीहिस्टामिन (Antihistamines) एलर्जिक स्थितियों में मदद करते हैं।

कथन II: एंटीहिस्टामिन (Antihistamines) हिस्टामिन (Histamine) की क्रिया को बढ़ाते हैं।

A. दोनों कथन सही हैं
B. I सही है, II गलत है
C. दोनों कथन गलत हैं
D. I गलत है, II सही है

84. **कथन I:** स्टेरॉयड (Steroids) अस्थमा में सूजन कम करके मदद करते हैं।

कथन II: स्टेरॉयड (Steroids) म्यूकस (Mucus) स्राव को बढ़ाने के लिए उपयोग होते हैं।

A. दोनों कथन सही हैं B. I सही है, II गलत है
C. दोनों कथन गलत हैं D. I गलत है, II सही है

85. तीव्र अस्थमा (Acute asthma) में आपातकालीन राहत के लिए उपयोग की जाने वाली दवा है

A. सेटिरिजीन B. ग्वाइफेनेसिन
C. कोडीन D. सालब्यूटामोल इनहेलेशन

86. दर्द से राहत देने वाली दवा कहलाती है

A. सेडेटिव (Sedative)
B. एनाल्जेसिक (Analgesic)
C. एंटीडिप्रेसेंट (Antidepressant)
D. एंटीसाइकोटिक (Antipsychotic)

87. मॉर्फीन (Morphine) एक है

A. सेडेटिव (Sedative)
B. एंटीपायरेटिक (Antipyretic)
C. ओपिओइड एनाल्जेसिक (Opioid analgesic)
D. एंटीबायोटिक (Antibiotic)

88. नींद लाने के लिए उपयोग की जाने वाली दवा है

A. सेडेटिव (Sedative)
B. एनाल्जेसिक (Analgesic)
C. एंटीबायोटिक (Antibiotic)
D. एंटीपायरेटिक (Antipyretic)

89. डायजेपाम (Diazepam) .... समूह से संबंधित है।

A. बार्बिट्यूरेट (Barbiturate)
B. बेंजोडायजेपीन (Benzodiazepine)
C. ओपिओइड (Opioid)
D. एंटीडिप्रेसेंट (Antidepressant)

90. अवसाद (Depression) में उपयोग की जाने वाली दवा है

A. एनाल्जेसिक (Analgesic)
B. एंटीसाइकोटिक (Antipsychotic)
C. एंटीडिप्रेसेंट (Antidepressant)
D. सेडेटिव (Sedative)

91. एंटीसाइकोटिक दवाएं (Antipsychotic drugs) उपयोग की जाती हैं

A. एंग्जायटी (Anxiety)
B. डिप्रेशन (Depression)
C. सिजोफ्रेनिया (Schizophrenia)
D. दर्द

92. मिर्गी (Epilepsy) में उपयोग की जाने वाली दवा है

A. फेनिटोइन (Phenytoin)
B. पैरासिटामोल (Paracetamol)
C. एस्पिरिन (Aspirin)
D. रैनिटिडीन (Ranitidine)

93. दवा .... सामान्य एनेस्थेटिक (General anesthetic) के रूप में उपयोग होती है।

A. डायजेपाम (Diazepam)
B. केटामाइन (Ketamine)
C. पैरासिटामोल (Paracetamol)
D. इबुप्रोफेन (Ibuprofen)

94. लोकल एनेस्थेटिक (Local anesthetic) .... संचरण को अवरुद्ध करता है।

A. हार्मोनल B. नर्व (Nerve)
C. रक्त D. एंजाइम

95. एंग्जायटी के उपचार में उपयोग की जाने वाली दवा है

A. एंटीसाइकोटिक (Antipsychotic)
B. एंटीडिप्रेसेंट (Antidepressant)
C. एंजियोलिटिक (Anxiolytic)
D. एंटीबायोटिक (Antibiotic)

96. ओपिओइड दवाएं (Opioid drugs) .... रिसेप्टर (Receptors) पर कार्य करती हैं।

A. अल्फा (Alpha)
B. बीटा (Beta)
C. डोपामाइन (Dopamine)
D. ओपिओइड (Opioid)

97. ओपिओइड (Opioids) के दुष्प्रभाव में .... शामिल है।

A. डायरिया B. कब्ज
C. हाईपरटेंशन D. फीवर

98. पार्किंसन रोग (Parkinson's disease) में उपयोग की जाने वाली दवा है

A. लेवोडोपा (Levodopa)
B. पैरासिटामोल (Paracetamol)
C. एस्पिरिन (Aspirin)
D. रैनिटिडीन (Ranitidine)

99. बुखार और दर्द कम करने वाली दवा है

A. एंटीबायोटिक (Antibiotic)
B. एंटीडिप्रेसेंट (Antidepressant)
C. एनाल्जेसिक (Analgesic)
D. एंटीपायरेटिक (Antipyretic)

100. दवा .... सेरोटोनिन (Serotonin) बढ़ाकर एंटीडिप्रेसेंट (Antidepressant) के रूप में कार्य करती है।

A. डायजेपाम (Diazepam)
B. फ्लुओक्सेटीन (Fluoxetine)
C. मॉर्फीन (Morphine)
D. केटामाइन (Ketamine)

101. मिलान कीजिए :

कॉलम-I	**कॉलम-II**
A. मॉर्फीन	1. एंटीसाइकोटिक
B. डायजेपाम	2. एनाल्जेसिक
C. फ्लुओक्सेटीन	3. एंटीडिप्रेसेंट
D. हैलोपरिडोल	4. एंजियोलिटिक

A. A-2, B-4, C-3, D-1
B. A-3, B-1, C-2, D-4
C. A-1, B-3, C-4, D-2
D. A-4, B-2, C-1, D-3

102. मिलान कीजिए :

कॉलम-I	**कॉलम-II**
A. फेनिटोइन	1. एंटिएपिलेप्टिक
B. लेवोडोपा	2. एनेस्थेटिक
C. केटामाइन	3. एनाल्जेसिक
D. पैरासिटामोल	4. एंटी-पार्किंसन

A. A-1, B-4, C-2, D-3
B. A-2, B-1, C-3, D-4
C. A-3, B-2, C-4, D-1
D. A-4, B-3, C-1, D-2

103. **कथन I:** ओपिओइड (Opioids) गंभीर दर्द से राहत देते हैं।

कथन II: ओपिओइड (Opioids) के कोई दुष्प्रभाव नहीं होते।

A. दोनों कथन सही हैं
B. I सही है, II गलत है
C. दोनों कथन गलत हैं
D. I गलत है, II सही है

104. **कथन I:** एंटीडिप्रेसेंट (Antidepressants) मूड को सुधारते हैं।

कथन II: ये न्यूरोट्रांसमीटर (Neurotransmitters) को कम करते हैं।

A. दोनों कथन सही हैं
B. I सही है, II गलत है
C. दोनों कथन गलत हैं
D. I गलत है, II सही है

105. दौरे (Seizures) को नियंत्रित करने वाली दवा है

A. एनाल्जेसिक (Analgesic)
B. एंटिएपिलेप्टिक (Antiepileptic)
C. एंटीडिप्रेसेंट (Antidepressant)
D. एंटीबायोटिक (Antibiotic)

106. दवा .... सेडेशन (Sedation) और एंग्जायटी (Anxiety) के लिए उपयोग होती है

A. हैलोपरिडोल (Haloperidol)
B. डायजेपाम (Diazepam)
C. फ्लुओक्सेटीन (Fluoxetine)
D. पैरासिटामोल (Paracetamol)

107. साइकोसिस (Psychosis) में उपयोग की जाने वाली दवा है

A. एनाल्जेसिक (Analgesic)
B. एंटिएपिलेप्टिक (Antiepileptic)
C. एंटीसाइकोटिक (Antipsychotic)
D. एंटीबायोटिक (Antibiotic)

108. लोकल एनेस्थेटिक्स (Local anesthetics) .... चैनल (Channels) को अवरुद्ध करते हैं।

A. पोटैशियम
B. कैल्शियम
C. सोडियम
D. क्लोराइड

109. दवा .... हल्के दर्द और बुखार के लिए उपयोग होती है।

A. मॉर्फीन (Morphine)
B. केटामाइन (Ketamine)
C. हैलोपरिडोल (Haloperidol)
D. पैरासिटामोल (Paracetamol)

110. सेडेशन (Sedation) का प्रभाव .... सिस्टम (System) पर कार्य करने वाली दवाओं से होता है

A. कार्डियोवैस्कुलर (Cardiovascular)
B. रेस्पिरेटरी (Respiratory)
C. नर्वस (Nervous)
D. डाइजेस्टिव (Digestive)

111. रक्तचाप (Blood pressure) कम करने वाली दवा है

A. एंटीहाइपरटेंसिव (Antihypertensive)
B. एनाल्जेसिक (Analgesic)
C. एंटीबायोटिक (Antibiotic)
D. एंटासिड (Antacid)

112. दवा .... अतिरिक्त द्रव (Fluid) हटाने के लिए मूत्रवर्धक (Diuretic) के रूप में उपयोग होती है।

A. एटेनोलोल (Atenolol)
B. फ्यूरोसेमाइड (Furosemide)
C. डिगॉक्सिन (Digoxin)
D. नाइट्रोग्लिसरीन (Nitroglycerin)

113. कार्डियक आउटपुट (Cardiac output) बढ़ाने के लिए उपयोग की जाने वाली दवा है

A. एंटीबायोटिक (Antibiotic)
B. डाइयूरेटिक (Diuretic)
C. कार्डियक ग्लाइकोसाइड (Cardiac glycoside)
D. एंटासिड (Antacid)

114. डिगॉक्सिन (Digoxin) का उपयोग होता है

A. हाइपरटेंशन B. हार्ट फेल्योर
C. इन्फेक्शन D. दर्द

115. रक्त वाहिकाओं (Blood vessels) को फैलाने वाली दवा कहलाती है

A. वेसोडायलेटर (Vasodilator)
B. एंटीबायोटिक (Antibiotic)
C. एंटासिड (Antacid)
D. एनाल्जेसिक (Analgesic)

116. नाइट्रोग्लिसरीन (Nitroglycerin) का उपयोग होता है

A. हाइपरटेंशन B. एंजाइना
C. डायबिटीज D. इन्फेक्शन

117. बीटा-ब्लॉकर्स (Beta-blockers) .... रिसेप्टर्स (Receptors) को अवरुद्ध करते हैं।

A. अल्फा (Alpha)
B. बीटा (Beta)
C. डोपामाइन (Dopamine)
D. हिस्टामिन (Histamine)

118. प्रोपानोलोल (Propranolol) एक है

A. डाइयूरेटिक (Diuretic)
B. वेसोडायलेटर (Vasodilator)
C. बीटा-ब्लॉकर (Beta-blocker)
D. एंटीबायोटिक (Antibiotic)

119. एसीई इनहिबिटर्स (ACE inhibitors) .... एंजाइम (Enzyme) को अवरुद्ध करते हैं।

A. रेनिन (Renin)
B. एंजियोटेंसिन कन्वर्टिंग एंजाइम (Angiotensin converting enzyme)
C. इंसुलिन (Insulin)
D. हिस्टामिन (Histamine)

120. रक्त के थक्के (Clot) बनने से रोकने वाली दवा है

A. एंटीकोआगुलेंट (Anticoagulant)
B. एंटीबायोटिक (Antibiotic)
C. एनाल्जेसिक (Analgesic)
D. एंटासिड (Antacid)

121. मिलान कीजिए :

कॉलम-I	कॉलम-II
A. डिगॉक्सिन	1. मूत्रवर्धक
B. फ्यूरोसेमाइड	2. बीटा-ब्लॉकर
C. प्रोपानोलोल	3. रक्त वाहिकाओं को फैलाने वाली दवा
D. नाइट्रोग्लिसरीन	4. हृदय ग्लाइकोसाइड

A. A-4, B-1, C-2, D-3
B. A-2, B-3, C-4, D-1
C. A-1, B-4, C-3, D-2
D. A-3, B-2, C-1, D-4

122. मिलान कीजिए :

कॉलम-I	कॉलम-II
A. उच्च रक्तचाप रोधी दवा	1. थक्का रोकना
B. मूत्रवर्धक	2. रक्तचाप कम करना
C. रक्त के थक्के को रोकने वाली दवा	3. रक्त वाहिकाओं को फैलाना
D. रक्त वाहिकाओं को फैलाने वाली दवा	4. द्रव हटाना

A. A-2, B-4, C-1, D-3
B. A-3, B-2, C-4, D-1
C. A-4, B-3, C-2, D-1
D. A-1, B-3, C-2, D-4

123. **कथन I:** मूत्रवर्धक दवाएँ मूत्र की मात्रा बढ़ाती हैं।

कथन II: मूत्रवर्धक दवाएँ शरीर में द्रव को रोकती हैं।

A. दोनों कथन सही हैं B. I सही है, II गलत है
C. दोनों कथन गलत हैं D. I गलत है, II सही है

124. **कथन I:** बीटा-ब्लॉकर (Beta-blocker) हृदय गति कम करते हैं।

कथन II: बीटा-ब्लॉकर (Beta-blocker) रक्तचाप बढ़ाते हैं।

A. दोनों कथन सही हैं B. I सही है, II गलत है
C. दोनों कथन गलत हैं D. I गलत है, II सही है

125. दवा .... उच्च रक्तचाप के उपचार में उपयोग होती है।

A. पैरासिटामोल (Paracetamol)
B. एटेनोलोल (Atenolol)
C. रैनिटिडीन (Ranitidine)
D. लोपरामाइड (Loperamide)

126. एंजाइना (Angina) में उपयोग होने वाली दवा .... की मांग कम करती है।

A. ऑक्सीजन B. रक्त
C. ग्लूकोज D. एंजाइम

127. रक्त को पतला करने वाली दवाएँ .... बनने से रोकती हैं।

A. मूत्र B. अम्ल
C. थक्का D. एंजाइम

128. मूत्रवर्धक दवाएँ .... पर कार्य करती हैं जिससे मूत्र बढ़ता है।

A. हृदय B. यकृत
C. गुर्दा D. मस्तिष्क

129. मूत्रवर्धक दवाओं का दुष्प्रभाव हो सकता है

A. निर्जलीकरण B. बुखार
C. संक्रमण D. दर्द

130. कोलेस्ट्रॉल कम करने वाली दवा कहलाती है

A. जीवाणुनाशक B. दर्द निवारक
C. अम्लनाशक D. हाइपोलिपिडेमिक

131. हार्मोन रासायनिक पदार्थ हैं जो .... द्वारा उत्पन्न होते हैं।

A. ग्रंथियाँ B. अंग
C. कोशिकाएँ D. ऊतक

132. इंसुलिन का उपयोग .... के उपचार में होता है।

A. उच्च रक्तचाप B. मधुमेह
C. संक्रमण D. दर्द

133. हार्मोन .... रक्त शर्करा स्तर को नियंत्रित करता है।

A. थायरॉक्सिन (Thyroxine)
B. इंसुलिन (Insulin)
C. कॉर्टिसोल (Cortisol)
D. एस्ट्रोजन (Estrogen)

134. इंसुलिन की कमी से .... होता है।

A. रक्त शर्करा की कमी B. मधुमेह
C. उच्च रक्तचाप D. मोटापा

135. हार्मोन थायरॉक्सिन .... द्वारा स्रावित होता है।

A. पिट्यूटरी (Pituitary)
B. थायरॉयड (Thyroid)
C. एड्रिनल (Adrenal)
D. अग्न्याशय

136. हाइपोथायरॉइडिज्म (Hypothyroidism) में उपयोग की जाने वाली दवा है

A. इंसुलिन (Insulin) B. थायरॉक्सिन (Thyroxine)
C. कॉर्टिसोल (Cortisol) D. एस्ट्रोजन (Estrogen)

137. कॉर्टिकोस्टेरॉइड्स (Corticosteroids) का उपयोग उनके .... प्रभाव के लिए होता है।

A. जीवाणुनाशक B. सूजन कम करने वाला
C. दर्द निवारक D. ज्वरनाशक

138. हार्मोन .... तनाव प्रतिक्रिया में शामिल है।

A. एस्ट्रोजन (Estrogen)
B. इंसुलिन (Insulin)
C. कॉर्टिसोल (Cortisol)
D. थायरॉक्सिन (Thyroxine)

139. गर्भनिरोधक गोलियों में .... होता है।

A. इंसुलिन (Insulin)
B. एस्ट्रोजन (Estrogen)
C. कॉर्टिसोल (Cortisol)
D. थायरॉक्सिन (Thyroxine)

140. हार्मोन .... बांझपन के उपचार में उपयोग होता है।

A. एस्ट्रोजन (Estrogen)
B. प्रोजेस्टेरोन (Progesterone)
C. इंसुलिन (Insulin)
D. गोनाडोट्रोपिन (Gonadotropin)

141. मिलान कीजिए :

कॉलम-I	कॉलम-II
A. इंसुलिन	1. तनाव हार्मोन
B. थायरॉक्सिन	2. महिला हार्मोन
C. कॉर्टिसोल	3. चयापचय
D. एस्ट्रोजन	4. रक्त शर्करा

A. A-4, B-3, C-1, D-2
B. A-3, B-4, C-2, D-1
C. A-2, B-1, C-4, D-3
D. A-1, B-2, C-3, D-4

142. मिलान कीजिए :

कॉलम-I	कॉलम-II
A. अग्न्याशय	1. कॉर्टिसोल
B. थायरॉयड	2. इंसुलिन
C. एड्रिनल	3. एस्ट्रोजन
D. अंडाशय	4. थायरॉक्सिन

A. A-2, B-4, C-1, D-3
B. A-4, B-3, C-2, D-1
C. A-1, B-2, C-3, D-4
D. A-3, B-1, C-4, D-2

143. **कथन I:** इंसुलिन रक्त शर्करा स्तर को कम करता है।

कथन II: इंसुलिन ग्लूकोज का निर्माण बढ़ाता है।

A. दोनों कथन सही हैं B. I सही है, II गलत है
C. दोनों कथन गलत हैं D. I गलत है, II सही है

144. **कथन I:** कॉर्टिकोस्टेरॉइड्स (Corticosteroids) सूजन कम करते हैं।

कथन II: ये प्रतिरक्षा प्रतिक्रिया को बढ़ाते हैं।

A. दोनों कथन सही हैं B. I सही है, II गलत है
C. दोनों कथन गलत हैं D. I गलत है, II सही है

145. रक्त में कैल्शियम स्तर बढ़ाने वाला हार्मोन है

A. कैल्सीटोनीन (Calcitonin)
B. इंसुलिन (Insulin)
C. थायरॉक्सिन (Thyroxine)
D. पैराथायरॉयड हार्मोन (Parathyroid hormone)

146. प्रतिकूल औषधि प्रतिक्रिया (Adverse drug reaction) है

A. वांछित प्रभाव B. अवांछित प्रभाव
C. चिकित्सीय प्रभाव D. इच्छित क्रिया

147. विषाक्तता (Toxicity) का अर्थ है

A. सुरक्षा B. हानिकारक प्रभाव

C. लाभ D. सामान्य क्रिया

148. औषधि एलर्जी (Drug allergy) .... प्रकार की प्रतिक्रिया है।

A. पूर्वानुमेय

B. विषाक्त

C. अतिसंवेदनशीलता (Hypersensitivity)

D. चिकित्सीय

149. इडियोसिंक्रेटिक प्रतिक्रिया (Idiosyncratic reaction) है

A. सामान्य प्रतिक्रिया B. खुराक पर निर्भर

C. असामान्य प्रतिक्रिया D. पूर्वानुमेय

150. प्रतिकूल औषधि प्रतिक्रियाओं को प्राधिकरण को .... करना चाहिए।

A. अनदेखा B. रिपोर्ट

C. बंद D. टालना

151. मिलान कीजिए :

कॉलम-I	**कॉलम-II**
A. साइड इफेक्ट	1. खुराक से संबंधित हानिकारक प्रभाव
B. विषाक्त प्रभाव	2. अपेक्षित हल्का प्रभाव
C. एलर्जी	3. असामान्य प्रतिक्रिया
D. इडियोसिंक्रेसी	4. प्रतिरक्षा प्रतिक्रिया

A. A-2, B-1, C-4, D-3

B. A-3, B-2, C-1, D-4

C. A-1, B-3, C-2, D-4

D. A-4, B-2, C-3, D-1

152. मिलान कीजिए :

कॉलम-I	**कॉलम-II**
A. औषधि सुरक्षा	1. औषधि निगरानी
B. फार्माकोविजिलेंस	2. प्रतिकूल प्रभाव
C. विषाक्तता	3. प्रतिरक्षा प्रतिक्रिया
D. एलर्जी	4. सुरक्षित उपयोग

A. A-4, B-1, C-2, D-3

B. A-2, B-3, C-4, D-1

C. A-3, B-2, C-1, D-4

D. A-1, B-4, C-3, D-2

153. **कथन I:** फार्माकोविजिलेंस (Pharmacovigilance) औषधि सुरक्षा की निगरानी करता है।

कथन II: यह प्रतिकूल प्रतिक्रियाओं को अनदेखा करता है।

A. दोनों कथन सही हैं B. I सही है, II गलत है

C. दोनों कथन गलत हैं D. I गलत है, II सही है

154. **कथन I:** अधिक खुराक विषाक्तता बढ़ाती है।

कथन II: कम खुराक हमेशा विषाक्तता उत्पन्न करती है।

A. दोनों कथन सही हैं B. I सही है, II गलत है

C. दोनों कथन गलत हैं D. I गलत है, II सही है

155. .... शब्द औषधियों के सुरक्षित उपयोग को दर्शाता है।

A. विषाक्तता B. फार्माकोलॉजी

C. औषधि सुरक्षा D. एलर्जी

156. प्रतिकूल औषधि प्रतिक्रियाओं की निगरानी को .... कहते हैं।

A. फार्माकोडायनामिक्स (Pharmacodynamics)

B. फार्माकोविजिलेंस (Pharmacovigilance)

C. टॉक्सिकोलॉजी (Toxicology)

D. फार्माकोकाइनेटिक्स (Pharmacokinetics)

157. एलर्जिक प्रतिक्रिया .... तंत्र से संबंधित होती है।

A. तंत्रिका B. पाचन

C. हृदय D. प्रतिरक्षा

158. दवा देने से पहले नर्स को .... जांचना चाहिए।

A. मूल्य B. रंग

C. समाप्ति तिथि D. ब्रांड

159. सुरक्षित दवा प्रशासन के लिए .... अधिकारों का पालन करना चाहिए।

A. पाँच B. चार

C. तीन D. छह

160. औषधि सुरक्षा में सबसे महत्वपूर्ण कदम है

A. भंडारण B. प्रिस्क्रिप्शन

C. प्रशासन D. सही पहचान

161. सूजन (Inflammation) .... के प्रति एक सुरक्षात्मक प्रतिक्रिया है।

A. चोट B. रोग

C. संक्रमण D. उपरोक्त सभी

162. सूजन के मुख्य लक्षणों में लालिमा, गर्मी, सूजन और .... शामिल हैं।

A. दर्द B. बुखार

C. उल्टी D. थकान

163. सूजन में लालिमा .... की वृद्धि के कारण होती है।

A. रक्त प्रवाह B. लसीका प्रवाह

C. ऑक्सीजन D. एंजाइम

164. सूजन .... के जमाव के कारण होती है।

A. रक्त B. द्रव

C. वायु D. कोशिकाएँ

165. सूजन में कार्य की हानि को .... कहा जाता है।

A. रुबर (Rubor)
B. ट्यूमर (Tumor)
C. डोलर (Dolor)
D. फंक्टियो लेसा (Functio laesa)

166. कोशिका क्षति (Cell injury) प्रतिवर्ती या .... हो सकती है।

A. अस्थायी B. हल्की
C. अपरिवर्तनीय D. आंशिक

167. कोशिका क्षति का सबसे सामान्य कारण .... है।

A. संक्रमण B. हाइपॉक्सिया
C. आघात D. विष

168. हाइपॉक्सिया का अर्थ .... की कमी है।

A. रक्त B. ऑक्सीजन
C. पोषक तत्व D. एंजाइम

169. नेक्रोसिस (Necrosis) है

A. सामान्य कोशिका मृत्यु
B. नियोजित मृत्यु
C. आकस्मिक कोशिका मृत्यु
D. प्रतिवर्ती क्षति

170. एपोप्टोसिस (Apoptosis) .... प्रकार की कोशिका मृत्यु है।

A. आकस्मिक B. अनियंत्रित
C. नियोजित D. नेक्रोटिक

171. मिलान कीजिए :

कॉलम-I	कॉलम-II
A. लालिमा	1. बढ़ा हुआ रक्त प्रवाह
B. सूजन	2. रासायनिक मध्यस्थ
C. दर्द	3. द्रव का जमाव
D. गर्मी	4. तापमान में वृद्धि

A. A-1, B-3, C-2, D-4
B. A-2, B-1, C-4, D-3
C. A-3, B-2, C-1, D-4
D. A-4, B-3, C-2, D-1

172. मिलान कीजिए :

कॉलम-I	कॉलम-II
A. नेक्रोसिस	1. ऑक्सीजन की कमी
B. एपोप्टोसिस	2. नियोजित मृत्यु
C. हाइपॉक्सिया	3. कोशिका क्षति की प्रतिक्रिया
D. सूजन	4. अनियंत्रित मृत्यु

A. A-4, B-2, C-1, D-3
B. A-2, B-3, C-4, D-1
C. A-1, B-4, C-3, D-2
D. A-3, B-1, C-2, D-4

173. **कथन I:** सूजन (Inflammation) एक रक्षा तंत्र है।

कथन II: सूजन हमेशा हानिकारक होती है।

A. दोनों कथन सही हैं B. I सही है, II गलत है
C. दोनों कथन गलत हैं D. I गलत है, II सही है

174. **कथन I:** नेक्रोसिस (Necrosis) अपरिवर्तनीय कोशिका मृत्यु है।

कथन II: एपोप्टोसिस (Apoptosis) अनियंत्रित प्रक्रिया है।

A. दोनों कथन सही हैं B. I सही है, II गलत है
C. दोनों कथन गलत हैं D. I गलत है, II सही है

175. कोशिका क्षति का सबसे गंभीर रूप .... में परिणत होना है।

A. अनुकूलन B. प्रतिवर्ती क्षति
C. पुनर्प्राप्ति D. नेक्रोसिस (Necrosis)

176. ट्यूमर (Tumor) .... का असामान्य समूह है।

A. ऊतक B. रक्त
C. कोशिकाएँ D. द्रव

177. सौम्य ट्यूमर (Benign tumor) .... होता है।

A. घातक B. गैर-कैंसरयुक्त
C. मेटास्टेटिक D. आक्रामक

178. घातक ट्यूमर (Malignant tumor) .... होता है।

A. सीमित B. गैर-आक्रामक
C. कैंसरयुक्त D. हानिरहित

179. ट्यूमर का दूर के स्थानों तक फैलना .... कहलाता है।

A. मेटाप्लासिया (Metaplasia)
B. डिस्प्लासिया (Dysplasia)
C. हाइपरप्लासिया (Hyperplasia)
D. मेटास्टेसिस (Metastasis)

180. अनियंत्रित कोशिका विभाजन को .... कहा जाता है।

A. एपोप्टोसिस (Apoptosis)
B. नेक्रोसिस (Necrosis)
C. विभेदन (Differentiation)
D. नियोप्लासिया (Neoplasia)

181. वह ट्यूमर .... स्थानीय रहता है और नहीं फैलता।

A. घातक (Malignant)
B. सौम्य (Benign)
C. द्वितीयक (Secondary)
D. मेटास्टेटिक (Metastatic)

182. कैंसर उत्पन्न करने वाले कारकों को .... कहा जाता है।

A. उत्परिवर्तक (Mutagens)

B. रोगजनक (Pathogens)

C. कार्सिनोजेन (Carcinogens)

D. एंटीजन (Antigens)

183. मिलान कीजिए :

कॉलम-I	कॉलम-II
A. सौम्य ट्यूमर	1. कैंसर उत्पन्न करने वाला कारक
B. घातक ट्यूमर	2. ट्यूमर का फैलाव
C. मेटास्टेसिस	3. गैर-कैंसरयुक्त
D. कार्सिनोजेन	4. कैंसरयुक्त

A. A-3, B-4, C-2, D-1

B. A-2, B-1, C-4, D-3

C. A-1, B-3, C-2, D-4

D. A-4, B-2, C-3, D-1

184. **कथन I:** सौम्य ट्यूमर ऊतकों में प्रवेश नहीं करते।

कथन II: घातक ट्यूमर दूर के स्थानों तक फैलते हैं।

A. दोनों कथन सही हैं   B. I सही है, II गलत है

C. दोनों कथन गलत हैं   D. I गलत है, II सही है

185. कोशिका वृद्धि के सामान्य नियंत्रण का खोना .... की ओर ले जाता है।

A. सूजन   B. नेक्रोसिस

C. संक्रमण   D. ट्यूमर निर्माण

186. एनीमिया .... की कमी की अवस्था है।

A. श्वेत रक्त कोशिकाएँ (WBC)

B. लाल रक्त कोशिकाएँ (RBC)

C. प्लेटलेट्स

D. प्लाज्मा

187. एनीमिया का सबसे सामान्य कारण .... है।

A. संक्रमण   B. आयरन की कमी

C. आघात   D. निर्जलीकरण

188. हीमोग्लोबिन (Hemoglobin) रक्त में .... को वहन करता है।

A. कार्बन डाइऑक्साइड   B. नाइट्रोजन

C. ऑक्सीजन   D. हाइड्रोजन

189. विटामिन B12 की कमी से .... एनीमिया होता है।

A. आयरन की कमी

B. एप्लास्टिक (Aplastic)

C. हीमोलाइटिक (Hemolytic)

D. मेगालोब्लास्टिक (Megaloblastic)

190. WBC की संख्या में वृद्धि को .... कहा जाता है।

A. ल्यूकोपेनिया (Leukopenia)

B. थ्रोम्बोसाइटोपेनिया (Thrombocytopenia)

C. ल्यूकोसाइटोसिस (Leukocytosis)

D. एनीमिया (Anemia)

191. प्लेटलेट्स की कमी को .... कहा जाता है।

A. ल्यूकोसाइटोसिस (Leukocytosis)

B. एनीमिया (Anemia)

C. हीमोफीलिया (Hemophilia)

D. थ्रोम्बोसाइटोपेनिया (Thrombocytopenia)

192. रक्त के थक्के बनने की गड़बड़ी को .... कहा जाता है।

A. एनीमिया (Anemia)

B. ल्यूकेमिया (Leukemia)

C. हीमोफीलिया (Hemophilia)

D. थ्रोम्बोसिस (Thrombosis)

193. मिलान कीजिए :

कॉलम-I	कॉलम-II
A. एनीमिया	1. रक्तस्राव विकार
B. ल्यूकेमिया	2. कम प्लेटलेट्स
C. हीमोफीलिया	3. रक्त का कैंसर
D. थ्रोम्बोसाइटोपेनिया	4. कम हीमोग्लोबिन

A. A-4, B-3, C-1, D-2

B. A-3, B-4, C-2, D-1

C. A-1, B-2, C-3, D-4

D. A-2, B-1, C-4, D-3

194. **कथन I:** हीमोग्लोबिन (Hemoglobin) ऑक्सीजन को वहन करता है।

कथन II: RBC में हीमोग्लोबिन नहीं होता।

A. दोनों कथन सही हैं   B. I सही है, II गलत है

C. दोनों कथन गलत हैं   D. I गलत है, II सही है

195. RBC की संख्या में वृद्धि को .... कहा जाता है।

A. एनीमिया (Anemia)

B. ल्यूकेमिया (Leukemia)

C. थ्रोम्बोसाइटोसिस (Thrombocytosis)

D. पॉलीसाइथीमिया (Polycythemia)

196. क्लिनिकल पैथोलॉजी (Clinical pathology) .... के अध्ययन से संबंधित है।

A. रोग   B. प्रयोगशाला परीक्षण

C. दवाएँ   D. सर्जरी

197. पूर्ण रक्त गणना (CBC) .... को मापती है।

A. रक्त   B. मूत्र

C. ऊतक   D. रक्त कोशिकाओं

198. वयस्कों में सामान्य हीमोग्लोबिन स्तर लगभग .... g/dL होता है।

A. 5–8 B. 8–10
C. 12–16 D. 18–22

199. ESR परीक्षण का उपयोग .... का पता लगाने के लिए किया जाता है।

A. संक्रमण B. सूजन
C. कैंसर D. मधुमेह

200. मूत्र परीक्षण .... विकारों का पता लगाने में मदद करता है।

A. किडनी B. हृदय
C. मस्तिष्क D. फेफड़े

201. रक्त शर्करा परीक्षण .... स्तर को मापता है।

A. प्रोटीन B. वसा
C. ग्लूकोज D. एंजाइम

202. सामान्य उपवास में रक्त ग्लूकोज लगभग .... mg/dL होता है।

A. 50–60 B. 70–100
C. 150–200 D. 200–300

203. मिलान कीजिए :

कॉलम-I	कॉलम-II
A. हीमोग्लोबिन	1. किडनी कार्य
B. ESR	2. ऑक्सीजन वहन
C. रक्त शर्करा	3. सूजन
D. मूत्र परीक्षण	4. ग्लूकोज स्तर

A. A-2, B-3, C-4, D-1
B. A-3, B-4, C-1, D-2
C. A-1, B-2, C-3, D-4
D. A-4, B-1, C-2, D-3

204. मिलान कीजिए :

कॉलम-I	कॉलम-II
A. CBC	1. किडनी कार्य
B. ESR	2. लिवर कार्य
C. RFT	3. रक्त कोशिकाएँ
D. LFT	4. सूजन

A. A-3, B-4, C-1, D-2
B. A-2, B-3, C-4, D-1
C. A-1, B-2, C-3, D-4
D. A-4, B-1, C-2, D-3

205. **कथन I:** ESR सूजन में बढ़ता है।

कथन II: ESR संक्रमण में घटता है।

A. दोनों कथन सही हैं B. I सही है, II गलत है
C. दोनों कथन गलत हैं D. I गलत है, II सही है

206. **कथन I:** रक्त शर्करा मधुमेह (Diabetes) में बढ़ती है।

कथन II: रक्त शर्करा चयापचय से संबंधित नहीं है।

A. दोनों कथन सही हैं B. I सही है, II गलत है
C. दोनों कथन गलत हैं D. I गलत है, II सही है

207. किडनी के कार्य का आकलन करने के लिए उपयोग किया जाने वाला परीक्षण है

A. LFT B. CBC
C. RFT D. ESR

208. लिवर के कार्य का आकलन करने के लिए उपयोग किया जाने वाला परीक्षण है

A. CBC B. LFT
C. RFT D. ESR

209. हीमोग्लोबिन में कमी .... को दर्शाती है।

A. ल्यूकेमिया B. संक्रमण
C. एनीमिया D. कैंसर

210. मूत्र में ग्लूकोज .... अवस्था में पाया जा सकता है।

A. उच्च रक्तचाप B. मधुमेह
C. संक्रमण D. एनीमिया

211. जेनेटिक्स (Genetics) .... का अध्ययन है।

A. कोशिकाएँ B. वंशानुक्रम (Heredity)
C. ऊतक D. अंग

212. वंशानुक्रम की इकाई को .... कहा जाता है।

A. कोशिका B. गुणसूत्र (Chromosome)
C. जीन (Gene) D. DNA

213. DNA कोशिका के .... में स्थित होता है।

A. साइटोप्लाज्म (Cytoplasm)
B. नाभिक (Nucleus)
C. झिल्ली
D. राइबोसोम (Ribosome)

214. गुणसूत्र .... से बना होता है।

A. प्रोटीन B. लिपिड
C. DNA D. एंजाइम

215. मनुष्य में गुणसूत्रों की सामान्य संख्या .... होती है।

A. 23 B. 44
C. 46 D. 48

216. .... व्यक्ति का लिंग निर्धारित करता है।

A. जीन (Gene) B. गुणसूत्र (Chromosome)
C. हार्मोन D. कोशिका

217. XX गुणसूत्र .... को दर्शाता है।

A. पुरुष
B. महिला
C. A और B दोनों
D. कोई नहीं

218. XY गुणसूत्र .... को दर्शाता है।

A. महिला
B. पुरुष
C. A और B दोनों
D. कोई नहीं

219. मिलान कीजिए :

कॉलम-I	कॉलम-II
A. जीन	1. आनुवंशिक पदार्थ वहन करता है
B. DNA	2. वंशानुक्रम इकाई
C. गुणसूत्र	3. DNA को समाहित करता है
D. नाभिक	4. कोशिका को नियंत्रित करता है

A. A-2, B-1, C-3, D-4
B. A-3, B-2, C-4, D-1
C. A-1, B-3, C-2, D-4
D. A-4, B-1, C-2, D-3

220. मिलान कीजिए :

कॉलम-I	कॉलम-II
A. ऑटोसोम	1. हमेशा अभिव्यक्त होता है
B. सेक्स गुणसूत्र	2. दो प्रतियों की आवश्यकता होती है
C. प्रभुत्वी जीन	3. लिंग निर्धारित करता है
D. अप्रभुत्वी जीन	4. गैर-लिंग गुणसूत्र

A. A-4, B-3, C-1, D-2
B. A-3, B-4, C-2, D-1
C. A-2, B-1, C-4, D-3
D. A-1, B-2, C-3, D-4

221. **कथन I:** जीन (Gene) गुणसूत्रों (Chromosomes) पर स्थित होते हैं।

कथन II: जीन वंशानुक्रम को नियंत्रित नहीं करते हैं।

A. दोनों कथन सही हैं
B. I सही है, II गलत है
C. दोनों कथन गलत हैं
D. I गलत है, II सही है

222. **कथन I:** DNA आनुवंशिक जानकारी वहन करता है।

कथन II: गुणसूत्रों (Chromosomes) में DNA नहीं होता है।

A. दोनों कथन सही हैं
B. I सही है, II गलत है
C. दोनों कथन गलत हैं
D. I गलत है, II सही है

223. प्रभुत्वी जीन (Dominant gene) .... अवस्था में अभिव्यक्त होता है।

A. केवल होमोजायगस (Homozygous)
B. केवल हेटेरोजायगस (Heterozygous)
C. दोनों अवस्थाएँ
D. इनमें से कोई नहीं

224. अप्रभुत्वी जीन (Recessive gene) .... अवस्था में अभिव्यक्त होता है

A. होमोजायगस (Homozygous)
B. हेटेरोजायगस (Heterozygous)
C. दोनों
D. कोई नहीं

225. आनुवंशिक पदार्थ माता-पिता से संतान में .... के माध्यम से स्थानांतरित होता है।

A. कोशिकाएँ
B. गुणसूत्र
C. DNA
D. जीन

226. आनुवंशिक विकार .... में असामान्यता के कारण होते हैं।

A. अंग
B. कोशिकाएँ
C. जीन
D. ऊतक

227. डाउन सिंड्रोम (Down syndrome) .... के कारण होता है।

A. मोनोसोमी (Monosomy)
B. ट्राइसॉमी 21 (Trisomy 21)
C. डिलीशन (Deletion)
D. म्यूटेशन (Mutation)

228. टर्नर सिंड्रोम (Turner syndrome) ...... के कारण होता है।

A. XXY
B. XXX
C. XO
D. XY

229. क्लाइनफेल्टर सिंड्रोम (Klinefelter syndrome) .... द्वारा प्रदर्शित होता है।

A. XO
B. XY
C. XX
D. XXY

230. सिकल सेल एनीमिया (Sickle cell anemia) .... में म्यूटेशन (Mutation) के कारण होता है।

A. श्वेत रक्त कोशिकाएँ
B. प्लेटलेट्स
C. प्लाज्मा
D. हीमोग्लोबिन

231. .... आनुवंशिक विकार, मानसिक मंदता और विशेष चेहरे के लक्षणों से पहचाना जाता है।

A. टर्नर सिंड्रोम (Turner syndrome)
B. डाउन सिंड्रोम (Down syndrome)
C. हीमोफीलिया (Hemophilia)
D. थैलेसीमिया (Thalassemia)

232. हीमोफीलिया (Hemophilia) एक .... विकार है।

A. रक्त का थक्का जमना
B. चयापचय
C. संक्रमण
D. हार्मोनल

233. मिलान कीजिए :

कॉलम-I	कॉलम-II
A. डाउन सिंड्रोम	1. XO
B. टर्नर सिंड्रोम	2. ट्राइसॉमी 21
C. क्लाइनफेल्टर सिंड्रोम	3. XXY
D. सिकल सेल एनीमिया	4. हीमोग्लोबिन दोष

A. A-2, B-1, C-3, D-4
B. A-3, B-2, C-1, D-4
C. A-1, B-3, C-2, D-4
D. A-4, B-2, C-3, D-1

234. कथन I: आनुवंशिक विकार वंशानुगत हो सकते हैं।

कथन II: आनुवंशिक विकार हमेशा संक्रामक होते हैं।

A. दोनों कथन सही हैं B. I सही है, II गलत है
C. दोनों कथन गलत हैं D. I गलत है, II सही है

235. म्यूटेशन (Mutation) का अर्थ .... में परिवर्तन होता है।

A. कोशिका B. ऊतक
C. अंग D. जीन

236. प्रसवपूर्व निदान (Prenatal diagnosis) .... में असामान्यता का पता लगाने के लिए किया जाता है।

A. माता B. पिता
C. भ्रूण D. परिवार

237. .... परीक्षण जन्म से पहले गुणसूत्रीय असामान्यताओं का पता लगाने के लिए उपयोग किया जाता है।

A. ECG B. एक्स-रे
C. मूत्र परीक्षण D. एम्नियोसेंटेसिस

238. मिलान कीजिए :

कॉलम-I	कॉलम-II
A. एम्नियोसेंटेसिस	1. गुणसूत्रीय विश्लेषण
B. अल्ट्रासाउंड	2. इमेजिंग तकनीक
C. कैरियोटाइपिंग	3. प्रारंभिक आनुवंशिक परीक्षण
D. कोरियोनिक विलस सैंपलिंग	4. एम्नियोटिक द्रव परीक्षण

A. A-4, B-2, C-1, D-3
B. A-3, B-1, C-2, D-4
C. A-1, B-4, C-3, D-2
D. A-2, B-3, C-4, D-1

239. कथन I: प्रसवपूर्व परीक्षण विकारों का प्रारंभिक पता लगाने में मदद करते हैं।

कथन II: प्रसवपूर्व परीक्षण में कोई जोखिम नहीं होता है।

A. दोनों कथन सही हैं
B. I सही है, II गलत है
C. दोनों कथन गलत हैं
D. I गलत है, II सही है

240. कैरियोटाइपिंग (Karyotyping) का उपयोग .... के अध्ययन के लिए किया जाता है।

A. कोशिकाएँ B. जीन
C. गुणसूत्र D. ऊतक

व्याख्यात्मक उत्तर

1. (B): औषधि विज्ञान (Pharmacology) दवाओं और उनके प्रभावों का अध्ययन है। इसमें स्रोत, क्रिया और उपयोग शामिल होते हैं। यह स्वास्थ्य सेवा में महत्वपूर्ण है।

2. (B): औषधि-गतिकी (Pharmacodynamics) शरीर पर दवाओं के प्रभावों का अध्ययन करती है। यह क्रिया-विधि को समझाती है। यह प्रतिक्रिया का अध्ययन करती है।

3. (C): औषधि-गतिकी (Pharmacokinetics) में अवशोषण (Absorption), वितरण (Distribution), चयापचय (Metabolism) और उत्सर्जन (Excretion) शामिल होते हैं। यह दवा की गति बताता है। यह मात्रा निर्धारित करता है।

4. (A): ADME का अर्थ है—अवशोषण (Absorption), वितरण (Distribution), उपापचय (Metabolism) एवं उत्सर्जन (Excretion)। यह शरीर में दवा की यात्रा को बताता है। यह प्रभावशीलता को प्रभावित करता है। यह महत्वपूर्ण अवधारणा है।

5. (B): वितरण दवा का ऊतकों में जाना है। यह रक्त प्रवाह पर निर्भर करता है। यह क्रिया को प्रभावित करता है।

6. (B): दवा के चयापचय के लिए मुख्य अंग यकृत है। यह दवाओं को निष्क्रिय रूप में बदलता है। यह उत्सर्जन में मदद करता है।

7. (D): उत्सर्जन शरीर से दवा को हटाता है। गुर्दा मुख्य अंग है। यह संचय को रोकता है।

8. (B): औषधि-गतिकी (Pharmacodynamics) दवा के प्रभावों का अध्ययन करती है। यह बताती है कि दवा कैसे काम करती है। यह शरीर पर क्रिया है।

9. (A): दुष्प्रभाव अवांछित प्रभाव होते हैं। ये उपचारात्मक प्रभाव के साथ होते हैं। ये हानिकारक हो सकते हैं।

10. (B): टॉक्सिकोलॉजी हानिकारक प्रभावों का अध्ययन करता है। यह विषाक्तता से संबंधित है। यह सुरक्षा सुनिश्चित करता है।

11. (D): दवा की मात्रा आयु, वजन और स्थिति पर निर्भर करती है। यह उचित प्रभाव सुनिश्चित करती है। यह विषाक्तता से बचाती है।

12. (A): मार्ग दवा के अवशोषण को प्रभावित करता है। यह प्रभाव की शुरुआत तय करता है। यह प्रभावशीलता को प्रभावित करता है।

13. (C): आईवी मार्ग से दवा शिरा में दी जाती है। यह तेजी से कार्य करती है। यह आपात स्थिति में उपयोगी है।

14. (B): दर्दनाशक (Analgesic) दर्द को कम करते हैं। ये चेतना को प्रभावित नहीं करते। ये आराम देते हैं।

15. (C): ज्वरनाशक (Antipyretic) बुखार को कम करते हैं। ये हाइपोथैलेमस पर कार्य करते हैं। ये तापमान सामान्य करते हैं।

16. (B): प्रतिजैविक (Antibiotic) जीवाणुओं को मारते या रोकते हैं। ये संक्रमण का उपचार करते हैं। ये व्यापक रूप से उपयोग होते हैं।

17. (C): निद्राजनक (Sedative) नींद लाते हैं। ये रोगी को शांत करते हैं। ये चिंता कम करते हैं।

18. (B): जैवउपलब्धता (Bioavailability) दवा के अवशोषित होने की मात्रा है। यह रक्त में पहुँचती है। यह प्रभावशीलता को प्रभावित करती है।

19. (A): अर्ध-जीवन (Half-life) दवा के आधे भाग के निकलने का समय है। यह खुराक अंतराल तय करता है। यह महत्वपूर्ण है।

20. (B): प्रथम-पास प्रभाव (First-pass effect) यकृत में होता है। यह दवा की मात्रा कम करता है। यह मौखिक दवाओं को प्रभावित करता है।

21. (B): प्रतिकूल दवा प्रतिक्रिया अवांछित प्रभाव है। यह हानिकारक हो सकती है। इसकी निगरानी आवश्यक है।

22. (A): चिकित्सीय सूचकांक (Therapeutic index) दवा की सुरक्षा दर्शाता है। अधिक मान अधिक सुरक्षित होता है। यह विषाक्त और प्रभावी मात्रा की तुलना करता है।

23. (B): लोडिंग डोज (Loading dose) तुरंत प्रभाव देती है। यह दवा स्तर तेजी से बढ़ाती है। यह प्रारंभिक मात्रा है।

24. (B): मेंटेनेंस डोज (Maintenance dose) दवा का स्तर स्थिर रखती है। यह उपचार बनाए रखती है। यह उतार-चढ़ाव रोकती है।

25. (B): सहनशीलता (Tolerance) में दवा का प्रभाव कम हो जाता है। अधिक मात्रा की आवश्यकता होती है। यह समय के साथ विकसित होती है।

26. (B): दवा पारस्परिक क्रिया तब होती है जब दो दवाएँ साथ कार्य करती हैं। यह प्रभाव बदलती है। यह हानिकारक हो सकती है।

27. (B): प्लेसिबो (Placebo) में सक्रिय घटक नहीं होता। यह तुलना के लिए उपयोग होता है। इसका मनोवैज्ञानिक प्रभाव होता है।

28. (B): कॉन्ट्राइंडिकेशन (Contraindication) का अर्थ है दवा का उपयोग नहीं करना चाहिए। यह रोगी को नुकसान पहुँचा सकती है। यह सुरक्षा के लिए महत्वपूर्ण है।

29. (A): एनाल्जेसिक दर्द कम करता है, एंटीपायरेटिक बुखार कम करता है, एंटीबायोटिक जीवाणु मारता है, सेडेटिव नींद लाता है।

अतः सही मिलान A-3, B-1, C-2, D-4 है।

30. (B): औषधि विज्ञान दवाओं का अध्ययन है। दवाओं के दुष्प्रभाव हो सकते हैं। इसलिए दूसरा कथन गलत है।

अतः I सही है, II गलत है।

31. (C): कीमोथेरेपी (Chemotherapy) दवाओं का उपयोग रोगों के उपचार में होता है। यह कारण को लक्षित करती है। यह उपचार में सहायक है।

32. (B): एंटीबायोटिक बैक्टीरियल संक्रमण पर कार्य करते हैं। ये वायरस पर प्रभावी नहीं होते। ये सामान्यतः उपयोग होते हैं।

33. (C): प्रतिरोध तब होता है जब सूक्ष्मजीव दवा के प्रति प्रतिरोधी बन जाते हैं। वे जीवित रहते हैं। इससे प्रभाव कम होता है।

34. (D): व्यापक स्पेक्ट्रम दवाएँ कई जीवाणुओं पर कार्य करती हैं। ये मिश्रित संक्रमण में उपयोगी हैं। ये सामान्य हैं।

35. (B): संकीर्ण स्पेक्ट्रम दवाएँ सीमित जीवाणुओं पर कार्य करती हैं। ये दुष्प्रभाव कम करती हैं। ये सामान्य जीवाणु बचाती हैं।

36. (C): एंटीफंगल दवाएँ फंगल संक्रमण का उपचार करती हैं। ये वृद्धि रोकती हैं। उदाहरण एम्फोटेरिसिन है।

37. (B): एंटीवायरल दवाएँ वायरस संक्रमण का उपचार करती हैं। ये प्रतिकृति रोकती हैं। ये विशिष्ट होती हैं।

38. (B): सल्फोनामाइड्स जीवाणुरोधी दवाएँ हैं। ये फोलिक एसिड संश्लेषण रोकती हैं। ये संक्रमण का उपचार करती हैं।

39. (C): पेनिसिलिन कोशिका भित्ति संश्लेषण को रोकता है। इससे जीवाणु मरते हैं। यह जीवाणुनाशक है।

40. (B): टेट्रासाइक्लिन प्रोटीन संश्लेषण को रोकता है। यह वृद्धि रोकता है। यह जीवाणुरोधी है।

41. (B): स्ट्रेप्टोमाइसिन क्षय रोग (Tuberculosis) में उपयोग होती है। यह मायकोबैक्टीरियम पर प्रभावी है। इसे संयोजन उपचार में दिया जाता है।

42. (B): क्लोरोक्वीन मलेरिया में उपयोग होती है। यह परजीवी को नष्ट करती है। यह एंटीमलेरियल दवा है।

43. (A): एम्फोटेरिसिन बी (Amphotericin B) एंटीफंगल दवा है। यह गंभीर फंगल संक्रमण में दी जाती है। यह शक्तिशाली दवा है।

44. (A): एसाइक्लोवीर (Acyclovir) एंटीवायरल दवा है। यह हरपीज संक्रमण में उपयोग होती है। यह वायरल प्रतिकृति को रोकती है।

45. (C): संयोजन उपचार से प्रभावशीलता बढ़ती है। यह प्रतिरोध कम करता है। परिणाम बेहतर होते हैं।

46. (A): सुपरइन्फेक्शन एंटीबायोटिक्स के अधिक उपयोग से होता है। सामान्य फ्लोरा नष्ट हो जाता है। इससे अवसरवादी संक्रमण होता है।

47. (B): अधिक मात्रा से विषाक्तता होती है। यह अंगों को नुकसान पहुँचा सकती है। इसलिए मात्रा नियंत्रित होनी चाहिए।

48. (B): कीमोथेरेपी दवाएँ डॉक्टर के निर्देश अनुसार देनी चाहिए। इससे सुरक्षा सुनिश्चित होती है। त्रुटियाँ कम होती हैं।

49. (A): एंटीबायोटिक बैक्टीरिया के लिए, एंटीफंगल फंगस के लिए, एंटीवायरल वायरस के लिए, एंटीमलेरियल मलेरिया के लिए होते हैं।

अतः सही मिलान A-3, B-1, C-2, D-4 है।

50. (B): कीमोथेरेपी से रोगों का उपचार होता है। एंटीबायोटिक्स वायरस पर प्रभावी नहीं होते। इसलिए दूसरा कथन गलत है।

अतः I सही है, II गलत है।

51. (A): एंटासिड पेट के अम्ल को निष्क्रिय करते हैं। इससे अम्लता में राहत मिलती है। ये सामान्य रूप से उपयोग होते हैं।

52. (B): PPI अम्ल स्राव को रोकते हैं। ये प्रोटॉन पम्प पर कार्य करते हैं। इससे अम्लता कम होती है।

53. (C): H_2 ब्लॉकर पेट में अम्ल स्राव कम करते हैं। ये हिस्टामिन रिसेप्टर को ब्लॉक करते हैं। ये अल्सर में उपयोगी हैं।

54. (B): लैक्सेटिव कब्ज में दिए जाते हैं। ये आंत्र गमन बढ़ाते हैं। ये व्यापक रूप से उपयोग होते हैं।

55. (C): एंटीएमेटिक उल्टी को नियंत्रित करते हैं। ये मतली को रोकते हैं। ये ब्रै पर कार्य कर सकते हैं।

56. (B): एंटीडायरियल (Antidiarrheal) दस्त को नियंत्रित करते हैं। ये आंत्र गतिशीलता कम करते हैं। इससे द्रव हानि कम होती है।

57. (C): एंटीमेटिक (Antiemetic) मेटोक्लोप्रामाइड उल्टी रोकने में उपयोग होती है। यह गतिशीलता बढ़ाती है। यह केंद्रीय रूप से भी कार्य करती है।

58. (B): ओमेप्राजोल PPI समूह की दवा है। यह अम्ल स्राव कम करती है। यह अल्सर में उपयोग होती है।

59. (B): एंटासिड अम्ल को निष्क्रिय करते हैं। इससे pH बढ़ता है। लक्षणों में राहत मिलती है।

60. (B): PPI प्रोटॉन पम्प को रोकते हैं। इससे अम्ल उत्पादन कम होता है। यह प्रभावी उपचार है।

61. (A): एंटासिड अम्लता घटाता है, लैक्सेटिव कब्ज में, एंटीएमेटिक उल्टी रोकता है, एंटीडायरियल दस्त नियंत्रित करता है।

अतः सही मिलान A-3, B-2, C-1, D-4 है।

62. (A): ओमेप्राजोल PPI है, रैनिटिडीन H_2 ब्लॉकर है, मेटोक्लोप्रामाइड एंटीएमेटिक है, लोपरामाइड एंटीडायरियल है।

अतः सही मिलान A-2, B-4, C-3, D-1 है।

63. (B): एंटासिड अम्ल को निष्क्रिय करते हैं। ये अम्ल स्राव नहीं बढ़ाते। इसलिए दूसरा कथन गलत है।

अतः I सही है, II गलत है।

64. (B): लैक्सेटिव आंत्र गमन बढ़ाते हैं। ये इसे कम नहीं करते। इसलिए दूसरा कथन गलत है।

अतः I सही है, II गलत है।

65. (A): सुक्राल्फेट (Sucralfate) गैस्ट्रिक म्यूकोसा की रक्षा करता है। यह सुरक्षात्मक परत बनाता है। यह अल्सर में उपयोगी है।

66. (B): रैनिटिडीन (Ranitidine) हिस्टामिन रिसेप्टर को ब्लॉक करता है। इससे अम्ल स्राव कम होता है। यह H_2 ब्लॉकर है।

67. (B): एंटीडायरियल दवाएँ आंत्र गतिशीलता कम करती हैं। इससे गति धीमी होती है। दस्त नियंत्रित होता है।

68. (C): एंटासिड से दस्त या कब्ज दोनों हो सकते हैं। यह संरचना पर निर्भर करता है। यह सामान्य दुष्प्रभाव है।

69. (A): लोपरामाइड (Loperamide) दस्त रोकने में उपयोग होती है। यह आंत्र गतिशीलता कम करती है। यह प्रभावी दवा है।

70. (B): मेटोक्लोप्रामाइड (Metoclopramide) गैस्ट्रिक गतिशीलता बढ़ाती है। इससे खाली होना बेहतर होता है। यह उल्टी में मदद करती है।

71. (B): ब्रोंकोडाइलेटर (Bronchodilator) ब्रोंकोस्पाज्म में वायुमार्ग खोलते हैं। ये ब्रोंकाई की मांसपेशियों को शिथिल करते हैं। अस्थमा में राहत देते हैं।

72. (B): साल्ब्यूटामोल एक बीटा-2 एगोनिस्ट (ब्रोंकोडायलेटर) है। यह जल्दी राहत देता है। इसे इनहेलेशन से दिया जाता है।

73. (C): एंटीहिस्टामिन (Antihistamine) एलर्जी के लक्षण कम करते हैं। ये हिस्टामिन रिसेप्टर को ब्लॉक करते हैं। ये उपयोगी हैं।

74. (A): थियोफिलीन मेथिलजैंथिन समूह की दवा है। यह ब्रोंकाई को शिथिल करती है। यह श्वसन में मदद करती है।

75. (C): कॉर्टिकोस्टेरॉइड्स सूजन कम करते हैं। ये म्यूकस और एडिमा घटाते हैं। अस्थमा में उपयोगी हैं।

76. (C): गुआइफेनेसिन (Guaifenesin) कफ को पतला करता है। इससे खाँसी उत्पादक बनती है। यह जकड़न में मदद करता है।

77. (B): एंटीटसिव (Antitussive) खाँसी रिफ्लेक्स को दबाते हैं। सूखी खाँसी में उपयोग होते हैं।

78. (A): कोडीन (Codeine) खाँसी केंद्र पर कार्य करता है। यह ओपिऑइड एंटीटसिव है। इससे उनींदापन और कब्ज हो सकता है।

79. (B): डी-कंजेस्टेंट (Decongestant) नाक की सूजन कम करते हैं। इससे वायु प्रवाह बेहतर होता है। सर्दी में राहत मिलती है।

80. (C): ब्रोंकोडाइलेटर ब्रोंकाई की चिकनी पेशी को शिथिल करते हैं। इससे वायुमार्ग खुलता है। सांस लेना आसान होता है।

81. (A): साल्ब्यूटामोल ब्रोंकोडाइलेटर (Bronchodilator) है, सेटिरिजीन एंटीहिस्टामिन (Antihistamine) है, कोडीन एंटीटसिव (Antitussive) है और गुआइफेनेसिन एक्सपेक्टोरेंट (Expectorant) है। यह इनके सामान्य चिकित्सीय उपयोगों के अनुसार है।

अतः सही मिलान A-4, B-3, C-1, D-2 है।

82. (A): डी-कंजेस्टेंट (Decongestant) नाक की सूजन कम करता है, ब्रोंकोडाइलेटर (Bronchodilator) ब्रोंकोस्पाज्म में राहत देता है, एंटीहिस्टामिन (Antihistamine) एलर्जी कम करता है और स्टेरॉयड (Steroid) सूजन कम करते हैं। ये श्वसन तंत्र की दवाओं के मुख्य कार्य हैं।

अतः सही मिलान A-2, B-4, C-1, D-3 है।

83. (B): एंटीहिस्टामिन (Antihistamine) हिस्टामिन रिसेप्टर को ब्लॉक करते हैं और एलर्जी के लक्षण कम करते हैं। ये हिस्टामिन की क्रिया को बढ़ाते नहीं हैं।

अतः I सही है, II गलत है।

84. (B): स्टेरॉयड (Steroid) सूजन और वायुमार्ग की संवेदनशीलता कम करते हैं। ये म्यूकस स्राव नहीं बढ़ाते हैं।

अतः I सही है, II गलत है।

85. (D): तीव्र अस्थमा में त्वरित ब्रोंकोडाइलेशन की आवश्यकता होती है। इनहेलेशन से दी गई साल्ब्यूटामोल तेजी से असर करती है।

86. (B): एनाल्जेसिक दर्द को कम करते हैं। ये बेहोशी नहीं लाते हैं। ये केंद्रीय या परिधीय मार्गों पर कार्य करते हैं।

87. (C): मॉर्फिन एक शक्तिशाली ओपिऑइड एनाल्जेसिक है। यह ओपिऑइड रिसेप्टर पर कार्य करता है। यह तीव्र दर्द में उपयोग होता है।

88. (A): सेडेटिव नींद और शांति उत्पन्न करते हैं। ये CNS को दबाते हैं। ये अनिद्रा और चिंता में उपयोग होते हैं।

89. (B): डायजेपाम बेंजोडायजेपीन समूह की दवा है। यह शांति और चिंता कम करती है। यह सामान्यतः उपयोग होती है।

90. (C): एंटीडिप्रेसेंट मनोदशा सुधारते हैं। ये न्यूरोट्रांसमीटर बढ़ाते हैं। ये अवसाद में उपयोग होते हैं।

91. (C): एंटीसाइकोटिक दवाएँ सिजोफ्रेनिया में दी जाती हैं। ये भ्रम और मतिभ्रम कम करती हैं।

92. (A): फेनीटोइन (Phenytoin) एंटीएपिलेप्टिक है। यह न्यूरॉन्स को स्थिर करता है। यह दौरे रोकता है।

93. (B): केटामिन (Ketamine) सामान्य एनेस्थेटिक है। यह डिसोसिएटिव एनेस्थीसिया उत्पन्न करता है। सर्जरी में उपयोग होता है।

94. (B): लोकल एनेस्थेटिक नसों की संवेदन को रोकते हैं। ये सोडियम चैनल को ब्लॉक करते हैं। दर्द का अनुभव नहीं होता।

95. (C): एंजियोलिटिक (Anxiolytic) चिंता कम करते हैं। ये CNS को शांत करते हैं। डायजेपाम इसका उदाहरण है।

96. (D): ओपिऑइड (Opioid) ओपिऑइड रिसेप्टर पर कार्य करते हैं। ये दर्द कम करते हैं। इनसे निर्भरता हो सकती है।

97. (B): ओपिऑइड आंत्र गति कम करते हैं। इससे कब्ज होता है। यह सामान्य दुष्प्रभाव है।

98. (A): लेवोडोपा (Levodopa) डोपामिन बढ़ाता है। यह पार्किन्सन रोग में उपयोग होता है। यह गति सुधारता है।

99. (D): एंटीपायरेटिक (Antipyretic) बुखार और दर्द कम करते हैं। ये हाइपोथैलेमस पर कार्य करते हैं।

100. (B): फ्लुओक्सेटीन (Fluoxetine) सेरोटोनिन बढ़ाता है। यह SSRI है। यह मनोदशा सुधारता है।

101. (A): मॉर्फिन एनाल्जेसिक है, डायजेपाम एंजियोलिटिक है, फ्लुओक्सेटीन एंटीडिप्रेसेंट है, हैलोपरिडोल एंटीसाइकोटिक है।

अतः सही मिलान A-2, B-4, C-3, D-1 है।

102. (A): फेनीटोइन एंटीएपिलेप्टिक है, लेवोडोपा एंटी-पार्किन्सन है, केटामिन एनेस्थेटिक है, पैरासिटामोल एनाल्जेसिक है।

अतः सही मिलान A-1, B-4, C-2, D-3 है।

103. (B): ओपिऑइड तीव्र दर्द में राहत देते हैं। इनके दुष्प्रभाव होते हैं जैसे श्वसन अवसाद।

अतः I सही है, II गलत है।

104. (B): एंटीडिप्रेसेंट न्यूरोट्रांसमीटर बढ़ाते हैं। ये इन्हें कम नहीं करते। अतः I सही है, II गलत है।

105. (B): एंटीएपिलेप्टिक (Antiepileptic) दौरे नियंत्रित करते हैं। ये न्यूरॉन्स को स्थिर करते हैं।

106. (B): डायजेपाम (Diazepam) चिंता कम करता है और शांति देता है। यह GABA रिसेप्टर पर कार्य करता है।

107. (C): एंटीसाइकोटिक (Antipsychotic) मानसिक विकारों में उपयोग होते हैं। ये भ्रम कम करते हैं।

108. (C): लोकल एनेस्थेटिक सोडियम चैनल को ब्लॉक करते हैं। इससे नाड़ी संचरण रुकता है।

109. (D): पैरासिटामोल (Paracetamol) हल्के दर्द और बुखार में उपयोग होता है। यह सुरक्षित दवा है।

110. (C): तंत्रिका तंत्र (Nervous system) सेडेटिव CNS पर कार्य करते हैं। ये शांति उत्पन्न करते हैं।

111. (A): एंटीहाइपरटेंसिव (Antihypertensive) रक्तचाप कम करते हैं। ये जटिलताओं को रोकते हैं।

112. (B): फ्यूरोसेमाइड (Furosemide) मूत्रवर्धक है। यह मूत्र मात्रा बढ़ाता है। अतिरिक्त द्रव हटाता है।

113. (C): कार्डियक ग्लाइकोसाइड (Cardiac glycoside) हृदय संकुचन बढ़ाते हैं। ये कार्डियक आउटपुट सुधारते हैं।

114. (B): डिगॉक्सिन हार्ट फेल्योर में उपयोग होता है। यह संकुचन शक्ति बढ़ाता है।

115. (A): वेसोडाइलेटर (Vasodilator) रक्त वाहिकाएँ फैलाते हैं। ये प्रतिरोध कम करते हैं।

116. (B): नाइट्रोग्लिसरीन एंजाइना में उपयोग होता है। यह कोरोनरी वाहिकाएँ फैलाता है।

117. (B): बीटा-ब्लॉकर बीटा रिसेप्टर को ब्लॉक करते हैं। ये हृदय गति कम करते हैं।

118. (C): प्रोपानोलोल इस समूह की दवा है। यह हृदय पर कार्य करता है।

119. (B): ACE inhibitors एंजियोटेंसिन कन्वर्टिंग एंजाइम को रोकते हैं। इससे BP कम होता है।

120. (A): एंटीकोआगुलेंट (Anticoagulant) रक्त का थक्का बनने से रोकते हैं। ये थ्रोम्बोसिस का जोखिम कम करते हैं।

121. (A): डिगॉक्सिन हृदय ग्लाइकोसाइड है, फ्यूरोसेमाइड मूत्रवर्धक है, प्रोपानोलोल बीटा-ब्लॉकर है और नाइट्रोग्लिसरीन रक्त वाहिकाओं को फैलाने वाली दवा है। यह इनके उपयोग के अनुसार सही मेल है।

अतः सही मिलान A-4, B-1, C-2, D-3 है।

122. (A): उच्च रक्तचाप रोधी दवा रक्तचाप कम करता है, मूत्रवर्धक द्रव हटाता है, रक्त के थक्के को रोकने वाली दवा रक्त का थक्का बनने से रोकता है और रक्त वाहिकाओं को फैलाने वाली दवा रक्त वाहिकाएँ फैलाती हैं।

अतः सही मिलान A-2, B-4, C-1, D-3 है।

123. (B): डाइयूरेटिक (Diuretic) मूत्र की मात्रा बढ़ाते हैं। वे द्रव संचय नहीं करते।

अतः I सही है, II गलत है।

124. (B): बीटा-ब्लॉकर हृदय गति और रक्तचाप कम करते हैं। वे रक्तचाप नहीं बढ़ाते।

अतः I सही है, II गलत है।

125. (B): एटेनोलोल (Atenolol) बीटा-ब्लॉकर है। यह रक्तचाप कम करता है और उच्च रक्तचाप में उपयोग होता है।

126. (A): एंटीएंजाइनल दवाएँ हृदय की ऑक्सीजन की आवश्यकता कम करती हैं। इससे छाती दर्द कम होता है।

127. (C): एंटीकोआगुलेंट (Anticoagulant) रक्त का थक्का बनने से रोकते हैं। यह थ्रोम्बोसिस का जोखिम कम करता है।

128. (C): डाइयूरेटिक किडनी पर कार्य करते हैं। ये मूत्र बढ़ाकर अतिरिक्त द्रव निकालते हैं।

129. (A): डाइयूरेटिक अधिक द्रव हानि करते हैं। इससे शरीर में पानी की कमी हो सकती है।

130. (D): हाइपोलिपिडेमिक (Hypolipidemic) दवाएँ कोलेस्ट्रॉल कम करती हैं। ये हृदय रोग से बचाव करती हैं।

131. (A): हार्मोन ग्रंथियों द्वारा स्रावित होते हैं। ये शरीर के कार्यों को नियंत्रित करते हैं।

132. (B): इंसुलिन मधुमेह में दिया जाता है। यह रक्त शर्करा कम करता है।

133. (B): इंसुलिन (Insulin) रक्त में ग्लूकोज को नियंत्रित करता है। यह कोशिकाओं में ग्लूकोज प्रवेश कराता है।

134. (B): इंसुलिन की कमी से रक्त शर्करा बढ़ती है। इससे मधुमेह होता है।

135. (B): थायरॉक्सिन थायरॉयड ग्रंथि से निकलता है। यह मेटाबॉलिज्म नियंत्रित करता है।

136. (B): हाइपोथायरॉयडिज्म में थायरॉक्सिन दवा दी जाती है। यह हार्मोन की कमी पूरी करती है।

137. (B): कॉर्टिकोस्टेरॉइड सूजन कम करते हैं। ये इम्यून प्रतिक्रिया दबाते हैं।

138. (C): कॉर्टिसोल (Cortisol) स्ट्रेस हार्मोन है। यह शरीर को तनाव में अनुकूल बनाता है।

139. (B): मौखिक गर्भनिरोधक में एस्ट्रोजन होता है। यह अंडोत्सर्जन रोकता है।

140. (D): गोनाडोट्रोपिन (Gonadotropin) ओव्यूलेशन बढ़ाता है। यह बांझपन में उपयोग होता है।

141. (A): इंसुलिन रक्त शर्करा नियंत्रित करता है, थायरॉक्सिन चयापचय नियंत्रित करता है, कॉर्टिसोल तनाव हार्मोन है और एस्ट्रोजन महिला हार्मोन है।

अतः सही मिलान A-4, B-3, C-1, D-2 है।

142. (A): अग्न्याशय इंसुलिन बनाता है, थायरॉयड थायरॉक्सिन, एड्रिनल कॉर्टिसोल और अंडाशय एस्ट्रोजन बनाती है।

अतः सही मिलान A-2, B-4, C-1, D-3 है।

143. (B): इंसुलिन रक्त शर्करा कम करता है। यह ग्लूकोज उत्पादन नहीं बढ़ाता।

अतः I सही है, II गलत है।

144. (B): कॉर्टिकोस्टेरॉइड सूजन कम करते हैं और इम्यून सिस्टम को दबाते हैं। वे इम्यून प्रतिक्रिया नहीं बढ़ाते।

अतः I सही है, II गलत है।

145. (D): पैराथायरॉयड हार्मोन (Parathyroid hormone) रक्त में कैल्शियम बढ़ाता है। यह हड्डियों और किडनी पर कार्य करता है।

146. (B) एडवर्स ड्रग रिएक्शन हानिकारक प्रभाव होता है। यह सामान्य डोज पर भी हो सकता है।

147. (B): टॉक्सिसिटी दवा के नुकसान को दर्शाती है। यह उच्च मात्रा पर अधिक होती है।

148. (C): ड्रग एलर्जी इम्यून प्रतिक्रिया है। यह डोज पर निर्भर नहीं होती।

149. (C): इडियोसिन्क्रेटिक प्रतिक्रियां असामान्य होती है। यह पूर्वानुमेय नहीं होती।

150. (B): ADR को रिपोर्ट करना आवश्यक है। इससे दवा की सुरक्षा बढ़ती है।

151. (A): साइड इफेक्ट अपेक्षित हल्का प्रभाव है, विषाक्त प्रभाव खुराक से संबंधित है, एलर्जी प्रतिरक्षी प्रतिक्रिया है और इडियोसिन्क्रेसी असामान्य प्रतिक्रिया है।

अतः सही मिलान A-2, B-1, C-4, D-3 है।

152. (A): ड्रग सेफ्टी सुरक्षित उपयोग सुनिश्चित करती है, फार्माकोविजिलेंस (Pharmacovigilance) दवाओं की निगरानी करता है, टॉक्सिसिटी हानिकारक प्रभाव है और एलर्जी इम्यून प्रतिक्रिया है।

अतः सही मिलान A-4, B-1, C-2, D-3 है।

153. (B): फार्माकोविजिलेंस दवाओं के दुष्प्रभावों की निगरानी करता है। यह उन्हें अनदेखा नहीं करता।

अतः I सही है, II गलत है।

154. (B): उच्च मात्रा से टॉक्सिसिटी बढ़ती है। कम मात्रा सामान्यतः हानिकारक नहीं होती।

अतः I सही है, II गलत है।

155. (C): ड्रग सेफ्टी (Drug safety) दवाओं के सुरक्षित उपयोग को सुनिश्चित करता है। यह रोगी की सुरक्षा बढ़ाता है।

156. (B): फार्माकोविजिलेंस (Pharmacovigilance) दवाओं के दुष्प्रभावों की निगरानी करता है। यह सुरक्षा के लिए आवश्यक है।

157. (D): एलर्जी इम्यून सिस्टम से संबंधित है। यह हाइपरसेंसिटिव प्रतिक्रिया है।

158. (C): दवा देने से पहले इसकी समाप्ति तिथि देखनी चाहिए। समाप्त दवा हानिकारक हो सकती है।

159. (A): दवा देने के पाँच अधिकार होते हैं। ये त्रुटियों को रोकते हैं।

160. (D): औषधि की पहचान सबसे महत्वपूर्ण है। इससे गलत दवा देने से बचाव होता है।

161. (D): सूजन (Inflammation) चोट, संक्रमण (Infection) या ऊतक क्षति और विशिष्ट रोग के प्रति प्रतिक्रिया होती है। यह शरीर की रक्षात्मक प्रक्रिया है। यह उपचार में सहायता करती है।

162. (A): सूजन के प्रमुख लक्षण लालिमा, गर्मी, सूजन और दर्द होते हैं। दर्द रासायनिक मध्यस्थों के कारण होता है। यह ऊतक क्षति का संकेत है।

163. (A): लालिमा रक्त वाहिकाओं के फैलने से होती है। इससे रक्त प्रवाह बढ़ता है। यह प्रारंभिक लक्षण है।

164. (B): सूजन द्रव के जमाव के कारण होती है। यह बढ़ी हुई पारगम्यता से होता है। इससे एडिमा बनता है।

165. (D): सूजन में कार्य हानि को फंक्टियो लेसा (Functio laesa) कहा जाता है। यह सूजन का पाँचवाँ लक्षण है। यह ऊतक क्षति के कारण होता है। इससे अंग का कार्य प्रभावित होता है।

166. (C): कोशिका क्षति प्रतिवर्ती या अपरिवर्तनीय हो सकती है। अपरिवर्तनीय क्षति में कोशिका मर जाती है। यह ठीक नहीं हो सकती।

167. (B): हाइपोक्सिया (Hypoxia) कोशिका क्षति का सबसे सामान्य कारण है। इसमें ऑक्सीजन की कमी होती है। यह चयापचय को प्रभावित करता है।

168. (B): हाइपोक्सिया का अर्थ ऑक्सीजन की कमी है। इससे कोशिका कार्य प्रभावित होता है। यह क्षति का कारण बनता है।

169. (C): नेक्रोसिस (Necrosis) अनियंत्रित कोशिका मृत्यु है। यह चोट के कारण होता है। यह सूजन उत्पन्न करता है।

170. (C): एपोप्टोसिस (Apoptosis) नियंत्रित कोशिका मृत्यु है। यह नियोजित प्रक्रिया है। इसमें सूजन नहीं होती।

171. (A): लालिमा रक्त प्रवाह से, सूजन द्रव से, दर्द रासायनिक मध्यस्थों से और गर्मी तापमान वृद्धि से होती है।

अतः सही मिलान A-1, B-3, C-2, D-4 है।

172. (A): नेक्रोसिस अनियंत्रित मृत्यु है, एपोप्टोसिस नियंत्रित, हाइपोक्सिया ऑक्सीजन की कमी और सूजन कोशिका क्षति की प्रतिक्रिया है।

अतः सही मिलान A-4, B-2, C-1, D-3 है।

173. (B): सूजन रक्षात्मक प्रक्रिया है। यह हमेशा हानिकारक नहीं होती। यह उपचार में सहायक होती है।

अतः I सही है, II गलत है।

174. (B): नेक्रोसिस अपरिवर्तनीय है। एपोप्टोसिस नियंत्रित प्रक्रिया है। यह अनियंत्रित नहीं होती।

अतः I सही है, II गलत है।

175. (D): गंभीर क्षति में कोशिका मर जाती है। यह स्थायी नुकसान होता है। इससे ऊतक नष्ट होते हैं।

176. (C): ट्यूमर कोशिकाओं का असामान्य समूह है। यह अनियंत्रित वृद्धि से बनता है। यह सौम्य या घातक हो सकता है।

177. (B): सौम्य ट्यूमर कैंसर नहीं होते। ये फैलते नहीं हैं। इनकी वृद्धि धीमी होती है।

178. (C): घातक ट्यूमर कैंसर होते हैं। ये आसपास के ऊतकों में फैलते हैं। ये दूर तक भी जा सकते हैं।

179. (D): मेटास्टेसिस (Metastasis) ट्यूमर का दूर तक फैलना है। यह रक्त या लसीका से होता है। यह घातकता का लक्षण है।

180. (D): नियोप्लासिया (Neoplasia) अनियंत्रित कोशिका विभाजन है। इससे ट्यूमर बनता है। यह रोगात्मक प्रक्रिया है।

181. (B): सौम्य ट्यूमर एक स्थान पर रहते हैं। ये फैलते नहीं हैं। ये कम हानिकारक होते हैं।

182. (C): कार्सिनोजेन्स (Carcinogens) कैंसर उत्पन्न करने वाले कारक हैं। ये उत्परिवर्तन कराते हैं। जैसे रसायन और विकिरण।

183. (A): सौम्य गैर-कैंसरकारी, घातक कैंसरकारी, मेटास्टेसिस फैलाव और कार्सिनोजेन कैंसर का कारण होते हैं।

अतः सही मिलान A-3, B-4, C-2, D-1 है।

184. (A): सौम्य ट्यूमर ऊतकों में प्रवेश नहीं करते। घातक ट्यूमर दूर तक फैलते हैं। दोनों कथन सही हैं।

185. (D): कोशिका वृद्धि का नियंत्रण समाप्त होने पर ट्यूमर बनता है। कोशिकाएँ अनियंत्रित विभाजित होती हैं।

186. (B): एनीमिया में RBC या हीमोग्लोबिन कम होता है। इससे ऑक्सीजन की आपूर्ति घटती है। थकान होती है।

187. (B): आयरन की कमी एनीमिया का सबसे सामान्य कारण है। इससे हीमोग्लोबिन नहीं बनता।

188. (C): हीमोग्लोबिन ऑक्सीजन ले जाता है। यह ऊतकों तक पहुँचाता है। यह जीवन के लिए आवश्यक है।

189. (D): विटामिन B12 की कमी से मेगालोब्लास्टिक एनीमिया होता है। इसमें RBC बड़े होते हैं।

190. (C): ल्यूकोसाइटोसिस (Leukocytosis) WBC बढ़ने को कहते हैं। यह संक्रमण में होता है।

191. (D): थ्रोम्बोसाइटोपेनिया (Thrombocytopenia) प्लेटलेट्स कम होने से होता है। इससे रक्तस्राव बढ़ता है।

192. (C): हीमोफिलिया (Hemophilia) रक्त जमने की समस्या है। यह आनुवंशिक होती है।

193. (A): एनीमिया में हीमोग्लोबिन कम, ल्यूकेमिया रक्त कैंसर, हीमोफिलिया रक्तस्राव और थ्रोम्बोसाइटोपेनिया में प्लेटलेट्स कम होते हैं।

अतः सही मिलान A-4, B-3, C-1, D-2 है।

194. (B): हीमोग्लोबिन ऑक्सीजन ले जाता है। RBC में हीमोग्लोबिन होता है।

अतः I सही है, II गलत है।

195. (D): पॉलीसाइथीमिया (Polycythemia) RBC बढ़ने को कहते हैं। इससे रक्त गाढ़ा हो जाता है।

196. (B): क्लिनिकल पैथोलॉजी में प्रयोगशाला परीक्षण होते हैं। यह रोग निदान में सहायक है।

197. (D): CBC में रक्त कोशिकाओं–RBC, WBC और प्लेटलेट्स की गणना होती है। यह स्वास्थ्य की जानकारी देता है।

198. (C): वयस्क में सामान्य हीमोग्लोबिन स्तर 12–16 g/dL होता है। यह आयु और लिंग पर निर्भर करता है।

199. (B): ESR सूजन में बढ़ता है। यह गैर-विशिष्ट परीक्षण है। यह रोग का संकेत देता है।

200. (A): मूत्र परीक्षण से किडनी के रोग का पता चलता है। इसमें शर्करा और प्रोटीन दिख सकते हैं।

201. (C): रक्त शर्करा परीक्षण में ग्लूकोज की मात्रा मापी जाती है। यह मधुमेह (Diabetes) के निदान में महत्वपूर्ण है। यह चयापचय की स्थिति बताता है।

202. (B): उपवास की सामान्य रक्त शर्करा 70–100 mg/dL होती है। यह सामान्य चयापचय का संकेत है। यह निदान के लिए उपयोगी मान है।

203. (A): हीमोग्लोबिन ऑक्सीजन ले जाता है, ESR सूजन दर्शाता है, रक्त शर्करा ग्लूकोज बताता है और मूत्र परीक्षण किडनी कार्य बताता है।

अतः सही मिलान A-2, B-3, C-4, D-1 है।

204. (A): CBC रक्त कोशिकाएँ मापता है, ESR सूजन दर्शाता है, RFT किडनी की जाँच करता है और LFT लीवर की जाँच करता है।

अतः सही मिलान A-3, B-4, C-1, D-2 है।

205. (B): ESR सूजन में बढ़ता है। यह संक्रमण में कम नहीं होता। इसलिए दूसरा कथन गलत है।

अतः I सही है, II गलत है।

206. (B): मधुमेह में रक्त शर्करा बढ़ती है। यह चयापचय का भाग है। इसलिए दूसरा कथन गलत है।

अतः I सही है, II गलत है।

207. (C): RFT किडनी के कार्य की जाँच करता है। इसमें यूरिया और क्रिएटिनिन देखे जाते हैं। यह गुर्दा स्वास्थ्य बताता है।

208. (B): LFT लीवर के कार्य की जाँच करता है। इसमें एंजाइम मापे जाते हैं। यह यकृत रोग पहचानता है।

209. (C): हीमोग्लोबिन कम होने पर एनीमिया होता है। इससे ऑक्सीजन की आपूर्ति घटती है। कमजोरी होती है।

210. (B): मूत्र में ग्लूकोज मिलने पर मधुमेह का संकेत मिलता है। यह रक्त शर्करा बढ़ने पर होता है।

211. (B): आनुवंशिकी (Genetics) गुणों के स्थानांतरण का अध्ययन है। यह वंशानुक्रम को समझाती है।

212. (C): जीन वंशानुक्रम की इकाई है। यह गुणों को नियंत्रित करता है। यह गुणसूत्र पर पाया जाता है।

213. (B): DNA कोशिका के नाभिक में होता है। यह आनुवंशिक जानकारी रखता है।

214. (C): गुणसूत्र DNA और प्रोटीन से बने होते हैं। DNA आनुवंशिक कोड रखता है।

215. (C): मनुष्य में 46 गुणसूत्र होते हैं। ये 23 जोड़ों में व्यवस्थित होते हैं।

216. (B): लिंग का निर्धारण गुणसूत्र करते हैं। X और Y गुणसूत्र इसमें भूमिका निभाते हैं।

217. (B): XX गुणसूत्र महिला को दर्शाते हैं। इसमें दोनों X होते हैं।

218. (B): XY गुणसूत्र पुरुष को दर्शाते हैं। Y की उपस्थिति पुरुष निर्धारित करती है।

219. (A): जीन वंशानुक्रम इकाई है, DNA आनुवंशिक पदार्थ है, गुणसूत्र DNA रखते हैं और नाभिक कोशिका को नियंत्रित करता है।

अतः सही मिलान A-2, B-1, C-3, D-4 है।

220. (A): ऑटोसोम गैर-लिंग गुणसूत्र है, लिंग गुणसूत्र लिंग निर्धारित करते हैं, प्रमुख जीन हमेशा व्यक्त होता है और अप्रभावी जीन को दो प्रतियाँ चाहिए।

अतः सही मिलान A-4, B-3, C-1, D-2 है।

221. (B): जीन गुणसूत्रों पर होते हैं। ये वंशानुक्रम को नियंत्रित करते हैं। इसलिए दूसरा कथन गलत है।

अतः I सही है, II गलत है।

222. (B): DNA आनुवंशिक जानकारी रखता है। गुणसूत्र DNA से बने होते हैं। इसलिए दूसरा कथन गलत है।

अतः I सही है, II गलत है।

223. (C): प्रमुख जीन समजात (homozygous) और विषमजात (heterozygous) दोनों में व्यक्त होता है।

224. (A): अप्रभावी जीन केवल समजात (homozygous) अवस्था में व्यक्त होता है। इसमें दो समान प्रतियाँ चाहिए।

225. (D): जीन माता-पिता से संतान में गुण स्थानांतरित करते हैं। ये आनुवंशिक जानकारी ले जाते हैं।

226. (C): आनुवंशिक विकार जीन या गुणसूत्र की गड़बड़ी से होते हैं। ये विरासत में मिल सकते हैं।

227. (B): डाउन सिंड्रोम अतिरिक्त 21वें गुणसूत्र (trisomy) से होता है। यह विकास में समस्या उत्पन्न करता है।

228. (C): टर्नर सिंड्रोम में एक X गुणसूत्र होता है। यह महिलाओं में होता है।

229. (D): क्लाइनफेल्टर सिंड्रोम में XXY होता है। यह पुरुषों में होता है।

230. (D): सिकल सेल एनीमिया हीमोग्लोबिन जीन में परिवर्तन से होता है।

231. (B): डाउन सिंड्रोम में मानसिक मंदता और विशिष्ट चेहरे के लक्षण होते हैं।

232. (A): हीमोफिलिया रक्त जमने का विकार है। इसमें रक्तस्राव अधिक होता है।

233. (A): डाउन सिंड्रोम ट्राइसोमी 21 है, टर्नर XO, क्लाइनफेल्टर XXY और सिकल सेल हीमोग्लोबिन दोष है।

अतः सही मिलान A-2, B-1, C-3, D-4 है।

234. (B): आनुवंशिक रोग विरासत में मिल सकते हैं। ये संक्रामक नहीं होते।

अतः I सही है, II गलत है।

235. (D): म्यूटेशन जीन में परिवर्तन है। यह DNA अनुक्रम बदल देता है।

236. (C): प्रसवपूर्व परीक्षण भ्रूण में असामान्यताएँ पहचानते हैं।

237. (D): एम्नियोसेंटेसिस (Amniocentesis) में एम्नियोटिक द्रव की जाँच होती है। यह आनुवंशिक विकार पहचानता है।

238. (A): एम्नियोसेंटेसिस द्रव परीक्षण है, अल्ट्रासाउंड इमेजिंग है, कैरियोटाइपिंग गुणसूत्र अध्ययन है और CVS प्रारंभिक परीक्षण है।

अतः सही मिलान A-4, B-2, C-1, D-3 है।

239. (B): प्रसवपूर्व परीक्षण रोग जल्दी पहचानते हैं। कुछ में जोखिम भी होता है।

अतः I सही है, II गलत है।

240. (C): कैरियोटाइपिंग में गुणसूत्रों का अध्ययन किया जाता है। इससे असामान्यताएँ पता चलती हैं।

9. मेडिकल सर्जिकल नर्सिंग (Medical Surgical Nursing)

1. श्वसन तंत्र (Respiratory System) उत्तरदायी है

A. पाचन B. परिसंचरण
C. श्वसन D. उत्सर्जन

2. वयस्कों में सामान्य श्वसन दर .... प्रति मिनट होती है।

A. 8–10 B. 12–20
C. 25–30 D. 30–40

3. गैसों का आदान-प्रदान (Exchange of gases) .... में होता है।

A. ब्रोंकाई (Bronchi)
B. श्वासनली (Trachea)
C. एल्विओलाई (Alveoli)
D. कंठनली (Larynx)

4. वह रोग जिसमें ब्रोंकाई (Bronchi) में सूजन (Inflammation) होती है

A. अस्थमा (Asthma)
B. ब्रोंकाइटिस (Bronchitis)
C. निमोनिया (Pneumonia)
D. तपेदिक (Tuberculosis)

5. अस्थमा (Asthma) .... के संकुचन (Narrowing) के कारण होता है।

A. एल्विओलाई (Alveoli)
B. ब्रोंकाई (Bronchi)
C. श्वासनली (Trachea)
D. कंठनली (Larynx)

6. निमोनिया (Pneumonia) .... का संक्रमण है।

A. ब्रोंकाई (Bronchi) B. कंठनली (Larynx)
C. फेफड़े D. श्वासनली (Trachea)

7. तपेदिक (Tuberculosis) मुख्य रूप से .... को प्रभावित करता है।

A. हृदय B. फेफड़े
C. यकृत D. गुर्दा

8. सीओपीडी (COPD) में क्रोनिक ब्रोंकाइटिस (Chronic Bronchitis) और .... शामिल हैं।

A. निमोनिया (Pneumonia)
B. अस्थमा (Asthma)
C. एम्फायसीमा (Emphysema)
D. तपेदिक (Tuberculosis)

9. एम्फायसीमा (Emphysema) .... के विनाश (Destruction) द्वारा विशेषता रखता है।

A. ब्रोंकाई (Bronchi) B. एल्विओलाई (Alveoli)
C. श्वासनली (Trachea) D. कंठनली (Larynx)

10. डिस्प्निया (Dyspnea) का अर्थ .... में कठिनाई है।

A. श्वास लेना B. चलना
C. बोलना D. सोना

11. सायनोसिस (Cyanosis) रक्त में .... की कमी के कारण होता है।

A. CO_2 B. ऑक्सीजन (Oxygen)
C. नाइट्रोजन (Nitrogen) D. हाइड्रोजन (Hydrogen)

12. हाइपॉक्सिया (Hypoxia) ऊतकों (Tissues) में .... की कमी है।

A. रक्त B. ऑक्सीजन
C. ग्लूकोज D. प्रोटीन

13. ऑक्सीजन थेरेपी (Oxygen Therapy) का उपयोग .... के उपचार के लिए किया जाता है।

A. बुखार
B. हाइपॉक्सिया
C. दर्द
D. संक्रमण

14. ऑक्सीजन देने के लिए प्रयुक्त उपकरण (Device) है

A. कैथेटर (Catheter)
B. मास्क (Mask)
C. सिरिंज (Syringe)
D. कैन्युला (Cannula)

15. ऑक्सीजन को नेसल कैन्युला (Nasal Cannula) के माध्यम से .... प्रवाह दर (Flow Rate) पर दिया जाता है।

A. 1–6 L/min
B. 8–10 L/min
C. 10–15 L/min
D. 20–30 L/min

16. स्पुटम परीक्षण (Sputum Examination) का उपयोग ...... का पता लगाने के लिए किया जाता है।

A. संक्रमण
B. दर्द
C. बुखार
D. चोट

17. एबीजी विश्लेषण (ABG Analysis) रक्त में .... को मापता है।

A. शर्करा
B. गैस
C. प्रोटीन
D. एंजाइम

18. रक्त का pH सामान्यतः .... होता है।

A. 6.8–7-0
B. 7.35–7.45
C. 7.5–8.0
D. 8.0–8.5

19. श्वसन अम्लता (Respiratory Acidosis) .... के कारण होती है।

A. हाइपरवेंटिलेशन
B. हाइपोवेंटिलेशन
C. बुखार
D. दर्द

20. श्वसन क्षारीयता (Respiratory Alkalosis) .... के कारण होती है।

A. हाइपोवेंटिलेशन
B. हाइपरवेंटिलेशन
C. संक्रमण
D. दर्द

21. निम्नलिखित का मिलान करें :

कॉलम-I	**कॉलम-II**
A. अस्थमा	1. फेफड़ों का संक्रमण
B. निमोनिया	2. दीर्घकालिक वायुमार्ग अवरोध
C. तपेदिक	3. जीवाणु संक्रमण
D. एम्फायसीमा	4. एल्विओलर विनाश

A. A-2, B-1, C-3, D-4
B. A-1, B-2, C-4, D-3
C. A-3, B-4, C-1, D-2
D. A-4, B-3, C-2, D-1

22. निम्नलिखित का मिलान करें :

कॉलम-I	**कॉलम-II**
A. डिस्प्निया	1. कम ऑक्सीजन
B. सायनोसिस	2. नीला वर्ण परिवर्तन
C. हाइपॉक्सिया	3. श्वास लेने में कठिनाई
D. खांसी	4. प्रतिवर्ती क्रिया

A. A-3, B-2, C-1, D-4
B. A-2, B-3, C-4, D-1
C. A-1, B-4, C-2, D-3
D. A-4, B-1, C-3, D-2

23. **कथन I:** ऑक्सीजन थेरेपी हाइपॉक्सिया का उपचार करती है।
कथन II: ऑक्सीजन सभी मामलों में हानिकारक है।

A. दोनों कथन सही हैं
B. I सही है, II गलत है
C. दोनों कथन गलत हैं
D. I गलत है, II सही है

24. **कथन I:** सीओपीडी (COPD) एक दीर्घकालिक रोग है।
कथन II: सीओपीडी (COPD) पूरी तरह से प्रतिवर्ती (Reversible) है।

A. दोनों कथन सही हैं
B. I सही है, II गलत है
C. दोनों कथन गलत हैं
D. I गलत है, II सही है

25. श्वसन संकट (Respiratory distress) का संकेत .... द्वारा मिलता है।

A. सामान्य श्वास
B. तीव्र श्वास
C. धीमी श्वास
D. श्वास का अभाव

26. ट्रेकियोस्टोमी (Tracheostomy) .... में एक छिद्र (Opening) है।

A. फेफड़ा
B. श्वासनली
C. ब्रोंकाई
D. एल्विओलाई

27. इंसेंटिव स्पाइरोमीटर (Incentive spirometer) का उपयोग .... सुधारने के लिए किया जाता है।

A. परिसंचरण
B. श्वसन
C. पाचन
D. उत्सर्जन

28. छाती फिजियोथेरेपी (Chest physiotherapy) .... हटाने में सहायता करती है।

A. रक्त
B. वायु
C. स्राव
D. जल

29. प्ल्यूरल इफ्यूजन (Pleural effusion) .... में द्रव (Fluid) का संचय है।

A. फेफड़ा
B. प्ल्यूरल गुहा (Pleural cavity)
C. ब्रोंकाई (Bronchi)
D. श्वासनली (Trachea)

30. न्यूमोथोरैक्स (Pneumothorax) प्ल्यूरल स्पेस (Pleural space) में .... की उपस्थिति है।

A. द्रव B. वायु
C. रक्त D. पस

31. हीमोप्टाइसिस (Hemoptysis) का अर्थ .... की खांसी है।

A. रक्त B. स्पुटम (Sputum)
C. वायु D. जल

32. ऑर्थोप्निया (Orthopnea) .... अवस्था में श्वास लेने में कठिनाई है।

A. खड़े होने पर B. बैठने पर
C. लेटने पर D. चलने पर

33. ब्रोंकोडायलेटर (Bronchodilators) .... को शिथिल करके कार्य करते हैं।

A. हृदय पेशी
B. चिकनी पेशी (Smooth muscle)
C. कंकालीय पेशी (Skeletal muscle)
D. आंत्रीय पेशी (Intestinal muscle)

34. पीक फ्लो मीटर (Peak flow meter) .... को मापता है।

A. फेफड़ों की क्षमता B. रक्त प्रवाह
C. हृदय गति D. रक्तचाप

35. तपेदिक (Tuberculosis) .... के माध्यम से फैलता है।

A. जल B. भोजन
C. वायु D. संपर्क

36. निम्नलिखित का मिलान करें :

कॉलम-I	**कॉलम-II**
A. न्यूमोथोरैक्स	1. प्ल्यूरा में द्रव
B. प्ल्यूरल इफ्यूजन	2. प्ल्यूरा में वायु
C. हीमोप्टाइसिस	3. स्पुटम में रक्त
D. डिस्प्निया	4. श्वास लेने में कठिनाई

A. A-2, B-1, C-3, D-4
B. A-1, B-2, C-4, D-3
C. A-3, B-4, C-1, D-2
D. A-4, B-3, C-2, D-1

37. निम्नलिखित का मिलान करें :

कॉलम-I	**कॉलम-II**
A. नेजल कैन्युला	1. फेफड़ों के कार्य को मापता है
B. ऑक्सीजन मास्क	2. ऑक्सीजन प्रदान करता है
C. वेंटिलेटर	3. यांत्रिक श्वसन
D. स्पाइरोमीटर	4. कम प्रवाह ऑक्सीजन

A. A-4, B-2, C-3, D-1
B. A-2, B-1, C-4, D-3
C. A-3, B-4, C-1, D-2
D. A-1, B-3, C-2, D-4

38. **कथन I:** निमोनिया (Pneumonia) फेफड़ों का संक्रमण उत्पन्न करता है।

कथन II: निमोनिया (Pneumonia) ऑक्सीजनकरण (Oxygenation) को सुधारता है।

A. दोनों कथन सही हैं B. I सही है, II गलत है
C. दोनों कथन गलत हैं D. I गलत है, II सही है

39. **कथन I:** अस्थमा प्रतिवर्ती वायुमार्ग रोग है।

कथन II: अस्थमा वायुमार्ग के संकुचन का कारण बनता है।

A. दोनों कथन सही हैं B. I सही है, II गलत है
C. दोनों कथन गलत हैं D. I गलत है, II सही है

40. फेफड़ों का मुख्य कार्य है

A. पाचन B. श्वसन
C. परिसंचरण D. उत्सर्जन

41. हृदय .... के माध्यम से रक्त पंप करता है।

A. श्वसन तंत्र (Respiratory system)
B. परिसंचरण तंत्र (Circulatory system)
C. पाचन तंत्र (Digestive system)
D. तंत्रिका तंत्र (Nervous system)

42. वयस्कों में सामान्य नाड़ी दर .... प्रति मिनट होती है।

A. 40–50 B. 60–100
C. 100–120 D. 120–140

43. रक्तचाप को .... का उपयोग करके मापा जाता है।

A. थर्मामीटर (Thermometer)
B. स्फिग्मोमैनोमीटर (Sphygmomanometer)
C. स्टेथोस्कोप (Stethoscope)
D. ईसीजी (ECG)

44. सामान्य रक्तचाप लगभग .... होता है।

A. 90/60 mmHg B. 140/90 mmHg
C. 160/100 mmHg D. 120/80 mmHg

45. उच्च रक्तचाप (Hypertension) को .... से अधिक BP के रूप में परिभाषित किया जाता है।

A. 90/60 B. 110/70
C. 120/80 D. 140/90

46. निम्न रक्तचाप (Hypotension) को .... कम होने के रूप में परिभाषित किया जाता है।

A. नाड़ी B. BP
C. तापमान D. श्वसन

47. मायोकार्डियल इन्फार्क्शन (Myocardial infarction) .... के कारण होता है।

A. संक्रमण
B. चोट
C. कोरोनरी धमनी का अवरोध (Blockage of coronary artery)
D. उच्च रक्तचाप

48. एंजाइना पेक्टोरिस (Angina pectoris) .... के कारण होता है।

A. अधिक ऑक्सीजन
B. हृदय को ऑक्सीजन की कम आपूर्ति
C. संक्रमण
D. आघात

49. ईसीजी (ECG) का उपयोग .... का आकलन करने के लिए किया जाता है।

A. फेफड़ों का कार्य B. मस्तिष्क की गतिविधि
C. गुर्दे का कार्य D. हृदय की गतिविधि

50. टैकीकार्डिया (Tachycardia) का अर्थ है

A. धीमी हृदय गति B. अनियमित लय
C. तेज हृदय गति D. कमजोर नाड़ी

51. ब्रैडीकार्डिया (Bradycardia) में हृदय गति .... bpm से कम होती है।

A. 60 B. 80
C. 100 D. 120

52. एथेरोस्क्लेरोसिस (Atherosclerosis) है

A. संक्रमण B. धमनियों का संकुचन
C. ट्यूमर (Tumor) D. रक्तस्राव

53. थ्रोम्बस (Thrombus) एक .... है।

A. द्रव B. थक्का
C. गैस D. ऊतक

54. एम्बोलिज्म (Embolism) .... के कारण होता है।

A. थक्का का संचरण B. संक्रमण
C. चोट D. बुखार

55. हृदय विफलता (Heart failure) हृदय की .... में असमर्थता है।

A. रक्त पंप करना B. रक्त बनाना
C. रक्त को छानना D. रक्त को संग्रहित करना

56. एडिमा (Edema) .... के संचय को कहते हैं।

A. रक्त B. वायु
C. द्रव D. कोशिकाएं

57. सायनोसिस (Cyanosis) .... की कमी को दर्शाता है।

A. रक्त B. ऑक्सीजन
C. ग्लूकोज D. एंजाइम

58. कार्डियक आउटपुट (Cardiac output) हृदय गति और .... का गुणनफल है

A. BP B. स्ट्रोक वॉल्यूम
C. श्वसन D. नाड़ी

59. एंजाइना (Angina) में उपयोग की जाने वाली दवा है

A. एस्पिरिन (Aspirin)
B. डिगॉक्सिन (Digoxin)
C. इंसुलिन (Insulin)
D. नाइट्रोग्लिसरीन (Nitroglycerin)

60. मूत्रवर्धक (Diuretics) का उपयोग .... को कम करने के लिए किया जाता है।

A. दर्द
B. संक्रमण
C. द्रव अधिभार (Fluid overload)
D. बुखार

61. निम्नलिखित का मिलान करें :

कॉलम-I	कॉलम-II
A. हाइपरटेंशन	1. धीमी हृदय गति
B. हाइपोटेंशन	2. उच्च BP
C. टैकीकार्डिया	3. निम्न BP
D. ब्रैडीकार्डिया	4. तेज हृदय गति

A. A-2, B-3, C-4, D-1
B. A-3, B-2, C-1, D-4
C. A-1, B-4, C-3, D-2
D. A-4, B-1, C-2, D-3

62. निम्नलिखित का मिलान करें :

कॉलम-I	कॉलम-II
A. ईसीजी	1. रक्तचाप
B. इको	2. हृदय इमेजिंग
C. एंजियोग्राफी	3. हृदय गतिविधि
D. BP Monitor	4. वाहिका अध्ययन

A. A-3, B-2, C-4, D-1
B. A-2, B-1, C-3, D-4
C. A-1, B-4, C-2, D-3
D. A-4, B-3, C-1, D-2

63. **कथन I:** हाइपरटेंशन (Hypertension) हृदय रोग के जोखिम को बढ़ाता है।

कथन II: हाइपरटेंशन (Hypertension) हानिरहित है।

A. दोनों कथन सही हैं B. I सही है, II गलत है
C. दोनों कथन गलत हैं D. I गलत है, II सही है

64. **कथन I:** एमआई (MI) रक्त आपूर्ति की कमी के कारण होता है।

कथन II: एमआई (MI) हृदय कार्य को सुधारता है।

A. दोनों कथन सही हैं
B. I सही है, II गलत है
C. दोनों कथन गलत हैं
D. I गलत है, II सही है

65. हृदय में .... कक्ष (Chambers) होते हैं।

A. 2
B. 3
C. 5
D. 4

66. हृदय का दाहिना भाग .... रक्त वहन करता है।

A. ऑक्सीजनयुक्त
B. मिश्रित
C. पोषक तत्व युक्त
D. डीऑक्सीजनयुक्त (Deoxygenated)

67. बायां निलय (Left ventricle) रक्त को .... तक पंप करता है।

A. फेफड़े
B. मस्तिष्क
C. शरीर
D. हृदय

68. पल्मोनरी आर्टरी (Pulmonary artery) .... रक्त ले जाती है।

A. ऑक्सीजनयुक्त
B. मिश्रित
C. पोषक तत्व युक्त
D. डीऑक्सीजनयुक्त (Deoxygenated)

69. कोरोनरी आर्टरीज (Coronary arteries) रक्त की आपूर्ति .... को करती हैं।

A. मस्तिष्क
B. फेफड़े
C. गुर्दा
D. हृदय

70. कार्डियक अरेस्ट (Cardiac arrest) का अर्थ है।

A. धीमा हृदय
B. तेज हृदय
C. कमजोर हृदय
D. हृदय का अचानक रुक जाना

71. CPR का पूर्ण रूप है

A. कार्डियक पल्स रेट
B. कार्डियोपल्मोनरी रिससिटेशन
C. कार्डियक प्रेशर रेगुलेशन
D. सर्कुलेटरी प्रोसेस रेट

72. CPR में पहला चरण है

A. श्वास
B. छाती दबाव
C. नाड़ी जांच
D. प्रतिक्रिया जांच

73. सामान्य हृदय ध्वनि है

A. लब-डब
B. टिक-टॉक
C. टैप-टैप
D. बीट-बीट

74. मर्मर (Murmur) .... को दर्शाता है।

A. सामान्य प्रवाह
B. अशांत प्रवाह
C. धीमा प्रवाह
D. कोई प्रवाह नहीं

75. वाल्वुलर रोग (Valvular disease) हृदय के .... को प्रभावित करता है।

A. मांसपेशी
B. तंत्रिकाएं
C. वाहिकाएं
D. वाल्व

76. निम्नलिखित का मिलान करें :

कॉलम-I	**कॉलम-II**
A. एंजाइना	1. छाती दर्द
B. एमआई	2. हार्ट अटैक
C. एथेरोस्क्लेरोसिस	3. धमनी संकुचन
D. एम्बोलिज्म	4. थक्का संचलन

A. A-1, B-2, C-3, D-4
B. A-2, B-3, C-4, D-1
C. A-3, B-4, C-1, D-2
D. A-4, B-1, C-2, D-3

77. निम्नलिखित का मिलान करें :

कॉलम-I	**कॉलम-II**
A. डाइयूरेटिक्स	1. BP कम करते हैं
B. बीटा ब्लॉकर्स	2. द्रव कम करते हैं
C. एसीई इनहिबिटर्स	3. वाहिकाओं का विस्तार करते हैं
D. वासोडाइलेटर	4. हृदय गति कम करते हैं

A. A-2, B-4, C-1, D-3
B. A-1, B-2, C-3, D-4
C. A-3, B-1, C-4, D-2
D. A-4, B-3, C-2, D-1

78. **कथन I:** CPR जीवन बचाता है।

कथन II: कार्डियक अरेस्ट (Cardiac arrest) में CPR की आवश्यकता नहीं होती है।

A. दोनों कथन सही हैं
B. I सही है, II गलत है
C. दोनों कथन गलत हैं
D. I गलत है, II सही है

79. **कथन I:** एथेरोस्क्लेरोसिस (Atherosclerosis) धमनियों को संकुचित करता है।

कथन II: यह रक्त प्रवाह को सुधारता है।

A. दोनों कथन सही हैं
B. I सही है, II गलत है
C. दोनों कथन गलत हैं
D. I गलत है, II सही है

80. हृदय का मुख्य कार्य है

A. पाचन B. श्वसन
C. परिसंचरण D. उत्सर्जन

81. पाचन तंत्र (Digestive system) .... के लिए उत्तरदायी है।

A. श्वसन B. परिसंचरण
C. पाचन D. उत्सर्जन

82. भोजन को सरल पदार्थों में तोड़ने की प्रक्रिया को .... कहा जाता है

A. अवशोषण (Absorption)
B. पाचन
C. आत्मसात (Assimilation)
D. ग्रहण (Ingestion)

83. एंजाइम एमाइलेज (Amylase) .... के पाचन में सहायता करता है।

A. प्रोटीन B. वसा
C. कार्बोहाइड्रेट D. विटामिन

84. आमाशय (Stomach) .... अम्ल स्रावित करता है।

A. सल्फ्यूरिक B. नाइट्रिक
C. एसीटिक D. हाइड्रोक्लोरिक

85. यकृत (Liver) .... उत्पन्न करता है।

A. इंसुलिन (Insulin)
B. पित्त (Bile)
C. एंजाइम (Enzyme)
D. हार्मोन (Hormone)

86. पित्त (Bile) .... के पाचन में सहायता करता है।

A. प्रोटीन B. वसा
C. कार्बोहाइड्रेट D. विटामिन

87. अग्न्याशय (Pancreas) .... स्रावित करता है।

A. पित्त (Bile)
B. लार (Saliva)
C. पाचक एंजाइम (Digestive enzymes)
D. हार्मोन

88. पोषक तत्वों का अवशोषण मुख्यतः .... में होता है।

A. आमाशय (Stomach)
B. बड़ी आंत (Large intestine)
C. मुख (Mouth)
D. छोटी आंत (Small intestine)

89. कब्ज (Constipation) .... त्यागने में कठिनाई है।

A. मूत्र B. मल
C. गैस D. रक्त

90. दस्त (Diarrhea) बार-बार .... मल से पहचाना जाता है।

A. कठोर B. बना हुआ
C. पतला D. रक्तयुक्त

91. अपेंडिसाइटिस (Appendicitis) .... की सूजन है।

A. यकृत (Liver)
B. अपेंडिक्स (Appendix)
C. आमाशय (Stomach)
D. आंत (Intestine)

92. गैस्ट्राइटिस (Gastritis) .... की सूजन है।

A. आंत (Intestine)
B. यकृत (Liver)
C. अग्न्याशय (Pancreas)
D. आमाशय (Stomach)

93. पीलिया (Jaundice) .... की वृद्धि के कारण होता है।

A. हीमोग्लोबिन (Hemoglobin)
B. बिलीरुबिन (Bilirubin)
C. प्रोटीन
D. ग्लूकोज (Glucose)

94. हेपेटाइटिस (Hepatitis) .... का संक्रमण है।

A. गुर्दा B. हृदय
C. यकृत D. मस्तिष्क

95. पेप्टिक अल्सर (Peptic ulcer) .... के कारण होता है।

A. वायरस B. बैक्टीरिया
C. आघात D. उपरोक्त सभी

96. वमन (Vomiting) .... का बलपूर्वक निष्कासन है।

A. वायु B. भोजन
C. रक्त D. द्रव

97. डिस्फेजिया (Dysphagia) .... में कठिनाई को कहते हैं।

A. श्वसन B. निगलना
C. चलना D. बोलना

98. एसाइटिस (Ascites) .... में द्रव के संचय को कहते हैं।

A. छाती B. उदर (Abdomen)
C. मस्तिष्क D. हृदय

99. सिरोसिस (Cirrhosis) .... का दीर्घकालिक रोग है।

A. गुर्दा B. फेफड़ा
C. हृदय D. यकृत

100. मेलिना (Melena) .... मल के त्याग को कहते हैं।

A. लाल B. हरा
C. सफेद D. काला

101. निम्नलिखित का मिलान करें :

कॉलम-I	कॉलम-II
A. हेपेटाइटिस	1. यकृत रोग
B. गैस्ट्राइटिस	2. आमाशय की सूजन
C. अपेंडिसाइटिस	3. अपेंडिक्स की सूजन
D. सिरोसिस	4. यकृत संक्रमण

A. A-4, B-2, C-3, D-1
B. A-3, B-4, C-1, D-2
C. A-1, B-3, C-2, D-4
D. A-2, B-1, C-4, D-3

102. निम्नलिखित का मिलान करें :

कॉलम-I	कॉलम-II
A. अमाइलेज	1. वसा पाचन
B. लाइपेज	2. प्रोटीन पाचन
C. प्रोटीएज	3. कार्बोहाइड्रेट पाचन
D. पित्त	4. इमल्सीफिकेशन

A. A-3, B-1, C-2, D-4
B. A-1, B-3, C-4, D-2
C. A-2, B-4, C-1, D-3
D. A-4, B-2, C-3, D-1

103. निम्नलिखित का मिलान करें :

कॉलम-I	कॉलम-II
A. कब्ज	1. पीली त्वचा
B. दस्त	2. कठोर मल
C. वमन	3. पतला मल
D. पीलिया	4. भोजन का निष्कासन

A. A-2, B-3, C-4, D-1
B. A-3, B-2, C-1, D-4
C. A-1, B-4, C-3, D-2
D. A-4, B-1, C-2, D-3

104. **कथन I:** यकृत (Liver) पित्त (Bile) बनाता है।
कथन II: पित्त (Bile) वसा के पाचन में सहायता करता है।
A. दोनों कथन सही हैं   B. I सही है, II गलत है
C. दोनों कथन गलत हैं   D. I गलत है, II सही है

105. **कथन I:** दस्त निर्जलीकरण का कारण बनता है।
कथन II: दस्त द्रव संतुलन को बढ़ाता है।
A. दोनों कथन सही हैं   B. I सही है, II गलत है
C. दोनों कथन गलत हैं   D. I गलत है, II सही है

106. **कथन I:** पीलिया (Jaundice) पीले वर्ण परिवर्तन का कारण बनता है।
कथन II: पीलिया बिलीरुबिन को कम करता है।
A. दोनों कथन सही हैं   B. I सही है, II गलत है
C. दोनों कथन गलत हैं   D. I गलत है, II सही है

107. प्रोटीन के पाचन के लिए एंजाइम .... है।
A. अमाइलेज (Amylase)
B. लाइपेज (Lipase)
C. प्रोटीएज (Protease)
D. पित्त (Bile)

108. बड़ी आंत (Large intestine) मुख्य रूप से .... का अवशोषण करती है।
A. प्रोटीन   B. वसा
C. विटामिन   D. जल

109. आमाशय (Stomach) का सामान्य pH .... होता है।
A. 1–3   B. 5–7
C. 7–8   D. 8–10

110. पित्ताशय (Gall bladder) .... को संग्रहित करता है।
A. एंजाइम (Enzyme)   B. हार्मोन (Hormone)
C. अम्ल (Acid)   D. पित्त (Bile)

111. मूत्र तंत्र (Urinary system) .... के निष्कासन में सहायता करता है।
A. ऑक्सीजन   B. पोषक तत्व
C. अपशिष्ट पदार्थ   D. हार्मोन

112. गुर्दे (Kidney) की कार्यात्मक इकाई (Functional unit) .... कहलाती है।
A. न्यूरॉन (Neuron)
B. नेफ्रॉन (Nephron)
C. एल्विओलाई (Alveoli)
D. ग्लोमेरुलस (Glomerulus)

113. गुर्दे .... क्षेत्र में स्थित होते हैं।
A. वक्षीय (Thoracic)   B. श्रोणि (Pelvic)
C. कपाल (Cranial)   D. उदर (Abdominal)

114. मूत्र .... में बनता है।
A. यूरेटर (Ureter)
B. मूत्राशय (Bladder)
C. गुर्दा (Kidney)
D. यूरेथ्रा (Urethra)

115. मूत्र .... में संग्रहित होता है।
A. गुर्दा (Kidney)   B. यूरेटर (Ureter)
C. यूरेथ्रा (Urethra)   D. मूत्राशय (Bladder)

116. मूत्र निर्माण की प्रक्रिया को .... कहा जाता है।
A. पाचन   B. श्वसन
C. निस्यंदन (Filtration)   D. परिसंचरण

117. वयस्कों में सामान्य मूत्र उत्सर्जन लगभग .... ml/day होता है।

A. 200–400 B. 500–800
C. 1000–1500 D. 2000–3000

118. ओलिग्यूरिया (Oliguria) का अर्थ है मूत्र उत्सर्जन .... ml/day से कम।

A. 50 B. 100
C. 200 D. 400

119. एन्यूरिया (Anuria) का अर्थ है मूत्र उत्सर्जन .... ml/day से कम।

A. 200 B. 100
C. 150 D. 50

120. पॉलीयूरिया (Polyuria) का अर्थ है .... में वृद्धि।

A. रक्त B. मूत्र उत्सर्जन
C. श्वसन D. नाड़ी

121. डिस्यूरिया (Dysuria) का अर्थ .... में कठिनाई है।

A. श्वसन B. चलना
C. मूत्र त्याग D. बोलना

122. हीमेट्यूरिया (Hematuria) मूत्र में .... की उपस्थिति है।

A. मवाद B. प्रोटीन
C. शर्करा D. रक्त

123. यूटीआई (UTI) का पूर्ण रूप है

A. अपर मार्ग संक्रमण (Upper tract infection)
B. मूत्र मार्ग संक्रमण (Urinary tract infection)
C. यूरेटर संक्रमण (Ureter infection)
D. मूत्र विषाक्त संक्रमण (Urine toxic infection)

124. रीनल फेल्योर (Renal failure) .... की विफलता है।

A. हृदय B. यकृत
C. मस्तिष्क D. गुर्दा

125. डायलिसिस (Dialysis) का उपयोग .... को हटाने के लिए किया जाता है।

A. पोषक तत्व B. ऑक्सीजन
C. हार्मोन D. अपशिष्ट पदार्थ

126. निम्नलिखित का मिलान करें :

कॉलम-I	कॉलम-II
A. हीमेट्यूरिया	1. कम मूत्र
B. डिस्यूरिया	2. दर्दयुक्त मूत्र त्याग
C. पॉलीयूरिया	3. मूत्र में रक्त
D. ओलिग्यूरिया	4. अधिक मूत्र

A. A-3, B-2, C-4, D-1
B. A-2, B-1, C-3, D-4
C. A-1, B-3, C-2, D-4
D. A-4, B-2, C-1, D-3

127. निम्नलिखित का मिलान करें :

कॉलम-I	कॉलम-II
A. गुर्दा	1. मूत्र संग्रह करता है
B. यूरेटर	2. मूत्र बनाता है
C. मूत्राशय	3. मूत्र ले जाता है
D. यूरेथ्रा	4. मूत्र उत्सर्जित करता है

A. A-2, B-3, C-1, D-4
B. A-3, B-1, C-4, D-2
C. A-1, B-4, C-2, D-3
D. A-4, B-2, C-3, D-1

128. **कथन I:** गुर्दे (Kidneys) रक्त को छानते हैं।

कथन II: गुर्दे मूत्र बनाते हैं।

A. दोनों कथन सही हैं B. I सही है, II गलत है
C. दोनों कथन गलत हैं D. I गलत है, II सही है

129. **कथन I:** डायलिसिस (Dialysis) गुर्दे के कार्य को प्रतिस्थापित करता है।

कथन II: डायलिसिस हार्मोन बनाता है।

A. दोनों कथन सही हैं B. I सही है, II गलत है
C. दोनों कथन गलत हैं D. I गलत है, II सही है

130. गुर्दे में पथरी को .... कहा जाता है।

A. ट्यूमर B. संक्रमण
C. अल्सर D. कैल्कुलस (Calculus)

131. कैथेटराइजेशन (Catheterization) .... में नली डालना है।

A. गुर्दा (Kidney) B. यूरेटर (Ureter)
C. मूत्राशय (Bladder) D. यूरेथ्रा (Urethra)

132. प्रोस्टेट ग्रंथि (Prostate gland) .... में पाई जाती है।

A. महिला B. पुरुष
C. A और B दोनों D. कोई नहीं

133. नेफ्राइटिस (Nephritis) .... की सूजन है।

A. यकृत B. फेफड़ा
C. मस्तिष्क D. गुर्दा

134. प्रोटीन्यूरिया (Proteinuria) मूत्र में .... की उपस्थिति है।

A. रक्त B. शर्करा
C. वसा D. प्रोटीन

135. ग्लाइकोसूरिया (Glycosuria) मूत्र में .... की उपस्थिति है।

A. प्रोटीन B. रक्त
C. कीटोन्स (Ketones) D. ग्लूकोज (Glucose)

136. अंतःस्रावी तंत्र (Endocrine system) शरीर को .... के माध्यम से नियंत्रित करता है।

A. तंत्रिकाएं　　B. रक्त
C. हार्मोन　　D. एंजाइम

137. पिट्यूटरी ग्रंथि (Pituitary gland) को .... ग्रंथि कहा जाता है।

A. थायरॉयड (Thyroid)　　B. मास्टर (Master)
C. एड्रीनल (Adrenal)　　D. पीनियल (Pineal)

138. हार्मोन इंसुलिन (Insulin) .... द्वारा स्रावित होता है।

A. यकृत (Liver)　　B. अग्न्याशय (Pancreas)
C. गुर्दा (Kidney)　　D. हृदय (Heart)

139. इंसुलिन (Insulin) .... को नियंत्रित करने में सहायता करता है।

A. प्रोटीन　　B. वसा
C. रक्त शर्करा　　D. एंजाइम

140. डायबिटीज मेलिटस (Diabetes mellitus) .... की कमी के कारण होता है।

A. थायरॉक्सिन (Thyroxine)
B. इंसुलिन (Insulin)
C. कोर्टिसोल (Cortisol)
D. एस्ट्रोजन (Estrogen)

141. हाइपरग्लाइसीमिया (Hyperglycemia) का अर्थ .... में वृद्धि है।

A. BP　　B. शर्करा
C. तापमान　　D. नाड़ी

142. हाइपोग्लाइसीमिया (Hypoglycemia) का अर्थ .... में कमी है।

A. प्रोटीन　　B. वसा
C. ग्लूकोज　　D. जल

143. थायरॉयड ग्रंथि (Thyroid gland) .... स्रावित करती है।

A. इंसुलिन　　B. थायरॉक्सिन
C. एड्रेनालिन　　D. कोर्टिसोल

144. हाइपोथायरॉयडिज्म (Hypothyroidism) .... की कमी है।

A. इंसुलिन　　B. एड्रेनालिन
C. कोर्टिसोल　　D. थायरॉक्सिन

145. हाइपरथायरॉयडिज्म (Hyperthyroidism) .... चयापचय (Metabolism) का कारण बनता है।

A. कम　　B. सामान्य
C. अनुपस्थित　　D. अधिक

146. एड्रीनल ग्रंथि (Adrenal gland) .... स्रावित करती है।

A. थायरॉक्सिन　　B. इंसुलिन
C. एस्ट्रोजन　　D. कोर्टिसोल

147. कुशिंग सिंड्रोम (Cushing's syndrome) .... की अधिकता के कारण होता है।

A. इंसुलिन　　B. थायरॉक्सिन
C. कोर्टिसोल　　D. एस्ट्रोजन

148. एडिसन रोग (Addison*s disease) .... की कमी के कारण होता है।

A. कोर्टिसोल　　B. इंसुलिन
C. थायरॉक्सिन　　D. ग्लूकागोन

149. वृद्धि हार्मोन (Growth hormone) .... द्वारा स्रावित होता है।

A. थायरॉयड (Thyroid)　　B. पिट्यूटरी (Pituitary)
C. एड्रीनल (Adrenal)　　D. अग्न्याशय (Pancreas)

150. जाइगैन्टिज्म (Gigantism) .... की अधिकता के कारण होता है।

A. थायरॉक्सिन (Thyroxine)
B. इंसुलिन
C. कोर्टिसोल (Cortisol)
D. वृद्धि हार्मोन (Growth hormone)

151. निम्नलिखित का मिलान करें :

कॉलम-I	कॉलम-II
A. इंसुलिन	1. चयापचय
B. थायरॉक्सिन	2. तनाव हार्मोन
C. कोर्टिसोल	3. रक्त शर्करा
D. वृद्धि हार्मोन	4. वृद्धि

A. A-3, B-1, C-2, D-4
B. A-2, B-3, C-4, D-1
C. A-1, B-4, C-3, D-2
D. A-4, B-2, C-1, D-3

152. निम्नलिखित का मिलान करें :

कॉलम-I	कॉलम-II
A. डायबिटीज मेलिटस	1. कम कोर्टिसोल
B. हाइपोथायरॉयडिज्म	2. कम थायरॉक्सिन
C. कुशिंग सिंड्रोम	3. अधिक कोर्टिसोल
D. एडिसन रोग	4. अधिक रक्त शर्करा

A. A-4, B-2, C-3, D-1
B. A-2, B-3, C-4, D-1
C. A-1, B-4, C-2, D-3
D. A-3, B-1, C-4, D-2

153. **कथन I:** इंसुलिन रक्त ग्लूकोज को कम करता है।
कथन II: इंसुलिन रक्त ग्लूकोज को बढ़ाता है।
A. दोनों कथन सही हैं B. I सही है, II गलत है
C. दोनों कथन गलत हैं D. I गलत है, II सही है

154. **कथन I:** थायरॉक्सिन (Thyroxine) चयापचय को नियंत्रित करता है।
कथन II: थायरॉयड का चयापचय में कोई भूमिका नहीं है।
A. दोनों कथन सही हैं B. I सही है, II गलत है
C. दोनों कथन गलत हैं D. I गलत है, II सही है

155. हार्मोन ग्लूकागोन (Glucagon) .... को बढ़ाता है।
A. प्रोटीन B. वसा
C. ग्लूकोज D. जल

156. डायबिटीज इंसिपिडस (Diabetes insipidus) .... की कमी के कारण होता है।
A. इंसुलिन B. थायरॉक्सिन
C. कोर्टिसोल D. एडीएच

157. घेंघा (Goiter) .... का बढ़ना है।
A. पिट्यूटरी (Pituitary) B. एड्रीनल (Adrenal)
C. अग्न्याशय (Pancreas) D. थायरॉयड (Thyroid)

158. हार्मोन एस्ट्रोजन (Estrogen) .... द्वारा स्रावित होता है।
A. गुर्दा (Kidney) B. अंडाशय (Ovary)
C. यकृत (Liver) D. हृदय (Heart)

159. हार्मोन टेस्टोस्टेरोन (Testosterone) .... द्वारा स्रावित होता है।
A. अंडाशय (Ovary) B. थायरॉयड (Thyroid)
C. पिट्यूटरी (Pituitary) D. वृषण (Testis)

160. अंतःस्रावी ग्रंथियाँ (Endocrine glands) .... ग्रंथियाँ होती हैं।
A. बहिःस्रावी (Exocrine)
B. मिश्रित (Mixed)
C. नलिकीय (Tubular)
D. नलिकाविहीन (Ductless)

161. मस्कुलोस्केलेटल सिस्टम (Musculoskeletal system) .... प्रदान करता है।
A. पाचन B. समर्थन और गति
C. परिसंचरण D. श्वसन

162. अस्थियाँ .... द्वारा जुड़ी होती हैं।
A. मांसपेशियाँ (Muscles) B. लिगामेंट (Ligaments)
C. टेंडन (Tendons) D. उपास्थि (Cartilage)

163. जोड़ .... के बीच बनता है।
A. मांसपेशियों B. अस्थियों
C. तंत्रिकाओं D. वाहिकाओं

164. मांसपेशी .... के लिए उत्तरदायी होती है।
A. संरक्षण B. परिसंचरण
C. गति D. पाचन

165. लिगामेंट (Ligament) .... को जोड़ता है।
A. मांसपेशी से अस्थि
B. अस्थि से अस्थि
C. अस्थि से टेंडन
D. मांसपेशी से मांसपेशी

166. टेंडन (Tendon) .... को जोड़ता है।
A. अस्थि से अस्थि B. मांसपेशी से अस्थि
C. मांसपेशी से मांसपेशी D. अस्थि से उपास्थि

167. ऑस्टियोपोरोसिस (Osteoporosis) .... है।
A. जोड़ की सूजन B. अस्थि संक्रमण
C. मांसपेशी चोट D. अस्थि की कमजोरी

168. फ्रैक्चर (Fracture) .... में टूटना है।
A. मांसपेशी B. अस्थि
C. तंत्रिका D. जोड़

169. स्प्रेन (Sprain) .... की चोट है।
A. मांसपेशी B. अस्थि
C. लिगामेंट D. टेंडन

170. स्ट्रेन (Strain) .... की चोट है।
A. लिगामेंट B. अस्थि
C. जोड़ D. मांसपेशी

171. आर्थराइटिस (Arthritis) .... की सूजन है।
A. मांसपेशी B. अस्थि
C. जोड़ D. टेंडन

172. ऑस्टियोआर्थराइटिस (Osteoarthritis) मुख्यतः .... को प्रभावित करता है।
A. मांसपेशियाँ B. जोड़
C. तंत्रिकाएं D. त्वचा

173. रूमेटॉयड आर्थराइटिस (Rheumatoid arthritis) .... रोग है।
A. संक्रामक B. ऑटोइम्यून
C. आनुवंशिक D. पोषण संबंधी

174. गाउट (Gout) .... के जमाव के कारण होता है।

A. कैल्शियम B. कोलेस्ट्रॉल

C. प्रोटीन D. यूरिक अम्ल

175. डिसलोकेशन (Dislocation) .... का विस्थापन है।

A. मांसपेशी B. अस्थि

C. जोड़ D. टेंडन

176. निम्नलिखित का मिलान करें :

कॉलम-I	कॉलम-II
A. लिगामेंट	1. गति
B. टेंडन	2. अस्थि से अस्थि
C. जोड़	3. मांसपेशी से अस्थि
D. मांसपेशी	4. अस्थियों का संधि स्थान

A. A-2, B-3, C-4, D-1

B. A-3, B-2, C-1, D-4

C. A-1, B-4, C-2, D-3

D. A-4, B-1, C-3, D-2

177. निम्नलिखित का मिलान करें :

कॉलम-I	कॉलम-II
A. फ्रैक्चर	1. अस्थि टूटना
B. स्प्रेन	2. लिगामेंट की चोट
C. स्ट्रेन	3. मांसपेशी की चोट
D. डिसलोकेशन	4. जोड़ का विस्थापन

A. A-1, B-2, C-3, D-4

B. A-2, B-1, C-4, D-3

C. A-3, B-4, C-1, D-2

D. A-4, B-3, C-2, D-1

178. **कथन I:** ऑस्टियोपोरोसिस (Osteoporosis) अस्थियों को कमजोर करता है।

कथन II: ऑस्टियोपोरोसिस (Osteoporosis) अस्थियों की मजबूती बढ़ाता है।

A. दोनों कथन सही हैं

B. I सही है, II गलत है

C. दोनों कथन गलत हैं

D. I गलत है, II सही है

179. **कथन I:** आर्थराइटिस जोड़ में दर्द उत्पन्न करता है।

कथन II: आर्थराइटिस केवल मांसपेशियों को प्रभावित करता है।

A. दोनों कथन सही हैं B. I सही है, II गलत है

C. दोनों कथन गलत हैं D. I गलत है, II सही है

180. कंकाल (Skeleton) का मुख्य कार्य है

A. पाचन B. श्वसन

C. संरक्षण D. समर्थन

181. तंत्रिका तंत्र (Nervous system) .... को नियंत्रित करता है।

A. पाचन B. श्वसन

C. समन्वय D. परिसंचरण

182. तंत्रिका तंत्र की मूल इकाई (Basic unit) .... है।

A. न्यूरॉन (Neuron)

B. नेफ्रॉन (Nephron)

C. एल्विओलाई (Alveoli)

D. ऑस्टिओन (Osteon)

183. मस्तिष्क (Brain) .... द्वारा सुरक्षित रहता है।

A. त्वचा B. मांसपेशी

C. अस्थि D. मेनिंजीस (Meninges)

184. मेरुरज्जु (Spinal cord) .... में स्थित होती है।

A. खोपड़ी

B. छाती

C. उदर

D. कशेरुका स्तंभ (Vertebral column)

185. सेरेब्रम (Cerebrum) .... के लिए उत्तरदायी है।

A. संतुलन B. श्वसन

C. रिफ्लेक्स D. सोच

186. सेरेबेलम (Cerebellum) .... को नियंत्रित करता है।

A. स्मृति B. सोच

C. भावना D. संतुलन

187. मेडुला (Medulla) .... को नियंत्रित करता है।

A. स्वैच्छिक क्रिया

B. सोच

C. गति

D. जीवनोपयोगी क्रियाएँ (Vital functions)

188. रिफ्लेक्स क्रिया (Reflex action) .... होती है।

A. धीमी B. स्वैच्छिक

C. नियंत्रित D. अनैच्छिक

189. मेनिंजीस (Meninges) .... परतों के होते हैं।

A. एक B. दो

C. चार D. तीन

190. सेरेब्रोस्पाइनल द्रव (Cerebrospinal fluid) .... की रक्षा करता है।

A. हृदय B. यकृत

C. गुर्दा D. मस्तिष्क

191. स्ट्रोक (Stroke) मस्तिष्क को .... आपूर्ति के कारण होता है।

A. अधिक रक्त B. कम रक्त
C. अधिक ऑक्सीजन D. कम ग्लूकोज

192. पक्षाघात (Paralysis) .... का ह्रास है।

A. स्मृति B. वाणी
C. गति D. संवेदना

193. मिर्गी (Epilepsy) .... से पहचानी जाती है।

A. दर्द B. संक्रमण
C. फ्रैक्चर D. दौरे (Seizures)

194. मेनिंजाइटिस (Meningitis) .... की सूजन है।

A. मस्तिष्क B. मेरुरज्जु
C. तंत्रिकाएं D. मेनिंजीस (Meninges)

195. कोमा (Coma) .... की अवस्था है।

A. सतर्कता B. चेतना
C. गतिविधि D. अचेतना

196. जीसीएस (GCS) का उपयोग .... का आकलन करने के लिए किया जाता है।

A. हृदय कार्य B. चेतना
C. श्वसन D. BP

197. अफेसिया (Aphasia) .... में कठिनाई है।

A. चलना B. बोलना
C. श्वसन D. सोना

198. हेमिप्लेजिया (Hemiplegia) .... का पक्षाघात है।

A. पूरा शरीर B. एक अंग
C. दोनों अंग D. एक पक्ष

199. पार्किंसन्स रोग (Parkinson's disease) .... को प्रभावित करता है।

A. हृदय B. फेफड़े
C. यकृत D. मस्तिष्क

200. कंपकंपी (Tremors) .... रोग में देखी जाती है।

A. डायबिटीज B. अस्थमा
C. उच्च रक्तचाप D. पार्किंसन्स (Parkinson*s)

201. निम्नलिखित का मिलान करें :

कॉलम-I	कॉलम-II
A. सेरेब्रम	1. संतुलन
B. सेरेबेलम	2. सोच
C. मेडुला	3. संरक्षण
D. मेनिंजीस	4. जीवनोपयोगी क्रियाएँ

A. A-2, B-1, C-4, D-3
B. A-1, B-2, C-3, D-4
C. A-3, B-4, C-1, D-2
D. A-4, B-3, C-2, D-1

202. निम्नलिखित का मिलान करें :

कॉलम-I	कॉलम-II
A. स्ट्रोक	1. संक्रमण
B. मिर्गी	2. दौरे
C. मेनिंजाइटिस	3. गति का ह्रास
D. पक्षाघात	4. रक्त आपूर्ति समस्या

A. A-4, B-2, C-1, D-3
B. A-2, B-1, C-4, D-3
C. A-1, B-3, C-2, D-4
D. A-3, B-4, C-1, D-2

203. निम्नलिखित का मिलान करें :

कॉलम-I	कॉलम-II
A. अफेसिया	1. अचेतना
B. हेमिप्लेजिया	2. वाणी दोष
C. कोमा	3. अनैच्छिक क्रिया
D. रिफ्लेक्स	4. एक पक्ष का पक्षाघात

A. A-2, B-4, C-1, D-3
B. A-3, B-2, C-4, D-1
C. A-1, B-3, C-2, D-4
D. A-4, B-1, C-3, D-2

204. **कथन I:** स्ट्रोक (Stroke) मस्तिष्क को प्रभावित करता है।

कथन II: स्ट्रोक रक्त आपूर्ति को सुधारता है।

A. दोनों कथन सही हैं B. I सही है, II गलत है
C. दोनों कथन गलत हैं D. I गलत है, II सही है

205. **कथन I:** मिर्गी (Epilepsy) दौरे उत्पन्न करती है।

कथन II: मिर्गी एक संक्रामक रोग है।

A. दोनों कथन सही हैं B. I सही है, II गलत है
C. दोनों कथन गलत हैं D. I गलत है, II सही है

206. **कथन I:** रिफ्लेक्स (Reflex) अनैच्छिक क्रिया है।

कथन II: रिफ्लेक्स के लिए सचेत प्रयास की आवश्यकता होती है।

A. दोनों कथन सही हैं B. I सही है, II गलत है
C. दोनों कथन गलत हैं D. I गलत है, II सही है

207. न्यूरॉन (Neuron) .... का संचरण करता है।

A. रक्त B. आवेग (Impulses)
C. ऑक्सीजन D. पोषक तत्व

208. सिनेप्स (Synapse) .... के बीच संधि है।

A. अस्थियाँ B. मांसपेशियाँ
C. कोशिकाएँ D. न्यूरॉन (Neurons)

209. मेरुरज्जु (Spinal cord) .... को नियंत्रित करती है।

A. सोच B. रिफ्लेक्स
C. भावना D. स्मृति

210. तंत्रिका तंत्र (Nervous system) का मुख्य कार्य है

A. पाचन B. श्वसन
C. परिसंचरण D. नियंत्रण

211. संक्रामक रोग (Communicable diseases) वे रोग हैं जो एक व्यक्ति से दूसरे व्यक्ति में .... के माध्यम से फैल सकते हैं।

A. वायु B. जल
C. संपर्क D. उपरोक्त सभी

212. तपेदिक (Tuberculosis) एक संक्रामक रोग है जो मुख्य रूप से शरीर के किस अंग को प्रभावित करता है?

A. हृदय B. गुर्दा
C. यकृत D. फेफड़े

213. तपेदिक (Tuberculosis) का कारक जीव (Causative organism) है

A. वायरस B. बैक्टीरिया
C. फंगस D. परजीवी

214. मलेरिया किस मच्छर के काटने से फैलता है?

A. क्यूलेक्स (Culex)
B. एडीज (Aedes)
C. एनोफिलीस (Anopheles)
D. घरेलू मक्खी

215. डेंगू बुखार किस वाहक (Vector) द्वारा फैलता है?

A. एनोफिलीस मच्छर B. क्यूलेक्स मच्छर
C. घरेलू मक्खी D. एडीज मच्छर

216. मानव प्रतिरक्षा अपूर्णता विषाणु (Human immunodeficiency virus–HIV) मुख्य रूप से शरीर के किस तंत्र को प्रभावित करता है?

A. श्वसन तंत्र B. पाचन तंत्र
C. तंत्रिका तंत्र D. प्रतिरक्षा तंत्र

217. बीसीजी (BCG) वैक्सीन किस रोग की रोकथाम के लिए उपयोग की जाती है?

A. हेपेटाइटिस (Hepatitis)
B. तपेदिक (Tuberculosis)
C. खसरा (Measles)
D. पोलियो (Polio)

218. हैजा (Cholera) रोग .... के कारण होता है।

A. वायरस (Virus) B. बैक्टीरिया (Bacteria)
C. प्रोटोजोआ (Protozoa) D. कृमि (Worms)

219. हैजा (Cholera) का संचरण मुख्यतः .... के सेवन से होता है।

A. वायु B. दूषित भोजन और जल
C. रक्त D. त्वचा संपर्क

220. खसरा (Measles) एक रोग है जो ...... के कारण होता है।

A. बैक्टीरिया (Bacteria) B. फंगस (Fungus)
C. परजीवी (Parasite) D. वायरस (Virus)

221. निम्नलिखित में से कौन-सा रोग दूषित जल के माध्यम से फैलता है?

A. तपेदिक (Tuberculosis)
B. मलेरिया (Malaria)
C. डेंगू (Dengue)
D. हैजा (Cholera)

222. हेपेटाइटिस B वायरस (Hepatitis B virus) मुख्य रूप से .... के माध्यम से फैलता है।

A. वायु B. जल
C. भोजन D. रक्त और शारीरिक द्रव

223. संक्रामक रोगों में 'वाहक' (Carrier) शब्द उस व्यक्ति को दर्शाता है जो

A. लक्षण दिखाता है
B. गंभीर रोग से ग्रसित होता है
C. प्रतिरक्षित होता है
D. बिना लक्षण के संक्रमण फैलाता है

224. निम्नलिखित का मिलान करें :

कॉलम-I	कॉलम-II
A. तपेदिक	1. जल जनित रोग
B. मलेरिया	2. वायु जनित रोग
C. डेंगू	3. मच्छर जनित रोग
D. हैजा	4. प्रोटोजोआ जनित रोग

A. A-2, B-4, C-3, D-1
B. A-3, B-2, C-1, D-4
C. A-1, B-3, C-2, D-4
D. A-4, B-1, C-3, D-2

225. निम्नलिखित का मिलान करें :

कॉलम-I	कॉलम-II
A. एचआईवी	1. रक्त संचरण
B. हेपेटाइटिस B	2. विषाणु जनित रोग
C. खसरा	3. प्रतिरक्षा कमी
D. तपेदिक	4. वायु जनित रोग

A. A-3, B-1, C-2, D-4
B. A-2, B-3, C-1, D-4
C. A-1, B-2, C-4, D-3
D. A-4, B-3, C-2, D-1

226. **कथन I:** टीकाकरण (Vaccination) संक्रामक रोगों की रोकथाम में सहायता करता है।

कथन II: टीकाकरण का प्रतिरक्षा में कोई भूमिका नहीं है।

A. दोनों कथन सही हैं

B. I सही है, II गलत है

C. दोनों कथन गलत हैं

D. I गलत है, II सही है

227. **कथन I:** मलेरिया मच्छर के काटने से फैलता है।

कथन II: मलेरिया वायु के माध्यम से फैलता है।

A. दोनों कथन सही हैं B. I सही है, II गलत है

C. दोनों कथन गलत हैं D. I गलत है, II सही है

228. रोगी का आइसोलेशन (Isolation) संक्रमण के .... को रोकने के लिए किया जाता है।

A. उपचार B. प्रसार

C. इलाज D. निदान

229. ऊष्मायन अवधि (Incubation period) उस समय को दर्शाती है जो .... के बीच होता है।

A. उपचार और स्वस्थ होना

B. निदान और मृत्यु

C. संपर्क और लक्षण

D. संक्रमण और इलाज

230. संक्रामक रोगों को रोकने का सर्वोत्तम तरीका है

A. शल्य क्रिया B. दवा

C. अवलोकन D. प्रतिरक्षण (Immunization)

231. जलन त्वचा की चोट है जो .... के कारण होती है।

A. ठंड B. दबाव

C. संक्रमण D. ऊष्मा

232. जलन को ऊतक क्षति की गहराई के आधार पर कितनी श्रेणियों में वर्गीकृत किया जाता है?

A. एक B. दो

C. तीन D. चार

233. प्रथम श्रेणी (First-degree) जलन केवल .... को प्रभावित करती है।

A. डर्मिस B. मांसपेशी

C. अस्थि D. एपिडर्मिस

234. द्वितीय श्रेणी (Second-degree) जलन एपिडर्मिस और .... दोनों को प्रभावित करती है।

A. मांसपेशी B. डर्मिस

C. अस्थि D. तंत्रिका

235. तृतीय श्रेणी (Third-degree) जलन .... का विनाश करती है।

A. केवल एपिडर्मिस

B. केवल डर्मिस

C. केवल त्वचा की परतें

D. त्वचा की पूर्ण मोटाई

236. गंभीर जलन की सबसे महत्वपूर्ण जटिलता है

A. उच्च रक्तचाप B. बुखार

C. दर्द D. शॉक

237. रूल ऑफ नाइन (Rule of nine) का उपयोग .... का अनुमान लगाने के लिए किया जाता है।

A. जलन की गहराई

B. जलन का कारण

C. जलन की गंभीरता

D. शरीर की जली हुई सतह का प्रतिशत

238. हल्की जलन के लिए तुरंत प्राथमिक उपचार में .... का प्रयोग शामिल है।

A. तेल B. बर्फ

C. मरहम D. ठंडा पानी

239. जलन के रोगियों में संक्रमण .... के नुकसान के कारण होता है।

A. रक्त B. प्रतिरक्षा

C. प्रोटीन D. त्वचा अवरोध

240. जलन में द्रव पुनर्जीवन (Fluid resuscitation) .... को रोकने के लिए महत्वपूर्ण है।

A. दर्द B. संक्रमण

C. बुखार D. शॉक

241. कैंसर (Cancer) को .... की अनियंत्रित वृद्धि के रूप में परिभाषित किया जाता है।

A. ऊतक B. अंग

C. द्रव D. कोशिकाएँ

242. कैंसर का शरीर के एक भाग से दूसरे भाग में फैलना .... कहलाता है।

A. म्यूटेशन (Mutation)

B. मेटाप्लासिया (Metaplasia)

C. हाइपरप्लासिया (Hyperplasia)

D. मेटास्टेसिस (Metastasis)

243. कैंसर का सामान्य लक्षण .... शामिल करता है।

A. दर्द B. गांठ

C. वजन कम होना D. उपरोक्त सभी

244. कार्सिनोजेन्स (Carcinogens) वे पदार्थ होते हैं जो

A. कैंसर का इलाज करते हैं

B. कैंसर को रोकते हैं

C. कैंसर का पता लगाते हैं

D. कैंसर उत्पन्न करते हैं

245. बायोप्सी (Biopsy) एक प्रक्रिया है जिसका उपयोग .... के लिए किया जाता है।

A. कैंसर का इलाज B. कैंसर की रोकथाम

C. कैंसर का निदान D. कैंसर का उपचार

246. निम्नलिखित का मिलान करें :

कॉलम-I	कॉलम-II
A. प्रथम श्रेणी जलन	1. केवल एपिडर्मिस
B. द्वितीय श्रेणी जलन	2. डर्मिस की भागीदारी
C. तृतीय श्रेणी जलन	3. पूर्ण मोटाई
D. रूल ऑफ नाइन	4. सतह क्षेत्र का अनुमान

A. A-1, B-2, C-3, D-4

B. A-2, B-1, C-4, D-3

C. A-3, B-4, C-1, D-2

D. A-4, B-3, C-2, D-1

247. निम्नलिखित का मिलान करें :

कॉलम-I	कॉलम-II
A. कार्सिनोजेन	1. दवा उपचार
B. बायोप्सी	2. ऊतक परीक्षण
C. कीमोथेरेपी	3. कैंसर उत्पन्न करने वाला
D. रेडियोथेरेपी	4. विकिरण उपचार

A. A-3, B-2, C-1, D-4

B. A-2, B-1, C-4, D-3

C. A-1, B-4, C-3, D-2

D. A-4, B-3, C-2, D-1

248. कथन I: गंभीर जलन (Severe burns) शॉक उत्पन्न कर सकती है।

कथन II: जलन द्रव हानि को बढ़ाती है।

A. दोनों कथन सही हैं B. I सही है, II गलत है

C. दोनों कथन गलत हैं D. I गलत है, II सही है

249. कथन I: कैंसर कोशिकाएँ अनियंत्रित रूप से बढ़ती हैं।

कथन II: कैंसर कोशिकाएँ सामान्य नियंत्रण का पालन करती हैं।

A. दोनों कथन सही हैं B. I सही है, II गलत है

C. दोनों कथन गलत हैं D. I गलत है, II सही है

250. रेडिएशन थेरेपी (Radiation therapy) का उपयोग कैंसर कोशिकाओं को .... करने के लिए किया जाता है।

A. बढ़ाना B. संरक्षित करना

C. पोषण देना D. नष्ट करना

251. कीमोथेरेपी (Chemotherapy) में .... का उपयोग होता है।

A. विकिरण B. शल्य क्रिया

C. दवाएँ D. हार्मोन

252. कैंसर की स्टेजिंग (Staging) का उपयोग .... निर्धारित करने के लिए किया जाता है।

A. कारण B. निदान

C. रोकथाम D. रोग की सीमा

253. कैंसर का सबसे सामान्य प्रकार .... है।

A. अस्थि कैंसर B. त्वचा कैंसर

C. यकृत कैंसर D. मस्तिष्क कैंसर

254. कैंसर में पैलिएटिव केयर (Palliative care) का मुख्य उद्देश्य .... है।

A. उपचार B. निदान

C. रोकथाम D. लक्षणों से राहत

255. जलन में ग्राफ्टिंग (Grafting) .... के लिए की जाती है।

A. दर्द बढ़ाना

B. संक्रमण कम करना

C. जलन का निदान

D. त्वचा का प्रतिस्थापन

256. आपातकालीन देखभाल (Emergency care) उन रोगियों को दी जाती है जिनकी स्थिति .... होती है।

A. दीर्घकालिक रोग B. मामूली चोट

C. स्थिर स्थिति D. जीवन के लिए खतरा

257. आपातकाल में प्राथमिक सर्वे (Primary survey) में ...... का आकलन शामिल होता है।

A. पोषण

B. उत्सर्जन

C. स्वच्छता

D. वायुमार्ग, श्वसन, परिसंचरण

258. आपातकालीन प्रबंधन में पहला चरण रोगी के .... का आकलन करना है।

A. तापमान B. वायुमार्ग

C. नाड़ी D. BP

259. 'ट्रायेज' (Triage) शब्द का अर्थ है

A. उपचार

B. निदान

C. रोकथाम

D. रोगियों की प्राथमिकता निर्धारण

260. कार्डियोपल्मोनरी रिससिटेशन (CPR) .... की स्थिति में किया जाता है।

A. बुखार
B. संक्रमण
C. चोट
D. कार्डियक अरेस्ट

261. वयस्क CPR में छाती संपीड़न और वेंटिलेशन (Ventilation) का अनुपात .... होता है।

A. 15 : 2
B. 30 : 2
C. 10 : 2
D. 20 : 2

262. शॉक (Shock) को ऊतकों में अपर्याप्त .... के रूप में परिभाषित किया जाता है।

A. ऑक्सीजन
B. रक्त आपूर्ति
C. पोषक तत्व
D. परफ्यूजन (Perfusion)

263. हाइपोवोलेमिक शॉक (Hypovolemic shock) .... के कारण होता है।

A. संक्रमण
B. एलर्जी
C. हृदय विफलता
D. रक्त हानि

264. एनाफिलैक्टिक शॉक (Anaphylactic shock) .... के कारण होता है।

A. आघात
B. संक्रमण
C. रक्त हानि
D. गंभीर एलर्जिक प्रतिक्रिया

265. सेप्टिक शॉक (Septic shock) .... के कारण होता है।

A. चोट
B. रक्त हानि
C. निर्जलीकरण
D. संक्रमण

266. अंतःशिरा द्रव (Intravenous fluid) .... बनाए रखने के लिए दिया जाता है।

A. तापमान
B. श्वसन
C. BP
D. परिसंचरण

267. ऑक्सीजन थेरेपी .... को सुधारने के लिए उपयोग की जाती है।

A. BP
B. नाड़ी
C. पाचन
D. ऑक्सीजनकरण

268. डिफिब्रिलेटर (Defibrillator) का उपयोग .... के उपचार में किया जाता है।

A. फ्रैक्चर
B. स्ट्रोक
C. उच्च रक्तचाप
D. कार्डियक अरेथमिया (Cardiac arrhythmias)

269. वेंटिलेटर (Ventilator) .... को सहारा देने के लिए उपयोग किया जाता है।

A. हृदय
B. गुर्दा
C. यकृत
D. श्वसन

270. ग्लासगो कोमा स्केल (Glasgow Coma Scale) का उपयोग .... का आकलन करने के लिए किया जाता है।

A. नाड़ी
B. BP
C. तापमान
D. चेतना

271. ICU का पूर्ण रूप है

A. इंटेंसिव केयर यूनिट
B. इमीडिएट केयर यूनिट
C. इंटरनल केयर यूनिट
D. इंटीग्रेटेड केयर यूनिट

272. ICU में मॉनिटरिंग में .... शामिल होता है।

A. BP
B. नाड़ी
C. श्वसन
D. उपरोक्त सभी

273. सक्शनिंग (Suctioning) .... को साफ करने के लिए की जाती है।

A. रक्त
B. द्रव
C. वायु
D. स्राव (Secretions)

274. इंट्यूबेशन (Intubation) .... में नली डालना है।

A. आहार नाल (Esophagus)
B. आमाशय (Stomach)
C. नाक
D. श्वासनली (Trachea)

275. एनाफिलेक्सिस (Anaphylaxis) के लिए आपातकालीन दवा है

A. एट्रोपिन (Atropine)
B. इंसुलिन (Insulin)
C. मॉर्फिन (Morphine)
D. एड्रेनालिन (Adrenaline)

276. निम्नलिखित का मिलान करें :

कॉलम-I	कॉलम-II
A. CPR	1. वायुमार्ग साफ करता है
B. डिफिब्रिलेटर	2. कृत्रिम श्वसन
C. वेंटिलेटर	3. हृदय की लय बहाल करता है
D. सक्शन	4. पुनर्जीवन

A. A-4, B-3, C-2, D-1
B. A-3, B-4, C-1, D-2
C. A-2, B-1, C-4, D-3
D. A-1, B-2, C-3, D-4

277. निम्नलिखित का मिलान करें :

कॉलम-I	कॉलम-II
A. हाइपोवोलेमिक शॉक	1. एलर्जी
B. सेप्टिक शॉक	2. संक्रमण
C. एनाफिलैक्टिक शॉक	3. रक्त हानि
D. कार्डियोजेनिक शॉक	4. हृदय विफलता

A. A-3, B-2, C-1, D-4
B. A-2, B-1, C-4, D-3
C. A-1, B-4, C-3, D-2
D. A-4, B-3, C-2, D-1

278. निम्नलिखित का मिलान करें :

कॉलम-I	**कॉलम-II**
A. वायुमार्ग	1. ऑक्सीजनकरण
B. श्वसन	2. चेतना
C. परिसंचरण	3. रक्त प्रवाह
D. विकलांगता	4. खुला वायुमार्ग

A. A-4, B-1, C-3, D-2
B. A-1, B-3, C-2, D-4
C. A-2, B-4, C-1, D-3
D. A-3, B-2, C-4, D-1

279. **कथन I:** शॉक (Shock) ऊतक परफ्यूजन (Perfusion) को कम करता है।

कथन II: शॉक परिसंचरण को सुधारता है।

A. दोनों कथन सही हैं　B. I सही है, II गलत है
C. दोनों कथन गलत हैं　D. I गलत है, II सही है

280. **कथन I:** CPR जीवन रक्षक है।

कथन II: कार्डियक अरेस्ट (Cardiac arrest) में CPR की आवश्यकता नहीं होती है।

A. दोनों कथन सही हैं　B. I सही है, II गलत है
C. दोनों कथन गलत हैं　D. I गलत है, II सही है

281. **कथन I:** ऑक्सीजन थेरेपी ऑक्सीजनकरण (Oxygenation) को सुधारती है।

कथन II: ऑक्सीजन थेरेपी ऑक्सीजन स्तर को कम करती है।

A. दोनों कथन सही हैं　B. I सही है, II गलत है
C. दोनों कथन गलत हैं　D. I गलत है, II सही है

282. आपातकालीन प्रबंधन (Emergency management) का उद्देश्य जीवन को .... है।

A. समाप्त करना　B. विलंब करना
C. नियंत्रित करना　D. बचाना

283. 'कोड ब्लू' (Code blue) शब्द .... को दर्शाता है।

A. संक्रमण　B. आघात
C. शल्य क्रिया　D. कार्डियक अरेस्ट

284. पल्स ऑक्सीमीटर (Pulse oximeter) .... को मापता है।

A. BP
B. नाड़ी
C. तापमान
D. ऑक्सीजन संतृप्ति (Oxygen saturation)

285. ICU देखभाल (ICU care) का मुख्य उद्देश्य .... समर्थन प्रदान करना है।

A. सामान्य　B. नियमित
C. निवारक　D. गंभीर (Critical)

286. कान (Ear) श्रवण और .... का अंग है।

A. दृष्टि　B. संतुलन
C. स्वाद　D. गंध

287. बाह्य कान (External ear) में पिन्ना (Pinna) और .... शामिल होते हैं।

A. कोक्लिया (Cochlea)
B. टिम्पैनिक झिल्ली (Tympanic membrane)
C. श्रवण नलिका (Auditory canal)
D. ऑसिकल्स (Ossicles)

288. मध्य कान (Middle ear) में .... होते हैं।

A. तंत्रिकाएं　B. मांसपेशियाँ
C. द्रव　D. ऑसिकल्स (Ossicles)

289. आंतरिक कान (Inner ear) में कोक्लिया (Cochlea) और .... होते हैं।

A. पिन्ना (Pinna)
B. श्रवण नलिका (Auditory canal)
C. सेमिसर्कुलर नलिकाएँ (Semicircular canals)
D. टिम्पैनिक झिल्ली (Tympanic membrane)

290. टिम्पैनिक झिल्ली (Tympanic membrane) को .... भी कहा जाता है।

A. कान नलिका
B. ईयरड्रम (Eardrum)
C. कोक्लिया (Cochlea)
D. ऑसिकल (Ossicle)

291. मध्य कान (Middle ear) के संक्रमण को .... कहा जाता है।

A. ओटाइटिस एक्सटर्ना (Otitis externa)
B. ओटाइटिस मीडिया (Otitis media)
C. ओटाइटिस इंटरना (Otitis interna)
D. लैबिरिन्थाइटिस (Labyrinthitis)

292. श्रवण हानि (Hearing loss) को .... कहा जाता है।

A. अफेसिया (Aphasia)
B. डिस्फेजिया (Dysphagia)
C. एनोस्मिया (Anosmia)
D. बधिरता (Deafness)

293. मेनिएर्स रोग (Meniere's disease) .... को प्रभावित करता है।

A. बाह्य कान　B. मध्य कान
C. आंतरिक कान　D. तंत्रिका

294. निम्नलिखित का मिलान करें :

कॉलम-I	**कॉलम-II**
A. पिन्ना	1. श्रवण
B. कोक्लिया	2. संतुलन
C. सेमिसर्कुलर नलिकाएँ	3. ध्वनि संग्रह
D. टिम्पैनिक झिल्ली	4. कंपन

A. A-3, B-1, C-2, D-4
B. A-2, B-3, C-1, D-4
C. A-1, B-2, C-3, D-4
D. A-4, B-3, C-2, D-1

295. **कथन I:** कान संतुलन बनाए रखने में सहायता करता है।
कथन II: कान का संतुलन में कोई योगदान नहीं है।
A. दोनों कथन सही हैं
B. I सही है, II गलत है
C. दोनों कथन गलत हैं
D. I गलत है, II सही है

296. आंख (Eye) .... का अंग है।
A. श्रवण
B. दृष्टि
C. गंध
D. स्वाद

297. रेटिना (Retina) में .... होते हैं।
A. रक्त वाहिकाएँ
B. तंत्रिकाएं
C. फोटोरिसेप्टर्स
D. मांसपेशियाँ

298. लेंस (Lens) .... में सहायता करता है।
A. संरक्षण
B. पोषण
C. रक्त आपूर्ति
D. फोकस करना

299. ग्लूकोमा .... दबाव में वृद्धि द्वारा पहचाना जाता है।
A. रक्त
B. इंट्राक्रेनियल (Intracranial)
C. धमनीय (Arterial)
D. इंट्राऑक्यूलर (Intraocular)

300. कैटरेक्ट (Cataract) .... की अस्पष्टता है।
A. कॉर्निया (Cornea)
B. रेटिना (Retina)
C. आइरिस (Iris)
D. लेंस (Lens)

301. जेरियाट्रिक नर्सिंग (Geriatric nursing) में "जेरियाट्रिक्स" (Geriatrics) शब्द .... की देखभाल और अध्ययन को संदर्भित करता है।
A. बच्चे
B. वयस्क
C. वृद्ध लोग
D. नवजात

302. वृद्धों में गिरने का सबसे सामान्य जोखिम कारक .... है।
A. केवल कम सुनाई देना
B. मांसपेशियों की कमजोरी और खराब संतुलन
C. अधिक भूख
D. बढ़ा हुआ हीमोग्लोबिन

303. व्यावसायिक स्वास्थ्य (Occupational health) मुख्य रूप से .... से संबंधित बीमारियों की रोकथाम पर केंद्रित है।
A. घर का वातावरण
B. कार्यस्थल का वातावरण
C. विद्यालय का वातावरण
D. सामुदायिक वातावरण

304. "पॉलीफार्मेसी" (Polypharmacy) का अर्थ है कि रोगी .... ले रहा है।
A. केवल एक दवा
B. दो दवाएं एक साथ
C. केवल हर्बल दवाएं
D. एक ही समय में कई दवाएं

305. वृद्ध रोगियों में त्वचा का सामान्य शारीरिक परिवर्तन यह है कि त्वचा .... हो जाती है।
A. मोटी और तैलीय
B. अधिक मोटी और गहरी
C. पतली और नाजुक
D. मोटी और नम

306. बिस्तर पर पड़े वृद्ध रोगी में प्रेशर अल्सर (Pressure ulcers) की रोकथाम के लिए सबसे अच्छा नर्सिंग उपाय है
A. केवल उच्च प्रोटीन आहार देना
B. रोगी को उपवास रखना
C. तरल को सख्ती से सीमित करना
D. नियमित रूप से स्थिति बदलना

307. व्यावसायिक जोखिमों (Occupational hazards) में शारीरिक, रासायनिक और .... शामिल हो सकते हैं।
A. पोषण संबंधी जोखिम
B. वित्तीय जोखिम
C. पर्यावरणीय जोखिम
D. जैविक जोखिम

308. निम्नलिखित का मिलान करें :

कॉलम-I	**कॉलम-II**
A. शोर संपर्क	1. कार्पल टनल जोखिम
B. धूल संपर्क	2. श्रवण हानि जोखिम
C. सुई चुभने की चोट	3. श्वसन समस्या जोखिम
D. दोहराव वाला कार्य	4. रक्त जनित संक्रमण जोखिम

A. A-2, B-3, C-4, D-1
B. A-3, B-2, C-1, D-4
C. A-4, B-1, C-3, D-2
D. A-1, B-4, C-2, D-3

309. **कथन I:** नियमित व्यायाम वृद्धों को गतिशीलता और संतुलन बनाए रखने में सहायता करता है।

कथन II: नियमित व्यायाम हमेशा वृद्धों में गिरने के जोखिम को बढ़ाता है।

A. दोनों कथन सही हैं
B. I सही है, II गलत है
C. दोनों कथन गलत हैं
D. I गलत है, II सही है

310. व्यावसायिक स्वास्थ्य में व्यक्तिगत सुरक्षा उपकरण (Personal protective equipment) का सही उपयोग महत्वपूर्ण है क्योंकि यह .... में सहायता करता है।

A. जोखिम के संपर्क को बढ़ाना
B. उपचार में देरी करना
C. चोट और संक्रमण के जोखिम को कम करना
D. टीकाकरण को पूरी तरह बदलना

311. प्रतिरक्षा तंत्र (Immune system) शरीर की रक्षा .... के विरुद्ध करता है।

A. केवल चोट   B. संक्रमण
C. तापमान परिवर्तन   D. हार्मोनल असंतुलन

312. एंटीबॉडी (Antibodies) का मुख्य कार्य .... है।

A. ऊर्जा उत्पन्न करना
B. लाल रक्त कोशिकाओं को नष्ट करना
C. एंटीजन (Antigens) से लड़ना
D. ऑक्सीजन ले जाना

313. लिम्फोसाइट्स (Lymphocytes) मुख्यतः किस अंग में उत्पन्न होते हैं?

A. हृदय
B. यकृत
C. मस्तिष्क
D. अस्थि मज्जा (Bone marrow)

314. प्रतिरक्षा (Immunity) शब्द शरीर की .... क्षमता को दर्शाता है।

A. वृद्धि
B. भोजन पाचन
C. तापमान बनाए रखना
D. रोग का प्रतिरोध करना

315. प्राकृतिक प्रतिरक्षा (Natural immunity) को .... प्रतिरक्षा भी कहा जाता है।

A. अर्जित   B. सक्रिय
C. कृत्रिम   D. जन्मजात (Innate)

316. अर्जित प्रतिरक्षा (Acquired immunity) .... के संपर्क के बाद विकसित होती है।

A. भोजन   B. जल
C. रोगजनक   D. वायु

317. वैक्सीन (Vaccine) किस प्रकार की प्रतिरक्षा विकसित करने में सहायता करता है?

A. निष्क्रिय प्रतिरक्षा
B. कृत्रिम सक्रिय प्रतिरक्षा
C. प्राकृतिक निष्क्रिय प्रतिरक्षा
D. प्राकृतिक सक्रिय प्रतिरक्षा

318. एलर्जी (Allergy) को .... के रूप में परिभाषित किया जाता है।

A. सामान्य प्रतिक्रिया
B. कम प्रतिरक्षा
C. अतिरंजित प्रतिरक्षा प्रतिक्रिया
D. प्रतिरक्षा का अभाव

319. एनाफिलेक्सिस (Anaphylaxis) .... प्रकार की प्रतिक्रिया है।

A. हल्की   B. दीर्घकालिक
C. धीमी   D. गंभीर एलर्जिक

320. एंटीजन (Antigen) वह पदार्थ है जो

A. ऊर्जा उत्पन्न करता है
B. प्रतिरक्षा प्रतिक्रिया उत्पन्न करता है
C. ऑक्सीजन ले जाता है
D. शरीर की रक्षा करता है

321. एंटीबॉडी (Antibody) किस कोशिका द्वारा बनाई जाती है?

A. RBC
B. प्लेटलेट्स
C. टी कोशिकाएँ (T cells)
D. बी कोशिकाएँ (B cells)

322. एचआईवी (HIV) संक्रमण मुख्य रूप से प्रतिरक्षा तंत्र की किस कोशिका को प्रभावित करता है?

A. RBC
B. प्लेटलेट्स
C. न्यूट्रोफिल्स (Neutrophils)
D. टी हेल्पर कोशिकाएँ (T helper cells)

323. ऑटोइम्यून रोग (Autoimmune disease) वह स्थिति है जिसमें शरीर

A. केवल रोगजनकों को नष्ट करता है
B. अधिक हार्मोन बनाता है
C. अपनी ही कोशिकाओं पर आक्रमण करता है
D. प्रतिरक्षा बढ़ाता है

324. निम्नलिखित का मिलान करें :

कॉलम-I	कॉलम-II
A. एंटीजन	1. प्रतिरक्षा प्रतिक्रिया का आरंभ
B. एंटीबॉडी	2. सुरक्षा
C. वैक्सीन	3. अतिसंवेदनशीलता
D. एलर्जी	4. प्रोटीन रक्षा

A. A-1, B-4, C-2, D-3
B. A-2, B-3, C-1, D-4
C. A-3, B-2, C-4, D-1
D. A-4, B-1, C-3, D-2

325. निम्नलिखित का मिलान करें :

कॉलम-I	कॉलम-II
A. जन्मजात प्रतिरक्षा	1. एंटीबॉडी का स्थानांतरण
B. अर्जित प्रतिरक्षा	2. प्राकृतिक रक्षा
C. सक्रिय प्रतिरक्षा	3. प्रतिरक्षात्मक स्मृति
D. निष्क्रिय प्रतिरक्षा	4. एंटीबॉडी उत्पादन

A. A-2, B-3, C-4, D-1
B. A-3, B-2, C-1, D-4
C. A-1, B-4, C-2, D-3
D. A-4, B-1, C-3, D-2

326. **कथन I:** टीकाकरण (Vaccination) रोगों की रोकथाम में सहायता करता है।

कथन II: टीकाकरण प्रतिरक्षा तंत्र को कमजोर करता है।

A. दोनों कथन सही हैं　　B. I सही है, II गलत है
C. दोनों कथन गलत हैं　　D. I गलत है, II सही है

327. **कथन I:** ऑटोइम्यून रोग अपनी ही कोशिकाओं पर आक्रमण करते हैं।

कथन II: ऑटोइम्यून रोग प्रतिरक्षा को सुधारते हैं।

A. दोनों कथन सही हैं　　B. I सही है, II गलत है
C. दोनों कथन गलत हैं　　D. I गलत है, II सही है

328. अतिसंवेदनशीलता प्रतिक्रिया (Hypersensitivity reaction) .... का उदाहरण है।

A. सामान्य प्रतिरक्षा
B. कमजोर प्रतिरक्षा
C. प्रतिरक्षा की कमी
D. अत्यधिक प्रतिरक्षा प्रतिक्रिया

329. प्रतिरक्षा की कमी (Immunodeficiency) का अर्थ है

A. बढ़ी हुई प्रतिरक्षा
B. सामान्य प्रतिरक्षा
C. प्रतिरक्षा प्रतिक्रिया की कमी
D. अत्यधिक प्रतिरक्षा

330. लसीका ग्रंथियों (Lymph nodes) का कार्य .... है।

A. रक्त पंप करना　　B. लसीका को छानना
C. पित्त बनाना　　D. ऑक्सीजन संग्रह करना

व्याख्यात्मक उत्तर

1. **(C):** श्वसन तंत्र गैसों का आदान-प्रदान करता है। यह ऑक्सीजन की आपूर्ति करता है और CO_2 को हटाता है। यह जीवन के लिए आवश्यक है।
2. **(B):** वयस्कों में सामान्य श्वसन दर 12–20/मिनट होती है। यह पर्याप्त वेंटिलेशन (Ventilation) को दर्शाती है। यह आयु के साथ बदलती है।
3. **(C):** गैसों का आदान-प्रदान एल्विओलाई में होता है। ये बड़ा सतह क्षेत्र प्रदान करते हैं। ऑक्सीजन रक्त में प्रसारित होती है।
4. **(B):** ब्रोंकाइटिस ब्रोंकाई की सूजन है। यह खांसी और कफ उत्पन्न करता है। यह वायु प्रवाह को प्रभावित करता है।
5. **(B):** अस्थमा ब्रोंकाई के संकुचन का कारण बनता है। इससे घरघराहट होती है। यह प्रतिवर्ती है।
6. **(C):** निमोनिया फेफड़ों के ऊतक का संक्रमण है। यह सूजन उत्पन्न करता है। यह ऑक्सीजनकरण को प्रभावित करता है।
7. **(B):** तपेदिक मुख्य रूप से फेफड़ों को प्रभावित करता है। यह वायु के माध्यम से फैलता है। यह दीर्घकालिक रोग है।
8. **(C):** COPD में ब्रोंकाइटिस और एम्फाइसीमा शामिल हैं। एम्फाइसीमा एल्विओलाई को नष्ट करता है। यह गैस आदान-प्रदान को कम करता है।
9. **(B):** एम्फाइसीमा एल्विओलाई को नुकसान पहुंचाता है। यह सतह क्षेत्र को कम करता है। यह सांस फूलने का कारण बनता है।
10. **(A):** डिस्प्निया (Dyspnea) का अर्थ सांस लेने में कठिनाई है। यह सामान्य लक्षण है। यह श्वसन संकट को दर्शाता है।
11. **(B):** सायनोसिस कम ऑक्सीजन के कारण होता है। इससे त्वचा नीली हो जाती है। यह हाइपोक्सिया को दर्शाता है।
12. **(B):** हाइपोक्सिया ऊतकों में ऑक्सीजन की कमी है। यह अंगों के कार्य को प्रभावित करता है। यह गंभीर स्थिति है।
13. **(B):** ऑक्सीजन थेरेपी हाइपोक्सिया को ठीक करती है। यह ऑक्सीजन की आपूर्ति बढ़ाती है। यह आवश्यक उपचार है।
14. **(B):** ऑक्सीजन मास्क ऑक्सीजन प्रदान करता है। यह अधिक सांद्रता देता है। यह सामान्य रूप से उपयोग किया जाता है।
15. **(A):** नेजल कैनुला (Nasal cannula) कम प्रवाह 1-6 L/min) दर से ऑक्सीजन देता है। यह आरामदायक है। यह हल्के मामलों में उपयोग होता है।
16. **(A):** स्पुटम परीक्षण संक्रमण का पता लगाता है। यह जीवाणुओं की पहचान करता है। यह निदान में सहायक है।
17. **(B):** ABG रक्त में ऑक्सीजन, CO_2 और pH मापता है। यह श्वसन स्थिति का मूल्यांकन करता है। यह महत्वपूर्ण परीक्षण है।

18. (B): रक्त का सामान्य pH 7.35–7.45 होता है। यह अम्ल-क्षार संतुलन बनाए रखता है। यह सख्ती से नियंत्रित होता है।

19. (B): हाइपोवेंटिलेशन CO_2 के संचय का कारण बनता है। यह एसिडोसिस उत्पन्न करता है। यह श्वसन को प्रभावित करता है।

20. (B): हाइपरवेंटिलेशन CO_2 की कमी का कारण बनता है। यह अल्कलोसिस उत्पन्न करता है। यह pH को बदलता है।

21. (A): अस्थमा अवरोध करता है, निमोनिया संक्रमण है, टीबी बैक्टीरियल है, एम्फाइसीमा एल्विओलाई को नुकसान पहुंचाता है। यह रोगों की व्याख्या करता है।

अतः सही मिलान A-2, B-1, C-3, D-4 है।

22. (A): डिस्प्निया सांस की कठिनाई है, सायनोसिस नीला रंग है, हाइपोक्सिया कम ऑक्सीजन है, खांसी रिफ्लेक्स है। ये लक्षण हैं।
अतः सही मिलान A-3, B-2, C-1, D-4 है।

23. (B): ऑक्सीजन हाइपोक्सिया का उपचार करती है। यह सभी मामलों में हानिकारक नहीं है। इसलिए दूसरा गलत है।

अतः I सही है, II गलत है।

24. (B): COPD दीर्घकालिक है और पूर्णतः प्रतिवर्ती नहीं है। इसलिए दूसरा कथन गलत है।

अतः I सही है, II गलत है।

25. (B): तीव्र श्वास (Tachypnea) श्वसन संकट को दर्शाता है। यह बढ़े हुए प्रयास को दिखाता है। यह हाइपोक्सिया का संकेत है।

26. (B): ट्रेकियोस्टॉमी (Tracheostomy) ट्रेकिया में एक छेद है। यह श्वसन में सहायता करता है। यह शल्य प्रक्रिया है।

27. (B): स्पाइरोमीटर (Spirometer) फेफड़ों के विस्तार को सुधारता है। यह जटिलताओं को रोकता है। यह श्वसन को बढ़ाता है।

28. (C): चेस्ट फिजियोथेरेपी स्राव को हटाती है। यह वेंटिलेशन सुधारती है। यह संक्रमण को रोकती है।

29. (B): प्लूरल इफ्यूजन द्रव का संचय है। यह फेफड़े को दबाता है। यह श्वसन को प्रभावित करता है।

30. (B): न्यूमोथोरैक्स प्लूरल स्पेस में वायु की उपस्थिति है। यह फेफड़े को सिकोड़ देता है। यह आपात स्थिति है।

31. (A): हेमोप्टाइसिस (Hemoptysis) रक्त की खांसी है। यह गंभीर रोग को दर्शाता है। इसे मूल्यांकन की आवश्यकता है।

32. (C): ऑर्थोप्निया (Orthopnea) लेटने पर होता है। यह हृदय विफलता में देखा जाता है। बैठने से राहत मिलती है।

33. (B): ब्रोंकोडायलेटर्स स्मूथ मसल को शिथिल करते हैं। वे वायुमार्ग खोलते हैं। वे श्वसन सुधारते हैं।

34. (A): पीक फ्लो मीटर (Peak flow meter) वायु प्रवाह मापता है। यह फेफड़ों के कार्य का आकलन करता है। यह अस्थमा में उपयोग होता है।

35. (C): टीबी वायु बूंदों से फैलता है। यह संक्रामक है। इसके लिए आइसोलेशन आवश्यक है।

36. (A): न्यूमोथोरैक्स वायु, इफ्यूजन द्रव, हेमोप्टाइसिस रक्त, डिस्प्निया सांस की कठिनाई है। ये स्थितियों को दर्शाते हैं।

अतः सही मिलान A-2, B-1, C-3, D-4 है।

37. (A): नेजल कैनुला कम प्रवाह, ऑक्सीजन मास्क ऑक्सीजन प्रदान करता है, वेंटिलेटर यांत्रिक श्वसन, स्पाइरोमीटर फेफड़ों के कार्य को मापता है। यह उपकरणों का मिलान है।

अतः सही मिलान A-4, B-2, C-3, D-1 है।

38. (B): निमोनिया संक्रमण करता है और ऑक्सीजनकरण कम करता है। इसलिए दूसरा गलत है।

अतः I सही है, II गलत है।

39. (A): अस्थमा प्रतिवर्ती है और संकुचन उत्पन्न करता है। दोनों कथन सही हैं।

40. (B): फेफड़े गैसों का आदान-प्रदान करते हैं। वे ऑक्सीजन देते हैं। वे CO_2 हटाते हैं।

41. (B): हृदय रक्त को परिसंचरण तंत्र के माध्यम से पंप करता है। यह ऑक्सीजन और पोषक तत्वों की आपूर्ति करता है। यह जीवन बनाए रखता है।

42. (B): सामान्य नाड़ी 60–100 प्रति मिनट होती है। यह हृदय के कार्य को दर्शाती है। यह गतिविधि के अनुसार बदलती है।

43. (B): रक्तचाप स्फिग्मोमैनोमीटर से मापा जाता है। यह सिस्टोलिक और डायस्टोलिक मान देता है। यह आवश्यक उपकरण है।

44. (D): सामान्य रक्तचाप 120/80 होता है। यह परफ्यूजन बनाए रखता है। यह स्वस्थ सीमा है।

45. (D): उच्च रक्तचाप 140/90 से ऊपर होता है। यह रोग के जोखिम को बढ़ाता है। इसका प्रबंधन आवश्यक है।

46. (B): हाइपोटेंशन निम्न रक्तचाप (110/70) है। यह परफ्यूजन को कम करता है। यह शॉक उत्पन्न कर सकता है।

47. (C): मायोकार्डियल इंफार्क्शन (MI) कोरोनरी धमनी के अवरोध के कारण होता है। यह रक्त आपूर्ति रोक देता है। यह हृदय मांसपेशी को नुकसान पहुंचाता है।

48. (B): एंजाइना पेक्टोरिस छाती का दर्द है जो ऑक्सीजन की कमी से होता है। यह प्रतिवर्ती है। यह इस्कीमिया को दर्शाता है।

49. (D): ECG हृदय की गतिविधि को रिकॉर्ड करता है। यह असामान्यताओं का पता लगाता है। यह निदान उपकरण है।

50. (C): टैकीकार्डिया (Tachycardia) का अर्थ तेज हृदय गति है। यह तनाव के कारण हो सकती है। इसका मूल्यांकन आवश्यक है।

51. (A): ब्रैडीकार्डिया 60 bpm से कम होती है। यह धीमी दर है। यह खिलाड़ियों में सामान्य हो सकती है।

52. (B): एथेरोस्क्लेरोसिस में प्लाक बनता है। यह धमनियों को संकीर्ण करता है। यह रक्त प्रवाह को कम करता है।

53. (B): थ्रोम्बस (Thrombus) रक्त वाहिका में बना थक्का है। यह प्रवाह को रोकता है। यह इंफार्क्शन कर सकता है।

54. (A): एम्बोलिज्म तब होता है जब थक्का स्थानांतरित होता है। यह दूर की वाहिका को अवरुद्ध करता है। यह खतरनाक है।

55. (A): हृदय विफलता हृदय की रक्त पंप करने में असमर्थता है। यह द्रव संचय करता है। यह अंगों को प्रभावित करता है।

56. (C): एडिमा द्रव का संचय है। यह हृदय विफलता में होता है। यह सूजन उत्पन्न करता है।

57. (B): सायनोसिस ऑक्सीजन की कमी को दर्शाता है। यह नीला रंग उत्पन्न करता है। यह गंभीर संकेत है।

58. (B): कार्डियक आउटपुट = HR × स्ट्रोक वॉल्यूम। यह हृदय के कार्य को दर्शाता है। यह महत्वपूर्ण है।

59. (D): नाइट्रोग्लिसरीन एंजाइना को कम करता है। यह रक्त वाहिकाओं को फैलाता है। यह रक्त प्रवाह बढ़ाता है।

60. (C): डाययूरेटिक्स अतिरिक्त द्रव हटाते हैं। वे एडिमा कम करते हैं। ये हृदय विफलता में उपयोग होते हैं।

61. (A): हाइपरटेंशन उच्च BP, हाइपोटेंशन निम्न BP, टैकीकार्डिया तेज HR, ब्रैडीकार्डिया धीमा HR। ये परिभाषाएँ हैं।

अतः सही मिलान A-2, B-3, C-4, D-1 है।

62. (A): ECG हृदय गतिविधि, इको हृदय इमेजिंग, एंजियोग्राफी वाहिकाएँ, BP Monitor रक्तचाप मापता है। ये परीक्षण हैं।

अतः सही मिलान A-3, B-2, C-4, D-1 है।

63. (B): हाइपरटेंशन हृदय रोग के जोखिम को बढ़ाता है। यह हानिरहित नहीं है। इसलिए दूसरा गलत है।

अतः I सही है, II गलत है।

64. (B): MI हृदय में रक्त आपूर्ति में कमी के कारण होता है। यह हृदय को नुकसान पहुंचाता है। यह कार्य में सुधार नहीं करता। इसलिए दूसरा गलत है।

अतः I सही है, II गलत है।

65. (D): हृदय में चार कक्ष होते हैं। दो आलिंद और दो निलय। यह परिसंचरण सुनिश्चित करता है।

66. (D): दायां हृदय डीऑक्सीजेनेटेड रक्त ले जाता है। यह फेफड़ों को भेजता है। यह CO_2 हटाता है।

67. (C): बायां निलय रक्त को शरीर में पंप करता है। यह ऑक्सीजन प्रदान करता है। यह शक्तिशाली कक्ष है।

68. (D): पल्मोनरी आर्टरी डीऑक्सीजेनेटेड रक्त ले जाती है। यह फेफड़ों में जाती है। यह विशिष्ट है।

69. (D): कोरोनरी धमनियां हृदय को रक्त देती हैं। वे ऑक्सीजन प्रदान करती हैं। अवरोध MI करता है।

70. (D): कार्डियक अरेस्ट हृदय का अचानक रुकना है। यह आपात स्थिति है। CPR आवश्यक है।

71. (B): CPR का पूर्ण रूप कार्डियोपल्मोनरी रिससिटेशन है। यह परिसंचरण बहाल करता है। यह जीवन रक्षक है। यह आपात प्रक्रिया है।

72. (D): CPR का पहला चरण प्रतिक्रिया की जांच करना है। यह सुरक्षा सुनिश्चित करता है। फिर CPR शुरू होता है।

73. (A): हृदय की ध्वनियां लब-डब होती हैं। ये वाल्व बंद होने को दर्शाती हैं। ये सामान्य ध्वनियां हैं।

74. (B): मर्मर (Murmur) असामान्य प्रवाह दर्शाता है। यह वाल्व दोष के कारण हो सकता है। इसका मूल्यांकन आवश्यक है।

75. (D): वाल्वुलर रोग हृदय के वाल्व को प्रभावित करता है। यह प्रवाह बदलता है। यह मर्मर उत्पन्न करता है।

76. (A): एंजाइना छातीदर्द, MI हार्ट अटैक, एथेरोस्क्लेरोसिस संकुचन, एम्बोलिज्म थक्का संचलन। ये स्थितियाँ हैं।

अतः सही मिलान A-1, B-2, C-3, D-4 है।

77. (A): डाययूरेटिक्स द्रव कम करते हैं, बीटा ब्लॉकर्स हृदय गति कम करते हैं, ACE inhibitors BP कम करते हैं, सासोडाइलेटर वाहिकाएं फैलाते हैं। ये क्रियाएँ हैं।

अतः सही मिलान A-2, B-4, C-1, D-3 है।

78. (B): CPR जीवन बचाता है। यह कार्डियक अरेस्ट में आवश्यक है। इसलिए दूसरा गलत है।

अतः I सही है, II गलत है।

79. (B): एथेरोस्क्लेरोसिस धमनियों को संकीर्ण करता है। यह प्रवाह कम करता है। इसलिए दूसरा गलत है।

अतः I सही है, II गलत है।

80. (C): हृदय रक्त का परिसंचरण करता है। यह ऑक्सीजन देता है। यह आवश्यक कार्य है।

81. (C): पाचन तंत्र भोजन को सरल रूपों में तोड़ता है। यह अवशोषण में सहायता करता है। यह ऊर्जा प्रदान करता है।

82. (B): पाचन जटिल भोजन को सरल रूपों में परिवर्तित करता है। यह अवशोषण की अनुमति देता है। यह आवश्यक प्रक्रिया है।

83. (C): एमाइलेज (Amylase) कार्बोहाइड्रेट को शर्करा में तोड़ता है। यह मुंह में कार्य करता है। यह पाचन की शुरुआत करता है।

84. (D): आमाशय HCl स्रावित करता है। यह बैक्टीरिया को नष्ट करता है। यह एंजाइम को सक्रिय करता है।

85. (B): यकृत बाइल बनाता है। यह वसा के पाचन में सहायता करता है। यह पित्ताशय (Gall bladder) में संग्रहित होता है।

86. (B): बाइल वसा का इमल्सीफिकेशन करता है। यह सतह क्षेत्र बढ़ाता है। यह एंजाइम की क्रिया में सहायता करता है।

87. (C): अग्न्याशय एंजाइम स्रावित करता है। यह प्रोटीन, वसा, कार्बोहाइड्रेट का पाचन करता है। यह महत्वपूर्ण अंग है।

88. (D): अधिकांश अवशोषण छोटी आंत (Small intestine) में होता है। इसमें विली (Villi) होते हैं। यह सतह क्षेत्र बढ़ाता है।

89. (B): कब्ज मल त्याग में कठिनाई है। यह कम फाइबर के कारण होता है। यह असुविधा उत्पन्न करता है।

90. (C): डायरिया में पतला मल होता है। यह निर्जलीकरण उत्पन्न करता है। इसका उपचार आवश्यक है।

91. (B): अपेंडिसाइटिस अपेंडिक्स की सूजन है। यह दर्द उत्पन्न करता है। इसमें शल्यक्रिया की आवश्यकता हो सकती है।

92. (D): गैस्ट्राइटिस आमाशय की आंतरिक परत की सूजन है। यह दर्द उत्पन्न करता है। यह संक्रमण के कारण हो सकता है।

93. (B): पीलिया बिलीरुबिन बढ़ने से होता है। यह पीला रंग उत्पन्न करता है। यह यकृत रोग को दर्शाता है।

94. (C): हेपेटाइटिस यकृत को प्रभावित करता है। यह सूजन उत्पन्न करता है। यह विषाणु जनित हो सकता है।

95. (D): अल्सर बैक्टीरिया, तनाव, दवाओं के कारण हो सकता है। इसके कई कारण होते हैं। यह परत को नुकसान पहुंचाता है।

96. (B): वमन आमाशय की सामग्री (भोजन) को बलपूर्वक बाहर निकालता है। यह सुरक्षात्मक रिफ्लेक्स है। यह निर्जलीकरण कर सकता है।

97. (B): डिस्फेजिया (Dysphagia) का अर्थ निगलने में कठिनाई है। यह तंत्रिका संबंधी हो सकता है। इसका मूल्यांकन आवश्यक है।

98. (B): एसाइटिस (Ascites) उदर में द्रव का संचय है। यह यकृत रोग में होता है। यह सूजन उत्पन्न करता है।

99. (D): सिरोसिस (Cirrhosis) यकृत का दीर्घकालिक नुकसान है। यह फाइब्रोसिस उत्पन्न करता है। यह कार्य को प्रभावित करता है।

100. (D): मेलेना (Melena) काला मल है। यह ऊपरी GI रक्तस्राव को दर्शाता है। इसे ध्यान की आवश्यकता है।

101. (A): हेपेटाइटिस यकृत संक्रमण, गैस्ट्राइटिस आमाशय, अपेंडिसाइटिस अपेंडिक्स, सिरोसिस यकृत रोग। ये परिभाषाएँ हैं।

अतः सही मिलान A-4, B-2, C-3, D-1 है।

102. (A): एमाइलेज कार्बोहाइड्रेट, लाइपेस वसा, प्रोटीज प्रोटीन, बाइल इमल्सीफिकेशन करता है। यह पाचन प्रक्रिया है।

अतः सही मिलान A-3, B-1, C-2, D-4 है।

103. (A): कब्ज कठोर मल, डायरिया पतला, वमन निष्कासन, पीलिया पीली त्वचा। ये लक्षण हैं।

अतः सही मिलान A-2, B-3, C-4, D-1 है।

104. (A): यकृत बाइल बनाता है और बाइल वसा का पाचन करता है। दोनों कथन सही हैं।

105. (B): डायरिया निर्जलीकरण करता है। यह द्रव नहीं बढ़ाता। इसलिए दूसरा गलत है।

अतः I सही है, II गलत है।

106. (B): पीलिया में बिलीरुबिन बढ़ता है। यह कम नहीं होता। इसलिए दूसरा गलत है।

अतः I सही है, II गलत है।

107. (C): प्रोटीएज प्रोटीन को पचाता है। यह उन्हें अमीनो अम्ल में तोड़ता है। यह अग्न्याशय द्वारा स्रावित होता है।

108. (D): बड़ी आंत जल का अवशोषण करती है। यह मल बनाती है। यह संतुलन बनाए रखती है।

109. (A): आमाशय अम्लीय होता है। इसका सामान्य pH 1-3 होता है। कम pH पाचन में सहायता करता है। यह सूक्ष्मजीवों को नष्ट करता है।

110. (D): पित्ताशय बाइल संग्रहित करता है। यह पाचन के दौरान स्रावित होता है। यह वसा पाचन में सहायता करता है।

111. (C): मूत्र तंत्र चयापचय अपशिष्ट हटाता है। यह द्रव संतुलन बनाए रखता है। यह इलेक्ट्रोलाइट्स को नियंत्रित करता है।

112. (B): नेफ्रॉन गुर्दे की कार्यात्मक इकाई है। यह रक्त को छानता है। यह मूत्र बनाता है।

113. (D): गुर्दे उदर क्षेत्र में होते हैं। वे रेट्रोपेरिटोनियल (Retroperitoneal) होते हैं। वे रक्त को छानते हैं।

114. (C): मूत्र गुर्दों में बनता है। यह निस्यंदन से बनता है। यह उत्सर्जन प्रक्रिया है।

115. (D): मूत्राशय मूत्र को संग्रहित करता है। यह मूत्र को त्यागने तक संचित रखता है। यह आवश्यकता अनुसार फैलता है।

116. (C): मूत्र निर्माण निस्यंदन से शुरू होता है। रक्त ग्लोमेरुलस (Glomerulus) में छाना जाता है। यह निस्यंद बनाता है।

117. (C): सामान्य मूत्र उत्पादन लगभग 1000–1500 मिली/दिन होता है। यह सेवन के अनुसार बदलता है। यह गुर्दा कार्य दर्शाता है।

118. (D): ओलिग्यूरिया (Oliguria) <400 ml/दिन है। यह कम उत्पादन दर्शाता है। यह गुर्दा समस्या का संकेत है।

119. (D): एन्यूरिया (Anuria) <50 ml/दिन है। यह गंभीर स्थिति है। यह गुर्दा विफलता दर्शाता है।

120. (B): पॉलीयूरिया (Polyuria) अधिक मूत्र उत्पादन है। यह डायबिटीज में होता है। यह निर्जलीकरण करता है।

121. (C): डिस्यूरिया (Dysuria) दर्दयुक्त मूत्रत्याग है। यह संक्रमण में होता है। यह असुविधा उत्पन्न करता है।

122. (D): हेमैचूरिया (Hematuria) मूत्र में रक्त है। यह विकृति को दर्शाता है। इसकी जांच आवश्यक है।

123. (B): UTI का पूर्ण रूप मूत्र मार्ग संक्रमण (Urinary tract infection) है। UTI मूत्र मार्ग को प्रभावित करता है। यह दर्द और जलन उत्पन्न करता है। यह सामान्य है।

124. (D): रीनल फेल्योर (Renal failure) गुर्दा (Kidney) की विफलता है। यह अपशिष्ट के संचय का कारण बनता है। इसमें डायलिसिस (Dialysis) की आवश्यकता होती है।

125. (D): डायलिसिस अपशिष्ट पदार्थों को हटाता है। यह किडनी के कार्य का स्थान लेता है। यह संतुलन बनाए रखता है।

126. (A): हेमैचूरिया मूत्र में रक्त, डिस्यूरिया दर्दयुक्त मूत्रत्याग, पॉलीयूरिया अधिक मूत्र, ओलिग्यूरिया कम मूत्र से संबंधित है। ये अवस्थाएँ हैं।

अतः सही मिलान A-3, B-2, C-4, D-1 है।

127. (A): किडनी मूत्र बनाती है, यूरेटर (Ureter) ले जाता है, ब्लैडर (Bladder) संग्रह करता है, यूरेथ्रा (Urethra) उत्सर्जन करता है। यह प्रवाह है।

अतः सही मिलान A-2, B-3, C-1, D-4 है।

128. (A): किडनी रक्त को छानती है और मूत्र बनाती है। दोनों कार्य सही हैं।

129. (B): डायलिसिस गुर्दे के कार्य का स्थान लेता है। यह हार्मोन नहीं बनाता। इसलिए दूसरा कथन गलत है।

अतः I सही है, II गलत है।

130. (D): किडनी की पथरी को कैल्कुली कहा जाता है। यह दर्द उत्पन्न करती है। यह प्रवाह को अवरुद्ध करती है।

131. (D): कैथेटर यूरेथ्रा के माध्यम से डाला जाता है। यह मूत्र निकालता है। यह नर्सिंग प्रक्रिया है।

132. (B): प्रोस्टेट ग्रंथि पुरुष में होती है। यह यूरेथ्रा को घेरती है। यह मूत्रत्याग को प्रभावित करती है।

133. (D): नेफ्राइटिस किडनी की सूजन है। यह कार्य को प्रभावित करता है। यह प्रोटीन्यूरिया (Proteinuria) उत्पन्न कर सकता है।

134. (D): प्रोटीन्यूरिया मूत्र में प्रोटीन को दर्शाता है। यह किडनी की क्षति दिखाता है। इसकी जांच आवश्यक है।

135. (D): ग्लाइकोसूरिया (Glycosuria) मूत्र में ग्लूकोज है। यह डायबिटीज में होता है। यह हाइपरग्लाइसीमिया (Hyperglycemia) दर्शाता है।

136. (C): अंतःस्रावी तंत्र हार्मोन के माध्यम से नियंत्रण करता है। ये रक्त के द्वारा कार्य करते हैं। ये शरीर के कार्यों को नियंत्रित करते हैं।

137. (B): पिट्यूटरी (Pituitary) मास्टर ग्रंथि है। यह अन्य ग्रंथियों को नियंत्रित करती है। यह अनेक हार्मोन स्रावित करती है।

138. (B): इंसुलिन पैनक्रियास से स्रावित होता है। यह ग्लूकोज को नियंत्रित करता है। यह आवश्यक हार्मोन है।

139. (C): इंसुलिन रक्त शर्करा को कम करता है। यह ग्लूकोज के अवशोषण में सहायता करता है। यह संतुलन बनाए रखता है।

140. (B): डायबिटीज मेलिटस इंसुलिन की कमी से होता है। यह हाइपरग्लाइसीमिया उत्पन्न करता है। इसका उपचार आवश्यक है।

141. (B): हाइपरग्लाइसीमिया उच्च रक्त शर्करा है। यह डायबिटीज में होता है। यह जटिलताएँ उत्पन्न करता है।

142. (C): हाइपोग्लाइसीमिया कम ग्लूकोज है। यह चक्कर उत्पन्न करता है। इसका सुधार आवश्यक है।

143. (B): थायरॉयड थाइरॉक्सिन स्रावित करता है। यह मेटाबॉलिज्म (Metabolism) नियंत्रित करता है। यह वृद्धि को प्रभावित करता है।

144. (D): हाइपोथायरॉयडिज्म में थाइरॉक्सिन कम होता है। यह मेटाबॉलिज्म को धीमा करता है। यह वजन बढ़ाता है।

145. (D): हाइपरथायरॉयडिज्म मेटाबॉलिज्म बढ़ाता है। यह वजन घटाता है। यह हृदय गति बढ़ाता है।

146. (D): एड्रिनल (Adrenal) ग्रंथि कोर्टिसोल स्रावित करती है। यह स्ट्रेस हार्मोन है। यह मेटाबॉलिज्म को नियंत्रित करता है।

147. (C): कुशिंग्स सिंड्रोम (Cushing's syndrome) में कोर्टिसोल अधिक होता है। यह मोटापा उत्पन्न करता है। यह मेटाबॉलिज्म को प्रभावित करता है।

148. (A): एडिसन रोग (Addison's disease) में कोर्टिसोल की कमी होती है। यह कमजोरी उत्पन्न करता है। यह गंभीर स्थिति है।

149. (B): ग्रोथ हार्मोन पिट्यूटरी से स्रावित होता है। यह वृद्धि को नियंत्रित करता है। यह लंबाई को प्रभावित करता है।

150. (D): अधिक GH से जाइगैन्टिज्म (Gigantism) होता है। यह असामान्य वृद्धि करता है। यह बचपन में होता है।

151. (A): इंसुलिन शर्करा, थाइरॉक्सिन मेटाबॉलिज्म, कोर्टिसोल तनाव, GH वृद्धि। ये कार्य हैं।

अतः सही मिलान A-3, B-1, C-2, D-4 है।

152. (A): डायबिटीज में शर्करा अधिक, हाइपोथायरॉयड में थाइरॉक्सिन कम, कुशिंग्स में कोर्टिसोल अधिक, एडिसन में कोर्टिसोल कम। ये विकार हैं।

अतः सही मिलान A-4, B-2, C-3, D-1 है।

153. (B): इंसुलिन रक्त ग्लूकोज को कम करता है। यह बढ़ाता नहीं है। इसलिए दूसरा गलत है।

अतः I सही है, II गलत है।

154. (B): थाइरॉक्सिन मेटाबॉलिज्म नियंत्रित करता है। थायरॉयड आवश्यक है। इसलिए दूसरा गलत है।

अतः I सही है, II गलत है।

155. (C): ग्लूकागन (Glucagon) ग्लूकोज बढ़ाता है। यह इंसुलिन के विपरीत कार्य करता है। यह रक्त शर्करा बढ़ाता है।

156. (D): डायबिटीज इंसिपिडस ADH की कमी से होता है। यह पॉलीयूरिया उत्पन्न करता है। यह निर्जलीकरण करता है।

157. (D): गॉइटर (Goiter) थायरॉयड का बढ़ना है। यह आयोडीन की कमी में होता है। यह सूजन उत्पन्न करता है।

158. (B): एस्ट्रोजन (Estrogen) स्त्री हार्मोन है। यह प्रजनन नियंत्रित करता है। यह द्वितीयक लक्षणों को प्रभावित करता है।

159. (D): टेस्टोस्टेरोन (Testosterone) पुरुष हार्मोन है। यह पुरुष गुणों को नियंत्रित करता है। यह टेस्टिस में बनता है।

160. (D): अंतःस्रावी ग्रंथियाँ नलिका रहित होती हैं। वे हार्मोन को रक्त में छोड़ती हैं। वे दूरस्थ रूप से कार्य करती हैं।

161. (B): मस्क्युलोस्केलेटल सिस्टम (Musculoskeletal system) शरीर को संरचना और गति प्रदान करता है। हड्डियाँ शरीर को सहारा देती हैं। मांसपेशियाँ गति में सहायता करती हैं।

162. (B): लिगामेंट हड्डी को हड्डी से जोड़ते हैं। वे जोड़ों को स्थिर रखते हैं। वे अत्यधिक गति को रोकते हैं।

163. (B): जोड़ हड्डियों के बीच बनते हैं। वे गति की अनुमति देते हैं। वे लचीलापन प्रदान करते हैं।

164. (C): मांसपेशियाँ संकुचन करके गति उत्पन्न करती हैं। वे हड्डियों के साथ कार्य करती हैं। वे क्रियाएँ संभव बनाती हैं।

165. (B): लिगामेंट हड्डियों को जोड़ते हैं। वे स्थिरता बनाए रखते हैं। वे जोड़ों को सहारा देते हैं।

166. (B): टेंडन (Tendon) मांसपेशियों को हड्डियों से जोड़ते हैं। वे बल का संचरण करते हैं। वे गति संभव बनाते हैं।

167. (D): ऑस्टियोपोरोसिस (Osteoporosis) हड्डियों की सघनता को कम करता है। यह हड्डियों को कमजोर बनाता है। यह फ्रैक्चर का जोखिम बढ़ाता है।

168. (B): फ्रैक्चर हड्डी में टूटना है। यह पूर्ण या आंशिक हो सकता है। इसमें स्थिरीकरण की आवश्यकता होती है।

169. (C): स्प्रेन (Sprain) लिगामेंट की चोट है। यह मुड़ने से होता है। यह दर्द और सूजन उत्पन्न करता है।

170. (D): स्ट्रेन (Strain) मांसपेशी की चोट है। यह अधिक उपयोग से होता है। यह दर्द उत्पन्न करता है।

171. (C): आर्थराइटिस (Arthritis) जोड़ की सूजन है। यह दर्द और जकड़न उत्पन्न करता है। यह गतिशीलता को प्रभावित करता है।

172. (B): ऑस्टियोआर्थराइटिस (Osteoarthritis) जोड़ों को प्रभावित करता है। यह अपक्षय उत्पन्न करता है। यह वृद्धों में सामान्य है।

173. (B): रूमेटॉइड आर्थराइटिस (Rheumatoid arthritis) ऑटोइम्यून रोग है। शरीर अपने ही जोड़ों पर आक्रमण करता है। यह सूजन उत्पन्न करता है।

174. (D): गाउट (Gout) यूरिक एसिड क्रिस्टल के कारण होता है। यह तीव्र दर्द उत्पन्न करता है। यह जोड़ों को प्रभावित करता है।

175. (C): डिसलोकेशन (Dislocation) जोड़ का विस्थापन है। यह विकृति उत्पन्न करता है। इसका सुधार आवश्यक है।

176. (A): लिगामेंट हड्डी से हड्डी, टेंडन मांसपेशी से हड्डी, जोड़ हड्डियों का मिलन, मांसपेशी गति से संबंधित है। ये संरचनाएँ हैं।

अतः सही मिलान A-2, B-3, C-4, D-1 है।

177. **(A):** फ्रैक्चर हड्डी टूटना, स्प्रेन लिगामेंट की चोट, स्ट्रेन मांसपेशी की चोट, डिसलोकेशन जोड़ का विस्थापन है। ये चोटें हैं।

अतः सही मिलान A-1, B-2, C-3, D-4 है।

178. **(B):** ऑस्टियोपोरोसिस हड्डियों को कमजोर करता है। यह मजबूती नहीं बढ़ाता। इसलिए दूसरा गलत है।

अतः I सही है, II गलत है।

179. **(B):** आर्थराइटिस जोड़ों को प्रभावित करता है। यह दर्द उत्पन्न करता है। यह केवल मांसपेशियों को प्रभावित नहीं करता।

अतः I सही है, II गलत है।

180. **(D):** कंकाल शरीर को सहारा देता है। यह अंगों की रक्षा करता है। यह गति में सहायता करता है।

181. **(C):** तंत्रिका तंत्र शरीर की क्रियाओं का समन्वय करता है। यह प्रतिक्रियाओं को नियंत्रित करता है। यह संतुलन बनाए रखता है।

182. **(A):** न्यूरॉन तंत्रिका तंत्र की मूल इकाई है। यह आवेगों का संचार करता है। यह कार्यों को नियंत्रित करता है।

183. **(D):** मस्तिष्क मेनिंजेस से सुरक्षित रहता है। वे इसे ढकते हैं। वे सुरक्षा प्रदान करते हैं।

184. **(D):** स्पाइनल कॉर्ड वर्टिब्रल कॉलम में स्थित होती है। यह सुरक्षित रहती है। यह आवेगों का संचरण करती है।

185. **(D):** सेरेब्रम (Cerebrum) सोच को नियंत्रित करता है। यह स्मृति को संचालित करता है। यह स्वैच्छिक क्रियाओं को नियंत्रित करता है।

186. **(D):** सेरेबेलम (Cerebellum) संतुलन नियंत्रित करता है। यह गति का समन्वय करता है। यह मुद्रा बनाए रखता है।

187. **(D):** मेडुला (Medulla) महत्वपूर्ण क्रियाओं को नियंत्रित करता है। यह श्वसन नियंत्रित करता है। यह हृदय गति नियंत्रित करता है।

188. **(D):** रिफ्लेक्स (Reflex) स्वचालित क्रिया है। इसमें सोच की आवश्यकता नहीं होती। यह तीव्र होती है।

189. **(D):** मेनिंजेस की तीन परतें होती हैं। वे मस्तिष्क की रक्षा करती हैं। इनमें ड्यूरा, एरैक्नॉइड, पिया शामिल हैं।

190. **(D):** CSF मस्तिष्क की रक्षा करता है। यह कुशन प्रदान करता है। यह दाब बनाए रखता है।

191. **(B):** स्ट्रोक (Stroke) रक्त प्रवाह कम होने से होता है। यह मस्तिष्क को क्षति पहुँचाता है। यह लकवा उत्पन्न करता है।

192. **(C):** पैरालिसिस (Paralysis) गति की हानि है। यह शरीर के भागों को प्रभावित कर सकता है। यह गंभीर है।

193. **(D):** एपिलेप्सी (Epilepsy) में दौरे होते हैं। यह तंत्रिका विकार है। इसका उपचार आवश्यक है।

194. **(D):** मेनिंजाइटिस (Meningitis) मेनिंजेस की सूजन है। यह संक्रमण है। यह बुखार उत्पन्न करता है।

195. **(D):** कोमा (Coma) अचेतन अवस्था है। रोगी प्रतिक्रिया नहीं देता। इसे देखभाल की आवश्यकता होती है।

196. **(B):** GCS चेतना का आकलन करता है। यह प्रतिक्रिया को मापता है। यह नैदानिक उपकरण है।

197. **(B):** अफेसिया (Aphasia) बोलने में कठिनाई है। यह स्ट्रोक में होता है। यह संचार को प्रभावित करता है।

198. **(D):** हेमीप्लेजिया (Hemiplegia) शरीर के एक तरफ के अंग को प्रभावित करता है। यह स्ट्रोक में होता है। यह विकलांगता उत्पन्न करता है।

199. **(D):** पार्किंसन रोग (Parkinson's disease) मस्तिष्क को प्रभावित करता है। यह गति को प्रभावित करता है। यह कंपकंपी उत्पन्न करता है।

200. **(D):** कंपकंपी पार्किंसन का लक्षण है। यह न्यूरोडीजेनेरेटिव रोग है। यह गति को प्रभावित करता है।

201. **(A):** सेरेब्रम सोच को नियंत्रित करता है, सेरेबेलम संतुलन बनाए रखता है, मेडुला महत्वपूर्ण क्रियाओं को नियंत्रित करता है और मेनिंजेस सुरक्षा प्रदान करते हैं। ये सभी तंत्रिका तंत्र के मुख्य कार्य हैं।

अतः सही मिलान A-2, B-1, C-4, D-3 है।

202. **(A):** स्ट्रोक में रक्त आपूर्ति कम हो जाती है, एपिलेप्सी में दौरे होते हैं, मेनिंजाइटिस संक्रमण है और पैरालिसिस में गति का ह्रास होता है। ये सभी अलग-अलग विकार हैं।

अतः सही मिलान A-4, B-2, C-1, D-3 है।

203. **(A):** अफेसिया बोलने में कठिनाई है, हेमीप्लेजिया शरीर के एक तरफ का पक्षाघात है, कोमा अचेतन अवस्था है और रिफ्लेक्स अनैच्छिक क्रिया है। ये परिभाषाएँ हैं।

अतः सही मिलान A-2, B-4, C-1, D-3 है।

204. **(B):** स्ट्रोक में मस्तिष्क की रक्त आपूर्ति कम हो जाती है। यह मस्तिष्क को क्षति पहुँचाता है। इसलिए दूसरा कथन गलत है।

अतः I सही है, II गलत है।

205. **(B):** एपिलेप्सी में दौरे होते हैं। यह संक्रामक रोग नहीं है। इसलिए दूसरा कथन गलत है।

अतः I सही है, II गलत है।

206. **(B):** रिफ्लेक्स क्रिया अनैच्छिक होती है। इसमें चेतन प्रयास की आवश्यकता नहीं होती। इसलिए दूसरा कथन गलत है।

अतः I सही है, II गलत है।

207. **(B):** न्यूरॉन तंत्रिका आवेगों का संचार करते हैं। ये संकेतों को एक स्थान से दूसरे स्थान तक ले जाते हैं। यह शरीर की क्रियाओं को नियंत्रित करता है।

208. **(D):** सिनैप्स न्यूरॉनों के बीच का जंक्शन है। यहाँ से आवेग एक न्यूरॉन से दूसरे में जाते हैं। यह संचार का महत्वपूर्ण भाग है।

209. **(B):** स्पाइनल कॉर्ड रिफ्लेक्स क्रियाओं को नियंत्रित करता है। यह तेज प्रतिक्रिया देता है। इसमें मस्तिष्क की आवश्यकता कम होती है।

210. **(D):** तंत्रिका तंत्र शरीर की क्रियाओं को नियंत्रित करता है। यह समन्वय बनाए रखता है। यह संतुलन बनाए रखता है।

211. **(D):** संक्रामक रोग वायु, जल और संपर्क से फैल सकते हैं। कई माध्यम होते हैं। रोकथाम के लिए स्वच्छता आवश्यक है।

212. **(D):** तपेदिक रोग मुख्यतः फेफड़ों को प्रभावित करता है। यह वायु द्वारा फैलता है। यह दीर्घकालिक रोग है।

213. **(B):** तपेदिक रोग Mycobacterium tuberculosis से होता है। यह जीवाणु जनित रोग है। इसका उपचार एंटीबायोटिक से होता है।

214. (C): मलेरिया मादा एनोफिलीज मच्छर से फैलता है। यह परजीवी को वहन करता है। यह रोग फैलाता है।

215. (D): डेंगू एडीज मच्छर से फैलता है। यह साफ जल में पनपता है। यह बुखार उत्पन्न करता है।

216. (D): HIV प्रतिरक्षा तंत्र को प्रभावित करता है। यह शरीर की रक्षा क्षमता को कम करता है। यह AIDS का कारण बनता है।

217. (B): BCG वैक्सीन तपेदिक रोग से बचाव करता है। यह बचपन में दिया जाता है। यह प्रतिरक्षा प्रदान करता है।

218. (B): हैजा Vibrio cholerae बैक्टीरिया से होता है। यह दूषित भोजन और जल से फैलता है। यह दस्त का कारण बनता है।

219. (B): हैजा दूषित भोजन और जल से फैलता है। यह जल जनित रोग है। स्वच्छता से बचाव होता है।

220. (D): खसरा एक वायरल रोग है। यह वायु द्वारा फैलता है। इसका टीका उपलब्ध है।

221. (D): हैजा दूषित जल से फैलता है। यह दस्त उत्पन्न करता है। यह जल जनित रोग है।

222. (D): हेपेटाइटिस B रक्त और शारीरिक द्रवों से फैलता है। इसमें सुई और रक्त संक्रमण शामिल है। यह संक्रामक है।

223. (D): संक्रामक रोग के कैरियर में लक्षण नहीं होते हैं। फिर भी वह रोग फैलाता है। यह महामारी विज्ञान में महत्वपूर्ण है।

224. (A): तपेदिक रोग वायु जनित है, मलेरिया प्रोटोजोआ से होता है, डेंगू मच्छर से फैलता है और हैजा जल जनित है। ये वर्गीकरण हैं।
अतः सही मिलान A-2, B-4, C-3, D-1 है।

225. (A): HIV प्रतिरक्षा कमी करता है, हेपेटाइटिस B रक्त से फैलता है, खसरा वायरल है और तपेदिक रोग वायु जनित है। ये विशेषताएँ हैं।
अतः सही मिलान A-3, B-1, C-2, D-4 है।

226. (B): टीकाकरण रोगों से बचाव करता है। यह प्रतिरक्षा बढ़ाता है। इसलिए दूसरा कथन गलत है।
अतः I सही है, II गलत है।

227. (B): मलेरिया मच्छर के काटने से फैलता है। यह वायु से नहीं फैलता। इसलिए दूसरा कथन गलत है।
अतः I सही है, II गलत है।

228. (B): आइसोलेशन से संक्रमण का प्रसार रोका जाता है। यह दूसरों की सुरक्षा करता है। यह नियंत्रण का उपाय है।

229. (C): इनक्यूबेशन अवधि संपर्क और लक्षण के बीच का समय है। यह रोग के अनुसार बदलती है। यह निदान में सहायक है।

230. (D): इम्यूनाइजेशन रोगों की रोकथाम का सर्वोत्तम तरीका है। यह प्रतिरक्षा बढ़ाता है। यह प्रभावी उपाय है।

231. (D): जलन त्वचा की चोट है जो ऊष्मा, रसायन या विकिरण से होती है। ऊष्मा सबसे सामान्य कारण है। यह ऊतक को नुकसान पहुँचाती है।

232. (C): जलन को तीन डिग्री में बाँटा जाता है। यह गहराई पर आधारित है। इससे उपचार निर्धारित होता है।

233. (D): प्रथम श्रेणी जलन केवल एपिडर्मिस को प्रभावित करती है। इसमें लालिमा होती है। यह जल्दी ठीक हो जाती है।

234. (B): द्वितीय श्रेणी जलन डर्मिस तक पहुँचती है। इसमें फफोले बनते हैं। यह अधिक गंभीर होती है।

235. (D): तृतीय श्रेणी जलन पूरी त्वचा को नष्ट कर देती है। यह गहरे ऊतकों को भी प्रभावित कर सकती है। इसमें ग्राफ्टिंग की आवश्यकता होती है।

236. (D): गंभीर जलन में द्रव हानि होती है। इससे शॉक होता है। यह जीवन के लिए खतरनाक है।

237. (D): रूल ऑफ नाइन से जले हुए क्षेत्र का अनुमान लगाया जाता है। यह उपचार में सहायक है।

238. (D): ठंडा जल लगाने से जलन कम होती है। यह ऊतक क्षति कम करता है। यह प्राथमिक उपचार है।

239. (D): त्वचा शरीर की रक्षा करती है। जलन में यह नष्ट हो जाती है। इससे संक्रमण का खतरा बढ़ता है।

240. (D): जलन में द्रव हानि से शॉक हो सकता है। तरल उपचार इसे रोकता है। यह परिसंचरण बनाए रखता है।

241. (D): कैंसर अनियंत्रित कोशिका वृद्धि है। यह ट्यूमर बनाता है। यह ऊतकों में फैल जाता है।

242. (D): मेटास्टेसिस कैंसर का फैलाव है। यह रक्त के माध्यम से होता है। यह रोग की गंभीरता बढ़ाता है।

243. (D): कैंसर में कई लक्षण होते हैं। दर्द, गांठ और वजन कम होना शामिल हैं। प्रारंभिक पहचान आवश्यक है।

244. (D): कार्सिनोजेन कैंसर उत्पन्न करते हैं। ये DNA को क्षति पहुँचाते हैं। उदाहरण में रसायन शामिल हैं।

245. (C): बायोप्सी (Biopsy) कैंसर ऊतक की जाँच करती है। यह रोग की पुष्टि करती है। यह कैंसर के निदान हेतु महत्वपूर्ण परीक्षण है।

246. (A): प्रथम में एपिडर्मिस प्रभावित होता है, द्वितीय में डर्मिस शामिल होता है, तृतीय में पूरी त्वचा की मोटाई प्रभावित होती है और रूल ऑफ नाइन क्षेत्र बताता है। यह वर्गीकरण है।

अतः सही मिलान A-1, B-2, C-3, D-4 है।

247. (A): कार्सिनोजेन कैंसर का कारण बनता है, बायोप्सी ऊतक परीक्षण करती है, कीमोथेरेपी (Chemotherapy) दवाओं से उपचार है और रेडियोथेरेपी (Radiotherapy) विकिरण उपचार है। ये कैंसर के उपचार हैं।

अतः सही मिलान A-3, B-2, C-1, D-4 है।

248. (A): जलन से द्रव की हानि होती है जिससे शॉक होता है। दोनों कथन सही हैं।

249. (B): कैंसर कोशिकाएँ अनियंत्रित रूप से बढ़ती हैं। ये सामान्य नियंत्रण का पालन नहीं करती हैं। इसलिए दूसरा कथन गलत है।
अतः I सही है, II गलत है।

250. (D): विकिरण कैंसर कोशिकाओं को नष्ट करता है। यह DNA को क्षति पहुँचाता है। यह ट्यूमर को कम करता है।

251. (C): कीमोथेरेपी में दवाओं का उपयोग होता है। यह कैंसर कोशिकाओं को मारती है। यह तेजी से विभाजित कोशिकाओं को प्रभावित करती है।

252. (D): स्टेजिंग (Staging) रोग के फैलाव को दर्शाती है। यह उपचार का मार्गदर्शन करती है। यह रोग का पूर्वानुमान बताती है।

253. (B): त्वचा कैंसर सबसे सामान्य है। यह सूर्य के प्रभाव से होता है। इससे बचाव संभव है।

254. (D): पेलिएटिव केयर (Palliative care) कष्ट को कम करती है। यह जीवन की गुणवत्ता सुधारती है। यह सहायक देखभाल है।

255. (D): स्किन ग्राफ्ट (Skin graft) क्षतिग्रस्त त्वचा को बदलता है। यह घाव भरने में मदद करता है। यह जटिलताओं को कम करता है।

256. (D): आपातकालीन देखभाल गंभीर स्थितियों में दी जाती है। इसमें तुरंत कार्यवाही होती है। यह जीवन बचाती है।

257. (D): आपातकाल में प्राथमिक सर्वे में वायुमार्ग, श्वसन तथा परिसंचरण का आकलन होता है। यह प्राथमिक जाँच है। यह जीवन बनाए रखता है। यह सबसे पहले किया जाता है।

258. (B): सबसे पहले वायुमार्ग की जाँच होती है। यह श्वास सुनिश्चित करता है। यह अवरोध को रोकता है।

259. (D): ट्रायेज (Triage) में रोगियों को प्राथमिकता दी जाती है। इससे उचित देखभाल मिलती है। यह आपातकाल में महत्वपूर्ण है।

260. (D): CPR कार्डियक अरेस्ट में किया जाता है। यह परिसंचरण बहाल करता है। यह जीवन बचाता है।

261. (B): CPR का अनुपात 30 दबाव और 2 श्वास है। यह परिसंचरण बनाए रखता है। यह मानक है।

262. (B): शॉक में ऊतकों को पर्याप्त रक्त प्रवाह नहीं मिलता है। इससे अंगों को नुकसान होता है। यह आपात स्थिति है।

263. (D): हाइपोवोलेमिक शॉक रक्त की कमी से होता है। इससे आयतन घटता है। यह शॉक उत्पन्न करता है।

264. (D): एनाफिलेक्टिक शॉक एलर्जी से होता है। यह शरीर को प्रभावित करता है। यह आपात स्थिति है।

265. (D): सेप्टिक शॉक संक्रमण के कारण होता है। यह रक्त वाहिकाओं को फैलाता है। यह गंभीर स्थिति है।

266. (D): अंतःशिरा द्रव परिसंचरण को बनाए रखते हैं। यह रक्तचाप बनाए रखते हैं। यह शॉक को रोकते हैं।

267. (D): ऑक्सीजन थेरेपी ऑक्सीजन की मात्रा बढ़ाती है। यह ऊतकों को समर्थन देती है। यह हाइपोक्सिया को रोकती है।

268. (D): डिफिब्रिलेटर हृदय की लय को ठीक करता है। यह अरिदमिया का उपचार करता है। यह जीवनरक्षक है।

269. (D): वेंटिलेटर श्वास में सहायता करता है। इसका उपयोग ICU में होता है। यह रोगी को सहारा देता है।

270. (D): GCS चेतना का आकलन करता है। यह मस्तिष्क की कार्यक्षमता बताता है। यह महत्वपूर्ण है।

271. (A): ICU का पूर्ण रूप इंटेंसिव केयर यूनिट (Intensive Care Unit) है। यह गंभीर रोगियों के लिए होता है। इसमें उन्नत उपकरण होते हैं। यह निगरानी प्रदान करता है।

272. (D): ICU में सभी महत्वपूर्ण संकेतों की निगरानी होती है। इसमें रक्तचाप, नाड़ी और श्वसन शामिल हैं। यह स्थिरता बनाए रखता है।

273. (D): सक्शन वायुमार्ग को साफ करता है। यह स्राव हटाता है। यह श्वसन सुधारता है।

274. (D): इंट्यूबेशन में नली ट्रेकिया में डाली जाती है। यह वायुमार्ग बनाए रखता है। यह वेंटिलेशन में सहायता करता है।

275. (D): एड्रेनालिन एनाफिलैक्सिस का उपचार है। यह शॉक को उलटता है। यह आपात दवा है।

276. (A): CPR पुनर्जीवन है, डिफिब्रिलेटर लय सुधारता है, वेंटिलेटर कृत्रिम श्वास देता है, सक्शन वायुमार्ग साफ करता है। ये उपयोग हैं।

अतः सही मिलान A-4, B-3, C-2, D-1 है।

277. (A): हाइपोवोलेमिक में रक्त हानि, सेप्टिक में संक्रमण, एनाफिलेक्टिक में एलर्जी और कार्डियोजेनिक में हृदय विफलता होती है। ये प्रकार हैं।

अतः सही मिलान A-3, B-2, C-1, D-4 है।

278. (A): वायुमार्ग खुला रखना, श्वसन में ऑक्सीजन देना, परिसंचरण में रक्त प्रवाह और विकलांगता में चेतना का आकलन होता है। ये ABCD हैं।

अतः सही मिलान A-4, B-1, C-3, D-2 है।

279. (B): शॉक में परफ्यूजन कम हो जाता है। यह परिसंचरण में सुधार नहीं करता। इसलिए दूसरा कथन गलत है।

अतः I सही है, II गलत है।

280. (B): CPR जीवन बचाता है। यह कार्डियक अरेस्ट में आवश्यक है। इसलिए दूसरा कथन गलत है।

अतः I सही है, II गलत है।

281. (B): ऑक्सीजन थेरेपी ऑक्सीजन की मात्रा बढ़ाती है। यह उसे कम नहीं करती। इसलिए दूसरा कथन गलत है।

अतः I सही है, II गलत है।

282. (D): आपातकालीन देखभाल जीवन बचाती है। यह मृत्यु को रोकती है। यह प्राथमिकता होती है।

283. (D): कोड ब्लू का अर्थ कार्डियक अरेस्ट है। इसमें CPR की आवश्यकता होती है। यह आपात स्थिति है।

284. (D): पल्स ऑक्सीमीटर (Pulse oximeter) ऑक्सीजन संतृप्ति मापता है। यह ऑक्सीजन स्तर दर्शाता है। यह महत्वपूर्ण है।

285. (D): ICU गंभीर देखभाल प्रदान करता है। यह महत्वपूर्ण कार्यों को बनाए रखता है। यह आवश्यक है।

286. (B): कान सुनने और संतुलन दोनों में सहायता करता है। आंतरिक कान संतुलन बनाए रखता है। यह समन्वय के लिए आवश्यक है।

287. (C): बाह्य कान में पिन्ना और ऑडिटरी कैनाल शामिल होते हैं। यह ध्वनि को एकत्र करता है। यह उसे ईयरड्रम तक पहुँचाता है।

288. (D): मध्य कान में तीन अस्थिकाएँ होती हैं। वे ध्वनि को स्थानांतरित करती हैं। वे कंपन को बढ़ाती हैं।

289. (C): आंतरिक कान में कोक्लिया एवं सेमीसर्कुलर नलिकाएँ होती हैं। वे संतुलन बनाए रखती हैं। वे गति का पता लगाती हैं।

290. (B): टिम्पैनिक मेम्ब्रेन (Tympanic membrane) को ईयरड्रम कहते हैं। यह ध्वनि से कंपन करता है। यह संकेतों को आगे भेजता है।

291. (B): ओटाइटिस मीडिया (Otitis media) मध्य कान का संक्रमण है। यह दर्द उत्पन्न करता है। यह सुनने को प्रभावित करता है।

292. (D): सुनने की कमी को बहरापन कहते हैं। यह आंशिक या पूर्ण हो सकती है। यह संचार को प्रभावित करती है।

293. (C): मेनिएर्स रोग (Meniere's disease) आंतरिक कान को प्रभावित करता है। यह चक्कर उत्पन्न करता है। यह संतुलन को प्रभावित करता है।

294. (A): पिन्ना ध्वनि एकत्र करता है, कोक्लिया (Cochlea) सुनने के लिए है, नलिकाएँ संतुलन के लिए हैं और टायम्पैनिक मेम्ब्रेन कंपन करता है। ये कार्य हैं।

अतः सही मिलान A-3, B-1, C-2, D-4 है।

295. (B): कान संतुलन बनाए रखने में मदद करता है। यह संतुलन बनाए रखता है। इसलिए दूसरा कथन गलत है।

अतः I सही है, II गलत है।

296. (B): आँख देखने का अंग है। यह प्रकाश को पहचानती है। यह छवि बनाती है।

297. (C): रेटिना में रॉड्स और कोन्स नामक फोटोरिसेप्टर्स होते हैं। वे प्रकाश पहचानते हैं। वे संकेत बनाते हैं।

298. (D): लेंस प्रकाश को रेटिना पर केंद्रित करता है। यह आकार बदलता है। यह स्पष्ट दृष्टि देता है।

299. (D): ग्लूकोमा आँख के इंट्राऑक्यूलर दबाव में वृद्धि द्वारा पहचाना जाता है। यह ऑप्टिक नर्व को नुकसान पहुँचाता है। यह अंधापन कर सकता है।

300. (D): कैटरैक्ट में लेंस धुंधला हो जाता है। यह दृष्टि कम करता है। इसका ऑपरेशन किया जाता है।

301. (C): जेरियाट्रिक्स (Geriatrics) वृद्ध व्यक्तियों की देखभाल का अध्ययन है। इसमें रोकथाम, उपचार और पुनर्वास शामिल है। देखभाल सुरक्षा और स्वतंत्रता पर केंद्रित होती है।

302. (B): उम्र बढ़ने पर मांसपेशियाँ कमजोर होती हैं। संतुलन बिगड़ता है। इससे गिरने का खतरा बढ़ता है।

303. (B): व्यावसायिक स्वास्थ्य कार्यस्थल से संबंधित रोगों को रोकता है। यह खतरों की पहचान करता है। यह सुरक्षा सुनिश्चित करता है।

304. (D): पॉलीफार्मेसी (Polypharmacy) का अर्थ है कई दवाओं का एक साथ उपयोग। इससे दुष्प्रभाव का खतरा बढ़ता है। सावधानी आवश्यक है।

305. (C): उम्र के साथ त्वचा पतली हो जाती है। यह आसानी से क्षतिग्रस्त होती है। देखभाल आवश्यक है।

306. (D): स्थिति बदलने से दबाव कम होता है। रक्त प्रवाह बना रहता है। इससे घाव नहीं बनते।

307. (D): व्यावसायिक खतरों में जैविक जोखिम शामिल होते हैं। इनमें संक्रमण शामिल हैं। सुरक्षा उपाय आवश्यक हैं।

308. (A): शोर से सुनने की हानि, धूल से श्वसन समस्या, सुई से संक्रमण, बार-बार कार्य से कार्पल टनल जोखिम होता है।

अतः सही मिलान A-2, B-3, C-4, D-1 है।

309. (B): व्यायाम संतुलन और शक्ति बढ़ाता है। यह गिरने का जोखिम कम करता है। इसलिए दूसरा कथन गलत है।

अतः I सही है, II गलत है।

310. (C): PPE चोट और संक्रमण के जोखिम से सुरक्षा प्रदान करता है। यह खतरों से बचाता है। यह सुरक्षा बढ़ाता है।

311. (B): प्रतिरक्षा तंत्र शरीर को संक्रमण से बचाता है। यह हानिकारक जीवों को नष्ट करता है। यह स्वास्थ्य बनाए रखता है।

312. (C): एंटीबॉडी एंटीजन से जुड़ते हैं। वे रोगजनकों को निष्क्रिय करते हैं। यह प्रतिरक्षा प्रतिक्रिया है।

313. (D): अस्थि मज्जा में लिम्फोसाइट बनते हैं। यह मुख्य अंग है। यह प्रतिरक्षा में सहायता करता है।

314. (D): प्रतिरक्षा शरीर की रक्षा है। यह रोगों से बचाती है। यह जीवन के लिए आवश्यक है।

315. (D): जन्मजात प्रतिरक्षा जन्म से होती है। यह तुरंत सुरक्षा देती है। यह विशिष्ट नहीं होती।

316. (C): अर्जित प्रतिरक्षा रोगजनक से संपर्क के बाद बनती है। यह स्मृति बनाती है। यह विशिष्ट होती है।

317. (B): वैक्सीन कृत्रिम सक्रिय प्रतिरक्षा उत्पन्न करते हैं। यह एंटीबॉडी बनाते हैं। यह सुरक्षा देते हैं।

318. (C): एलर्जी अतिरंजित प्रतिरक्षा प्रतिक्रिया है। यह हानिरहित पदार्थों पर होती है। यह लक्षण उत्पन्न करती है।

319. (D): एनाफिलेक्सिस गंभीर एलर्जिक प्रतिक्रिया है। यह जानलेवा हो सकती है। इसका तुरंत उपचार आवश्यक है।

320. (B): एंटीजन प्रतिरक्षा प्रतिक्रिया शुरू करता है। यह कोशिकाओं को सक्रिय करता है। इससे एंटीबॉडी बनते हैं।

321. (D): बी कोशिकाएँ एंटीबॉडी बनाती हैं। यह प्रतिरक्षा का हिस्सा हैं। यह ह्यूमोरल प्रतिरक्षा देती हैं।

322. (D): HIV टी हेल्पर कोशिकाओं को नष्ट करता है। इससे प्रतिरक्षा कम हो जाती है। यह AIDS का कारण बनता है।

323. (C): ऑटोइम्यून रोग शरीर की अपनी कोशिकाओं को नुकसान पहुँचाते हैं। यह असामान्य प्रतिक्रिया है।

324. (A): एंटीजन प्रतिरक्षा प्रतिक्रिया शुरू करता है, एंटीबॉडी प्रोटीन रक्षा है, वैक्सीन सुरक्षा देता है, एलर्जी अतिसंवेदनशीलता है। यह परिभाषाएँ हैं।

अतः सही मिलान A-1, B-4, C-2, D-3 है।

325. (A): जन्मजात प्रतिरक्षा प्राकृतिक रक्षा है, अर्जित प्रतिरक्षा प्रतिरक्षात्मक स्मृति बनाती है, सक्रिय प्रतिरक्षा एंटीबॉडी बनाती है, निष्क्रिय प्रतिरक्षा में एंटीबॉडी का स्थानांतरण होता है। यह प्रतिरक्षा के प्रकार हैं।

अतः सही मिलान A-2, B-3, C-4, D-1 है।

326. (B): वैक्सीन रोग से बचाते हैं। वे प्रतिरक्षा को मजबूत करते हैं। इसलिए दूसरा कथन गलत है।

अतः सही मिलान I सही है, II गलत है।

327. (B): ऑटोइम्यून रोग शरीर को नुकसान पहुँचाते हैं। वे प्रतिरक्षा नहीं बढ़ाते। इसलिए दूसरा कथन गलत है।

अतः सही मिलान I सही है, II गलत है।

328. (D): अतिसंवेदनशीलता में अधिक प्रतिरक्षा प्रतिक्रिया होती है। यह एलर्जी का कारण बनती है। यह हानिकारक है।

329. (C): इम्यूनोडिफिशिएंसी में प्रतिरक्षा प्रतिक्रिया कम होती है। इससे संक्रमण बढ़ता है। उपचार आवश्यक है।

330. (B): लसीका ग्रंथियाँ लसीका को छानती हैं। वे रोगजनकों को पकड़ती हैं। वे प्रतिरक्षा में सहायता करती हैं।

10. कम्युनिटी हेल्थ नर्सिंग (Community Health Nursing)

1. स्वास्थ्य के निर्धारक वे कारक होते हैं जो .... के स्वास्थ्य स्तर को प्रभावित करते हैं।

A. व्यक्ति और समुदाय B. केवल अस्पताल
C. केवल डॉक्टर D. केवल पर्यावरण

2. निम्नलिखित में से कौन सा स्वास्थ्य का जैविक निर्धारक है?

A. आय स्तर B. शिक्षा
C. आयु D. आवास

3. स्वास्थ्य के पर्यावरणीय निर्धारक में ऐसे कारक शामिल होते हैं जैसे.........।

A. पोषण B. वायु और जल की गुणवत्ता
C. आय D. व्यवसाय

4. जीवनशैली स्वास्थ्य का महत्वपूर्ण निर्धारक है क्योंकि यह प्रभावित करता है

A. केवल आय B. केवल पर्यावरण
C. केवल आनुवंशिकी D. दैनिक आदतें और व्यवहार

5. स्वास्थ्य के सामाजिक निर्धारक में शामिल है

A. आयु B. लिंग
C. शिक्षा D. जलवायु

6. निम्नलिखित में से कौन सा कारक स्वास्थ्य के आर्थिक निर्धारकों में शामिल है?

A. आय B. वायु की गुणवत्ता
C. जल आपूर्ति D. जलवायु

7. WHO के अनुसार "स्वास्थ्य" में शारीरिक, मानसिक और .... कल्याण शामिल है।

A. भावनात्मक B. सामाजिक
C. आर्थिक D. आध्यात्मिक

8. किसी समुदाय की सांस्कृतिक प्रथाएँ मुख्य रूप से स्वास्थ्य के किस पहलू को प्रभावित करती हैं?

A. जैविक B. पर्यावरणीय
C. सामाजिक D. आर्थिक

9. आनुवंशिक कारक स्वास्थ्य के किस पहलू को प्रभावित करते हैं?

A. व्यवहार
B. पर्यावरण
C. रोग के प्रति संवेदनशीलता
D. व्यवसाय

10. निम्नलिखित का मिलान करें :

कॉलम-I	कॉलम-II
A. जैविक कारक	1. आय
B. पर्यावरणीय कारक	2. आयु
C. सामाजिक कारक	3. शिक्षा
D. आर्थिक कारक	4. जल की गुणवत्ता

A. A-2, B-4, C-3, D-1
B. A-3, B-2, C-1, D-4
C. A-1, B-3, C-2, D-4
D. A-4, B-1, C-3, D-2

11. निम्नलिखित का मिलान करें :

कॉलम-I	कॉलम-II
A. जीवनशैली	1. वंशानुक्रम
B. आनुवंशिकी	2. दैनिक आदतें
C. पर्यावरण	3. परिवेश
D. स्वास्थ्य सेवाएँ	4. चिकित्सीय देखभाल

A. A-2, B-1, C-3, D-4
B. A-3, B-2, C-1, D-4
C. A-1, B-4, C-2, D-3
D. A-4, B-3, C-2, D-1

12. **कथन I:** जीवनशैली के चुनाव स्वास्थ्य स्थिति को प्रभावित करते हैं।
कथन II: जीवनशैली का रोग होने पर कोई प्रभाव नहीं होता।
A. दोनों कथन सही हैं B. I सही है, II गलत है
C. दोनों कथन गलत हैं D. I गलत है, II सही है

13. **कथन I:** स्वच्छ पर्यावरण अच्छा स्वास्थ्य बढ़ावा देता है।
कथन II: प्रदूषण का स्वास्थ्य पर कोई प्रभाव नहीं होता।
A. दोनों कथन सही हैं B. I सही है, II गलत है
C. दोनों कथन गलत हैं D. I गलत है, II सही है

14. स्वास्थ्य सेवाओं की उपलब्धता को .... स्वास्थ्य निर्धारक माना जाता है।
A. जैविक B. पर्यावरणीय
C. सामाजिक D. स्वास्थ्य सेवा

15. किसी व्यक्ति का पोषण मुख्य रूप से स्वास्थ्य के किस घटक को प्रभावित करता है?
A. शारीरिक स्वास्थ्य B. सामाजिक स्वास्थ्य
C. आर्थिक स्वास्थ्य D. सांस्कृतिक स्वास्थ्य

16. महामारी विज्ञान (Epidemiology) रोगों के वितरण और निर्धारकों का अध्ययन है
A. केवल व्यक्तियों में B. समुदायों में
C. अस्पतालों में D. पशुओं में

17. इन्सिडेंस (Incidence) शब्द किसकी संख्या को दर्शाता है?
A. पहले से मौजूद मामले
B. नए मामले
C. मृत्यु
D. ठीक होने वाले

18. किसी रोग की प्रचलन (Prevalence) को किसी समय पर कुल .... मामलों की संख्या के रूप में परिभाषित किया जाता है।
A. नए B. पुराने
C. मौजूदा D. भविष्य के

19. एजेंट, होस्ट और पर्यावरण किस महामारी विज्ञान मॉडल का निर्माण करते हैं?
A. कारणों का जाल
B. हिमशिला घटना
C. संक्रमण की श्रृंखला
D. महामारी विज्ञान त्रिकोण

20. ऊष्मायन अवधि (Incubation period) वह समय है जो होता है
A. संपर्क और लक्षणों की शुरुआत के बीच
B. निदान और उपचार के बीच
C. उपचार और स्वस्थ होने के बीच
D. संक्रमण और इलाज के बीच

21. महामारी (Epidemic) का अर्थ है रोग का .... से अधिक स्तर पर होना।
A. अपेक्षित स्तर B. न्यूनतम स्तर
C. अधिकतम स्तर D. औसत स्तर

22. महामारी (Pandemic) वह महामारी है जो फैलती है
A. गाँव B. जिला
C. देश D. महाद्वीपों

23. स्थानिक रोग (Endemic disease) निरंतर पाया जाता है
A. एक व्यक्ति में B. किसी विशिष्ट क्षेत्र में
C. अस्पताल में D. पूरे विश्व में

24. मृत्यु दर (Mortality rate) किसकी संख्या को दर्शाती है?
A. नए मामले B. मृत्यु
C. ठीक हुए मामले D. भर्ती मामले

25. केस फेटालिटी दर (Case fatality rate) किसका अनुपात है?
A. ठीक हुए मामले
B. भर्ती मामले
C. मृत्यु होने वाले मामले
D. निदान किए गए मामले

26. संक्रमण का स्रोत (Source of infection) से अभिप्राय है
A. होस्ट B. एजेंट
C. पर्यावरण D. संक्रमण की उत्पत्ति

27. संचरण का तरीका (Mode of transmission) प्रत्यक्ष और .... संचरण को शामिल करता है।
A. सक्रिय B. निष्क्रिय
C. अप्रत्यक्ष D. कृत्रिम

28. वेक्टर (Vector) वह जीव है जो
A. रोग उत्पन्न करता है
B. संक्रमण फैलाता है
C. रोग को रोकता है
D. रोग का निदान करता है

29. संक्रमण का भंडार (Reservoir of infection) वह स्थान है जहाँ रोगजनक
A. मर जाता है B. वृद्धि करता है
C. छोड़ता है D. प्रवेश करता है

30. होस्ट (Host) वह जीव है जो
A. रोगजनक बनाता है
B. रोगजनक को नष्ट करता है
C. रोगजनक का निदान करता है
D. रोगजनक को आश्रय देता है

31. निम्नलिखित का मिलान करें :

कॉलम-I	**कॉलम-II**
A. इन्सिडेंस	1. बीमारी की दर
B. प्रचलन	2. मृत्यु दर
C. मृत्यु दर	3. मौजूदा मामले
D. रोगता	4. नए मामले

A. A-4, B-3, C-2, D-1
B. A-3, B-4, C-1, D-2
C. A-2, B-1, C-4, D-3
D. A-1, B-2, C-3, D-4

32. निम्नलिखित का मिलान करें :

कॉलम-I	**कॉलम-II**
A. महामारी	1. विश्वव्यापी फैलाव
B. वैश्विक महामारी	2. निरंतर उपस्थिति
C. स्थानिक रोग	3. कभी-कभी होने वाले मामले
D. छिटपुट	4. अचानक वृद्धि

A. A-4, B-1, C-2, D-3
B. A-1, B-2, C-3, D-4
C. A-2, B-3, C-1, D-4
D. A-3, B-4, C-2, D-1

33. निम्नलिखित का मिलान करें :

कॉलम-I	**कॉलम-II**
A. एजेंट	1. जीवित जीव
B. होस्ट	2. वाहक
C. पर्यावरण	3. परिवेश
D. वेक्टर	4. रोग का कारण

A. A-4, B-1, C-3, D-2
B. A-1, B-4, C-2, D-3
C. A-2, B-3, C-4, D-1
D. A-3, B-2, C-1, D-4

34. निम्नलिखित का मिलान करें :

कॉलम-I	**कॉलम-II**
A. प्रत्यक्ष संचरण	1. संपर्क
B. अप्रत्यक्ष संचरण	2. मच्छर
C. वायुजनित संचरण	3. बूंदें
D. वेक्टर जनित संचरण	4. फोमाइट्स (Fomites)

A. A-1, B-4, C-3, D-2
B. A-2, B-1, C-4, D-3
C. A-3, B-2, C-1, D-4
D. A-4, B-3, C-2, D-1

35. **कथन I:** इन्सिडेंस (Incidence) रोग के नए मामलों को मापता है।

कथन II: प्रचलन (Prevalence) कुल मामलों को मापता है।

A. दोनों कथन सही हैं　B. I सही है, II गलत है
C. दोनों कथन गलत हैं　D. I गलत है, II सही है

36. **कथन I:** वेक्टर (Vector) संक्रमण फैलाता है।

कथन II: वेक्टर रोगजनकों को नष्ट करता है।

A. दोनों कथन सही हैं　B. I सही है, II गलत है
C. दोनों कथन गलत हैं　D. I गलत है, II सही है

37. **कथन I:** स्थानिक रोग (Endemic diseases) किसी क्षेत्र में लगातार होते हैं।

कथन II: स्थानिक रोग दुर्लभ होते हैं।

A. दोनों कथन सही हैं　B. I सही है, II गलत है
C. दोनों कथन गलत हैं　D. I गलत है, II सही है

38. **कथन I:** वैश्विक महामारी (Pandemic) विश्वभर की बड़ी जनसंख्या को प्रभावित करती है।

कथन II: वैश्विक महामारी केवल छोटे क्षेत्र तक सीमित होती है।

A. दोनों कथन सही हैं　B. I सही है, II गलत है
C. दोनों कथन गलत हैं　D. I गलत है, II सही है

39. अटैक रेट (Attack rate) किस प्रकार की दर है।

A. मृत्यु दर　B. इन्सिडेंस दर
C. प्रचलन दर　D. रिकवरी दर

40. सेकेंडरी अटैक रेट (Secondary attack rate) किसके बीच फैलाव को मापता है?

A. सामान्य जनसंख्या　B. अस्पताल के रोगी
C. निकट संपर्क　D. स्वास्थ्य कर्मी

41. स्क्रीनिंग परीक्षण (Screening test) का उपयोग किया जाता है

A. निदान　B. उपचार
C. रोकथाम　D. प्रारंभिक पहचान

42. परीक्षण की संवेदनशीलता (Sensitivity) का अर्थ है उसकी .... की क्षमता।

A. नकारात्मक मामलों को पहचानने
B. सकारात्मक मामलों को पहचानने
C. सटीकता मापने
D. त्रुटि मापने

43. परीक्षण की विशिष्टता (Specificity) का अर्थ है उसकी .... की क्षमता।

A. सकारात्मक मामलों को पहचानने
B. नकारात्मक मामलों को पहचानने
C. संवेदनशीलता मापने
D. जोखिम मापने

44. निगरानी (Surveillance) को रोग का निरंतर .... के रूप में परिभाषित किया जाता है।

A. उपचार　B. रोकथाम
C. नियंत्रण　D. निगरानी

45. महामारी वक्र (Epidemic curve) का उपयोग .... का अध्ययन करने के लिए किया जाता है।

A. मृत्यु दर B. रोग के फैलाव
C. उपचार D. निदान

46. संक्रमण शृंखला (Chain of infection) में एजेंट, होस्ट और .... शामिल होते हैं।

A. वेक्टर B. पर्यावरण
C. भंडार D. संचरण

47. रोग का प्राकृतिक इतिहास (Natural history of disease) में प्री-पैथोजेनेसिस (Pre-pathogenesis) और .... अवस्थाएँ शामिल होती हैं।

A. स्वस्थ होना B. रोकथाम
C. पैथोजेनेसिस D. निदान

48. प्राथमिक रोकथाम (Primary prevention) का उद्देश्य .... को रोकना है।

A. जटिलताएँ B. विकलांगता
C. मृत्यु D. रोग की उत्पत्ति

49. द्वितीयक रोकथाम (Secondary prevention) का उद्देश्य है

A. रोग को रोकना
B. रोग की प्रारंभिक पहचान करना
C. विकलांगता कम करना
D. पुनर्वास देना

50. तृतीयक रोकथाम (Tertiary prevention) का ध्यान होता है

A. रोकथाम B. निदान
C. उपचार D. पुनर्वास

51. समूह प्रतिरक्षा (Herd immunity) सुरक्षा प्रदान करती है

A. केवल व्यक्तियों को B. समुदाय को
C. पशुओं को D. पर्यावरण को

52. प्रकोप (Outbreak) का अर्थ है अचानक .... का होना।

A. कुछ मामले B. अधिक मामले
C. अपेक्षित मामले D. दुर्लभ मामले

53. क्वारंटीन (Quarantine) का अर्थ है .... का प्रतिबंध।

A. स्वस्थ व्यक्तियों
B. बीमार व्यक्तियों
C. संपर्क में आए व्यक्तियों
D. प्रतिरक्षित व्यक्तियों

54. आइसोलेशन (Isolation) लागू किया जाता है

A. स्वस्थ व्यक्तियों पर
B. वाहकों पर
C. संपर्क में आए व्यक्तियों पर
D. बीमार व्यक्तियों पर

55. वह महामारी विज्ञान अध्ययन जिसमें व्यक्तियों का समय के साथ अनुसरण किया जाता है, कहलाता है

A. क्रॉस-सेक्शनल अध्ययन (Cross-sectional study)
B. केस-कंट्रोल अध्ययन (Case-control study)
C. वर्णनात्मक अध्ययन (Descriptive study)
D. कोहोर्ट अध्ययन (Cohort study)

56. संक्रामक रोग वे रोग हैं जो एक व्यक्ति से दूसरे व्यक्ति में फैल सकते हैं

A. सही B. गलत
C. केवल अस्पताल में D. केवल बच्चों में

57. कौन सा रोग मुख्य रूप से वायु में बूंदों के माध्यम से फैलता है?

A. मलेरिया B. क्षय रोग
C. हैजा D. डेंगू

58. मलेरिया किस प्रकार के जीव से होता है?

A. प्रोटोजोआ B. वायरस
C. फंगस D. बैक्टीरिया

59. डेंगू बुखार किस मच्छर द्वारा फैलता है?

A. एनोफिलीज मच्छर B. क्यूलेक्स मच्छर
C. एडीज मच्छर D. सैंडफ्लाई

60. हैजा मुख्य रूप से दूषित भोजन और जल के माध्यम से फैलता है

A. सही B. गलत
C. केवल वायु से D. केवल कीड़ों से

61. BCG वैक्सीन किस रोग की रोकथाम के लिए दी जाती है?

A. क्षय रोग B. खसरा
C. हेपेटाइटिस B D. टेटनस

62. निम्नलिखित में से कौन सा एक वायरल संक्रामक रोग है?

A. हैजा B. टाइफॉयड
C. क्षय रोग D. खसरा

63. HIV मुख्य रूप से किस मार्ग से फैलता है?

A. भोजन B. जल
C. वायु D. रक्त और शरीर द्रव

64. ऊष्मायन अवधि (Incubation period) वह समय अंतराल है जो संक्रमण के संपर्क और पहले लक्षणों के प्रकट होने के बीच होता है

A. सही
B. गलत
C. केवल दीर्घकालिक रोगों के लिए
D. केवल असंक्रामक रोगों के लिए

65. संक्रमित रोगी को अलग रखना अन्य लोगों में संक्रमण के प्रसार को रोकने के लिए किया जाता है

A. सही
B. गलत
C. केवल चोटों के लिए
D. केवल मधुमेह के लिए

66. मादा एनोफिलीज मच्छर किस रोग का प्रसार करती है?

A. डेंगू
B. मलेरिया
C. हैजा
D. टाइफॉयड

67. खसरा मुख्य रूप से किस माध्यम से फैलता है?

A. वायुजनित बूंदें
B. दूषित जल
C. रक्त आधान
D. वेक्टर के काटने से

68. निम्नलिखित में से कौन सा जल जनित संक्रामक रोग है?

A. इन्फ्लुएंजा
B. डेंगू
C. हैज़ा
D. क्षय रोग

69. हेपेटाइटिस B सामान्यतः रक्त और शरीर द्रव के माध्यम से फैलता है।

A. सही
B. गलत
C. केवल भोजन से
D. केवल वायु से

70. कैरियर वह व्यक्ति होता है जो संक्रमण कारक को अपने शरीर में रखता है और बिना लक्षण दिखाए उसे फैला सकता है।

A. सही
B. गलत
C. केवल टीकाकरण के बाद
D. केवल बुखार के दौरान

71. रोगों का सही प्रकार/संचरण के साथ मिलान करें :

कॉलम-I	**कॉलम-II**
A. क्षय रोग	1. जल जनित
B. मलेरिया	2. वायरल रोग
C. हैजा	3. वायु जनित
D. खसरा	4. प्रोटोजोआ जनित रोग

A. A-3, B-4, C-1, D-2
B. A-4, B-1, C-3, D-2
C. A-1, B-3, C-2, D-4
D. A-2, B-4, C-1, D-3

72. रोग को उसके सामान्य संचरण मार्ग से मिलान करें :

कॉलम-I	**कॉलम-II**
A. HIV	1. मच्छर जनित
B. हेपेटाइटिस B	2. जल जनित
C. डेंगू	3. रक्त द्वारा संचरण
D. हैजा	4. प्रतिरक्षा कमी रोग

A. A-4, B-3, C-1, D-2
B. A-3, B-4, C-2, D-1
C. A-1, B-2, C-3, D-4
D. A-2, B-1, C-4, D-3

73. संक्रमण नियंत्रण शब्दों का उनके सही अर्थ से मिलान करें :

कॉलम-I	**कॉलम-II**
A. आइसोलेशन	1. संक्रमित व्यक्तियों को अलग करना
B. क्वारंटीन	2. संपर्क में आए व्यक्तियों को सीमित करना
C. डिसइन्फेक्शन	3. अधिकांश रोगजनकों का नाश (बीजाणु नहीं)
D. स्टेरिलाइजेशन	4. सभी सूक्ष्मजीवों का नाश (बीजाणु सहित)

A. A-1, B-2, C-3, D-4
B. A-2, B-1, C-4, D-3
C. A-3, B-4, C-1, D-2
D. A-4, B-3, C-2, D-1

74. महामारी विज्ञान शब्दों का उनके सही वर्णन से मिलान करें

कॉलम-I	**कॉलम-II**
A. एजेंट	1. जीवित जीव जो संक्रमण को धारण करता है
B. होस्ट	2. स्थान जहाँ रोगजनक रहता और बढ़ता है
C. वेक्टर	3. रोग का कारण
D. रिजर्वायर	4. वहन करने वाला जो संक्रमण फैलाता है

A. A-3, B-1, C-4, D-2
B. A-1, B-2, C-3, D-4
C. A-2, B-3, C-1, D-4
D. A-4, B-1, C-2, D-3

75. **कथन I:** टीकाकरण संक्रामक रोगों की रोकथाम में सहायक है।

कथन II: टीकाकरण का प्रतिरक्षा में कोई योगदान नहीं है।

A. दोनों कथन सही हैं
B. I सही है, II गलत है
C. दोनों कथन गलत हैं
D. I गलत है, II सही है

76. **कथन I:** मलेरिया संक्रमित मच्छर के काटने से फैलता है।

कथन II: मलेरिया दूषित पेयजल से फैलता है।

A. दोनों कथन सही हैं
B. I सही है, II गलत है
C. दोनों कथन गलत हैं
D. I गलत है, II सही है

77. **कथन I:** हैजा सामान्यतः दूषित जल से फैलता है।

कथन II: हैजा मुख्य रूप से वायु जनित संक्रमण है।

A. दोनों कथन सही हैं
B. I सही है, II गलत है
C. दोनों कथन गलत हैं
D. I गलत है, II सही है

78. **कथन I:** HIV संक्रमण प्रतिरक्षा तंत्र को कमजोर करता है।

कथन II: HIV संक्रमण शरीर की रोगों के प्रति प्रतिरोधक क्षमता बढ़ाता है।

A. दोनों कथन सही हैं
B. I सही है, II गलत है
C. दोनों कथन गलत हैं
D. I गलत है, II सही है

79. टीकाकरण कई संक्रामक रोगों की रोकथाम का एक प्रभावी तरीका है।

A. सही
B. गलत
C. केवल वयस्कों के लिए
D. केवल नवजात शिशुओं के लिए

80. स्टेरिलाइजेशन सभी प्रकार के सूक्ष्मजीवों सहित बीजाणुओं को नष्ट करने की प्रक्रिया है।

A. सही
B. गलत
C. केवल फर्श के लिए
D. केवल भोजन के लिए

81. भीड़भाड़ वाली परिस्थितियों में ड्रॉपलेट न्यूक्लिआई (droplet nuclei) और निकट संपर्क (close contact) के द्वारा सामान्यतः कौन-सा रोग फैलता है?

A. हैजा　　B. क्षय रोग
C. मलेरिया　　D. डेंगू

82. निम्नलिखित में से कौन-सा रोग जीवाणु (bacteria) के कारण होता है?

A. खसरा　　B. डेंगू
C. हैजा　　D. एचआईवी (HIV)

83. समुदाय में संक्रमणों के प्रसारण (transmission) को रोकने के लिए हाथों की स्वच्छता (hand hygiene) को एक प्रमुख उपाय माना जाता है।

A. सही
B. गलत
C. केवल आईसीयू (ICU) में
D. केवल शल्यक्रिया (surgery) के दौरान

84. संक्रामक रोग (Communicable diseases) को सामान्यतः संक्रामक/संक्रमणजन्य रोग (infectious diseases) भी कहा जाता है।

A. सही
B. गलत
C. केवल मौसमी रोग
D. केवल बाल्यावस्था के रोग

85. वाहक-जनित रोग (vector-borne diseases) जीवित वाहकों जैसे मच्छर और किलनी (ticks) के द्वारा प्रसारित (transmitted) होते हैं।

A. सही　　B. गलत
C. केवल पानी से　　D. केवल हवा से

86. विसंक्रमण (Disinfection) एक ऐसी प्रक्रिया है जो कई रोगजनक सूक्ष्मजीवों (pathogenic microorganisms) को नष्ट करती है, लेकिन जीवाणु बीजाणुओं (bacterial spores) को नष्ट नहीं कर पाती।

A. सही
B. गलत
C. केवल भोजन के लिए
D. केवल रक्त के लिए

87. संक्रामक रोगों के लिए प्राथमिक रोकथाम (primary prevention) में टीकाकरण (immunization) और स्वास्थ्य शिक्षा (health education) शामिल होते हैं।

A. सही
B. गलत
C. केवल अलगाव (isolation)
D. केवल शल्यक्रिया (surgery)

88. संक्रमण के प्रसारण (transmission) के तरीकों में प्रत्यक्ष (direct) और अप्रत्यक्ष (indirect) प्रसारण मार्ग शामिल होते हैं।

A. सही
B. गलत
C. केवल प्रत्यक्ष प्रसारण
D. केवल अप्रत्यक्ष प्रसारण

89. उचित स्वच्छता (sanitation) और सुरक्षित पेयजल की आपूर्ति कई संक्रामक रोगों की रोकथाम में मदद करती है।

A. सही
B. गलत
C. केवल कैंसर को रोकता है
D. केवल मधुमेह को रोकता है

90. हैजा के प्रकोप (outbreaks) को रोकने के लिए निम्नलिखित में से सबसे उपयुक्त सामुदायिक-स्तर (community-level) का कदम कौन-सा है?

A. शीघ्र चलना-फिरना
B. केवल वाहक नियंत्रण
C. सुरक्षित पेयजल और स्वच्छता
D. वसा का सेवन बढ़ाना

91. असंक्रामक रोग (non-communicable diseases) व्यक्ति से व्यक्ति में नहीं फैलते और सामान्यतः उनकी अवधि लंबी होती है।

A. सही
B. गलत
C. केवल बच्चों में
D. केवल वृद्धों में

92. निम्नलिखित में से कौन-सी स्थिति को असंक्रामक रोग (non-communicable disease) के रूप में वर्गीकृत किया जाता है?

A. क्षय रोग

B. मलेरिया

C. मधुमेह मेलिटस (diabetes mellitus)

D. हैजा

93. नमक का अधिक सेवन किस स्वास्थ्य स्थिति से दृढ़ रूप से संबंधित है?

A. मधुमेह मेलिटस (diabetes mellitus)

B. उच्च रक्तचाप (hypertension)

C. दमा

D. क्षय रोग

94. शरीर में .... का अत्यधिक संचय होने पर मोटापा (obesity) विकसित होता है।

A. प्रोटीन B. पानी

C. खनिज D. वसा

95. निम्नलिखित में से मधुमेह मेलिटस (diabetes mellitus) की एक विशेषता क्या है?

A. हीमोग्लोबिन का बढ़ना

B. रक्त ग्लूकोज का बढ़ना

C. रक्तचाप का कम होना

D. नाड़ी दर का कम होना

96. धूम्रपान किस रोग के विकसित होने के जोखिम को उल्लेखनीय रूप से बढ़ाता है?

A. दमा B. कैंसर

C. इन्फ्लुएंजा D. खसरा

97. ''जीवनशैली रोग'' (lifestyle diseases) शब्द किस प्रकार के कारकों से सबसे अधिक संबंधित है?

A. संक्रामक कारक (infectious agents)

B. आनुवंशिक परिवर्तन (genetic mutations)

C. पर्यावरणीय आपदाएँ (environmental disasters)

D. अस्वस्थ आदतें

98. हृदय-रक्तवाहिनी रोग (cardiovascular diseases) मुख्यतः किस अंग-प्रणाली (organ system) से संबंधित हैं?

A. श्वसन प्रणाली

B. पाचन प्रणाली

C. हृदय-रक्तवाहिनी प्रणाली (cardiovascular system)

D. तंत्रिका प्रणाली

99. निम्नलिखित रोगों का उनके सही लक्षणों के साथ मिलान कीजिए :

कॉलम-I	**कॉलम-II**
A. मधुमेह	1. शरीर में अत्यधिक वसा
B. उच्च रक्तचाप	2. उच्च रक्तचाप
C. कैंसर	3. अनियंत्रित कोशिका वृद्धि
D. मोटापा	4. उच्च रक्त शर्करा

A. A-4, B-2, C-3, D-1

B. A-2, B-1, C-4, D-3

C. A-3, B-4, C-1, D-2

D. A-1, B-3, C-2, D-4

100. जोखिम कारकों का उनकी श्रेणियों के साथ मिलान कीजिए :

कॉलम-I	**कॉलम-II**
A. धूम्रपान	1. सुरक्षात्मक कारक
B. शराब का सेवन	2. जोखिम कारक
C. संतुलित आहार	3. जीवनशैली कारक
D. शारीरिक व्यायाम	4. स्वस्थ्य संवर्धन

A. A-2, B-2, C-1, D-4

B. A-3, B-1, C-2, D-4

C. A-2, B-3, C-1, D-4

D. A-1, B-4, C-2, D-3

101. **कथन I:** असंक्रामक रोग सामान्यतः दीर्घकालिक प्रकृति के होते हैं।

कथन II: असंक्रामक रोग संपर्क के माध्यम से तेजी से फैलते हैं।

A. दोनों कथन सही हैं B. I सही है, II गलत है

C. दोनों कथन गलत हैं D. I गलत है, II सही है

102. **कथन I:** नियमित शारीरिक गतिविधि कई असंक्रामक रोगों के जोखिम को कम करती है।

कथन II: निष्क्रिय जीवनशैली रोग के जोखिम को बढ़ाती है।

A. दोनों कथन सही हैं B. I सही है, II गलत है

C. दोनों कथन गलत हैं D. I गलत है, II सही है

103. असंक्रामक रोगों की रोकथाम मुख्यतः .... जीवनशैली अपनाने पर निर्भर करती है।

A. निष्क्रिय B. अस्वस्थ

C. संतुलित D. अनियमित

104. कैंसर जैसे रोगों के लिए स्क्रीनिंग कार्यक्रम (screening programmes) मुख्यतः .... पहचान के लिए होते हैं।

A. देर से B. विलंबित

C. गलत D. प्रारंभिक

105. स्वास्थ्य शिक्षा असंक्रामक रोगों के बोझ को कम करने में एक महत्वपूर्ण भूमिका निभाती है।

A. सही B. गलत

C. केवल अस्पतालों में D. केवल शहरी क्षेत्रों में

106. जनसांख्यिकी (Demography) आकार, संरचना और वितरण के संदर्भ में मानव जनसंख्या का अध्ययन है।

A. सही B. गलत
C. केवल आकार D. केवल वितरण

107. कच्ची जन्म दर (crude birth rate) एक वर्ष में .... जनसंख्या पर जीवित जन्मों की संख्या को संदर्भित करती है।

A. 100 B. 1,000
C. 10,000 D. 100,000

108. कौन-सा संकेतक प्रति 1,000 जनसंख्या प्रति वर्ष मृत्यु की संख्या को मापता है?

A. जन्म दर B. प्रजनन दर
C. मृत्यु दर D. वृद्धि दर

109. जनसंख्या पिरामिड (population pyramid) का उपयोग किसी जनसंख्या के .... को दर्शाने के लिए किया जाता है।

A. आय स्तर B. आयु और लिंग संरचना
C. साक्षरता D. व्यवसाय

110. कुल प्रजनन दर (total fertility rate) प्रजनन काल के दौरान किसी महिला से जन्मे बच्चों की औसत संख्या को दर्शाती है।

A. सही
B. गलत
C. केवल पुरुषों के लिए
D. केवल बच्चों के लिए

111. निम्नलिखित में से कौन-सा जनसंख्या घनत्व की सर्वोत्तम परिभाषा देता है?

A. जन्मों की संख्या
B. मृत्यु की संख्या
C. क्षेत्रफल प्रति लोगों की संख्या
D. वृद्धि दर

112. Migration (प्रवास) लोगों का एक स्थान से दूसरे स्थान पर जाना कहलाता है।

A. सही
B. गलत
C. केवल देश के भीतर
D. केवल देश के बाहर

113. निम्नलिखित में से कौन-सा कारक जनसंख्या वृद्धि को सीधे प्रभावित करता है?

A. केवल जलवायु
B. जन्म और मृत्यु दर
C. केवल व्यवसाय
D. केवल संस्कृति

114. निम्नलिखित जनसांख्यिकीय संकेतकों का उनके अर्थों के साथ मिलान कीजिए :

कॉलम-I	**कॉलम-II**
A. जन्म दर	1. प्रति 1,000 जनसंख्या पर मृत्यु
B. मृत्यु दर	2. प्रति 1,000 जनसंख्या पर जन्म
C. प्रजनन दर	3. प्रति महिला बच्चों की संख्या
D. जनसंख्या घनत्व	4. प्रति इकाई क्षेत्र में लोग

A. A-2, B-1, C-3, D-4
B. A-3, B-2, C-4, D-1
C. A-1, B-3, C-2, D-4
D. A-4, B-1, C-3, D-2

115. निम्नलिखित पदों का उनके अर्थ के साथ मिलान कीजिए :

कॉलम-I	**कॉलम-II**
A. प्रवास	1. लोगों का स्थानांतरण
B. नगरीकरण	2. जनसंख्या में वृद्धि
C. जनगणना	3. आधिकारिक जनगणना
D. जनसंख्या वृद्धि	4. शहरों की जनसंख्या में वृद्धि

A. A-1, B-4, C-3, D-2
B. A-3, B-1, C-2, D-4
C. A-2, B-3, C-4, D-1
D. A-4, B-2, C-1, D-3

116. **कथन I:** जनसंख्या वृद्धि जन्म और मृत्यु दर पर निर्भर करती है।
कथन II: जनसंख्या वृद्धि प्रवास से स्वतंत्र होती है।

A. दोनों कथन सही हैं B. I सही है, II गलत है
C. दोनों कथन गलत हैं D. I गलत है, II सही है

117. **कथन I:** जनगणना विस्तृत जनसंख्या आँकड़े प्रदान करती है।
कथन II: भारत में जनगणना हर वर्ष की जाती है।

A. दोनों कथन सही हैं B. I सही है, II गलत है
C. दोनों कथन गलत हैं D. I गलत है, II सही है

118. जनगणना नियमित अंतराल पर किया जाने वाला जनसंख्या का एक आधिकारिक गणना है।

A. सही
B. गलत
C. केवल शहरों के लिए
D. केवल गाँवों के लिए

119. उच्च जनसंख्या वृद्धि भोजन, जल और आवास जैसे संसाधनों पर बढ़ा हुआ दबाव डाल सकती है।

A. सही
B. गलत
C. केवल विकसित देशों में
D. केवल ग्रामीण क्षेत्रों में

120. निम्नलिखित में से भारत में जनसांख्यिकीय आँकड़ों का सबसे महत्वपूर्ण स्रोत कौन-सा है?

A. अस्पताल अभिलेख B. विद्यालय अभिलेख
C. केवल सर्वेक्षण D. जनगणना

121. भारत में राष्ट्रीय स्वास्थ्य कार्यक्रम (National Health Programs) समुदाय स्तर पर प्रमुख स्वास्थ्य समस्याओं को नियंत्रित और रोकने के लिए बनाए गए हैं।

A. सही
B. गलत
C. केवल अस्पतालों के लिए
D. केवल शहरी क्षेत्रों के लिए

122. निम्नलिखित में से क्या स्वास्थ्य का संकेतक नहीं है?

A. स्वास्थ्य देखभाल वितरण संकेतक
B. उपयोगिता दर
C. रोग नियंत्रण
D. स्वास्थ्य नीति संकेतक

123. संशोधित राष्ट्रीय क्षय रोग नियंत्रण कार्यक्रम (Revised National Tuberculosis Control Programme—RNTCP) को अब .... कहा जाता है।

A. NHM B. NTEP
C. UIP D. NRHM

124. सार्वभौमिक टीकाकरण कार्यक्रम (Universal Immunization Programme—UIP) किस समूह में रोगों की रोकथाम के लिए टीके प्रदान करता है?

A. वृद्ध
B. केवल वयस्क
C. बच्चे और गर्भवती महिलाएँ
D. केवल कार्यकर्ता

125. राष्ट्रीय एड्स नियंत्रण कार्यक्रम (National AIDS Control Programme) किस रोग को नियंत्रित करने के लिए लागू किया गया है?

A. क्षय रोग B. HIV/AIDS
C. मलेरिया D. मधुमेह

126. राष्ट्रीय वेक्टर जनित रोग नियंत्रण कार्यक्रम (National Vector Borne Disease Control Programme) मलेरिया, डेंगू और .... जैसे रोगों को कवर करता है।

A. कैंसर B. उच्च रक्तचाप
C. क्षय रोग D. फाइलेरियासिस

127. जननी सुरक्षा योजना (Janani Suraksha Yojana) .... प्रसव को बढ़ावा देने के लिए बनाई गई योजना है।

A. घर B. संस्थागत
C. पारंपरिक D. निजी

128. राष्ट्रीय स्वास्थ्य मिशन (National Health Mission–NHM) मुख्य रूप से स्वास्थ्य सेवा के किस स्तर को मजबूत करने पर ध्यान देता है?

A. प्राथमिक स्वास्थ्य सेवा
B. तृतीयक देखभाल
C. निजी क्षेत्र
D. कॉर्पोरेट अस्पताल

129. निम्नलिखित कार्यक्रमों का उनके उद्देश्यों के साथ मिलान कीजिए :

कॉलम-I	कॉलम-II
A. NTEP	1. टीकाकरण
B. UIP	2. क्षय रोग नियंत्रण
C. NACP	3. HIV नियंत्रण
D. NVBDCP	4. वेक्टर जनित रोग

A. A-2, B-1, C-3, D-4
B. A-1, B-3, C-4, D-2
C. A-3, B-2, C-1, D-4
D. A-4, B-1, C-2, D-3

130. निम्नलिखित योजनाओं का उनके लाभों के साथ मिलान कीजिए :

कॉलम-I	कॉलम-II
A. जननी सुरक्षा योजना	1. स्वास्थ्य बीमा
B. आयुष्मान भारत	2. मातृ देखभाल
C. ICDS	3. बाल पोषण
D. मध्याह्न भोजन	4. विद्यालय पोषण

A. A-2, B-1, C-3, D-4
B. A-1, B-2, C-4, D-3
C. A-3, B-4, C-1, D-2
D. A-4, B-3, C-2, D-1

131. **कथन I:** राष्ट्रीय स्वास्थ्य कार्यक्रम रोग नियंत्रण में सहायता करते हैं।

कथन II: ये कार्यक्रम केवल शहरी क्षेत्रों तक सीमित हैं।

A. दोनों कथन सही हैं B. I सही है, II गलत है
C. दोनों कथन गलत हैं D. I गलत है, II सही है

132. **कथन I:** टीकाकरण (immunization) संक्रामक रोगों की घटना को कम करता है।

कथन II: टीकाकरण संक्रमण के जोखिम को बढ़ाता है।

A. दोनों कथन सही हैं B. I सही है, II गलत है
C. दोनों कथन गलत हैं D. I गलत है, II सही है

133. आयुष्मान भारत योजना .... देखभाल के लिए वित्तीय सुरक्षा प्रदान करती है।

A. प्राथमिक B. आपातकालीन
C. अस्पताल में भर्ती D. निवारक

134. समेकित बाल विकास सेवा (Integrated Child Development Services–ICDS) कार्यक्रम मुख्य रूप से स्वास्थ्य, पोषण और .... विकास पर केंद्रित है।

A. आर्थिक B. सामाजिक
C. सांस्कृतिक D. बाल

135. मध्याह्न भोजन कार्यक्रम (Mid-Day Meal Programme) ... . बच्चों की पोषण स्थिति सुधारने के लिए लागू किया गया है।

A. कॉलेज B. विद्यालय
C. पूर्व-विद्यालय D. कार्यरत

136. कैंसर, मधुमेह, हृदय रोग और स्ट्रोक की रोकथाम एवं नियंत्रण के लिए राष्ट्रीय कार्यक्रम (National Programme for Prevention and Control of Cancer, Diabetes, Cardiovascular Diseases and Stroke) को .... के रूप में संक्षिप्त किया जाता है।

A. NPCB B. NACP
C. NHM D. NPCDCS

137. परिवार कल्याण कार्यक्रमों का उद्देश्य .... को बढ़ावा देना है।

A. उच्च प्रजनन B. जनसंख्या नियंत्रण
C. रोग प्रसार D. प्रवास

138. मान्यता प्राप्त सामाजिक स्वास्थ्य कार्यकर्ता (Accredited Social Health Activist–ASHA) स्वास्थ्य सेवा के किस स्तर पर कार्य करती है?

A. अस्पताल स्तर B. जिला स्तर
C. समुदाय स्तर D. राज्य स्तर

139. अंधता नियंत्रण के लिए राष्ट्रीय कार्यक्रम (National Programme for Control of Blindness) का उद्देश्य जनसंख्या में .... को कम करना है।

A. बहरापन B. अंधता
C. कैंसर D. मधुमेह

140. राष्ट्रीय स्वास्थ्य कार्यक्रमों का मुख्य उद्देश्य जनसंख्या के समग्र स्वास्थ्य स्तर में सुधार करना है।

A. सही
B. गलत
C. केवल अमीर लोगों के लिए
D. केवल शहरी क्षेत्रों के लिए

141. स्वास्थ्य सेवाएँ (Health services) संगठित गतिविधियाँ हैं जिनका उद्देश्य स्वास्थ्य को बढ़ावा देना, बनाए रखना और पुनर्स्थापित करना है।

A. सही B. गलत
C. केवल उपचारात्मक सेवाएँ D. केवल निवारक सेवाएँ

142. प्राथमिक स्वास्थ्य देखभाल प्रणाली मुख्य रूप से किस प्रकार की देखभाल पर केंद्रित होती है?

A. विशेषीकृत देखभाल
B. अस्पताल देखभाल
C. समुदाय-आधारित देखभाल
D. आपातकालीन देखभाल

143. समुदाय और स्वास्थ्य प्रणाली के बीच पहला संपर्क बिंदु सामान्यतः .... स्तर की देखभाल होता है।

A. प्राथमिक B. द्वितीयक
C. तृतीयक D. सुपर-स्पेशलिटी

144. स्वास्थ्य देखभाल के द्वितीयक स्तर में निम्नलिखित में से कौन-सी सुविधाएँ शामिल होती हैं?

A. उप-केंद्र B. प्राथमिक स्वास्थ्य केंद्र
C. सामुदायिक स्वास्थ्य केंद्र D. घर आधारित सेवाएँ

145. तृतीयक स्वास्थ्य देखभाल उन्नत निदान और शल्य चिकित्सा जैसी विशेषीकृत सेवाएँ प्रदान करती है।

A. सही
B. गलत
C. केवल निवारक देखभाल
D. केवल मूलभूत देखभाल

146. "सभी के लिए स्वास्थ्य" (health for all) की अवधारणा किस दृष्टिकोण पर बल देती है?

A. उपचारात्मक दृष्टिकोण
B. निवारक दृष्टिकोण
C. समग्र (holistic) दृष्टिकोण
D. अस्पताल-आधारित दृष्टिकोण

147. आल्मा-अटा घोषणा (Alma-Ata Declaration, 1978) किस अवधारणा से संबंधित है?

A. अस्पताल प्रबंधन B. प्राथमिक स्वास्थ्य देखभाल
C. चिकित्सा शिक्षा D. औषधि नीति

148. स्वास्थ्य योजना प्रक्रिया में उद्देश्यों का निर्धारण, संसाधनों की पहचान और .... कार्यान्वयन शामिल होता है।

A. अनदेखा करना B. विलंब करना
C. मूल्यांकन करना D. टालना

149. देखभाल के स्तरों का उनकी सुविधाओं के साथ मिलान कीजिए :

कॉलम-I	कॉलम-II
A. प्राथमिक देखभाल	1. सुपर-स्पेशलिटी अस्पताल
B. द्वितीयक देखभाल	2. उप-केंद्र
C. तृतीयक देखभाल	3. जिला अस्पताल
D. समुदाय स्तर	4. पीएचसी (PHC)

A. A-4, B-3, C-1, D-2
B. A-3, B-1, C-2, D-4
C. A-2, B-4, C-3, D-1
D. A-1, B-2, C-4, D-3

150. प्राथमिक स्वास्थ्य देखभाल के घटकों का उनके कार्यों के साथ मिलान कीजिए :

कॉलम-I	कॉलम-II
A. स्वास्थ्य शिक्षा	1. रोग की रोकथाम
B. पोषण	2. जागरूकता
C. टीकाकरण	3. संतुलित आहार
D. सुरक्षित जल	4. स्वच्छता

A. A-2, B-3, C-1, D-4
B. A-1, B-2, C-3, D-4
C. A-3, B-1, C-4, D-2
D. A-4, B-3, C-2, D-1

151. **कथन I:** प्राथमिक स्वास्थ्य देखभाल सुलभ और किफायती होती है।
कथन II: प्राथमिक स्वास्थ्य देखभाल केवल उपचार पर केंद्रित होती है।
A. दोनों कथन सही हैं
B. I सही है, II गलत है
C. दोनों कथन गलत हैं
D. I गलत है, II सही है

152. **कथन I:** स्वास्थ्य योजना संसाधनों के उपयोग में सुधार करती है।
कथन II: स्वास्थ्य सेवाओं के लिए स्वास्थ्य योजना आवश्यक नहीं है।
A. दोनों कथन सही हैं
B. I सही है, II गलत है
C. दोनों कथन गलत हैं
D. I गलत है, II सही है

153. रेफरल प्रणाली (referral system) रोगियों को बेहतर प्रबंधन के लिए एक स्तर की देखभाल से दूसरे स्तर पर स्थानांतरित करने में सहायता करती है।
A. सही
B. गलत
C. केवल आपातकाल के लिए
D. केवल ग्रामीण क्षेत्रों के लिए

154. सामुदायिक भागीदारी प्राथमिक स्वास्थ्य देखभाल का एक महत्वपूर्ण सिद्धांत है।
A. सही
B. गलत
C. केवल अस्पतालों के लिए
D. केवल शहरी क्षेत्रों के लिए

155. स्वास्थ्य योजना का उद्देश्य जनसंख्या को प्रभावी, दक्ष और समान स्वास्थ्य सेवाएँ प्रदान करना है।
A. सही
B. गलत
C. केवल अमीर लोगों के लिए
D. केवल शहरों के लिए

156. सामुदायिक स्वास्थ्य नर्स समुदाय स्तर पर स्वास्थ्य को बढ़ावा देने और बनाए रखने में महत्वपूर्ण भूमिका निभाती है।
A. सही
B. गलत
C. केवल उपचारात्मक भूमिका
D. केवल अस्पताल कार्य

157. निम्नलिखित में से कौन-सा सामुदायिक स्वास्थ्य नर्स की प्राथमिक भूमिका है?
A. शल्य चिकित्सा B. स्वास्थ्य शिक्षा
C. प्रयोगशाला कार्य D. रेडियोलॉजी

158. सामुदायिक स्वास्थ्य नर्स समुदाय के लिए स्वास्थ्य समस्याओं की पहचान करने और देखभाल की योजना बनाने के लिए जिम्मेदार होती है।
A. केवल योजना B. केवल निदान
C. केवल उपचार D. मूल्यांकन और योजना

159. नर्स समुदाय में रोगों की रोकथाम के लिए टीकाकरण सेवाएँ प्रदान करती है।
A. सही B. गलत
C. केवल अस्पतालों में D. केवल आपातकाल में

160. निम्नलिखित में से कौन-सी गतिविधि रोग की रोकथाम में नर्स की भूमिका को सबसे अच्छी तरह दर्शाती है?
A. शल्य चिकित्सा B. स्वास्थ्य शिक्षण
C. प्रयोगशाला निदान D. इमेजिंग

161. नर्स की भूमिकाओं का उनके कार्यों के साथ मिलान कीजिए :

कॉलम-I	कॉलम-II
A. शिक्षक	1. रोगी के अधिकारों की रक्षा करता है
B. देखभाल प्रदाता	2. नर्सिंग देखभाल प्रदान करता है
C. अभिभाषक	3. सेवाओं का आयोजन करता है
D. प्रबंधक	4. स्वास्थ्य शिक्षा देता है

A. A-4, B-2, C-1, D-3
B. A-2, B-3, C-4, D-1
C. A-1, B-4, C-2, D-3
D. A-4, B-2, C-1, D-3

162. नर्स समुदाय और स्वास्थ्य सेवाओं के बीच एक कड़ी के रूप में कार्य करती है।

A. सही　　B. गलत
C. केवल अस्पतालों में　　D. केवल शहरी क्षेत्रों में

163. **कथन I:** स्वास्थ्य शिक्षा नर्स की एक महत्वपूर्ण जिम्मेदारी है।

कथन II: नर्सों की रोग की रोकथाम में कोई भूमिका नहीं होती है।

A. दोनों कथन सही हैं　　B. I सही है, II गलत है
C. दोनों कथन गलत हैं　　D. I गलत है, II सही है

164. नर्स स्वास्थ्य कार्यकर्ताओं की निगरानी करती है और समुदाय में स्वास्थ्य कार्यक्रमों के उचित क्रियान्वयन को सुनिश्चित करती है।

A. केवल नैदानिक भूमिका
B. केवल शिक्षण भूमिका
C. केवल शोध भूमिका
D. प्रशासनिक भूमिका

165. नर्स द्वारा घर पर की गई मुलाकातें परिवारों की स्वास्थ्य स्थिति का आकलन करने और देखभाल प्रदान करने में सहायता करती हैं।

A. सही
B. गलत
C. केवल बीमार रोगियों के लिए
D. केवल बच्चों के लिए

166. स्वास्थ्य शिक्षा का उद्देश्य व्यक्तियों और समुदायों के व्यवहार में बेहतर स्वास्थ्य अभ्यासों की ओर परिवर्तन करना है।

A. सही
B. गलत
C. केवल ज्ञान में वृद्धि
D. केवल उपचार

167. स्वास्थ्य शिक्षा का कौन-सा सिद्धांत योजना और क्रियान्वयन में समुदाय की भागीदारी पर जोर देता है?

A. रुचि　　B. पुनर्बलन
C. प्रेरणा　　D. भागीदारी

168. स्वास्थ्य शिक्षा लोगों की आवश्यकताओं और रुचियों पर आधारित होनी चाहिए।

A. सही
B. गलत
C. केवल स्कूलों के लिए
D. केवल अस्पतालों के लिए

169. स्वास्थ्य शिक्षा की विधियों का उनके उदाहरणों के साथ मिलान कीजिए :

कॉलम-I	कॉलम-II
A. व्याख्यान	1. किसी प्रक्रिया को दिखाना
B. प्रदर्शन	2. किसी स्थिति का अभिनय करना
C. समूह चर्चा	3. एकतरफा संप्रेषण
D. भूमिका निर्वाह	4. विचारों का आदान-प्रदान

A. A-3, B-1, C-4, D-2
B. A-1, B-3, C-2, D-4
C. A-4, B-2, C-1, D-3
D. A-2, B-4, C-3, D-1

170. **कथन I:** स्वास्थ्य शिक्षा रोगों की रोकथाम में सहायता करती है।

कथन II: स्वास्थ्य शिक्षा का व्यवहार परिवर्तन पर कोई प्रभाव नहीं होता है।

A. दोनों कथन सही हैं
B. I सही है, II गलत है
C. दोनों कथन गलत हैं
D. I गलत है, II सही है

व्याख्यात्मक उत्तर

1. **(A):** स्वास्थ्य के निर्धारक (determinants) व्यक्ति और समुदाय दोनों को प्रभावित करते हैं। ये समग्र स्वास्थ्य स्थिति को प्रभावित करते हैं। इनमें कई प्रकार के कारक शामिल होते हैं।

2. **(C):** आयु एक जैविक कारक है। यह रोग के जोखिम को प्रभावित करती है। यह स्वास्थ्य परिणामों को प्रभावित करती है।

3. **(B):** पर्यावरण में वायु और जल शामिल होते हैं। प्रदूषण स्वास्थ्य को प्रभावित करता है। स्वच्छ पर्यावरण स्वास्थ्य में सुधार करता है।

4. **(D):** जीवनशैली में आहार और व्यायाम जैसी आदतें शामिल होती हैं। यह स्वास्थ्य को प्रभावित करती है। यह रोग के जोखिम को प्रभावित करती है।

5. **(C):** शिक्षा एक सामाजिक निर्धारक है। यह जागरूकता को प्रभावित करती है। यह स्वास्थ्य व्यवहार को प्रभावित करती है।

6. **(A):** आय जीवन स्थितियों को प्रभावित करती है। यह संसाधनों की उपलब्धता निर्धारित करती है। यह स्वास्थ्य को प्रभावित करती है।

7. **(B):** WHO के अनुसार स्वास्थ्य शारीरिक, मानसिक और सामाजिक कल्याण की अवस्था है। यह पूर्ण स्थिति है। यह केवल रोग की अनुपस्थिति नहीं है।

8. **(C):** सांस्कृतिक प्रथाएँ सामाजिक व्यवहार को प्रभावित करती हैं। वे स्वास्थ्य व्यवहार को प्रभावित करती हैं। वे जीवनशैली को प्रभावित करती हैं।

9. (C): आनुवंशिक कारक रोग के जोखिम को प्रभावित करते हैं। यह वंशानुक्रम निर्धारित करते हैं। यह स्वास्थ्य स्थिति को प्रभावित करते हैं।

10. (A): जैविक आयु, पर्यावरणीय जल, सामाजिक शिक्षा, आर्थिक आय। ये निर्धारकों को दर्शाते हैं।

अतः सही मिलान A-2, B-4, C-3, D-1 है।

11. (A): जीवनशैली दैनिक आदतें, आनुवंशिकी वंशानुक्रम, पर्यावरण परिवेश, स्वास्थ्य सेवाएँ चिकित्सीय देखभाल से संबंधित है। ये कारक स्वास्थ्य को प्रभावित करते हैं।

अतः सही मिलान A-2, B-1, C-3, D-4 है।

12. (B): जीवनशैली स्वास्थ्य को प्रभावित करती है। खराब आदतें रोग उत्पन्न करती हैं। इसलिए दूसरा कथन गलत है।

अतः I सही है, II गलत है।

13. (B): स्वच्छ पर्यावरण स्वास्थ्य को बढ़ावा देता है। प्रदूषण स्वास्थ्य को नुकसान पहुँचाता है। इसलिए दूसरा कथन गलत है।

अतः I सही है, II गलत है।

14. (D): स्वास्थ्य सेवाओं की उपलब्धता को स्वास्थ्य सेवा स्वास्थ्य निर्धारक माना जाता है। इसमें अस्पताल शामिल होते हैं। वे देखभाल प्रदान करते हैं। वे स्वास्थ्य परिणामों को प्रभावित करते हैं।

15. (A): पोषण शरीर के कार्यों को प्रभावित करता है। यह शक्ति बनाए रखता है। यह स्वास्थ्य का समर्थन करता है।

16. (B): महामारी विज्ञान (epidemiology) समुदाय में रोगों के पैटर्न का अध्ययन करता है। यह रोकथाम में सहायता करता है। यह जनस्वास्थ्य में सुधार करता है।

17. (B): इन्सिडेंस (incidence) नए मामलों को मापता है। यह रोग के जोखिम को दर्शाता है। यह योजना बनाने में सहायता करता है।

18. (C): प्रेवलेंस (prevalence) सभी वर्तमान मामलों को शामिल करता है। यह रोग का बोझ दर्शाता है। यह योजना के लिए महत्वपूर्ण है।

19. (D): महामारी विज्ञान त्रिक (epidemiological triad) में एजेंट, होस्ट और पर्यावरण शामिल होते हैं। यह रोग के कारण को समझाता है। यह मूल मॉडल है।

20. (A): ऊष्मायन काल (incubation period) संपर्क और लक्षणों के बीच का समय है। यह रोग के अनुसार भिन्न होता है।

21. (A): महामारी (epidemic) अपेक्षित स्तर से अधिक वृद्धि है। यह प्रकोप को दर्शाता है। इसे नियंत्रित करना आवश्यक है।

22. (D): महामारी (pandemic) वैश्विक स्तर पर फैलती है। यह बड़ी जनसंख्या को प्रभावित करती है। यह गंभीर होती है।

23. (B): स्थानिक रोग (endemic) किसी क्षेत्र में लगातार उपस्थित रहते हैं। वे नियमित रूप से होते हैं। वे स्थायी होते हैं।

24. (B): मृत्यु दर (mortality rate) मृत्यु की संख्या को दर्शाती है। यह गंभीरता को बताती है। यह मूल्यांकन में सहायता करती है।

25. (C): केस फेटैलिटी (case fatality) मृत्यु होने वाले मामलों का अनुपात है। यह गंभीरता को दर्शाता है। यह उपयोगी है।

26. (D): स्रोत संक्रमण का उद्‌गम होता है। यह संक्रमण फैलाता है। यह मानव या पशु हो सकता है।

27. (C): संचरण प्रत्यक्ष या अप्रत्यक्ष हो सकता है। अप्रत्यक्ष में वेक्टर शामिल होते हैं। यह रोग फैलाता है।

28. (B): वेक्टर वह जीव है जो संक्रमण फैलाता है। वेक्टर रोग को वहन करता है। यह रोगजनकों को फैलाता है। उदाहरण मच्छर है।

29. (B): रिजरवॉयर (reservoir) वह स्थान है जहाँ रोगजनक बढ़ता है। वहाँ वह जीवित रहता है। यह स्रोत होता है।

30. (D): होस्ट वह जीव है जो रोगजनक को धारण करता है। उसमें रोग विकसित हो सकता है।

31. (A): इन्सिडेंस नए मामले, प्रचलन वर्तमान मामले, मृत्यु दर मृत्यु, रोगता (morbidity) रोग दर से संबंधित है। ये अलग-अलग दरें हैं।

अतः सही मिलान A-4, B-3, C-2, D-1 है।

32. (A): महामारी अचानक वृद्धि, वैश्विक महामारी विश्वव्यापी फैलाव, स्थानिक रोग निरंतर उपस्थिति, छिटपुट (sporadic) कभी-कभी से संबंधित है। ये पैटर्न दर्शाते हैं।

अतः सही मिलान A-4, B-1, C-2, D-3 है।

33. (A): एजेंट रोग का कारण, होस्ट जीवित जीव, पर्यावरण परिवेश, वेक्टर वाहक। ये त्रिक को दर्शाते हैं।

अतः सही मिलान A-4, B-1, C-3, D-2 है।

34. (A): प्रत्यक्ष संचरण संपर्क, अप्रत्यक्ष संचरण फोमाइट्स (fomites), वायुजनित संचरण बूंदें, वेक्टर जनित संचरण मच्छर से संबंधित है। ये संचरण के तरीके हैं।

अतः सही मिलान A-1, B-4, C-3, D-2 है।

35. (A): इन्सिडेंस नए मामलों को और प्रेवलेंस कुल मामलों को दर्शाता है। दोनों मापन हैं। दोनों सही हैं।

36. (B): वेक्टर रोग फैलाता है। यह रोगजनकों को नष्ट नहीं करता। इसलिए दूसरा कथन गलत है।

अतः I सही है, II गलत है।

37. (B): एंडेमिक रोग लगातार होते हैं। वे दुर्लभ नहीं होते। इसलिए दूसरा कथन गलत है।

अतः I सही है, II गलत है।

38. (B): पैंडेमिक वैश्विक होता है। यह सीमित नहीं होता। इसलिए दूसरा कथन गलत है।

अतः I सही है, II गलत है।

39. (B): अटैक रेट (attack rate) इन्सिडेंस का प्रकार है। यह जोखिम को मापता है। यह प्रकोप में उपयोगी है।

40. (C): सेकेंडरी अटैक रेट (secondary attack rate) संपर्कों में फैलाव को मापता है। यह प्रसार को दर्शाता है। यह महत्वपूर्ण है।

41. (D): स्क्रीनिंग (screening) रोग की प्रारम्भिक अवस्था में पहचान करती है। यह जटिलताओं को रोकती है। यह परिणामों में सुधार करती है।

42. (B): सेंसिटिविटी (sensitivity) वास्तविक सकारात्मक मामलों को पहचानती है। यह गलत नकारात्मक को कम करती है। यह महत्वपूर्ण है।

43. (B): स्पेसिफिसिटी (specificity) वास्तविक नकारात्मक मामलों को पहचानती है। यह गलत सकारात्मक को कम करती है। यह सटीकता सुनिश्चित करती है।

44. (D): सर्विलांस (surveillance) रोग की निगरानी करता है। यह प्रसार को ट्रैक करता है। यह नियंत्रण में सहायता करता है।

45. (B): महामारी वक्र (epidemic curve) रोगों के फैलाव के पैटर्न को दिखाता है। यह प्रकोप को दर्शाता है। यह नियंत्रण में सहायता करता है।

46. (B): संक्रमण शृंखला में एजेंट और होस्ट के अलावा पर्यावरण शामिल होता है। यह संचरण में सहायता करता है। यह रोग को प्रभावित करता है।

47. (C): रोग के प्राकृतिक इतिहास में विभिन्न चरण होते हैं। इसमें प्री-पैथेजेनेसिस और पैथेजेनेसिस शामिल है। यह प्रगति को दर्शाता है।

48. (D): प्राथमिक रोकथाम रोग को होने से रोकती है। यह शुरुआत को रोकती है। यह महत्वपूर्ण है।

49. (B): द्वितीयक रोकथाम रोग की प्रारम्भिक पहचान करती है। यह गंभीरता को कम करती है। यह परिणामों में सुधार करती है।

50. (D): तृतीयक रोकथाम विकलांगता को कम करती है। यह पुनर्वास प्रदान करती है। यह जीवन की गुणवत्ता को सुधारती है।

51. (B): हर्ड इम्युनिटी (herd immunity) समुदाय की रक्षा करती है। यह प्रसार को कम करती है। यह संवेदनशील व्यक्तियों की रक्षा करती है।

52. (B): प्रकोप अचानक वृद्धि है। इसे नियंत्रण की आवश्यकता होती है। यह महामारी के समान है।

53. (C): क्वारंटीन (quarantine) संपर्क में आए व्यक्तियों को सीमित करता है। यह प्रसार को रोकता है। यह रोकथाम है।

54. (D): आइसोलेशन (isolation) बीमार व्यक्तियों को अलग करता है। यह संचरण को रोकता है। यह महत्वपूर्ण है।

55. (D): कोहोर्ट अध्ययन व्यक्तियों का अनुसरण करता है। यह इन्सिडेंस का अध्ययन करता है। यह दीर्घकालिक अध्ययन है।

56. (A): संक्रामक रोग एक संक्रमित स्रोत से संवेदनशील व्यक्ति में फैलते हैं। संचरण वायु, जल, संपर्क या वेक्टर द्वारा हो सकता है। नियंत्रण का उद्देश्य संक्रमण शृंखला को तोड़ना होता है।

57. (B): क्षय रोग मुख्यतः वायु में उपस्थित बूंदों द्वारा फैलता है। लंबे समय तक निकट संपर्क जोखिम बढ़ाता है। प्रारम्भिक पहचान और उपचार प्रसार को कम करते हैं।

58. (A): मलेरिया, प्लास्मोडियम (Plasmodium) नामक प्रोटोजोआ से होता है। यह रक्त में वृद्धि करता है। रोकथाम में मच्छर नियंत्रण शामिल है।

59. (C): डेंगू एडीज मच्छर द्वारा फैलता है। यह दिन में काटता है। स्वच्छ स्थिर जल में प्रजनन रोकना आवश्यक है।

60. (A): हैजा दूषित भोजन या जल के सेवन से फैलता है। खराब स्वच्छता जोखिम बढ़ाती है। रोकथाम में सुरक्षित जल और स्वच्छता शामिल है।

61. (A): BCG वैक्सीन गंभीर क्षय रोग से सुरक्षा देता है। यह नियमित टीकाकरण का भाग है। यह सामुदायिक स्तर पर रोकथाम में सहायक है।

62. (D): खसरा एक वायरस से होता है। यह वायु द्वारा तेजी से फैलता है। टीकाकरण सबसे प्रभावी रोकथाम है।

63. (D): HIV संक्रमित रक्त और द्रव, यौन संपर्क और माता से शिशु में फैलता है। यह सामान्य संपर्क से नहीं फैलता। सुरक्षित व्यवहार से जोखिम कम होता है।

64. (A): ऊष्मायन काल लक्षण आने से पहले का समय होता है। यह रोग के अनुसार भिन्न होता है। यह निगरानी में सहायक है।

65. (A): आइसोलेशन संक्रमित व्यक्तियों को अलग करता है। यह संचरण को रोकता है। यह सार्वजनिक स्वास्थ्य उपाय है।

66. (B): मलेरिया मादा एनोफिलीज मच्छर से फैलता है। परजीवी रक्त में प्रवेश करता है। रोकथाम में मच्छर नियंत्रण शामिल है।

67. (A): खसरा बूंदों द्वारा फैलता है। यह अत्यधिक संक्रामक है। टीकाकरण प्रकोप को कम करता है।

68. (C): हैजा जल जनित रोग है। यह दूषित जल से फैलता है। सुरक्षित जल इसकी रोकथाम का मुख्य उपाय है।

69. (A): हेपेटाइटिस B रक्त और शारीरिक द्रव से फैलता है। यह माता से शिशु में भी फैल सकता है। टीकाकरण रोकथाम करता है।

70. (A): वाहक (carrier) बिना लक्षण के संक्रमण फैला सकता है। यह छिपे हुए प्रसार में योगदान देता है। नियंत्रण में इसकी पहचान आवश्यक है।

71. (A): क्षय रोग वायुजनित, मलेरिया प्रोटोजोआ जनित, हैजा जल जनित, खसरा विषाणुजनित है। यह रोगों के प्रकार दर्शाता है।

अतः सही मिलान A-3, B-4, C-1, D-2 है।

72. (A): HIV प्रतिरक्षा कमी रोग, हेपेटाइटिस B रक्त द्वारा, डेंगू मच्छर द्वारा, हैजा जल द्वारा फैलता है। यह नियंत्रण में सहायक है।

अतः सही मिलान A-4, B-3, C-1, D-2 है।

73. (A): आइसोलेशन संक्रमित के लिए, क्वारंटीन संपर्क के लिए, डिसइन्फेक्शन रोगजनक कम करता है, स्टरिलाइजेशन सभी सूक्ष्मजीव नष्ट करता है। ये नियंत्रण उपाय हैं।

अतः सही मिलान A-1, B-2, C-3, D-4 है।

74. (A): एजेंट रोग का कारण, होस्ट जीव, वेक्टर वाहक, रिजरवॉयर आवास है। यह संक्रमण शृंखला को समझाता है।

अतः सही मिलान A-3, B-1, C-4, D-2 है।

75. (B): टीकाकरण प्रतिरक्षा बढ़ाता है। यह रोग को रोकता है। दूसरा कथन गलत है।

अतः I सही है, II गलत है।

76. (B): मलेरिया मच्छर से फैलता है। यह जल से नहीं फैलता। इसलिए दूसरा कथन गलत है।

अतः I सही है, II गलत है।

77. (B): हैजा जल से फैलता है। यह वायुजनित नहीं है। इसलिए दूसरा कथन गलत है।

अतः I सही है, II गलत है।

78. (B): HIV प्रतिरक्षा को कम करता है। यह प्रतिरोध नहीं बढ़ाता। इसलिए दूसरा कथन गलत है।

अतः I सही है, II गलत है।

79. (A): टीकाकरण कई रोगों को रोकता है। यह सामुदायिक प्रतिरक्षा बढ़ाता है। यह महत्वपूर्ण रणनीति है।

80. (A): स्टरलाइजेशन सभी सूक्ष्मजीवों को नष्ट करता है। यह उपकरणों के लिए आवश्यक है। यह सुरक्षा सुनिश्चित करता है।

81. (B): क्षय रोग भीड़भाड़ और खराब वेंटिलेशन (ventilation) वाले स्थानों में फैलता है। ड्रॉपलेट न्यूक्लिआई (droplet nuclei) हवा में बने रहते हैं। नियंत्रण में वेंटिलेशन और शीघ्र उपचार शामिल है।

82. (C): हैजा विब्रियो कॉलरी (Vibrio cholerae) नामक बैक्टीरिया से होता है। यह अत्यधिक पानी जैसे दस्त करता है। शीघ्र तरल देना जीवनरक्षक है।

83. (A): हाथों की स्वच्छता संक्रमण श्रृंखला को तोड़ती है। यह संपर्क और वस्तुओं द्वारा फैलाव को कम करती है। यह सबसे सरल और प्रभावी उपायों में से एक है।

84. (A): संक्रामक और संचारी रोग अक्सर समान अर्थ में उपयोग होते हैं। दोनों रोगजनकों से होने वाले रोग हैं। संचारी रोग व्यक्ति से व्यक्ति में फैलाव को दर्शाता है।

85. (A): वेक्टर जनित रोग मच्छरों और किलनी जैसे वाहकों से फैलते हैं। नियंत्रण में प्रजनन स्थलों को समाप्त करना और व्यक्तिगत सुरक्षा शामिल है। इससे रोग का बोझ कम होता है।

86. (A): डिसइन्फेक्शन (disinfection) सतहों पर रोगजनकों को कम करता है। यह स्पोर्स को पूरी तरह नष्ट नहीं करता। पूर्ण नष्ट करने के लिए स्टरलाइजेशन आवश्यक है।

87. (A): प्राथमिक रोकथाम रोग को होने से रोकती है। टीकाकरण और स्वास्थ्य शिक्षा इसके प्रमुख साधन हैं। ये समुदाय में रोग की दर कम करते हैं।

88. (A): संक्रमण का संचरण प्रत्यक्ष या अप्रत्यक्ष हो सकता है। मार्गों की पहचान से रोकथाम में सहायता मिलती है। यह प्रकोप नियंत्रण में मदद करता है।

89. (A): स्वच्छता और सुरक्षित जल मल-मुख मार्ग के रोगों को कम करते हैं। ये हैजा जैसे प्रकोप को रोकते हैं। सामुदायिक व्यवस्था महत्वपूर्ण भूमिका निभाती है।

90. (C): हैजा की रोकथाम के लिए सुरक्षित जल और स्वच्छता आवश्यक है। यह संक्रमण को कम करता है। जनजागरूकता भी महत्वपूर्ण है।

91. (A): असंचारी रोग संक्रामक नहीं होते। ये धीरे-धीरे विकसित होते हैं और लंबे समय तक रहते हैं। उदाहरण मधुमेह और उच्च रक्तचाप हैं।

92. (C): डायबिटीज मेलिटस (diabetes mellitus) यह एक चयापचय विकार है। यह रोगजनकों से नहीं होता। इसे दीर्घकालिक प्रबंधन की आवश्यकता होती है।

93. (B): अधिक नमक सेवन रक्तचाप बढ़ाता है। यह उच्च रक्तचाप का कारण बनता है। यह परिवर्तनीय जोखिम कारक है।

94. (D): मोटापा शरीर में वसा के अधिक संचय से होता है। यह हृदय रोग और मधुमेह का जोखिम बढ़ाता है। यह स्वास्थ्य को प्रभावित करता है।

95. (B): मधुमेह में रक्त शर्करा बढ़ी होती है। नियंत्रण न होने पर जटिलताएँ होती हैं। निगरानी आवश्यक है।

96. (B): धूम्रपान कैंसर का प्रमुख जोखिम कारक है। यह ऊतकों को क्षति पहुँचाता है। यह मृत्यु दर बढ़ाता है।

97. (D): जीवनशैली रोग खराब आदतों से होते हैं। ये रोके जा सकते हैं। व्यवहार परिवर्तन आवश्यक है।

98. (C): कार्डियोवैस्कुलर सिस्टम (cardiovascular system) हृदय और रक्त वाहिकाओं को प्रभावित करता है। इसमें उच्च रक्तचाप और हृदयाघात शामिल हैं। यह प्रमुख मृत्यु कारण है।

99. (A): मधुमेह शर्करा से, उच्च रक्तचाप रक्तचाप से, कैंसर कोशिका वृद्धि से, मोटापा वसा से संबंधित है।

अतः सही मिलान A-4, B-2, C-3, D-1 है।

100. (A): धूम्रपान और शराब जोखिम कारक हैं। संतुलित आहार सुरक्षात्मक है। व्यायाम स्वास्थ्य संवर्धन करता है।

अतः सही मिलान A-2, B-2, C-1, D-4 है।

101. (B): असंचारी रोग दीर्घकालिक होते हैं। ये संपर्क से नहीं फैलते। इसलिए दूसरा कथन गलत है।

अतः I सही है, II गलत है।

102. (A): व्यायाम जोखिम कम करता है। निष्क्रिय जीवनशैली जोखिम बढ़ाती है। दोनों सही हैं।

103. (C): स्वस्थ एवं संतुलित जीवनशैली असंचारी रोगों को रोकती है। संतुलित आहार और व्यायाम आवश्यक हैं। यह जीवन गुणवत्ता बढ़ाता है।

104. (D): स्क्रीनिंग रोग की प्रारम्भिक पहचान करती है। यह परिणाम सुधारती है। यह जटिलताओं को कम करती है।

105. (A): स्वास्थ्य शिक्षा जागरूकता बढ़ाती है। यह स्वस्थ व्यवहार को बढ़ावा देती है। यह रोग बोझ कम करती है।

106. (A): डेमोग्राफी (demography) जनसंख्या के आकार, संरचना और वितरण का अध्ययन है। यह स्वास्थ्य योजना में सहायक है।

107. (B): जन्म दर प्रति 1,000 जनसंख्या में जीवित जन्मों की संख्या है। यह मानक माप है।

108. (C): मृत्यु दर (mortality rate) प्रति 1000 जनसंख्या प्रति वर्ष मृत्यु की संख्या को दर्शाती है। यह स्वास्थ्य स्थिति का संकेत है।

109. (B): जनसंख्या पिरामिड आयु और लिंग का वितरण दिखाता है। यह नीति निर्माण में सहायक है।

110. (A): कुल प्रजनन दर एक महिला के औसत बच्चों को दर्शाती है। यह जनसंख्या योजना में सहायक है।

111. (C): जनसंख्या घनत्व क्षेत्र में लोगों की संख्या बताता है। यह संसाधनों को प्रभावित करता है।

112. (A): माइग्रेशन (migration) लोगों का स्थान परिवर्तन है। यह आंतरिक या बाहरी हो सकता है।

113. (B): जनसंख्या वृद्धि जन्म और मृत्यु दर पर निर्भर करती है। माइग्रेशन भी प्रभाव डालता है।

114. (A): जन्म दर प्रति 1000 जनसंख्या पर जन्म, मृत्यु दर प्रति 1000 जनसंख्या पर मृत्यु, प्रजनन दर प्रति महिला बच्चों की संख्या और जनसंख्या घनत्व प्रति इकाई क्षेत्र में लोग।

अतः सही मिलान A-2, B-1, C-3, D-4 है।

115. (A): प्रवास लोगों का स्थानांतरण, नगरीकरण शहरों की जनसंख्या में वृद्धि, जनसंख्या वृद्धि जनसंख्या में वृद्धि।

अतः सही मिलान A-1, B-4, C-3, D-2 है।

116. (B): वृद्धि जन्म, मृत्यु और माइग्रेशन पर निर्भर है। दूसरा कथन गलत है। अतः I सही है, II गलत है।

117. (B): जनगणना डेटा देती है। यह हर 10 वर्ष में होती है।

अतः I सही है, II गलत है।

118. (A): जनगणना आधिकारिक जनसंख्या गणना है। यह योजना में सहायक है।

119. (A): अधिक जनसंख्या संसाधनों पर दबाव बढ़ाती है। यह समस्याएँ उत्पन्न करती है।

120. (D): जनगणना जनसांख्यकीय आँकड़ों का मुख्य स्रोत है। यह सटीक डेटा प्रदान करती है। यह नीति निर्माण के लिए महत्वपूर्ण है।

121. (A): राष्ट्रीय स्वास्थ्य कार्यक्रम प्रमुख सार्वजनिक स्वास्थ्य समस्याओं को लक्ष्य करते हैं। इनका उद्देश्य रोकथाम, नियंत्रण और उन्मूलन है। ये समुदाय स्तर पर कार्य करते हैं।

122. (C): स्वास्थ्य का संकेतक वे मापदंड होते हैं जो किसी जनसंख्या के स्वास्थ्य स्तर को मापने और नीति निर्धारण में सहायता करते हैं। रोग नियंत्रण एक स्वास्थ्य कार्यक्रम या उद्देश्य होता है, न कि मापन के लिए प्रयुक्त संकेतक।

123. (B): RNTCP का नाम बदलकर NTEP कर दिया गया है। यह तपेदिक उन्मूलन पर केंद्रित है। इसमें आधुनिक रणनीतियाँ अपनाई जाती हैं।

124. (C): UIP बच्चे और गर्भवती महिलाओं जैसे संवेदनशील समूहों को टीके प्रदान करता है। यह रोगों की रोकथाम करता है। यह बाल स्वास्थ्य में सुधार करता है।

125. (B): NACP का उद्देश्य HIV की रोकथाम और नियंत्रण है। इसमें जागरूकता और उपचार शामिल है। यह संक्रमण को कम करता है।

126. (D): NVBDCP में मलेरिया, डेंगू और फाइलेरियासिस शामिल हैं। ये वेक्टर जनित रोग हैं। नियंत्रण में वेक्टर प्रबंधन शामिल है।

127. (B): जननी सुरक्षा योजना अस्पताल में संस्थागत प्रसव को बढ़ावा देती है। यह मातृ मृत्यु दर को कम करती है। इसमें प्रोत्साहन दिया जाता है।

128. (A): NHM मुख्य रूप से प्राथमिक स्वास्थ्य सेवा स्तर को मजबूत करता है। यह पहुँच बढ़ाता है। यह ग्रामीण स्वास्थ्य का समर्थन करता है।

129. (A): NTEP तपेदिक, UIP टीकाकरण, NACP HIV, NVBDCP वेक्टर रोगों से संबंधित हैं।

अतः सही मिलान A-2, B-1, C-3, D-4 है।

130. (A): जननी सुरक्षा योजना मातृ देखभाल, आयुष्मान भारत स्वास्थ्य बीमा, ICDS बाल पोषण, मध्याह्न भोजन विद्यालय पोषण से संबंधित हैं।

अतः सही मिलान A-2, B-1, C-3, D-4 है।

131. (B): राष्ट्रीय स्वास्थ्य कार्यक्रम ग्रामीण और शहरी दोनों क्षेत्रों में लागू होते हैं। वे सीमित नहीं हैं।

अतः I सही है, II गलत है।

132. (B): टीकाकरण सुरक्षा प्रदान करता है। यह संक्रमण को कम करता है। दूसरा कथन गलत है।

अतः I सही है, II गलत है।

133. (C): आयुष्मान भारत अस्पताल खर्च को कवर करता है। यह आर्थिक सुरक्षा देता है। यह गरीब परिवारों को लाभ देता है।

134. (D): ICDS बाल विकास पर केंद्रित है। इसमें स्वास्थ्य, पोषण और बाल विकास शामिल है। यह वृद्धि में सुधार करता है।

135. (B): मध्याह्न भोजन योजना विद्यालय के बच्चों के लिए है। यह पोषण सुधारता है। यह उपस्थिति बढ़ाता है।

136. (D): NPCDCS कैंसर, मधुमेह आदि असंचारी रोगों पर केंद्रित है। यह रोकथाम को बढ़ावा देता है।

137. (B): परिवार कल्याण कार्यक्रम जनसंख्या वृद्धि को नियंत्रित करते हैं। यह योजना को बढ़ावा देता है। यह स्वास्थ्य सुधारता है।

138. (C): आशा कार्यकर्ता गाँव स्तर पर कार्य करती है। वह समुदाय और स्वास्थ्य प्रणाली को जोड़ती है। वह जागरूकता बढ़ाती है।

139. (B): कार्यक्रम का उद्देश्य अंधत्व को कम करना है। यह उपचार प्रदान करता है। यह दृष्टि देखभाल सुधारता है।

140. (A): ये कार्यक्रम स्वास्थ्य सुधार के लिए हैं। ये रोग भार कम करते हैं। ये जीवन गुणवत्ता बढ़ाते हैं।

141. (A): स्वास्थ्य सेवाओं में संवर्धन, रोकथाम, उपचार और पुनर्वास शामिल हैं। इनका उद्देश्य स्वास्थ्य सुधार है। ये व्यक्ति और समुदाय दोनों की सेवा करती हैं।

142. (C): प्राथमिक स्तर समुदाय की आवश्यकताओं पर आधारित है। यह सुलभ और किफायती है। यह पहला संपर्क बिंदु है।

143. (A): प्राथमिक स्तर स्वास्थ्य प्रणाली का प्रवेश द्वार है। यह मूल सेवाएँ देता है। यह समुदाय के सबसे निकट होता है।

144. (C): सामुदायिक स्वास्थ्य केंद्र (CHC) द्वितीयक स्तर की सुविधा है। यह विशेष सेवाएँ प्रदान करता है। यह रेफरल इकाई के रूप में कार्य करता है।

145. (A): तृतीयक स्तर उन्नत अस्पताल होते हैं। यह विशेष सेवाएँ प्रदान करते हैं। यह जटिल मामलों का उपचार करते हैं।

146. (C): "सभी के लिए स्वास्थ्य" में शारीरिक, मानसिक और सामाजिक पहलू शामिल हैं। यह व्यापक दृष्टिकोण है। यह रोकथाम पर बल देता है।

147. (B): आल्मा-अता घोषणा प्राथमिक स्वास्थ्य देखभाल से संबंधित है। इसने समानता और उपलब्धता पर बल दिया।

148. (C): योजना में मूल्यांकन शामिल होता है। यह प्रभावशीलता को जाँचता है। यह सेवाओं में सुधार करता है।

149. (A): प्राथमिक PHC, द्वितीयक जिला अस्पताल, तृतीयक सुपर-स्पेशलिटी अस्पताल, समुदाय उपकेंद्र से संबंधित हैं।

अतः सही मिलान A-4, B-3, C-1, D-2 है।

150. (A): स्वास्थ्य शिक्षा जागरूकता, पोषण संतुलित आहार, टीकाकरण रोग रोकथाम, सुरक्षित जल स्वच्छता से संबंधित हैं।

अतः सही मिलान A-2, B-3, C-1, D-4 है।

151. (B): प्राथमिक स्तर में रोकथाम और संवर्धन शामिल है। यह केवल उपचार तक सीमित नहीं है।

अतः I सही है, II गलत है।

152. (B): स्वास्थ्य योजना संसाधनों के उपयोग को बेहतर बनाती है। यह आवश्यक है।

अतः I सही है, II गलत है।

153. (A): रेफरल प्रणाली उचित देखभाल सुनिश्चित करती है। यह मरीज को सही स्तर पर भेजती है। यह परिणाम सुधारती है।

154. (A): समुदाय की भागीदारी महत्वपूर्ण है। यह स्वीकृति बढ़ाती है। यह कार्यक्रमों को मजबूत करती है।

155. (A): योजना का उद्देश्य प्रभावी और समान सेवाएँ देना है। यह स्वास्थ्य परिणाम सुधारता है।

156. (A): सामुदायिक स्वास्थ्य नर्स स्वास्थ्य को बढ़ावा देती है। वह रोकथाम और संवर्धन करती है। वह समुदाय में कार्य करती है।

157. (B): स्वास्थ्य शिक्षा : नर्स लोगों को शिक्षित करती है। यह रोग रोकथाम में मदद करता है। यह जागरूकता बढ़ाता है।

158. (D): मूल्यांकन और योजना : नर्स समुदाय की आवश्यकताओं का आकलन करती है। वह योजना बनाती है। इससे देखभाल बेहतर होती है।

159. (A): टीकाकरण रोग रोकता है। नर्स टीके देती है। इससे रोग दर कम होती है।

160. (B): स्वास्थ्य शिक्षण : शिक्षण स्वस्थ व्यवहार को बढ़ावा देता है। यह बीमारी को रोकता है। यह महत्वपूर्ण भूमिका है।

161. (D): शिक्षक स्वास्थ्य शिक्षा देता है, देखभाल प्रदाता नर्सिंग देखभाल प्रदान करता है, अभिभावक रोगी के अधिकारों की रक्षा करता है, प्रबंधक सेवाओं का संगठन करता है। ये नर्स की प्रमुख भूमिकाएँ हैं।

अतः सही मिलान A-4, B-2, C-1, D-3 है।

162. (A): नर्स समुदाय और स्वास्थ्य सेवाओं के बीच कड़ी का कार्य करती है। वह सेवाओं की उपलब्धता सुनिश्चित करती है। वह स्वास्थ्य देखभाल को बढ़ावा देती है।

163. (B): नर्स की भूमिका रोग की रोकथाम में महत्वपूर्ण होती है। स्वास्थ्य शिक्षा इसका मुख्य भाग है। दूसरा कथन गलत है।

अतः I सही है, II गलत है।

164. (D): नर्स स्वास्थ्य कार्यकर्ताओं की निगरानी करती है और कार्यक्रमों का प्रबंधन करती है। वह सही क्रियान्वयन सुनिश्चित करती है। यह प्रशासनिक कार्य है।

165. (A): घर पर जाकर नर्स परिवार के स्वास्थ्य का आकलन करती है। वह आवश्यक देखभाल प्रदान करती है। इससे स्वास्थ्य परिणाम बेहतर होते हैं।

166. (A): स्वास्थ्य शिक्षा का उद्देश्य व्यवहार में परिवर्तन लाना है। यह स्वस्थ आदतों को बढ़ावा देती है। यह सामुदायिक स्वास्थ्य को सुधारती है।

167. (D): सहभागिता का अर्थ समुदाय की भागीदारी है। यह कार्यक्रमों की स्वीकृति बढ़ाती है। इससे प्रभावशीलता बढ़ती है।

168. (A): स्वास्थ्य शिक्षा लोगों की आवश्यकताओं और रुचियों के अनुसार होनी चाहिए। इससे प्रभाव बढ़ता है। इससे बेहतर परिणाम मिलते हैं।

169. (A): व्याख्यान एकतरफा संचार है, प्रदर्शन प्रक्रिया दिखाता है, समूह चर्चा विचारों का आदान-प्रदान करती है, भूमिका निर्वहन स्थिति का अभिनय करता है। ये विभिन्न विधियाँ हैं।

अतः सही मिलान A-3, B-1, C-4, D-2 है।

170. (B): स्वास्थ्य शिक्षा व्यवहार में परिवर्तन लाती है। यह रोग की रोकथाम में सहायक है। दूसरा कथन गलत है।

अतः I सही है, II गलत है।

11. संचार एवं शिक्षा प्रौद्योगिकी (Communication & Education Technology)

1. संचार व्यक्तियों के बीच सूचना का आदान-प्रदान करने की प्रक्रिया है।

A. सही B. गलत
C. केवल मौखिक D. केवल लिखित

2. संचार में संदेश भेजने वाले व्यक्ति को .... कहा जाता है।

A. प्राप्तकर्ता B. प्रेषक
C. माध्यम D. प्रतिपुष्टि

3. संचार का कौन-सा तत्व विचारों को संदेश में परिवर्तित करने के लिए उत्तरदायी होता है?

A. डीकोडिंग (Decoding) B. प्रतिपुष्टि
C. एन्कोडिंग (Encoding) D. शोर (Noise)

4. प्राप्तकर्ता द्वारा प्रेषक को दी गई प्रतिक्रिया को .... कहा जाता है।

A. माध्यम B. शोर
C. संदेश D. प्रतिपुष्टि

5. प्रभावी संचार के लिए प्रेषक और प्राप्तकर्ता के बीच स्पष्टता और समझ आवश्यक होती है।

A. सही B. गलत
C. केवल लिखित रूप D. केवल मौखिक रूप

6. प्राप्तकर्ता द्वारा संदेश की व्याख्या करने की प्रक्रिया को .... कहा जाता है।

A. एन्कोडिंग (Encoding) B. संचरण (Transmission)
C. शोर (Noise) D. डीकोडिंग (Decoding)

7. निम्नलिखित में से कौन-सा प्रभावी संचार में बाधा है?

A. स्पष्टता B. प्रतिपुष्टि
C. शोर D. समझ

8. संचार के तत्वों का उनके कार्यों से मिलान कीजिए :

कॉलम-I	कॉलम-II
A. प्रेषक	1. संचार का माध्यम
B. संदेश	2. व्याख्या करने वाला व्यक्ति
C. माध्यम	3. प्रेषित सूचना
D. प्राप्तकर्ता	4. प्रारंभ करने वाला व्यक्ति

A. A-4, B-3, C-1, D-2
B. A-3, B-4, C-2, D-1
C. A-2, B-1, C-4, D-3
D. A-1, B-2, C-3, D-4

9. **कथन I:** प्रतिपुष्टि संचार को सुधारने में सहायता करती है।
कथन II: संचार हमेशा एक-तरफा होता है।

A. दोनों कथन सही हैं B. I सही है, II गलत है
C. दोनों कथन गलत हैं D. I गलत है, II सही है

10. वह माध्यम जिसके द्वारा संदेश का संचार किया जाता है, उसे .... कहा जाता है।

A. प्रेषक B. प्राप्तकर्ता
C. संदेश D. माध्यम

11. किसी अन्य व्यक्ति की भावनाओं को समझने और साझा करने की क्षमता को .... कहा जाता है।

A. सहानुभूति (Sympathy)
B. सहानुभूति/समवेदना (Empathy)
C. दृष्टिकोण
D. व्यवहार

12. निम्नलिखित में से कौन-सा प्रभावी पारस्परिक संबंध (Interpersonal Relationship) का आवश्यक तत्व है?

A. अधिकार B. प्रभुत्व
C. विश्वास D. अलगाव

13. पारस्परिक संबंध दो या अधिक व्यक्तियों के बीच अंतःक्रिया को शामिल करता है।

A. सही B. गलत
C. केवल एक व्यक्ति D. केवल समूह

14. दूसरों के प्रति .... स्वस्थ पारस्परिक संबंधों का एक महत्वपूर्ण घटक है।

A. संचार B. प्रतिपुष्टि
C. सुनना D. सम्मान

15. सक्रिय सुनना (Active Listening) का अर्थ वक्ता को पूर्ण .... देना है।

A. निर्णय B. आलोचना
C. ध्यान D. उपेक्षा

16. अच्छे पारस्परिक संबंध संघर्षों को कम करने और सहयोग को बढ़ाने में सहायता करते हैं।

A. सही B. गलत
C. केवल घर पर D. केवल कार्यस्थल पर

17. निम्नलिखित में से कौन-सा पारस्परिक संबंधों में बाधा है?

A. विश्वास B. सम्मान
C. गलत संचार D. समझ

18. पारस्परिक कौशलों (Interpersonal Skills) का उनके अर्थों से मिलान कीजिए :

कॉलम-I	कॉलम-II
A. समवेदना	1. ध्यान देना
B. सुनना	2. दूसरों में विश्वास
C. सम्मान	3. भावनाओं को समझना
D. विश्वास	4. दूसरों को महत्व देना

A. A-3, B-1, C-4, D-2
B. A-1, B-3, C-2, D-4
C. A-2, B-4, C-1, D-3
D. A-4, B-2, C-3, D-1

19. **कथन I:** नर्सिंग अभ्यास (Nursing Practice) में पारस्परिक संबंध महत्वपूर्ण हैं।

कथन II: नर्सों को संचार कौशल (Communication Skills) की आवश्यकता नहीं होती।

A. दोनों कथन सही हैं B. I सही है, II गलत है
C. दोनों कथन गलत हैं D. I गलत है, II सही है

20. एक मजबूत पारस्परिक संबंध व्यक्तियों के बीच आपसी .... पर आधारित होता है।

A. संघर्ष B. प्रतिस्पर्धा
C. विश्वास D. अधिकार

21. काउंसलिंग (Counseling) एक ऐसी प्रक्रिया है जो व्यक्ति को व्यक्तिगत .... को हल करने में सहायता करती है।

A. संघर्ष B. समस्याएँ
C. मुद्दे D. कार्य

22. मार्गदर्शन (Guidance) एक सतत प्रक्रिया है जिसका उद्देश्य व्यक्तियों को उपयुक्त निर्णय लेने में सहायता करना है।

A. सही B. गलत
C. केवल छात्रों के लिए D. केवल रोगियों के लिए

23. निम्नलिखित में से कौन-सा काउंसलिंग (Counseling) का एक महत्वपूर्ण सिद्धांत है?

A. निर्णय B. आलोचना
C. गोपनीयता D. अधिकार

24. एक काउंसलर (Counselor) की भूमिका में भावनात्मक सहयोग प्रदान करना और व्यक्तियों को समस्याओं से निपटने में सहायता करना शामिल है।

A. केवल शिक्षण B. रोग का निदान करना
C. दवाएँ लिखना D. भावनात्मक सहयोग

25. **कथन I:** काउंसलिंग मानसिक स्वास्थ्य (Mental Well-being) को सुधारने में सहायता करती है।

कथन II: काउंसलिंग का व्यक्तिगत समस्याओं को हल करने में कोई भूमिका नहीं है।

A. दोनों कथन सही हैं B. I सही है, II गलत है
C. दोनों कथन गलत हैं D. I गलत है, II सही है

26. शिक्षण (Teaching) एक ऐसी प्रक्रिया है जिसमें शिक्षार्थियों को ज्ञान, कौशल और .... प्रदान किए जाते हैं।

A. आदतें B. मूल्य
C. दृष्टिकोण D. विश्वास

27. अधिगम (Learning) को अनुभव के कारण व्यवहार में अपेक्षाकृत स्थायी परिवर्तन के रूप में परिभाषित किया जाता है।

A. सही B. गलत
C. केवल अस्थायी परिवर्तन D. केवल शारीरिक परिवर्तन

28. निम्नलिखित में से कौन-सा प्रभावी शिक्षण (Effective Teaching) का सिद्धांत है?

A. शिक्षार्थियों की उपेक्षा करना
B. एक-तरफा संचार
C. सक्रिय भागीदारी
D. कोई प्रतिपुष्टि नहीं

29. प्रेरणा (Motivation) शिक्षण-अधिगम प्रक्रिया में सीखने में रुचि बढ़ाकर महत्वपूर्ण भूमिका निभाती है।

A. केवल बाह्य B. केवल आंतरिक
C. आवश्यक नहीं D. आवश्यक

30. शिक्षण शिक्षार्थी-केंद्रित (Learner-centered) होना चाहिए न कि शिक्षक-केंद्रित (Teacher-centered)।

A. सही
B. गलत
C. केवल विद्यालयों के लिए
D. केवल महाविद्यालयों के लिए

31. उदाहरणों और चित्रणों (Illustrations) का उपयोग विषय-वस्तु की बेहतर .... में सहायता करता है।

A. शिक्षण B. समझ
C. लेखन D. याद रखना

32. पुनर्बलन (Reinforcement) का उपयोग वांछित अधिगम व्यवहार को सुदृढ़ करने के लिए किया जाता है।

A. सही B. गलत
C. केवल दंड D. केवल पुरस्कार

33. शिक्षार्थियों की सक्रिय भागीदारी के लिए कौन-सी विधि सबसे उपयुक्त है?

A. व्याख्यान B. पढ़ना
C. चर्चा D. अवलोकन

34. शिक्षण सिद्धांतों (Teaching Principles) का उनके अर्थों से मिलान कीजिए :

कॉलम-I	**कॉलम-II**
A. प्रेरणा	1. प्रोत्साहन
B. पुनर्बलन	2. शिक्षार्थी की प्रतिक्रिया
C. प्रतिपुष्टि	3. सक्रिय सहभागिता
D. भागीदारी	4. व्यवहार को सुदृढ़ करना

A. A-1, B-4, C-2, D-3
B. A-2, B-1, C-4, D-3
C. A-3, B-2, C-1, D-4
D. A-4, B-3, C-2, D-1

35. कथन I: शिक्षण शिक्षार्थी की आवश्यकताओं पर आधारित होना चाहिए।

कथन II: शिक्षण के लिए योजना (Planning) की आवश्यकता नहीं होती।

A. दोनों कथन सही हैं B. I सही है, II गलत है
C. दोनों कथन गलत हैं D. I गलत है, II सही है

36. व्याख्यान (Lecture) विधि मुख्यतः .... प्रकार का संचार है।

A. द्वि-मार्गी B. अंतःक्रियात्मक
C. अनौपचारिक D. एक-मार्गी

37. प्रदर्शन (Demonstration) एक ऐसी शिक्षण विधि है जिसमें किसी प्रक्रिया को शिक्षार्थियों को दिखाया जाता है।

A. सही B. गलत
C. केवल सैद्धांतिक D. केवल लिखित

38. कौन-सी शिक्षण विधि शिक्षार्थियों के बीच विचारों के आदान-प्रदान को प्रोत्साहित करती है?

A. व्याख्यान B. प्रदर्शन
C. समूह चर्चा D. अभ्यास

39. रोल प्ले (Role Play) वास्तविक जीवन की स्थितियों का अभिनय करके संचार कौशल (Communication Skills) विकसित करने के लिए उपयोग किया जाता है।

A. केवल अवलोकन
B. केवल पढ़ना
C. केवल लिखना
D. स्थितियों का अनुकरण (Simulation)

40. कथन I: विभिन्न शिक्षण विधियों का उपयोग अधिगम उद्देश्यों के अनुसार किया जाना चाहिए।

कथन II: एक ही शिक्षण विधि सभी परिस्थितियों के लिए उपयुक्त होती है।

A. दोनों कथन सही हैं B. I सही है, II गलत है
C. दोनों कथन गलत हैं D. I गलत है, II सही है

41. मूल्यांकन (Evaluation) शिक्षण में .... की उपलब्धि का आकलन करने की प्रक्रिया है।

A. उद्देश्यों B. विधियों
C. शिक्षकों D. पुस्तकों

42. मूल्यांकन शिक्षण-अधिगम प्रक्रिया को सुधारने में सहायता करता है।

A. सही B. गलत
C. केवल परीक्षाओं के लिए D. केवल शिक्षकों के लिए

43. शिक्षण-अधिगम प्रक्रिया के दौरान कौन-सा प्रकार का मूल्यांकन किया जाता है?

A. समेकित मूल्यांकन (Summative Evaluation)
B. अंतिम मूल्यांकन
C. निर्माणात्मक मूल्यांकन (Formative Evaluation)
D. वार्षिक मूल्यांकन

44. मूल्यांकन शिक्षार्थियों की शक्तियों और कमजोरियों की पहचान करने में भी सहायता करता है।

A. केवल शक्तियाँ
B. केवल कमजोरियाँ
C. केवल अंक
D. दोनों शक्तियाँ और कमजोरियाँ

45. कथन I: मूल्यांकन एक सतत प्रक्रिया है।

कथन II: मूल्यांकन केवल शिक्षण के अंत में किया जाता है।

A. दोनों कथन सही हैं B. I सही है, II गलत है
C. दोनों कथन गलत हैं D. I गलत है, II सही है

व्याख्यात्मक उत्तर

1. **(A):** संचार में विचारों और सूचनाओं का आदान-प्रदान होता है। यह मौखिक या अमौखिक हो सकता है। यह समझ के लिए आवश्यक है।

2. **(B):** प्रेषक संचार की शुरुआत करता है। वह संदेश भेजता है। इससे प्रक्रिया शुरू होती है।

3. **(C):** एन्कोडिंग विचारों को संदेश के रूप में परिवर्तित करता है। यह संचार के लिए आवश्यक है। यह स्पष्टता सुनिश्चित करता है।

4. **(D):** प्रतिपुष्टि प्राप्तकर्ता की प्रतिक्रिया होती है। यह समझ की पुष्टि करती है। यह संचार को पूर्ण करती है।

5. **(A):** प्रभावी संचार के लिए स्पष्टता आवश्यक है। यह सही समझ सुनिश्चित करता है। यह भ्रम से बचाता है।

6. **(D):** डीकोडिंग संदेश की व्याख्या है। यह प्राप्तकर्ता द्वारा किया जाता है। यह समझ सुनिश्चित करता है।

7. **(C):** शोर संचार में बाधा डालता है। यह संदेश को विकृत करता है। यह एक बाधा के रूप में कार्य करता है।

8. **(A):** प्रेषक प्रारंभ करता है, संदेश प्रेषित सूचना है, माध्यम संचार का साधन है, प्राप्तकर्ता व्याख्या करता है। ये तत्व हैं।

   अतः सही मिलान A-4, B-3, C-1, D-2 है।

9. **(B):** प्रतिपुष्टि संचार को सुधारती है। संचार द्वि-मार्गी होता है। दूसरा कथन गलत है।

   अतः I सही है, II गलत है।

10. **(D):** माध्यम संचार का साधन है। यह संदेश को वहन करता है। यह प्रेषक और प्राप्तकर्ता को जोड़ता है।

11. **(B):** समवेदना का अर्थ दूसरों की भावनाओं को समझना है। यह संचार में सहायता करती है। यह मजबूत संबंध बनाती है।

12. **(C):** विश्वास संबंधों के लिए आवश्यक है। यह खुलापन बढ़ाता है। यह अंतःक्रिया को मजबूत करता है।

13. **(A):** पारस्परिक संबंधों में अंतःक्रिया शामिल होती है। इसमें संचार शामिल होता है। यह व्यक्तियों के बीच होता है।

14. **(D):** सम्मान गरिमा बनाए रखता है। यह स्वस्थ संबंध बनाता है। यह सहयोग को बढ़ाता है।

15. **(C):** सक्रिय सुनने के लिए एकाग्रता या ध्यान आवश्यक है। यह समझ सुनिश्चित करता है। यह संचार को बेहतर बनाता है।

16. **(A):** अच्छे संबंध संघर्षों को कम करते हैं। वे टीमवर्क को सुधारते हैं। वे सामंजस्य को बढ़ावा देते हैं।

17. **(C):** गलत संचार से गलतफहमी होती है। यह संबंधों को नुकसान पहुँचाता है। यह एक बाधा के रूप में कार्य करता है।

18. **(A):** समवेदना समझ है, सुनना ध्यान है, सम्मान महत्व देना है, विश्वास भरोसा है। ये कौशल हैं।

    अतः सही मिलान A-3, B-1, C-4, D-2 है।

19. **(B):** नर्सिंग अभ्यास में पारस्परिक संबंध महत्वपूर्ण हैं। नर्सों को संचार कौशल की आवश्यकता होती है। दूसरा कथन गलत है।

    अतः I सही है, II गलत है।

20. **(C):** विश्वास संबंधों को मजबूत करता है। यह सहयोग सुनिश्चित करता है। यह समझ विकसित करता है।

21. **(B):** काउंसलिंग व्यक्तियों को व्यक्तिगत समस्याओं से निपटने में सहायता करती है। यह सामंजस्य क्षमता को सुधारती है। यह निर्णय लेने में सहायता करती है।

22. **(A):** मार्गदर्शन एक निरंतर प्रक्रिया है। यह व्यक्तियों को निर्णय लेने में सहायता करता है। यह विकास में सहायक होता है।

23. **(C):** गोपनीयता विश्वास बनाती है। यह निजता की रक्षा करती है। यह काउंसलिंग में आवश्यक है।

24. **(D):** काउंसलर भावनात्मक सहयोग प्रदान करता है। यह सामना करने में सहायता करता है। यह मानसिक स्वास्थ्य को सुधारता है।

25. **(B):** काउंसलिंग कल्याण को सुधारती है। यह समस्याओं को हल करने में सहायता करती है। दूसरा कथन गलत है।

    अतः I सही है, II गलत है।

26. **(C):** शिक्षण में ज्ञान, कौशल और दृष्टिकोण शामिल होते हैं। यह व्यक्तित्व का विकास करता है। यह व्यवहार को प्रभावित करता है।

27. **(A):** अधिगम स्थायी परिवर्तन है। यह अनुभव से होता है। यह व्यवहार को परिवर्तित करता है।

28. **(C):** सक्रिय भागीदारी अधिगम को बेहतर बनाती है। यह समझ बढ़ाती है। यह शिक्षण को प्रभावी बनाती है।

29. **(D):** आवश्यक : प्रेरणा अधिगम को प्रोत्साहित करती है। यह रुचि बढ़ाती है। यह प्रदर्शन को सुधारती है।

30. **(A):** शिक्षार्थी-केंद्रित दृष्टिकोण प्रभावी है। यह आवश्यकताओं पर ध्यान देता है। यह अधिगम को सुधारता है।

31. **(B):** उदाहरण अवधारणाओं को स्पष्ट करते हैं। वे समझ को बढ़ाते हैं। वे अधिगम को आसान बनाते हैं।

32. **(A):** पुनर्बलन व्यवहार को सुदृढ़ करता है। यह अधिगम को प्रोत्साहित करता है। यह स्मरण शक्ति को सुधारता है।

33. **(C):** चर्चा में भागीदारी होती है। यह अंतःक्रिया को बढ़ावा देती है। यह समझ को बढ़ाती है।

34. **(A):** प्रेरणा प्रोत्साहित करती है, पुनर्बलन सुदृढ़ करता है, प्रतिपुष्टि प्रतिक्रिया देती है, भागीदारी शिक्षार्थियों को शामिल करती है। ये सिद्धांत हैं।

    अतः सही मिलान A-1, B-4, C-2, D-3 है।

35. **(B):** शिक्षण के लिए योजना आवश्यक है। यह शिक्षार्थी की आवश्यकताओं को पूरा करता है। दूसरा कथन गलत है।

    अतः I सही है, II गलत है।

36. **(D):** व्याख्यान एक-मार्गी संचार है। शिक्षक सामग्री प्रस्तुत करता है। शिक्षार्थी निष्क्रिय रूप से सुनता है।

37. **(A):** प्रदर्शन में प्रक्रियाएँ दिखाई जाती हैं। यह समझ को सुधारता है। यह एक व्यावहारिक विधि है।

38. **(C):** चर्चा में विचारों का आदान-प्रदान होता है। यह अंतःक्रिया को बढ़ावा देती है। यह अधिगम को सुधारती है।

39. **(D):** रोल प्ले वास्तविक परिस्थितियों का अनुकरण करता है। यह कौशल विकसित करता है। यह संचार को सुधारता है।

40. **(B):** विधियाँ उद्देश्यों के अनुसार बदलती हैं। कोई एक विधि सभी परिस्थितियों के लिए उपयुक्त नहीं होती। दूसरा कथन गलत है।

अतः I सही है, II गलत है।

41. **(A):** मूल्यांकन उद्देश्यों की उपलब्धि को मापता है। यह अधिगम परिणामों की जाँच करता है। यह सुधार का मार्गदर्शन करता है।

42. **(A):** मूल्यांकन शिक्षण में सुधार करता है। यह कमियों की पहचान करता है। यह अधिगम को बढ़ाता है।

43. **(C):** निर्माणात्मक मूल्यांकन सतत होता है। यह प्रगति की निगरानी करता है। यह सुधार में सहायता करता है।

44. **(D):** मूल्यांकन शक्तियों और कमजोरियों की पहचान करता है। यह अधिगम का मार्गदर्शन करता है। यह प्रदर्शन को सुधारता है।

45. **(B):** मूल्यांकन सतत प्रक्रिया है। यह केवल अंत तक सीमित नहीं है। दूसरा कथन गलत है।

अतः I सही है, II गलत है।

12. बाल स्वास्थ्य नर्सिंग (Child Health Nursing)

1. वृद्धि शरीर के आकार और वजन में वृद्धि को संदर्भित करती है।

A. सही
B. गलत
C. केवल मानसिक परिवर्तन
D. केवल भावनात्मक परिवर्तन

2. विकास बच्चे की .... में गुणात्मक परिवर्तन को संदर्भित करता है।

A. वजन
B. ऊँचाई
C. क्षमताएँ
D. आयु

3. निम्नलिखित में से कौन-सा वृद्धि और विकास का सिद्धांत है?

A. वृद्धि जल्दी रुक जाती है
B. विकास समान होता है
C. विकास सतत होता है
D. केवल शारीरिक वृद्धि

4. सिर से पैर की ओर विकास की दिशा को .... विकास (Development) कहा जाता है।

A. प्रोक्सिमोडिस्टल (Proximodistal)
B. सामान्य से विशिष्ट
C. सरल से जटिल
D. सेफालोकॉडल (Cephalocaudal)

5. निम्नलिखित में से कौन-सा कारक बच्चों में वृद्धि और विकास को सबसे अधिक प्रभावित करता है?

A. पोषण
B. जलवायु
C. धर्म
D. भाषा

6. नवजात शिशु का औसत जन्म वजन लगभग .... किलोग्राम होता है।

A. 2.0
B. 2.5
C. 3.0
D. 3.5

7. विकास सरल से जटिल पैटर्न की ओर बढ़ता है।

A. सही
B. गलत
C. केवल वयस्कों में
D. केवल मानसिक

8. विकास का कौन-सा चरण तीव्र शारीरिक वृद्धि द्वारा विशेषता रखता है?

A. किशोरावस्था
B. शैशवावस्था
C. बाल्यावस्था
D. वृद्धावस्था

9. विकास का कौन-सा पहलू सोचने और तर्क करने की क्षमता से संबंधित है?

A. शारीरिक
B. सामाजिक
C. संज्ञानात्मक
D. भावनात्मक

10. केंद्रीय से परिधीय भागों तक कौशलों का विकास .... विकास कहलाता है।

A. सेफालोकॉडल (Cephalocaudal)
B. क्रमिक
C. सतत
D. प्रोक्सिमोडिस्टल (Proximodistal)

11. वह आयु जिसमें बच्चा सामान्यतः जन्म के वजन को दोगुना कर लेता है लगभग .... महीने होती है।

A. 3
B. 5
C. 6
D. 9

12. वृद्धि पर आनुवंशिक (Genetic) और पर्यावरणीय (Environmental) दोनों कारकों का प्रभाव होता है।

A. सही
B. गलत
C. केवल आनुवंशिक
D. केवल पर्यावरण

13. निम्नलिखित में से कौन-सा शैशवावस्था में विकास का एक माइलस्टोन (Milestone) है?

A. 1 महीने में चलना
B. 2 महीने में बोलना
C. बिना सहारे बैठना
D. पढ़ना

14. कौन-सा कारक बच्चों में वृद्धि को नकारात्मक रूप से प्रभावित कर सकता है?

A. अच्छा पोषण　B. उचित देखभाल
C. व्यायाम　D. कुपोषण

15. विकास का कौन-सा क्षेत्र संबंधों और अंतःक्रियाओं से संबंधित है?

A. शारीरिक　B. संज्ञानात्मक
C. सामाजिक　D. मोटर

16. विकास के चरणों का आयु समूहों से मिलान कीजिए :

कॉलम-I	कॉलम-II
A. शैशवावस्था	1. 1–3 वर्ष
B. टॉडलर	2. 6–12 वर्ष
C. प्रीस्कूल	3. जन्म –1 वर्ष
D. स्कूल आयु	4. 3–6 वर्ष

A. A-3, B-1, C-4, D-2
B. A-1, B-3, C-2, D-4
C. A-2, B-4, C-3, D-1
D. A-4, B-2, C-1, D-3

17. वृद्धि निगरानी (Growth Monitoring) शब्द बच्चों में .... के नियमित मापन को संदर्भित करता है।

A. रक्तचाप　B. ऊँचाई और वजन
C. नाड़ी　D. तापमान

18. **कथन I:** वृद्धि और विकास परस्पर संबंधित प्रक्रियाएँ हैं।
कथन II: वृद्धि बिना विकास के होती है।

A. दोनों कथन सही हैं　B. I सही है, II गलत है
C. दोनों कथन गलत हैं　D. I गलत है, II सही है

19. **कथन I:** पोषण वृद्धि में महत्वपूर्ण भूमिका निभाता है।
कथन II: पोषण का विकास पर कोई प्रभाव नहीं होता।

A. दोनों कथन सही हैं　B. I सही है, II गलत है
C. दोनों कथन गलत हैं　D. I गलत है, II सही है

20. वृद्धि चार्ट (Growth Charts) का उपयोग समय के साथ बच्चों की शारीरिक वृद्धि का आकलन करने के लिए किया जाता है।

A. सही
B. गलत
C. केवल वयस्कों के लिए
D. केवल बीमार बच्चों के लिए

21. नवजात (Neonate) को जन्म के .... दिनों के भीतर के शिशु के रूप में परिभाषित किया जाता है।

A. 14　B. 21
C. 28　D. 30

22. एपगार स्कोर (Apgar Score) का आकलन जन्म के .... और 5 मिनट बाद किया जाता है।

A. 1 मिनट　B. 2 मिनट
C. 3 मिनट　D. 4 मिनट

23. निम्नलिखित में से कौन-सा पैरामीटर एपगार स्कोरिंग प्रणाली (Apgar Scoring System) में शामिल होता है?

A. वजन　B. लंबाई
C. हृदय दर　D. तापमान

24. नवजात शिशु की सामान्य श्वसन दर लगभग .... श्वास प्रति मिनट होती है।

A. 20–30　B. 30–40
C. 60–80　D. 40–60

25. नवजात शिशु का सामान्य जन्म वजन .... किलोग्राम के बीच होता है।

A. 1–2　B. 2.5–3.5
C. 3–4　D. 4–5

26. निम्नलिखित में से नवजात की सबसे महत्वपूर्ण तात्कालिक देखभाल कौन-सी है?

A. स्नान
B. भोजन कराना
C. सुखाना और गर्म रखना
D. टीकाकरण

27. नवजात शिशु की सामान्य हृदय दर लगभग .... धड़कन प्रति मिनट होती है।

A. 80–100　B. 100–120
C. 120–160　D. 160–180

28. सामान्य नवजात में जन्म के समय कौन-सा रिफ्लेक्स (Reflex) उपस्थित होता है?

A. गैग रिफ्लेक्स (Gag Reflex)
B. कॉर्नियल रिफ्लेक्स (Corneal Reflex)
C. मोरो रिफ्लेक्स (Moro Reflex)
D. घुटना रिफ्लेक्स (Knee Reflex)

29. स्तनपान की प्रारंभिक शुरुआत नवजात जीवित रहने की दर को सुधारने में सहायता करती है।

A. सही
B. गलत
C. केवल माताओं के लिए
D. केवल बीमार शिशुओं के लिए

30. प्रसव के बाद उत्पन्न होने वाला पहला दूध .... कहलाता है।

A. परिपक्व दूध

B. फॉर्मूला दूध (Formula Milk)

C. कोलोस्ट्रम (Colostrum)

D. कृत्रिम दूध

31. रक्तस्राव विकारों को रोकने के लिए नवजात को सामान्यतः कौन-सा विटामिन दिया जाता है?

A. विटामिन A B. विटामिन C

C. विटामिन D D. विटामिन K

32. नवजात में ताप नियमन (Thermoregulation) महत्वपूर्ण होता है क्योंकि वे अपने शरीर का तापमान प्रभावी रूप से नियंत्रित नहीं कर सकते।

A. सही

B. गलत

C. केवल वयस्कों में

D. केवल समयपूर्व (Preterm) शिशुओं में

33. नवजात में त्वचा का पीला पड़ना .... कहलाता है।

A. सायनोसिस (Cyanosis)

B. पीलापन (Pallor)

C. पीलिया (Jaundice)

D. एनीमिया (Anemia)

34. कम जन्म वजन वाले शिशुओं में गर्मी बनाए रखने के लिए कौन-सी विधि का उपयोग किया जाता है?

A. फोटोथेरेपी (Phototherapy)

B. कंगारू मदर केयर (Kangaroo Mother Care)

C. ऑक्सीजन थेरेपी (Oxygen Therapy)

D. वेंटिलेशन (Ventilation)

35. नवजात शिशु की औसत लंबाई लगभग .... सेमी होती है।

A. 40 B. 45

C. 50 D. 60

36. समयपूर्व (Preterm) शिशुओं में कौन-सी जटिलता सामान्यतः देखी जाती है?

A. उच्च रक्तचाप

B. मोटापा

C. श्वसन संकट (Respiratory Distress)

D. मधुमेह

37. नाल (Umbilical Cord) सामान्यतः जन्म के 1–2 सप्ताह के भीतर गिर जाती है।

A. सही

B. गलत

C. केवल 1 महीने के बाद

D. केवल अस्पताल में

38. यदि शिशु का वजन .... किलोग्राम से कम हो तो उसे कम जन्म वजन (Low Birth Weight) कहा जाता है।

A. 1.5 B. 2.0

C. 2.5 D. 3.0

39. निम्नलिखित में से कौन-सा तात्कालिक नवजात देखभाल (Immediate Newborn Care) का आवश्यक घटक है?

A. स्नान

B. कपड़े पहनाना

C. भोजन में देरी

D. वायुमार्ग का रखरखाव (Airway Maintenance)

40. जीवन के पहले 6 महीनों तक केवल स्तनपान (Exclusive Breastfeeding) की सिफारिश की जाती है।

A. सही

B. गलत

C. केवल 3 महीने के लिए

D. केवल 1 महीने के लिए

41. नवजात रिफ्लेक्स (Neonatal Reflexes) का उनके लक्षणों से मिलान कीजिए :

कॉलम-I	कॉलम-II
A. मोरो रिफ्लेक्स	1. उत्तेजना पर सिर घुमाना
B. रूटिंग रिफ्लेक्स	2. चौंकने की प्रतिक्रिया
C. सकिंग रिफ्लेक्स	3. वस्तु पकड़ना
D. ग्रास्प रिफ्लेक्स	4. खाने का रिफ्लेक्स

A. A-2, B-1, C-4, D-3

B. A-1, B-2, C-3, D-4

C. A-3, B-4, C-1, D-2

D. A-4, B-3, C-2, D-1

42. नवजात द्वारा त्यागा गया पहला मल .... कहलाता है।

A. मूत्र B. दूध मल

C. मीकॉनियम D. मल

43. नवजात स्थितियों (Neonatal Conditions) का उनके अर्थों से मिलान कीजिए :

कॉलम-I	कॉलम-II
A. सायनोसिस	1. पीली त्वचा
B. पीलिया	2. नीला रंग परिवर्तन
C. एपनिया	3. कम शरीर तापमान
D. हाइपोथर्मिया	4. श्वास का अभाव

A. A-2, B-1, C-4, D-3

B. A-1, B-3, C-2, D-4

C. A-3, B-2, C-1, D-4

D. A-4, B-1, C-2, D-3

44. निम्नलिखित में से कौन-सा संकेत नवजात में अच्छे स्वास्थ्य को दर्शाता है?

A. कमजोर रोना B. खराब भोजन लेना
C. सक्रिय गतिविधि D. सायनोसिस

45. **कथन I:** प्रारंभिक स्तनपान नवजात के लिए लाभकारी है।
कथन II: कोलोस्ट्रम (Colostrum) को फेंक देना चाहिए।

A. दोनों कथन सही हैं B. I सही है, II गलत है
C. दोनों कथन गलत हैं D. I गलत है, II सही है

46. **कथन I:** नवजात हाइपोथर्मिया (Hypothermia) के प्रति संवेदनशील होते हैं।
कथन II: उनमें तापमान नियंत्रण की क्षमता कम होती है।

A. दोनों कथन सही हैं B. I सही है, II गलत है
C. दोनों कथन गलत हैं D. I गलत है, II सही है

47. **कथन I:** रक्तस्राव को रोकने के लिए विटामिन K दिया जाता है।
कथन II: नवजात में विटामिन K का स्तर कम होता है।

A. दोनों कथन सही हैं B. I सही है, II गलत है
C. दोनों कथन गलत हैं D. I गलत है, II सही है

48. संक्रमण से बचाव के लिए नवजात देखभाल में उचित स्वच्छता आवश्यक है।

A. सही
B. गलत
C. केवल अस्पताल में
D. केवल एनआईसीयू (NICU) में

49. नवजात का सामान्य सिर परिधि (Head Circumference) लगभग .... सेमी होती है।

A. 25 B. 30
C. 35 D. 40

50. नवजात स्क्रीनिंग (Newborn Screening) कुछ जन्मजात विकारों (Congenital Disorders) का प्रारंभिक पता लगाने में सहायता करती है।

A. सही
B. गलत
C. केवल वयस्कों के लिए
D. केवल माताओं के लिए

51. IMNCI का पूर्ण रूप है Integrated Management of Neonatal and .... Illness.

A. Nutritional B. Childhood
C. Contagious D. Chronic

52. IMNCI रणनीति के अंतर्गत कौन-सा आयु समूह शामिल है?

A. केवल नवजात B. केवल वयस्क
C. 0–5 वर्ष के बच्चे D. केवल किशोर

53. IMNCI दृष्टिकोण स्वास्थ्य कर्मियों के केस प्रबंधन कौशल (Case Management Skills) को सुधारने पर केंद्रित है।

A. सही
B. गलत
C. केवल अस्पताल देखभाल
D. केवल निदान

54. IMNCI दिशानिर्देश बीमारियों को प्रबंधन के लिए विभिन्न .... में वर्गीकृत करते हैं।

A. स्तर B. श्रेणियाँ
C. चरण D. समूह

55. निम्नलिखित में से कौन-सा IMNCI रणनीति का एक प्रमुख घटक है?

A. सर्जरी B. रेडियोलॉजी
C. प्रयोगशाला कार्य D. सामुदायिक भागीदारी

56. IMNCI बीमारियों के वर्गीकरण के लिए गुलाबी, पीला और हरा रंग कोडिंग का उपयोग करता है।

A. सही B. गलत
C. केवल लाल D. केवल नीला

57. IMNCI में गुलाबी रंग .... स्थिति को दर्शाता है।

A. हल्की B. मध्यम
C. कोई बीमारी नहीं D. गंभीर

58. निम्नलिखित में से कौन-सी स्थिति IMNCI में खतरे का संकेत मानी जाती है?

A. हल्का बुखार B. सामान्य भोजन
C. दौरे (Convulsions) D. सामान्य गतिविधि

59. बच्चे में छाती का अंदर धँसना (Chest Indrawing) गंभीर श्वसन रोग का संकेत देता है।

A. सही
B. गलत
C. केवल हल्की बीमारी
D. केवल दीर्घकालिक रोग

60. IMNCI गंभीर मामलों की शीघ्र पहचान और संदर्भन (Referral) पर जोर देता है।

A. सही B. गलत
C. केवल उपचार D. केवल निदान

61. IMNCI चार्ट बुकलेट (Chart Booklet) का उपयोग स्वास्थ्य कर्मियों द्वारा बीमारी के .... के लिए किया जाता है।

A. उपचार B. निदान
C. वर्गीकरण D. रोकथाम

62. IMNCI में डायरिया (Diarrheal Disease) के लिए किस लक्षण का आकलन किया जाता है?

A. सिरदर्द
B. उल्टी
C. निर्जलीकरण (Dehydration)
D. खांसी

63. IMNCI वर्गीकरण में पीला रंग .... को दर्शाता है जिसके लिए उपचार आवश्यक होता है।

A. हल्की बीमारी B. कोई बीमारी नहीं
C. गंभीर बीमारी D. मध्यम बीमारी

64. आहार प्रथाएँ (Feeding Practices) IMNCI काउंसलिंग (Counseling) का एक महत्वपूर्ण भाग हैं।

A. सही
B. गलत
C. केवल वयस्कों के लिए
D. केवल बीमार बच्चों के लिए

65. IMNCI रंग कोड (Color Codes) का उनके अर्थों से मिलान कीजिए :

कॉलम-I	कॉलम-II
A. गुलाबी	1. घर पर देखभाल
B. पीला	2. गंभीर बीमारी
C. हरा	3. मध्यम बीमारी
D. लाल	4. उपयोग नहीं किया जाता

A. A-2, B-3, C-1, D-4
B. A-1, B-2, C-3, D-4
C. A-3, B-1, C-2, D-4
D. A-4, B-2, C-3, D-1

66. IMNCI के अंतर्गत श्वसन रोग (Respiratory Illness) के लिए निम्नलिखित में से किसका आकलन किया जाता है?

A. नाड़ी दर
B. रक्तचाप
C. तेज श्वास (Fast Breathing)
D. केवल तापमान

67. IMNCI में देखभाल के निवारक (Preventive) और उपचारात्मक (Curative) दोनों पहलू शामिल होते हैं।

A. सही B. गलत
C. केवल उपचारात्मक D. केवल निवारक

68. IMNCI का मुख्य उद्देश्य बाल .... और रोगग्रस्तता (Morbidity) को कम करना है।

A. विकलांगता B. मृत्यु दर (Mortality)
C. संक्रमण D. कुपोषण

69. **कथन I:** IMNCI बाल जीवित रहने की दर को सुधारता है।

कथन II: IMNCI केवल अस्पताल आधारित देखभाल पर केंद्रित है।

A. दोनों कथन सही हैं B. I सही है, II गलत है
C. दोनों कथन गलत हैं D. I गलत है, II सही है

70. **कथन I:** गंभीर बीमारी में शीघ्र संदर्भन (Early Referral) महत्वपूर्ण है।

कथन II: संदर्भन में देरी से जटिलताओं का जोखिम बढ़ सकता है।

A. दोनों कथन सही हैं B. I सही है, II गलत है
C. दोनों कथन गलत हैं D. I गलत है, II सही है

71. खसरा (Measles) .... के कारण होता है।

A. बैक्टीरिया B. फंगस (Fungus)
C. परजीवी (Parasite) D. वायरस

72. निम्नलिखित में से कौन-सा खसरे (Measles) का लक्षण है?

A. चकत्ते (Rash) B. सीने में दर्द
C. लकवा D. पीलिया

73. निम्नलिखित में से कौन-सी बीमारी DPT टीके (Vaccine) से रोकी जाती है?

A. खसरा
B. पोलियो
C. डिप्थीरिया (Diphtheria)
D. हेपेटाइटिस (Hepatitis)

74. तपेदिक (Tuberculosis) का कारण बनने वाला जीवाणु .... है।

A. वायरस B. बैक्टीरिया
C. फंगस (Fungus) D. परजीवी (Parasite)

75. निम्नलिखित में से कौन-सी खसरे (Measles) की जटिलता है?

A. मधुमेह B. उच्च रक्तचाप
C. अस्थमा D. निमोनिया (Pneumonia)

76. चिकनपॉक्स (Chickenpox) एक अत्यधिक संक्रामक वायरल (Viral) रोग है।

A. सही B. गलत
C. केवल बैक्टीरियल D. केवल फंगल

77. Mycobacterium tuberculosis के कारण कौन-सी बीमारी होती है?

A. खसरा B. तपेदिक
C. पोलियो D. डेंगू

78. मलेरिया (Malaria) का कारक जीव .... है।

A. वायरस B. बैक्टीरिया
C. प्रोटोजोआ D. फंगस

79. एडीज मच्छर द्वारा कौन-सी बीमारी फैलती है?

A. मलेरिया B. टाइफाइड
C. डेंगू D. हैजा

80. निम्नलिखित में से कौन-सा बच्चों में निर्जलीकरण (Dehydration) का संकेत है?

A. धंसी हुई आँखें B. उच्च रक्तचाप
C. सामान्य त्वचा D. अधिक मूत्र

81. ओरल रिहाइड्रेशन सॉल्यूशन (Oral Rehydration Solution) का उपयोग .... के उपचार के लिए किया जाता है।

A. बुखार B. निर्जलीकरण
C. संक्रमण D. खांसी

82. पोलियो वायरस (Poliovirus) से कौन-सी बीमारी होती है?

A. खसरा B. तपेदिक
C. चिकनपॉक्स D. पोलियोमायलाइटिस

83. पोलियो मुख्य रूप से किस तंत्र को प्रभावित करता है?

A. श्वसन तंत्र B. पाचन तंत्र
C. तंत्रिका तंत्र D. परिसंचरण तंत्र

84. प्रतिरक्षण (Immunization) बच्चों को कई संक्रामक रोगों से बचाता है।

A. सही B. गलत
C. केवल वयस्क D. केवल वृद्ध

85. जन्म के समय तपेदिक के लिए दिया जाने वाला टीका .... है।

A. ओपीवी (OPV) B. बीसीजी (BCG)
C. डीपीटी (DPT) D. एमएमआर (MMR)

86. कौन-सी बीमारी बच्चों में गंभीर दस्त का कारण बनती है?

A. अस्थमा B. हैजा
C. कैंसर D. मधुमेह

87. किस विटामिन की कमी से रिकेट्स (Rickets) होता है?

A. विटामिन A B. विटामिन C
C. विटामिन D D. विटामिन K

88. Bordetella pertussis से कौन-सी बीमारी होती है?

A. खसरा
B. काली खांसी (Whooping Cough)
C. टीबी
D. पोलियो

89. टॉन्सिल्स (Tonsils) की सूजन को .... कहा जाता है।

A. फैरिंजाइटिस (Pharyngitis)
B. टॉन्सिलाइटिस (Tonsillitis)
C. लैरींजाइटिस (Laryngitis)
D. ब्रोंकाइटिस (Bronchitis)

90. अनुपचारित दस्त (Untreated Diarrhea) की एक जटिलता कौन-सी है?

A. मोटापा B. उच्च रक्तचाप
C. मधुमेह D. निर्जलीकरण

91. निमोनिया (Pneumonia) किस अंग को प्रभावित करता है?

A. हृदय B. यकृत
C. फेफड़े D. गुर्दा

92. निमोनिया बैक्टीरिया, वायरस या फंगस के कारण हो सकता है।

A. सही B. गलत
C. केवल बैक्टीरिया D. केवल वायरस

93. मध्य कान (Middle Ear) की सूजन को .... कहा जाता है।

A. साइनसाइटिस (Sinusitis)
B. ओटाइटिस मीडिया (Otitis Media)
C. राइनाइटिस (Rhinitis)
D. ब्रोंकाइटिस (Bronchitis)

94. निम्नलिखित में से कौन-सा निमोनिया का लक्षण है?

A. खांसी B. चकत्ते
C. लकवा D. अंधापन

95. खसरा टीका (Measles Vaccine) किस बीमारी को रोकता है?

A. पोलियो B. टीबी
C. खसरा D. डिप्थीरिया

96. निम्नलिखित में से कौन-सी बीमारी दूषित पानी के माध्यम से फैलती है?

A. डेंगू B. हैजा
C. खसरा D. टीबी

97. टाइफाइड (Typhoid) का कारक जीव .... है।

A. वायरस
B. साल्मोनेला (Salmonella)
C. प्रोटोजोआ (Protozoa)
D. फंगस (Fungus)

98. निम्नलिखित में से कौन-सी तपेदिक (Tuberculosis) की जटिलता है?

A. मधुमेह B. कैंसर
C. उच्च रक्तचाप D. फेफड़ों की क्षति

99. आयोडीन (Iodine) की कमी से कौन-सी बीमारी होती है?

A. रिकेट्स B. स्कर्वी (Scurvy)
C. घेंघा (Goitre) D. एनीमिया

100. हाथ धोना बच्चों में संक्रामक रोगों को रोकने में सहायता करता है।

A. सही B. गलत
C. केवल वयस्क D. केवल अस्पताल

101. विटामिन A की कमी से .... होता है।

A. रतौंधी (Night Blindness)
B. रिकेट्स (Rickets)
C. स्कर्वी (Scurvy)
D. बेरीबेरी (Beriberi)

102. निम्नलिखित में से कौन-सी बीमारी बच्चों में लाल रक्त कोशिकाओं (Red Blood Cells) को प्रभावित करती है?

A. मधुमेह B. एनीमिया (Anemia)
C. उच्च रक्तचाप D. कैंसर

103. रुबेला वायरस (Rubella Virus) से कौन-सी बीमारी होती है?

A. खसरा B. चिकनपॉक्स
C. रुबेला D. पोलियो

104. निम्नलिखित में से कौन-सा कुपोषण (Malnutrition) का संकेत है?

A. सामान्य वजन
B. अच्छी भूख
C. अवरुद्ध वृद्धि (Stunted Growth)
D. मजबूत प्रतिरक्षा

105. संतुलित आहार बच्चों के वृद्धि और विकास के लिए आवश्यक है।

A. सही B. गलत
C. केवल वयस्क D. केवल शिशु

106. निम्नलिखित में से कौन-सी गंभीर कुपोषण (Severe Malnutrition) की जटिलता है?

A. मोटापा
B. मधुमेह
C. उच्च रक्तचाप
D. वृद्धि विफलता (Growth Failure)

107. विटामिन C की कमी से कौन-सी बीमारी होती है?

A. रिकेट्स B. स्कर्वी (Scurvy)
C. बेरीबेरी (Beriberi) D. पेलाग्रा (Pellagra)

108. रक्त में हीमोग्लोबिन (Hemoglobin) की कमी की स्थिति को .... कहा जाता है।

A. मधुमेह B. उच्च रक्तचाप
C. एनीमिया (Anemia) D. कैंसर

109. ओरल पोलियो वैक्सीन (Oral Polio Vaccine) किस बीमारी को रोकता है?

A. खसरा B. टीबी
C. पोलियो D. डेंगू

110. प्रारंभिक निदान और उपचार बाल्यावस्था की बीमारियों की जटिलताओं को रोक सकते हैं।

A. सही
B. गलत
C. केवल गंभीर मामलों में
D. केवल वयस्कों में

111. बच्चों में अंधेरे का डर .... कहलाता है।

A. फोबिया (Phobia)
B. चिंता (Anxiety)
C. डर
D. अवसाद (Depression)

112. बच्चों में बिस्तर गीला करना चिकित्सकीय रूप से एन्यूरिसिस (Enuresis) कहलाता है।

A. सही B. गलत
C. केवल दिन में D. केवल वयस्कों में

113. निम्नलिखित में से कौन-सी बच्चों में सामान्य व्यवहारिक समस्या है?

A. उच्च रक्तचाप
B. मधुमेह
C. गुस्से के दौरे (Temper Tantrums)
D. कैंसर

114. छोटे बच्चों में अंगूठा चूसना एक निश्चित आयु तक .... माना जाता है।

A. हमेशा असामान्य B. हमेशा हानिकारक
C. केवल वयस्कों में D. सामान्य व्यवहार

115. बिना स्पष्ट कारण के अत्यधिक डर या चिंता को .... कहा जाता है।

A. क्रोध B. फोबिया (Phobia)
C. आदत D. रुचि

116. निम्नलिखित में से कौन-सी बच्चों में सामान्य नींद संबंधी समस्या है?

A. अनिद्रा (Insomnia) B. उच्च रक्तचाप
C. मधुमेह D. अस्थमा

117. नाखून चबाना बच्चों में एक आदत विकार (Habit Disorder) माना जाता है।

A. सही B. गलत
C. केवल वयस्कों में D. केवल शिशुओं में

118. रात में मूत्र नियंत्रण न कर पाने की स्थिति को .... कहा जाता है।

A. डिस्यूरिया (Dysuria) B. एन्यूरिसिस (Enuresis)
C. पॉलीयूरिया (Polyuria) D. हीमैचूरिया (Hematuria)

119. निम्नलिखित में से कौन-सी बच्चों में भावनात्मक समस्या है?

A. बुखार B. संक्रमण
C. चिंता D. फ्रैक्चर

120. अच्छा पालन-पोषण बच्चों में व्यवहारिक समस्याओं को रोकने में सहायता करता है।

A. सही B. गलत
C. केवल स्कूल के लिए D. केवल अस्पताल के लिए

121. बार-बार बाल खींचने की क्रिया को .... कहा जाता है।

A. अवसाद (Depression)
B. ट्राइकोटिलोमेनिया (Trichotillomania)
C. चिंता (Anxiety)
D. डर

122. निम्नलिखित में से कौन-सा आदत विकार (Habit Disorder) का उदाहरण है?

A. बुखार B. संक्रमण
C. चोट D. नाखून चबाना

123. बच्चों में व्यवहारिक समस्याएँ पर्यावरणीय और भावनात्मक कारकों के कारण उत्पन्न हो सकती हैं।

A. सही B. गलत
C. केवल आनुवंशिक D. केवल शारीरिक

124. निम्नलिखित में से कौन-सा बच्चों में चिंता (Anxiety) का संकेत है?

A. शांति B. विश्राम
C. सामान्य नींद D. बेचैनी

125. माता-पिता की उपेक्षा बच्चों में व्यवहारिक समस्याओं का कारण बन सकती है।

A. सही B. गलत
C. केवल वयस्कों में D. केवल स्कूलों में

126. निम्नलिखित में से कौन-सा दृष्टिकोण व्यवहारिक समस्याओं के प्रबंधन में उपयोगी है?

A. दंड B. काउंसलिंग
C. उपेक्षा करना D. अलगाव

127. ध्यान केंद्रित न कर पाने या स्थिर न रह पाने की स्थिति को .... कहा जाता है।

A. चिंता
B. अतिसक्रियता (Hyperactivity)
C. अवसाद
D. डर

128. निरंतर अनुशासन (Consistent Discipline) व्यवहारिक समस्याओं को सुधारने में सहायता करता है।

A. सही B. गलत
C. केवल दंड D. केवल पुरस्कार

129. गुस्से के दौरे (Temper Tantrums) को नियंत्रित करने के लिए कौन-सी विधि उपयोगी है?

A. प्रोत्साहन
B. शांत दृष्टिकोण
C. व्यवहार को नजरअंदाज करना
D. गुस्से को पुरस्कृत करना

130. व्यवहारिक समस्याओं की प्रारंभिक पहचान प्रभावी प्रबंधन में सहायता करती है।

A. सही B. गलत
C. केवल देर से D. केवल गंभीर मामलों में

व्याख्यात्मक उत्तर

1. **(A):** वृद्धि आकार में वृद्धि को दर्शाती है। इसमें ऊँचाई और वजन शामिल होते हैं। यह मापने योग्य होती है।
2. **(C):** विकास कार्यात्मक परिवर्तन को दर्शाता है। इसमें कौशल और क्षमताएँ शामिल होती हैं। यह गुणात्मक होता है।
3. **(C):** विकास जीवनभर चलता है। यह धीरे-धीरे होता है। यह क्रमिक होता है।
4. **(D):** सेफालोकॉडल (Cephalocaudal) विकास सिर से पैर की ओर होता है। पहले सिर विकसित होता है। फिर नीचे के भाग।
5. **(A):** पोषण वृद्धि को प्रभावित करता है। यह विकास को समर्थन देता है। खराब पोषण वृद्धि को धीमा करता है।
6. **(C):** नवजात शिशु का औसत जन्म वजन लगभग 3 किलोग्राम होता है। इसमें थोड़ा अंतर हो सकता है। यह स्वास्थ्य को दर्शाता है।
7. **(A):** विकास सरल से जटिल की ओर बढ़ता है। कौशल परिष्कृत होते हैं। यह क्रमबद्ध होता है।
8. **(B):** शैशवावस्था में तेजी से वृद्धि होती है। शारीरिक परिवर्तन तेज होते हैं। यह महत्वपूर्ण चरण है।
9. **(C):** संज्ञानात्मक विकास में सोच शामिल है। इसमें तर्क करना होता है। यह अधिगम को प्रभावित करता है।
10. **(D):** प्रोक्सिमोडिस्टल (Proximodistal) विकास केंद्र से बाहरी भागों की ओर होता है। पहले धड़ विकसित होता है। फिर अंग।

11. (B): जन्म वजन लगभग 5 महीने में दोगुना हो जाता है। एक वर्ष में तिगुना हो जाता है। यह सामान्य वृद्धि दर्शाता है।

12. (A): आनुवंशिक और पर्यावरण दोनों वृद्धि को प्रभावित करते हैं। पोषण और स्वास्थ्य भी महत्वपूर्ण हैं। यह बहु-कारकीय है।

13. (C): बैठना एक माइलस्टोन है। यह लगभग 6 महीने में होता है। यह विकास को दर्शाता है।

14. (D): कुपोषण वृद्धि को प्रभावित करता है। यह विलंब पैदा करता है। यह स्वास्थ्य को प्रभावित करता है।

15. (C): सामाजिक विकास में संबंध शामिल होते हैं। इसमें अंतःक्रिया होती है। यह व्यवहार को प्रभावित करता है।

16. (A): शैशवावस्था जन्म-1 वर्ष, टॉडलर 1-3 वर्ष, प्रीस्कूल 3-6 वर्ष, स्कूल आयु 6-12 वर्ष। ये चरण हैं।

अतः सही मिलान A-3, B-1, C-4, D-2 है।

17. (B): वृद्धि निगरानी शब्द बच्चों में ऊँचाई और वजनके नियमित मापन को संदर्भित करता है। वृद्धि निगरानी में वृद्धि मापी जाती है। यह प्रगति को ट्रैक करता है। यह समस्याओं का पता लगाता है।

18. (B): वृद्धि और विकास जुड़े होते हैं। केवल वृद्धि पर्याप्त नहीं है। दूसरा कथन गलत है।

अतः I सही है, II गलत है।

19. (B): पोषण आवश्यक है। यह विकास को प्रभावित करता है। दूसरा कथन गलत है।

अतः I सही है, II गलत है।

20. (A): वृद्धि चार्ट वृद्धि को ट्रैक करते हैं। वे मानकों से तुलना करते हैं। वे आकलन में सहायता करते हैं।

21. (C): नवजात अवधि पहले 28 दिन होती है। यह महत्वपूर्ण समय होता है। विशेष देखभाल आवश्यक होती है।

22. (A): एपगार स्कोर 1 और 5 मिनट पर लिया जाता है। यह स्थिति का आकलन करता है। यह देखभाल को मार्गदर्शन देता है।

23. (C): एपगार में हृदय दर, श्वसन, टोन शामिल हैं। यह जीवन शक्ति का आकलन करता है।

24. (D): सामान्य श्वसन दर 40–60 श्वास प्रति मिनट होती है। यह श्वसन स्थिति को दर्शाती है।

25. (B): 2.5–3.5 किलोग्राम सामान्य वजन सीमा होती है। यह स्वस्थ शिशु को दर्शाता है।

26. (C): सुखाना और गर्म रखना हाइपोथर्मिया को रोकता है। यह तुरंत आवश्यक है।

27. (C): 120–160 धड़कन प्रति मिनट सामान्य हृदय दर की सीमा है। यह परिसंचरण को दर्शाती है।

28. (C): मोरो रिफ्लेक्स (Moro Reflex) जन्म पर उपस्थित होता है। यह केंद्रीय तंत्रिका तंत्र (CNS) को दर्शाता है।

29. (A): स्तनपान जीवित रहने की दर को बढ़ाता है। यह प्रतिरक्षा प्रदान करता है।

30. (C): कोलोस्ट्रम (Colostrum) पहला दूध एंटीबॉडी से भरपूर होता है। यह शिशु की रक्षा करता है।

31. (D): विटामिन K यह रक्तस्राव को रोकता है। नवजात में इसका भंडार कम होता है।

32. (A): नवजात आसानी से गर्मी खो देते हैं। उन्हें गर्म रखने की आवश्यकता होती है।

33. (C): पीलिया (Jaundice): बिलीरुबिन (Bilirubin) के कारण त्वचा पीली हो जाती है। यह नवजात में सामान्य होता है।

34. (B): कंगारू मदर केयर (Kangaroo Mother Care) में त्वचा से त्वचा संपर्क गर्मी बनाए रखता है। यह वृद्धि में सहायता करता है।

35. (C): औसत लंबाई लगभग 50 सेमी होती है। यह सामान्य वृद्धि को दर्शाता है।

36. (C): श्वसन संकट (Respiratory Distress): समयपूर्व शिशुओं के फेफड़े अपरिपक्व होते हैं। उन्हें सहायता की आवश्यकता होती है।

37. (A): नाल 1–2 सप्ताह में गिर जाती है। यह सामान्य प्रक्रिया है।

38. (C): 2.5 किलोग्राम से कम वजन को कम जन्म वजन (Low Birth Weight) कहते हैं। इसमें जोखिम अधिक होता है। देखभाल आवश्यक है।

39. (D): वायुमार्ग का रखरखाव (Airway Maintenance) पहली प्राथमिकता है। यह श्वसन सुनिश्चित करता है।

40. (A): 6 महीने तक केवल स्तनपान किया जाना चाहिए। यह स्वास्थ्य में सुधार करता है।

41. (A): रिफ्लेक्स विकास को दर्शाते हैं। यह आकलन के लिए महत्वपूर्ण हैं।

अतः सही मिलान A-2, B-1, C-4, D-3 है।

42. (C): मीकॉनियम (Meconium) पहला मल होता है। यह गहरे हरे रंग का होता है। यह सामान्य है।

43. (A): सायनोसिस नीला, पीलिया पीला, एपनिया श्वास का अभाव, हाइपोथर्मिया ठंडा। ये अवस्थाएँ हैं।

अतः सही मिलान A-2, B-1, C-4, D-3 है।

44. (C): सक्रिय गतिविधि अच्छे स्वास्थ्य का संकेत है। यह जीवंतता को दर्शाता है।

45. (B): कोलोस्ट्रम लाभकारी होता है। इसे नहीं फेंकना चाहिए।
अतः I सही है, II गलत है।

46. (A): नवजात गर्मी खोते हैं। उनका तापमान नियंत्रण कम होता है।

अतः दोनों सही हैं।

47. (A): विटामिन K रक्तस्राव रोकता है। जन्म के समय इसका स्तर कम होता है।

अतः दोनों सही हैं।

48. (A): स्वच्छता संक्रमण को रोकती है। यह आवश्यक देखभाल है।

49. (C): सामान्य सिर परिधि लगभग 35 सेमी होती है। यह मस्तिष्क वृद्धि को दर्शाती है।

50. (A): नवजात स्क्रीनिंग रोगों का प्रारंभिक पता लगाती है। यह परिणामों को सुधारती है।

51. (B): IMNCI का अर्थ Integrated Management of Neonatal and Childhood Illness है। यह 5 वर्ष से कम आयु के बच्चों पर केंद्रित है। यह जीवित रहने की दर बढ़ाता है।

52. (C): IMNCI 5 वर्ष से कम आयु के बच्चों को कवर करता है। यह आयु समूह अधिक संवेदनशील होता है। यह मृत्यु दर को कम करता है।

53. (A): IMNCI स्वास्थ्य कर्मियों के कौशल को सुधारता है। यह केस प्रबंधन को बेहतर बनाता है। यह उचित देखभाल सुनिश्चित करता है।

54. (B): IMNCI बीमारियों का वर्गीकरण विभिन्न श्रेणियों में करता है। यह उपचार निर्णय में सहायता करता है। यह देखभाल को सरल बनाता है।

55. (D): IMNCI समुदाय को शामिल करता है। यह जागरूकता बढ़ाता है। यह रोकथाम में सहायता करता है।

56. (A): IMNCI रंग कोडिंग का उपयोग करता है। यह वर्गीकरण में सहायता करता है। यह उपचार का मार्गदर्शन करता है।

57. (D): गुलाबी रंग गंभीर बीमारी को दर्शाता है। इसमें तत्काल संदर्भन आवश्यक होता है। यह गंभीर स्थिति है।

58. (C): दौरे खतरे का संकेत हैं। यह गंभीर बीमारी को दर्शाते हैं। तुरंत देखभाल आवश्यक है।

59. (A): छाती का धँसना गंभीर निमोनिया का संकेत है। इसमें तत्काल देखभाल आवश्यक है। यह खतरे का संकेत है।

60. (A): प्रारंभिक पहचान महत्वपूर्ण है। संदर्भन जटिलताओं को रोकता है। यह जीवन बचाता है।

61. (C): चार्ट बुकलेट वर्गीकरण में सहायता करता है। यह प्रबंधन का मार्गदर्शन करता है। यह देखभाल को मानकीकृत करता है।

62. (C): डायरिया में निर्जलीकरण मुख्य होता है। यह गंभीरता दर्शाता है। यह उपचार का मार्गदर्शन करता है।

63. (D): पीला रंग मध्यम बीमारी को दर्शाता है। इसमें उपचार आवश्यक होता है। इसमें संदर्भन जरूरी नहीं हो सकता।

64. (A): आहार संबंधी सलाह महत्वपूर्ण है। यह कुपोषण को रोकती है। यह सुधार में सहायता करती है।

65. (A): गुलाबी गंभीर, पीला मध्यम, हरा घर पर देखभाल। लाल उपयोग नहीं होता। यह प्रबंधन को मार्गदर्शन देता है।

अतः सही मिलान A-2, B-3, C-1, D-4 है।

66. (C): तेज श्वास निमोनिया का संकेत है। यह महत्वपूर्ण लक्षण है। इसे ध्यान देना चाहिए।

67. (A): IMNCI में रोकथाम और उपचार दोनों शामिल हैं। यह समग्र दृष्टिकोण है। यह स्वास्थ्य सुधारता है।

68. (B): IMNCI मृत्यु दर को कम करता है। यह जीवित रहने की दर बढ़ाता है। यह रोगों को भी कम करता है।

69. (B): IMNCI जीवित रहने को बढ़ाता है। इसमें सामुदायिक देखभाल भी शामिल है। यह केवल अस्पताल तक सीमित नहीं है।

अतः I सही है, II गलत है।

70. (A): गंभीर बीमारी में शीघ्र संदर्भन आवश्यक है। देरी से स्थिति खराब होती है। इससे जोखिम बढ़ता है।

अतः दोनों सही हैं।

71. (D): खसरा वायरस के कारण होता है। यह आसानी से फैलता है। यह दाने और बुखार उत्पन्न करता है।

72. (A): चकत्ते सामान्य लक्षण हैं। यह बुखार के बाद दिखाई देते हैं। यह पूरे शरीर में फैलते हैं।

73. (C): DPT डिप्थीरिया से बचाव करता है। यह काली खांसी और टिटनेस से भी सुरक्षा देता है।

74. (B): तपेदिक एक जीवाणु संक्रमण है। यह हवा के माध्यम से फैलता है। यह फेफड़ों को प्रभावित करता है।

75. (D): खसरा निमोनिया का कारण बन सकता है। यह गंभीर होता है। इसका उपचार आवश्यक है।

76. (A): चिकनपॉक्स एक वायरल रोग है। यह आसानी से फैलता है। यह चकत्ते उत्पन्न करता है।

77. (B): तपेदिक बैक्टीरिया के कारण होता है। यह फेफड़ों को प्रभावित करता है। यह हवा से फैलता है।

78. (C): मलेरिया प्रोटोजोआ के कारण होता है। यह मच्छर द्वारा फैलता है। यह बुखार उत्पन्न करता है।

79. (C): डेंगू Aedes मच्छर द्वारा फैलता है। यह बुखार उत्पन्न करता है। यह वायरल रोग है।

80. (A): निर्जलीकरण में आँखें धँस जाती हैं। मुँह सूख जाता है। ORS की आवश्यकता होती है।

81. (B): ORS शरीर में तरल की पूर्ति करता है। यह निर्जलीकरण को रोकता है। यह जीवन बचाता है।

82. (D): पोलियोमायलाइटिस (Poliomyelitis) पोलियो वायरस के कारण होता है। यह तंत्रिकाओं को प्रभावित करता है। यह पक्षाघात का कारण बनता है।

83. (C): पोलियो तंत्रिकाओं को क्षति पहुँचाता है। यह कमजोरी उत्पन्न करता है। यह गति को प्रभावित करता है।

84. (A): प्रतिरक्षण रोगों से बचाव करता है। यह बच्चों की सुरक्षा करता है। यह स्वास्थ्य सुधारता है।

85. (B): BCG टीबी से बचाव करता है। यह जन्म के समय दिया जाता है। यह गंभीर रूपों से बचाता है।

86. (B): हैजा दस्त का कारण बनता है। यह निर्जलीकरण उत्पन्न करता है। ORS आवश्यक है।

87. (C): विटामिन D की कमी से रिकेट्स होता है। हड्डियाँ कमजोर हो जाती हैं। वृद्धि प्रभावित होती है।

88. (B): काली खांसी (Whooping Cough) Bordetilla pertussis बैक्टीरिया के कारण होती है। इसमें गंभीर खांसी होती है। टीकाकरण से बचाव होता है।

89. (B): टॉन्सिलाइटिस (Tonsillitis) में टॉन्सिल्स में सूजन होती है। इससे गले में दर्द होता है। संक्रमण सामान्य है।

90. (D): दस्त से तरल की कमी होती है। इससे निर्जलीकरण होता है। यह खतरनाक है।

91. (C): निमोनिया फेफड़ों को प्रभावित करता है। इसमें खांसी होती है। सांस लेने में कठिनाई होती है।

92. (A): निमोनिया के कई कारण होते हैं। यह वायरल या बैक्टीरियल हो सकता है। उपचार अलग-अलग होता है।

93. (B): ओटाइटिस मीडिया (Otitis Media) मध्य कान का संक्रमण है। इसमें दर्द होता है। यह बच्चों में सामान्य है।

94. (A): निमोनिया में खांसी होती है। बुखार भी होता है। उपचार आवश्यक है।

95. (C): यह टीका खसरे से बचाव करता है। यह जटिलताओं को कम करता है। यह जीवन बचाता है।

96. (B): हैजा जलजनित रोग है। दूषित पानी से फैलता है। यह दस्त का कारण बनता है।

97. (B): टाइफाइड साल्मोनेला के कारण होता है। यह भोजन से फैलता है। यह बुखार उत्पन्न करता है।

98. (D): टीबी फेफड़ों को नुकसान पहुँचाता है। इससे जटिलताएँ होती हैं। उपचार आवश्यक है।

99. (C): आयोडीन की कमी से घेंघा (Goitre) रोग होता है। इसमें थायरॉइड ग्रंथि बढ़ जाती है। यह चयापचय को प्रभावित करता है।

100. (A): हाथ धोना संक्रमण को रोकता है। यह रोग के प्रसार को कम करता है। यह आवश्यक स्वच्छता है।

101. (A): विटामिन A की कमी से रतौंधी (Night Blindness) होता है। इसमें दृष्टि प्रभावित होती है। इससे अंधापन हो सकता है। पूरक आवश्यक है।

102. (B): एनीमिया (Anemia) लाल रक्त कोशिकाओं को प्रभावित करता है। इससे कमजोरी होती है। आयरन की आवश्यकता होती है।

103. (C): रुबेला वायरल रोग है। इसमें चकत्ते होते हैं। टीकाकरण से बचाव होता है।

104. (C): कुपोषण वृद्धि को प्रभावित करता है। इससे रुकावट आती है। पोषण आवश्यक है।

105. (A): संतुलित आहार वृद्धि में सहायक होता है। यह पोषक तत्व प्रदान करता है। यह रोगों को रोकता है।

106. (D): कुपोषण वृद्धि को प्रभावित करता है। विकास में देरी होती है। देखभाल आवश्यक है।

107. (B): स्कर्वी (Scurvy) विटामिन C की कमी से होता है। इससे मसूड़ों से खून आता है। कमजोरी होती है।

108. (C): एनीमिया (Anemia) में हीमोग्लोबिन कम होता है। इससे थकान होती है। उपचार आवश्यक है।

109. (C): OPV पोलियो से बचाव करता है। यह तंत्रिकाओं की रक्षा करता है। पक्षाघात को रोकता है।

110. (A): प्रारंभिक उपचार जटिलताओं को रोकता है। यह परिणामों को सुधारता है। यह मृत्यु दर को कम करता है।

111. (B): फोबिया एक अवास्तविक डर होता है। यह बच्चों में हो सकता है। इसके लिए आश्वासन आवश्यक होता है।

112. (A): एन्यूरिसिस (Enuresis) बिस्तर गीला करना है। यह बच्चों में सामान्य है। यह अक्सर स्वयं ठीक हो जाता है।

113. (C): गुस्से के दौरे (Temper Tantrums) छोटे बच्चों में सामान्य होते हैं। यह निराशा के कारण होते हैं। इसके प्रबंधन की आवश्यकता होती है।

114. (D): अंगूठा चूसना प्रारंभिक आयु में सामान्य है। बाद में यह चिंता का कारण बन सकता है। इसके लिए मार्गदर्शन आवश्यक है।

115. (B): बिना कारण अत्यधिक डर को फोबिया कहते हैं। यह व्यवहार को प्रभावित करता है। इसके लिए सहायता आवश्यक है।

116. (A): अनिद्रा (Insomnia) नींद की समस्या है। इससे चिड़चिड़ापन होता है। नियमित दिनचर्या आवश्यक है।

117. (A): नाखून चबाना एक आदत विकार है। यह तनाव के कारण होता है। इसे सुधारने की आवश्यकता होती है।

118. (B): एन्यूरिसिस (Enuresis) बिस्तर गीला करने की स्थिति है। यह बच्चों में सामान्य है। इसके लिए सहायता आवश्यक है।

119. (C): चिंता (Anxiety) एक भावनात्मक समस्या है। इससे तनाव होता है। देखभाल आवश्यक है।

120. (A): अच्छा पालन-पोषण समस्याओं को रोकता है। यह समर्थन प्रदान करता है। यह आत्मविश्वास बढ़ाता है।

121. (B): ट्राइकोटिलोमेनिया (Trichotillomania) बाल खींचने का विकार है। यह तनाव के कारण होता है। इसके लिए थेरेपी आवश्यक है।

122. (D): नाखून चबाना एक आदत विकार है। यह चिंता से जुड़ा होता है। इसे नियंत्रित करना आवश्यक है।

123. (A): व्यवहार पर्यावरण से प्रभावित होता है। भावनाएँ भी प्रभाव डालती हैं। देखभाल आवश्यक है।

124. (D): चिंता से बेचैनी होती है। यह व्यवहार को प्रभावित करती है। ध्यान देना आवश्यक है।

125. (A): उपेक्षा बच्चे को प्रभावित करती है। इससे समस्याएँ होती हैं। देखभाल आवश्यक है।

126. (B): काउंसलिंग (Counseling) समझ विकसित करती है। यह समर्थन प्रदान करती है। यह व्यवहार में सुधार करती है।

127. (B): अतिसक्रियता (Hyperactivity) में बच्चा स्थिर नहीं रह पाता है। इसके प्रबंधन की आवश्यकता होती है। कभी-कभी थेरेपी की जरूरत होती है।

128. (A): अनुशासन व्यवहार को दिशा देता है। निरंतरता महत्वपूर्ण है। कठोरता से बचना चाहिए।

129. (B): शांत व्यवहार प्रभावी होता है। यह गुस्से को कम करता है। यह नियंत्रण में सहायता करता है।

130. (A): प्रारंभिक पहचान सहायक होती है। यह जटिलताओं को रोकती है। यह परिणाम को सुधारती है।

13. मानसिक स्वास्थ्य नर्सिंग (Mental Health Nursing)

1. मानसिक स्वास्थ्य को एक ऐसी स्थिति के रूप में परिभाषित किया जाता है जिसमें व्यक्ति अपनी क्षमताओं को पहचानता है और सामान्य तनावों का सामना कर सकता है।

A. सही
B. गलत
C. केवल शारीरिक स्वास्थ्य
D. केवल भावनात्मक स्वास्थ्य

2. मानसिक स्वास्थ्य में व्यक्ति का भावनात्मक, मनोवैज्ञानिक और .... कल्याण शामिल होता है।

A. शारीरिक B. सामाजिक
C. आध्यात्मिक D. सांस्कृतिक

3. निम्नलिखित में से कौन-सा अच्छे मानसिक स्वास्थ्य की विशेषता है?

A. अलगाव B. चिंता
C. समायोजन D. आक्रामकता

4. मानसिक बीमारी व्यक्ति के सोच, मनोदशा और व्यवहार को प्रभावित करती है।

A. केवल सोच B. केवल मनोदशा
C. केवल व्यवहार D. उपरोक्त सभी

5. तनाव का सामना करने की क्षमता .... स्वास्थ्य का एक महत्वपूर्ण पहलू है।

A. शारीरिक B. मानसिक
C. सामाजिक D. भावनात्मक

6. निम्नलिखित में से कौन-से कारक मानसिक स्वास्थ्य को प्रभावित कर सकते हैं?

A. आनुवंशिकी B. पर्यावरण
C. सामाजिक समर्थन D. उपरोक्त सभी

7. मानसिक स्वास्थ्य समस्याएँ जैविक, मनोवैज्ञानिक और .... कारकों के कारण उत्पन्न हो सकती हैं।

A. सामाजिक B. आर्थिक
C. शारीरिक D. सांस्कृतिक

8. निम्नलिखित में से कौन-सा खराब मानसिक स्वास्थ्य का संकेत है?

A. खुशी B. स्थिरता
C. चिड़चिड़ापन D. समायोजन

9. तनाव चुनौतीपूर्ण परिस्थितियों के प्रति शरीर की एक सामान्य प्रतिक्रिया है।

A. केवल असामान्य B. केवल बीमारी
C. केवल मानसिक बीमारी D. सामान्य प्रतिक्रिया

10. अच्छे संबंध बनाए रखने की क्षमता .... मानसिक स्वास्थ्य का संकेतक है।

A. खराब B. अच्छा
C. गंभीर D. दीर्घकालिक

11. मानसिक स्वास्थ्य संवर्धन (Mental Health Promotion) कल्याण को सुधारने और मानसिक बीमारी को रोकने पर केंद्रित होता है।

A. सही B. गलत
C. केवल उपचार D. केवल निदान

12. निम्नलिखित में से कौन-सा एक सामना करने की रणनीति (Coping Strategy) का उदाहरण है?

A. बचाव
B. नशीले पदार्थों का दुरुपयोग
C. समस्या समाधान
D. आक्रामकता

13. मानसिक स्वच्छता (Mental Hygiene) .... स्वास्थ्य के रखरखाव को संदर्भित करती है।

A. शारीरिक B. मानसिक
C. भावनात्मक D. सामाजिक

14. मानसिक स्वास्थ्य के घटकों का उनके अर्थों से मिलान कीजिए :

कॉलम-I	कॉलम-II
A. भावनात्मक स्वास्थ्य	1. दूसरों के साथ अंतःक्रिया
B. सामाजिक स्वास्थ्य	2. सोच और तर्क
C. मनोवैज्ञानिक स्वास्थ्य	3. भावनाएँ और अनुभूतियाँ
D. शारीरिक स्वास्थ्य	4. शरीर के कार्य

A. A-3, B-1, C-2, D-4
B. A-2, B-3, C-1, D-4
C. A-1, B-2, C-3, D-4
D. A-4, B-3, C-2, D-1

15. **कथन I:** मानसिक स्वास्थ्य समग्र कल्याण के लिए महत्वपूर्ण है।
कथन II: मानसिक स्वास्थ्य का शारीरिक स्वास्थ्य पर कोई प्रभाव नहीं होता।

A. दोनों कथन सही हैं B. I सही है, II गलत है
C. दोनों कथन गलत हैं D. I गलत है, II सही है

16. चिकित्सीय संचार (Therapeutic Communication) संचार का एक उद्देश्यपूर्ण उपयोग है जो .... को बढ़ावा देता है।

A. संघर्ष B. बीमारी
C. तनाव D. उपचार

17. निम्नलिखित में से कौन-सी चिकित्सीय संचार (Therapeutic Communication) की महत्वपूर्ण तकनीक है?

A. अनदेखा करना B. निर्णय करना
C. सक्रिय सुनना D. तर्क करना

18. चिकित्सीय संचार मुख्य रूप से रोगियों को अपनी भावनाएँ और चिंताएँ व्यक्त करने में सहायता के लिए उपयोग किया जाता है।

A. केवल निदान B. केवल उपचार
C. केवल अवलोकन D. भावनाओं की अभिव्यक्ति

19. रोगी के संदेश को समझने की प्रक्रिया को .... कहा जाता है।

A. एन्कोडिंग B. प्रतिपुष्टि (Feedback)
C. सुनना D. बोलना

20. समवेदना (Empathy) किसी अन्य व्यक्ति की भावनाओं को समझने और साझा करने की क्षमता है।

A. सही B. गलत
C. केवल सहानुभूति D. केवल सलाह

21. गैर-मौखिक संचार (Non-verbal Communication) में संकेत, चेहरे के भाव और .... शामिल होते हैं।

A. लेखन B. बोलना
C. सुनना D. शारीरिक भाषा

22. निम्नलिखित में से कौन-सा प्रभावी संचार में बाधा है?

A. स्पष्टता B. प्रतिपुष्टि
C. शोर D. समझ

23. संचार के दौरान आँखों से संपर्क बनाए रखना रुचि और ध्यान को दर्शाता है।

A. सही B. गलत
C. केवल बच्चों में D. केवल वयस्कों में

24. निम्नलिखित में से कौन-सी चिकित्सीय संचार (Therapeutic Communication) तकनीक है?

A. आदेश देना
B. विषय बदलना
C. रोगी को अनदेखा करना
D. अभिव्यक्ति को प्रोत्साहित करना

25. संचार में मौन (Silence) का उपयोग रोगी को .... का समय देने के लिए किया जाता है।

A. सोने B. सोचने
C. अनदेखा करने D. बोलने

26. खुले प्रश्न (Open-ended Questions) रोगी को अपनी भावनाएँ स्वतंत्र रूप से व्यक्त करने में सहायता करते हैं।

A. सही B. गलत
C. केवल बंद उत्तर D. केवल हाँ/ना

27. निम्नलिखित में से कौन-सी गैर-चिकित्सीय संचार (Non-therapeutic Communication) तकनीक है?

A. स्पष्ट करना B. प्रतिबिंबित करना
C. सलाह देना D. सारांश देना

28. चिकित्सीय संचार नर्स और रोगी के बीच .... बनाने में सहायता करता है।

A. संघर्ष B. भय
C. क्रोध D. विश्वास

29. संचार तकनीकों का उनके अर्थों से मिलान कीजिए :

कॉलम-I	कॉलम-II
A. स्पष्ट करना	1. मुख्य बिंदुओं को दोहराना
B. प्रतिबिंबित करना	2. रोगी के विचारों को दोहराना
C. सारांश देना	3. स्पष्टीकरण प्राप्त करना
D. मौन	4. समय देना

A. A-3, B-2, C-1, D-4
B. A-2, B-1, C-4, D-3
C. A-1, B-3, C-2, D-4
D. A-4, B-2, C-3, D-1

30. **कथन I:** चिकित्सीय संचार रोगी की देखभाल को सुधारता है।
कथन II: संचार का नर्सिंग अभ्यास में कोई भूमिका नहीं है।

A. दोनों कथन सही हैं B. I सही है, II गलत है
C. दोनों कथन गलत हैं D. I गलत है, II सही है

31. सिजोफ्रेनिया (Schizophrenia) एक गंभीर मानसिक विकार है जो ...., धारणा और व्यवहार को प्रभावित करता है।

A. दृष्टि B. श्रवण
C. सोच D. वाणी

32. सिजोफ्रेनिया विचार, धारणा और व्यवहार में विकारों द्वारा विशेषता रखता है।

A. सही B. गलत
C. केवल व्यवहार D. केवल विचार

33. निम्नलिखित में से कौन-सा सिजोफ्रेनिया का सकारात्मक लक्षण है?

A. सामाजिक अलगाव
B. प्रेरणा की कमी
C. मतिभ्रम (Hallucinations)
D. सपाट भाव (Flat Affect)

34. डिल्यूजन (Delusions) ऐसे .... होते हैं जो विपरीत प्रमाण के बावजूद दृढ़ता से बने रहते हैं।

A. धारणा B. भावना
C. व्यवहार D. गलत विश्वास

35. बाहरी उत्तेजना के बिना आवाजें सुनना .... कहलाता है।

A. भ्रम (Illusion)
B. डिल्यूजन (Delusion)
C. मतिभ्रम (Hallucination)
D. कल्पना (Fantasy)

36. सिजोफ्रेनिया के नकारात्मक लक्षणों में भावनाओं की कमी और सामाजिक अलगाव शामिल होते हैं।

A. सही B. गलत
C. केवल सकारात्मक लक्षण D. केवल शारीरिक लक्षण

37. निम्नलिखित में से कौन-सा सिजोफ्रेनिया का नकारात्मक लक्षण है?

A. मतिभ्रम B. डिल्यूजन
C. उत्तेजना D. उदासीनता (Apathy)

38. निम्नलिखित में से कौन-सा न्यूरोट्रांसमीटर (Neurotransmitter) सामान्यतः सिजोफ्रेनिया से संबंधित है?

A. सेरोटोनिन (Serotonin)
B. GABA
C. डोपामाइन (Dopamine)
D. एसीटाइलकोलाइन (Acetylcholine)

39. सिजोफ्रेनिया में अव्यवस्थित सोच को .... विकार भी कहा जाता है।

A. मूड B. व्यवहार
C. विचार D. स्मृति

40. सिजोफ्रेनिया सामान्यतः युवा वयस्कों को प्रभावित करता है।

A. सही B. गलत
C. केवल बच्चों में D. केवल वृद्धों में

41. निम्नलिखित में से कौन-सा सिजोफ्रेनिया का प्रकार अव्यवस्थित वाणी और व्यवहार द्वारा विशेषता रखता है?

A. पैरानॉयड (Paranoid)
B. कैटाटोनिक (Catatonic)
C. रेसिडुअल (Residual)
D. अव्यवस्थित (Disorganized)

42. एंटीसाइकोटिक दवाएँ (Antipsychotic Drugs) सिजोफ्रेनिया के उपचार में उपयोग की जाती हैं।

A. सही B. गलत
C. केवल एंटीबायोटिक्स D. केवल सेडेटिव्स

43. सिजोफ्रेनिया में भावनात्मक अभिव्यक्ति की कमी को .... अफेक्ट (Affect) कहा जाता है।

A. ब्लंटेड (Blunted)
B. फ्लैट (Flat)
C. रिस्ट्रिक्टेड (Restricted)
D. एलीवेटेड (Elevated)

44. निम्नलिखित में से कौन-सा कैटाटोनिक सिजोफ्रेनिया का लक्षण है?

A. अत्यधिक गतिविधि
B. मतिभ्रम (Hallucinations)
C. डिल्यूजन (Delusions)
D. गतिहीनता (Immobility)

45. निम्नलिखित में से कौन-सा सिजोफ्रेनिया का संज्ञानात्मक (Cognitive) लक्षण है?

A. बुखार
B. दर्द
C. स्मृति में कमी (Impaired Memory)
D. चकत्ते

46. सिजोफ्रेनिया के प्रबंधन में पारिवारिक समर्थन महत्वपूर्ण भूमिका निभाता है।

A. सही
B. गलत
C. केवल दवाएँ
D. केवल अस्पताल देखभाल

47. लक्ष्य-निर्देशित गतिविधि को प्रारंभ करने और जारी रखने में असमर्थता को .... कहा जाता है।

A. उत्तेजना (Agitation)
B. चिंता (Anxiety)
C. अवसाद (Depression)
D. अवोलिशन (Avolition)

48. निम्नलिखित में से कौन-सा सिजोफ्रेनिया में एक प्रमुख नर्सिंग हस्तक्षेप है?

A. अलगाव
B. दंड
C. रोगी को अनदेखा करना
D. विश्वास स्थापित करना

49. सामाजिक कौशल प्रशिक्षण (Social Skills Training) सिजोफ्रेनिया के रोगियों के पुनर्वास में सहायक होता है।

A. सही
B. गलत
C. केवल दवाएँ
D. केवल विश्राम

50. प्रारंभिक निदान और उपचार सिजोफ्रेनिया के पूर्वानुमान (Prognosis) को सुधारते हैं।

A. सही
B. गलत
C. केवल गंभीर मामलों में
D. केवल दीर्घकालिक मामलों में

51. अवसाद (Depression) एक मनोदशा विकार है जो लगातार .... और रुचि की कमी द्वारा विशेषता रखता है।

A. खुशी
B. उत्साह
C. उदासी
D. ऊर्जा

52. निम्नलिखित में से कौन-सा अवसाद का लक्षण है?

A. भूख में वृद्धि
B. उच्च ऊर्जा
C. रुचि की कमी
D. अत्यधिक नींद

53. मेनिया (Mania) ऊँची मनोदशा, बढ़ी हुई गतिविधि और .... व्यवहार द्वारा विशेषता रखता है।

A. धीमा
B. अलग-थलग
C. सामान्य
D. अतिसक्रिय

54. बाइपोलर विकार (Bipolar Disorder) में अवसाद और मेनिया दोनों के प्रकरण शामिल होते हैं।

A. केवल अवसाद
B. केवल मेनिया
C. केवल चिंता
D. अवसाद और मेनिया दोनों

55. अवसाद व्यक्ति की नींद, भूख और ऊर्जा स्तर को प्रभावित कर सकता है।

A. सही
B. गलत
C. केवल नींद
D. केवल भूख

56. अवसाद से ग्रसित व्यक्ति में .... और निरर्थकता की भावना हो सकती है।

A. आनंद
B. आशा
C. खुशी
D. अपराधबोध

57. निम्नलिखित में से कौन-सा मेनिया का लक्षण है?

A. कम मनोदशा
B. थकान
C. बढ़ी हुई गतिविधि
D. नींद आना

58. एंटीडिप्रेसेंट दवाएँ (Antidepressant Drugs) अवसाद के उपचार में उपयोग की जाती हैं।

A. सही
B. गलत
C. केवल सेडेटिव्स
D. केवल एंटीबायोटिक्स

59. निम्नलिखित में से कौन-सा मेनिया का लक्षण है?

A. कम ऊर्जा
B. धीमी वाणी
C. अलगाव
D. अत्यधिक बोलना

60. मनोदशा विकार (Mood Disorders) व्यक्ति के .... में विकार से संबंधित होते हैं।

A. स्मृति
B. सोच
C. व्यवहार
D. मनोदशा

61. निम्नलिखित में से कौन-सा न्यूरोट्रांसमीटर (Neurotransmitter) मनोदशा विकारों से संबंधित है?

A. कैल्शियम
B. सोडियम
C. सेरोटोनिन
D. पोटेशियम

62. इलेक्ट्रोकन्वल्सिव थेरेपी (Electroconvulsive Therapy) का उपयोग गंभीर अवसाद में किया जाता है।

A. सही
B. गलत
C. केवल चिंता
D. केवल तनाव

63. दैनिक गतिविधियों में आनंद की कमी को अवसाद में .... कहा जाता है।

A. यूफोरिया (Euphoria)
B. मेनिया (Mania)
C. चिंता (Anxiety)
D. एनहेडोनिया (Anhedonia)

64. मनोदशा विकारों का उनके लक्षणों से मिलान कीजिए :

कॉलम-I	कॉलम-II
A. अवसाद	1. दीर्घकालिक हल्का अवसाद
B. मेनिया	2. उच्च मनोदशा
C. बाइपोलर विकार	3. परिवर्तित मनोदशा अवस्थाएँ
D. डिस्टाइमिया	4. कम मनोदशा

A. A-4, B-2, C-3, D-1
B. A-2, B-3, C-4, D-1
C. A-1, B-4, C-2, D-3
D. A-3, B-1, C-4, D-2

65. **कथन I:** मनोदशा विकारों का प्रारंभिक उपचार परिणामों को सुधारता है।

कथन II: मनोदशा विकारों का दैनिक कार्यप्रणाली पर कोई प्रभाव नहीं होता।

A. दोनों कथन सही हैं B. I सही है, II गलत है
C. दोनों कथन गलत हैं D. I गलत है, II सही है

66. चिंता विकार (Anxiety Disorder) अत्यधिक .... और चिंता द्वारा विशेषता रखता है।

A. खुशी B. क्रोध
C. भय D. आनंद

67. निम्नलिखित में से कौन-सा न्यूरोटिक विकार (Neurotic Disorder) का प्रकार है?

A. सिजोफ्रेनिया B. मेनिया
C. चिंता विकार D. डिल्यूजन

68. फोबिया किसी विशेष वस्तु या स्थिति का अवास्तविक डर है।

A. सही B. गलत
C. केवल सामान्य डर D. केवल अस्थायी डर

69. निम्नलिखित में से कौन-सा चिंता विकार का सामान्य लक्षण है?

A. खुशी B. विश्राम
C. शांति D. बेचैनी

70. ऑब्सेसिव विचार (Obsessive Thoughts) मन में बार-बार आने वाले और अवांछित .... होते हैं।

A. क्रियाएँ B. विचार
C. भावनाएँ D. व्यवहार

71. कम्पल्शन (Compulsions) चिंता को कम करने के लिए की जाने वाली बार-बार की जाने वाली क्रियाएँ हैं।

A. सही B. गलत
C. केवल विचार D. केवल भावनाएँ

72. निम्नलिखित में से कौन-सा ऑब्सेसिव-कम्पल्सिव डिसऑर्डर (Obsessive-Compulsive Disorder) का उदाहरण है?

A. डिल्यूजन
B. मतिभ्रम (Hallucination)
C. बार-बार हाथ धोना
D. अवसाद

73. पैनिक डिसऑर्डर (Panic Disorder) अचानक तीव्र .... के प्रकरणों द्वारा विशेषता रखता है।

A. आनंद B. खुशी
C. विश्राम D. भय

74. निम्नलिखित में से कौन-सा न्यूरोटिक विकारों के उपचार का तरीका है?

A. सर्जरी
B. अलगाव
C. लक्षणों की उपेक्षा
D. मनोचिकित्सा (Psychotherapy)

75. विश्राम तकनीकें (Relaxation Techniques) चिंता विकारों के प्रबंधन में सहायक हो सकती हैं।

A. सही B. गलत
C. केवल दवाएँ D. केवल सर्जरी

76. पदार्थ दुरुपयोग (Substance Abuse) .... पदार्थों के हानिकारक या जोखिमपूर्ण उपयोग को संदर्भित करता है।

A. भोजन B. पानी
C. दवाएँ (Drugs) D. विटामिन

77. निम्नलिखित में से कौन-सा पदार्थ दुरुपयोग का उदाहरण है?

A. संतुलित आहार B. व्यायाम
C. शराब का सेवन D. ध्यान

78. पदार्थ दुरुपयोग शारीरिक और मनोवैज्ञानिक निर्भरता का कारण बन सकता है।

A. सही B. गलत
C. केवल शारीरिक D. केवल मनोवैज्ञानिक

79. निम्नलिखित में से कौन-सा पदार्थ दुरुपयोग का सामान्य प्रभाव है?

A. स्मृति में सुधार B. बेहतर स्वास्थ्य
C. बढ़ी हुई प्रतिरक्षा D. निर्भरता

80. वापसी लक्षण (Withdrawal Symptoms) तब उत्पन्न होते हैं जब व्यक्ति .... पदार्थों का सेवन बंद कर देता है।

A. स्वस्थ B. आवश्यक
C. पोषक D. नशे वाले (Addictive) पदार्थ

81. पदार्थ दुरुपयोग (Substance Abuse) सामाजिक और व्यावसायिक कार्यप्रणाली को प्रभावित कर सकता है।

A. सही
B. गलत
C. केवल शारीरिक स्वास्थ्य
D. केवल मानसिक स्वास्थ्य

82. निम्नलिखित में से कौन-सा एक अवसादक (Depressant) पदार्थ है?

A. निकोटीन (Nicotine)
B. कैफीन (Caffeine)
C. अल्कोहल (Alcohol)
D. कोकीन (Cocaine)

83. अवसादक पदार्थों का दीर्घकालिक उपयोग अंगों को .... क्षति पहुँचा सकता है।

A. अस्थायी B. मामूली
C. प्रतिवर्ती D. स्थायी

84. पदार्थों का उनके प्रकारों से मिलान कीजिए :

कॉलम-I	कॉलम-II
A. अल्कोहल	1. ओपिऑयड
B. कोकीन	2. उत्तेजक
C. मॉर्फिन	3. अवसादक
D. निकोटीन	4. नशे की लत लगाने वाला उत्तेजक

A. A-3, B-2, C-1, D-4
B. A-2, B-1, C-3, D-4
C. A-1, B-3, C-2, D-4
D. A-4, B-2, C-3, D-1

85. **कथन I:** पदार्थ दुरुपयोग लत (Addiction) का कारण बन सकता है।

कथन II: लत का स्वास्थ्य पर कोई प्रभाव नहीं होता।

A. दोनों कथन सही हैं B. I सही है, II गलत है
C. दोनों कथन गलत हैं D. I गलत है, II सही है

86. व्यक्तित्व विकार (Personality Disorders) लंबे समय तक चलने वाले ऐसे व्यवहार पैटर्न होते हैं जो .... अपेक्षाओं से भिन्न होते हैं।

A. सामुदायिक B. सांस्कृतिक
C. सामाजिक D. व्यक्तिगत (Individual)

87. निम्नलिखित में से कौन-सा व्यक्तित्व विकार का प्रकार है?

A. अवसाद B. चिंता
C. एंटीसोशल व्यक्तित्व D. स्किजोफ्रेनिया

88. व्यक्तित्व विकार व्यक्ति के सोच, भावनाओं और व्यवहार को प्रभावित करते हैं।

A. सही B. गलत
C. केवल भावनाएँ D. केवल व्यवहार

89. निम्नलिखित में से कौन-सा एंटीसोशल व्यक्तित्व विकार की विशेषता है?

A. सहानुभूति B. जिम्मेदारी
C. सावधानी D. पश्चाताप की कमी

90. बॉर्डरलाइन व्यक्तित्व विकार (Borderline Personality Disorder) अस्थिर .... और संबंधों से संबंधित होता है।

A. व्यवहार B. मनोदशा
C. स्मृति D. बुद्धि

91. व्यक्तित्व विकार सामान्यतः किशोरावस्था या प्रारंभिक वयस्कता में शुरू होते हैं।

A. सही B. गलत
C. केवल बचपन में D. केवल वृद्धावस्था में

92. निम्नलिखित में से कौन-सी पैरानॉयड व्यक्तित्व विकार (Paranoid Personality Disorder) की विशेषता है?

A. विश्वास B. सहयोग
C. संदेहशीलता D. आत्मविश्वास

93. नार्सिसिस्टिक व्यक्तित्व विकार (Narcissistic Personality Disorder) में .... की अतिरंजित भावना होती है।

A. डर B. अपराधबोध
C. चिंता D. आत्म-महत्व

94. व्यक्तित्व विकारों का उनके लक्षणों से मिलान कीजिए :

कॉलम-I	कॉलम-II
A. एंटीसोशल	1. संदेहशीलता
B. बॉर्डरलाइन	2. पश्चाताप की कमी
C. पैरानॉयड	3. अस्थिर संबंध
D. नार्सिसिस्टिक	4. भव्यता

A. A-2, B-3, C-1, D-4
B. A-3, B-2, C-4, D-1
C. A-1, B-4, C-2, D-3
D. A-4, B-1, C-3, D-2

95. **कथन I:** व्यक्तित्व विकार लंबे समय तक चलने वाले व्यवहार पैटर्न होते हैं।

कथन II: व्यक्तित्व विकार संबंधों को प्रभावित नहीं करते।

A. दोनों कथन सही हैं B. I सही है, II गलत है
C. दोनों कथन गलत हैं D. I गलत है, II सही है

96. मनोचिकित्सीय आपातकाल (Psychiatric Emergency) ऐसी स्थिति है जिसमें तत्काल .... हस्तक्षेप की आवश्यकता होती है।

A. नियमित B. विलंबित
C. योजनाबद्ध D. तात्कालिक

97. निम्नलिखित में से कौन-सी स्थिति मनोचिकित्सीय आपातकाल मानी जाती है?

A. हल्की चिंता B. सामान्य तनाव
C. आत्महत्या का प्रयास D. हल्का दुःख

98. यदि उचित प्रबंधन न किया जाए तो मनोचिकित्सीय आपातकाल जीवन के लिए खतरा बन सकते हैं।

A. सही B. गलत
C. केवल शारीरिक D. केवल भावनात्मक

99. आक्रामक रोगी के प्रबंधन में प्राथमिकता क्या होती है?

A. अनदेखा करना B. दंड
C. अलगाव D. सुरक्षा

100. स्वयं को जानबूझकर नुकसान पहुँचाने की क्रिया को .... व्यवहार कहा जाता है।

A. आक्रामक B. हिंसक
C. सामाजिक D. आत्म-हानि

101. मनोचिकित्सीय आपात स्थितियों की प्रारंभिक पहचान बेहतर प्रबंधन में सहायता करती है।

A. सही B. गलत
C. केवल उपचार D. केवल निदान

102. निम्नलिखित में से कौन-सा तीव्र मनोविकृति (Acute Psychosis) का लक्षण है?

A. शांत व्यवहार
B. सामान्य सोच
C. मतिभ्रम (Hallucinations)
D. स्थिर मनोदशा

103. दवाओं की अधिक मात्रा (Overdose) .... आपात स्थिति का कारण बन सकती है।

A. शारीरिक B. सामाजिक
C. भावनात्मक D. चिकित्सीय

104. आपात स्थितियों का उनके प्रबंधन से मिलान कीजिए :

कॉलम-I	कॉलम-II
A. आत्महत्या का प्रयास	1. शांत आश्वासन
B. आक्रामकता	2. तत्काल चिकित्सीय देखभाल
C. ओवरडोज	3. सुरक्षा उपाय
D. पैनिक अटैक	4. संकट हस्तक्षेप

A. A-4, B-3, C-2, D-1
B. A-2, B-4, C-1, D-3
C. A-1, B-2, C-3, D-4
D. A-3, B-1, C-4, D-2

105. **कथन I:** मनोचिकित्सीय आपात स्थितियों में तत्काल देखभाल महत्वपूर्ण है।

कथन II: उपचार में देरी का कोई परिणाम नहीं होता।

A. दोनों कथन सही हैं B. I सही है, II गलत है
C. दोनों कथन गलत हैं D. I गलत है, II सही है

106. मानसिक स्वास्थ्य देखभाल सेवाएँ रोगी के अधिकारों की रक्षा के लिए .... प्रावधानों द्वारा नियंत्रित होती हैं।

A. सामाजिक B. नैतिक (Ethical)
C. चिकित्सीय D. कानूनी (Legal)

107. निम्नलिखित में से कौन-सा मानसिक रोगी का अधिकार है?

A. अलगाव B. उपेक्षा
C. उपचार का अधिकार D. दंड

108. गोपनीयता (Confidentiality) मानसिक स्वास्थ्य देखभाल का एक महत्वपूर्ण सिद्धांत है।

A. सही B. गलत
C. केवल कानूनी D. केवल सामाजिक

109. निम्नलिखित में से कौन-सा सामुदायिक मानसिक स्वास्थ्य (Community Mental Health) का महत्वपूर्ण पहलू है?

A. केवल अस्पताल में भर्ती
B. रोगी का अलगाव
C. केवल दवा
D. पुनर्वास

110. सूचित सहमति (Informed Consent) का अर्थ उपचार से पहले रोगी से अनुमति लेना है।

A. सही B. गलत
C. केवल परिवार की सहमति D. केवल कानूनी प्रपत्र

111. सामुदायिक मानसिक स्वास्थ्य मानसिक कल्याण की रोकथाम और संवर्धन पर केंद्रित होता है।

A. सही B. गलत
C. केवल उपचार D. केवल अस्पताल देखभाल

112. निम्नलिखित में से कौन-सा सामुदायिक मानसिक स्वास्थ्य में नर्स की भूमिका है?

A. रोगी को अनदेखा करना B. देखभाल प्रदान करना
C. दंड D. अलगाव

113. कानूनी शब्दों का उनके अर्थों से मिलान कीजिए :

कॉलम-I	कॉलम-II
A. गोपनीयता	1. उपचार के लिए अनुमति
B. सहमति	2. देखभाल प्रदान करने में विफलता
C. लापरवाही	3. सूचना की गोपनीयता
D. अधिकार	4. कानूनी अधिकार

A. A-3, B-1, C-2, D-4
B. A-1, B-2, C-3, D-4
C. A-2, B-3, C-1, D-4
D. A-4, B-1, C-3, D-2

114. **कथन I:** सामुदायिक मानसिक स्वास्थ्य सेवाएँ कलंक (Stigma) को कम करती हैं।

कथन II: मानसिक बीमारी को समाज से छिपाना चाहिए।

A. दोनों कथन सही हैं B. I सही है, II गलत है
C. दोनों कथन गलत हैं D. I गलत है, II सही है

115. पुनर्वास (Rehabilitation) मानसिक रोगियों को समाज में पुनः सम्मिलित होने में सहायता करता है।

A. सही B. गलत
C. केवल अस्पताल देखभाल D. केवल दवा

व्याख्यात्मक उत्तर

1. (A): मानसिक स्वास्थ्य में सामना करने की क्षमता शामिल होती है। यह तनाव को प्रबंधित करने में सहायता करता है। यह कल्याण के लिए आवश्यक है।

2. (B): मानसिक स्वास्थ्य में सामाजिक कल्याण शामिल होता है। यह संबंधों को प्रभावित करता है। यह कार्यप्रणाली को प्रभावित करता है।

3. (C): अच्छा मानसिक स्वास्थ्य समायोजन को दर्शाता है। यह स्थिरता को दर्शाता है। यह सामंजस्य को बढ़ावा देता है।

4. (D): मानसिक बीमारी विचार, मनोदशा और व्यवहार को प्रभावित करती है। यह कार्यप्रणाली को प्रभावित करती है। देखभाल आवश्यक है।

5. (B): तनाव का सामना करना मानसिक कार्य है। यह सहनशीलता को दर्शाता है। स्थिरता के लिए महत्वपूर्ण है।

6. (D): मानसिक स्वास्थ्य कई कारकों से प्रभावित होता है। इसमें जैविक और सामाजिक शामिल हैं। यह बहु-कारकीय है।

7. (A): सामाजिक कारक मानसिक स्वास्थ्य को प्रभावित करते हैं। इसमें परिवार और पर्यावरण शामिल हैं जिनकी महत्वपूर्ण भूमिका होती है।

8. (C): चिड़चिड़ापन खराब मानसिक स्वास्थ्य को दर्शाता है। यह तनाव को दर्शाता है। ध्यान आवश्यक है।

9. (D): तनाव एक सामान्य प्रतिक्रिया है। यह अनुकूलन में सहायता करता है। अधिकता हानि पहुँचाती है।

10. (B): अच्छा मानसिक स्वास्थ्य संबंधों को दर्शाता है। यह कार्यप्रणाली को सुधारता है। यह स्थिरता का संकेत है।

11. (A): संवर्धन (Promotion) बीमारी को रोकता है। यह कल्याण को बढ़ाता है। स्वास्थ्य के लिए महत्वपूर्ण है।

12. (C): सामना करने की रणनीति का उदाहरण समस्या का समाधान है। यह तनाव को कम करता है। परिणाम सुधारता है।

13. (B): मानसिक स्वच्छता (Mental Hygiene) मानसिक स्वास्थ्य बनाए रखती है। यह बीमारी को रोकती है। कल्याण को बढ़ावा देती है।

14. (A): भावनात्मक स्वास्थ्य में भावनाएँ, सामाजिक स्वास्थ्य में अंतःक्रिया, मनोवैज्ञानिक स्वास्थ्य में सोच, शारीरिक स्वास्थ्य में शरीर। ये घटक हैं।

अतः सही मिलान A-3, B-1, C-2, D-4 है।

15. (B): मानसिक स्वास्थ्य शारीरिक स्वास्थ्य को प्रभावित करता है। ये जुड़े हुए हैं। दूसरा कथन गलत है।

अतः I सही है, II गलत है।

16. (D): चिकित्सीय संचार (Therapeutic Communication) का उद्देश्य उपचार है। यह रोगी को भावनाएँ व्यक्त करने में मदद करता है। यह विश्वास बनाता है।

17. (C): सक्रिय सुनना चिकित्सीय संचार की महत्वपूर्ण तकनीक है। यह समझ को बढ़ाता है। यह आवश्यक कौशल है।

18. (D): भावनाओं की अभिव्यक्ति (Expression of Feelings) रोगियों को भावनाएँ साझा करने में मदद करता है। यह चिंता को कम करता है। देखभाल का समर्थन करता है।

19. (C): सुनना संदेश को समझने का अर्थ है। यह महत्वपूर्ण कौशल है। यह स्पष्टता सुनिश्चित करता है।

20. (A): सहानुभूति (Empathy) भावनाओं को समझने में मदद करती है। यह रिश्ते बनाती है। यह संचार सुधारती है।

21. (D): गैर-मौखिक संचार में संकेत, चेहरे के भाव और शारीरिक भाषा शामिल हैं। यह भावनाएँ व्यक्त करता है। यह मौखिक संदेश का समर्थन करता है।

22. (C): शोर संचार में बाधा डालता है। यह स्पष्टता को कम करता है। यह बाधा के रूप में कार्य करता है।

23. (A): आँखों से संपर्क ध्यान दिखाता है। यह विश्वास बनाता है। यह अंतःक्रिया में सुधार करता है।

24. (D): अभिव्यक्ति को प्रोत्साहित करना (Encouraging Expression) रोगी को बोलने में मदद करता है। यह संचार सुधारता है। यह चिकित्सीय संचार की तकनीक है।

25. (B): मौन सोचने का समय देता है। यह समय देता है। यह अभिव्यक्ति का समर्थन करता है।

26. (A): खुले प्रश्न अभिव्यक्ति को बढ़ावा देते हैं। यह साझा करने के लिए प्रोत्साहित करता है। यह संचार सुधारता है।

27. (C): सलाह देना गैर-चिकित्सीय है। यह अभिव्यक्ति को सीमित करता है। यह संबंध को प्रभावित करता है।

28. (D): संचार विश्वास बनाता है। यह संबंध को मजबूत करता है। यह देखभाल सुधारता है।

29. (A): स्पष्ट करना स्पष्टीकरण चाहता है, प्रतिबिंबित करना दोहराता है, सारांश देना मुख्य बिंदु दोहराता है, मौन समय देता है।

अतः सही मिलान A-3, B-2, C-1, D-4 है।

30. (B): संचार आवश्यक है। यह देखभाल सुधारता है। दूसरा कथन गलत है।

अतः I सही है, II गलत है।

31. (C): सिजोफ्रेनिया सोच और धारणा को प्रभावित करता है। यह वास्तविकता को विकृत करता है। यह व्यवहार को बदलता है।

32. (A): इसमें विचार और धारणा शामिल होती है। व्यवहार में परिवर्तन होता है। यह मुख्य विकार है।

33. (C): मतिभ्रम गलत धारणा है। सामान्य लक्षण। सिजोफ्रेनिया में देखा जाता है।

34. (D): डिल्यूजन (Delusions) स्थायी विश्वास होते हैं। यह वास्तविकता पर आधारित नहीं होते। सुधार में प्रतिरोध दिखाते हैं।

35. (C): आवाजें सुनना मतिभ्रम है। बाहरी उत्तेजना नहीं होती। सामान्य लक्षण।

36. (A): नकारात्मक लक्षणों में उदासीनता शामिल है। सामाजिक अलगाव होता है। भावनात्मक अभिव्यक्ति कम होती है।

37. **(D):** उदासीनता रुचि की कमी है। यह नकारात्मक लक्षण है। कार्यप्रणाली को प्रभावित करता है।

38. **(C):** डोपामाइन असंतुलन सिजोफ्रेनिया से संबंधित है। यह लक्षणों का कारण बनता है। पैथोफिजियोलॉजी में महत्वपूर्ण है।

39. **(C):** विचार विकार सोच को प्रभावित करता है। यह अव्यवस्थित वाणी का कारण बनता है। सिजोफ्रेनिया में देखा जाता है।

40. **(A):** आमतौर पर युवावस्था में शुरू होता है। यह युवा वयस्कों को प्रभावित करता है। कार्यप्रणाली को प्रभावित करता है।

41. **(D):** अव्यवस्थित प्रकार में वाणी विकृत होती है। व्यवहार अव्यवस्थित होता है। देखभाल आवश्यक है।

42. **(A):** एंटीसाइकोटिक (Antipsychotics) लक्षण कम करते हैं। ये न्यूरोट्रांसमीटर पर कार्य करते हैं। आवश्यक उपचार है।

43. **(B):** फ्लैट अफेक्ट का अर्थ है कोई भावनाएँ नहीं। अभिव्यक्ति कम होती है। सिजोफ्रेनिया में देखा जाता है।

44. **(D):** कैटाटोनिया गतिहीनता दिखाता है। रोगी कठोर हो सकता है। गंभीर स्थिति।

45. **(C):** संज्ञानात्मक लक्षणों में स्मृति समस्याएँ शामिल हैं। यह सोच को प्रभावित करता है। कार्य क्षमता कम होती है।

46. **(A):** पारिवारिक समर्थन सुधार में मदद करता है। अनुपालन बढ़ाता है। पुनरावृत्ति को कम करता है।

47. **(D):** अवोलिशन प्रेरणा की कमी है। यह गतिविधि को प्रभावित करता है। सामान्य नकारात्मक लक्षण।

48. **(D):** विश्वास संबंध बनाता है। संचार में मदद करता है। देखभाल सुधारता है।

49. **(A):** प्रशिक्षण कौशल सुधारता है। पुनःसम्मिलन में मदद करता है। सुधार का समर्थन करता है।

50. **(A):** प्रारंभिक उपचार परिणाम सुधारता है। गंभीरता कम करता है। जटिलताओं को रोकता है।

51. **(C):** अवसाद में लगातार उदासी दिखाई देती है। रुचि कम हो जाती है। यह दैनिक जीवन को प्रभावित करता है।

52. **(C):** रुचि की कमी अवसाद का मुख्य लक्षण है। यह गतिविधियों को कम करती है। जीवन को प्रभावित करती है।

53. **(D):** मेनिया में उच्च गतिविधि दिखाई देती है। व्यक्ति ऊर्जावान होता है। व्यवहार अत्यधिक सक्रिय हो जाता है।

54. **(D):** बाइपोलर विकार में अवसाद और मेनिया दोनों चरण शामिल होते हैं। मनोदशा बदलती रहती है। उपचार आवश्यक है।

55. **(A):** अवसाद शरीर के कार्यों को प्रभावित करता है। नींद और भूख बदलती है। ऊर्जा कम होती है।

56. **(D):** अवसादग्रस्त व्यक्ति अपराधबोध महसूस करता है। इसके साथ ही निरर्थकता भी होती है। यह मानसिक स्थिति को प्रभावित करता है।

57. **(C):** मेनिया में गतिविधि बढ़ती है। व्यक्ति ऊर्जावान हो जाता है। नींद कम होती है।

58. **(A):** एंटीडिप्रेसेंट (Antidepressants) अवसाद का उपचार करते हैं। ये न्यूरोट्रांसमीटर पर कार्य करते हैं। मनोदशा सुधारते हैं।

59. **(D):** मेनिया में अत्यधिक बोलना होता है। वाणी तीव्र हो जाती है। यह उत्तेजना को दर्शाता है।

60. **(D):** मनोदशा विकार भावनाओं को प्रभावित करते हैं। यह भावनाओं को विकृत करता है। व्यवहार को प्रभावित करता है।

61. **(C):** सेरोटोनिन असंतुलन देखा जाता है। यह मनोदशा को प्रभावित करता है। महत्वपूर्ण न्यूरोट्रांसमीटर है।

62. **(A):** ECT गंभीर अवसाद में उपयोग किया जाता है। यह जल्दी कार्य करता है। आपातकाल में उपयोगी है।

63. **(D):** एनहेडोनिया आनंद की कमी है। यह अवसाद में सामान्य है। रुचि को प्रभावित करता है।

64. **(A):** अवसाद कम मनोदशा, मेनिया उच्च मनोदशा, बाइपोलर परिवर्तित मनोदशा, डिस्टाइमिया दीर्घकालिक हल्का अवसाद।
अतः सही मिलान A-4, B-2, C-3, D-1 है।

65. **(B):** मनोदशा विकार कार्यप्रणाली को प्रभावित करते हैं। प्रारंभिक उपचार मदद करता है। दूसरा कथन गलत है।
अतः I सही है, II गलत है।

66. **(C):** चिंता विकार अत्यधिक भय से संबंधित है। यह लगातार रहता है। कार्यप्रणाली को प्रभावित करता है।

67. **(C):** चिंता विकार न्यूरोटिक हैं। इसमें फोबिया शामिल है। यह व्यवहार को प्रभावित करता है।

68. **(A):** फोबिया अवास्तविक डर है। यह विशिष्ट हो सकता है। यह बचाव/टालने का कारण बनता है।

69. **(D):** चिंता बेचैनी उत्पन्न करती है। यह तनाव का कारण बनती है। दैनिक जीवन को प्रभावित करती है।

70. **(B):** ऑब्सेसिव विचार अवांछित होते हैं। ये बार-बार आते हैं। तनाव उत्पन्न करते हैं।

71. **(A):** कम्पल्शन (Compulsions) क्रियाएँ होती हैं। यह चिंता को कम करती हैं। ये बार-बार की जाती हैं।

72. **(C):** OCD में पुनरावृत्त क्रियाएँ होती हैं। यह चिंता को कम करती हैं। यह विकार है।

73. **(D):** पैनिक अटैक तीव्र भय के प्रकरण से संबंधित है। अचानक शुरू होता है। शारीरिक लक्षण शामिल हो सकते हैं।

74. **(D):** मनोचिकित्सा (Psychotherapy) थेरेपी चिंता प्रबंधन में मदद करती है। यह सामना करने की क्षमता सुधारती है। प्रभावी है।

75. **(A):** विश्राम तकनीकें (Relaxation Techniques) चिंता कम करती हैं। यह मन को शांत करती है। लक्षण नियंत्रण में मदद करती हैं।

76. **(C):** पदार्थ दुरुपयोग हानिकारक दवाओं के उपयोग से संबंधित है। यह स्वास्थ्य को प्रभावित करता है। यह निर्भरता का कारण बनता है।

77. **(C):** शराब का दुरुपयोग सामान्य है। यह लत का कारण बनता है। स्वास्थ्य को नुकसान पहुँचाता है।

78. **(A):** पदार्थ दुरुपयोग निर्भरता उत्पन्न करता है। यह शरीर और मन को प्रभावित करता है। उपचार आवश्यक है।

79. **(D):** निर्भरता मुख्य प्रभाव है। व्यक्ति इसका सेवन रोक नहीं पाता। यह हानिकारक है।

80. (D): वापसी लक्षण नशे वाले पदार्थों को बंद करने पर होते हैं। लक्षण दिखाई देते हैं। यह तनाव उत्पन्न करता है।

81. (A): पदार्थ दुरुपयोग सामाजिक जीवन को प्रभावित करता है। यह प्रदर्शन कम करता है। समस्याएँ उत्पन्न करता है।

82. (C): शराब अवसादक (Depressant) है। यह केंद्रीय तंत्रिका तंत्र को धीमा करता है। समन्वय को प्रभावित करता है।

83. (D): अवसादक पदार्थों का लंबे समय तक उपयोग अंगों को नुकसान पहुँचाता है। प्रभाव स्थायी हो सकते हैं। यह शरीर को नुकसान पहुँचाता है।

84. (A): शराब अवसादक, कोकीन उत्तेजक, मॉर्फिन ओपिऑयड, निकोटीन नशे की लत लगाने वाला उत्तेजक।

अतः सही मिलान A-3, B-2, C-1, D-4 है।

85. (B): लत स्वास्थ्य को प्रभावित करती है। यह शरीर और मन को प्रभावित करती है। दूसरा कथन गलत है।

अतः I सही है, II गलत है।

86. (B): व्यक्तित्व विकार सांस्कृतिक मानदंडों से विचलित होते हैं। व्यवहार अनुकूल नहीं रहता। कार्यप्रणाली प्रभावित होती है।

87. (C): एंटीसोशल व्यक्तित्व (Antisocial Personality) व्यक्तित्व विकार का प्रकार है। इसमें दूसरों की परवाह नहीं होती। यह व्यवहार को प्रभावित करता है।

88. (A): व्यक्तित्व विकार सोच और भावनाओं को प्रभावित करते हैं। व्यवहार भी प्रभावित होता है। जीवन पर असर डालता है।

89. (D): एंटीसोशल व्यक्तियों में अपराधबोध नहीं होता। वे दूसरों के अधिकारों की अनदेखी करते हैं। व्यवहार हानिकारक होता है।

90. (B): बॉर्डरलाइन विकार में मनोदशा अस्थिर होती है। संबंध प्रभावित होते हैं। भावनात्मक नियंत्रण कमजोर होता है।

91. (A): यह किशोरावस्था में शुरू होता है। वयस्कंता में जारी रहता है। यह दीर्घकालिक है।

92. (C): पैरानॉयड विकार में अविश्वास दिखता है। व्यक्ति दूसरों पर शक करता है। संबंध प्रभावित होते हैं।

93. (D): नार्सिसिस्टिक विकार में भव्यता (Grandiosity) दिखती है। व्यक्ति स्वयं को श्रेष्ठ मानता है। प्रशंसा की आवश्यकता होती है।

94. (A): एंटीसोशल में पश्चाताप की कमी, बॉर्डरलाइन अस्थिर, पैरानॉयड संदेहशील, नार्सिसिस्टिक भव्य।

अतः सही मिलान A-2, B-3, C-1, D-4 है।

95. (B): विकार संबंधों को प्रभावित करते हैं। यह कार्यप्रणाली को विकृत करता है। दूसरा कथन गलत है।

अतः I सही है, II गलत है।

96. (D): मनोचिकित्सीय आपात स्थितियों में तुरंत देखभाल आवश्यक है। विलंब स्थिति बिगाड़ सकता है। त्वरित प्रतिक्रिया आवश्यक है।

97. (C): आत्महत्या का प्रयास गंभीर आपात स्थिति है। तात्कालिक देखभाल आवश्यक है। मृत्यु का जोखिम अधिक है।

98. (A): आपात स्थितियाँ जानलेवा हो सकती हैं। देखभाल न होने पर जोखिम बढ़ता है। प्रारंभिक प्रबंधन महत्वपूर्ण है।

99. (D): सुरक्षा प्राथमिकता है। रोगी और अन्य की रक्षा करता है। नुकसान को रोकता है।

100. (D): आत्म-हानि जानबूझकर चोट पहुँचाने की क्रिया है। यह मनोचिकित्सीय स्थितियों में देखा जाता है। हस्तक्षेप आवश्यक है।

101. (A): प्रारंभिक पहचान उपचार में मदद करती है। जटिलताओं को रोकती है। परिणाम सुधारती है।

102. (C): मानसिक विकार में मतिभ्रम होता है। वास्तविकता विकृत होती है। उपचार आवश्यक है।

103. (D): ओवरडोज चिकित्सीय आपात स्थिति उत्पन्न करता है। यह शरीर के तंत्रों को प्रभावित करता है। तात्कालिक देखभाल आवश्यक है।

104. (A): आत्महत्या संकट हस्तक्षेप, आक्रामकता सुरक्षा, ओवरडोज चिकित्सीय देखभाल, पैनिक आश्वासन।

अतः सही मिलान A-4, B-3, C-2, D-1 है।

105. (B): तत्काल देखभाल हानि को रोकती है। विलंब स्थिति बिगाड़ता है। दूसरा कथन गलत है।

अतः I सही है, II गलत है।

106. (D): मानसिक स्वास्थ्य देखभाल कानूनों द्वारा नियंत्रित होती है। यह रोगी के अधिकारों की रक्षा करती है। सुरक्षित अभ्यास सुनिश्चित करती है।

107. (C): उपचार का अधिकार (Right to Treatment) रोगियों के कानूनी अधिकार हैं। उन्हें उचित देखभाल का अधिकार है। उपचार प्रदान किया जाना चाहिए।

108. (A): गोपनीयता (Confidentiality) व्यक्तिगत जानकारी की रक्षा करती है। यह विश्वास बनाती है। यह नैतिक कर्तव्य है।

109. (D): सामुदायिक देखभाल में पुनर्वास शामिल है। यह पुनः सम्मिलन में मदद करता है। स्वतंत्रता सुधारता है।

110. (A): सहमति (Consent) आवश्यक है। रोगी को सहमति देना चाहिए। यह कानूनी आवश्यकता है।

111. (A): सामुदायिक देखभाल बीमारी को रोकती है। यह मानसिक स्वास्थ्य को बढ़ावा देती है। कलंक कम करती है।

112. (B): देखभाल प्रदान करना (Providing Care): नर्स महत्वपूर्ण भूमिका निभाती है। यह समर्थन देती है। रोगियों को शिक्षित करती है।

113. (A): गोपनीयता–प्राइवेसी, सहमति–अनुमति, लापरवाही–देखभाल में विफलता, अधिकार–कानूनी अधिकार।

अतः सही मिलान A-3, B-1, C-2, D-4 है।

114. (B): सामुदायिक देखभाल कलंक कम करती है। बीमारी छुपाना हानिकारक है। जागरूकता आवश्यक है।

अतः I सही है, II गलत है।

115. (A): पुनर्वास कार्यक्षमता सुधारता है। सामाजिक समायोजन में मदद करता है। स्वतंत्रता का समर्थन करता है।

14. नर्सिंग अनुसंधान और सांख्यिकी (Nursing Research & Statistics)

1. अनुसंधान (Research) एक व्यवस्थित प्रक्रिया है जिसमें प्रश्नों का उत्तर देने के लिए .... एकत्रित और विश्लेषित किया जाता है।

A. डेटा (Data) B. विचार
C. राय D. सोच

2. अनुसंधान प्रक्रिया का पहला कदम समस्या की पहचान करना है।

A. सही B. गलत
C. केवल विश्लेषण D. केवल निष्कर्ष

3. अनुसंधान प्रक्रिया में निम्नलिखित में से कौन-सा कदम शामिल है?

A. अनुमान लगाना
B. डेटा को अनदेखा करना
C. साहित्य समीक्षा (Literature Review)
D. यादृच्छिक क्रिया

4. अनुसंधान नर्सिंग अभ्यास और .... में सुधार करने में मदद करता है।

A. सिद्धांत B. डेटा
C. अवलोकन D. रोगी देखभाल

5. विभिन्न स्रोतों से जानकारी एकत्र करने की प्रक्रिया को .... समीक्षा कहा जाता है।

A. डेटा
B. नमूना
C. चर (Variable)
D. साहित्य (Literature)

6. अनुसंधान समस्या स्पष्ट, विशिष्ट और अनुसंधान योग्य होनी चाहिए।

A. सही B. गलत
C. केवल व्यापक D. केवल अस्पष्ट

7. .... अनुसंधान प्रश्न का अस्थायी उत्तर होता है।

A. निष्कर्ष
B. डेटा
C. परिणाम
D. परिकल्पना (Hypothesis)

8. अच्छे अनुसंधान की निम्नलिखित में से कौन-सी विशेषता है?

A. पूर्वाग्रह (Bias) B. सटीकता (Accuracy)
C. भ्रम D. अनुमान

9. नए विचारों की खोज के लिए किस प्रकार का अनुसंधान किया जाता है?

A. प्रायोगिक (Experimental)
B. वर्णनात्मक (Descriptive)
C. अन्वेषणात्मक (Exploratory)
D. विश्लेषणात्मक (Analytical)

10. अनुसंधान में सावधानीपूर्वक योजना और व्यवस्थित दृष्टिकोण की आवश्यकता होती है।

A. सही B. गलत
C. केवल अवलोकन D. केवल प्रयोग

11. अनुसंधान का उद्देश्य निम्नलिखित में से कौन-सा है?

A. भ्रमित करना B. गुमराह करना
C. डेटा अनदेखा करना D. ज्ञान उत्पन्न करना

12. एकत्र किए गए डेटा को व्यवस्थित करने की प्रक्रिया को ------ कहा जाता है।

A. नमूनाकरण (Sampling)
B. संग्रह (Collection)
C. रिपोर्टिंग (Reporting)
D. विश्लेषण (Analysis)

13. वैधता (Validity) अनुसंधान निष्कर्षों की सटीकता को दर्शाती है।

A. सही
B. गलत
C. केवल विश्वसनीयता
D. केवल पूर्वाग्रह

14. विश्वसनीयता (Reliability) अनुसंधान में परिणामों की स्थिरता को दर्शाती है।

A. सही B. गलत
C. केवल वैधता D. केवल डेटा

15. अनुसंधान की विश्वसनीयता को कौन-सा कारक सुधारता है?

A. पूर्वाग्रह
B. त्रुटि
C. पुनरावृत्ति (Repetition)
D. अनुमान

16. अनुसंधान में निम्नलिखित में से कौन-सा नैतिक सिद्धांत है?

A. विषय को नुकसान
B. गोपनीयता (Confidentiality)
C. पूर्वाग्रह
D. सहमति को अनदेखा करना

17. अनुसंधान में अध्ययन के लिए चयनित समूह को .... कहा जाता है।

A. डेटा
B. जनसंख्या (Population)
C. चर (Variable)
D. नमूना (Sample)

18. अनुसंधान शब्दों का उनके अर्थों से मिलान कीजिए :

कॉलम-I	**कॉलम-II**
A. परिकल्पना	1. संग्रहीत जानकारी
B. नमूना	2. चयनित समूह
C. चर	3. मापने योग्य कारक
D. डेटा	4. अस्थायी उत्तर

A. A-4, B-2, C-3, D-1
B. A-2, B-3, C-4, D-1
C. A-3, B-1, C-2, D-4
D. A-1, B-4, C-3, D-2

19. **कथन I:** अनुसंधान साक्ष्य-आधारित अभ्यास (Evidence-Based Practice) के लिए आवश्यक है।

कथन II: अनुसंधान का नर्सिंग अभ्यास में कोई योगदान नहीं है।

A. दोनों कथन सही हैं B. I सही है, II गलत है
C. दोनों कथन गलत हैं D. I गलत है, II सही है

20. अनुसंधान निष्कर्ष स्वास्थ्य सेवा की गुणवत्ता सुधारने में मदद करते हैं।

A. सही B. गलत
C. केवल सिद्धांत D. केवल प्रयोग

21. अनुसंधान समस्या स्पष्ट रूप से परिभाषित और .... प्रकृति की होनी चाहिए।

A. अस्पष्ट (Vague)
B. व्यापक (Broad)
C. सामान्य (General)
D. विशिष्ट (Specific)

22. एक अच्छी अनुसंधान समस्या व्यवहार्य (Feasible) और अनुसंधान योग्य (Researchable) होनी चाहिए।

A. सही B. गलत
C. केवल सैद्धांतिक D. केवल व्यावहारिक

23. परिकल्पना (Hypothesis) अनुसंधान समस्या का .... उत्तर होती है।

A. अंतिम B. निश्चित
C. सिद्ध D. अस्थायी (Tentative)

24. एक अच्छी परिकल्पना की निम्नलिखित में से कौन-सी विशेषता है?

A. जटिल
B. अस्पष्ट
C. परीक्षण योग्य नहीं
D. परीक्षण योग्य (Testable)

25. अनुसंधान समस्या पूरे अनुसंधान अध्ययन का मार्गदर्शन करती है।

A. सही B. गलत
C. केवल डेटा D. केवल परिणाम

26. शून्य परिकल्पना (Null Hypothesis) यह बताती है कि चर (Variables) के बीच कोई .... नहीं है।

A. संबंध (Relation)
B. अंतर (Difference)
C. प्रभाव (Effect)
D. संघ (Association)

27. कौन-सी परिकल्पना चर के बीच संबंध की भविष्यवाणी करती है?

A. शून्य परिकल्पना (Null Hypothesis)
B. सरल परिकल्पना (Simple Hypothesis)
C. अनुसंधान परिकल्पना (Research Hypothesis)
D. सांख्यिकीय परिकल्पना (Statistical Hypothesis)

28. अनुसंधान शब्दों का उनके अर्थों से मिलान कीजिए :

कॉलम-I	**कॉलम-II**
A. अनुसंधान समस्या	1. मापने योग्य कारक
B. परिकल्पना	2. अध्ययन का उद्देश्य
C. चर	3. उत्तर दिया जाने वाला प्रश्न
D. उद्देश्य	4. अस्थायी कथन

A. A-3, B-4, C-1, D-2
B. A-2, B-3, C-4, D-1
C. A-1, B-2, C-3, D-4
D. A-4, B-1, C-2, D-3

29. **कथन I:** परिकल्पना अनुसंधान का मार्गदर्शन करती है।
कथन II: अनुसंधान में परिकल्पना आवश्यक नहीं है।

A. दोनों कथन सही हैं B. I सही है, II गलत है
C. दोनों कथन गलत हैं D. I गलत है, II सही है

30. अनुसंधान परिकल्पना स्पष्ट, संक्षिप्त और परीक्षण योग्य होनी चाहिए।

A. सही B. गलत
C. केवल सैद्धांतिक D. केवल वर्णनात्मक

31. अनुसंधान डिजाइन (Research Design) अध्ययन को संचालित करने की योजना या .... है।

A. विधि (Method)
B. संरचना (Structure)
C. दृष्टिकोण (Approach)
D. रूपरेखा (Blueprint)

32. अनुसंधान डिजाइन अनुसंधान प्रश्नों का प्रभावी उत्तर देने में मदद करता है।

A. सही B. गलत
C. केवल डेटा D. केवल परिणाम

33. निम्नलिखित में से कौन-सा अनुसंधान डिजाइन का प्रकार है?

A. यादृच्छिक (Random)
B. पक्षपाती (Biased)
C. प्रायोगिक (Experimental)
D. अलोकतांत्रिक (Illogical)

34. प्रायोगिक अनुसंधान डिजाइन में चर का .... शामिल है।

A. केवल अवलोकन B. केवल सर्वेक्षण
C. केवल विश्लेषण D. हेरफेर (Manipulation)

35. अनुसंधान में नियंत्रण समूह (Control Group) का उपयोग .... उद्देश्य के लिए किया जाता है।

A. तुलना B. अवलोकन
C. मापन D. विश्लेषण

36. वर्णनात्मक अनुसंधान डिजाइन जनसंख्या की विशेषताओं का वर्णन करता है।

A. सही B. गलत
C. केवल प्रायोगिक D. केवल विश्लेषणात्मक

37. अनुसंधान डिजाइन में कौन-सा प्रकार चर के बीच संबंधों का अध्ययन करता है?

A. वर्णनात्मक (Descriptive)
B. सहसंबंधात्मक (Correlational)
C. प्रायोगिक (Experimental)
D. ऐतिहासिक (Historical)

38. कौन-सा डिजाइन कारण-प्रभाव (Cause-Effect) संबंध स्थापित करने के लिए उपयोग किया जाता है?

A. वर्णनात्मक (Descriptive)
B. अवलोकनीय (Observational)
C. प्रायोगिक (Experimental)
D. सर्वेक्षण (Survey)

39. अनुसंधान में, चर (Variable) वह .... है जिसे मापा जा सकता है।

A. विचार B. अवधारणा (Concept)
C. कारक (Factor) D. मान (Value)

40. पायलट अध्ययन (Pilot Study) मुख्य अनुसंधान अध्ययन से पहले किया जाता है।

A. सही B. गलत
C. केवल अध्ययन के बाद D. केवल विश्लेषण के लिए

41. निम्नलिखित में से कौन-सा गैर-प्रायोगिक (Non-Experimental) अनुसंधान डिजाइन है?

A. प्रायोगिक (Experimental)
B. अर्ध-प्रायोगिक (Quasi-Experimental)
C. सर्वेक्षण (Survey)
D. क्लिनिकल ट्रायल (Clinical Trial)

42. अनुसंधान में .... कम करने के लिए यादृच्छिककरण (Randomization) का उपयोग किया जाता है।

A. केवल त्रुटि
B. केवल भिन्नता
C. केवल अवलोकन
D. पूर्वाग्रह (Bias)

43. नमूनाकरण (Sampling) जनसंख्या से एक समूह का चयन करना है।

A. सही
B. गलत
C. केवल विश्लेषण
D. केवल रिपोर्टिंग

44. अनुसंधान डिजाइन की व्यावहार्यता (Feasibility) जांचने के लिए .... अध्ययन किया जाता है।

A. मुख्य
B. अंतिम
C. पायलट (Pilot)
D. नमूना

45. निम्नलिखित में से कौन-सा गुणात्मक (Qualitative) अनुसंधान डिजाइन है?

A. प्रायोगिक
B. सर्वेक्षण
C. प्रकटात्मक (Phenomenological)
D. विश्लेषणात्मक

46. कौन-सा अनुसंधान डिजाइन एक ही समय बिंदु पर डेटा एकत्र करने के लिए उपयोग किया जाता है?

A. दीर्घकालिक
B. प्रायोगिक
C. क्रॉस-सेक्शनल
D. केस स्टडी

47. अतिरिक्त चर (Extraneous Variables) का नियंत्रण अनुसंधान की वैधता (Validity) को बढ़ाता है।

A. सही
B. गलत
C. केवल विश्वसनीयता
D. केवल पूर्वाग्रह

48. कौन-सा डिजाइन विषयों को समय की अवधि में फॉलो करता है?

A. क्रॉस-सेक्शनल
B. सर्वेक्षण
C. प्रायोगिक
D. दीर्घकालिक

49. अनुसंधान डिजाइन अध्ययन के लिए लचीला और उपयुक्त होना चाहिए।

A. सही
B. गलत
C. केवल निश्चित
D. केवल कठोर

50. अनुसंधान की वैधता (Validity) अध्ययन की उचित .... पर निर्भर करती है।

A. योजना (Planning)
B. निष्पादन (Execution)
C. डिजाइन (Design)
D. विश्लेषण (Analysis)

51. अनुसंधान डिजाइनों का उनके लक्षणों से मिलान कीजिए :

कॉलम-I	कॉलम-II
A. प्रायोगिक	1. समय के साथ अध्ययन
B. वर्णनात्मक	2. कारण-प्रभाव संबंध
C. सहसंबंधात्मक	3. विशेषताओं का वर्णन
D. दीर्घकालिक	4. चर के बीच संबंध

A. A-2, B-3, C-4, D-1
B. A-3, B-2, C-1, D-4
C. A-4, B-1, C-2, D-3
D. A-1, B-4, C-3, D-2

52. कथन I: अनुसंधान डिजाइन अध्ययन का मार्गदर्शन करता है।

कथन II: अनुसंधान डिजाइन डेटा संग्रह में कोई भूमिका नहीं रखता।

A. दोनों कथन सही हैं
B. I सही है, II गलत है
C. दोनों कथन गलत हैं
D. I गलत है, II सही है

53. एक अच्छा अनुसंधान डिजाइन परिणामों की वैधता और विश्वसनीयता सुनिश्चित करता है।

A. सही
B. गलत
C. केवल वैधता
D. केवल विश्वसनीयता

54. अच्छे अनुसंधान डिजाइन के लिए निम्नलिखित में से कौन-सा आवश्यक है?

A. पूर्वाग्रह
B. भ्रम
C. योजना (Planning)
D. अनुमान

55. अनुसंधान डिजाइन अध्ययन के उद्देश्यों के अनुरूप होना चाहिए।

A. सही
B. गलत
C. केवल सिद्धांत
D. केवल डेटा

56. नमूनाकरण (Sampling) जनसंख्या से .... का चयन करने की प्रक्रिया है।

A. चर
B. डेटा
C. नमूना (Sample)
D. समूह

57. निम्नलिखित में से कौन-सा संभाव्यता आधारित (Probability) नमूनाकरण विधि है?

A. सुविधा नमूनाकरण (Convenience Sampling)
B. उद्देश्यपूर्ण नमूनाकरण (Purposive Sampling)
C. यादृच्छिक नमूनाकरण (Random Sampling)
D. कोटा नमूनाकरण (Quota Sampling)

58. एक नमूना को जनसंख्या की विशेषताओं का प्रतिनिधित्व करना चाहिए।

A. केवल हिस्सा
B. केवल डेटा
C. केवल समूह
D. जनसंख्या का प्रतिनिधित्व (Represent Population)

59. वह कुल समूह जिससे नमूना लिया जाता है, उसे .... कहा जाता है।

A. नमूना
B. चर
C. जनसंख्या
D. डेटा

60. नमूनाकरण अनुसंधान के समय और लागत को कम करता है।

A. सही B. गलत
C. केवल लागत D. केवल समय

61. कौन-सा नमूनाकरण विधि अवसर (Chance) पर आधारित है?

A. गैर-संभाव्यता (Non-probability)
B. उद्देश्यपूर्ण (Purposive)
C. संभाव्यता (Probability)
D. निर्णयात्मक (Judgmental)

62. सुविधा नमूनाकरण (Convenience Sampling) में आसानी से उपलब्ध विषयों का चयन किया जाता है।

A. सही B. गलत
C. केवल यादृच्छिक D. केवल व्यवस्थित

63. निम्नलिखित में से कौन-सा गैर-संभाव्यता (Non-probability) नमूनाकरण विधि है?

A. यादृच्छिक (Random)
B. स्तरीकृत (Stratified)
C. व्यवस्थित (Systematic)
D. उद्देश्यपूर्ण (Purposive)

64. नमूना त्रुटि (Sampling Error) .... चयन के कारण होती है।

A. सटीक B. उचित
C. यादृच्छिक D. अनुचित (Improper)

65. बड़े नमूने का आकार अनुसंधान निष्कर्षों की सटीकता बढ़ाता है।

A. सही B. गलत
C. केवल पूर्वाग्रह D. केवल त्रुटि

66. कौन-सी नमूनाकरण विधि जनसंख्या को उप-समूहों (Subgroups) में विभाजित करती है?

A. सरल यादृच्छिक (Simple Random)
B. व्यवस्थित (Systematic)
C. स्तरीकृत (Stratified)
D. क्लस्टर (Cluster)

67. व्यवस्थित नमूनाकरण (Systematic Sampling) जनसंख्या से प्रत्येक *n*th तत्व का चयन करता है।

A. सही B. गलत
C. केवल क्लस्टर D. केवल उद्देश्यपूर्ण

68. जनसंख्या को समूहों में विभाजित करने की प्रक्रिया को .... नमूनाकरण कहा जाता है।

A. यादृच्छिक (Random)
B. क्लस्टर (Cluster)
C. स्तरीकृत (Stratified)
D. व्यवस्थित (Systematic)

69. नमूनाकरण विधियों का उनके लक्षणों से मिलान कीजिए :

कॉलम-I	कॉलम-II
A. यादृच्छिक नमूनाकरण	1. आसानी से चयन
B. स्तरीकृत नमूनाकरण	2. अवसर पर आधारित
C. क्लस्टर नमूनाकरण	3. विभाजित समूह
D. सुविधा नमूनाकरण	4. समूह चयन

A. A-2, B-3, C-4, D-1
B. A-3, B-4, C-1, D-2
C. A-1, B-2, C-3, D-4
D. A-4, B-1, C-2, D-3

70. **कथन I:** नमूनाकरण परिणामों को सामान्यीकृत करने में मदद करता है।

कथन II: अनुसंधान में नमूनाकरण का कोई महत्व नहीं है।

A. दोनों कथन सही हैं B. I सही है, II गलत है
C. दोनों कथन गलत हैं D. I गलत है, II सही है

71. डेटा संग्रह (Data Collection) अनुसंधान अध्ययन के लिए .... एकत्रित करने की प्रक्रिया है।

A. विचार
B. अवधारणाएँ
C. जानकारी (Information)
D. राय

72. डेटा संग्रह अनुसंधान प्रक्रिया का महत्वपूर्ण चरण है।

A. सही B. गलत
C. केवल विश्लेषण D. केवल निष्कर्ष

73. प्राथमिक डेटा (Primary Data) सीधे .... स्रोतों से एकत्र किए जाते हैं।

A. पुस्तकें B. आलेख
C. विषय (Subjects) D. रिकॉर्ड

74. डेटा संग्रह की निम्नलिखित में से कौन-सी विधि है?

A. अनुमान लगाना B. मूल्यांकन
C. पूर्वानुमान D. साक्षात्कार

75. अवलोकन विधि (Observation Method) में व्यवहार को देखना और रिकॉर्ड करना शामिल है।

A. सही B. गलत
C. केवल प्रयोग D. केवल सर्वेक्षण

76. प्रश्नावली (Questionnaire) एक उपकरण है जिसका उपयोग उत्तरदाताओं से .... एकत्र करने के लिए किया जाता है।

A. डेटा B. परिणाम
C. निष्कर्ष D. उपसंहार

77. निम्नलिखित में से कौन-सा प्राथमिक डेटा संग्रह विधि है?

A. पुस्तकें B. पत्रिकाएँ
C. साक्षात्कार D. रिपोर्ट

78. डेटा संग्रह विधियों का उनके लक्षणों से मिलान कीजिए :

कॉलम-I	कॉलम-II
A. साक्षात्कार	1. व्यवहार देखना
B. अवलोकन	2. प्रश्न पूछना
C. प्रश्नावली	3. लिखित उत्तर
D. रिकॉर्ड	4. मौजूदा डेटा

A. A-2, B-1, C-3, D-4
B. A-1, B-2, C-4, D-3
C. A-3, B-4, C-2, D-1
D. A-4, B-3, C-1, D-2

79. **कथन I:** डेटा संग्रह सटीक और विश्वसनीय होना चाहिए।

कथन II: गलत डेटा अनुसंधान परिणामों को प्रभावित कर सकता है।

A. दोनों कथन सही हैं B. I सही है, II गलत है
C. दोनों कथन गलत हैं D. I गलत है, II सही है

80. द्वितीयक डेटा (Secondary Data) मौजूदा स्रोतों जैसे पुस्तकें और रिकॉर्ड से एकत्रित किया जाता है।

A. सही B. गलत
C. केवल प्राथमिक D. केवल सर्वेक्षण

81. डेटा विश्लेषण (Data Analysis) वह प्रक्रिया है जिसमें .... को व्यवस्थित और व्याख्यायित किया जाता है।

A. विचार B. चर
C. डेटा (Data) D. नमूने

82. डेटा विश्लेषण अनुसंधान से निष्कर्ष निकालने में मदद करता है।

A. सही B. गलत
C. केवल डेटा D. केवल नमूनाकरण

83. मात्रात्मक (Quantitative) डेटा का विश्लेषण .... विधियों का उपयोग करके किया जाता है।

A. वर्णनात्मक (Descriptive)
B. अवलोकनीय (Observational)
C. सांख्यिकीय (Statistical)
D. प्रायोगिक (Experimental)

84. डेटा विश्लेषण में निम्नलिखित में से कौन-सा कदम शामिल है?

A. अनुमान लगाना
B. डेटा को अनदेखा करना
C. कदम छोड़ना
D. व्याख्या (Interpretation)

85. डेटा विश्लेषण पैटर्न और संबंधों को समझने में मदद करता है।

A. सही B. गलत
C. केवल मान D. केवल चर

86. गुणात्मक (Qualitative) डेटा विश्लेषण में जानकारी का .... शामिल होता है।

A. मापन (Measurement)
B. गणना (Calculation)
C. कोडिंग (Coding)
D. परीक्षण (Testing)

87. डेटा विश्लेषण के लिए निम्नलिखित में से कौन-सा उपकरण है?

A. साक्षात्कार
B. प्रश्नावली
C. सांख्यिकीय सॉफ्टवेयर (Statistical Software)
D. अवलोकन

88. डेटा विश्लेषण शब्दों का उनके अर्थों से मिलान कीजिए :

कॉलम-I	कॉलम-II
A. औसत	1. मध्य मान
B. माध्यिका	2. अधिकतम आवृत्ति वाला मान
C. बहुलक	3. मूल्यों के बीच का अंतर
D. सीमा	4. औसत मान

A. A-4, B-1, C-2, D-3
B. A-1, B-2, C-3, D-4
C. A-2, B-3, C-4, D-1
D. A-3, B-4, C-1, D-2

89. **कथन I:** डेटा विश्लेषण परिणामों की व्याख्या के लिए आवश्यक है।
कथन II: डेटा विश्लेषण का अनुसंधान में कोई योगदान नहीं है।

A. दोनों कथन सही हैं B. I सही है, II गलत है
C. दोनों कथन गलत हैं D. I गलत है, II सही है

90. ग्राफ और चार्ट का उपयोग विश्लेषित डेटा को प्रभावी ढंग से प्रस्तुत करने के लिए किया जाता है।

A. सही B. गलत
C. केवल तालिकाएँ D. केवल पाठ

91. सांख्यिकी (Statistics) वह विज्ञान है जो .... को एकत्रित, विश्लेषित और व्याख्यायित करता है।

A. विचार B. राय
C. डेटा (Data) D. सोच

92. सांख्यिकी बड़ी मात्रा में डेटा को संक्षेप में प्रस्तुत करने में मदद करती है।

A. सही B. गलत
C. केवल छोटे डेटा D. केवल सिद्धांत

93. निम्नलिखित में से कौन केंद्रीय प्रवृत्ति (Measure of Central Tendency) है?

A. सीमा (Range) B. विचलन (Variance)
C. औसत (Mean) D. अपवर्तन (Deviation)

94. .... की गणना मानों के योग को अवलोकनों की संख्या से विभाजित करके की जाती है।

A. माध्यिका (Median) B. बहुलक (Mode)
C. सीमा (Range) D. औसत (Mean)

95. डेटा सेट में सबसे अधिक बार आने वाला मान .... कहलाता है।

A. औसत B. माध्यिका
C. बहुलक D. सीमा

96. माध्यिका (Median) डेटा सेट का मध्य मान है जिसे क्रम में व्यवस्थित किया गया है।

A. सही B. गलत
C. केवल औसत D. केवल बहुलक

97. सबसे उच्च और सबसे निम्न मान के बीच का अंतर .... कहलाता है।

A. औसत B. माध्यिका
C. सीमा (Range) D. बहुलक

98. निम्नलिखित में से कौन डेटा का प्रसरण (Dispersion) दर्शाता है?

A. औसत B. माध्यिका
C. मानक विचलन D. बहुलक

99. मानक विचलन (Standard Deviation) डेटा में परिवर्तनशीलता दिखाता है।

A. सही B. गलत
C. केवल औसत D. केवल माध्यिका

100. डेटा का अंकगणितीय औसत (Arithmetic Average) .... कहलाता है।

A. माध्यिका B. बहुलक
C. सीमा D. औसत (Mean)

101. निम्नलिखित में से कौन डेटा का ग्राफिकल प्रतिनिधित्व (Graphical Representation) है?

A. तालिका (Table) B. सूची (List)
C. पाठ (Text) D. हिस्टोग्राम (Histogram)

102. आवृत्ति वितरण (Frequency Distribution) दिखाता है कि मान कितनी बार घटित होते हैं।

A. सही B. गलत
C. केवल औसत D. केवल माध्यिका

103. डेटा को .... और गुणात्मक (Qualitative) प्रकारों में वर्गीकृत किया जा सकता है।

A. प्राथमिक B. द्वितीयक
C. मात्रात्मक D. नमूना

104. पाई चार्ट (Pie Chart) डेटा को वृत्तीय (Circular) रूप में प्रस्तुत करता है।

A. सही B. गलत
C. केवल बार D. केवल रेखा

105. कौन-सा माप चरम मानों (Extreme Values) से सबसे कम प्रभावित होता है?

A. औसत (Mean) B. सीमा (Range)
C. माध्यिका (Median) D. बहुलक (Mode)

106. विचरण (Variance) मानक विचलन (Standard Deviation) का वर्ग होता है।

A. सही B. गलत
C. केवल औसत D. केवल सीमा

107. सांख्यिकी में, क्रमबद्ध डेटा को .... श्रेणी कहा जाता है।

A. नाममात्र (Nominal) B. अंतराल (Interval)
C. क्रमांक (Ordinal) D. अनुपात (Ratio)

108. बार आरेख (Bar Diagram) का उपयोग विभिन्न श्रेणियों (Categories) के डेटा की तुलना करने के लिए किया जाता है।

A. सही B. गलत
C. केवल पाई D. केवल रेखा

109. कौन-सा ग्राफ समय के साथ रुझानों (Trends) को दिखाने के लिए उपयोग किया जाता है?

A. बार B. पाई
C. हिस्टोग्राम D. रेखा (Line)

110. निम्नलिखित में से कौन परिवर्तनशीलता (Variability) को मापने के लिए उपयोग किया जाता है?

A. औसत B. माध्यिका
C. बहुलक D. सीमा (Range)

111. सांख्यिकीय विश्लेषण (Statistical Analysis) निर्णय लेने में मदद करता है।

A. सही B. गलत
C. केवल सिद्धांत D. केवल डेटा

112. डेटा मानों का एक समूह .... सेट कहलाता है।

A. डेटा B. नमूना (Sample)
C. मान (Value) D. चर (Variable)

113. हिस्टोग्राम (Histogram) का उपयोग सतत (Continuous) डेटा के प्रतिनिधित्व के लिए किया जाता है।

A. सही B. गलत
C. केवल असतत D. केवल नाममात्र

114. निम्नलिखित में से कौन डेटा का प्रकार है?

A. औसत B. माध्यिका
C. गुणात्मक D. सीमा

115. ग्राफ डेटा को समझने में आसान बनाते हैं।

A. सही B. गलत
C. केवल तालिकाएँ D. केवल संख्याएँ

116. डेटा का मध्य मान (Middle Value) .... कहलाता है।

A. औसत B. बहुलक
C. सीमा D. माध्यिका (Median)

117. सांख्यिकी अनुसंधान और स्वास्थ्य देखभाल में व्यापक रूप से उपयोग की जाती है।

A. सही B. गलत
C. केवल शिक्षा D. केवल अर्थव्यवस्था

118. कौन-सा माप डेटा का प्रसरण (Spread) दर्शाता है?

A. औसत B. माध्यिका
C. बहुलक D. मानक विचलन

119. किसी मान के घटित होने की संख्या को .... कहा जाता है।

A. औसत B. सीमा
C. बहुलक D. आवृत्ति (Frequency)

120. सांख्यिकीय शब्दों का उनके अर्थों से मिलान कीजिए :

कॉलम-I	कॉलम-II
A. माध्य	1. सबसे अधिक बार आने वाला मान
B. माध्यिका	2. मध्य मान
C. बहुलक	3. मानों का अंतर
D. सीमा	4. औसत

A. A-4, B-2, C-1, D-3
B. A-2, B-3, C-4, D-1
C. A-3, B-4, C-2, D-1
D. A-1, B-2, C-3, D-4

121. अनुसंधान उपयोग (Research Utilization) का अर्थ है अनुसंधान निष्कर्षों को .... अभ्यास में लागू करना।

A. सिद्धांत B. शिक्षा
C. नैदानिक (Clinical) D. सामाजिक

122. अनुसंधान उपयोग रोगी देखभाल और परिणामों में सुधार करने में मदद करता है।

A. सही B. गलत
C. केवल सिद्धांत D. केवल अनुसंधान

123. साक्ष्य-आधारित अभ्यास (Evidence-Based Practice) सर्वोत्तम उपलब्ध .... और नैदानिक विशेषज्ञता पर आधारित होता है।

A. डेटा B. राय
C. साक्ष्य (Evidence) D. अनुभव

124. अनुसंधान उपयोग का निम्नलिखित में से कौन-सा लाभ है?

A. भ्रम B. विलंब
C. त्रुटि D. देखभाल में सुधार

125. नर्सों को नैदानिक अभ्यास में अनुसंधान निष्कर्षों का उपयोग करना चाहिए।

A. सही B. गलत
C. केवल शिक्षा D. केवल प्रबंधन

126. अनुसंधान उपयोग में बाधाओं में .... और संसाधनों की कमी शामिल है।

A. ज्ञान B. कौशल
C. रुचि D. समय

127. निम्नलिखित में से कौन साक्ष्य-आधारित अभ्यास का उदाहरण है?

A. अनुमान लगाना
B. परंपरा
C. अनुसंधान निष्कर्षों का उपयोग (Using Research Findings)
D. साक्ष्य की अनदेखी करना

128. शब्दों का उनके अर्थों से मिलान कीजिए :

कॉलम-I	कॉलम-II
A. अनुसंधान उपयोग	1. अनुसंधान का क्रियान्वयन
B. साक्ष्य-आधारित अभ्यास	2. सर्वश्रेष्ठ साक्ष्य का उपयोग
C. नैदानिक अभ्यास	3. रोगी देखभाल
D. ज्ञान	4. जानकारी

A. A-1, B-2, C-3, D-4
B. A-2, B-1, C-4, D-3
C. A-3, B-4, C-1, D-2
D. A-4, B-3, C-2, D-1

129. **कथन I:** अनुसंधान उपयोग देखभाल की गुणवत्ता में सुधार करता है।

कथन II: अनुसंधान निष्कर्षों का अभ्यास में उपयोग नहीं किया जाना चाहिए।

A. दोनों कथन सही हैं B. I सही है, II गलत है
C. दोनों कथन गलत हैं D. I गलत है, II सही है

130. सतत अनुसंधान नर्सिंग ज्ञान को अपडेट करने में मदद करता है।

A. सही B. गलत
C. केवल शिक्षा D. केवल अभ्यास

व्याख्यात्मक उत्तर

1. **(A):** अनुसंधान में डेटा एकत्रित करना शामिल है। यह प्रश्नों के उत्तर में मदद करता है। यह व्यवस्थित है।

2. **(A):** समस्या की पहचान पहला कदम है। यह अनुसंधान का मार्गदर्शन करती है और फोकस निर्धारित करती है।

3. **(C):** यह मौजूदा ज्ञान की समीक्षा करता है। यह समझ में मदद करता है और अध्ययन का मार्गदर्शन करता है।

4. **(D):** अनुसंधान अभ्यास को सुधारता है। यह देखभाल को बढ़ाता है और उपयोगी है।

5. **(D):** साहित्य समीक्षा जानकारी एकत्र करती है। यह अध्ययन का आधार प्रदान करती है और अध्ययनों का विश्लेषण करती है।

6. **(A):** समस्या स्पष्ट और विशिष्ट होनी चाहिए। यह अनुसंधान का मार्गदर्शन करती है।

7. **(D):** परिकल्पना एक अनुमान है। इसका परीक्षण किया जाता है और यह अध्ययन का मार्गदर्शन करती है।

8. **(B):** अच्छा अनुसंधान सटीक होता है। यह विश्वसनीय है और पूर्वाग्रह से बचता है।

9. **(C):** अन्वेषणात्मक अनुसंधान नए विचारों की खोज करता है। यह प्रारंभिक कदम है और अंतर्दृष्टि उत्पन्न करता है।

10. **(A):** अनुसंधान में योजना की आवश्यकता होती है। यह व्यवस्थित होना चाहिए और वैधता सुनिश्चित करता है।

11. **(D):** अनुसंधान ज्ञान उत्पन्न करता है। यह अभ्यास में सुधार करता है और प्रश्नों के उत्तर देता है।

12. **(D):** डेटा विश्लेषण डेटा को व्यवस्थित करता है, परिणामों की व्याख्या करता है और निष्कर्ष निकालता है।

13. **(A):** वैधता सटीकता सुनिश्चित करती है। यह मापती है कि क्या वह माप रहा है जिसे मापना था।

14. **(A):** विश्वसनीयता परिणामों की स्थिरता सुनिश्चित करती है। परिणाम समान रहते हैं और विश्वास बढ़ता है।

15. **(C):** पुनरावृत्ति विश्वसनीयता बढ़ाती है। परिणाम सुसंगत बनते हैं और त्रुटि कम होती है।

16. **(B):** नैतिकता विषयों की सुरक्षा करती है। गोपनीयता बनाए रखी जाती है और विश्वास बढ़ता है।

17. **(D):** नमूना चयनित समूह है। यह जनसंख्या का प्रतिनिधित्व करता है और अध्ययन में उपयोग किया जाता है।

18. **(A):** परिकल्पना अस्थायी उत्तर है, नमूना समूह है, चर मापनीय कारक है, डेटा जानकारी है।

    अतः सही मिलान A-4, B-2, C-3, D-1 है।

19. **(B):** अनुसंधान अभ्यास का समर्थन करता है। यह देखभाल में सुधार करता है। दूसरा कथन गलत है।

    अतः I सही है, II गलत है।

20. **(A):** अनुसंधान गुणवत्ता में सुधार करता है। यह देखभाल को बढ़ाता है और आवश्यक है।

21. **(D):** अनुसंधान समस्या विशिष्ट होनी चाहिए। यह दिशा देती है और अध्ययन को केंद्रित बनाती है।

22. **(A):** समस्या व्यवहार्य (Feasible) होनी चाहिए। इसे शोध योग्य होना चाहिए। यह सफलता सुनिश्चित करता है।

23. **(D):** परिकल्पना अस्थायी उत्तर है। इसका परीक्षण किया जाता है और यह अनुसंधान का मार्गदर्शन करती है।

24. **(D):** अच्छी परिकल्पना परीक्षण योग्य होनी चाहिए। इसे सत्यापित किया जा सकता है। यह अध्ययन को सुधारती है।

25. **(A):** समस्या अनुसंधान का मार्गदर्शन करती है। यह उद्देश्य निर्धारित करती है और प्रक्रिया को निर्देशित करती है।

26. **(D):** शून्य परिकल्पना कहती है कि चर के बीच कोई संघ (Association) नहीं है। इसका परीक्षण किया जाता है और यह सांख्यिकीय है।

27. **(C):** अनुसंधान परिकल्पना (Research Hypothesis) संबंधों की भविष्यवाणी करती है। इसका परीक्षण किया जाता है और यह अध्ययन का समर्थन करती है।

28. **(A):** समस्या प्रश्न है, परिकल्पना कथन है, चर मापनीय कारक है, उद्देश्य अध्ययन का लक्ष्य है।

    अतः सही मिलान A-3, B-4, C-1, D-2 है।

29. **(B):** परिकल्पना अनुसंधान का मार्गदर्शन करती है। यह महत्वपूर्ण है। दूसरा कथन गलत है।

    अतः I सही है, II गलत है।

30. **(A):** परिकल्पना स्पष्ट, संक्षिप्त और परीक्षण योग्य होनी चाहिए।

31. **(D):** अनुसंधान डिजाइन एक रूपरेखा है। यह अध्ययन का मार्गदर्शन करता है और संरचना प्रदान करता है।

32. **(A):** डिजाइन प्रश्नों का उत्तर देने में मदद करता है। यह स्पष्टता सुनिश्चित करता है और परिणामों में सुधार करता है।

33. **(C):** प्रायोगिक डिजाइन चर का परीक्षण करता है। यह कारण-प्रभाव दिखाता है और महत्वपूर्ण है।

34. **(D):** प्रायोगिक डिजाइन में चर हेरफेर के द्वारा नियंत्रित किए जाते हैं। यह प्रभावों का परीक्षण करता है।

35. (A): नियंत्रण समूह का उपयोग तुलना के लिए किया जाता है। यह परिणामों का मूल्यांकन करता है और वैधता बढ़ाता है।

36. (A): वर्णनात्मक डिजाइन डेटा का वर्णन करता है। यह विशेषताओं का अध्ययन करता है और सरल है।

37. (B): सहसंबंधात्मक (Correlational) डिजाइन चरों के बीच संबंधों का अध्ययन करता है। इसमें कोई हेरफेर नहीं होता। यह संघ दिखाता है।

38. (C): प्रायोगिक डिजाइन कारण-प्रभाव दिखाता है। यह चर नियंत्रित करता है और वैज्ञानिक है।

39. (C): चर एक मापनीय कारक है। यह बदलता है और परिणामों को प्रभावित करता है।

40. (A): पायलट अध्ययन डिजाइन की व्यावहार्यता जांचता है। यह योजना में मदद करता है और डिजाइन सुधारता है।

41. (C): सर्वेक्षण गैर-प्रायोगिक है। यह डेटा एकत्र करता है और हेरफेर नहीं करता।

42. (D): यादृच्छिकरण पूर्वाग्रह कम करता है। यह निष्पक्षता सुनिश्चित करता है और वैधता बढ़ाता है।

43. (A): नमूनाकरण समूह का चयन करता है। यह जनसंख्या का प्रतिनिधित्व करता है और महत्वपूर्ण है।

44. (C): पायलट अध्ययन डिजाइन की परीक्षण योग्यता जांचता है। यह अनुसंधान सुधारता है और समस्याओं की पहचान करता है।

45. (C): प्रकटवादी (Phenomenological) गुणात्मक डिजाइन है। यह अनुभवों का अध्ययन करता है और अर्थ पर केंद्रित है।

46. (C): क्रॉस-सेक्शनल डिजाइन का उपयोग एक ही समय बिंदु पर डेटा एकत्र करने के लिए किया जाता है। यह तेज है और कोई फॉलो-अप नहीं है।

47. (A): अतिरिक्त चर का नियंत्रण वैधता बढ़ाता है। यह पूर्वाग्रह कम करता है और परिणाम मजबूत करता है।

48. (D): दीर्घकालिक (Longitudinal) डिजाइन समय के साथ अध्ययन करता है। यह बदलाव को ट्रैक करता है और विस्तृत डेटा प्रदान करता है।

49. (A): डिजाइन लचीला होना चाहिए। यह आवश्यकताओं के अनुसार अनुकूल होता है और अनुसंधान सुधारता है।

50. (C): अच्छा डिजाइन वैधता सुनिश्चित करता है। यह संरचना का समर्थन करता है और परिणामों को सुधारता है।

51. (A): प्रायोगिक कारण-प्रभाव दिखाता है, वर्णनात्मक विशेषताओं का वर्णन करता है, सहसंबंधात्मक संबंध दिखाता है, दीर्घकालिक समय के साथ अध्ययन करता है।

अतः सही मिलान A-2, B-3, C-4, D-1 है।

52. (B): डिजाइन अध्ययन का मार्गदर्शन करता है और डेटा को प्रभावित करता है। दूसरा कथन गलत है।

अतः I सही है, II गलत है।

53. (A): डिजाइन गुणवत्ता सुनिश्चित करता है। यह विश्वसनीयता बढ़ाता है और वैधता का समर्थन करता है।

54. (C): योजना आवश्यक है। यह त्रुटियों से बचाती है और डिजाइन सुधारती है।

55. (A): डिजाइन अध्ययन के उद्देश्यों के अनुरूप होना चाहिए। यह प्रासंगिकता सुनिश्चित करता है और अध्ययन सुधारता है।

56. (C): नमूनाकरण नमूना चयन करता है। यह जनसंख्या का प्रतिनिधित्व करता है और समय बचाता है।

57. (C): यादृच्छिक विधि अवसर का उपयोग करती है। यह पूर्वाग्रह कम करती है और संभाव्यता विधि है।

58. (D): नमूना को जनसंख्या का प्रतिनिधित्व करना चाहिए। यह वैधता सुनिश्चित करता है और परिणाम सुधारता है।

59. (C): जनसंख्या कुल समूह है। इससे नमूना लिया जाता है और यह महत्वपूर्ण है।

60. (A): नमूनाकरण समय बचाता है। यह लागत कम करता है और अनुसंधान को व्यावहार्य बनाता है।

61. (C): संभाव्यता नमूनाकरण (Probability Sampling) अवसर (Chance) का उपयोग करता है। यह निष्पक्षता सुनिश्चित करता है और पूर्वाग्रह कम करता है।

62. (A): सुविधा आधारित नमूनाकरण (Convenience Sampling) आसानी से उपलब्ध विषयों का चयन करता है। यह सरल और तेज है।

63. (D): उद्देश्यपूर्ण नमूनाकरण गैर-संभाव्यता (Non-Probability) है। यह निर्णय (Judgment) पर आधारित है और चयनात्मक है।

64. (D): अनुचित नमूनाकरण त्रुटि पैदा करता है। यह सटीकता को कम करता है और परिणामों को प्रभावित करता है।

65. (A): बड़े नमूने से सटीकता बढ़ती है। यह जनसंख्या का प्रतिनिधित्व करता है और त्रुटि कम करता है।

66. (C): स्तरीकृत नमूनाकरण जनसंख्या को विभाजित करता है। यह प्रतिनिधित्व सुनिश्चित करता है और सटीकता बढ़ाता है।

67. (A): प्रणालीगत नमूनाकरण (Systematic Sampling) प्रत्येक *n*वें तत्व का चयन करता है। यह सरल और संरचित है।

68. (C): स्तरीकृत नमूनाकरण समूहों को विभाजित करता है। यह प्रतिनिधित्व सुधारता है और उपयोगी है।

69. (A): यादृच्छिक अवसर, स्तरीकृत समूह, क्लस्टर समूह चयन, सुविधा आसान।

अतः सही मिलान A-2, B-3, C-4, D-1 है।

70. (B): नमूनाकरण परिणाम सामान्यीकरण में मदद करता है। यह महत्वपूर्ण है। दूसरा कथन गलत है।

अतः I सही है, II गलत है।

71. (C): डेटा संग्रह (Data Collection) जानकारी एकत्र करता है। यह अनुसंधान का समर्थन करता है और विश्लेषण में मदद करता है।

72. (A): डेटा संग्रह आवश्यक है। यह आधार प्रदान करता है और परिणामों को प्रभावित करता है।

73. (C): प्राथमिक डेटा (Primary Data) सीधे विषयों से एकत्र किया जाता है। यह मौलिक और विश्वसनीय है।

74. (D): साक्षात्कार सीधे डेटा एकत्र करता है। यह इंटरैक्टिव है और विस्तृत जानकारी प्रदान करता है।

75. (A): अवलोकन (Observation) व्यवहार को रिकॉर्ड करता है। यह प्रत्यक्ष (Direct) विधि है और उपयोगी है।

76. (A): प्रश्नावली (Questionnaire) डेटा एकत्र करती है। यह संरचित है और व्यापक रूप से उपयोग की जाती है।

77. (C): साक्षात्कार प्राथमिक डेटा संग्रह विधि है। यह मौलिक डेटा एकत्र करता है और प्रत्यक्ष है।

78. (A): साक्षात्कार प्रश्न, अवलोकन व्यवहार देखना, प्रश्नावली लिखित, रिकॉर्ड मौजूदा डेटा से संबंधित है।

अतः सही मिलान A-2, B-1, C-3, D-4 है।

79. (A): डेटा सटीक होना चाहिए। गलत डेटा अनुसंधान को प्रभावित करता है और वैधता को कम करता है।

अतः दोनों सही हैं।

80. (A): द्वितीयक डेटा रिकॉर्ड से एकत्र किया जाता है। यह पहले से उपलब्ध है और समय बचाता है।

81. (C): डेटा विश्लेषण डेटा को व्यवस्थित करता है। यह परिणामों की व्याख्या करता है और अर्थ प्रदान करता है।

82. (A): विश्लेषण निष्कर्ष निकालने में मदद करता है। यह परिणामों को समझाता है और निर्णय का समर्थन करता है।

83. (C): मात्रात्मक डेटा (Quantitative Data) सांख्यिकीय विधियों का उपयोग करता है। इसमें संख्याएँ शामिल हैं और यह मापनीय है।

84. (D): व्याख्या परिणामों को स्पष्ट करती है। यह अर्थ देती है और अंतिम चरण है।

85. (A): डेटा विश्लेषण पैटर्न की पहचान करता है। यह संबंध दिखाता है और समझ में मदद करता है।

86. (C): गुणात्मक डेटा (Qualitative Data) विश्लेषण में कोडिंग का उपयोग होता है। यह डेटा को व्यवस्थित करता है और व्याख्या में मदद करता है।

87. (C): सांख्यिकीय सॉफ्टवेयर (Statistical Software) सॉफ्टवेयर डेटा का विश्लेषण करता है। यह संख्याओं को संसाधित करता है और परिणाम देता है।

88. (A): औसत (Mean) औसत मूल्य, माध्यिका (Median) मध्य मान, बहुलक (Mode) सबसे अधिक बार आने वाला मान, सीमा (Range) मानों का अंतर है।

अतः सही मिलान A-4, B-1, C-2, D-3 है।

89. (B): विश्लेषण आवश्यक है। यह अर्थ प्रदान करता है और महत्वपूर्ण है। दूसरा कथन गलत है।

अतः I सही है, II गलत है।

90. (A): ग्राफ डेटा प्रस्तुत करते हैं। यह समझ को सरल बनाता है और रुझान दिखाता है।

91. (C): सांख्यिकी डेटा एकत्रित, विश्लेषण और व्याख्या करने का विज्ञान है।

92. (A): सांख्यिकी डेटा का सारांश देती है। यह जानकारी सरल बनाती है और समझ में मदद करता है।

93. (C): औसत केंद्रीय प्रवृत्ति है। यह औसत दिखाता है और डेटा का प्रतिनिधित्व करता है।

94. (D): औसत कुल मानों के योग को अवलोकनों की संख्या से विभाजित करके निकाला जाता है। यह सामान्य है और आम तौर पर उपयोगी है।

95. (C): बहुलक सबसे अधिक बार आने वाला मान है। यह आवृत्ति दिखाता है और उपयोगी है।

96. (A): माध्यिका (Median) मध्य मान है। यह डेटा को विभाजित करती है और स्थिर है।

97. (C): सीमा अंतर दिखाती है। यह फैलाव (Spread) मापती है और सरल है।

98. (C): मानक विचलन (Standard Deviation) प्रसार मापता है। यह विविधता (Variability) दिखाता है और महत्वपूर्ण है।

99. (A): मानक विचलन फैलाव दिखाता है। यह विविधता को संकेत करता है और उपयोगी है।

100. (D): औसत डेटा का सामान्य मान है। यह व्यापक रूप से उपयोग किया जाता है और डेटा का सारांश देता है।

101. (D): हिस्टोग्राम डेटा को ग्राफिक रूप में दिखाता है। यह दृश्य है और विश्लेषण में मदद करता है।

102. (A): आवृत्ति वितरण (Frequency Distribution) यह दिखाता है कि मान कितनी बार आते हैं। यह मूलभूत है और मानों की गिनती करता है।

103. (C): डेटा को मात्रात्मक और गुणात्मक प्रकारों में वर्गीकृत किया जा सकता है। यह संख्यात्मक है और मापनीय है।

104. (A): पाई चार्ट (Pie Chart) डेटा के अनुपात दिखाता है। यह वृत्तीय है और सरल है।

105. (C): माध्यिका चरम मानों से प्रभावित नहीं होती। यह स्थिर है और उपयोगी है।

106. (A): विचरण (Variance) मानक विचलन (SD) का वर्ग है। यह फैलाव मापता है और महत्वपूर्ण है।

107. (C): क्रमबद्ध डेटा (Ordered Data) को क्रमांक श्रेणी कहा जाता है। यह रैंक दिखाता है और क्रम को दर्शाता है।

108. (A): बार चार्ट (Bar Diagram) विभिन्न श्रेणियों की तुलना करता है। यह दृश्य है और सरल है।

109. (D): रेखा ग्राफ समय के साथ रुझान दिखाता है। यह समय परिवर्तन को दिखाता है और उपयोगी है।

110. (D): सीमा फैलाव मापती है। यह सरल है और परिवर्तन दिखाती है।

111. (A): सांख्यिकी (Statistics) निर्णय लेने में मदद करती है। यह विश्लेषण का समर्थन करती है और उपयोगी है।

112. (A): डेटा सेट एक समूह है। इसमें मान शामिल हैं और इसका विश्लेषण किया जाता है।

113. (A): हिस्टोग्राम निरंतर डेटा का ग्राफिकल प्रतिनिधित्व करता है। यह उपयोगी है।

114. (C): डेटा प्रकारों में गुणात्मक शामिल है। यह वर्णनात्मक है और गैर-संख्यात्मक है।

115. (A): ग्राफ डेटा को समझने में सरल बनाते हैं। यह समझ में सुधार करता है और पैटर्न दिखाता है।

116. (D): माध्यिका मध्य मान है। यह डेटा को विभाजित करती है और स्थिर है।

117. (A): सांख्यिकी अनुसंधान और स्वास्थ्य देखभाल में व्यापक रूप से उपयोग होती है। यह अनुसंधान में मदद करती है और देखभाल में सुधार करती है।

118. (D): मानक विचलन (Standard Deviation) फैलाव मापता है। यह विविधता दिखाता है और महत्वपूर्ण है।

119. (D): आवृत्ति यह दिखाती है कि मान कितनी बार आते हैं। यह मूलभूत है।

120. (A): माध्य (Mean) औसत, माध्यिका (Median) मध्य मान, बहुलक (Mode) सबसे अधिक बार, सीमा (Range) अंतर से मेल खाता है।

अतः सही मिलान A-4, B-2, C-1, D-3 है।

121. (C): अनुसंधान उपयोग (Research Utilization) निष्कर्षों को नैदानिक अभ्यास में लागू करता है। यह देखभाल में सुधार करता है।

122. (A): अनुसंधान उपयोग परिणामों में सुधार करता है। यह गुणवत्ता सुनिश्चित करता है और प्रमाण आधारित (Evidence-Based) है।

123. (C): प्रमाण-आधारित अभ्यास (Evidence-Based Practice) सर्वोत्तम प्रमाण और नैदानिक विशेषज्ञता पर आधारित है। यह निर्णय सुधारता है और देखभाल गुणवत्ता सुनिश्चित करता है।

124. (D): अनुसंधान उपयोग देखभाल सुधारता है। यह त्रुटियों को कम करता है और परिणाम बढ़ाता है।

125. (A): नर्सों को अनुसंधान निष्कर्षों को लागू करना चाहिए। यह अभ्यास सुधारता है और देखभाल का समर्थन करता है।

126. (D): समय की कमी अनुसंधान उपयोग में बाधा है। यह क्रियान्वयन को सीमित करती है और अभ्यास को प्रभावित करती है।

127. (C): प्रमाण-आधारित अभ्यास अनुसंधान निष्कर्षों का उपयोग करता है। यह निर्णय सुधारता है और गुणवत्ता सुनिश्चित करता है।

128. (A): अनुसंधान उपयोग क्रियान्वयन, प्रमाण सर्वोत्तम अभ्यास, नैदानिक देखभाल, ज्ञान जानकारी से मेल खाता है।

अतः सही मिलान A-1, B-2, C-3, D-4 है।

129. (B): अनुसंधान देखभाल सुधारता है। इसे प्रयोग में लाना चाहिए। दूसरा कथन गलत है।

अतः I सही है, II गलत है।

130. (A): निरंतर अनुसंधान नर्सिंग ज्ञान को अपडेट करता है। यह अभ्यास सुधारता है और देखभाल में सुधार करता है।

15. मिडवाइफरी और ऑब्स्टेट्रिकल नर्सिंग (Midwifery & Obstetrical Nursing)

1. प्रसवपूर्व देखभाल (Antenatal care) उस महिला को दी जाने वाली देखभाल को कहते हैं जो .... अवधि में है।

A. बचपन (Childhood)
B. प्रसवोत्तर (Postnatal)
C. गर्भावस्था (Pregnancy)
D. नवजात (Neonatal)

2. प्रसवपूर्व देखभाल जटिलताओं (Complications) का जल्दी पता लगाने में मदद करती है।

A. सही (True)
B. गलत (False)
C. केवल प्रसव के बाद (Only after delivery)
D. केवल अस्पताल में (Only in hospital)

3. गर्भावस्था का एक संकेत कौन सा है?

A. बुखार (Fever)
B. सिरदर्द (Headache)
C. मासिक धर्म का रुकना (Amenorrhea)
D. दर्द (Pain)

4. गर्भावस्था की औसत अवधि लगभग .... है।

A. 30 सप्ताह (30 weeks)
B. 35 सप्ताह (35 weeks)
C. 45 सप्ताह (45 weeks)
D. 40 सप्ताह (40 weeks)

5. प्रसवपूर्व देखभाल की पहली यात्रा .... तिमाही में होनी चाहिए।

A. पहली (First) B. दूसरी (Second)
C. तीसरी (Third) D. अंतिम (Last)

6. नियमित प्रसवपूर्व जांच (Check-ups) मातृ और भ्रूण स्वास्थ्य के लिए महत्वपूर्ण हैं।

A. सही
B. गलत
C. केवल भ्रूण (Only fetus)
D. केवल माँ (Only mother)

7. अनुमानित प्रसव तिथि की गणना .... सूत्र का उपयोग करके की जाती है।

A. सिम्पसन (Simpson)
B. नैएगले (Naegele's)
C. बॉयल (Boyle's)
D. न्यूटन (Newton's)

8. गर्भावस्था का संभावित संकेत कौन सा है?

A. उल्टी (Vomiting)
B. मतली (Nausea)
C. सकारात्मक गर्भ परीक्षण (Positive pregnancy test)
D. मासिक धर्म का रुकना (Amenorrhea)

9. गर्भावस्था में सामान्य हीमोग्लोबिन स्तर .... g/dl से अधिक होना चाहिए।

A. 8 B. 9
C. 10 D. 11

10. गर्भावस्था के दौरान खतरे (Danger) का संकेत कौन सा है?

A. हल्की मतली (Mild nausea)
B. वजन बढ़ना (Weight gain)
C. सामान्य रक्तचाप (Normal BP)
D. योनि रक्तस्राव (Vaginal bleeding)

11. गर्भावस्था के दौरान आयरन और फोलिक एसिड (Iron and Folic Acid) सप्लीमेंट दिए जाते हैं।

A. सही

B. गलत

C. केवल प्रसव के बाद (Only after delivery)

D. केवल एनीमिया में (Only anemia)

12. भ्रूण की गतिविधियों की संख्या जिसे माँ महसूस करती है, उसे .... कहते हैं।

A. प्रसव (Labor) B. त्वरित गति (Quickening)

C. प्रसव (Delivery) D. संकुचन (Contraction)

13. प्रसवपूर्व देखभाल का एक घटक कौन सा है?

A. शल्य चिकित्सा (Surgery)

B. परामर्श (Counseling)

C. परीक्षण (Examination)

D. उपरोक्त सभी

14. गर्भावस्था में एनीमिया रोकने के लिए कौन सा पोषक तत्व आवश्यक है?

A. कैल्शियम B. प्रोटीन

C. आयरन D. विटामिन D

15. टेटनस टॉक्सॉइड (Tetanus Toxoid) टीका .... अवधि में दिया जाता है।

A. बचपन (Childhood)

B. गर्भावस्था (Pregnancy)

C. किशोरावस्था (Adolescence)

D. वृद्धावस्था (Old age)

16. भ्रूण के विकास की निगरानी के लिए किसका उपयोग किया जाता है?

A. रक्तचाप (BP)

B. पल्स (Pulse)

C. वजन (Weight)

D. फंडल ऊंचाई (Fundal height)

17. गर्भावस्था के दौरान रक्तचाप की निगरानी महत्वपूर्ण है।

A. सही

B. गलत

C. केवल प्रसव के बाद (Only after delivery)

D. केवल प्रसव के समय (Only labor)

18. गर्भावस्था के दौरान रक्त की मात्रा लगभग .... प्रतिशत बढ़ जाती है।

A. 10 B. 20

C. 30 D. 50

19. गर्भावस्था का एक मामूली विकार कौन-सा है?

A. रक्तस्राव (Hemorrhage)

B. ईक्लेम्पसिया (Eclampsia)

C. मतली (Nausea)

D. मधुमेह (Diabetes)

20. भ्रूण की भलाई का संकेत कौन-सा है?

A. कोई गतिविधि नहीं (No movement)

B. रक्तस्राव (Bleeding)

C. सक्रिय गतिविधियाँ (Active movements)

D. दर्द (Pain)

21. गर्भावस्था के दौरान संतुलित आहार आवश्यक है।

A. सही B. गलत

C. केवल प्रोटीन D. केवल वसा

22. गर्भावस्था के दौरान सामान्य वजन वृद्धि लगभग .... किग्रा है।

A. 4-6 B. 6-8

C. 8-10 D. 10-12

23. गर्भावस्था की निम्नलिखित में से कौन सी जटिलता है?

A. उल्टी B. थकान

C. पीठ दर्द D. उच्च रक्तचाप

24. प्रसवपूर्व दौरे (Antenatal visits) में मूत्र परीक्षण किया जाता है।

A. सही B. गलत

C. केवल रक्त परीक्षण D. केवल स्कैन

25. गर्भाशय में भ्रूण की स्थिति को .... कहा जाता है।

A. ले (Lie) B. दृष्टिकोण (Attitude)

C. स्थिति (Position) D. प्रस्तुति (Presentation)

26. गर्भावस्था के दौरान निम्नलिखित में से कौन सी महत्वपूर्ण सलाह है?

A. धूम्रपान B. शराब

C. संतुलित आहार D. तनाव

27. गर्भावस्था में निम्नलिखित में से कौन सा जोखिम कारक है?

A. कम आयु B. पोषण

C. उच्च आयु D. व्यायाम

28. प्रसवपूर्व शिक्षा माता को प्रसव के लिए तैयार करती है।

A. सही B. गलत

C. केवल जन्म के बाद D. केवल अस्पताल में

29. गर्भावस्था का खतरे का संकेत निम्नलिखित में से कौन सा है?

A. हल्का सिरदर्द B. सामान्य सूजन

C. वजन बढ़ना D. गंभीर सिरदर्द

30. प्रसवपूर्व देखभाल के घटकों को उनके उद्देश्यों के साथ मिलाएँ।

कॉलम-I	कॉलम-II
A. आयरन टैबलेट	1. एनीमिया रोकना
B. TT वैक्सीन	2. भ्रूण विकास का पता लगाना
C. अल्ट्रासाउंड	3. टेटनस रोकना
D. BP जांच	4. उच्च रक्तचाप का पता लगाना

A. A-1, B-3, C-2, D-4
B. A-3, B-1, C-4, D-2
C. A-2, B-4, C-1, D-3
D. A-4, B-2, C-3, D-1

31. निषेचन (Fertilization) तब होता है जब शुक्राणु फालोपियन ट्यूब में .... से मिलता है।

A. भ्रूण (Embryo)
B. भ्रूण (Fetus)
C. अंडाणु (Ovum)
D. प्लेसेंटा (Placenta)

32. गर्भावस्था तीन तिमाहियों (Trimesters) में विभाजित होती है।

A. सही B. गलत
C. केवल दो D. केवल चार

33. गर्भावस्था बनाए रखने वाला हार्मोन कौन सा है?

A. एस्ट्रोजेन (Estrogen)
B. प्रोजेस्टेरोन (Progesterone)
C. प्रोजेस्टेरोन (Progesterone)
D. ऑक्सीटोसिन (Oxytocin)

34. पहली तिमाही (First trimester) गर्भावस्था के .... सप्ताह तक रहती है।

A. 8 सप्ताह B. 10 सप्ताह
C. 16 सप्ताह D. 12 सप्ताह

35. वह अंग जो माँ और भ्रूण को जोड़ता है, उसे .... कहते हैं।

A. गर्भाशय (Uterus) B. प्लेसेंटा (Placenta)
C. M cord D. भ्रूण (Embryo)

36. प्लेसेंटा पोषक तत्व और अपशिष्ट के आदान-प्रदान में मदद करता है।

A. सही B. गलत
C. केवल ऑक्सीजन D. केवल रक्त

37. गर्भाशय में 8 सप्ताह के बाद विकसित होने वाले बच्चे को .... कहा जाता है।

A. नवजात
B. जाइगोट (Zygote)
C. भ्रूण (Fetus)
D. अंडाणु (Ovum)

38. गर्भाशय संकुचन के लिए जिम्मेदार हार्मोन कौन सा है?

A. एस्ट्रोजेन (Estrogen)
B. प्रोजेस्टेरोन (Progesterone)
C. ऑक्सीटोसिन (Oxytocin)
D. HCG

39. गर्भावस्था बढ़ने के साथ फंडल ऊंचाई बढ़ती है।

A. सही B. गलत
C. केवल प्रारंभिक D. केवल अंतिम

40. निषेचित अंडाणु गर्भाशय के .... में प्रत्यारोपित होता है।

A. गर्भाशय ग्रीवा (Cervix)
B. फंडस (Fundus)
C. एंडोमेट्रियम (Endometrium)
D. योनि (Vagina)

41. क्विकनिंग (Quickening) सामान्यतः गर्भावस्था के .... सप्ताह में महसूस होती है।

A. 10 सप्ताह B. 12 सप्ताह
C. 25 सप्ताह D. 18–20 सप्ताह

42. गर्भावस्था में निम्नलिखित में से कौन सा शारीरिक परिवर्तन (Physiological change) है?

A. रक्त मात्रा में कमी
B. उच्च रक्तचाप
C. रक्त मात्रा में वृद्धि
D. वजन में कमी

43. स्तनों (Breast) में बदलाव गर्भावस्था के दौरान दूध उत्पादन (Lactation) के लिए होता है।

A. सही B. गलत
C. केवल जन्म के बाद D. केवल रोग

44. भ्रूण की धड़कन (Fetal heartbeat) लगभग .... सप्ताह में सुनी जा सकती है।

A. 6 B. 10
C. 20 D. 12

45. निम्नलिखित में से कौन सा गर्भावस्था का संभावित संकेत (Probable sign) है?

A. मतली (Nausea)
B. मासिक धर्म का रुकना (Amenorrhea)
C. भ्रूण की धड़कन (Fetal heartbeat)
D. थकान (Fatigue)

46. वजन बढ़ना गर्भावस्था के दौरान सामान्य परिवर्तन है।

A. सही B. गलत
C. केवल असामान्य D. केवल रोग

47. निषेचन (Fertilization) के बाद कोशिका विभाजन (Cell division) की प्रक्रिया को .... कहा जाता है।

A. वृद्धि (Growth)
B. क्लिवेज (Cleavage)
C. विकास (Development)
D. प्रत्यारोपण (Implantation)

48. एम्नियोटिक द्रव (Amniotic fluid) का एक महत्वपूर्ण कार्य निम्नलिखित में से कौन सा है?

A. केवल पोषण (Nutrition only)
B. केवल सुरक्षा (Protection only)
C. ऑक्सीजन आपूर्ति (Oxygen supply)
D. भ्रूण की सुरक्षा (Protection of fetus)

49. गर्भावस्था की शर्तों को उनके अर्थ के साथ मिलाएँ।

कॉलम-I	कॉलम-II
A. जाइगोट	1. 8 सप्ताह के बाद
B. भ्रूण (Embryo)	2. निषेचित अंडाणु
C. भ्रूण (Fetus)	3. 8 सप्ताह से पहले
D. प्लेसेंटा	4. आदान-प्रदान अंग

A. A-2, B-3, C-1, D-4
B. A-3, B-2, C-4, D-1
C. A-1, B-4, C-2, D-3
D. A-4, B-1, C-3, D-2

50. **कथन I:** गर्भावस्था में शारीरिक परिवर्तन होते हैं।
कथन II: गर्भावस्था का शरीर की प्रणाली पर कोई प्रभाव नहीं होता।

A. दोनों कथन सही B. I सही, II गलत
C. दोनों कथन गलत D. I गलत, II सही

51. प्रसव की प्रक्रिया को .... कहा जाता है।

A. गर्भावस्था (Pregnancy)
B. प्रसव (Labor)
C. प्रसूति (Delivery)
D. निषेचन (Conception)

52. प्रसव तीन चरणों में विभाजित होता है।

A. सही B. गलत
C. केवल दो D. केवल चार

53. 24वें सप्ताह के अंत तक गर्भ में निम्न में से किसकी उपस्थिति पाई जाती है?

A. केवल बाह्य जननांग तथा शरीर पर रोंए
B. शरीर पर रोंए तथा पृथक पलकों के साथ पक्ष्म
C. पूर्णतया विकसित अंग तंत्र
D. अंग तथा अँगुलियाँ

54. प्रसव का पहला चरण .... की शुरुआत से शुरू होता है।

A. उत्सर्जन (Expulsion)
B. प्लेसेंटा (Placenta)
C. पुनर्प्राप्ति (Recovery)
D. प्रसरण (Dilation)

55. प्रसव के दौरान गर्भाशय ग्रीवा (Cervix) का खुलना .... कहलाता है।

A. पतला होना (Effacement)
B. फैलाव (Dilation)
C. संकुचन (Contraction)
D. प्रसूति (Delivery)

56. गर्भाशय ग्रीवा का फैलाव सेंटीमीटर में मापा जाता है।

A. सही B. गलत
C. केवल मिलीमीटर D. केवल इंच

57. पूरा फैलाव होने से लेकर बच्चे के जन्म तक का चरण .... कहलाता है।

A. पहला B. दूसरा
C. तीसरा D. चौथा

58. प्रसव का कौन सा चरण प्लेसेंटा के प्रसव में शामिल है?

A. पहला B. दूसरा
C. तीसरा D. चौथा

59. नियमित गर्भाशय संकुचन बच्चे के .... में मदद करता है।

A. विकास (Growth)
B. उतराई (Descent)
C. घूर्णन (Rotation)
D. प्रसूति (Delivery)

60. प्राइमिग्राविडा में पहले चरण की सामान्य अवधि लगभग .... होती है।

A. 6 घंटे B. 8 घंटे
C. 10 घंटे D. 12 घंटे

61. प्रसव के दौरान भ्रूण की धड़कन (Fetal heart rate) की निगरानी महत्वपूर्ण है।

A. सही B. गलत
C. केवल प्रसव के बाद D. केवल प्रसव से पहले

62. जन्म के दौरान भ्रूण का पहला भाग जिससे निकलता है, उसे .... कहा जाता है।

A. ले (Lie)
B. स्थिति (Position)
C. प्रस्तुति (Presentation)
D. दृष्टिकोण (Attitude)

63. निम्नलिखित में से सामान्य प्रस्तुति (Normal presentation) कौन-सी है?

A. नितंब प्रस्तुति (Breech)
B. कंधा (Shoulder)
C. सिर प्रस्तुति (Cephalic)
D. चेहरा (Face)

64. प्रसव के दौरान दर्द गर्भाशय के संकुचन (Uterine contractions) के कारण होता है।

A. सही B. गलत
C. केवल भ्रूण D. केवल मां

65. प्रसव के दौरान गर्भाशय ग्रीवा (Cervix) का फैलाव .... उत्पन्न करता है।

A. शिथिलता (Relaxation)
B. दर्द (Pain)
C. वृद्धि (Growth)
D. विस्तार (Expansion)

66. निम्नलिखित में से कौन सा वास्तविक प्रसव (True labor) का संकेत है?

A. अनियमित दर्द (Irregular pain)
B. कोई फैलाव नहीं (No dilation)
C. झूठा दर्द (False pain)
D. नियमित संकुचन (Regular contractions)

67. झूठे प्रसव के दर्द से ग्रीवा का फैलाव नहीं होता।

A. सही B. गलत
C. केवल पहले चरण में D. केवल दूसरे चरण में

68. निम्नलिखित में से गर्भवती महिलाओं में मंद रक्ताल्पता (mild anaemia) के उपचार के लिए आयरन की अनुशंसित खुराक क्या है?

A. 50 दिनों में 100 गोलियाँ (tablets)
B. 100 दिनों में 100 गोलियाँ (tablets)
C. 100 दिनों में 200 गोलियाँ (tablets)
D. 200 दिनों में 200 गोलियाँ (tablets)

69. प्रसव का दूसरा चरण बच्चे के जन्म के साथ समाप्त होता है।

A. सही B. गलत
C. केवल प्लेसेंटा D. केवल फैलाव

70. निम्नलिखित में से कौन सा प्रसव का संकेत (Sign of labor) है?

A. कोई दर्द नहीं (No pain)
B. कोई संकुचन नहीं (No contraction)
C. ग्रीवा का फैलाव (Cervical dilation)
D. कोई गति नहीं (No movement)

71. झिल्ली का फटना (Bag of membranes rupturing) को .... कहा जाता है।

A. रक्तस्राव (Bleeding)
B. जल-भंग (Water break)
C. फटना (Rupture)
D. स्राव (Discharge)

72. एम्नियोटिक द्रव (Amniotic fluid) प्रसव के दौरान भ्रूण की सुरक्षा करता है।

A. सही
B. गलत
C. केवल प्रसव से पहले
D. केवल प्रसव के बाद

73. प्रसव के दौरान निम्नलिखित में से कौन सी जटिलता होती है?

A. सामान्य दर्द (Normal pain)
B. नियमित संकुचन (Regular contractions)
C. हल्की असुविधा (Mild discomfort)
D. लम्बा प्रसव (Prolonged labor)

74. एपिसियोटॉमी (Episiotomy) प्रसव के दौरान किया गया एक चीरा है।

A. सही B. गलत
C. केवल सर्जरी D. केवल प्लेसेंटा

75. संकुचन के बीच का समय .... कहलाता है।

A. अंतराल (Interval) B. अवधि (Duration)
C. तीव्रता (Intensity) D. आवृत्ति (Frequency)

76. प्रसव के दौरान संकुचन की आवृत्ति बढ़ती है।

A. सही B. गलत
C. केवल शुरू में D. केवल अंत में

77. प्रसव की प्रगति की निगरानी में निम्नलिखित में से कौन मदद करता है?

A. एक्स-रे (X-ray)
B. एमआरआई (MRI)
C. पार्टोग्राफ (Partograph)
D. सीटी स्कैन (CT scan)

78. प्रसव के दौरान भ्रूण की उतराई होती है।

A. सही B. गलत
C. केवल पहले D. केवल बाद में

79. प्रसव में गर्भाशय का कौन सा कार्य होता है?

A. पोषण (Nutrition)
B. सुरक्षा (Protection)
C. संकुचन (Contraction)
D. श्वसन (Respiration)

80. प्रसव के चरणों को उनके घटनाओं के साथ मिलाएँ।

कॉलम-I	**कॉलम-II**
A. पहला चरण	1. प्लेसेंटा का प्रसव
B. दूसरा चरण	2. शिशु का जन्म
C. तीसरा चरण	3. ग्रीवा का फैलाव
D. चौथा चरण	4. पुनर्प्राप्ति

A. A-3, B-2, C-1, D-4
B. A-2, B-1, C-4, D-3
C. A-1, B-4, C-3, D-2
D. A-4, B-3, C-2, D-1

81. **कथन I:** वास्तविक प्रसव (True labor) से ग्रीवा फैलती है।
कथन II: झूठा प्रसव (False labor) से ग्रीवा फैलती है।
A. दोनों कथन सही हैं B. I सही है, II गलत है
C. दोनों कथन गलत हैं D. I गलत है, II सही है

82. भ्रूण संकट (Fetal distress) का संकेत कौन सा है?
A. सामान्य हृदय गति B. नियमित संकुचन
C. गति (Movement) D. असामान्य हृदय गति

83. भ्रूण की धड़कन सुनने के लिए उपयोग होने वाला उपकरण है ....।
A. स्टेथोस्कोप (Stethoscope)
B. फेटोस्कोप (Fetoscope)
C. डॉपलर (Doppler)
D. मॉनिटर (Monitor)

84. प्रसव का सक्रिय प्रबंधन (Active management) जटिलताओं को कम करता है।
A. सही B. गलत
C. केवल दवा D. केवल सर्जरी

85. प्रसव का अंत प्लेसेंटा (Placenta) के जन्म के साथ होता है।
A. सही B. गलत
C. केवल शिशु D. केवल ग्रीवा

86. प्रसवोत्तर अवधि (Postnatal period) उस समय को कहते हैं जो .... के बाद होता है।
A. गर्भावस्था (Pregnancy)
B. प्रसव (Labor)
C. डिलीवरी (Delivery)
D. निषेचन (Conception)

87. प्रसवोत्तर अवधि डिलीवरी के बाद लगभग 6 सप्ताह तक रहती है।
A. सही B. गलत
C. केवल 2 सप्ताह D. केवल 10 सप्ताह

88. दूध उत्पादन (Milk production) के लिए जिम्मेदार हार्मोन कौन सा है?
A. एस्ट्रोजेन (Estrogen)
B. प्रोजेस्टेरोन (Progesterone)
C. प्रोलैक्टिन (Prolactin)
D. ऑक्सीटोसिन (Oxytocin)

89. निम्नलिखित में से कौन सी महत्वपूर्ण प्रसवोत्तर देखभाल गतिविधि है?
A. मां की अनदेखी करना
B. कोई जांच नहीं
C. केवल आराम
D. जीवन संकेतों की निगरानी (Monitoring vitals)

90. डिलीवरी के बाद बनने वाला पहला दूध (First milk) क्या कहलाता है?
A. कॉलोस्ट्रम (Colostrum)
B. दूध (Milk)
C. स्राव (Secretion)
D. द्रव (Fluid)

91. जन्म के एक घंटे के भीतर स्तनपान शुरू करना चाहिए।
A. सही
B. गलत
C. केवल 1 दिन बाद
D. केवल डिस्चार्ज के बाद

92. गर्भाशय सामान्य आकार में लौटता है, इसे .... कहते हैं।
A. इवोल्यूशन (Evolution)
B. इनवोल्यूशन (Involution)
C. संकुचन (Contraction)
D. प्रत्यावर्तन (Regression)

93. प्रसवोत्तर संक्रमण (Postnatal infection) का संकेत कौन सा है?
A. सामान्य तापमान B. अच्छा भूख
C. बुखार (Fever) D. नींद

94. लोचिया (Lochia) डिलीवरी के बाद योनि से स्राव है।
A. सही B. गलत
C. केवल रक्त D. केवल म्यूकस

95. प्रसवोत्तर अवधि में निम्नलिखित में से कौन सी जटिलता हो सकती है?
A. स्तनपान B. आराम
C. व्यायाम D. रक्तस्राव

96. प्रसवोत्तर व्यायाम (Postnatal exercises) मां की पुनर्प्राप्ति में मदद करता है।

A. सही B. गलत
C. केवल शिशु D. केवल डॉक्टर

97. डिलीवरी के बाद भावनात्मक बदलाव को .... कहा जाता है।

A. डिप्रेशन (Depression)
B. बेबी ब्लूज (Baby blues)
C. चिंता (Anxiety)
D. तनाव (Stress)

98. प्रसवोत्तर शब्दों को उनके अर्थों के साथ मिलाएँ।

कॉलम-I	**कॉलम-II**
A. लोचिया	1. दूध उत्पादन
B. कॉलोस्ट्रम	2. योनि से स्राव
C. इनवोल्यूशन	3. गर्भाशय सिकुड़ना
D. स्तनपान	4. पहला दूध

A. A-2, B-4, C-3, D-1
B. A-3, B-2, C-1, D-4
C. A-1, B-3, C-4, D-2
D. A-4, B-1, C-2, D-3

99. प्रसवोत्तर अवधि में संतुलित आहार आवश्यक है।

A. सही B. गलत
C. केवल शिशु D. केवल दूध

100. स्तनपान कराने वाली माताओं के लिए कौन सा पोषक तत्व महत्वपूर्ण है?

A. वसा (Fat) B. शुगर (Sugar)
C. प्रोटीन (Protein) D. नमक (Salt)

101. **कथन I:** स्तनपान मां-बच्चे के बंधन को मजबूत करता है।
कथन II: स्तनपान का शिशु पर कोई लाभ नहीं है।

A. दोनों कथन सही हैं B. I सही है, II गलत है
C. दोनों कथन गलत हैं D. I गलत है, II सही है

102. प्रसवोत्तर अवधि में संक्रमण को रोकने में निम्नलिखित में से कौन मदद करता है?

A. खराब स्वच्छता B. कोई देखभाल नहीं
C. घाव की अनदेखी D. स्वच्छता

103. देखभाल की प्रथाओं को उनके उद्देश्य के साथ मिलाएँ।

कॉलम-I	**कॉलम-II**
A. स्तनपान	1. संक्रमण रोकना
B. स्वच्छता	2. ताकत की पुनर्प्राप्ति
C. पोषण	3. शिशु को भोजन
D. व्यायाम	4. ऊर्जा आपूर्ति

A. A-3, B-1, C-4, D-2
B. A-1, B-2, C-3, D-4
C. A-2, B-4, C-1, D-3
D. A-4, B-3, C-2, D-1

104. लोचिया का सामान्य रंग समय के साथ लाल से .... में बदलता है।

A. सफेद B. पीला
C. गुलाबी D. हरा

105. **कथन I:** प्रसवोत्तर देखभाल मां और शिशु के लिए आवश्यक है।
कथन II: डिलीवरी के बाद प्रसवोत्तर देखभाल की आवश्यकता नहीं है।

A. दोनों कथन सही हैं B. I सही है, II गलत है
C. दोनों कथन गलत हैं D. I गलत है, II सही है

106. नवजात शिशु को क्या कहते हैं?

A. शिशु (Infant)
B. बच्चा (Child)
C. नवजात (Neonate)
D. भ्रूण (Fetus)

107. नवजात अवधि जन्म के बाद 28 दिनों तक रहती है।

A. सही B. गलत
C. केवल 7 दिन D. केवल 1 वर्ष

108. नवजात का सामान्य जन्म वजन कितना है?

A. 1 किग्रा B. 1.5 किग्रा
C. 2.5–3.5 किग्रा D. 5 किग्रा

109. नवजात की पहली सांस जीवित रहने के लिए .... है।

A. केवल कुछ घंटों बाद
B. आवश्यक नहीं
C. वैकल्पिक
D. आवश्यक

110. जन्म के तुरंत बाद नवजात का मूल्यांकन करने की प्रक्रिया को .... स्कोर कहते हैं।

A. एपीगर (APGAR) B. सिल्वरमैन (Silverman)
C. बल्लार्ड (Ballard) D. बिशप (Bishop)

111. नवजात की सामान्य श्वसन दर 40–60 प्रति मिनट होती है।

A. सही B. गलत
C. केवल 20 D. केवल 80

112. निम्नलिखित में से कौन नवजात के शरीर का तापमान बनाए रखने में मदद करता है?

A. ठंडी स्थिति B. गीली त्वचा
C. गर्म वातावरण D. बिना कपड़े

113. नाल (Umbilical cord) को कब काटा और बाँधा जाता है?

A. डिलीवरी के बाद B. रोने के बाद
C. जन्म के समय D. भोजन के बाद

114. नवजात को संक्रमण से बचाने के लिए क्या दिया जाता है?

A. एंटीबायोटिक B. बाद में वैक्सीन
C. कुछ नहीं D. विटामिन K

115. प्रारंभिक स्तनपान नवजात को रोग प्रतिरोधक क्षमता प्रदान करता है।

A. सही B. गलत
C. केवल दूध D. केवल भोजन

116. नवजात में त्वचा का पीला रंग (Yellow discoloration) किसे कहते हैं?

A. साइनोसिस (Cyanosis)
B. पीलिया (Jaundice)
C. एनीमिया (Anemia)
D. पल्लोर (Pallor)

117. जन्म के तुरंत बाद नवजात को गर्म रखा जाना चाहिए।

A. सही B. गलत
C. केवल बाद में D. केवल दिन में

118. नवजात में निम्नलिखित में से कौन सा रिफ्लेक्स होता है?

A. चलना (Walking)
B. दौड़ना (Running)
C. मोरो रिफ्लेक्स (Moro reflex)
D. बोलना (Speaking)

119. नाल का डंठल 7–10 दिनों में गिर जाता है।

A. सही B. गलत
C. केवल 1 दिन D. केवल 20 दिन

120. नवजात की आवश्यक देखभाल में निम्नलिखित में से कौन शामिल है?

A. ठंडा स्नान (Cold bath)
B. कोई भोजन नहीं (No feeding)
C. देखभाल में देरी (Delay care)
D. नाल की स्वच्छ देखभाल (Clean cord care)

121. नवजात का शरीर का तापमान .... बनाए रखना चाहिए।

A. 30°C B. 34°C
C. 36.5–37.5°C D. 40°C

122. कंगारू मदर केयर (Kangaroo mother care) गर्मी बनाए रखने में मदद करता है।

A. सही B. गलत
C. केवल भोजन D. केवल आराम

123. स्वस्थ नवजात का संकेत निम्नलिखित में से कौन सा है?

A. कमजोर रोना B. खराब स्तनपान
C. सक्रिय गतिविधि D. साइनोसिस (नीला रंग)

124. टीकाकरण जन्म के तुरंत बाद शुरू होता है।

A. सही B. गलत
C. केवल बाद में D. केवल स्कूल में

125. जन्म के समय निम्नलिखित में से क्या दिया जाता है?

A. बाद में OPV B. खसरा (Measles)
C. BCG D. कुछ नहीं

126. नवजात रिफ्लेक्स को उनके अर्थ के साथ मिलाएँ।

कॉलम-I	**कॉलम-II**
A. मोरो रिफ्लेक्स	1. निप्पल की तलाश
B. रूटिंग रिफ्लेक्स	2. वस्तुएँ पकड़ना
C. सकिंग रिफ्लेक्स	3. अचानक प्रतिक्रिया
D. ग्रास्प रिफ्लेक्स	4. भोजन क्रिया

A. A-3, B-1, C-4, D-2
B. A-1, B-2, C-3, D-4
C. A-2, B-3, C-1, D-4
D. A-4, B-3, C-2, D-1

127. नवजात का पहला मल (stool) क्या कहलाता है?

A. मूत्र (Urine) B. मल (Stool)
C. मेकोनियम (Meconium) D. मल (Feces)

128. नवजात में निम्नलिखित में से कौन सा खतरे का संकेत है?

A. सक्रिय रोना B. अच्छा स्तनपान
C. सामान्य रंग D. खराब स्तनपान

129. **कथन I:** प्रारंभिक स्तनपान रोग प्रतिरोधक क्षमता बढ़ाता है।
कथन II: कॉलोस्ट्रम का कोई लाभ नहीं है।

A. दोनों कथन सही हैं B. I सही है, II गलत है
C. दोनों कथन गलत हैं D. I गलत है, II सही है

130. उचित नवजात देखभाल नवजात मृत्यु दर को कम करती है।

A. सही B. गलत
C. केवल अस्पताल D. केवल दवाएँ

131. उच्च जोखिम वाली गर्भावस्था वह है जिसमें माँ या शिशु के लिए खतरा बढ़ा हो।

A. परिवार B. डॉक्टर
C. माँ D. समाज

132. उच्च जोखिम वाली गर्भावस्था में विशेष देखभाल और निगरानी आवश्यक है।

A. सही B. गलत
C. केवल डिलीवरी D. केवल शिशु

133. गर्भावस्था का कौन सा कारक जोखिम का संकेत है?

A. कम उम्र B. सामान्य आहार
C. मातृ उच्च आयु D. व्यायाम

134. 18 वर्ष से कम उम्र की गर्भावस्था को उच्च जोखिम माना जाता है।

A. केवल सामान्य B. सुरक्षित
C. औसत D. उच्च जोखिम

135. गर्भवती महिला में .... होने पर जटिलताएँ हो सकती हैं।

A. एनीमिया B. पोषण
C. व्यायाम D. आराम

136. गर्भावस्था में उच्च रक्तचाप जटिलताओं का कारण बन सकता है।

A. सही B. गलत
C. केवल सामान्य D. केवल सुरक्षित

137. उच्च जोखिम वाली गर्भावस्था का कारण बनने वाली चिकित्सा स्थिति कौन सी है?

A. स्वास्थ्य B. फिटनेस
C. मधुमेह (Diabetes) D. व्यायाम

138. प्रीक्लेम्पसिया का संकेत निम्नलिखित में से कौन सा है?

A. कम रक्तचाप B. सामान्य मूत्र
C. सूजन (Edema) D. भूख

139. गर्भावस्था में तीव्र सिरदर्द किसका संकेत हो सकता है?

A. सामान्य B. कमजोरी
C. खतरे (Danger) D. थकान

140. बहुगर्भावस्था जटिलताओं के जोखिम को बढ़ाती है।

A. सही B. गलत
C. केवल एकल D. केवल सामान्य

141. उच्च जोखिम वाली गर्भावस्था की जटिलताओं में से कौन सी है?

A. सामान्य प्रसव
B. अच्छी सेहत
C. संतुलित आहार
D. समय से पहले प्रसव (Preterm labor)

142. गर्भावस्था में प्रीनेटल देखभाल की कमी .... बढ़ाती है।

A. सुरक्षा B. स्वास्थ्य
C. जोखिम (Risk) D. आराम

143. निम्नलिखित में से कौन सा एक जोखिम कारक है?

A. अच्छा पोषण B. व्यायाम
C. धूम्रपान (Smoking) D. नींद

144. गर्भावस्था में एनीमिया भ्रूण के विकास को प्रभावित कर सकता है।

A. सही B. गलत
C. केवल माँ D. केवल प्लेसेंटा

145. गर्भावस्था में मधुमेह की जटिलताओं में से कौन सी है?

A. कम वजन B. विकास न होना
C. बड़ा शिशु D. कमजोरी

146. उच्च रक्तचाप वाली गर्भवती महिला को .... निगरानी की आवश्यकता है।

A. कम B. सामान्य
C. करीबी (Close) D. नहीं

147. गर्भावस्था में निम्नलिखित में से कौन सी स्थिति दौरे (convulsions) का कारण बनती है?

A. एनीमिया
B. मधुमेह
C. एक्लेम्पसिया (Eclampsia)
D. बुखार

148. नियमित प्रीनेटल चेक-अप जटिलताओं का जल्दी पता लगाने में मदद करता है।

A. सही B. गलत
C. केवल बाद में D. केवल प्रसव में

149. गर्भावस्था में रक्तस्राव एक .... संकेत है।

A. सामान्य
B. हल्का
C. खतरे का (Danger)
D. सामान्य दिनचर्या

150. गर्भावस्था में निम्नलिखित में से किसे तुरंत ध्यान देने की आवश्यकता है?

A. हल्की उल्टी
B. नींद
C. आराम
D. गंभीर रक्तस्राव (Severe bleeding)

151. परिस्थितियों को उनके प्रभाव के साथ मिलाएँ।

कॉलम-I	कॉलम-II
A. एनीमिया	1. उच्च रक्त शर्करा
B. उच्च रक्तचाप	2. कम हेमोग्लोबिन
C. मधुमेह	3. उच्च रक्तचाप
D. संक्रमण	4. भ्रूण के लिए जोखिम

A. A-2, B-3, C-1, D-4
B. A-1, B-2, C-3, D-4
C. A-3, B-4, C-2, D-1
D. A-4, B-1, C-3, D-2

152. अच्छा पोषण गर्भावस्था में जटिलताओं को कम करता है।

A. सही
B. गलत
C. केवल बाद में
D. केवल शिशु

153. जटिलताओं का इतिहास रखने वाली महिला को .... देखभाल की आवश्यकता है।

A. सामान्य (Routine)
B. कम
C. विशेष (Special)
D. नहीं

154. गर्भावस्था में निम्नलिखित में से कौन जोखिम बढ़ाता है?

A. संतुलित आहार
B. व्यायाम
C. शराब का सेवन
D. आराम

155. **कथन I:** उच्च जोखिम वाली गर्भावस्था में विशेष देखभाल की आवश्यकता है।

कथन II: सभी गर्भावस्थाओं में समान जोखिम होता है।

A. दोनों कथन सही हैं
B. I सही है, II गलत है
C. दोनों कथन गलत हैं
D. I गलत है, II सही है

156. असामान्य प्रसव को .... प्रसव भी कहा जाता है।

A. सामान्य
B. आसान
C. कठिन (Difficult)
D. सामान्य दिनचर्या

157. असामान्य प्रसव प्रसव की सामान्य प्रक्रिया से विचलित होता है।

A. सही
B. गलत
C. केवल सामान्य
D. केवल दिनचर्या

158. असामान्य प्रसव का कारण निम्नलिखित में से कौन सा है?

A. अच्छा पोषण
B. सामान्य श्रोणि
C. भ्रूण की गलत स्थिति (Malpresentation)
D. व्यायाम

159. लंबित प्रसव असामान्य प्रसव का एक प्रकार है।

A. छोटा प्रसव
B. आसान प्रसव
C. सामान्य प्रसव
D. लंबित प्रसव (Prolonged labor)

160. कमजोर गर्भाशय संकुचन को .... कहा जाता है।

A. हाइपरटोनिक (Hypertonic)
B. हाइपोटोनिक (Hypotonic)
C. सामान्य
D. मजबूत

161. अवरोधित प्रसव भ्रूण के नीचे उतरने में विफलता के कारण होता है।

A. सही
B. गलत
C. केवल प्रारंभिक
D. केवल बाद में

162. असामान्य प्रसव की जटिलताओं में से कौन सी है?

A. सामान्य प्रसव
B. अच्छी सेहत
C. भ्रूण संकट (Fetal distress)
D. सुधार

163. निम्नलिखित में से कौन भ्रूण की गलत स्थिति (Malpresentation) है?

A. सिरवर्ती (Cephalic)
B. शीर्ष (Vertex)
C. पाद (Breech)
D. पछाड़ी (Occipital)

164. अत्यधिक गर्भाशय संकुचन को .... प्रसव कहा जाता है।

A. हाइपोटोनिक
B. सामान्य
C. हाइपरटोनिक
D. कमजोर

165. किस स्थिति में सिजेरियन सेक्शन की आवश्यकता हो सकती है?

A. सामान्य प्रसव
B. अच्छी संकुचन
C. सामान्य प्रस्तुति
D. अवरोधित प्रसव (Obstructed labor)

166. असामान्य प्रसव में भ्रूण संकट हो सकता है।

A. सही
B. गलत
C. केवल सामान्य
D. केवल सुरक्षित

167. प्रसव के प्रकारों को उनके लक्षणों के साथ मिलाएँ।

कॉलम-I	कॉलम-II
A. लंबित प्रसव	1. धीमी प्रगति
B. अवरोधित प्रसव	2. नीचे उतरना नहीं
C. तीव्र प्रसव	3. बहुत तेज प्रसव
D. हाइपोटोनिक प्रसव	4. कमजोर संकुचन

A. A-1, B-2, C-3, D-4
B. A-2, B-1, C-4, D-3
C. A-3, B-4, C-1, D-2
D. A-4, B-3, C-2, D-1

168. कितने घंटे से अधिक चलने वाला प्रसव लंबित (Prolonged) माना जाता है?

A. 6
B. 12
C. 24
D. 48

169. **कथन I:** असामान्य प्रसव मातृ जोखिम बढ़ाता है।

कथन II: असामान्य प्रसव का शिशु पर कोई असर नहीं होता है।

A. दोनों कथन सही हैं
B. I सही है, II गलत है
C. दोनों कथन गलत हैं
D. I गलत है, II सही है

170. निम्नलिखित में से कौन भ्रूण संकट का संकेत है?

A. सामान्य हृदय गति
B. सक्रिय संचलन
C. असामान्य हृदय गति (Abnormal heart rate)
D. जोरदार रोना

171. तीव्र प्रसव बहुत तेज प्रसव होता है।

A. सही B. गलत
C. केवल धीमा D. केवल विलंबित

172. अवरोधित प्रसव की जटिलताओं में से कौन सी है?

A. आसान प्रसव
B. कोई जोखिम नहीं
C. सुधार
D. गर्भाशय फटना (Uterine rupture)

173. भ्रूण की असामान्य स्थिति को .... कहा जाता है।

A. प्रस्तुति (Presentation)
B. स्थिति (Position)
C. गलत स्थिति (Malposition)
D. दृष्टिकोण (Attitude)

174. जटिलताओं को उनके कारणों के साथ मिलाएँ।

कॉलम-I	कॉलम-II
A. भ्रूण संकट	1. लंबित प्रसव
B. गर्भाशय फटना	2. अवरोधित प्रसव
C. संक्रमण	3. खराब स्वच्छता
D. रक्तस्राव	4. रक्तस्राव

A. A-1, B-2, C-3, D-4
B. A-2, B-1, C-4, D-3
C. A-3, B-4, C-1, D-2
D. A-4, B-3, C-2, D-1

175. कथन I: समय पर प्रबंधन असामान्य प्रसव में जटिलताओं को रोकता है।

कथन II: असामान्य प्रसव में चिकित्सा देखभाल की आवश्यकता नहीं होती है।

A. दोनों कथन सही हैं B. I सही है, II गलत है
C. दोनों कथन गलत हैं D. I गलत है, II सही है

176. प्रसवोत्तर जटिलताएँ .... अवधि के बाद होती हैं।

A. गर्भावस्था B. प्रसव
C. वितरण (Delivery) D. गर्भाधान

177. प्रसवोत्तर जटिलताएँ माँ और शिशु दोनों को प्रभावित कर सकती हैं।

A. सही B. गलत
C. केवल माँ D. केवल शिशु

178. निम्नलिखित में से कौन प्रसवोत्तर जटिलता है?

A. स्तनपान
B. आराम
C. संक्रमण (Infection)
D. व्यायाम

179. प्रसव के बाद प्रसवोत्तर रक्तस्राव एक गंभीर जटिलता है।

A. हल्की स्थिति
B. सामान्य परिवर्तन
C. सुधार चरण
D. गंभीर जटिलता (Serious complication)

180. प्रसव के बाद अत्यधिक रक्तस्राव को .... रक्तस्राव कहा जाता है।

A. प्रसवपूर्व (Antepartum)
B. प्रसव के दौरान (Intrapartum)
C. प्रसवोत्तर (Postpartum)
D. आंतरिक (Internal)

181. जटिलताओं को उनके लक्षणों के साथ मिलाएँ।

कॉलम-I	कॉलम-II
A. रक्तस्राव	1. स्तन में सूजन
B. संक्रमण	2. अत्यधिक रक्तस्राव
C. स्तनशोथ	3. मानसिक अस्थिरता
D. अवसाद	4. बुखार

A. A-2, B-4, C-1, D-3
B. A-1, B-2, C-3, D-4
C. A-3, B-1, C-4, D-2
D. A-4, B-3, C-2, D-1

182. प्रसव के बाद स्तन संक्रमण को .... कहा जाता है।

A. स्तनशोथ (Mastitis)
B. संक्रमणजन्य रोग (Sepsis)
C. बुखार (Fever)
D. संक्रमण (Infection)

183. संक्रमण का संकेत कौन सा है?

A. सामान्य तापमान B. अच्छा भूख
C. बुखार D. नींद

184. प्रसव के बाद मनोवैज्ञानिक जटिलता कौन सी है?

A. सुधार (Recovery) B. व्यायाम (Exercise)
C. पोषण (Feeding) D. अवसाद (Depression)

185. कथन I: प्रारंभिक पहचान प्रसवोत्तर जटिलताओं को रोकती है।

कथन II: प्रसवोत्तर जटिलताओं का उपचार आवश्यक नहीं है।

A. दोनों कथन सही हैं B. I सही है, II गलत है
C. दोनों कथन गलत हैं D. I गलत है, II सही है

186. प्रसव के दौरान संकुचन कराने के लिए .... का उपयोग किया जाता है।

A. नींद (Sleep) B. आराम (Relaxation)
C. संकुचन (Contractions) D. विकास (Growth)

187. प्रसव और जटिलताओं के प्रबंधन के लिए दवाओं का उपयोग किया जाता है।

A. सही B. गलत
C. केवल शल्य चिकित्सा D. केवल आराम

188. रक्तस्राव रोकने के लिए किस दवा का उपयोग किया जाता है?

A. इंसुलिन (Insulin)
B. एंटीबायोटिक (Antibiotic)
C. ऑक्सीटोसिन (Oxytocin)
D. विटामिन (Vitamin)

189. इकलैम्पसिया में झटकों को नियंत्रित करने के लिए किस दवा का उपयोग किया जाता है?

A. सेडेटिव B. एनाल्जूसिक
C. आयरन D. मैग्नीशियम सल्फेट

190. गर्भाशय संकुचन बढ़ाने वाली दवा को .... कहा जाता है।

A. टोकॉलिटिक (Tocolytic)
B. सेडेटिव (Sedative)
C. यूटेरोटोनिक (Uterotonic)
D. एनाल्जेसिक (Analgesic)

191. दवाओं को उनके उपयोग के अनुसार मिलाएँ।

कॉलम-I	**कॉलम-II**
A. ऑक्सीटोसिन	1. संक्रमण का उपचार
B. मैग्नीशियम सल्फेट	2. Hb बढ़ाना
C. लोह	3. झटकों को नियंत्रित करना
D. एंटीबायोटिक्स	4. प्रसव शुरू करना

A. A-4, B-3, C-2, D-1
B. A-3, B-4, C-1, D-2
C. A-2, B-1, C-4, D-3
D. A-1, B-2, C-3, D-4

192. गर्भावस्था में एनीमिया के उपचार के लिए कौन सी दवा दी जाती है?

A. कैल्शियम B. विटामिन C
C. लोह (Iron) D. प्रोटीन

193. टोकॉलिटिक दवाओं का उपयोग गर्भाशय संकुचन रोकने के लिए किया जाता है।

A. सही
B. गलत
C. केवल बढ़ाने के लिए
D. केवल संकुचन कराने के लिए

194. प्रसव पीड़ा को कम करने के लिए किस दवा का उपयोग किया जाता है?

A. एंटीबायोटिक B. लोह
C. वैक्सीन D. एनाल्जेसिक (Analgesic)

195. **कथन I:** उचित दवा का उपयोग जटिलताओं को कम करता है।
कथन II: दवाओं का उपयोग बिना नुस्खे के करना चाहिए।

A. दोनों कथन सही हैं B. I सही है, II गलत है
C. दोनों कथन गलत हैं D. I गलत है, II सही है

196. परिवार कल्याण का उद्देश्य परिवार का .... सुधारना है।

A. अर्थव्यवस्था B. शिक्षा
C. स्वास्थ्य D. सामाजिक स्तर

197. परिवार नियोजन बच्चों के बीच अंतराल बनाने में मदद करता है।

A. सही B. गलत
C. केवल सीमा D. केवल विलंब

198. कौन सा तरीका अस्थायी गर्भनिरोध रोकता है?

A. स्थिरीकरण (Sterilization)
B. शल्य चिकित्सा
C. कंडोम (Condom)
D. हटाना (Removal)

199. निम्न में से कौन सा तरीका स्थायी गर्भनिरोध का है?

A. कंडोम B. गोलियाँ
C. IUCD D. स्थिरीकरण

200. मौखिक गर्भनिरोधक गोलियों में .... हार्मोन होते हैं।

A. एक B. दो
C. तीन D. चार

201. IUCD गर्भधारण को रोकने के लिए गर्भाशय में डाला जाता है।

A. सही B. गलत
C. केवल इंजेक्शन D. केवल गोली

202. कॉपर-टी उपकरण .... के अंदर रखा जाता है।

A. गर्भाशय ग्रीवा (Cervix)
B. अंडाशय (Ovary)
C. गर्भाशय (Uterus)
D. योनि (Vagina)

203. निम्नलिखित में से कौन सा तरीका यौन संचारित रोगों (STDs) से सुरक्षा प्रदान करता है?

A. गोलियाँ (Pills)
B. आईयूसीडी (IUCD)
C. कंडोम (Condom)
D. स्थिरीकरण (Sterilization)

204. परिवार नियोजन मातृ मृत्यु दर को कम करता है।

A. सही　　B. गलत

C. केवल बच्चे के लिए　　D. केवल परिवार के लिए

205. प्रसव के बाद गर्भधारण से बचने के लिए कौन सा तरीका उपयोग किया जाता है?

A. शल्य चिकित्सा (Surgery)

B. व्यायाम (Exercise)

C. आराम (Rest)

D. स्तनपान संबंधी amenorrhea (Lactational amenorrhea)

206. विधियों को उनके प्रकार के अनुसार मिलाएँ।

कॉलम-I	**कॉलम-II**
A. कंडोम	1. अवरोधक विधि
B. आईयूसीडी	2. हार्मोनल विधि
C. स्थिरीकरण	3. स्थायी विधि
D. गोलियाँ	4. गर्भाशय अंतर्गत विधि

A. A-1, B-4, C-3, D-2

B. A-2, B-3, C-1, D-4

C. A-3, B-1, C-4, D-2

D. A-4, B-2, C-3, D-1

207. वासेक्टॉमी .... के लिए एक शल्य विधि है।

A. महिलाएँ　　B. बच्चे

C. पुरुष (Men)　　D. डॉक्टर

208. स्त्रियों में स्थायी गर्भनिरोध के लिए ट्यूबेक्टॉमी की जाती है।

A. सही　　B. गलत

C. केवल पुरुषों में　　D. केवल बच्चे के लिए

209. इमरजेंसी गर्भनिरोधक गोलियाँ .... घंटों के भीतर ली जाती हैं।

A. 24　　B. 48

C. 72　　D. 96

210. निम्नलिखित में से कौन सा प्राकृतिक गर्भनिरोधक तरीका है?

A. गोलियाँ (Pills)

B. आईयूसीडी (IUCD)

C. सुरक्षित अवधि (Safe period)

D. इंजेक्शन (Injection)

211. परिवार कल्याण में मातृ और शिशु स्वास्थ्य सेवाएँ शामिल हैं।

A. सही　　B. गलत

C. केवल माँ के लिए　　D. केवल बच्चे के लिए

212. दो बच्चों के बीच आदर्श अंतराल .... वर्ष है।

A. 1　　B. 2

C. 3　　D. 5

213. परिवार नियोजन का लाभ क्या है?

A. जनसंख्या अधिक

B. खराब स्वास्थ्य

C. रोग

D. स्वस्थ परिवार (Healthy family)

214. **कथन I:** परिवार नियोजन जनसंख्या को नियंत्रित करने में मदद करता है।

कथन II: परिवार नियोजन मातृ जोखिम बढ़ाता है।

A. दोनों कथन सही हैं　　B. I सही है, II गलत है

C. दोनों कथन गलत हैं　　D. I गलत है, II सही है

215. कंडोम की विफलता से .... गर्भावस्था हो सकती है।

A. योजनाबद्ध (Planned)　　B. सुरक्षित (Safe)

C. अनचाही (Unwanted)　　D. विलंबित (Delayed)

216. कौन सा तरीका आवधिक संयम (Periodic abstinence) पर आधारित है?

A. गोलियाँ

B. आईयूसीडी

C. रिदम विधि (Rhythm method)

D. शल्य चिकित्सा

217. कार्यक्रमों को उनके फोकस के अनुसार मिलाएँ।

कॉलम-I	**कॉलम-II**
A. MCH	1. शिशु सुरक्षा
B. RCH	2. मातृ देखभाल
C. परिवार नियोजन	3. जनसंख्या नियंत्रण
D. टीकाकरण	4. रोग प्रतिरोध

A. A-2, B-1, C-3, D-4

B. A-1, B-2, C-4, D-3

C. A-3, B-4, C-1, D-2

D. A-4, B-3, C-2, D-1

218. आईयूसीडी का उपयोग .... को रोकता है।

A. निर्माण (Formation)

B. निषेचन (Fertilization)

C. वृद्धि (Growth)

D. प्रत्यारोपण (Implantation)

219. निम्नलिखित में से कौन सा दीर्घकालिक गर्भनिरोधक तरीका है?

A. कंडोम　　B. गोलियाँ

C. इंजेक्शन　　D. आईयूसीडी (IUCD)

220. **कथन I:** परिवार कल्याण जीवन की गुणवत्ता सुधारता है।

कथन II: परिवार कल्याण का स्वास्थ्य में कोई योगदान नहीं है।

A. दोनों कथन सही हैं　　B. I सही है, II गलत है

C. दोनों कथन गलत हैं　　D. I गलत है, II सही है

व्याख्यात्मक उत्तर

1. **(C):** गर्भावस्था के दौरान एन्टिनेटल देखभाल दी जाती है। यह मातृ और शिशु के स्वास्थ्य को सुनिश्चित करती है। जटिलताओं को रोकती है।

2. **(A):** प्रारंभिक पहचान समस्याओं को रोकती है। यह परिणामों में सुधार करती है। सुरक्षा सुनिश्चित करती है।

3. **(C):** अनुपस्थित मासिक धर्म गर्भावस्था का संकेत देता है। यह प्रारंभिक संकेत है। पुष्टि आवश्यक है।

4. **(D):** गर्भावस्था लगभग 40 सप्ताह तक रहती है। यह सामान्य अवधि है। यह प्रसव के साथ समाप्त होती है।

5. **(A):** प्रारंभिक जांच महत्वपूर्ण है। यह जटिलताओं का पता लगाने में मदद करती है। देखभाल में सुधार करती है।

6. **(A):** नियमित जांच स्वास्थ्य की निगरानी करती है। जटिलताओं को रोकती है। सुरक्षा सुनिश्चित करती है।

7. **(B):** नेगल का सूत्र (Naegele's) अनुमानित प्रसव तिथि निकालता है। सामान्यतः इस्तेमाल किया जाता है। सरल है।

8. **(C):** पॉजिटिव प्रेग्नेंसी टेस्ट गर्भावस्था की पुष्टि करता है। हार्मोन का पता चलता है। यह विश्वसनीय है।

9. **(D):** Hb स्तर 11 से ऊपर होना चाहिए। यह एनीमिया को रोकता है। ऑक्सीजन आपूर्ति सुनिश्चित करता है।

10. **(D):** योनि रक्तस्राव खतरे का संकेत है। तुरंत देखभाल की आवश्यकता होती है। यह गंभीर हो सकता है।

11. **(A):** सप्लीमेंट एनीमिया को रोकते हैं। विकास का समर्थन करते हैं। आवश्यक देखभाल है।

12. **(B):** क्विकनिंग (Quickening): भ्रूण की गति महसूस होती है। यह महत्वपूर्ण संकेत है। जीवन का संकेत देती है।

13. **(D):** एन्टिनेटल देखभाल में सभी शामिल हैं। इसमें जांच और परामर्श शामिल है।

14. **(C):** आयरन एनीमिया को रोकता है। RBC का समर्थन करता है। गर्भावस्था में महत्वपूर्ण है।

15. **(B):** गर्भावस्था में टीटी टीका टेटनस से बचाव करता है। माँ और शिशु को सुरक्षित रखता है। आवश्यक है।

16. **(D):** फंडल ऊँचाई (fundal height) भ्रूण की वृद्धि को मापती है। भ्रूण विकास को दर्शाती है। महत्वपूर्ण है।

17. **(A):** BP मॉनिटरिंग जटिलताओं का पता लगाती है। हाइपरटेंशन रोकती है। निगरानी महत्वपूर्ण है।

18. **(D):** 50: रक्त का आयतन बढ़ता है। यह भ्रूण का समर्थन करता है। परिसंचरण बनाए रखता है।

19. **(C):** मितली (Nausea) एक सामान्य समस्या है। गर्भावस्था में सामान्य है। आमतौर पर अस्थायी।

20. **(C):** सक्रिय गतिविधियाँ (Active movements): गति से शिशु की भलाई दिखाई देती है। यह स्वस्थ भ्रूण का संकेत है। महत्वपूर्ण संकेत।

21. **(A):** संतुलित आहार आवश्यक है। यह विकास का समर्थन करता है। पोषण की कमी रोकता है।

22. **(D):** वजन में सामान्य वृद्धि लगभग 10–12 किग्रा होती है। यह सामान्य है। विकास को दर्शाता है।

23. **(D):** उच्च रक्तचाप (Hypertension) जटिलता है। खतरनाक हो सकती है। निगरानी आवश्यक है।

24. **(A):** मूत्र परीक्षण शुगर और संक्रमण की जांच करता है। महत्वपूर्ण स्क्रीनिंग है।

25. **(C):** स्थिति (Position) भ्रूण के संबंध को बताती है। महत्वपूर्ण है। प्रसव में मदद करती है।

26. **(C):** संतुलित आहार (Balanced diet) आहार स्वास्थ्य को बनाए रखता है। कमी को रोकता है। विकास सुनिश्चित करता है।

27. **(C):** उच्च आयु (Advanced age): उम्र बढ़ने पर जोखिम बढ़ता है। जटिलताएँ अधिक होती हैं। देखभाल आवश्यक है।

28. **(A):** शिक्षा माँ को तैयार करती है। चिंता कम करती है। परिणाम बेहतर होते हैं।

29. **(D):** गंभीर सिरदर्द (Severe headache) हाइपरटेंशन का संकेत है। ध्यान देने की आवश्यकता है। यह खतरे का संकेत है।

30. **(A):** आयरन एनीमिया रोकने के लिए, टीटी टीका टेटनस, अल्ट्रासाउंड भ्रूण विकास, BP हाइपरटेंशन से मेल खाता है। अतः सही मिलान A-1, B-3, C-2, D-4 है।

31. **(C):** निषेचन अंडाणु के साथ होता है। यह जाइगोट बनाता है। गर्भावस्था शुरू होती है।

32. **(A):** गर्भावस्था तीन ट्राइमेस्टर में बाँटी जाती है। प्रत्येक में चरण होते हैं। निगरानी में मदद करता है।

33. **(C):** प्रोजेस्टेरोन गर्भावस्था बनाए रखता है। गर्भाशय का समर्थन करता है। संकुचन को रोकता है।

34. **(D):** पहला ट्राइमेस्टर 12 सप्ताह तक रहता है। यह प्रारंभिक चरण है। महत्वपूर्ण विकास इसी तिमाही में होता है।

35. **(B):** प्लेसेंटा माँ और शिशु को जोड़ता है। पोषण देता है। अपशिष्ट निकालता है।

36. **(A):** प्लेसेंटा ऑक्सीजन का आदान-प्रदान करता है। पोषण देता है। अपशिष्ट निकालता है।

37. **(C):** गर्भाशय में 8 सप्ताह के बाद विकसित होने वाले बच्चे को भ्रूण (Fetus) कहा जाता है। अंग विकसित होते हैं। विकास जारी रहता है।

38. **(C):** ऑक्सीटोसिन संकुचन कराता है। प्रसव में मदद करता है। यह महत्वपूर्ण हार्मोन है।

39. **(A):** फंडल ऊँचाई गर्भावस्था बढ़ने के साथ बढ़ती है। यह विकास को दर्शाता है। मूल्यांकन में मदद करता है।

40. **(C):** प्रत्यारोपण एंडोमेट्रियम में होता है। यह भ्रूण का समर्थन करता है। पोषण प्रदान करता है।

41. **(D):** क्विकनिंग आमतौर पर 18-20 सप्ताह में महसूस होती है। यह भ्रूण की गतिविधि को दर्शाता है। महत्वपूर्ण संकेत है।

42. **(C):** रक्त का आयतन बढ़ता है। यह भ्रूण का समर्थन करता है। परिसंचरण बनाए रखता है।

43. **(A):** स्तन स्तनपान के लिए तैयार होता है। हार्मोन सक्रिय होते हैं। स्तनपान संभव।

44. **(D):** भ्रूण की धड़कन लगभग 12 सप्ताह में सुनी जाती है। यह जीवन का संकेत देती है। यह महत्वपूर्ण संकेत है।

45. **(C):** भ्रूण की धड़कन : सकारात्मक संकेत। गर्भावस्था की पुष्टि। जीवित भ्रूण को दर्शाता है।

46. **(A):** वजन बढ़ना सामान्य है। विकास का समर्थन करता है। स्वास्थ्य को दर्शाता है।

47. **(B):** क्लीवेज कोशिका विभाजन है। यह भ्रूण बनाता है। प्रारंभिक चरण है।

48. **(D):** एम्नियोटिक द्रव भ्रूण की रक्षा करता है। गति को कुशन करता है। चोट से बचाता है।

49. **(A):** जाइगोट निषेचित, भ्रूण (Embryo) 8 सप्ताह से पहले, भ्रूण (Fetus) 8 सप्ताह के बाद, प्लेसेंटा आदान-प्रदान।

अतः सही मिलान A-2, B-3, C-1, D-4 है।

50. **(B):** गर्भावस्था शरीर में परिवर्तन लाती है। कई प्रणालियाँ प्रभावित होती हैं। दूसरा कथन गलत है।

अतः I सही, II गलत है।

51. **(B):** प्रसव बच्चे के जन्म की प्रक्रिया है। इसमें चरण शामिल हैं। यह डिलीवरी पर समाप्त होता है।

52. **(A):** प्रसव में चरण होते हैं। इसमें डाइलेशन, एक्सपल्शन, प्लेसेंटा शामिल हैं। यह व्यवस्थित है।

53. **(B):** गर्भावस्था के 24वें सप्ताह तक भ्रूण के शरीर पर रोंए (lanugo) विकसित हो जाते हैं जो त्वचा को ढकते हैं। इसी समय आंखों की पलकों (eyelids) के किनारों पर पक्ष्म (eyelashes) भी दिखाई देने लगते हैं और पलकों के ऊपरी व निचले भाग पृथक हो जाते हैं। इस चरण पर पूर्ण जननांग या सभी अंगतंत्र पूरी तरह से विकसित नहीं होते, इसलिए अन्य विकल्प सही नहीं हैं।

54. **(D):** पहला चरण डाइलेशन से शुरू होता है। सर्विक्स खुलती है। यह जन्म के लिए तैयारी है।

55. **(B):** डाइलेशन : सर्विक्स खुलती है। बच्चे के मार्ग की अनुमति देती है। इसे मापा जाता है।

56. **(A):** डाइलेशन सेंटीमीटर में मापी जाती है। यह प्रगति दिखाती है। महत्वपूर्ण है।

57. **(B):** दूसरा चरण बच्चे के जन्म पर समाप्त होता है। यह डाइलेशन के बाद सक्रिय चरण है।

58. **(C):** तीसरा : प्लेसेंटा डिलीवर किया जाता है। यह बच्चे के जन्म के बाद आता है। प्रसव पूर्ण होता है।

59. **(B):** संकुचन अवनमन (Descent) में मदद करते हैं। बच्चा नीचे आता है। डिलीवरी में सहायक है।

60. **(D):** प्राइमिग्राविडा में समय अधिक लगता है। लगभग 12 घंटे। सामान्य अवधि।

61. **(A):** निगरानी संकट का पता लगाती है। सुरक्षा सुनिश्चित करती है। महत्वपूर्ण देखभाल।

62. **(C):** प्रस्तुति वह भाग है जो जन्म में सामने आता है। यह डिलीवरी को प्रभावित करती है। महत्वपूर्ण।

63. **(C):** सिर प्रस्तुति सामान्य है। सबसे सुरक्षित और आम है।

64. **(A):** दर्द संकुचन के कारण होता है। यह बढ़ता है। प्रगति में मदद करता है।

65. **(B):** सर्विक्स का खिंचाव दर्द देता है। यह प्रगति को दर्शाता है। सामान्य है।

66. **(D):** नियमित संकुचन : सच्चा प्रसव नियमित होता है। यह डाइलेशन लाता है। प्रगतिशील।

67. **(A):** झूठा प्रसव अनियमित होता है। कोई डाइलेशन नहीं। यह शांत हो जाता है।

68. **(C):** भारत सरकार के राष्ट्रीय आयरन प्लस पहल (National Iron Plus Initiative) के अनुसार, गर्भवती महिलाओं को मंद रक्ताल्पता (mild anemia) की स्थिति में 100 दिनों तक 200 mg आयरन युक्त 200 गोलियाँ दी जाती हैं—प्रत्येक दिन दो बार। इसका उद्देश्य आयरन की कमी से उत्पन्न एनीमिया को रोकना और भ्रूण की उचित वृद्धि सुनिश्चित करना है। यह उपचार रूप में दिया जाता है, जबकि सामान्य गर्भावस्था में आयरन की 100 गोलियों का पूरक दिया जाता है।

69. **(A):** दूसरा चरण बच्चे के जन्म पर समाप्त होता है। यह डिलीवरी चरण है। महत्वपूर्ण चरण।

70. **(C):** सर्विक्स डाइलेशन : डाइलेशन प्रसव दिखाती है। प्रगति का संकेत है। संकेतक।

71. **(B):** झिल्ली फटकर द्रव छोड़ती है। यह प्रसव का संकेत है। महत्वपूर्ण संकेत।

72. **(A):** द्रव भ्रूण की रक्षा करता है। प्रसव के दौरान कुशन करता है। चोट से बचाता है।

73. (D): लंबा प्रसव (Prolonged labor) जटिलता है। देखभाल आवश्यक। माँ और बच्चे को नुकसान पहुंचा सकता है।

74. (A): एपिसियोटॉमी एक चीरा है। यह डिलीवरी में मदद करता है। फटने से बचाता है।

75. (A): अंतराल संकुचन के बीच का समय है। यह मॉनिटर किया जाता है। प्रगति दिखाता है।

76. (A): संकुचन बढ़ते हैं। आवृत्ति बढ़ती है। यह प्रगति दिखाता है।

77. (C): पार्टोग्राफ (Partograph) प्रसव की निगरानी करता है। प्रगति को ट्रैक करता है। निर्णय में मदद करता है।

78. (A): अवनमन होता है। बच्चा नीचे आता है। आवश्यक है।

79. (C): गर्भाशय संकुचित होता है। बच्चा धकेला जाता है। डिलीवरी में सहायक।

80. (A): पहला डाइलेशन, दूसरा बच्चा, तीसरा प्लेसेंटा, चौथा रिकवरी।

अतः सही मिलान A-3, B-2, C-1, D-4 है।

81. (B): सच्चा प्रसव सर्विक्स को फैलाता है। झूठा प्रसव नहीं फैलाता। दूसरा कथन गलत।

अतः I सही है, II गलत है।

82. (D): असामान्य हृदय गति संकट का संकेत देता है। ध्यान देना आवश्यक है। यह गंभीर स्थिति है।

83. (B): फेटोस्कोप भ्रूण की धड़कन सुनने के लिए उपयोग किया जाता है। यह धड़कन का पता लगाता है। सरल उपकरण है।

84. (A): सक्रिय प्रबंधन जटिलताओं को कम करता है। परिणाम सुधारता है। सुरक्षा सुनिश्चित करता है।

85. (A): प्रसव प्लेसेंटा के डिलीवरी के बाद समाप्त होता है। प्रक्रिया पूरी होती है। यह अंतिम चरण है।

86. (C): प्रसवोत्तर अवधि डिलीवरी के बाद शुरू होती है। लगभग 6 सप्ताह रहती है। इसमें रिकवरी शामिल है।

87. (A): लगभग 6 सप्ताह। शरीर सामान्य आकार में लौटता है। महत्वपूर्ण चरण।

88. (C): प्रोलैक्टिन दूध उत्पन्न करता है। स्तन पर कार्य करता है। स्तनपान को समर्थन देता है।

89. (D): निगरानी सुरक्षा सुनिश्चित करती है। जटिलताओं का पता लगाती है। आवश्यक।

90. (A): पहला दूध कोलोस्ट्रम है। इसमें एंटीबॉडी अधिक होती है। शिशु की सुरक्षा करता है।

91. (A): शीघ्र स्तनपान महत्वपूर्ण। बंधन सुधारता है। प्रतिरक्षा प्रदान करता है।

92. (B): इन्वोल्यूशन में गर्भाशय सिकुड़ता है। सामान्य आकार में लौटता है। यह प्राकृतिक प्रक्रिया है।

93. (C): बुखार संक्रमण का संकेत देता है। ध्यान आवश्यक है। यह चेतावनी संकेत है।

94. (A): लोचिया निर्वहन है। इसका रंग बदलता है। रिकवरी का संकेत देता है।

95. (D): रक्तस्राव गंभीर जटिलता है। इसकी तात्कालिक देखभाल आवश्यक है। यह घातक हो सकता है।

96. (A): व्यायाम रिकवरी में मदद करता है। मांसपेशियों को मजबूत करता है। स्वास्थ्य बढ़ाता है।

97. (B): बेबी ब्लूज प्रसव के बाद भावनात्मक बदलाव की अवस्था है। अस्थायी मूड स्विंग। समर्थन आवश्यक।

98. (A): जाइकोट निषेचित, कोलोस्ट्रम पहला दूध, इन्वोल्यूशन सिकुड़न, स्तनपान दूध।

अतः सही मिलान A-2, B-4, C-3, D-1 है।

99. (A): आहार रिकवरी में मदद करता है। ऊर्जा प्रदान करता है। स्तनपान को बढ़ावा देता है।

100. (C): प्रोटीन मरम्मत में मदद करता है। दूध उत्पादन में समर्थन करता है। आवश्यक।

101. (B): स्तनपान लाभकारी। बंधन सुधारता है। दूसरा कथन गलत।

अतः I सही है, II गलत है।

102. (D): स्वच्छता संक्रमण से बचाती है। माँ की सुरक्षा करती है। रिकवरी सुनिश्चित करती है।

103. (A): स्तनपान बच्चे को खिलाना, स्वच्छता संक्रमण रोकना, पोषण ऊर्जा, व्यायाम रिकवरी।

अतः सही मिलान A-3, B-1, C-4, D-2 है।

104. (A): लोचिया का रंग समय के साथ लाल से सफेद में बदलता है। उपचार का संकेत।

105. (B): प्रसवोत्तर देखभाल आवश्यक। जटिलताओं को रोकता है। दूसरा कथन गलत।

अतः I सही है, II गलत है।

106. (C): नवजात शिशु को Neonate कहा जाता है। जन्म के 28 दिन तक की अवधि महत्वपूर्ण होती है। इसमें देखभाल आवश्यक है।

107. (A): नवजात अवधि 28 दिन की होती है। प्रारंभिक जीवन। निगरानी आवश्यक।

108. (C): 2.5–3.5 किलो सामान्य जन्म वजन होता है। यह स्वस्थ शिशु को दर्शाता है। महत्वपूर्ण संकेतक।

109. (D): आवश्यक : पहला सांस लेना जीवन शुरू करता है। ऑक्सीजन आपूर्ति शुरू होती है। जीवन निर्भर करता है।

110. (A): एपीजीएआर स्कोर नवजात का आकलन करता है। स्थिति की जाँच। त्वरित स्कोर।

111. (A): सामान्य श्वसन दर 40–60। वयस्क से अधिक। सामान्य।

112. (C): गर्मी हाइपोथर्मिया से बचाती है। तापमान बनाए रखती है। आवश्यक देखभाल।

113. (C): नाल जन्म के बाद काटा जाता है। शिशु अलग होता है। नियमित प्रक्रिया।

114. (D): विटामिन K रक्तस्राव को रोकता है। जन्म पर दिया जाता है। आवश्यक।

115. (A): स्तनपान एंटीबॉडी देता है। शिशु की रक्षा करता है। प्रतिरक्षा बढ़ाता है।

116. (B): पीलिया (जॉन्डिस) : बिलिरुबिन के कारण त्वचा पीली होती है। नवजात में सामान्य। निगरानी आवश्यक।

117. (A): गर्मी हाइपोथर्मिया से रोकती है। आवश्यक। नवजात ताप नियंत्रित नहीं कर सकता।

118. (C): मोरो रिफ्लेक्स : यह आश्चर्य प्रतिक्रिया है। जन्म में मौजूद। सामान्य सीएनएस का संकेत।

119. (A): नाल 7–10 दिनों में गिरता है। प्राकृतिक प्रक्रिया। देखभाल आवश्यक।

120. (D): नाल की स्वच्छ देखभाल संक्रमण से बचाती है। क्षेत्र को सूखा रखती है। आवश्यक अभ्यास।

121. (C): 36.5–37.5°C: सामान्य तापमान सीमा। स्वास्थ्य बनाए रखता है। हाइपोथर्मिया से बचाता है।

122. (A): कंगारू मदर केयर गर्माहट प्रदान करता है। बंधन मजबूत करता है। विकास में मदद करता है।

123. (C): सक्रिय गति : सक्रिय शिशु स्वस्थ। अच्छा टोन। सामान्य संकेत।

124. (A): टीकाकरण जल्दी शुरू होता है। शिशु की रक्षा करता है। बीमारियों से बचाता है।

125. (C): जन्म पर BCG दिया जाता है। टीबी से बचाता है। यह नियमित है।

126. (A): मोरो–आश्चर्य प्रतिक्रिया, रूटिंग - खोज, सकिंग - स्तनपान, ग्रास्प - पकड़।

अतः सही मिलान A-3, B-1, C-4, D-2 है।

127. (C): पहला मल मेकोनियम है। गहरा हरा रंग। सामान्य।

128. (D): कमजोर स्तनपान खतरे का संकेत। बीमारी को दर्शाता है। ध्यान आवश्यक।

129. (B): स्तनपान प्रतिरक्षा बढ़ाता है। कोलोस्ट्रम लाभकारी। दूसरा कथन गलत।

अतः I सही है, II गलत है।

130. (A): उचित देखभाल मृत्यु दर कम करती है। बचाव बढ़ाता है। स्वास्थ्य सुनिश्चित करता है।

131. (C): उच्च जोखिम मातृ और शिशु दोनों को प्रभावित करता है। निगरानी आवश्यक। जटिलताओं से बचाता है।

132. (A): विशेष देखभाल आवश्यक। जोखिम कम करता है। परिणाम सुधारता है।

133. (C): उन्नत मातृ आयु : उम्र बढ़ने से जोखिम बढ़ता है। जटिलताएँ अधिक संभावित। निगरानी आवश्यक।

134. (D): 18 वर्ष से कम गर्भावस्था जोखिमपूर्ण। शरीर परिपक्व नहीं। जटिलताएँ संभव।

135. (A): एनीमिया ऑक्सीजन कम करता है। भ्रूण को प्रभावित करता है। जटिलताएँ पैदा करता है।

136. (A): उच्च रक्तचाप खतरनाक। जटिलताओं की संभावना। नियंत्रण आवश्यक।

137. (C): मधुमेह जोखिम बढ़ाता है। भ्रूण प्रभावित। प्रबंधन आवश्यक।

138. (C): एडिमा संकेत है। प्रीक्लेम्पसिया में दिखाई देता है। ध्यान आवश्यक।

139. (C): सिरदर्द जटिलताओं का संकेत हो सकता है। मूल्यांकन आवश्यक। चेतावनी।

140. (A): बहु गर्भावस्था जोखिम बढ़ाती है। जटिलताएँ अधिक। देखभाल आवश्यक।

141. (D): समयपूर्व प्रसव : जटिलता। समय से पहले जन्म। देखभाल आवश्यक।

142. (C): देखभाल की कमी जोखिम बढ़ाती है। जटिलताएँ अनदेखी। खतरनाक।

143. (C): धूम्रपान हानिकारक। भ्रूण प्रभावित। जोखिम बढ़ाता है।

144. (A): एनीमिया विकास प्रभावित करता है। ऑक्सीजन कम। समस्याएँ पैदा करता है।

145. (C): बड़ा शिशु : मधुमेह मैक्रोसॉमिया पैदा करता है। डिलीवरी कठिन। निगरानी आवश्यक।

146. (C): करीबी : उच्च BP निगरानी आवश्यक। जटिलताओं को रोकता है। सुरक्षा सुनिश्चित करता है।

147. (C): इक्लेम्पसिया दौरे पैदा करता है। गंभीर। आपातकालीन देखभाल आवश्यक।

148. (A): नियमित जांच समस्याओं का पता लगाती है। जटिलताओं को रोकती है। परिणाम सुधारती है।

149. (C): रक्तस्राव गंभीर संकेत। तात्कालिक देखभाल आवश्यक। जोखिमपूर्ण।

150. (D): गंभीर रक्तस्राव : आपात स्थिति। तुरंत देखभाल आवश्यक। जीवन के लिए खतरा।

151. (A): एनीमिया - कम Hb, उच्च रक्तचाप - BP, मधुमेह - शुगर, संक्रमण - भ्रूण को जोखिम।

अतः सही मिलान A-2, B-3, C-1, D-4 है।

152. (A): पोषण स्वास्थ्य बनाए रखता है। कमी से बचाता है। जोखिम कम करता है।

153. (C): उच्च जोखिम विशेष देखभाल आवश्यक। करीबी निगरानी जरूरी। जटिलताओं से बचाव।

154. (C): शराब हानिकारक। भ्रूण प्रभावित। दोष पैदा करता है।

155. (B): उच्च जोखिम देखभाल मांगता है। सभी गर्भधारण समान जोखिम नहीं। दूसरा कथन गलत।

अतः I सही है, II गलत है।

156. (C): असामान्य प्रसव कठिन। सामान्य से विचलित। प्रबंधन आवश्यक।

157. (A): यह सामान्य से अलग। प्रगति प्रभावित। ध्यान आवश्यक।

158. (C): गलत प्रस्तुति : कठिनाई पैदा करता है। डिलीवरी प्रभावित। जटिलताओं की संभावना।

159. (D): लंबा प्रसव असामान्य। जोखिम बढ़ाता है। हस्तक्षेप आवश्यक।

160. (B): हाइपोटोनिक : कमजोर संकुचन। धीमी प्रगति। समर्थन आवश्यक।

161. (A): अड़चन भ्रूण के नीचे उतरने में बाधा डालती है। प्रसव रुक जाता है। यह गंभीर है।

162. (C): भ्रूण संकट : शिशु प्रभावित हो सकता है। ऑक्सीजन कम। तत्काल देखभाल आवश्यक।

163. (C): पाद (Breach) असामान्य प्रस्तुति है। सिर पहले नहीं। प्रसव कठिन।

164. (C): अत्यधिक संकुचन हाइपरटोनिक। दर्दनाक। संकट उत्पन्न कर सकता है।

165. (D): रुकावट वाला प्रसव : अड़चन डिलीवरी में बाधा डालती है। सर्जरी आवश्यक। जटिलताओं से बचाव।

166. (A): संकट आम। ऑक्सीजन कम होने से। निगरानी जरूरी।

167. (A): लंबा – धीमा, रुकावट – नीचे नहीं, तीव्र – तेज, हाइपोटोनिक – कमजोर।

अतः सही मिलान A-1, B-2, C-3, D-4 है।

168. (C): 24 घंटे से अधिक प्रसव लंबा माना जाता है। असामान्य। प्रबंधन आवश्यक।

169. (B): जोखिम बढ़ता है। शिशु भी प्रभावित। दूसरा कथन गलत।

अतः I सही है, II गलत है।

170. (C): असामान्य हृदय गति : संकट का संकेत। तत्काल देखभाल जरूरी। महत्वपूर्ण संकेत।

171. (A): तीव्र प्रसव बहुत तेज। चोट का खतरा।

172. (D): गर्भाशय फटना : गंभीर जटिलता। अड़चन के कारण। जीवन-धमकाने वाला।

173. (C): गलत स्थिति : असामान्य स्थिति प्रसव प्रभावित करती है। कठिनाई पैदा करती है। देखभाल आवश्यक।

174. (A): भ्रूण संकट – लंबा, फटना – अड़चन, संक्रमण – स्वच्छता, रक्तस्राव – खून।

अतः सही मिलान A-1, B-2, C-3, D-4 है।

175. (B): प्रबंधन जोखिम कम करता है। देखभाल जरूरी। दूसरा कथन गलत।

अतः I सही है, II गलत है।

176. (C): प्रसवोत्तर जटिलताएँ डिलीवरी के बाद होती हैं। यह प्रसवोत्तर अवधि है। निगरानी जरूरी।

177. (A): माँ और शिशु दोनों प्रभावित। जटिलताएँ उत्पन्न हो सकती हैं। देखभाल आवश्यक।

178. (C): संक्रमण : आम जटिलता। उपचार आवश्यक। गंभीर हो सकता है।

179. (D): गंभीर जटिलता : रक्तस्राव गंभीर। खून की हानि। तत्काल देखभाल जरूरी।

180. (C): डिलीवरी के बाद रक्तस्राव को प्रसवोत्तर रक्तस्राव कहते हैं। खतरनाक। देखभाल आवश्यक।

181. (A): रक्तस्राव – खून, संक्रमण – बुखार, स्तनशोथ – स्तन, अवसाद – भावनात्मक।

अतः सही मिलान A-2, B-4, C-1, D-3 है।

182. (A): स्तनशोथ : डिलीवरी के बाद स्तन संक्रमण। दर्द और स्तनपान प्रभावित। उपचार आवश्यक।

183. (C): बुखार : संक्रमण का संकेत। चेतावनी। मूल्यांकन जरूरी।

184. (D): प्रसवोत्तर अवसाद मनोवृत्ति प्रभावित। समर्थन जरूरी। सामान्य।

185. (B): जल्दी पहचान समस्याएँ रोकती है। उपचार आवश्यक। दूसरा कथन गलत।

अतः I सही है, II गलत है।

186. (C): ऑक्सिटोसिन संकुचन उत्पन्न करता है। प्रसव में मदद करता है। आमतौर पर उपयोग होता है।

187. (A): दवाएँ प्रसव और जटिलताओं में मदद करती हैं। प्रसव में समर्थन।

188. (C): ऑक्सिटोसिन रक्तस्राव कम करता है। गर्भाशय संकुचित करता है। रक्तस्राव रोकता है।

189. (D): मैग्नीशियम सल्फेट दौरे नियंत्रित करता है। इक्लेम्पसिया में उपयोग। आवश्यक।

190. (C): यूटेरोटोनिक संकुचन बढ़ाता है। प्रसव में मदद करता है। रक्तस्राव रोकता है।

191. (A): ऑक्सिटोसिन – प्रसव, $MgSO_4$ – दौरे, आयरन – Hb, एंटीबायोटिक्स – संक्रमण।

अतः सही मिलान A-4, B-3, C-2, D-1 है।

192. (C): आयरन : एनीमिया का उपचार। Hb बढ़ाता है। आवश्यक।

193. (A): टोकोलिटिक्स संकुचन कम करता है। प्रसव रोकता है। समयपूर्व में उपयोग।

194. (D): एनाल्जेसिक दर्द कम करता है। प्रसव में उपयोग। आराम प्रदान करता है।

195. (B): दवाएँ प्रिस्क्रिप्शन के अनुसार होनी चाहिए। उचित उपयोग जटिलताएँ रोकता है। दूसरा कथन गलत।

अतः I सही है, II गलत है।

196. (C): परिवार कल्याण स्वास्थ्य सुधारता है। कल्याण सुनिश्चित करता है। परिवार को समर्थन देता है।

197. (A): बच्चों के अंतराल में मदद करता है। जल्दी गर्भधारण रोकता है। स्वास्थ्य सुधारता है।

198. (C): कंडोम : अस्थायी। गर्भावस्था रोकता है। एसटीडी से सुरक्षा।

199. (D): नसबंदी : स्थायी। प्रजनन रोकता है। सर्जिकल।

200. (B): गोली में दो हॉर्मोन होते हैं। यह अंडोत्सर्ग रोकता है। गर्भनिरोध में उपयोगी है।

201. (A): IUCD गर्भाशय में डाला जाता है। निषेचन रोकता है। दीर्घकालिक तरीका।

202. (C): उपकरण गर्भाशय में डाला जाता है। प्रत्यारोपण रोकता है। प्रभावी है।

203. (C): कंडोम एसटीडी से सुरक्षा देता है। गर्भावस्था भी रोकता है। बाधा विधि।

204. (A): परिवार नियोजन जोखिम कम करता है। मातृ स्वास्थ्य सुधारता है। जटिलताओं से बचाता है।

205. (D): स्तनपान अंडोत्सर्ग को रोकता है। गर्भावस्था रोकता है। अस्थायी तरीका।

206. (A): कंडोम – बाधा, IUCD – गर्भाशयी, नसबंदी – स्थायी, गोलियाँ – हार्मोनल।

अतः सही मिलान A-1, B-4, C-3, D-2 है।

207. (C): वासेक्टॉमी पुरुषों के लिए एक शल्य क्रिया है। यह शुक्राणु मार्ग रोकता है और स्थायी है।

208. (A): ट्यूबेक्टॉमी महिला नसबंदी। गर्भावस्था रोकता है। स्थायी है।

209. (C): 72: आपातकालीन गोलियाँ जल्दी ली जाती हैं। गर्भावस्था रोकती हैं। समय महत्वपूर्ण।

210. (C): सुरक्षित अवधि : प्राकृतिक तरीका। उर्वर दिनों से बचाता है। गर्भनिरोध रोकता है।

211. (A): परिवार कल्याण में देखभाल शामिल। माँ और बच्चे का समर्थन। स्वास्थ्य सुधारता है।

212. (C): 3 वर्ष का अंतराल स्वास्थ्य सुधारता है। इससे पुनर्प्राप्ति संभव है। जोखिम कम करता है।

213. (D): स्वस्थ परिवार : योजना स्वास्थ्य सुधारती है। जोखिम कम करती है। कल्याण सुनिश्चित।

214. (B): योजना जनसंख्या नियंत्रित करती है। जोखिम कम करती है। दूसरा कथन गलत।

अतः I सही है, II गलत है।

215. (C): असफलता अनचाही गर्भावस्था ला सकती है। जागरूकता जरूरी। रोकथाम आवश्यक।

216. (C): रिद्म विधि : चक्र पर आधारित। उर्वर अवधि से बचाव। प्राकृतिक तरीका।

217. (A): MCH – मातृ देखभाल, RCH – बाल देखभाल, योजना – जनसंख्या नियंत्रण, टीकाकरण – रोग रोकथाम।

अतः सही मिलान A-2, B-1, C-3, D-4 है।

218. (D): IUCD प्रत्यारोपण रोकता है। गर्भावस्था रुकती है। प्रभावी।

219. (D): IUCD दीर्घकालिक। कई सालों तक काम करता है। पुनरावर्ती तरीका।

220. (B): परिवार कल्याण जीवन की गुणवत्ता सुधारता है। स्वास्थ्य में मदद करता है। दूसरा कथन गलत है।

अतः I सही है, II गलत है।

16. नर्सिंग सेवाओं और शिक्षा का प्रबंधन (Management of Nursing Services & Education)

1. प्रबंधन योजना बनाना, संगठन करना, निर्देशन करना और .... की प्रक्रिया है।

A. स्टाफिंग B. नियंत्रण
C. नियंत्रण D. नेतृत्व

2. प्रबंधन का उद्देश्य संगठनात्मक लक्ष्य प्रभावी ढंग से प्राप्त करना है।

A. गलत B. केवल योजना
C. केवल निर्देशन D. सही

3. संसाधनों की व्यवस्था करने का कार्य .... कहलाता है।

A. योजना बनाना B. निर्देशन
C. संगठन D. स्टाफिंग

4. प्रबंधन का एक सिद्धांत कौन सा है?

A. भ्रम B. विलंब
C. कमांड की एकता D. अज्ञानता

5. कथन I: प्रबंधन संसाधनों के कुशल उपयोग को सुनिश्चित करता है।

कथन II: प्रबंधन का लक्ष्य प्राप्ति में कोई भूमिका नहीं है।

A. दोनों कथन सही हैं
B. I सही है, II गलत है
C. दोनों कथन गलत हैं
D. I गलत है, II सही है

6. प्रबंधन प्रक्रिया का पहला कदम .... है।

A. संगठन B. निर्देशन
C. योजना बनाना D. नियंत्रण

7. योजना बनाने में लक्ष्य निर्धारित करना और कार्रवाई तय करना शामिल है।

A. गलत B. केवल संगठन
C. केवल निर्देशन D. सही

8. निर्देशन में कर्मचारियों का मार्गदर्शन और .... शामिल है।

A. अनदेखा करना B. दंड देना
C. प्रेरित करना D. नियंत्रण

9. प्रबंधन का एक कार्य कौन सा है?

A. सोना B. बचना
C. स्टाफिंग D. अनदेखा करना

10. कथन I: नियंत्रण वास्तविक प्रदर्शन की तुलना मानकों से करता है।

कथन II: नियंत्रण का प्रबंधन में कोई भूमिका नहीं है।

A. दोनों कथन सही हैं
B. I सही है, II गलत है
C. दोनों कथन गलत हैं
D. I गलत है, II सही है

11. संगठनात्मक व्यवहार अध्ययन करता है कि संगठन में .... का व्यवहार कैसा होता है।

A. मशीनें B. सिस्टम
C. व्यक्ति D. इमारतें

12. अच्छा संगठनात्मक व्यवहार टीमवर्क और प्रदर्शन को सुधारता है।

A. गलत B. केवल संघर्ष
C. केवल नियम D. सही

13. संगठन में व्यवहार को कौन प्रभावित करता है?
A. पर्यावरण B. नेतृत्व
C. प्रेरणा D. इन सभी

14. प्रेरणा कर्मचारियों की दक्षता को सुधारती है।
A. सही B. गलत
C. केवल नियम D. केवल संरचना

15. **कथन I:** संगठनात्मक व्यवहार कर्मचारियों को समझने में मदद करता है।
कथन II: संगठनात्मक व्यवहार का उत्पादनशीलता पर कोई प्रभाव नहीं है।
A. दोनों कथन सही हैं B. I सही है, II गलत है
C. दोनों कथन गलत हैं D. I गलत है, II सही है

16. नर्सिंग शिक्षा छात्रों को .... अभ्यास के लिए तैयार करती है।
A. सैद्धांतिक B. अनुसंधान
C. क्लिनिकल D. शिक्षण

17. शिक्षण विधियाँ छात्रों को प्रभावी अधिगम में मदद करती हैं।
A. सही B. गलत
C. केवल परीक्षा D. केवल सैद्धांतिक

18. शिक्षण की एक विधि कौन सी है?
A. अनदेखा करना B. सोना
C. दंड देना D. व्याख्यान

19. मूल्यांकन सीखने के परिणामों का आकलन करने में मदद करता है।
A. सही B. गलत
C. केवल शिक्षण D. केवल सैद्धांतिक

20. **कथन I:** नर्सिंग शिक्षा कौशल और ज्ञान में सुधार करती है।
कथन II: शिक्षा का रोगी देखभाल में कोई योगदान नहीं है।
A. दोनों कथन सही हैं
B. I सही है, II गलत है
C. दोनों कथन गलत हैं
D. I गलत है, II सही है

व्याख्यात्मक उत्तर

1. **(C):** प्रबंधन में नियंत्रण शामिल है। यह लक्ष्यों को सुनिश्चित करता है। यह प्रदर्शन की निगरानी करता है।
2. **(D):** प्रबंधन लक्ष्यों को प्राप्त करता है। यह दक्षता बढ़ाता है। यह संगठन का मार्गदर्शन करता है।
3. **(C):** संगठन संसाधनों को व्यवस्थित करता है। यह कार्य को संरचित करता है। यह समन्वय सुनिश्चित करता है।
4. **(C):** कमांड की एकता एक प्रमुख सिद्धांत है। भ्रम से बचाता है। अनुशासन सुधारता है।
5. **(B):** प्रबंधन संसाधनों का उपयोग करता है। लक्ष्य प्राप्त करता है। दूसरा गलत है।
अतः I सही है, II गलत है।
6. **(C):** प्रबंधन प्रक्रिया का पहला कदम योजना बनाना है। यह उद्देश्य निर्धारित करता है। यह क्रियाओं का मार्गदर्शन करता है।
7. **(D):** योजना लक्ष्य को परिभाषित करती है। यह तरीके तय करती है। यह गतिविधियों का निर्देशन करती है।
8. **(C):** निर्देशन कर्मचारियों को प्रेरित करता है। यह उन्हें मार्गदर्शन देता है। प्रदर्शन सुधारता है।
9. **(C):** स्टाफिंग लोगों का चयन करता है। यह कार्य सौंपता है। यह प्रबंधन का समर्थन करता है।
10. **(B):** नियंत्रण कार्य की निगरानी करता है। यह त्रुटियों को सुधारता है। दूसरा गलत है।
अतः I सही है, II गलत है।
11. **(C):** संगठनात्मक व्यवहार अध्ययन करता है कि संगठन में व्यक्ति का व्यवहार कैसा होता है। यह क्रियाओं पर केंद्रित है। यह प्रबंधन सुधारता है।
12. **(D):** अच्छा व्यवहार टीमवर्क सुधारता है। यह दक्षता बढ़ाता है। उत्पादकता बढ़ाता है।
13. **(D):** व्यवहार विभिन्न कारकों से प्रभावित होता है। इसमें नेतृत्व, प्रेरणा और पर्यावरण शामिल हैं। यह जटिल है।
14. **(A):** प्रेरणा प्रदर्शन सुधारती है। यह दक्षता बढ़ाती है। यह मनोबल बढ़ाती है।
15. **(B):** संगठनात्मक व्यवहार समझ को बढ़ाता है। यह उत्पादकता को प्रभावित करता है। दूसरा गलत है।
अतः I सही है, II गलत है।
16. **(C):** नर्सिंग शिक्षा छात्रों को क्लिनिकल अभ्यास के लिए तैयारी करती है। यह कौशल बनाती है। देखभाल में सुधार करती है।
17. **(A):** शिक्षण विधियाँ अधिगम को बढ़ाती हैं। यह समझ बढ़ाती हैं। यह छात्रों का मार्गदर्शन करती हैं।
18. **(D):** व्याख्यान शिक्षण विधि है। यह ज्ञान प्रदान करता है। यह सामान्य है।
19. **(A):** मूल्यांकन सीखने को मापता है। यह प्रगति जांचता है। यह शिक्षण में सुधार करता है।
20. **(B):** शिक्षा कौशल सुधारती है। यह रोगी देखभाल का समर्थन करती है। दूसरा गलत है।
अतः I सही है, II गलत है।

तर्कशक्ति (Reasoning)

1 शब्द सादृश्य

संबंध या सादृश्य परीक्षा में दिए गए दो शब्दों के बीच संबंध स्थापित किया जाता है और उसी संबंध को दिए गए अन्य शब्दों पर अनुप्रयुक्त किया जाता है। दिए गए दो शब्दों के बीच विभिन्न प्रकार के संबंध हो सकते हैं, अत: इस प्रकार के प्रश्नों को हल करते समय सर्वप्रथम यह ज्ञात करना होता है कि दिए गए दो शब्दों के बीच किस प्रकार का संबंध है। शब्दों के बीच विभिन्न संबंधों पर नीचे चर्चा की गई है:

☛ *उदाहरण*

1. क्रिया-साधन संबंध (Action Object Relationship)

उदाहरण : जैसे गोली चलाना और 'बंदूक' का संबंध है उसी प्रकार 'खाने' से किसका संबंध है?

A. भूख B. प्यास
C. रात्रि-भोज D. फल

उत्तर D. : दिए गए शब्दों के बीच संबंध यह है कि गोली चलाना एक क्रिया है और 'बंदूक' उस क्रिया को करने का एक विशिष्ट साधन या उपकरण है। इसी प्रकार 'खाना' एक क्रिया है और 'फल' इस क्रिया को करने अर्थात् खाने का साधन या उपकरण है।

2. साहचर्य संबंध (Association Relationship)

उदाहरण : जो संबंध 'ग्लैमर' और 'प्रसिद्धि' में है, ठीक वैसा ही संबंध 'रंग' का किससे है?

A. इंद्रधनुष
B. छाया
C. कला
D. चित्रकारी

उत्तर D. : जिस प्रकार ग्लैमर से प्रसिद्धि प्राप्त होती है उसी प्रकार 'रंग' से चित्रकारी की जाती है।

वस्तुनिष्ठ प्रश्न

निर्देश (1–15) : *नीचे दिए गए प्रत्येक प्रश्न में :: चिह्न की बाईं ओर दो शब्द दिए गए हैं। इन दोनों शब्दों में कुछ संबंध है। वैसा ही संबंध :: चिह्न की दाईं ओर के दो शब्दों में है जिनमें से एक शब्द के स्थान पर प्रश्नवाचक चिह्न (?) है। प्रश्नवाचक चिह्न (?) के स्थान पर दिए गए विकल्पों में से एक उपयुक्त विकल्प का चयन करें।*

1. भूख : भोजन :: प्यास : ?
A. जल B. पीना
C. चाय D. कॉफी

2. शिकारी : बंदूक :: लेखक : ?
A. पुस्तक B. कलम
C. कविता D. पृष्ठ

3. ऊन : भेड़ :: रेशम : ?
A. साड़ी B. धागा
C. रेशम कीट D. कपड़े का कीड़ा

4. भोजन : आमाशय :: ईंधन : ?
A. इंजन B. ऑटोमोबाइल
C. रेल D. वायुयान

5. जल : रेत :: महासागर : ?
A. द्वीप B. नदी
C. मरुभूमि D. तरंगें

6. वयस्क : बच्चा :: फूल : ?
A. बीज B. कली
C. फल D. तितली

7. लेखक : पाठक :: निर्माता : ?
A. सृजनकर्ता B. ठेकेदार
C. जीव D. उपभोक्ता

8. प्रवेश : निकास :: वफादारी : ?
A. धोखेबाजी B. देशभक्ति
C. ईमानदारी D. पुरस्कार

9. मां : मातृक :: पिता : ?
A. शाश्वत B. हानिकारक
C. पैतृक D. भयानक

10. मोती : कंठहार :: फूल : ?
A. पौधा B. बगीचा
C. पँखुड़ी D. गुलदस्ता

11. अक्षर : शब्द :: शब्द : ?
A. ध्वनि B. संगीत
C. वाक्य D. शब्दकोश

12. जीवन : मृत्यु :: आशा : ?
A. चिल्लाहट B. दर्द
C. निराशा D. दुःखी

13. अच्छा : बुरा :: सद्गुण : ?
A. संताप B. पाप
C. हताशा D. दुर्गुण

14. चिड़िया : उड़ना :: सांप : ?
A. कायर B. खड़खड़ाना
C. रेंगना D. बिल

15. बिल्ली : चूहा :: चिड़िया : ?
A. पिंजड़ा B. जाल
C. गिद्ध D. कीड़े

उत्तरमाला

1	2	3	4	5	6	7	8	9	10
A	B	C	A	C	B	D	A	C	D
11	**12**	**13**	**14**	**15**					
C	C	D	C	D					

व्याख्यात्मक उत्तर

1. 'भूख' की तृप्ति 'भोजन' से और प्यास की तृप्ति जल से होती है।

2. 'शिकारी' का हथियार 'बंदूक' है और लेखक का हथियार 'कलम' है।

3. 'ऊन', 'भेड़' से और 'रेशम', रेशम कीट से प्राप्त होता है।

4. 'भोजन', 'आमाशय' में पचता है और ईंधन की खपत इंजन में होती है।

5. संबंधित शब्द एक दूसरे के लगभग विपरीतार्थक शब्द हैं।

6. 'बच्चा' विकसित होकर 'वयस्क' बनता है और 'कली' खिलकर 'फूल' बनती है।

7. 'लेखक' अपने लेखन से 'पाठकों' को प्रसन्न करना चाहता है और निर्माता अपने उत्पादों से 'उपभोक्ताओं' को संतुष्ट रखना चाहता है।

8. संबंधित शब्द परस्पर विपरीतार्थक हैं।

9. मां की ओर के संबंधी 'मातृक' और पिता की ओर के संबंधी 'पैतृक' कहलाते हैं।

10. बहुत से मोतियों को मिलाकर कंठहार और बहुत से फूलों को मिलाकर 'गुलदस्ता' बनाया जाता है।

11. एकाधिक 'अक्षरों' के मेल से 'शब्द' और एकाधिक 'शब्दों' के मेल से 'वाक्य' बनते हैं।

12. संबंधित शब्द विपरीतार्थक हैं।

13. संबंधित शब्द विपरीतार्थक हैं।

14. चिड़िया 'उड़ती' है और सांप रेंगता है।

15. बिल्ली चूहे को खाती है और चिड़िया कीड़ों को।

✤✤✤✤✤

2 प्रतीक (चिह्न) प्रतिस्थापन

इस प्रकार के प्रश्नों को हल करना अत्यधिक सरल है। ऐसे प्रश्नों को हल करने की एकमात्र अपेक्षा यह है कि उम्मीदवार दिए गए प्रतीकों या चिह्नों को प्रतिस्थापित करने और परिकलन की विद्या में पारंगत हों और अत्यधिक त्वरित गति से दिए गए प्रश्नों का हल ज्ञात कर सकें। इस श्रेणी में पूछे गए कुछ सामान्य प्रकार के प्रश्न नीचे हल किए गए हैं।

☛ *उदाहरण*

1. यदि '+' का अर्थ '×' हो, '×' का अर्थ '÷' हो, '÷' का अर्थ '–' हो और '–' का अर्थ '+' हो, तो $2 - 8 \times 2 + 6 \div 7$ का मान क्या होगा?

A. 32 B. 19
C. 23 D. 9

उत्तर B.: दिए गए व्यंजक में गणितीय चिह्नों को प्रतिस्थापित करने पर नया व्यंजक होगा:

$$2 + 8 \div 2 \times 6 - 7$$

इस व्यंजक को हल करने के निम्नलिखित चरण होंगे:

$$2 + 4 \times 6 - 7$$
$$2 + 24 - 7$$
$$26 - 7 = 19$$

2. यदि '▲' का अर्थ '+' हो,
'■' का अर्थ '–' हो,
'●' का अर्थ '÷' हो,
'✱' का अर्थ '×' हो, तो
13 ▲ 5 ✱ 20 ● 10 ■ 9 = ?

A. 26 B. 37
C. 14 D. 55

उत्तर C.: चिह्नों को प्रतिस्थापित करने पर प्राप्त हुआ नया व्यंजक है:

$$13 + 5 \times 20 \div 10 - 9$$

इस व्यंजक को हल करने के चरण होंगे :

$$13 + 5 \times 2 - 9$$
$$13 + 10 - 9$$
$$23 - 9 = 14$$

वस्तुनिष्ठ प्रश्न

1. यदि "+" का अर्थ "–"; "–" का अर्थ "×" हो; "×" का अर्थ "÷" हो और "÷" का अर्थ "+" हो, तो

$15 \times 5 \div 10 + 5 - 3 = ?$

A. 9.5 B. 0
C. –2 D. 24

2. यदि "+" का अर्थ "–" हो; "–" का अर्थ "×" हो; "×" का अर्थ "÷" हो; और "÷" का अर्थ "+" हो, तो

$15 \times 3 \div 15 + 5 - 2 = ?$

A. 0 B. 10
C. 20 D. 6

3. यदि "+" का अर्थ "÷" हो; "×" का अर्थ "–" हो; "÷" का अर्थ "+" हो और "–" का अर्थ "×" हो, तो

$16 \div 8 \times 6 - 2 + 12 = ?$

A. 22 B. 24
C. 23 D. 20

4. यदि "+" का अर्थ "×" हो; "–" का अर्थ "÷" हो; "÷" का अर्थ "+" हो और "×" का अर्थ "–" हो, तो $20 \div 40 - 4 \times 5 + 6$ का मान निम्नलिखित में से क्या होगा?

A. 60 B. 1.67
C. 150 D. 0

5. यदि "+" का अर्थ "×" हो; "–" का अर्थ "÷" हो; "×" का अर्थ "–" हो और "÷" का अर्थ "+" हो, तो

$5 + 8 - 4 \times 2 \div 9 = ?$

A. 15 B. 13
C. 17 D. 11

6. यदि × का आशय जोड़ की संक्रिया से हो, ÷ का आशय घटाव की संक्रिया से हो, + का आशय गुणा की संक्रिया से हो और – का आशय भाग की संक्रिया से हो, तो $(20 \times 6 \div 6 \times 4)$ निम्नलिखित में से किसके बराबर है?

A. 5 B. 24
C. 25 D. 80

7. यदि "+" का अर्थ "×" हो; "÷" का अर्थ "–" हो; "×" का अर्थ "÷" हो और "–" का अर्थ "+" हो, तो निम्नलिखित व्यंजक का क्या मान होगा?

$4 + 11 \div 5 - 50 = ?$

A. 79　　B. –11

C. 91　　D. इनमें से कोई नहीं

8. यदि P = 6, J = 4, L = 8, M = 24 हो, तो निम्नलिखित व्यंजक में प्रश्नचिह्न (?) के स्थान पर विकल्पों में दिया गया कौन-सा मान आएगा?

$M \times J \div L + J = ?$

A. 8　　B. 36

C. 52　　D. 16

9. यदि A + B > C + D, B + E = 2 C और C + D > B + E, तो इसका निश्चित अर्थ यह है कि :

A. A > C　　B. A + B > 2D

C. A + B > 2C　　D. A + B > 2E

10. यदि A + D > C + E, C + D = 2B और B + E > C + D हो, तो इसका निश्चित अर्थ यह है कि :

A. A + D > B + E　　B. A + D > B + C

C. A + B > 2D　　D. B + D > C + E

11. यदि "+" का अर्थ "÷" हो; "÷" का अर्थ "–" हो; "–" का अर्थ "×" हो और "×" का अर्थ "+" हो, तो

$10 \div 2 - 15 + 3 \times 5 = ?$

A. 10　　B. 15

C. 25　　D. 5

12. यदि A का आशय 'जोड़' की संक्रिया से हो, B का आशय 'घटाव' की संक्रिया से हो, C का आशय 'गुणा' की संक्रिया से हो और D का आशय 'भाग' की संक्रिया से हो, तो 4A 3B 3A 2 का मान होगा :

A. 2　　B. 4

C. 6　　D. 8

13. यदि × का आशय 'जोड़' की संक्रिया से हो, < का आशय 'घटाव' की संक्रिया से हो, + का आशय 'भाग' की संक्रिया से हो, > का आशय 'गुणा' की संक्रिया से हो, – का आशय 'बराबर' हो, ÷ का आशय 'बड़ा होना' हो और = का आशय 'छोटा होना' हो, तो बताइए कि निम्नलिखित में से कौन-सा विकल्प सत्य है?

A. $5 \times 3 < 7 \div 8 + 4 \times 1$

B. $3 \times 4 > 2 - 9 + 3 < 3$

C. $5 > 2 + 2 = 10 < 4 \times 8$

D. $3 \times 2 < 4 \div 16 > 2 + 4$

14. यदि x का आशय 'जोड़' की संक्रिया से हो, y का आशय 'घटाव' की संक्रिया से हो, z का आशय 'भाग' की संक्रिया से हो और p का आशय 'गुणा' की संक्रिया से हो, तो $(7\ p\ 3)\ y\ 6\ x\ 5$ का मान क्या होगा?

A. 5　　B. 10

C. 15　　D. 20

15. यदि → का आशय 'घटाव' की संक्रिया से हो, ← का आशय 'जोड़' की संक्रिया से हो, ↑↑ का आशय गुणा की संक्रिया से हो; ↓↓ का आशय 'भाग' की संक्रिया से हो, ↔ का आशय 'बड़ा होना' हो और ←→ का आशय 'बराबर' हो, तो निम्नलिखित में से कौन-सा विकल्प सत्य है?

A. $4 \leftarrow 6 \uparrow\uparrow 2 \longleftrightarrow 3 \rightarrow 12 \leftarrow 12$

B. $10 \downarrow\downarrow 5 \uparrow\uparrow 5 \longleftrightarrow 9 \rightarrow 3 \leftarrow 4$

C. $15 \uparrow\uparrow 2 \rightarrow 5 \longleftrightarrow 12 \downarrow\downarrow 4 \leftarrow 3$

D. $13 \downarrow\downarrow 13 \leftarrow 1 \leftrightarrow 20 \rightarrow 5 \uparrow\uparrow 2$

16. यदि "+" का अर्थ "÷" हो; "÷" का अर्थ "–" हो; "–" का अर्थ "×" हो और "×" का अर्थ "+" हो, तो व्यंजक $8 + 2 \div 3 - 4 \times 6$ का मान निम्नलिखित में से क्या होगा?

A. – 2

B. $-15\frac{1}{3}$

C. 12

D. 15

17. यदि "+" का अर्थ "÷" हो; "×" का अर्थ "–" हो; "÷" का अर्थ "×" हो और "–" का अर्थ "+" हो, तो निम्नलिखित व्यंजक का मान क्या होगा?

$9 + 3 \div 4 - 8 \times 2 = ?$

A. $6\frac{3}{4}$　　B. $-1\frac{3}{4}$

C. $-6\frac{1}{4}$　　D. 18

18. यदि "–" का अर्थ "÷" हो; "+" का अर्थ "×" हो; "÷" का अर्थ "–" हो और "×" का अर्थ "+" हो, तो निम्नलिखित में से कौन-सा विकल्प निश्चित ही सत्य है?

A. $1 \div 2 + 3 \times 6 - 8 = 12$

B. $2 + 3 - 5 \times 8 \div 4 = 7$

C. $5 + 6 \times 8 - 2 \div 3 = 31$

D. $6 \div 1 + 2 - 8 \times 4 = 31$

19. यदि "÷" का अर्थ "+" हो; "+" का अर्थ "×" हो; "–" का अर्थ "÷" हो और "×" का अर्थ "–" हो, तो

$5 + 8 - 4 \times 2 \div 9 = ?$

A. 13　　B. 15

C. 11　　D. 17

20. यदि "+" का आशय 'घटाव' की संक्रिया से हो; "–" का आशय 'गुणा' की संक्रिया से हो, "÷" का आशय 'जोड़' की संक्रिया से हो और "×" का आशय 'भाग' की संक्रिया से हो, तो $10 \times 5 \div 3 - 2 + 3 = ?$

A. 7

B. $-2\frac{6}{16}$

C. $17\frac{2}{3}$

D. इनमें से कोई नहीं

उत्तरमाला

1	2	3	4	5	6	7	8	9	10
C	B	C	D	C	B	D	D	C	B
11	**12**	**13**	**14**	**15**	**16**	**17**	**18**	**19**	**20**
D	C	C	D	B	A	D	C	D	D

व्याख्यात्मक उत्तर

1. $15 \div 5 + 10 - 5 \times 3$
$3 + 10 - 15 = -2$

2. $15 \div 3 + 15 - 5 \times 2$
$5 + 15 - 10 = 10$

3. $16 + 8 - 6 \times 2 \div 12$
$16 + 8 - 1 = 23$

4. $20 + 40 \div 4 - 5 \times 6$
$20 + 10 - 30 = 0$

5. $5 \times 8 \div 4 - 2 + 9$
$10 - 2 + 9 = 17$

6. $20 + 6 - 6 + 4 = 24$

7. $4 \times 11 - 5 + 50$
$44 - 5 + 50 = 89$

8. $24 \times 4 \div 8 + 4$
$12 + 4 = 16$

9. $A + B > C + D > B + E$ or $2C$
$\therefore A + B > 2C$

10. 1. $A + D > C + E$; 2. $B + E > C + D$ or $2B$
चूँकि 1 और 2 के बीच संबंध स्पष्ट नहीं है, तथापि यह निश्चित है कि $A + D > B + C$.

11. $10 - 2 \times 15 \div 3 + 5$
$10 - 10 + 5 = 5$

12. $4 + 3 - 3 + 2 = 6$

13. A. $5 + 3 - 7 > 8 \div 4 + 1$
$1 > 3$
B. $3 + 4 \times 2 = 9 \div 3 - 3$
$11 = 0$
C. $5 \times 2 \div 2 < 10 - 4 + 8$
$5 < 14$
D. $3 + 2 - 4 > 16 \times 2 \div 4$
$1 > 8$

14. $(7 \times 3) - 6 + 5$
$21 - 6 + 5 = 20$

15. A. $4 + 6 \times 2 = 3 - 12 + 12$
$16 = 3$
B. $10 \div 5 \times 5 = 9 - 3 + 4$
$10 = 10$
C. $15 \times 2 - 5 = 12 \div 4 + 3$
$25 = 6$
D. $13 \div 13 + 1 > 20 - 5 \times 2$
$2 > 10$

16. $8 \div 2 - 3 \times 4 + 6$
$4 - 12 + 6 = -2$

17. $9 \div 3 \times 4 + 8 - 2$
$12 + 8 - 2 = 18$

18. A. $1 - 2 \times 3 + 6 \div 8 = 12$
$\frac{-17}{4} = 12$
B. $2 \times 3 \div 5 + 8 - 4 = 7$
$\frac{26}{5} = 7$
C. $5 \times 6 + 8 \div 2 - 3 = 31$
$31 = 31$
D. $6 - 1 \times 2 \div 8 + 4 = 31$
$\frac{-39}{4} = 31$

19. $5 \times 8 \div 4 - 2 + 9$
$10 - 2 + 9 = 17$

20. $10 \div 5 + 3 \times 2 - 3$
$2 + 6 - 3 = 5$

✣✣✣✣✣

3 संख्या सादृश्य

संख्या सादृश्य में भी पहले दो दी गई संख्याओं के बीच संबंध स्थापित किया जाता है और तत्पश्चात् इस ज्ञात संबंध को संख्याओं के दूसरे जोड़े पर प्रयुक्त करके उसके लुप्त पद को ज्ञात किया जाता है। संख्याओं के बीच संबंध किसी भी एक पैटर्न पर आधारित हो सकता है, जैसे कि :

(i) संख्याएं विषम/सम/अभाज्य संख्याएं हो सकती हैं;
(ii) संख्याएं किसी एक संख्या का गुणज हो सकती हैं;
(iii) संख्याएं भिन्न-भिन्न संख्याओं का वर्गफल/घनफल हो सकती हैं;
(iv) दूसरी संख्या प्राप्त करने के लिए पहली संख्या में किसी संख्या को जोड़ा/घटाया/गुणा/भाग किया जा सकता है;
(v) दूसरी संख्या पहली संख्या के अंकों का योगफल/गुणनफल/अंतरफल हो सकती है, और
(vi) दो दी गई संख्याओं के बीच संबंध उपर्युक्त किसी भी गणितीय परिकलनों के संयोजन द्वारा भी ज्ञात किया जा सकता है।

☛ *उदाहरण*

निर्देश : *निम्नलिखित प्रश्नों में प्रश्न चिह्न (?) के स्थान पर लुप्त पद ज्ञात करें।*

प्र. 25 : 81 : : 36 : ?
A. 121
B. 93
C. 65
D. 103

उत्तर A. : सभी संख्याएं भिन्न-भिन्न संख्याओं के वर्गफल को सूचित करती हैं।

25	:	81	: :	36	:	121
↓		↓		↓		↓
5^2		9^2		6^2		11^2

वस्तुनिष्ठ प्रश्न

निर्देश : *नीचे के प्रत्येक प्रश्न में चिह्न ': :' के पहले दो संख्याएं दी गई हैं जिनमें आपस में एक संबंध है तथा ': :' चिह्न के बाद में एक तीसरी संख्या दी गई है। दिए गए विकल्पों में से उस संख्या का चयन करें जिसका तीसरी संख्या के साथ वैसा ही संबंध हो जैसा संबंध संख्याओं के पहले जोड़े के बीच है।*

1. 1 : 11 : : 2 : ?
A. 20 B. 22 C. 24 D. 44

2. 18 : 27 : : 22 : ?
A. 42 B. 39 C. 33 D. 54

3. 8 : 27 : : 64 : ?
A. 277 B. 125 C. 250 D. 99

4. $\frac{1}{7} : \frac{1}{14} :: \frac{1}{9} : ?$
A. $\frac{1}{88}$ B. $\frac{1}{80}$ C. $\frac{1}{81}$ D. $\frac{1}{18}$

5. 0.16 : 0.0016 : : 1.02 : ?
A. 10.20 B. 0.102
C. 0.0102 D. 1.020

6. 6 : 9 : : 7 : ?
A. 4 B. 14 C. 10 D. 28

7. 7 : 28 : : 2 : ?
A. 8 B. 16 C. 24 D. 12

8. 3 : 1/3 : : ?
A. 6 : 12 B. 5 : 2/15
C. 8 : 1/8 D. 9 : 27

9. 882 : 447 : : 881 : ?
A. 444 B. 445 C. 446 D. 447

10. 4 : 36 : : 6 : ?
A. 63 B. 54 C. 35 D. 30

11. 92 : 69 : : 46 : ?
A. 57 B. 23 C. 31 D. 19

7

उत्तरमाला

1	2	3	4	5	6	7	8	9	10
B	C	B	D	C	C	A	C	C	B
11									
B									

व्याख्यात्मक उत्तर

1. पहली संख्या के अंक को दो बार लिखने पर दूसरी संख्या प्राप्त होती है।

2. पहले जोड़े की संख्याएं 9 का गुणज हैं और दूसरे जोड़े की संख्याएं 11 का गुणज हैं:

$$\underset{9\times 2}{18} : \underset{9\times 3}{27} :: \underset{11\times 2}{22} : \underset{11\times 3}{33}$$

3. संख्याएं भिन्न-भिन्न संख्याओं के घनफल द्वारा सूचित होती हैं :

$$\underset{2^3}{8} : \underset{3^3}{27} :: \underset{4^3}{64} : \underset{5^3}{125}$$

4. पहले भिन्न को 1/2 से गुणा करने पर दूसरा भिन्न प्राप्त होता है :

$$\underbrace{\frac{1}{7} : \frac{1}{14}}_{\times\frac{1}{2}} :: \underbrace{\frac{1}{9} : \frac{1}{18}}_{\times\frac{1}{2}}$$

5. पहली दशमलव संख्या को 100 से भाग करने पर दूसरी दशमलव संख्या प्राप्त होती है:

$$\underbrace{0.16 : 0.0016}_{\div 100} :: \underbrace{1.02 : 0.0102}_{\div 100}$$

6. दूसरी संख्या पहली संख्या से 3 अधिक है :

$$\underbrace{6 : 9}_{+3} :: \underbrace{7 : 10}_{+3}$$

7. दूसरी संख्या पहली संख्या की चार गुनी है:

$$\underbrace{7 : 28}_{\times 4} :: \underbrace{2 : 8}_{\times 4}$$

8. दो संबंधित संख्याओं में से दूसरी संख्या पहली संख्या का खंड या आंशिक भिन्न है, अर्थात् 3 संबंधित है एक-तिहाई $\left(\frac{1}{3}\right)$ से। इसी प्रकार 8 संबंधित होगा $\left(\frac{1}{8}\right)$ से।

9. दोनों संख्याओं के बीच निम्नवत् संबंध है:

88 2 : 44 7 :: 88 1 : 44 6

(88 ÷ 2 = 44; 2 + 5 = 7) (88 ÷ 2 = 44; 1 + 5 = 6)

10. दूसरी संख्या पहली संख्या की नौ गुनी है:

$$\underbrace{4 : 36}_{\times 9} :: \underbrace{6 : 54}_{\times 9}$$

11. पहली और दूसरी संख्याओं के बीच 23 का अंतर है:

$$\underbrace{92 : 69}_{-23} :: \underbrace{46 : 23}_{-23}$$

✤✤✤✤✤

4 ट्रेंड्स/अभिरूचि परीक्षण

वस्तुनिष्ठ प्रश्न

1. सभी कर्मकारों के विषय में कभी गपशप नहीं करता।
A. हाँ, कभी नहीं B. कभी-कभी
C. वह सत्य नहीं है

2. जो करने से मैं विचित्र लगूँ वैसा करने से मैं बचने का प्रयास करता हूँ।
A. हाँ B. नहीं
C. कभी-कभी

3. यदि कोई व्यक्ति तानाशाहीपूर्ण और निरंकुश व्यवहार करता है तो मैं ....
1. सीधा टालता हूँ।
2. ''उससे हिसाब बराबर'' करने का अवसर ढूंढता हूँ।
A. 1 B. 2
C. दोनों में से कोई एक

4. जहाँ बात करने के लिए बहुत लोग न हो वहाँ रहना मुझे जरा भी पसंद नहीं है।
A. सत्य B. अनिश्चित
C. असत्य

5. विशेष छुट्टियों और जन्मदिनों के लिए मुझे ....
1. वैयक्तिक उपहार देना पसंद है ....
2. उपहार खरीदना मुझे झंझट महसूस होता है।
A. 1 B. अनिश्चित
C. 2

6. तुझे आज की सामाजिक समस्याओं में दिलचस्पी है।
A. हाँ B. कुछ-कुछ
C. नहीं

7. मुझे पार्टियों और पिकनिकों जैसे वास्तविक बड़े आयोजनों में रहना अच्छा लगता है।
A. हाँ B. कभी-कभी
C. नहीं

8. मैं समझता हूँ कि हमारी जिन्दगी
1. समाज के नियमों से संचालित होनी चाहिए।
2. हमारी अपनी बुद्धि द्वारा संचालित होनी चाहिए
A. 1 B. 2
C. दोनों के मध्य

9. जब मुझे किसी वस्तुतिकरण की आवश्यकता पड़ती है तो मैं विभ्रम की स्थिति में आ जाता हूँ।
A. हाँ B. अंशत:
C. नहीं

10. मुझे इस बात की शिकायत करनी है कि मेरी कार्य स्थिति उनकी तुलना में अच्छी नहीं है।
A. हाँ B. कभी-कभार
C. नहीं

उत्तरमाला

1	2	3	4	5	6	7	8	9	10
B	A	A	C	A	A	B	C	B	C

✤✤✤✤✤

5 आकृति सादृश्य

वस्तुनिष्ठ प्रश्न

निर्देशः *प्रश्न आकृतियों में :: चिह्न के बाएं दी गई दो आकृतियों में से दूसरी आकृति का पहली आकृति के साथ एक विशेष संबंध है। :: चिह्न की दाईं ओर की दो आकृतियों के बीच भी ऐसा ही संबंध है। दिए गए विकल्पों से उस आकृति का चयन करें जिसे प्रश्न आकृतियों में प्रश्न चिह्न के स्थान पर रखा जा सकता है और जिसका :: चिह्न की दाईं ओर की पहली आकृति के साथ ठीक वैसा ही संबंध है जैसा कि :: चिह्न की बाईं ओर की दो आकृतियों के बीच है।*

1. प्रश्न आकृतियां

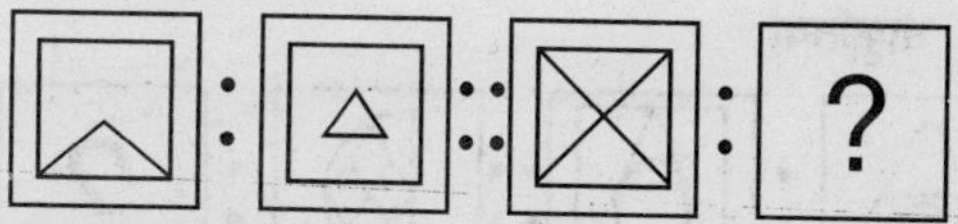

उत्तर आकृतियां

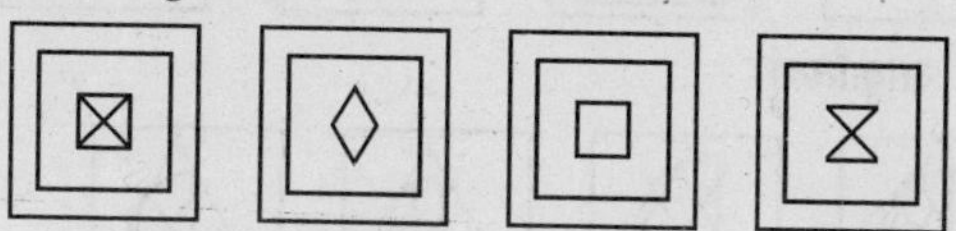

A. B. C. D.

2. प्रश्न आकृतियां

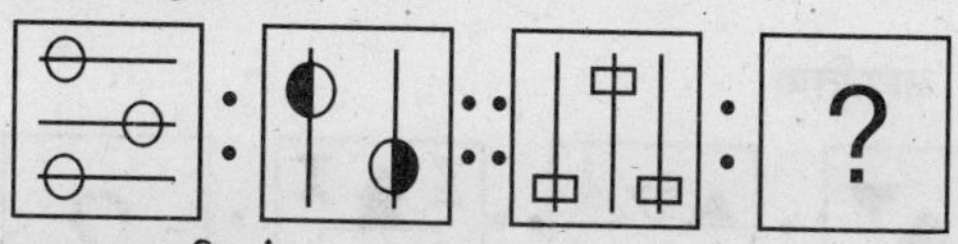

उत्तर आकृतियां

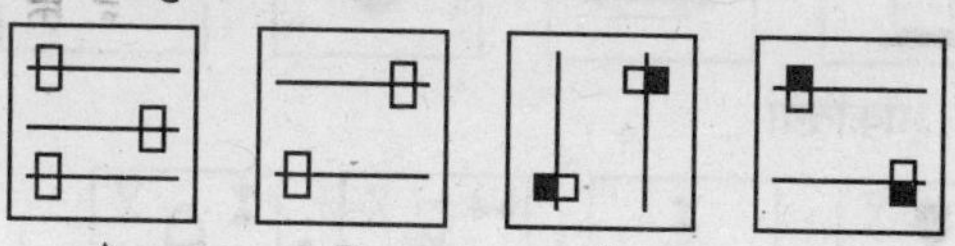

A. B. C. D.

3. प्रश्न आकृतियां

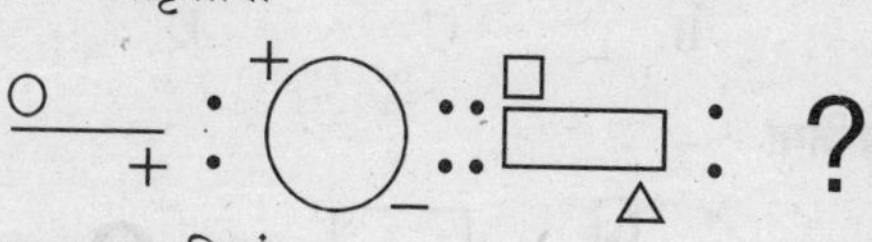

उत्तर आकृतियां

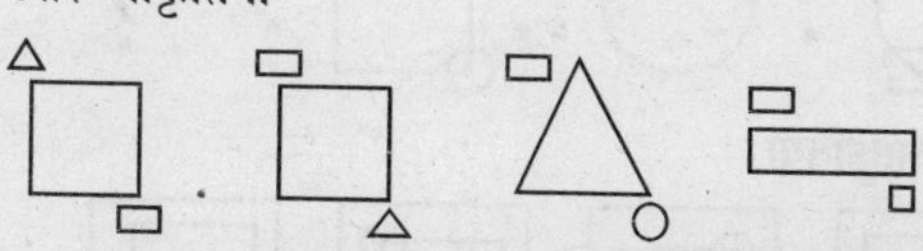

A. B. C. D.

4. प्रश्न आकृतियां

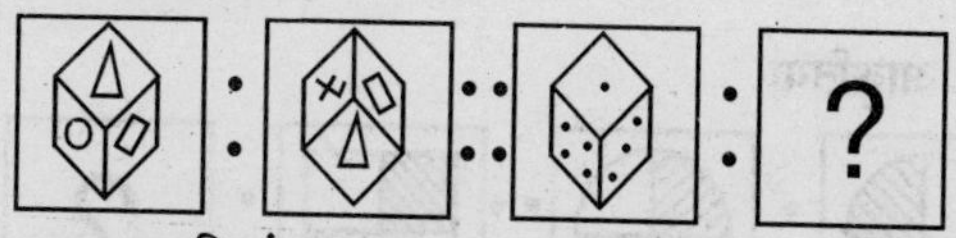

उत्तर आकृतियां

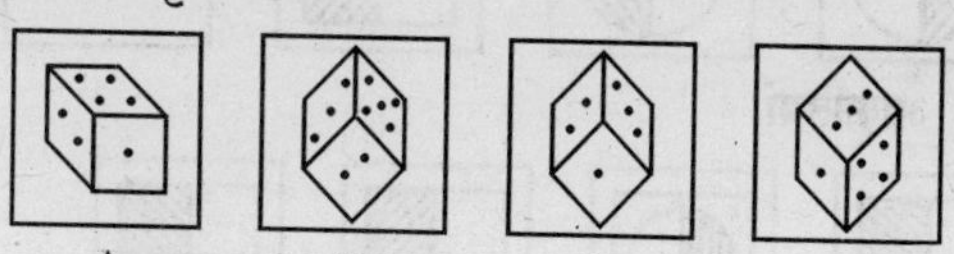

A. B. C. D.

5. प्रश्न आकृतियां

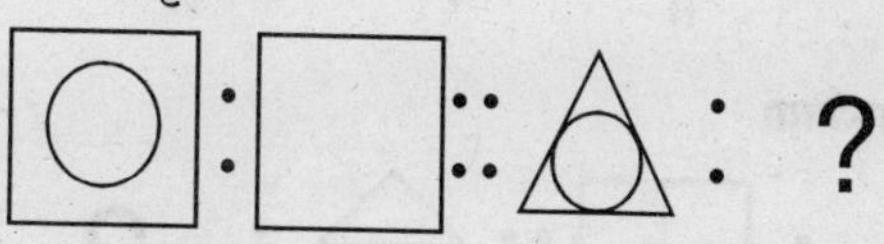

उत्तर आकृतियां

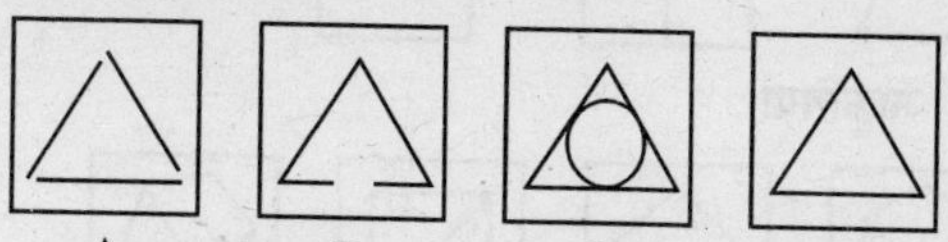

A. B. C. D.

6. प्रश्न आकृतियां

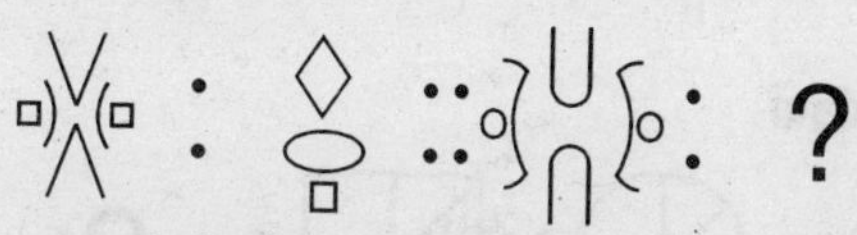

उत्तर आकृतियां

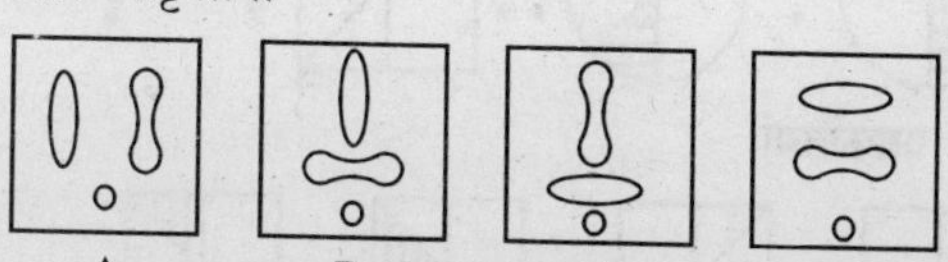

A. B. C. D.

7. प्रश्न आकृतियां

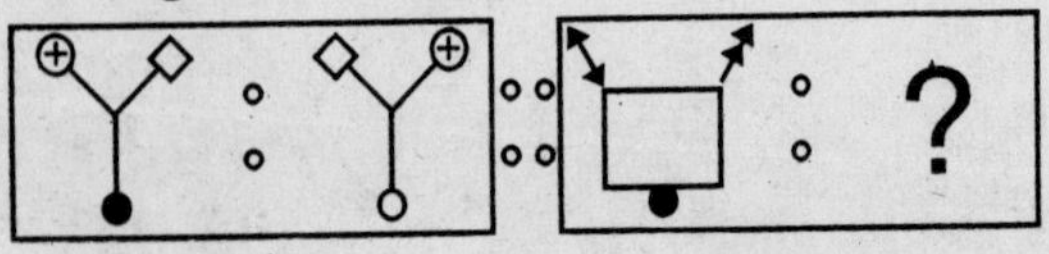

उत्तर आकृतियां

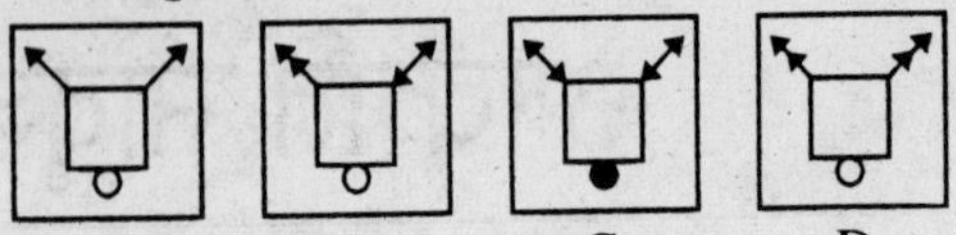

A. B. C. D.

8. प्रश्न आकृतियां

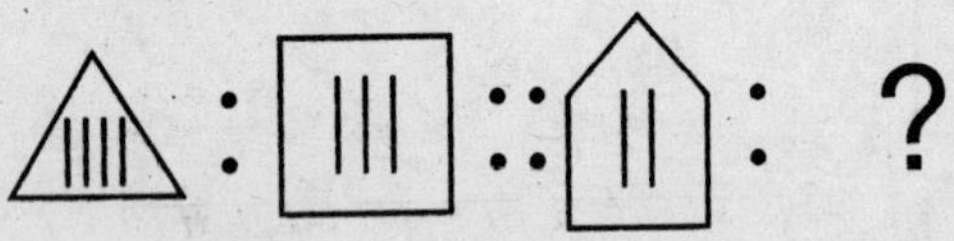

उत्तर आकृतियां

A. B. C. D.

9. प्रश्न आकृतियां

उत्तर आकृतियां

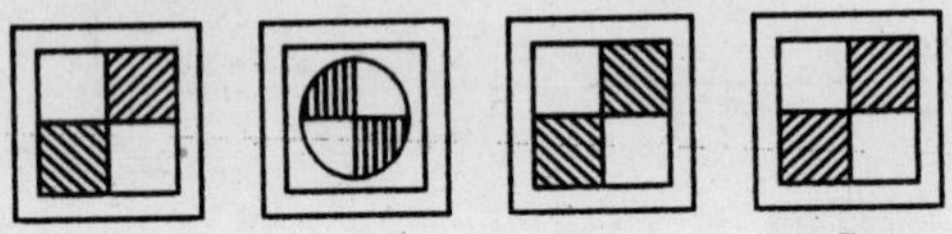

A. B. C. D.

10. प्रश्न आकृतियां

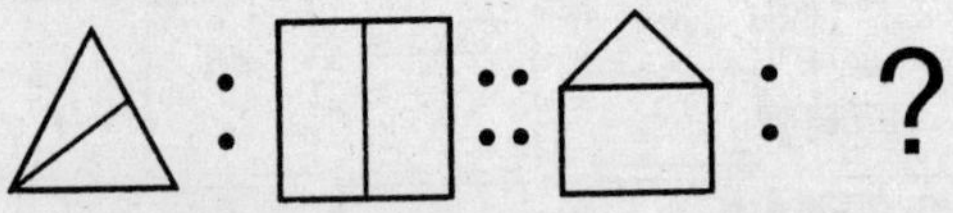

उत्तर आकृतियां

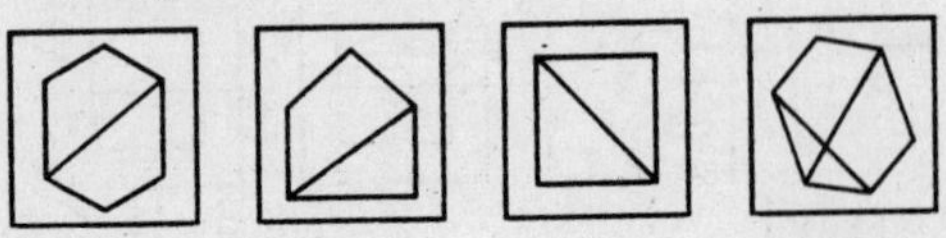

A. B. C. D.

11. प्रश्न आकृतियां

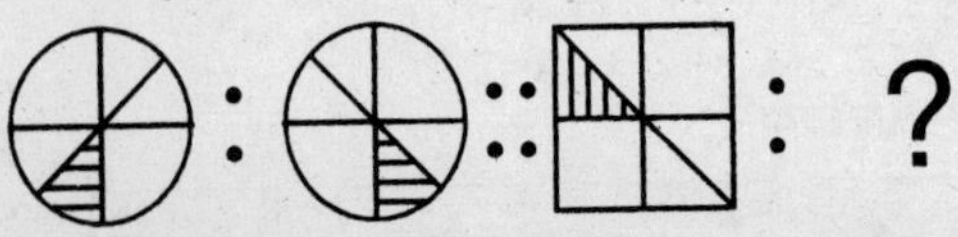

उत्तर आकृतियां

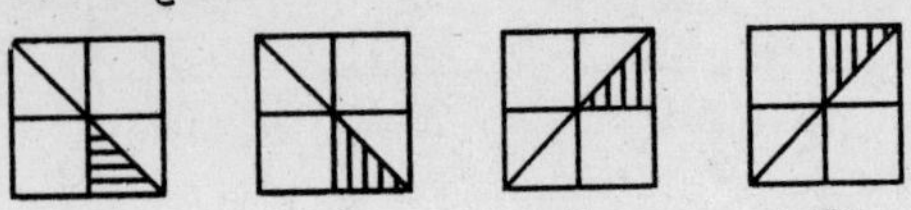

A. B. C. D.

12. प्रश्न आकृतियां

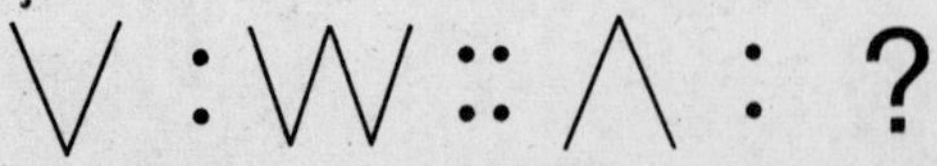

उत्तर आकृतियां

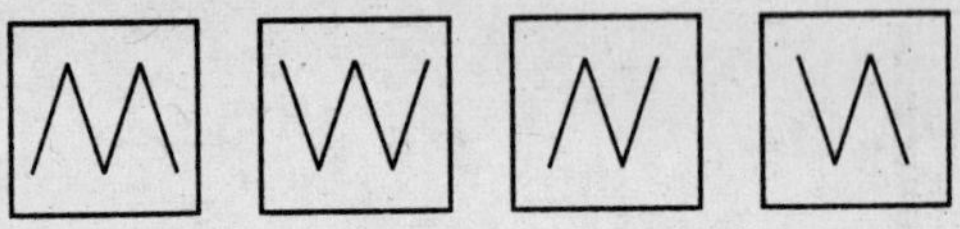

A. B. C. D.

13. प्रश्न आकृतियां

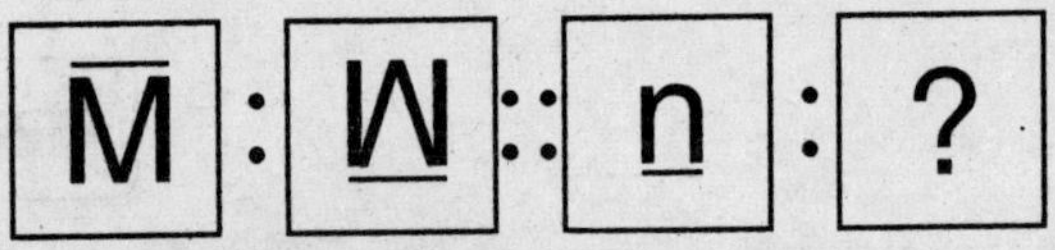

उत्तर आकृतियां

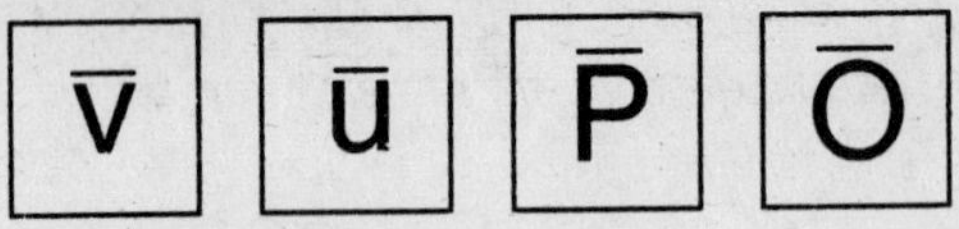

A. B. C. D.

14. प्रश्न आकृतियां

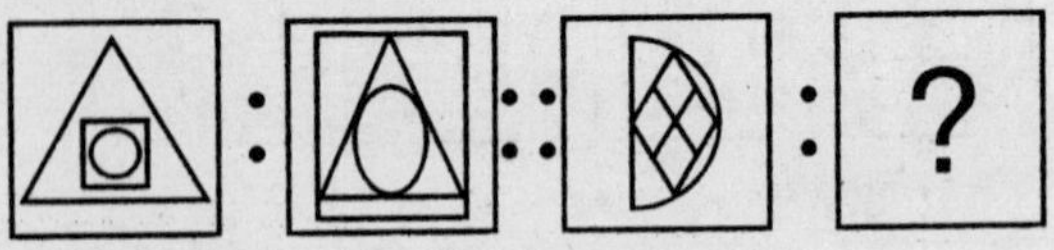

उत्तर आकृतियां

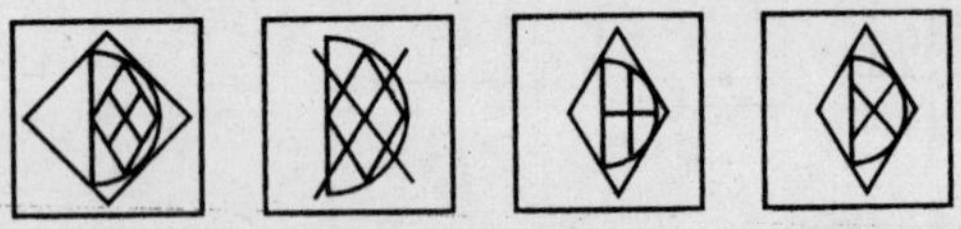

A. B. C. D.

15. प्रश्न आकृतियां

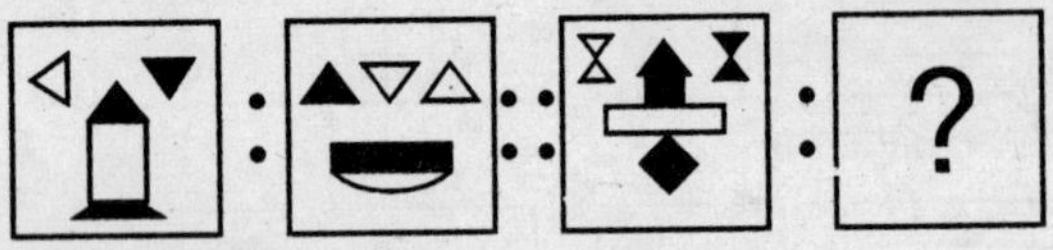

उत्तर आकृतियां

A. B. C. D.

16. प्रश्न आकृतियां

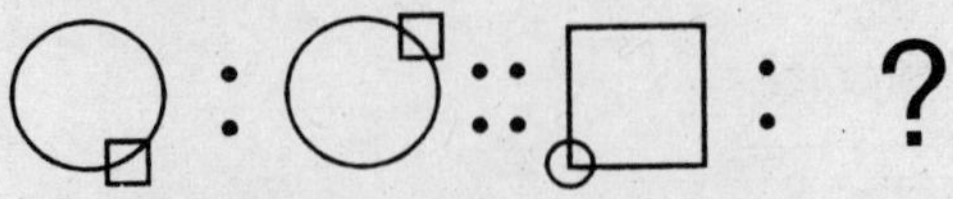

उत्तर आकृतियां

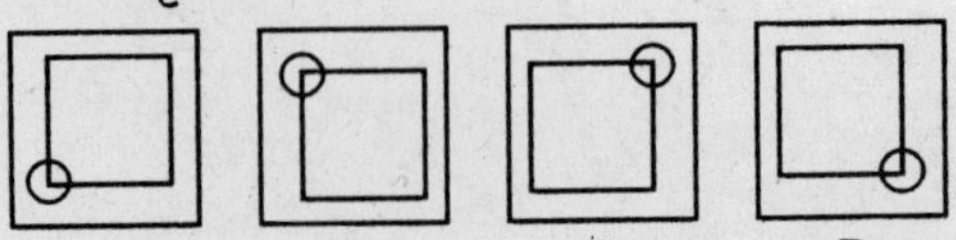

A. B. C. D.

17. प्रश्न आकृतियां

उत्तर आकृतियां

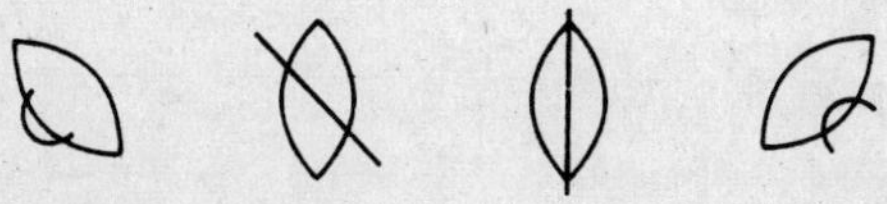

A. B. C. D.

18. प्रश्न आकृतियां

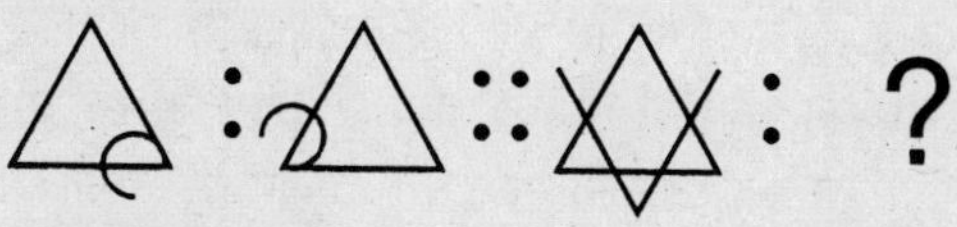

उत्तर आकृतियां

A. B. C. D.

19. प्रश्न आकृतियां

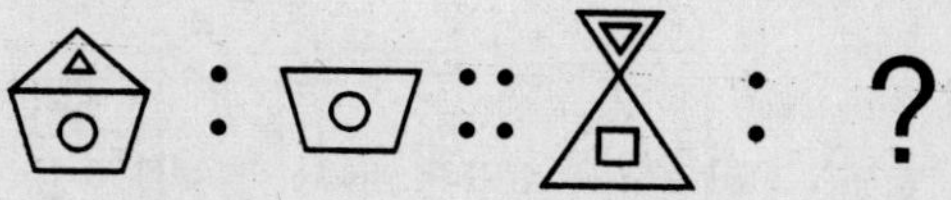

उत्तर आकृतियां

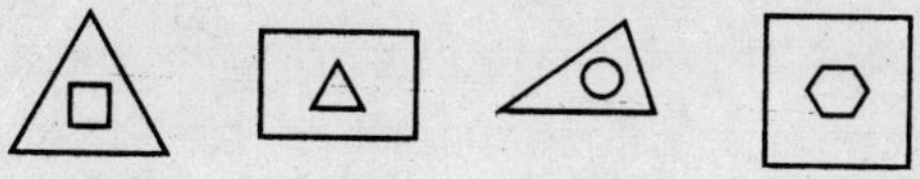

A. B. C. D.

20. प्रश्न आकृतियां

उत्तर आकृतियां

A. B. C. D.

21. प्रश्न आकृतियां

उत्तर आकृतियां

A. B. C. D.

22. प्रश्न आकृतियां

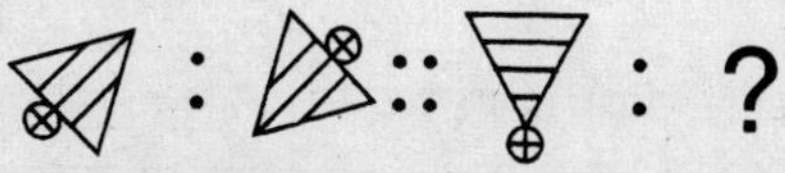

उत्तर आकृतियां

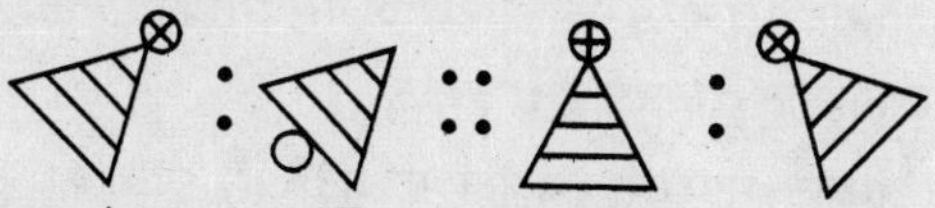

A. B. C. D.

23. प्रश्न आकृतियां

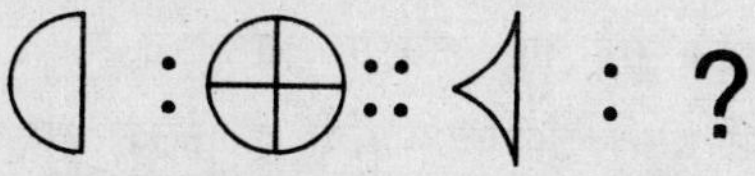

उत्तर आकृतियां

A. B. C. D.

24. प्रश्न आकृतियां

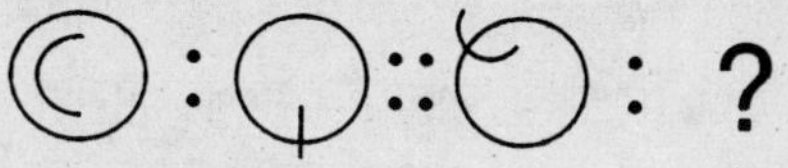

उत्तर आकृतियां

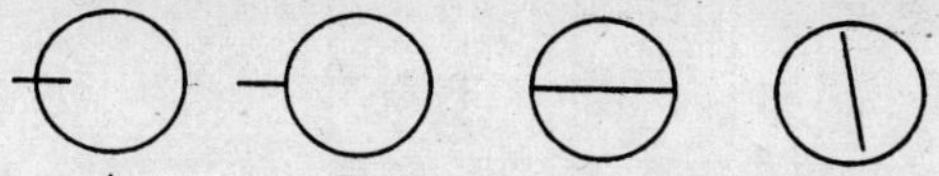

A. B. C. D.

25. प्रश्न आकृतियां

उत्तर आकृतियां

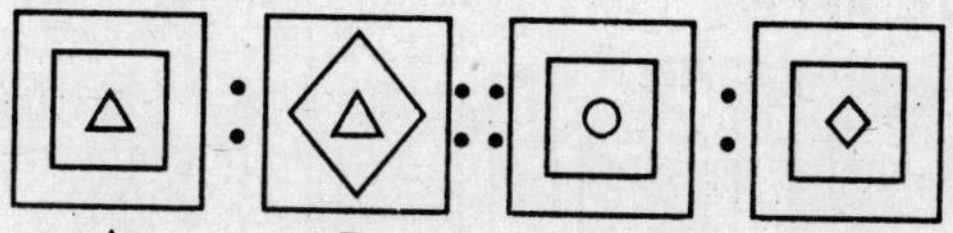

A. B. C. D.

उत्तरमाला

1	2	3	4	5	6	7	8	9	10
D	D	A	C	D	B	B	A	A	A
11	**12**	**13**	**14**	**15**	**16**	**17**	**18**	**19**	**20**
C	A	B	D	C	D	C	B	A	B
21	**22**	**23**	**24**	**25**					
A	C	B	D	D					

व्याख्यात्मक उत्तर

1. पहली आकृति का त्रिभुज दूसरी आकृति में बीच में आ जाता है। इसी प्रकार शीर्ष पर जुड़े दो त्रिभुज भी उत्तर आकृति में बीच में आ जाते हैं।
2. पहली आकृति का संपूर्ण डिजाइन दूसरी आकृति में दक्षिणावर्त 90° के कोण से घूम जाता है और उसका एक अवयव लुप्त हो जाता है तथा रेखिका से जुड़े अवयव के परस्पर विपरीत दिशा वाले हिस्से छायांकित हो जाते हैं।
3. पहली आकृति से दूसरी आकृति में दाईं ओर नीचे का अवयव विकर्णतः सम्मुख कोने पर चला जाता है, बाईं ओर ऊपर का अवयव बड़ा हो जाता है और बीच में आ जाता है तथा बीच का अवयव छोटा होकर नीचे दाएँ कोने पर आ जाता है।
4. पहली आकृति से दूसरी आकृति में पाशे के फलक पर अंकित आकृति ऊपर से नीचे आ जाती है। दाहिनी ओर का डिजाइन अपरिवर्तित रहता है। जबकि बाईं ओर का डिजाइन बदल जाता है।
5. पहली आकृति में भीतर का अवयव दूसरी आकृति में लुप्त हो जाता है।
6. पहली आकृति के दो आधे अवयव दूसरी आकृति में ऊर्ध्वाधरतः पलटकर आपस में जुड़ जाते हैं और इस प्रकार निर्मित नया अवयव ऊपर शीर्ष पर पहुँच जाता है। पहली आकृति के दो क्षैतिजतः अवस्थित वक्र परस्पर जुड़कर एक नया अवयव निर्मित करते हैं और दूसरी आकृति में बीच में आ जाते हैं। पहली आकृति में दाएँ और बाएँ छोरों के दो सदृश अवयवों में से एक अवयव दूसरी आकृति में नीचे आ जाता है।
7. दूसरी आकृति में ऊपर के दो अवयव अपना स्थान बदलकर एक-दूसरे के स्थान पर आ जाते हैं और वृत्त के भीतर का छायांकित भाग छायारहित हो जाता है।
8. पहली आकृति से दूसरी आकृति में एक ऊर्ध्वाधरतः रेखा कम हो जाती है और आकृति को निर्मित करने वाली रेखाओं की संख्या में एक की वृद्धि होती है।
9. पहली आकृति को वामावर्त 90° के कोण से घुमाने पर दूसरी आकृति प्राप्त होती है।
10. पहली आकृति से दूसरी आकृति में आकृति को निर्मित करने वाली रेखाओं की संख्या में एक की वृद्धि होती है।
11. पहली आकृति से दूसरी आकृति में विकर्णी रेखा 90° के कोण से घूम जाती है और रेखाखण्ड क्षैतिजतया सम्मुख खण्ड में चले जाते हैं।
12. पहली आकृति का डिजाइन दूसरी आकृति में दोगुना हो जाता है।
13. पहली आकृति का डिजाइन दूसरी आकृति में ऊर्ध्वाधरतः उलट जाता है।
14. बीच के और सबसे भीतरी अवयव के आकार में वृद्धि होती है और सबसे बाहरी अवयव छोटा होकर दो बढ़े हुए अवयवों के बीच में आ जाता है।
15. पहली आकृति से दूसरी आकृति में ऊपरी बाईं ओर का अवयव 90° के कोण से घूम जाता है और ऊपरी दाईं ओर का अवयव ऊर्ध्वाधरतः उलट जाता है। ऊर्ध्वाधर डिजाइन का ऊपरी भाग ऊर्ध्वाधरतः उलट जाता है और अलग हो जाता है, बीच का हिस्सा छोटा/बड़ा हो जाता है और 90° के कोण से घूम जाता है। तथा निचला हिस्सा ऊर्ध्वाधरतः उल्ट जाता है। उपर्युक्त सभी परिवर्तनों के अतिरिक्त एक आकृति से दूसरी आकृति में छायांकित भाग छाया रहित हो जाता है और छाया रहित भाग छायांकित हो जाता है।
16. पहली आकृति से दूसरी आकृति में मुख्य डिजाइन को आच्छादित करने वाला अवयव वामावर्त एक चरण खिसक रहा है।
17. पहली आकृति दूसरी आकृति में दक्षिणावर्त 45° के कोण से घूम जाती है।
18. पहली आकृति से दूसरी आकृति में अपूर्ण अवयव वामावर्त दो चरण खिसक जाता है और वामावर्त 135° के कोण से घूम जाता है।
19. पहली आकृति से दूसरी आकृति में ऊपर का भाग लुप्त हो जाता है और दूसरी आकृति में पहली आकृति का केवल आधारीय भाग ही बचा रह जाता है।
20. पहली आकृति से दूसरी आकृति में बाईं ओर का अवयव जिस रेखा से जुड़ा है उसे पार कर जाता है जिससे यह दूसरी आकृति में दो बराबर भागों में बंट जाता है।
21. पहली आकृति का अपूर्ण डिजाइन दूसरी आकृति में पूर्ण हो जाता है।
22. पहली आकृति का डिजाइन दूसरी आकृति में 180° के कोण से घूम जाता है।
23. पहली आकृति का डिजाइन दूसरी आकृति में पूर्ण हो जाता है और चार समान भागों में बंट जाता है।
24. पहली आकृति में वृत्त के भीतर एक चाप है जो दूसरी आकृति में वृत्त की परिधि को काट रहे एक रेखाखंड द्वारा प्रतिस्थापित हो जाता है। इसी तर्क के आधार पर प्रश्नाकृतियों के दूसरे भाग की पहली आकृति में वृत्त की परिधि को काट रहे चाप के स्थान पर दूसरी आकृति में वृत्त के भीतर एक रेखाखण्ड होगा।
25. पहली आकृति से दूसरी आकृति में बाहरी अवयव छोटा होकर भीतरी अवयव (वृत्त) के भीतर आ जाता है और भीतरी अवयव (वृत्त) जो पहली आकृति में छोटा है, दूसरी आकृति में बड़ा हो जाता है।

✤✤✤✤✤

6 रिक्त स्थान दृश्यता

इस प्रकार के प्रश्नों में किसी घन, पासा या खाने (बक्से) का एक सांचा या विन्यास दिया जाता है जिसे मोड़कर विभिन्न आकृतियाँ निर्मित की जा सकती हैं। इस प्रकार के प्रश्नों को हल करने के लिए यह आवश्यक है कि अभ्यर्थियों को दिए गए विन्यास का स्पष्ट ज्ञान हो तथा वे दी गई विकल्प आकृतियों से उस एक आकृति का चयन कर सकें जो दिए गए विन्यास से निर्मित की जा सकती है। इस प्रकार के प्रश्नों को हल करने के लिए निम्नलिखित आकृति-विन्यास का सावधानीपूर्वक अध्ययन करें:

विन्यास **1.** 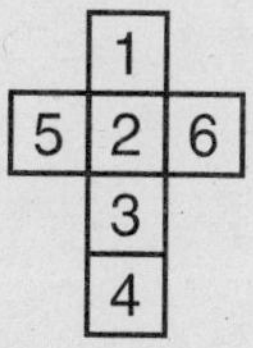 या 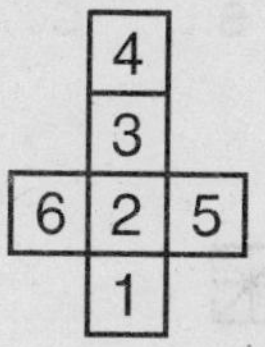

1 – 3, 2 – 4 और 5 – 6 आमने-सामने के फलक (सम्मुख फलक) हैं।

विन्यास **2.** 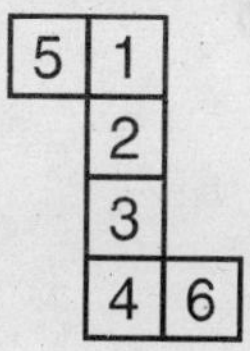 या 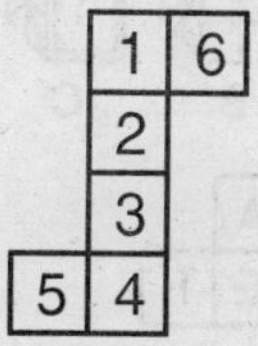

1 – 3, 2 – 4 और 5 – 6 आमने-सामने के फलक (सम्मुख फलक) हैं।

विन्यास **3.** 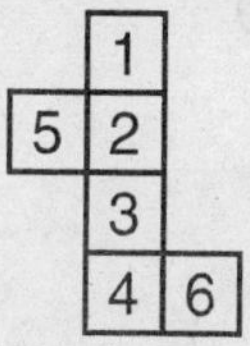 या 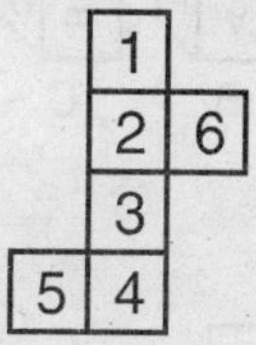

1 – 3, 2 – 4 और 5 – 6 आमने-सामने के फलक (सम्मुख फलक) हैं।

विन्यास **4.** 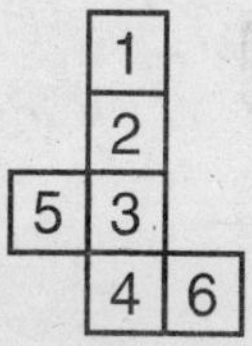 या 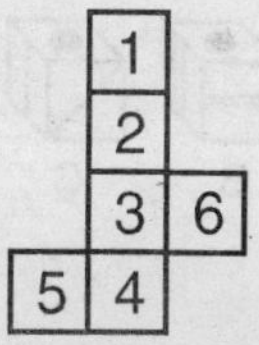

1 – 3, 2 – 4 और 5 – 6 आमने-सामने के फलक (सम्मुख फलक) हैं।

विन्यास **5.** 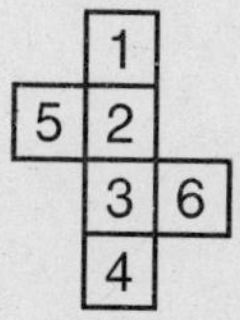 या 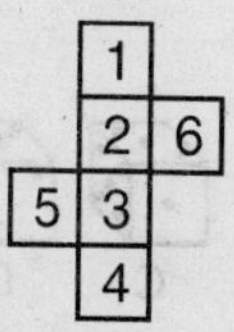

1 – 3, 2 – 4 और 5 – 6 आमने-सामने के फलक (सम्मुख फलक) हैं।

विन्यास **6.** 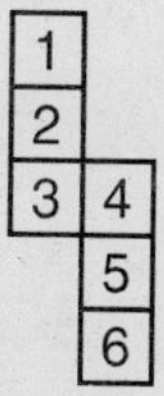 या 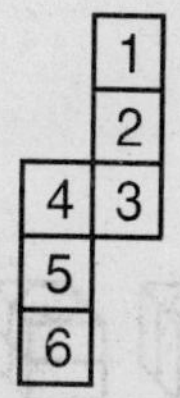

1 – 3, 2 – 4 और 5 – 6 आमने-सामने के फलक (सम्मुख फलक) हैं।

विन्यास **7.** 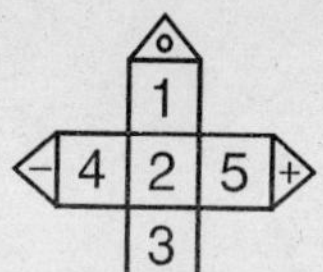

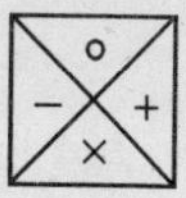 — 2, 1 — 3 और 4 – 5 आमने-सामने के फलक (सम्मुख फलक) हैं।

विन्यास **8.** 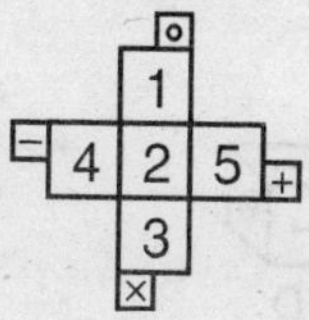

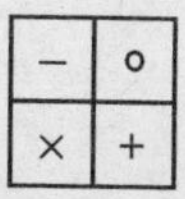 — 2, 1 — 3 और 4 – 5 आमने-सामने के फलक (सम्मुख फलक) हैं। यहाँ फलक संख्या 6 चार भागों में विभाजित है।

उपर्युक्त विन्यास से यह स्पष्ट है कि सम्मुख फलक को छोड़कर शेष सभी फलक आसन्न (सन्निकट) फलक हैं। यह भी ध्यान में रखें कि विकल्प आकृतियों के तीन दिखाई दे रहें फलक प्रत्येक सम्मुख फलकों के जोड़े का एक अवयव (सम्मुख फलक) है।

वस्तुनिष्ठ प्रश्न

निर्देशः आकृति (× द्वारा चिह्नित आकृति) को विभिन्न षड्फलकीय आकृतियाँ निर्मित करने के लिए मोड़ा जाता है। प्रत्येक प्रश्न में बताइए कि दी गई आकृति को इंगित रेखाओं के साथ-साथ घन की आकृति (षड्फलकीय आकृति) में मोड़ने पर प्राप्त आकृति कैसी दिखाई देगी?

1. 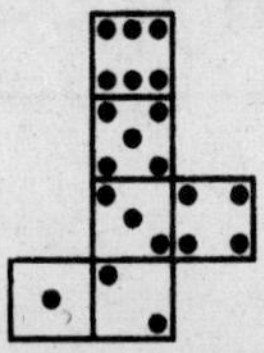

A B C D

2. 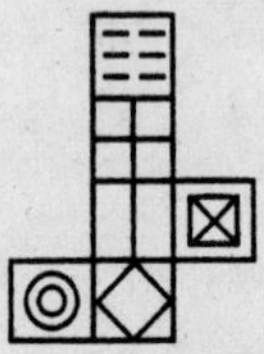

A B C D

3. 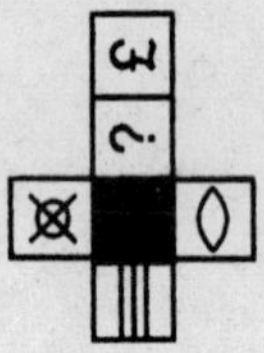

A B C D

4. 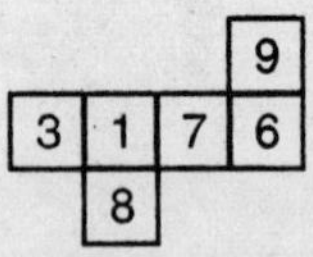

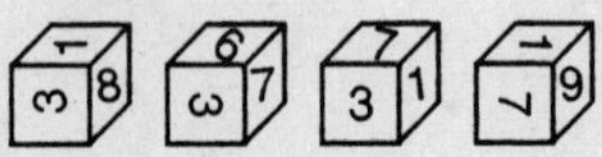

A B C D

5. 

A B C D

6. 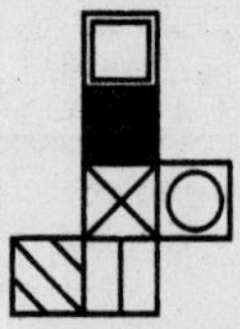

A B C D

7. 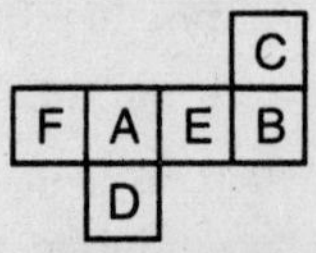

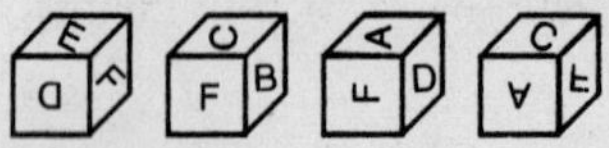

A B C D

8. 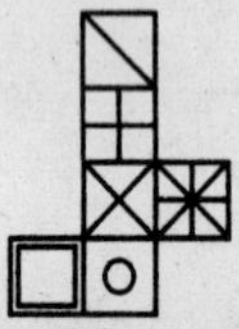

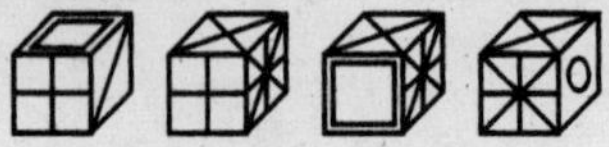

A B C D

9. 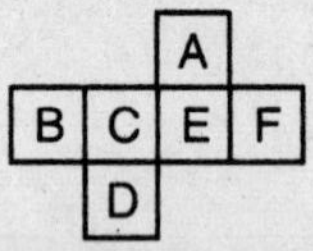

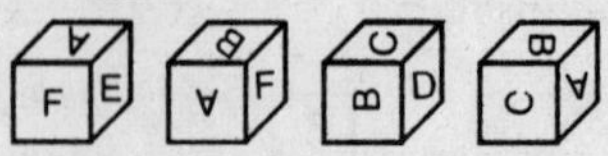

A B C D

10. 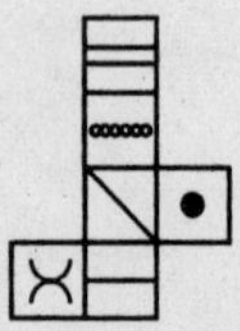

A B C D

उत्तरमाला

1	2	3	4	5	6	7	8	9	10
D	B	D	A	C	D	C	A	C	D

व्याख्यात्मक उत्तर

(सभी उत्तर इस अध्याय के आरंभ में दिए गए विन्यास में दर्शाए गए अनुसार फलकों के संख्या प्रतिरूप पर आधारित हैं)

1. दी गई आकृति विन्यास-4 के समान है। शीर्ष फलक 3 के सन्निकट फलक क्रमशः 2, 5, 4, 6 हैं। इन फलकों में से 4 और 6 क्रमशः बाईं और दाईं ओर है।

2. दी गई आकृति विन्यास-4 के समान है। शीर्ष फलक 5 के सन्निकट फलक क्रमशः 4, 3, 2, 1 हैं। इन फलकों में से 1 और 4 क्रमशः बाईं और दाईं ओर हैं।

3. दी गई आकृति विन्यास-1 के समान हैं। शीर्ष फलक 5 के सन्निकट फलक क्रमशः 4, 3, 2, 1 हैं। इन फलकों में से 2 और 1 क्रमशः बाईं और दाईं ओर है।

4. दी गई आकृति विन्यास-3 के समान है। शीर्ष फलक 2 के सन्निकट फलक क्रमशः 1, 5, 3, 6 हैं। इन फलकों में से 1 और 5 क्रमशः बाईं और दाईं ओर है।

5. दी गई आकृति विन्यास-1 के समान है। शीर्ष फलक 6 के सन्निकट फलक क्रमशः 1, 2, 3, 4 हैं। इन फलकों में से 2 और 3 क्रमशः बाईं और दाईं ओर है।

6. दी गई आकृति विन्यास-4 के समान है। शीर्ष फलक 1 के सन्निकट फलक क्रमशः 2, 6, 4, 5 हैं। इन फलकों में से 5 और 2 क्रमशः बाईं और दाईं ओर है।

7. दी गई आकृति विन्यास-3 के समान है। शीर्ष फलक 2 के सन्निकट फलक क्रमशः1, 5, 3, 6 हैं। इन फलकों में से 1 और 5 क्रमशः बाईं और दाईं ओर है।

8. दी गई आकृति विन्यास-4 के समान है। शीर्ष फलक 5 के सन्निकट फलक क्रमशः 4, 3, 2, 1 हैं। इन फलकों में से 2 और 1 क्रमशः बाईं और दाईं ओर है।

9. दी गई आकृति विन्यास-5 के समान है। यदि F फलक-1 पर हो, तो शीर्ष फलक 3 के सन्निकट फलक क्रमशः 4, 6, 2, 5 होंगे। इन फलकों में से 4 और 6 क्रमशः बाईं और दाईं ओर देखें जा सकते हैं।

10. दी गई आकृति विन्यास-4 के समान है। शीर्ष फलक 5 के सन्निकट फलक क्रमशः 4, 3, 2, 1 हैं। इन फलकों में से 2 और 1 क्रमशः बाईं और दाईं ओर है।

✤✤✤✤✤

7 शब्द वर्गीकरण

इस प्रकार के वर्गीकरण में पांच शब्द दिए जाते हैं जिनमें से चार शब्द तथ्य या अर्थ की दृष्टि से या अन्य किसी न किसी रूप में आपस में संबंधित होते हुए एक समूह बनाते हैं जबकि शेष केवल एक शब्द अन्य चारों से भिन्न होता है। परीक्षार्थी को यह पता लगाना होता है कि वह एक कौन-सा शब्द है जो समूह से संबंधित नहीं है और इस कारण विजातीय है।

☛ *उदाहरण*

निर्देश : *निम्नलिखित पांच शब्दों में से उस एक शब्द का चयन करें जो अन्य चार से भिन्न है:*

1. A. पिता B. माता C. मित्र D. भाई

उत्तर C. **:** अन्य सभी के बीच रक्त संबंध है।

2. A. जल B. जेली C. नींबू शरबत D. कॉफी

उत्तर B. **:** अन्य सभी द्रव पदार्थ हैं।

वस्तुनिष्ठ प्रश्न

निर्देश : *यहां दिए गए प्रत्येक प्रश्न में तीन शब्द किसी न किसी प्रकार से समान हैं और इस कारण वे एक समूह बनाते हैं जबकि एक शब्द अन्य तीनों से भिन्न है। इस भिन्न या विजातीय शब्द को ज्ञात करें।*

1. A. हरा B. लाल
C. रंग D. नारंगी

2. A. बुध B. चंद्रमा
C. बृहस्पति D. मंगल

3. A. खुश B. उदास
C. प्रसन्नचित्त D. प्रसन्न

4. A. स्टूल B. लकड़ी
C. मेज D. कुर्सी

5. A. मुंबई B. चंडीगढ़
C. लखनऊ D. हैदराबाद

6. A. ट्यूटर B. प्रिंसिपल
C. छात्र D. प्रोफेसर

उत्तरमाला

1	2	3	4	5	6
C	B	B	B	B	C

व्याख्यात्मक उत्तर

1. अन्य सभी विभिन्न प्रकार के रंग हैं।

2. अन्य सभी ग्रहों के नाम हैं।

3. अन्य सभी आनन्द की अनुभूति को अभिव्यक्त करते हैं।

4. अन्य सभी लकड़ी से बनने वाली वस्तुएं हैं।

5. अन्य सभी विभिन्न राज्यों की राजधानियों के नाम हैं, किंतु केवल चंडीगढ़ ही दो राज्यों की राजधानी है।

6. अन्य सभी शिक्षा प्रदान करते हैं जबकि छात्र इन सभी से शिक्षा प्राप्त करता है।

✤✤✤✤✤

8 अनुमान-सिद्ध निष्कर्ष

इस प्रकार के तर्कबुद्धि परीक्षण में एक कथन दिया जाता है जिसके बाद उस कथन के आधार पर निकाले जा सकने वाले अनुमान दिए जाते हैं। इन अनुमानों में से केवल एक अनुमान निश्चित रूप से निकाला जा सकता है जो दिए गए कथन में अंतर्निहित एक प्रस्थापना होता है और वही दिए गए प्रश्न का सही उत्तर होता है।

वस्तुनिष्ठ प्रश्न

निर्देश : *नीचे के प्रत्येक प्रश्न में एक या अधिक कथन दिए गए हैं जिसके साथ अनेक अनुमान-सिद्ध निष्कर्ष दिए गए हैं। जो अनुमान सिद्ध निष्कर्ष दी गई सूचना के अतिरिक्त और कुछ भी गृहीत न करके केवल कथन में वर्णित तथ्यों के आधार पर निश्चित रूप से निकाला जा सकता है वही आपका सही उत्तर है।*

1. यदि आपके पास संबंधित क्षेत्र में कम-से-कम दो वर्ष का कार्य अनुभव नहीं है तो इस नौकरी के लिए आपके चयन की संभावना काफी सीमित है। लगभग पिछले आठ वर्षों के दौरान किए गए चयनों में यही बात प्रतिबिंबित होती है।

A. नौकरी के लिए आवेदन करने वाले सभी उम्मीदवारों को न्यूनतम दो वर्ष का कार्य-अनुभव होने की बात से स्पष्टत: अवगत करा दिया गया है।

B. अधिकांश उम्मीदवारों के पास दो वर्ष से भी काफी अधिक समय का कार्य-अनुभव है।

C. कार्य का पूर्व अनुभव कार्य के बेहतर निष्पादन के लिए अत्यधिक उपयोगी समझा जाता है।

D. यदि आपके पास दो वर्ष से अधिक समय का कार्य-अनुभव है तो आपका चयन सुनिश्चित है।

2. कुछ ऐसे छात्र जिन्हें स्कूली शिक्षा के दौरान केवल औसत अंक ही प्राप्त होते रहे हैं, वे बाद में चलकर अपने व्यवसाय में काफी सफल होते हैं हालांकि ऐसे मामले केवल अपवाद ही होते हैं।

A. शैक्षिक उपलब्धि और व्यावसायिक सफलता के बीच किसी भी प्रकार का कोई भी संबंध नहीं होता।

B. कुछ ऐसे अपवाद भी देखे जा सकते हैं जिनमें स्कूली शिक्षा में बेहतर उपलब्धि प्राप्त करने वाले व्यक्ति जीवन के अन्य क्षेत्रों में विफल सिद्ध होते हैं।

C. केवल वही जो स्कूली परीक्षाओं में बेहतर अंकों से उत्तीर्ण होते हैं, अच्छी नौकरी भी पा सकते हैं।

D. कुछ छात्रों का स्कूली परीक्षाओं में बेहतर प्रदर्शन नहीं होता।

3. किसी संगठन के विभिन्न कार्यालय प्राय: इंटरकॉम नामक एक आंतरिक टेलीफोन प्रणाली द्वारा जुड़े होते हैं।

A. प्राइवेट ब्रांच एक्सचेंज (पीबीएक्स) किसी ऑपरेटर द्वारा हस्त प्रचालित और नियंत्रित होता है।

B. अंतर्विभागीय कार्य के निपटान हेतु एक उत्तम आंतरिक संचार प्रणाली का होना आवश्यक है।

C. इंटरकॉम पर की गई बातचीत गुप्त रखी जा सकती है।

D. इंटरकॉम में 3000 मीटर के दायरे में अधिकतम 10 पिन एक साथ संयोजित किए जा सकते हैं।

4. जनसंख्या वृद्धि की उच्च दर का वननाशन से गहरा संबंध है?

A. वनों का मानव बस्तियों के विकास पर प्रतिकूल प्रभाव पड़ता है।

B. मानव बस्तियों को वन्य जंतुओं से काफी कम खतरा है।

C. वन क्षेत्र में कमी से मनुष्यों को अधिक तेजी से अपनी संख्या वृद्धि करने की प्रेरणा मिलती है।

D. जनसंख्या वृद्धि से अधिक भूमि की आवश्यकता होती है।

5. शब्द संसाधक (वर्ड प्रोसेसर) स्क्रीन आधारित प्रणाली है जिसमें टाइप की हुई सामग्री स्क्रीन पर प्रदर्शित होती है।

A. सामग्री को हार्ड डिस्क, फ्लॉपी डिस्क में रखा जाता है ताकि सामग्री में बाद में संशोधन या मुद्रण किया जा सके।

B. यह हस्तचालित और विद्युत चालित है।

C. नई सामग्री डालकर या अवांछित सामग्री हटाकर संपूर्ण सामग्री का संपादन किया जा सकता है।

D. यह भावी प्रयोग के लिए सामग्री को सुरक्षित रखता है।

6. फोटो कॉपी करने की मशीन प्रतिलिपिकरण के क्षेत्र में विकसित एक आधुनिकतम मशीन है?

A. इसमें मूल सामग्री को छोटा या बड़ा करने की क्षमता नहीं होती।

B. यह एक विद्युतचालित मशीन है जो मूल सामग्री का प्रतिबिंब निर्मित करती है।

C. प्रत्येक प्रतिलिपि मूल प्रति, प्रभावोत्पादक और आकर्षक प्रतीत होती है।

D. यह त्वरित, आसानी से प्रचालित किए जाने वाला, सस्ता और सही कार्य करने वाली मशीन है।

7. बड़े शहरों की जनसंख्या दिनानुदिन बढ़ रही है। किंतु नागरिक सुविधाएं और अन्य सहायक सुविधाएं पूर्ववत बनी हुई हैं और उनमें कोई विस्तार नहीं हुआ है।

A. शहरों में गांवों की तुलना में जन्मदर अधिक है।

B. शहर नष्ट हो रहे हैं।

C. यदि नागरिक सुविधाओं में सुधार किया जाए तो जनसंख्या वृद्धि की दर में और वृद्धि होगी।

D. सीमित मात्रा में उपलब्ध सुविधाओं का उपयोग अधिकाधिक लोगों द्वारा किया जा रहा है।

8. चूंकि महिलाएं अल्प शिक्षित हैं, अत: देश की संसद और विधान सभाओं में महिलाओं को 33% आरक्षण देने का अर्थ होगा सुशिक्षित व्यक्तियों पर अल्पशिक्षितों द्वारा शासन।

A. अशिक्षित महिलाओं द्वारा अशिक्षित महिलाओं का चुनाव किया जाता है।

B. चुनी गई महिलाओं में 33 प्रतिशत अशिक्षित होंगी।

C. विधायिकाओं में अशिक्षित व्यक्तियों की संख्या काफी बढ़ जाएगी।

D. विधायिकाओं में शिक्षित व्यक्तियों की आवाज दबकर रह जाएगी।

9. फैक्स मशीनें किसी भी प्रकार की लिखित या मुद्रित सामग्री, रेखा-चित्रों, छायाचित्रों आदि को एक स्थान से दूसरे स्थान पर संप्रेषित करने के लिए टेलीफोन लाइनों का उपयोग करती हैं।

A. यह किसी दस्तावेज के संपादन, संशोधन और मुद्रण की एक विधि है।

B. प्रापत्र और प्रेषण दोनों सिरों पर उपकरणों का चालू होना आवश्यक है।

C. इस मशीन को प्रतिचित्रण (फैक्सीमाइल) टेलीग्राफी कहते हैं।

D. यह टेलीफोन की गति और कार्यालय की कॉपियर मशीन की पुनरुत्पादन क्षमता के संयोजन द्वारा दस्तावेज की प्रतिलिपि लंबी दूरियों तक भेज सकता है।

10. कार्यालयों में परिकलन, दैनिक बिलिंग लेखांकन आदि के लिए अनेक प्रकार के कैलकुलेटरों का प्रयोग किया जाता है।

A. कैलकुलेटरों का अंकगणितीय प्रक्रमों के लिए उपयोग किया जा सकता है।

B. इलेक्ट्रॉनिक कैलकुलेटरों का बहुत से कार्यों के लिए उपयोग किया जा सकता है।

C. इसका बहुत अधिक संख्या में लोगों को भुगतान करने के लिए उपयोग किया जा सकता है।

D. इसकी सहायता से हम जोड़, घटा, गुणा, भाग, प्रतिशत और वर्गमूल परिकलन आदि जैसी संक्रियाएं कर सकते हैं।

उत्तरमाला

1	2	3	4	5	6	7	8	9	10
C	D	C	D	B	A	D	D	A	C

✤✤✤✤✤

9 संबंध अवधारणा

रक्त संबंधों पर आधारित प्रश्नों को हल करने के लिए यह आवश्यक है कि परीक्षार्थी रिश्तों की जटिलता को तत्काल समझ सकें और किन्हीं दो व्यक्तियों के बीच किस प्रकार के संबंध हो सकते हैं, इस बारे में उन्हें स्पष्ट जानकारी हो। इस प्रकार के प्रश्नों को पूछने का अभिप्राय मुख्यत: यह सुनिश्चित करना है कि परीक्षार्थी कतिपय जटिल भाषा में व्यक्त रिश्तों को कितनी तत्परता से समझ सकते हैं और उत्तर के रूप में सही विकल्प का चयन कर सकते हैं।

कुछ सामान्य रक्त संबंधों की सूची नीचे दी गई है :

मां	दादी
पिता	दादा
पुत्र	पोता
पुत्री	पोती
भाई	साला
बहन	साली
भतीजी	श्वसुर
भतीजा	सास
चाचा	दामाद
चाची	पुत्रवधु
पति	चचेरे या फुफेरे या ममेरे या मौसेरे भाई-बहन
पत्नी	

इन प्रश्नों को हल करने में सहायक कुछ संबंधों के पैटर्न नीचे दर्शाए गए हैं:

पिता का पिता	— दादा
मां का पिता	— नाना
पिता की मां	— दादी
मां की मां	— नानी
पिता या मां का पुत्र	— भाई
पिता या मां की पुत्री	— बहन
पिता का भाई	— चाचा
पिता की बहन	— बुआ
मां का भाई	— मामा
मां की बहन	— मौसी
चाचा या चाची का पुत्र या पुत्री	— चचेरा भाई, चचेरी बहन
पुत्र की पत्नी	— पुत्रवधु
पुत्री का पति	— दामाद
पति का भाई	— देवर
पत्नी का भाई	— साला
पति की बहन	— ननद
पत्नी की बहन	— साली
भाई की पत्नी	— भाभी
बहन का पति	— बहनोई
भाई का पुत्र	— भतीजा
भाई की पुत्री	— भतीजी

☛ ***उदाहरण***

प्र. 'X', 'Y' की पत्नी है और 'Y', 'Z' का भाई है। 'Z', 'P' का पुत्र है। 'P' का 'X' से क्या संबंध है?

A. बहन

B. चाची

C. भाई

D. श्वसुर

उत्तर D. : दिए गए प्रश्न के अनुसार संबंध चार्ट निम्नवत् दर्शाया जा सकता है :

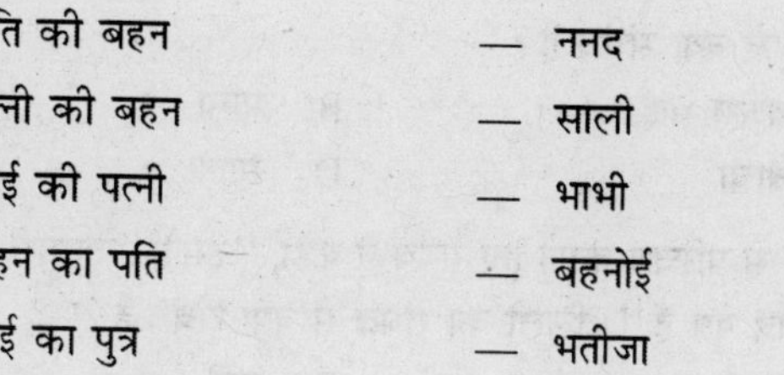

'Y', 'Z' का भाई है जो 'P' का पुत्र है। अत: 'Z' भी 'P' का पुत्र है। चूंकि 'P', 'Y' का पिता है और 'X', 'Y' की पत्नी है अत: 'P', 'X' का श्वसुर है।

वस्तुनिष्ठ प्रश्न

निर्देश : *नीचे के प्रत्येक प्रश्न में व्यक्तियों के बीच उल्लिखित संबंधों को सावधानीपूर्वक समझें और तब दिए गए विकल्पों में से सही उत्तर का चयन करें :*

1. A, B और C का पिता है। B, A का पुत्र है किंतु C, A का पुत्र नहीं है। C का A से क्या संबंध है?

A. पुत्री B. पुत्र
C. भतीजी D. भतीजा

2. एक महिला ने कहा, ''वहां खड़ी लड़की मेरे दादा जी के एकमात्र पुत्र की पुत्री है''। उस महिला का उस लड़की से क्या संबंध है?

A. बहन B. मां
C. चाची D. भतीजा

3. रवि अमित के पुत्र के पुत्र का भाई है। अमित, रवि का क्या है?

A. चचेरा भाई B. पिता
C. दादा D. पुत्र

4. मयंक ने कहा, ''मेरी मां रजत के भाई की बहन है''। रजत का मयंक से क्या संबंध है?

A. चचेरा भाई B. मामा
C. चाचा D. साला

5. लिली से परिचय कराते हुए राघव ने कहा, ''इसके पिता मेरी मां के एकमात्र पुत्र हैं''। लिली का राघव से क्या संबंध है?

A. चाची B. पुत्री
C. मां D. बहन

6. अजय, विजय का भाई है। शुभा, अजय की बहन है। संजय, राहुल का भाई है और मेहुल विजय की पुत्री है। संजय का चाचा कौन है?

A. राहुल B. अजय
C. मेहुल D. दी गई सूचना अपर्याप्त है

7. आदित्य, रवि का भाई है। भरत, जयंत के पिता हैं। ईला, रवि की मां है। आदित्य और जयंत आपस में भाई हैं। ईला का भरत से क्या संबंध है?

A. बहन B. मां
C. पुत्री D. पत्नी

8. एक व्यक्ति ने अपने साथ आ रहे लड़के का परिचय देते हुए कहा, ''यह मेरी पत्नी की पुत्री के पिता का पुत्र है।'' वह लड़का उस व्यक्ति का क्या है?

A. दामाद B. पुत्र
C. भाई D. पिता

9. A और B दो भाई हैं। C, B की बहन है। D, E की बहन है। E, A का पुत्र है। D का चाचा कौन है?

A. D B. E
C. B D. C

10. वरुण ने अरुण की ओर संकेत करते हुए कहा, ''वह मेरी बहन के एकमात्र भाई का पुत्र है।'' अरुण का वरूण से क्या संबंध है?

A. पुत्र B. भाई
C. भतीजा D. दी गई सूचना अपर्याप्त है

उत्तरमाला

1	2	3	4	5	6	7	8	9	10
A	A	C	B	B	D	D	B	C	A

व्याख्यात्मक उत्तर

1.

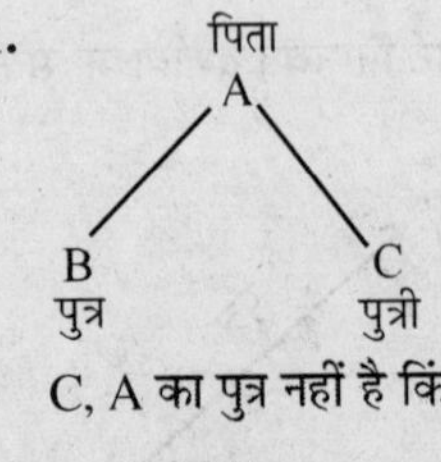

C, A का पुत्र नहीं है किंतु A, C का पिता है। अत: C, A की पुत्री है।

2.

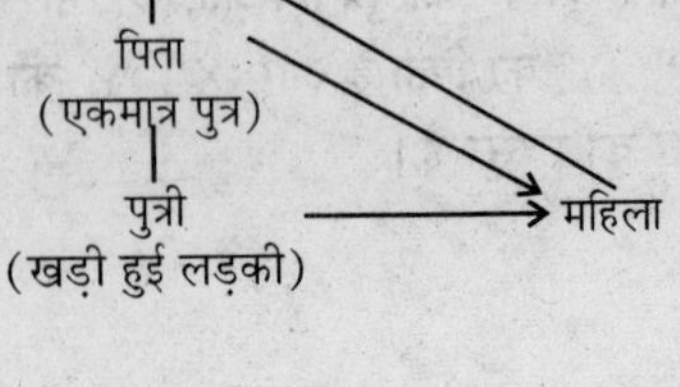

उस महिला के दादा का पुत्र उसके पिता हैं तथा पिता की पुत्री निश्चित ही उस महिला की बहन होगी।

3.

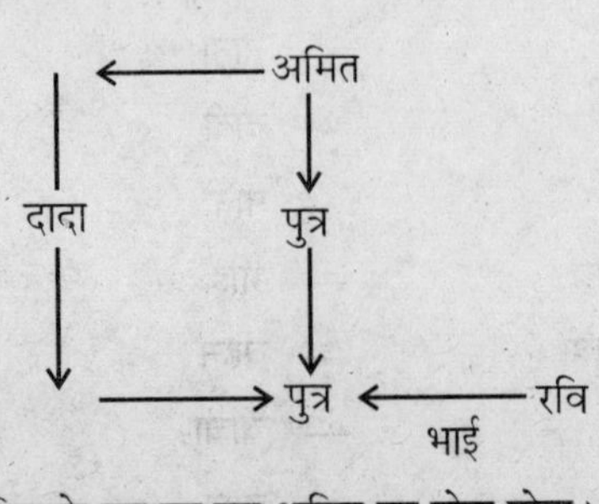

अमित के पुत्र का पुत्र अमित का पोता होगा। रवि अमित के पुत्र के पुत्र का भाई है, अत: अमित रवि के भी दादाजी हैं।

4. 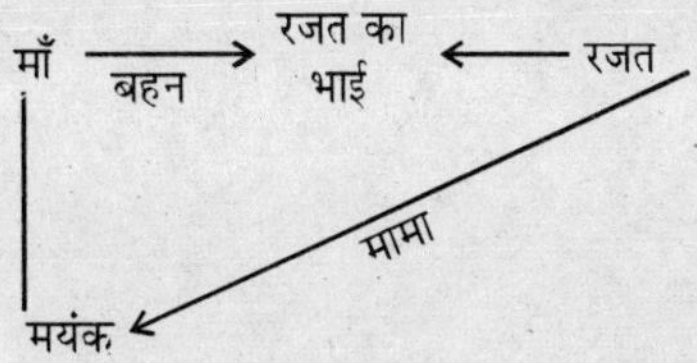

मयंक की मां रजत के भाई की बहन है। अत: रजत भी मयंक की मां का भाई है। इस प्रकार रजत, मयंक का मामा हुआ।

5. संबंध चार्ट निम्नवत् है : माँ

↑ पुत्र

राघव

↓ पिता

लिली (पुत्री)

राघव जब कहता है, "मेरी मां का एकमात्र पुत्र" तो वह स्वयं अपने बारे में ही कह रहा होता है। इसके पिता का आशय है, 'लिली के पिता' अर्थात् स्वयं राघव। अत: लिली, राघव की पुत्री है।

6. (बहन) (भाई)

1. शुभा ⟶ अजय ⟶ विजय ↓ मेहुल (पुत्री)

2. संजय ⟶ राहुल (भाई)

यहां दो संबंध-समुच्चयों का उल्लेख किया गया है। दी गई सूचना अपर्याप्त है और इन दो भिन्न संबंध-समुच्चयों के बीच कोई संबंध स्थापित नहीं किया जा सकता।

7. प्रश्न पर आधारित संबंध चार्ट है :

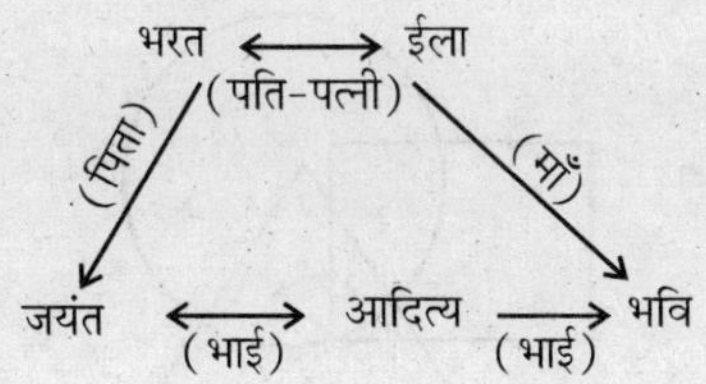

जयंत और आदित्य भाई हैं। यदि आदित्य, रवि का भाई है, तो जयंत भी रवि का भाई है। यदि भरत, जयंत का पिता है, तो वह आदित्य और रवि का भी पिता है। यदि ईला, रवि की मां है, तो वह आदित्य और जयंत की भी मां है। इसका अर्थ है कि भरत और ईला पति-पत्नी हैं और तीनों बच्चों के माता-पिता हैं।

8. प्रश्न पर आधारित संबंध-चार्ट है:

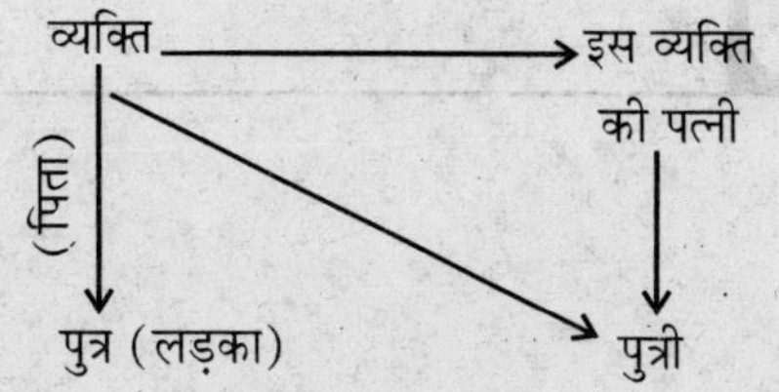

'उस व्यक्ति की पत्नी की पुत्री के पिता' का आशय है कि वह व्यक्ति स्वयं अपने बारे में बात कर रहा है, अत: वह लड़का उस व्यक्ति का पुत्र है।

9. प्रश्न पर आधारित संबंध-चार्ट है :

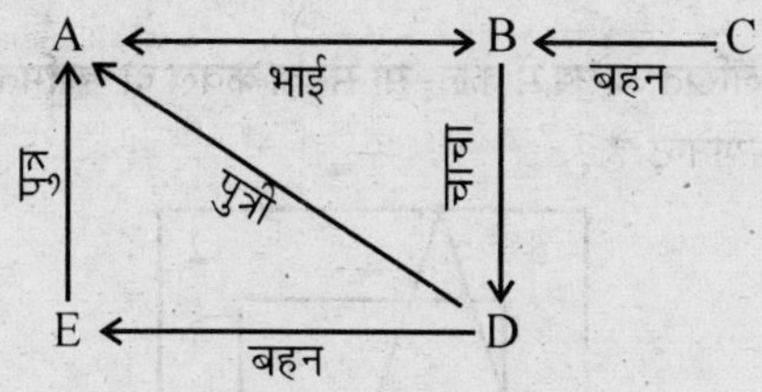

D, E की बहन है और E, A का पुत्र है। अत: D, A की पुत्री है। चूंकि A का भाई B है, अत: B, D का चाचा है।

10. 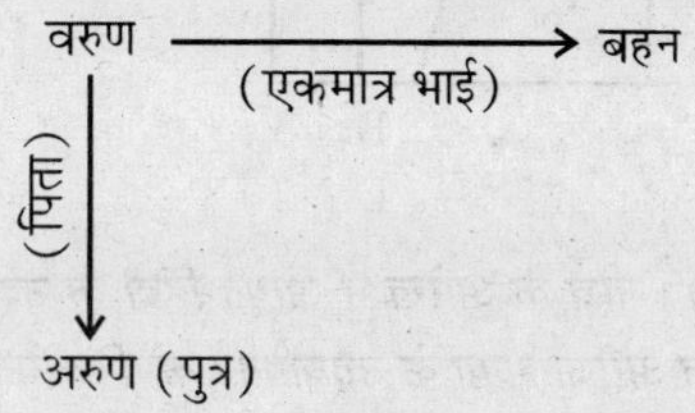

वरुण की बहन का एकमात्र भाई स्वयं वरुण है और उसका पुत्र अरुण है।

✤✤✤✤✤

10 वेन आरेख

आरेख विश्लेषण

इस प्रकार के परीक्षण में आरेखों द्वारा निरूपित दो या दो से अधिक वस्तुओं या तथ्यों या मदों के बीच संबंध स्थापित करना होता है। आरेखों द्वारा निरूपित मदें कोई पृथक वस्तु या प्राणी या व्यक्तियों का कोई विशिष्ट दल/वर्ग आदि हो सकती हैं।

वस्तुनिष्ठ प्रश्न

1. निम्नलिखित आरेख में कौन-सी संख्या केवल दो ज्यामितीय आकृतियों में उभयनिष्ठ है?

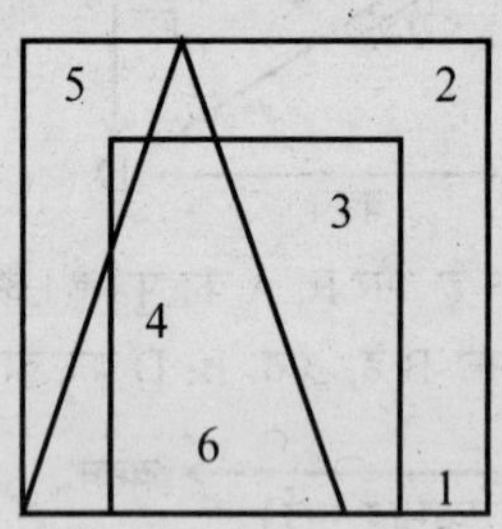

A. 4 B. 3
C. 5 D. 2

निर्देश (प्रश्न 2 और 3) : *नीचे के आरेख में आयत हिंदी के उद्घोषकों को निरूपित करता है, वृत्त अंग्रेजी भाषा के उद्घोषकों को निरूपित करता है, वर्ग फ्रांसीसी भाषा के उद्घोषकों को निरूपित करता है और त्रिभुज जर्मन भाषा के उद्घोषकों को निरूपित करता है।*

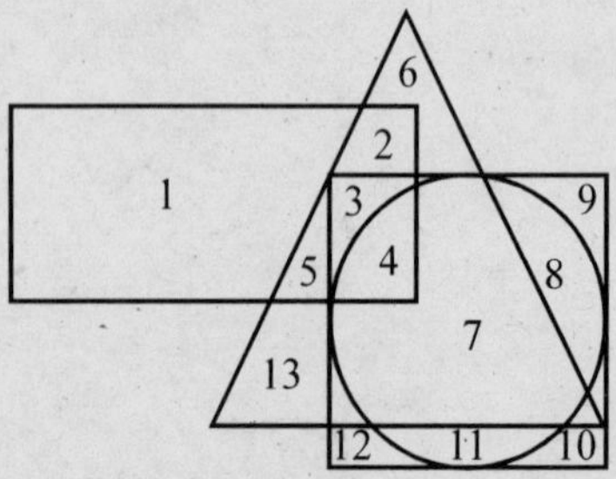

2. कौन-सा क्षेत्र उन उद्घोषकों को निरूपित करता है जो हिंदी, फ्रांसीसी और जर्मन भाषाओं में कार्यक्रम प्रस्तुत कर सकते हैं?

A. 1 B. 2
C. 3 D. 4

3 कौन-सा क्षेत्र उन उद्घोषकों को निरूपित करता है जो केवल फ्रांसीसी और अंग्रेजी भाषा में कार्यक्रम प्रस्तुत कर सकते हैं?

A. 7 B. 9
C. 11 D. 13

निर्देश (प्रश्न 4 और 5) : *नीचे दिए गए आरेख के आधार पर प्रश्न संख्या 4 और 5 के उत्तर दें :*

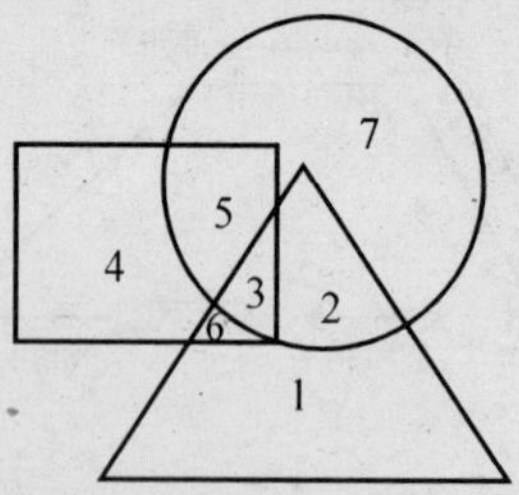

4. कौन-सी संख्या सभी ज्यामितीय आकृतियों में अंतर्निहित है?

A. 5 B. 6
C. 2 D. 3

5. संख्या 6 निम्नलिखित में से किसमें अंतर्निहित है?

A. आयत और त्रिभुज B. वृत्त और त्रिभुज
C. आयत और वृत्त D. केवल आयत

उत्तरमाला

1	2	3	4	5
B	C	C	D	A

व्याख्यात्मक उत्तर

प्रश्न 2 और 3 के लिए

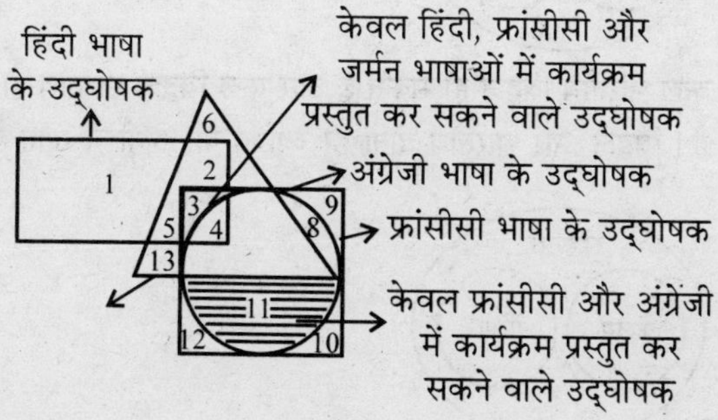

प्रश्न 4 और 5 के लिए

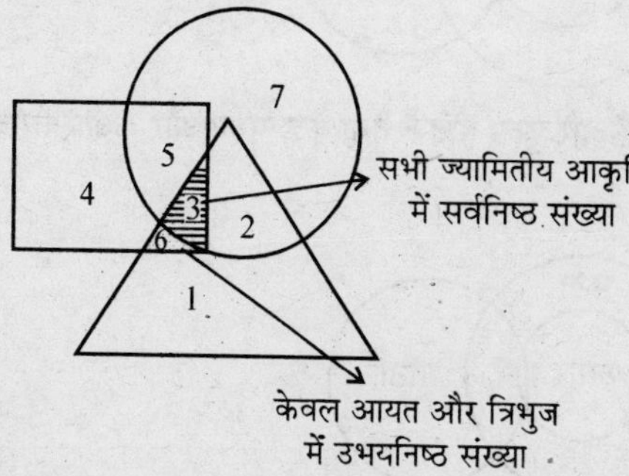

कथन एवं वेन आरेख

इस प्रकार के प्रश्नों में विकल्प के रूप में पाँच भिन्न-भिन्न आकृतियों का समुच्चय दिया जाता है। प्रत्येक आकृति संबंधित शब्दों के कुछ समूहों का एक तार्किक पैटर्न निरूपित करती है जिनमें प्रत्येक शब्द एक वर्ग को निरूपित करता है।

वस्तुनिष्ठ प्रश्न

निर्देश : *नीचे दिए गए पाँच तर्क आरेखों में से उस आरेख (आकृति) का चयन करें जो प्रश्न में दिए गए तीनों वर्गों के बीच संबंध को सर्वाधिक सुस्पष्ट रूप में प्रदर्शित करता है।*

A. B. C. D. E.

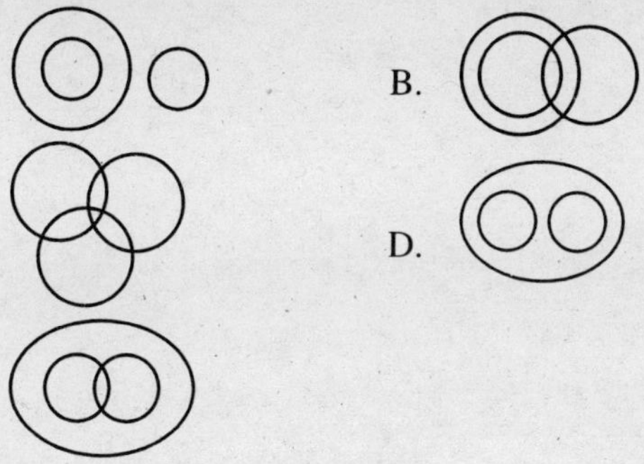

1. पक्षी, फल, आम

2. अपराधी, वकील, डकैत

3. तैराक, कुँआरा, पुरुष

4. स्मार्ट, इंजीनियर, महिला

5. सब्जियाँ, आलू, बैंगन

6. अंगूर, मीठा, फल

7. डॉक्टर, वास्तुकार, मनुष्य

8. विद्वान, व्यक्ति, भारतीय

9. बच्चे, शरारती, अध्ययनशील

10. कलम, पेंसिल, स्टेशनरी

उत्तरमाला

1	2	3	4	5	6	7	8	9	10
A	A	B	C	D	B	D	E	C	D

व्याख्यात्मक उत्तर

1.

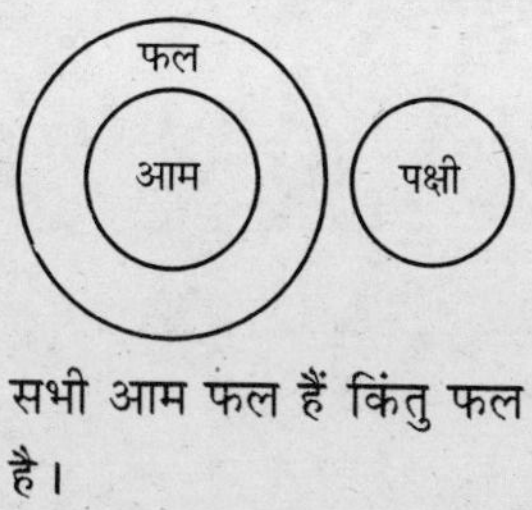

सभी आम फल हैं किंतु फल और आम में से कोई भी पक्षी नहीं है।

2.

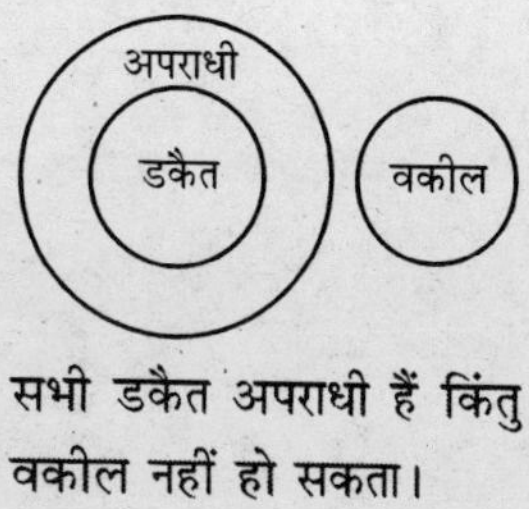

सभी डकैत अपराधी हैं किंतु अपराधी और डकैत में से कोई भी वकील नहीं हो सकता।

3.

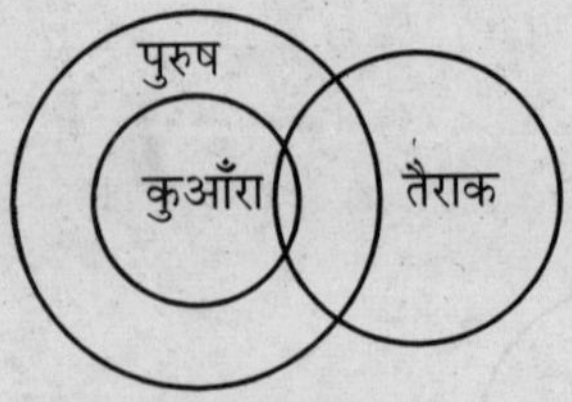

सभी कुँआरे पुरुष होते हैं तथा कुछ पुरुष और कुँआरे तैराक हो सकते हैं।

6.

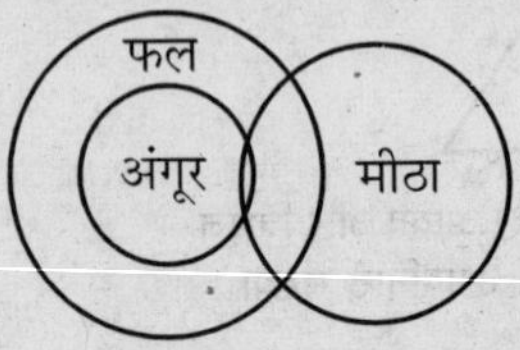

कुछ अंगूर मीठे हैं और सभी अंगूर फल हैं। किंतु सभी मीठी चीजें फल नहीं हैं।

8.

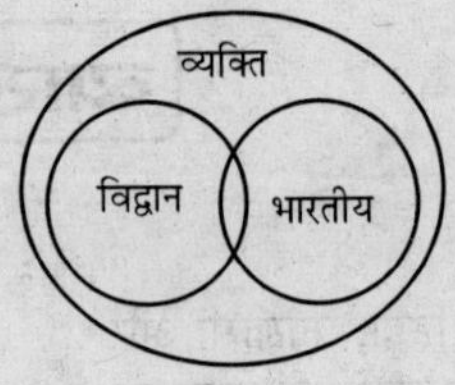

कुछ भारतीय विद्वान हो सकते हैं और कुछ विद्वान भारतीय हो सकते हैं। विद्वान और भारतीय दोनों ही व्यक्ति की श्रेणी में आते हैं।

10.

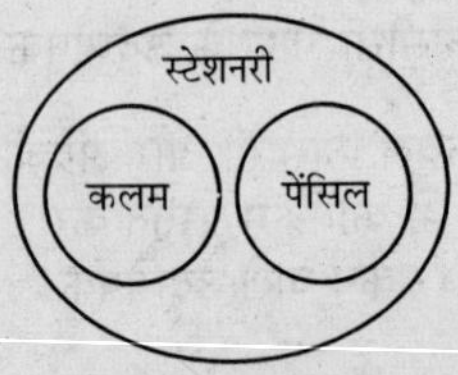

कलम और पेंसिल दोनों स्टेशनरी की मदें हैं। कुछ स्टेशनरी कलम और पेंसिल हैं किंतु कलम और पेंसिल दो अलग-अलग वर्ग हैं।

✤✤✤✤✤

11 संख्या वर्गीकरण

इस प्रकार के वर्गीकरण में विकल्पों के रूप में विभिन्न संख्याएं दी जाती हैं। इन संख्याओं में से एक को छोड़कर जो अन्य से भिन्न होती है, शेष किसी-न-किसी रूप में आपस में संबंधित होती हैं और इस प्रकार एक समूह बनाती हैं। परीक्षार्थी को दी गई संख्याओं में यह समानता ज्ञात करनी होती है और तत्पश्चात् समूह से भिन्न संख्या का चयन करना होता है। विकल्पों के रूप में दी गई संख्याएं विषम/सम/क्रमागत संख्याएं, अभाज्य संख्याएं, किसी संख्या का गुणज, एक अंकीय, विभिन्न संख्याओं का वर्ग या घन, किसी अन्य संख्या का जोड़/घटा या किसी भी गणितीय परिकलन का संयोजन हो सकती है।

☛ *उदाहरण*

निर्देश : *दिए गए विकल्पों में विषम संख्या ज्ञात करें।*

1. A. 62 B. 121 C. 36 D. 256

उत्तर A. : अन्य संख्याएं क्रमशः 11, 6 और 16 के वर्ग द्वारा सूचित होती हैं।

2. A. 27 B. 132 C. 93 D. 154

उत्तर D. : शेष संख्याएं 3 से विभाज्य हैं।

वस्तुनिष्ठ प्रश्न

निर्देश : *यहां प्रत्येक प्रश्न में चार विकल्प दिए गए हैं जिनमें से तीन किसी न किसी रूप में आपस में संबंधित होते हुए एक समूह बनाते हैं, जबकि शेष एक संख्या अन्य से भिन्न है। उस भिन्न संख्या का चयन करें जो समूह से संबंधित नहीं है।*

1. A. 1948 B. 2401 C. 966 D. 1449

2. A. 182 B. 169 C. 130 D. 158

3. A. 129 B. 130 C. 131 D. 132

4. A. 3215 B. 9309 C. 4721 D. 2850

5. A. 1776 B. 2364 C. 1976 D. 3776

6. A. 64 B. 84 C. 16 D. 36

7. A. 24 B. 90 C. 54 D. 36

8. A. 7658 B. 1234 C. 9876 D. 6543

9. A. 3 B. 9 C. 5 D. 7

10. A. 6450 B. 1776 C. 2392 D. 3815

उत्तरमाला

1	2	3	4	5	6	7	8	9	10
A	D	C	B	B	B	A	A	B	D

व्याख्यात्मक उत्तर

1. शेष संख्याएं 7 से विभाज्य हैं।

2. शेष संख्याएं 13 का गुणज हैं।

3. 131 एक अभाज्य संख्या (prime number) है।

4. शेष संख्याओं में किसी भी अंक का दो बार प्रयोग नहीं किया गया है।

5. शेष संख्याओं में आखिरी दो अंक एक से हैं।

6. शेष संख्याएं पूर्ण वर्ग संख्याएं हैं।

7. शेष संख्याओं में दोनों अंकों का योग 9 है।

8. शेष संख्याओं में उनके अंक गिनती के सीधे या उल्टे क्रम में क्रमागत (निरंतर) हैं।

9. शेष सभी अभाज्य संख्याएं हैं।

10. शेष संख्याएं 2 से विभाज्य हैं।

✤✤✤✤✤

12 अनुमान निकालना

प्रतियोगिता परीक्षाओं में तर्कबुद्धि परीक्षण हेतु निर्धारित प्रश्नों में इस प्रकार के प्रश्न प्राय: पूछे जाते हैं। इस परीक्षण में कोई कथन या प्रतिज्ञप्ति अथवा प्रस्थापना दिए जाने के स्थान पर एक परिच्छेद (Passage) दिया जाता है जिसमें अनेक प्रस्थापनाएं समाहित होती हैं और साथ ही अनेक तर्क भी अंतर्विष्ट होते हैं। ऐसे उद्धरणों या परिच्छेदों के नीचे उस परिच्छेद में वर्णित तथ्यों के आधार पर निकाले जा सकने वाले कुछ संभावित अनुमान दिए जाते हैं उम्मीदवार को यह निर्णय करना होता है कि गृहीत अनुमान दिए गए परिच्छेद के आलोक में तर्कसंगत है अथवा नहीं।

वस्तुनिष्ठ प्रश्न

निर्देश : *नीचे कुछ परिच्छेद दिए गए हैं जिनमें से प्रत्येक परिच्छेद के नीचे उस परिच्छेद में दिए गए तथ्यों के आलोक में गृहीत कुछ अनुमान दिए गए हैं। अभ्यर्थियों से यह अपेक्षा की जाती है कि वे परिच्छेद के संदर्भ में प्रत्येक अनुमान की अलग-अलग जांच करें और उसकी सत्यता अथवा असत्यता की मात्रा निश्चित करें।*

अपना उत्तर निम्नवत् दें	*यदि आप निम्नवत् सोचते हैं*
A. "निश्चित रूप से सत्य"	यदि अनुमान दिए गए तथ्यों के आलोक में पूर्णरूप से निकल आता है
B. "संभवत: सत्य"	यदि अनुमान दिए गए तथ्यों के आलोक में सत्य हो सकता है किंतु निश्चित रूप से सत्य नहीं है।
C. "सूचना अपर्याप्त है"	यदि दिए गए तथ्यों के आलोक में अनुमान 'सत्य है या असत्य' यह आप नहीं कह सकते हैं।
D. "संभवत: असत्य"	यदि अनुमान दिए गए तथ्यों के आलोक में "संभवत: असत्य है यद्यपि निश्चित रूप से असत्य" नहीं है।
E. "निश्चित रूप से असत्य"	यदि अनुमान दिए गए तथ्यों के आधार पर निकालना संभव नहीं है अथवा वह दिए गए तथ्यों के विरुद्ध जाता है।

परिच्छेद–1

वर्तमान में भारत का ग्रेनाइट उद्योग संकट के दौर से गुजर रहा है क्योंकि केन्द्र सरकार द्वारा उदारीकरण की नीति लागू किए जाने के बावजूद राज्य सरकारों ने इस दिशा में कोई एकसमान नीति लागू नहीं की है। गत तीन वर्षों के दौरान इस क्षेत्र में की गई उल्लेखनीय प्रगति की तुलना में राज्य सरकारों द्वारा कोई उपयुक्त नीति क्रियान्वित नहीं किए जाने के कारण ग्रेनाइट खदान मालिक और इस उद्योग से जुड़े अन्य व्यक्ति ग्रेनाइट के अंतर्राष्ट्रीय बाजार की चुनौती का सामना नहीं कर पा रहे हैं। अलग-अलग राज्यों में अलग-अलग नीतियां होने के कारण निष्ठा, उपभोग-निरपेक्ष किराया और पट्टे की अवधि आदि के संबंध में समस्या उत्पन्न हुई है।

1. ग्रेनाइट खदान वाले प्रत्येक राज्य ने अपने अलग-अलग नियम बनाए हैं जो ग्रेनाइट उद्योग के हितों के विरुद्ध है।
2. तीन वर्ष पहले तक भारत में ग्रेनाइट उत्पादन लाभकारी नहीं था।
3. ग्रेनाइट उत्पादन को काफी हद तक लोगों द्वारा नियंत्रित किया जाता है।
4. भारत सरकार की उदारीकरण की नीति का प्रभाव ग्रेनाइट उद्योग पर पिछले तीन वर्षों के दौरान ही पड़ा है।

परिच्छेद–2

भारत में इस्पात उत्पादन संयंत्रों को स्थापित करने पर लागत विदेशों में ऐसे संयंत्रों को स्थापित करने पर आने वाली लागत की तुलना में काफी अधिक होती है। जबकि एक ओर इस्पात संयंत्रों से संबद्ध लगभग सभी उपकरणों के आयात पर सीमा शुल्क घटा दिया गया है वहीं दूसरी ओर उत्पाद शुल्क में वृद्धि कर दी गई है। देश में उत्पादित इस्पात अब अंतर्राष्ट्रीय बाजार की प्रतिस्पर्धा के समक्ष नहीं टिक सकता जिसे देखते हुए यह मांग की जाने लगी है कि इस्पात उद्योग की रूग्णता दूर करने के लिए इसके सीमा शुल्क और उत्पाद शुल्क दोनों की दरों की एक बार फिर से समीक्षा की जाए।

5. सरकारी नीति की कमियों के कारण इस्पात उद्योग को व्यापक हानि हो रही है।
6. यदि सरकार द्वारा अनुकूल नीति घोषित की जाए तो भारत इस्पात के मूल्य के मामले में विदेशों से प्रतिस्पर्धा कर सकता है।

7. विदेशी इस्पात भारत में उत्पादित इस्पात की तुलना में सस्ता होता है।
8. सरकार इस्पात उत्पादों के उत्पाद शुल्क में कमी करने पर विचार कर रही है।

परिच्छेद–3

इस शताब्दी के पूर्वार्ध की समाप्ति तक भारत में प्लास्टिक की घरेलू वार्षिक खपत आज के लगभग एक मिलियन मी. टन से बढ़कर 2.5–3 मिलियन मी. टन तक हो जाने की आशा है। वर्तमान में पूरे विश्व में प्लास्टिक की वार्षिक खपत लगभग 100 मिलियन मी. टन है। खपत में मौजूदा वृद्धि दर के अनुरूप उत्पादन की गति को बनाए रखने के लिए भारत को इस शताब्दी के पूर्वार्ध के दौरान प्रत्येक वर्ष 1,000 मी. टन क्षमता के दो अतिरिक्त पॉलिमर संयंत्र स्थापित करने की आवश्यकता होगी। उद्यमियों को अब वैश्वीकरण के अनुरूप सोचना चाहिए और अंतर्राष्ट्रीय क्षमता की परियोजनाओं को संवर्धन प्रदान करना चाहिए तथा उन्हें प्रौद्योगिकी हस्तांतरण और उन्नयन तथा रणनीति और सृजनात्मक गठबंधनों की दिशा में विचार करना होगा।

9. भारत में प्लास्टिक की मूल घरेलू खपत विश्व में हो रही कुल खपत का लगभग 1 प्रतिशत है।
10. वर्तमान में भारत द्वारा प्लास्टिक का आयात नहीं किया जाता।
11. भारत में प्लास्टिक उत्पादन की प्रौद्योगिकीय क्षमता का अभाव है।
12. प्लास्टिक की खपत में प्रत्येक वर्ष लगभग 0.2 प्रतिशत की दर से वृद्धि होने का अनुमान है।

उत्तरमाला

1	2	3	4	5	6	7	8	9	10	11	12
A	C	A	C	D	A	A	B	A	C	A	A

व्याख्यात्मक उत्तर

1. नीतियां अलग-अलग राज्यों में अलग-अलग हैं।
2. परिच्छेद में उल्लेख किया गया है कि गत तीन वर्षों के दौरान ग्रेनाइट उद्योग के क्षेत्र में उल्लेखनीय प्रगति हुई है किंतु यह उल्लेख नहीं किया गया है कि उत्पादन लाभकारी नहीं रहा है।
3. राज्य सरकारों द्वारा इस दिशा में कोई एकसमान नीति घोषित नहीं की गई है।
4. यह अनुमान परिच्छेद में उल्लिखित तथ्यों के अनुरूप नहीं है।
5. केवल सरकारी नीति ही हानियों के लिए उत्तरदायी नहीं हो सकती। लागत या गुणवत्ता का घटक भी समान रूप से उत्तरदायी हो सकता है।
6. यदि सरकार अपनी नीतियों की समीक्षा कर लेती है तो हमारा देश इस्पात के मूल्यों के मामले में निश्चित ही अंतर्राष्ट्रीय बाजार की चुनौतियों का सामना कर सकता है।
7. लगभग सभी इस्पात उत्पादों पर सीमा शुल्क में कमी कर दी गई है।
8. सीमाशुल्क और उत्पाद शुल्क दोनों की समीक्षा करने की मांग की जा रही है।
9. वर्तमान में पूरे विश्व की प्लास्टिक की वार्षिक खपत लगभग 100 मिलियन मी. टन है और भारत में प्लास्टिक की खपत का मौजूदा स्तर 1 मिलियन मी. टन है।
10. अनुच्छेद में प्लास्टिक के आयात या निर्यात का उल्लेख नहीं किया गया है।
11. उद्यमियों को प्रौद्योगिकी हस्तांतरण, उन्नयन और कार्यनीति तथा सृजनात्मक गठबंधनों की दिशा में विचार करना होगा।
12. इस शताब्दी के पूर्वार्ध की समाप्ति तक प्रत्याशित वृद्धि 2.5 और 3 मिलियन मी. टन के बीच है। भारत को प्रति वर्ष 1,000 मी. टन क्षमता के दो अतिरिक्त पॉलिमर संयंत्र संस्थापित करने की आवश्यकता है।

✤ ✤ ✤ ✤ ✤

13 आकृति वर्गीकरण

वस्तुनिष्ठ प्रश्न

निर्देशः *नीचे के प्रत्येक प्रश्न में एक आकृति को छोड़कर अन्य सभी आकृतियाँ किसी-न-किसी रूप में आपस में संबंधित हैं और इस कारण वे एक समूह बनाती हैं। प्रत्येक प्रश्न में उस एक भिन्न आकृति का चयन करें जो अन्यों से संबंधित नहीं है अर्थात् जो भिन्न अथवा विजातीय है।*

1. 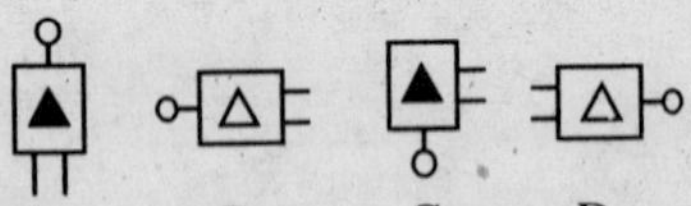
A. B. C. D.

2. 
A. B. C. D.

3. 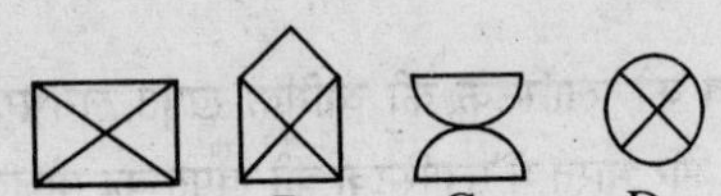
A. B. C. D.

4. 
A. B. C. D.

5. 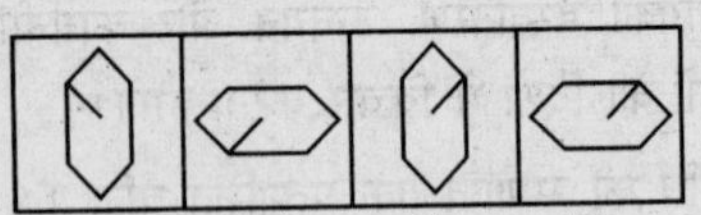
A. B. C. D.

6. 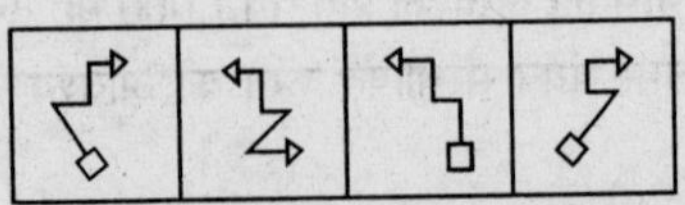
A. B. C. D.

7. 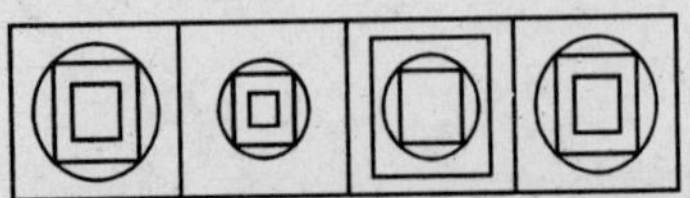
A. B. C. D.

8. 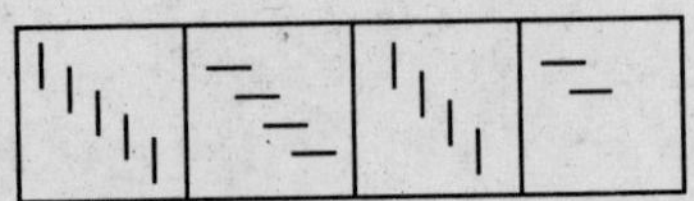
A. B. C. D.

9. 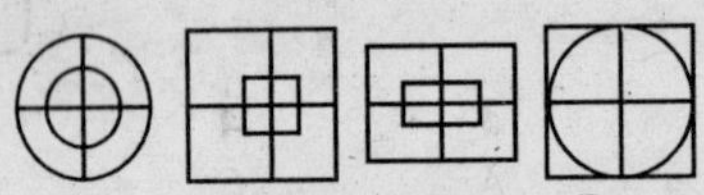
A. B. C. D.

10. 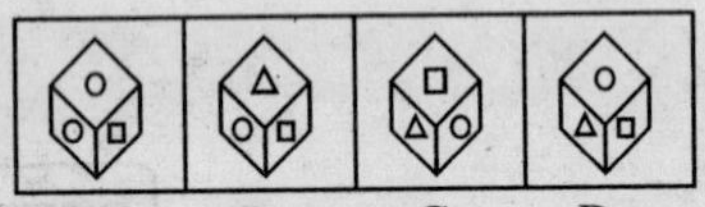
A. B. C. D.

11. 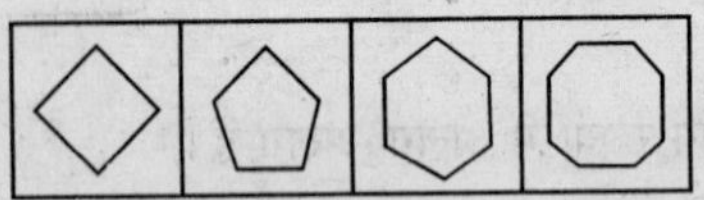
A. B. C. D.

12. 
A. B. C. D.

13. 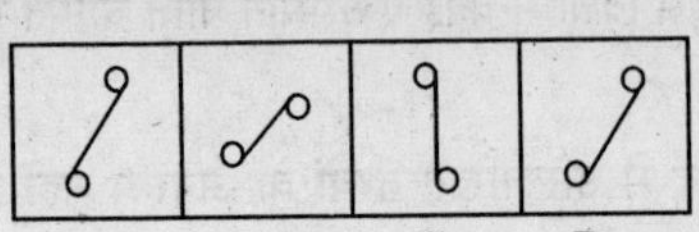
A. B. C. D.

14. 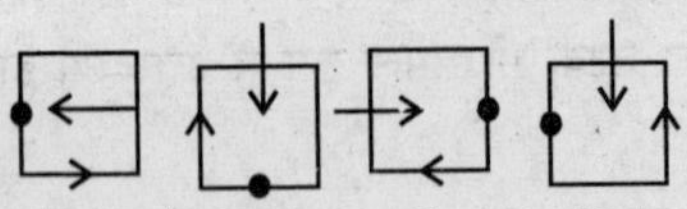
A. B. C. D.

15. 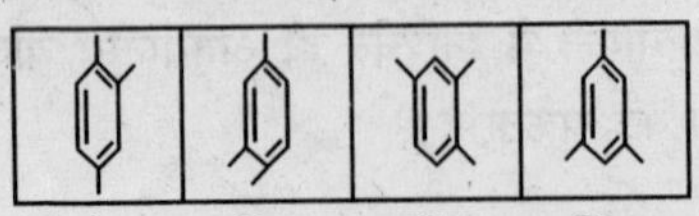
A. B. C. D.

16. 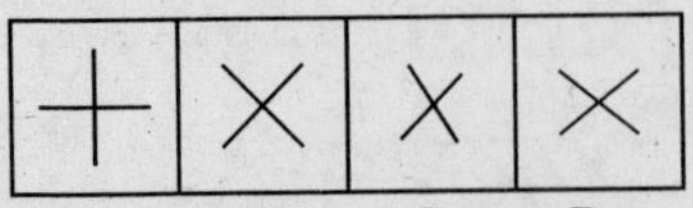
A. B. C. D.

17. 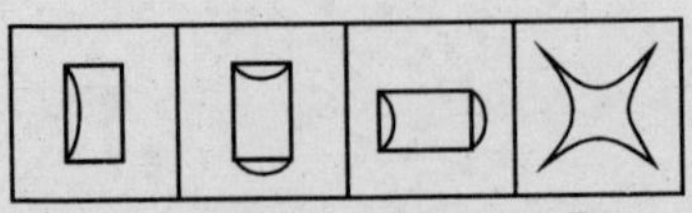
A. B. C. D.

उत्तरमाला

1	2	3	4	5	6	7	8	9	10
C	C	C	D	C	B	C	A	D	A
11	**12**	**13**	**14**	**15**	**16**	**17**			
B	D	D	A	D	D	D			

व्याख्यात्मक उत्तर

1. अन्य सभी आकृतियों में वृत्त युक्त रेखा और दो रेखाखंड वर्ग की सम्मुख भुजाओं पर अवस्थित हैं।

2. शेष सभी आकृतियों में एक रेखा के सिरों से एक ही दिशा में दो रेखाखंड खींचे जाते हैं। इस आकृति 'C.' में दो रेखाखंड दो विपरीत दिशाओं में खींचे जाते हैं।

3. शेष सभी आकृतियाँ चार भागों में विभक्त हैं।

4. केवल इसी आकृति में ही आकृति के मध्य में स्थित अवयव और दो अवयवों के बीच में स्थित अवयव परस्पर विपरीत दिशाओं में हैं।

5. शेष सभी आकृतियों को घुमाकर एक दूसरी आकृतियाँ प्राप्त की जा सकती हैं। इस आकृति में रेखाखंड गलत दिशा में है।

6. केवल इसी आकृति में मुड़ी हुई रेखाओं के सिरों पर सदृश अवयव हैं।

7. शेष सभी आकृतियों में बीच का और मध्यस्थ अवयव एक से हैं।

8. केवल इसी आकृति में रेखाखंडों की संख्या विषम है।

9. केवल इसी आकृति में दो अलग-अलग आकृतियाँ हैं जो दो समान भागों में विभाजित हैं।

10. केवल इसी आकृति में दो सदृश अवयव (वृत्त) निहित हैं।

11. केवल यही आकृति विषम संख्या में रेखाओं द्वारा निर्मित है।

12. अन्य सभी आकृतियाँ चार भागों में विभाजित हैं।

13. केवल इसी आकृति में वृत्त रेखा के एक ही ओर हैं।

14. केवल इसी आकृति में तीर वर्ग की भुजा को काट नहीं रहा है।

15. केवल इसी आकृति में डिजाइन के बाह्य और आंतरिक दोनों भागों में रेखाएं समान दूरी पर स्थित हैं।

16. शेष सभी आकृतियों में समद्विभाजक रेखाएं एक-दूसरे से समकोण पर हैं।

17. केवल यही आकृति पूर्णतः वक्र रेखाओं से निर्मित है।

✤✤✤✤✤

14 कागज को छेदना, मोड़ना और खोलने संबंधी प्रश्न

इस प्रकार के प्रश्न विभिन्न आकृतियों और आकारों के कागज के टुकड़ों पर आधारित होते हैं जिन्हें एक खास तरीके से मोड़ा जाता है और फिर काटा या पंच (छिद्रित) किया जाता है। दी गई उत्तर आकृतियों में से एक उत्तर-आकृति या तो यह दर्शाती है कि कागज को मोड़ने, काटने (या छिद्रित करने) और तत्पश्चात् उसे खोलने के बाद वह किस आकृति जैसा दिखाई देगा या फिर उससे यह पता चलता है कि किस तरीके से वह कागज मोड़ा और काटा (या छिद्रित किया) गया था।

वस्तुनिष्ठ प्रश्न

निर्देश (प्र.सं. 1–10): *नीचे के प्रत्येक प्रश्न में एक पारदर्शी कागज के वर्गाकार टुकड़े को उस ढंग से मोड़ा जाता है जैसा कि उस पर बिंदुकित रेखा द्वारा दर्शाया गया है। दी गई उत्तर आकृतियों में से उस आकृति को ज्ञात कीजिए जिसके समान वह कागज मोड़े जाने पर दिखाई देगा।*

1. 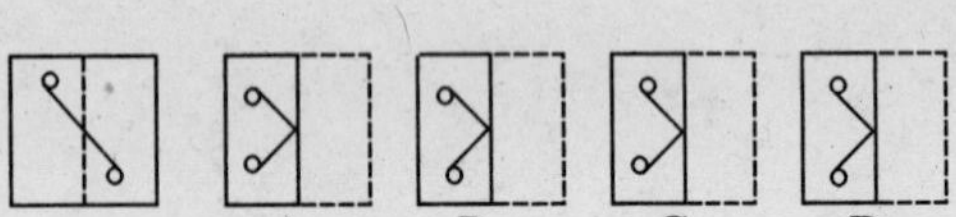
A B C D

2. 
A B C D

3. 
A B C D

4. 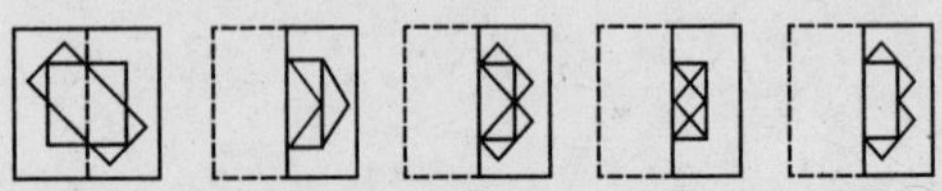
A B C D

5. 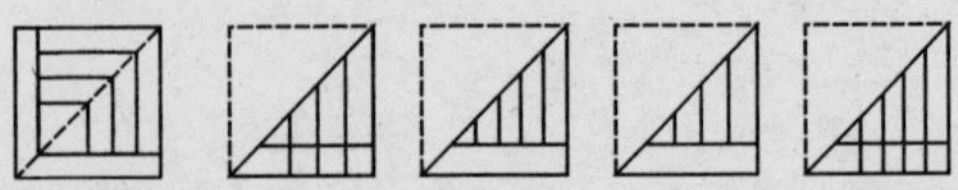
A B C D

6. 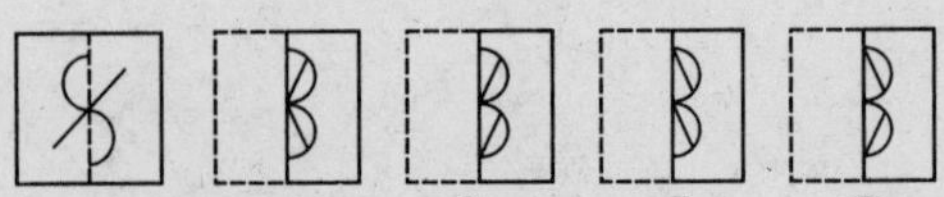
A B C D

7. 
A B C D

8. 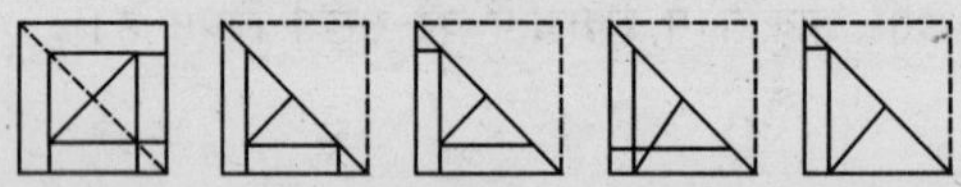
A B C D

9. 
A B C D

10. 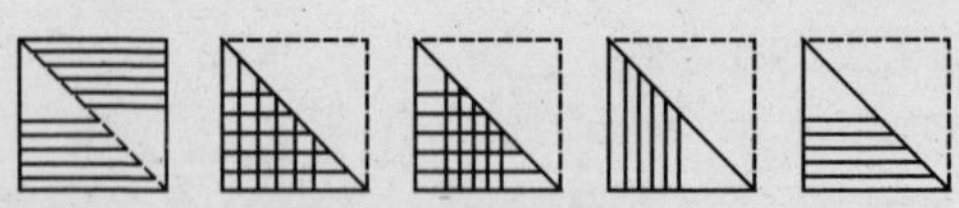
A B C D

निर्देश (प्र.सं. 11–15): *नीचे के प्रत्येक प्रश्न में कागज के एक टुकड़े को उस ढंग से मोड़ा जाता है जैसा कि दी गई आकृतियों में दिखाया गया है और तब उसमें छेद किए जाते हैं। दी गई उत्तर आकृतियों में से उस आकृति को ज्ञात कीजिए जिसके समान वह मुड़ा और छेद किया हुआ कागज खोले जाने पर दिखाई देगा।*

11. 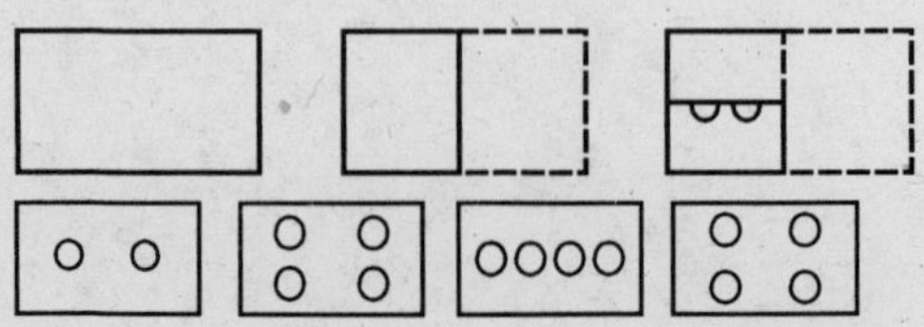
A B C D

12.

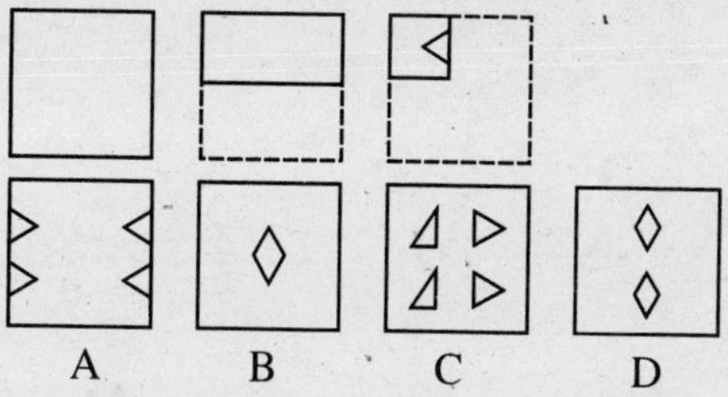

13.

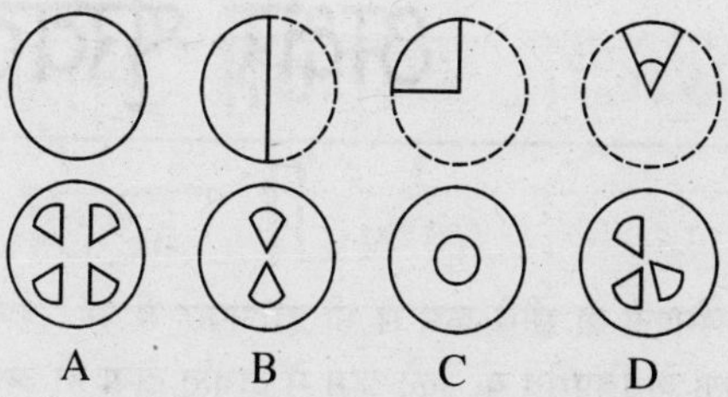

14.

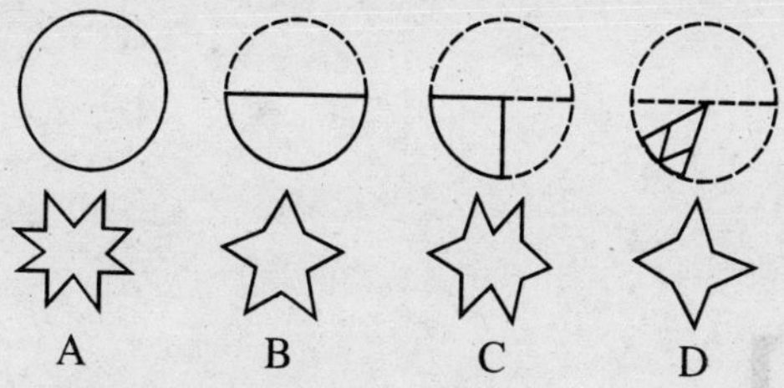

15.

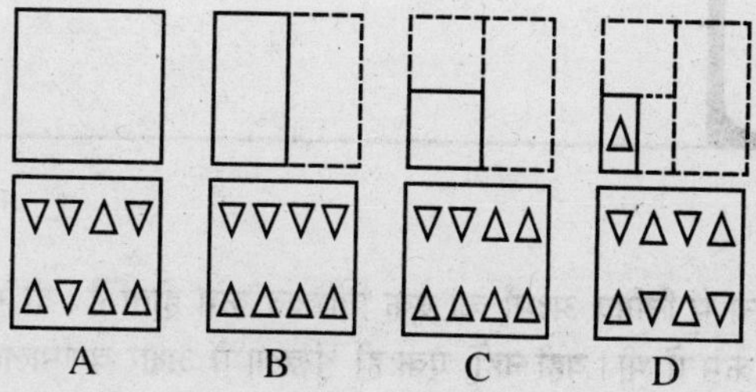

उत्तरमाला

1	2	3	4	5	6	7	8	9	10
D	C	B	B	C	A	A	A	A	A
11	**12**	**13**	**14**	**15**					
C	D	C	A	B					

व्याख्यात्मक उत्तर

1. कागज को खोले जाने पर चरणशः निम्नवत् आकृतियां प्राप्त होंगी।

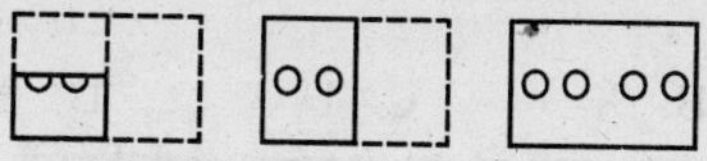

2. कागज को खोले जाने पर चरणशः निम्नवत् आकृतियां प्राप्त होंगी।

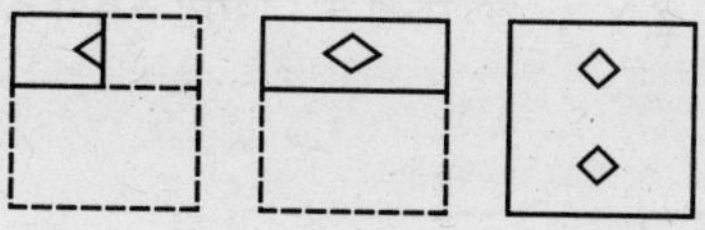

3. कागज को खोले जाने पर चरणशः निम्नवत् आकृतियां प्राप्त होंगी।

14. कागज को खोले जाने पर चरणशः निम्नवत् आकृतियां प्राप्त होंगी।

15. कागज को खोले जाने पर चरणशः निम्नवत् आकृतियां प्राप्त होंगी।

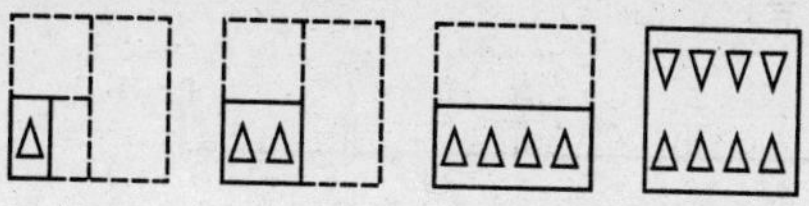

✤✤✤✤✤

15 अक्षर शृंखला

अक्षर शृंखला में निहित अक्षरों का एक निश्चित क्रम होता है। दी गई अक्षर शृंखला में अक्षर वर्णमाला के सीधे क्रम में भी हो सकते हैं और वर्णमाल के विपरीत क्रम में भी। यही नहीं, एक ही शृंखला में अक्षर वर्णमाला के सीधे क्रम में और वर्णमाला के विपरीत या उल्टे क्रम में अर्थात् दोनों ही अनुक्रम में भी हो सकते हैं। शृंखला में दिए गए क्रम में कुछ अक्षर छोड़े भी गए हो सकते हैं या ऐसा भी हो सकता है कि शृंखला में कुछ अक्षरों को एकाधिक बार प्रयुक्त किया गया हो या फिर वे क्रमागत हों। शृंखला एकल भी हो सकती है और एक ही शृंखला में एकांतर क्रम में दो अलग-अलग शृंखला भी निहित हो सकती हैं। अक्षर शृंखला पर आधारित प्रश्नों को हल करते समय शृंखला के पैटर्न पर ध्यान दिया जाना आवश्यक होता है।

वर्णमाला के सीधे क्रम में अक्षरों की शृंखला है :

A B C D E F G H I J K L M N O P Q R S T U V W X Y Z

A ↓ पहला, E ↓ 5वाँ, J ↓ 10वाँ, O ↓ 15वाँ, T ↓ 20वाँ, Y ↓ 25वाँ

वर्णमाला के विपरीत या उल्टे क्रम में अक्षरों की शृंखला है :

Z Y X W V U T S R Q P O N M L K J I H G F E D C B A

Z ↓ पहला, V ↓ 5वाँ, Q ↓ 10वाँ, L ↓ 15वाँ, G ↓ 20वाँ, B ↓ 25वाँ

टिप्पणी : Z पर पहुंचकर शृंखला A से पुनः शुरू होती है और A पर पहुंचकर शृंखला Z से पुनः शुरू होती है।

☛ *उदाहरण*

निर्देश : *नीचे दी गई शृंखला में प्रश्न चिह्न को प्रतिस्थापित करने के लिए दिए गए विकल्पों में से सही अक्षर का चयन करें:*

1. B D F H J ?

A. L　　B. O　　C. M　　D. K

उत्तर A. : शृंखला में प्रत्येक दो अक्षरों के बीच वर्णमाला के सीधे क्रम में एक अक्षर छूट गया है।

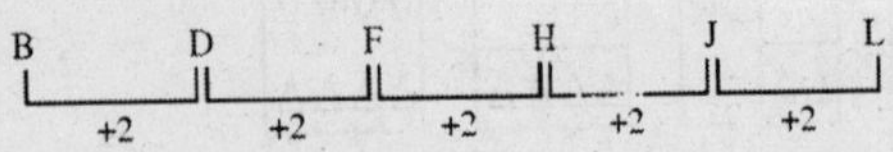

2. A Z B Y C ?

A. D　　B. X　　C. U　　D. E

उत्तर B. : इस शृंखला में बारी-बारी से दो शृंखलाएं अंतर्निहित हैं: शृंखला *I* : A B C (प्राकृतिक क्रम अर्थात् वर्णमाला के सीधे क्रम क्रमागत अक्षर); शृंखला *II* : Z Y X (वर्णमाला के विपरीत क्रम में क्रमाग अक्षर)

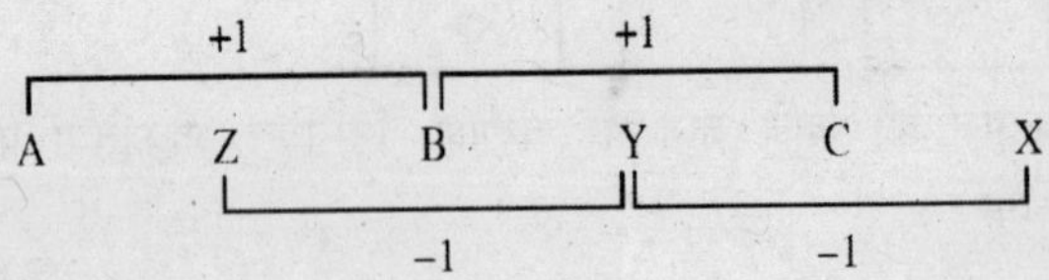

वस्तुनिष्ठ प्रश्न

निर्देश : *नीचे दी गई प्रत्येक शृंखला में अक्षरों का क्रम निर्धारित करें। तत्पश्चात् दिए गए विकल्पों में से उस विकल्प का चयन करें जिससे दी गई शृंखला में प्रश्न चिह्न प्रतिस्थापित होता हो।*

1. L N P R T ?

A. U　　B. V　　C. W　　D. Y

2. B A F E J I P O ? U

A. V　　B. T　　C. S　　D. Q

3. B D G K ? V

A. N　　B. P　　C. Q　　D. M

4. Z X V T ?

A. Q　　B. S　　C. R　　D. P

5. A D E H I L M P Q T U ?

A. X Y　　B. Y Z

C. U V　　D. V W

6. M N L O K P J Q I R H S ?
A. TG B. GT C. FU D. RH

7. B F K Q ?
A. U B. T C. X D. Y

8. C E F I J L M P Q S ?
A. TW B. TV C. WY D. VY

9. E D C H G F K J I N ?
A. LM B. OP C. MO D. ML

10. A E I M Q ?
A. T B. U C. V D. W

11. A B D ? K
A. G B. F C. H D. I

12. X U R O L ?
A. J B. G C. H D. I

13. W S O K ?
A. G B. F C. H D. E

14. A F K P ?
A. T B. U C. W D. X

15. D H M S ?
A. W B. X C. Y D. Z

16. U R P M K ?
A. G B. E C. H D. F

17. A B F G K L ?
A. P B. M C. R D. O

18. ADG, GJM, ?, SVY
A. MPS B. MQR
C. MQS D. SPM

उत्तरमाला

1	2	3	4	5	6	7	8	9	10
B	A	B	C	A	B	C	A	D	B
11	12	13	14	15	16	17	18		
A	D	A	B	D	C	A	A		

व्याख्यात्मक उत्तर

1. शृंखला +2 पैटर्न का अनुपालन करती है, अर्थात्

L N P R T V
+2 +2 +2 +2 +2

2. शृंखला में अंग्रेजी वर्णमाला के पांच स्वर (vowel) हैं अर्थात् (AEIOU) जिनमें से प्रत्येक के पहले वर्णमाला के सीधे क्रम में उसके ठीक बाद का क्रमागत अक्षर लिखा गया है।

B A F E J I P O V U

3. शृंखला में दो सन्निकट अक्षरों के बीच अंतर में 2 से आरंभ होकर प्रत्येक चरण में क्रमश: 1 की वृद्धि होती जाती है।

B D G K P V
+2 +3 +4 +5 +6

4. शृंखला के अक्षर वर्णमाला के विपरीत क्रम में हैं तथा शृंखला के दो सन्निकट अक्षरों के बीच –2 का अंतर है।

Z X V T R
–2 –2 –2 –2

5. शृंखला के अक्षरों के बीच बारी-बारी से +3 और +1 का अंतर है।

A D E H I L M P Q T U X Y
+3 +1 +3 +1 +3 +1 +3 +1 +3 +1 +3 +1

6. शृंखला में बारी-बारी से दो शृंखलाएं अंतर्निहित हैं।

–1 –1 –1 –1 –1 –1
M N L O K P J Q I R H S G T
+1 +1 +1 +1 +1 +1

शृंखला I : MLKJIHG (वर्णमाला के विपरीत क्रम में)
शृंखला II : NOPQRST (वर्णमाला के सीधे क्रम में)

7. शृंखला में दो सन्निकट अक्षरों के बीच अंतर में प्रत्येक चरण में एक की वृद्धि होती जाती है।

B F K Q X
+4 +5 +6 +7

8. शृंखला में दो सन्निकट अक्षरों के बीच अंतर क्रमश: दो, एक, तीन और एक अक्षर का है तथा उसके बाद इसी क्रम की पुनरावृत्ति होती है।

C E F I J L M P Q S T W
+2 +1 +3 +1 +2 +1 +3 +1 +2 +1 +3

9. शृंखला में तीन-तीन अक्षरों के समूह हैं। समूहों के अक्षर वर्णमाला के विपरीत क्रम में विन्यस्त हैं।

EDC HGF KJI NML

10. शृंखला में दो सन्निकट अक्षरों के बीच +4 का अंतर है

A E I M Q U
+4 +4 +4 +4 +4

11. श्रृंखला में दो सन्निकट अक्षरों के बीच अंतर में प्रत्येक चरण में एक की वृद्धि होती जाती है।

A B D G K

+1 +2 +3 +4

12. श्रृंखला के अक्षर वर्णमाला के विपरीत क्रम में हैं तथा श्रृंखला के दो सन्निकट अक्षरों के बीच –3 का अंतर है।

X U R O L I

–3 –3 –3 –3 –3

13. श्रृंखला में दो सन्निकट अक्षरों के बीच 4 का अंतर है।

W S O K G

–4 –4 –4 –4

14. श्रृंखला में दो सन्निकट अक्षरों के बीच +5 का अंतर है।

A F K P U

+5 +5 +5 +5

15. श्रृंखला में दो सन्निकट अक्षरों के बीच अंतर में प्रत्येक चरण में एक की वृद्धि होती जाती है।

D H M S Z

+4 +5 +6 +7

16. श्रृंखला के अक्षर वर्णमाला के विपरीत क्रम में हैं और दो सन्निकट अक्षरों के बीच बारी-बारी से –3 और –2 का अंतर है।

U R P M K H

–3 –2 –3 –2 –3

17. श्रृंखला के अक्षर वर्णमाला के सीधे क्रम में हैं और अक्षरों के बीच बारी-बारी से +1 और +4 का अंतर है।

A B F G K L P

+1 +4 +1 +4 +1 +4

18. श्रृंखला में तीन अक्षरों के प्रत्येक समूह में दो अक्षरों के बीच +3 का अंतर है। श्रृंखला का अगला समूह पूर्ववर्ती समूह के अंतिम अक्षर से शुरू होता है।

ADG GJM MPS SVY

+3 +3 +3 +3 +3 +3 +3 +3

✤ ✤ ✤ ✤ ✤

16 अपूर्ण प्रतिरूप या आकृति को पूरा करना

वस्तुनिष्ठ प्रश्न

निर्देश (प्र.सं. 1 से 10 तक): *प्रत्येक प्रश्न में बताएं कि कौन-सी विकल्प आकृति दिए गए आकृति प्रतिरूप को पूरा करेगी।*

1. दी गई आकृति 

विकल्प आकृतियां

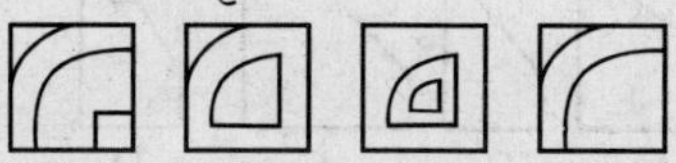

A. B. C. D.

2. दी गई आकृति 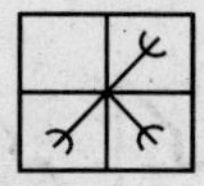

विकल्प आकृतियां

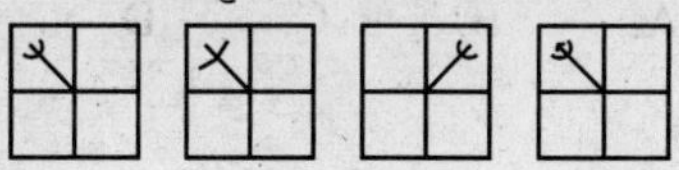

A. B. C. D.

3. दी गई आकृति 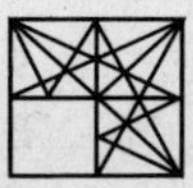

विकल्प आकृतियां

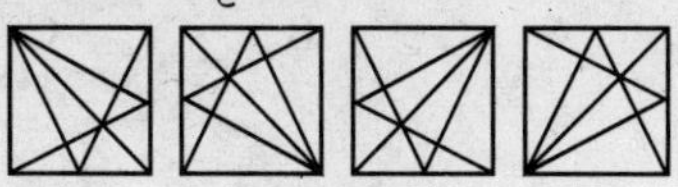

A. B. C. D.

4. दी गई आकृति 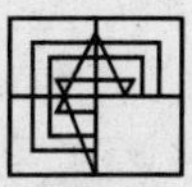

विकल्प आकृतियां

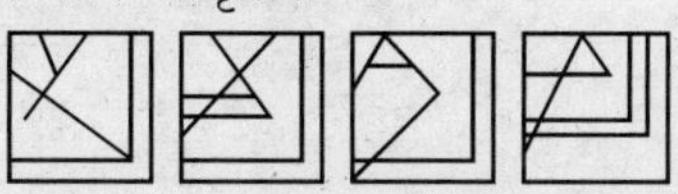

A. B. C. D.

5. दी गई आकृति 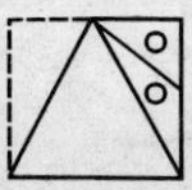

विकल्प आकृतियां

A. B. C. D.

6. दी गई आकृति 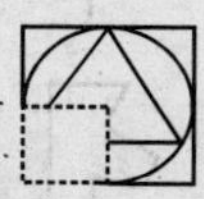

विकल्प आकृतियां

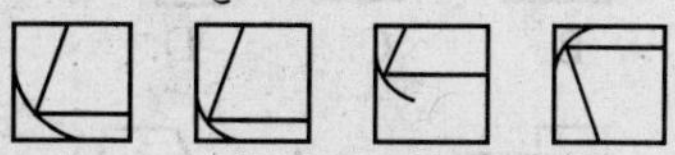

A. B. C. D.

7. दी गई आकृति 

विकल्प आकृतियां

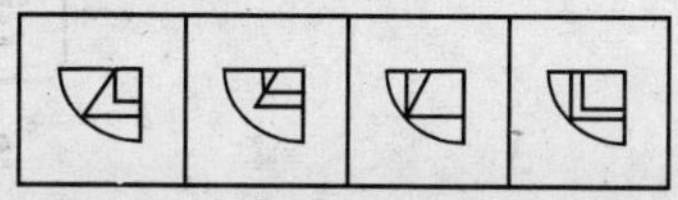

A. B. C. D.

8. दी गई आकृति 

विकल्प आकृतियां

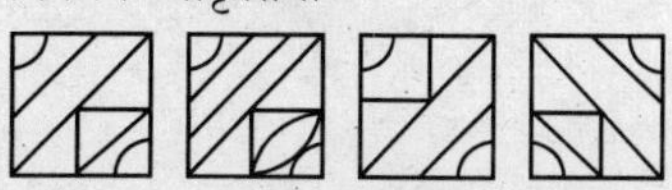

A. B. C. D.

9. दी गई आकृति 

विकल्प आकृतियां

A. B. C. D.

10. दी गई आकृति

विकल्प आकृतियां

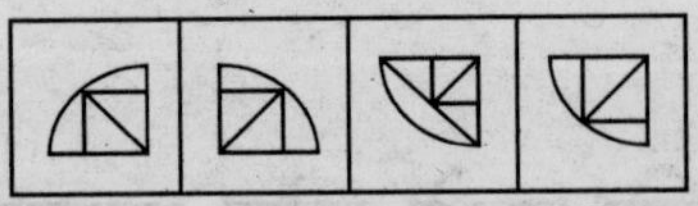

A. B. C. D.

निर्देश (प्र.सं. 11 से 20 तक): *वर्ग का एक भाग प्रश्न आकृति में दी गई है। दिये गये विकल्पों से सही आकार को चुनकर वर्ग को पूरा करें।*

प्रश्न आकृति **उत्तर आकृतियां**

11.

A. B. C. D.

12.

A. B. C. D.

13.

A. B. C. D.

14.

A. B. C. D.

15.

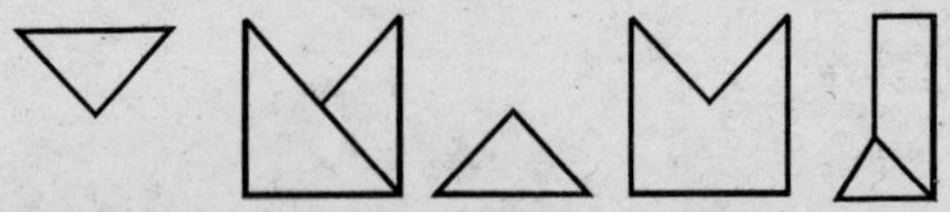

A. B. C. D.

16.

A. B. C. D.

17.

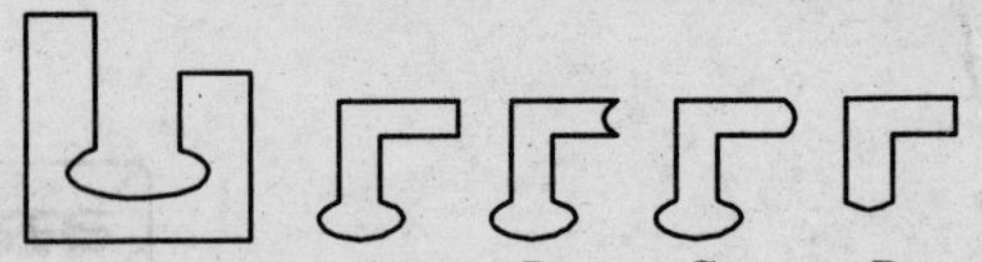

A. B. C. D.

18.

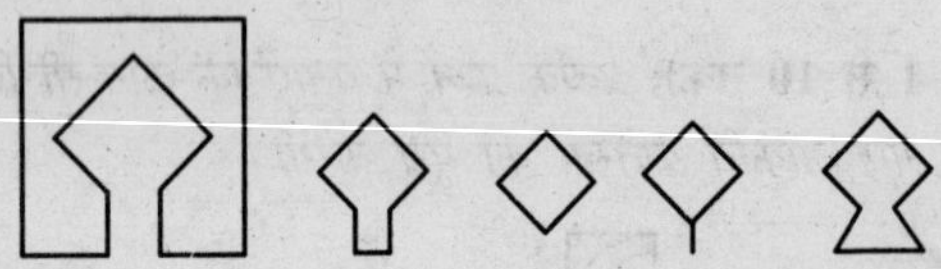

A. B. C. D.

19.

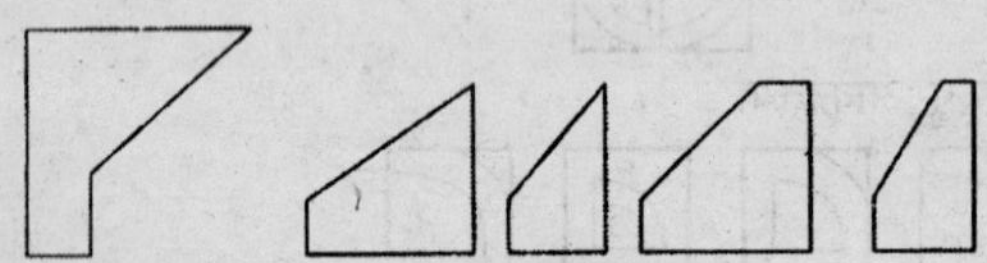

A. B. C. D.

20.

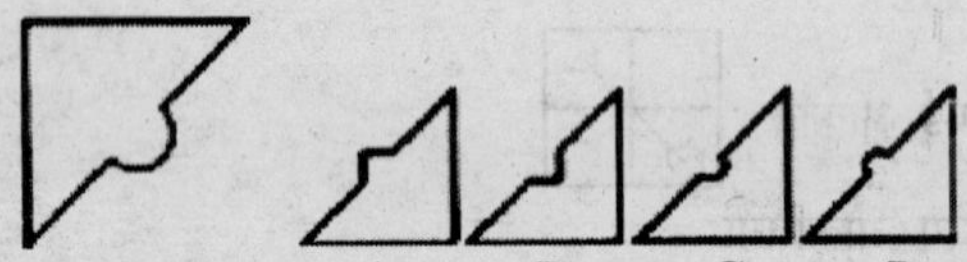

A. B. C. D.

उत्तरमाला

1	2	3	4	5	6	7	8	9	10
B	A	D	D	A	A	B	C	B	C
11	**12**	**13**	**14**	**15**	**16**	**17**	**18**	**19**	**20**
C	C	A	D	C	A	A	A	B	C

✤ ✤ ✤ ✤ ✤

17 संख्या शृंखला

इस प्रकार की शृंखला में दी गई संख्याओं के समुच्चय एक-दूसरे से एक विशेष पैटर्न या रूप में संबंधित होते हैं। संख्याओं के बीच संबंध-

(*i*) क्रमागत विषम/सम संख्याओं;

(*ii*) क्रमागत अविभाज्य संख्याओं;

(*iii*) किसी संख्या (या संख्याओं) का वर्गफल/घनफल जिसमें किसी संख्या को जोड़ने या घटाने पर परिवर्तन होता है/नहीं होता;

(*iv*) पूर्ववर्ती संख्याओं का योग/गुणनफल/अंतर;

(*v*) किसी संख्या से योग/घटा/गुणा/भाग; और

(*vi*) उपर्युक्त संबंधों के अनेक और भी संयोजनों पर आधारित होता है।

☛ *उदाहरण*

प्र. नीचे दी गई संख्या-शृंखला को पूरा करने के लिए कौन-सा विकल्प उपयुक्त है ?

4, 8, 12, 16, ?

A. 18 B. 20
C. 22 D. 24

उत्तर B.: शृंखला में अंतर्निहित संख्याएं 4 की गुणज (multiples) हैं। शृंखला में अंतर्निहित अवयवों की एक अन्य व्याख्या यह है कि शृंखला की दो आनुक्रमिक संख्याओं के बीच 4 का अंतर है।

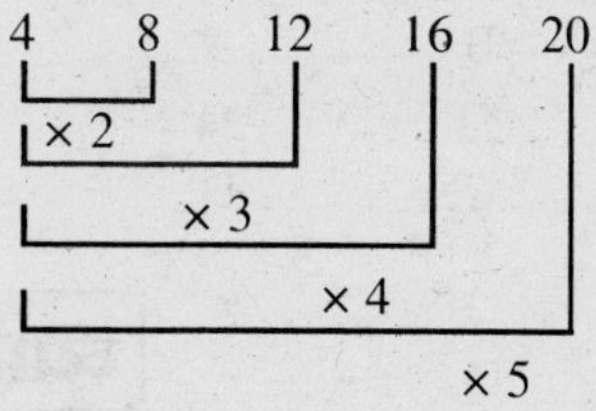

या

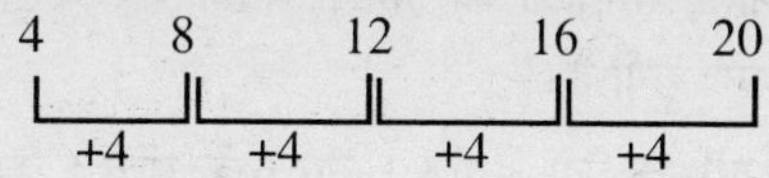

वस्तुनिष्ठ प्रश्न

निर्देश : *शृंखलाओं को पूरा करने के लिए दिए गए विकल्पों में से लुप्त पद/संख्या ज्ञात करें।*

1. 3, 9, 27, 81, 243, ?
A. 486 B. 729 C. 972 D. 359

2. 1, 6, 12, 19, 27, ?
A. 38 B. 35 C. 36 D. 54

3. 2, 6, 14, 30, 62, ?
A. 126 B. 128 C. 120 D. 130

4. 2, 8, 14, 24, 34, 48, ?
A. 66 B. 62 C. 58 D. 64

5. 4, 9, 19, 34, 54, ?, 109
A. 89 B. 84 C. 74 D. 79

6. 3, 15, 35, 63, 99, ?
A. 144 B. 143 C. 121 D. 169

7. 7776, 1296, 216, 36, 6, ?
A. 6 B. 0 C. 3 D. 1

8. 1, 8, 27, 64, 125, ?
A. 172 B. 176 C. 216 D. 189

9. 2, 3, 5, 7, 11, 13, ?
A. 19 B. 57 C. 31 D. 17

10. 80, 64, 48, 32, 16, ?
A. 4 B. 0 C. 8 D. 1

11. 64, 16, 32, 8, ?
A. 24 B. 32 C. 4 D. 16

12. 138, 115, 92, 69, 46, ?
A. 9 B. 18 C. 21 D. 23

13. 128, 64, 32, 16, ?, 4
A. 10 B. 8 C. 6 D. 12

14. 1, 1, 2, 8, 64, ?, 65536
A. 1024 B. 2556 C. 4096 D. 1088

15. 3, 5, 9, 15, 23, ?, 45
A. 37 B. 35 C. 31 D. 33

16. 1, 2, 4, 8, 16, 32, ?
A. 48 B. 56 C. 64 D. 70

17. 0, 1, 8, 27, 64, ?
A. 125 B. 128 C. 256 D. 121

18. 2, 6, 12, 20, 30, ?
A. 42 B. 36 C. 41 D. 40

19. 4, 7, 12, 19, 28, ?
A. 35 B. 37 C. 39 D. 41

20. 11, 13, 17, 19, 23, ?
A. 37 B. 31 C. 25 D. 41

21. 3, 5, 8, 12, 17, 23, ?
A. 19 B. 30 C. 33 D. 45

22. 11, 12, 17, 18, 23, 24, ?
A. 12 B. 39 C. 32 D. 29

23. 2, 6, 12, 20, 30, 42, ?
A. 50 B. 54 C. 56 D. 64

24. 7, 9, 12, 14, 17, 19, ?
A. 18 B. 20 C. 21 D. 22

25. 20, 19, 17, ?, 10, 5
A. 12 B. 15 C. 14 D. 13

उत्तरमाला

1	2	3	4	5	6	7	8	9	10
B	C	A	B	D	B	D	C	D	B
11	**12**	**13**	**14**	**15**	**16**	**17**	**18**	**19**	**20**
D	D	B	A	D	C	A	A	C	C
21	**22**	**23**	**24**	**25**					
B	D	C	D	C					

व्याख्यात्मक उत्तर

1. श्रृंखला में निहित संख्याओं को अगली संख्या प्राप्त करने के लिए 3 से गुणा किया गया है।

2. श्रृंखला के आरंभिक पदों अर्थात् 1 और 6 के बीच 5 का अंतर है और तत्पश्चात् श्रृंखला की आनुक्रमिक संख्याओं के बीच अंतर में क्रमश: 1 की वृद्धि होती जाती है।

1 6 12 19 27 36
+5 +6 +7 +8 +9

3. श्रृंखला की आरंभिक संख्याओं अर्थात् 2 और 6 के बीच 4 का अंतर है और तत्पश्चात् श्रृंखला की आनुक्रमिक संख्याओं के बीच अंतर क्रमश: दो गुना होता जाता है।

2 6 14 30 62 126
+4 +8 +16 +32 +64

4. श्रृंखला में संख्याओं का अनुक्रम निम्नवत् है :

2 8 14 24 34 48 62
+6 +6 +10 +10 +14 +14

श्रृंखला में दो आनुक्रमिक संख्याओं के बीच अंतर में एकांतर चरण पर 4 की वृद्धि होती जाती है।

5. श्रृंखला की आरंभिक संख्याओं अर्थात् 4 और 9 के बीच 5 का अंतर है और तत्पश्चात् श्रृंखला की आनुक्रमिक संख्याओं के बीच अंतर में क्रमश: 5 की वृद्धि होती जाती है।

4 9 19 34 54 79 109
+5 +10 +15 +20 +25 +30

6. श्रृंखला में 2 से आरंभ करके क्रमागत सम संख्याओं का वर्ग घटा 1 के पैटर्न का अनुपालन कियां गया है।

7. इस श्रृंखला में आनुक्रमिक संख्या पहली संख्या को 6 से भाग देने पर प्राप्त होती है।

8. इस श्रृंखला में संख्याएं 1 से आरंभ होकर क्रमागत संख्याओं का घनफल हैं।

9. श्रृंखला की संख्याएं वर्धमान क्रम में अविभाज्य संख्याएं (prime numbers) हैं।

10. श्रृंखला की संख्याओं में प्रत्येक चरण में 16 की कमी होती जाती है।

11. श्रृंखला में बारी-बारी से दो श्रृंखलाएं अंतर्निहित हैं तथा प्रत्येक श्रृंखला में पूर्ववर्ती संख्या को 2 से भाग करने पर अगली संख्या प्राप्त होती है।

÷ 2 ÷ 2
64 16 32 8 16
÷ 2

12. श्रृंखला की संख्या में क्रमश: 23 की कमी होती जाती है।

13. श्रृंखला की संख्याएं प्रत्येक चरण पर विद्यमान संख्या को 2 से भाग देने पर प्राप्त होती हैं।

14. श्रृंखला में क्रमश: × 1, × 2, × 4, × 8, × 16, × 64 पैटर्न का अनुपालन किया जाता है।

1 1 2 8 64 1024 65536
×1 ×2 ×4 ×8 ×16 ×64

15. शृंखला की प्रत्येक आनुक्रमिक संख्याओं के बीच अंतर में क्रमशः +2 की वृद्धि होती जाती है।

3 5 9 15 23 33 45

+2 +4 +6 +8 +10 +12

16. शृंखला में पूर्ववर्ती संख्या को 2 से गुणा करने पर अगली संख्या प्राप्त होती है।

17. शृंखला की संख्याएं प्राकृतिक क्रम में विन्यस्त संख्याओं के घनफल हैं।

18. शृंखला की दो आनुक्रमिक संख्याओं के बीच अंतर में प्रत्येक चरण पर 2 की वृद्धि हो रही है।

2 6 12 20 30 42

+4 +6 +8 +10 +12

19. शृंखला की दो आनुक्रमिक संख्याओं के बीच अंतर में प्रत्येक चरण पर 2 की वृद्धि हो रही है।

4 7 12 19 28 39

+3 +5 +7 +9 +11

20. शृंखला की संख्याओं के बीच अंतर में +2, +4 पैटर्न का अनुपालन हो रहा है जिसकी आगे पुनरावृत्ति हो रही है।

21. शृंखला में आनुक्रमिक संख्याओं के बीच अंतर में प्रत्येक चरण पर 1 की वृद्धि होती जाती है।

3 5 8 12 17 23 30

+2 +3 +4 +5 +6 +7

22. शृंखला में +1, +5 पैटर्न का अनुपालन किया जाता है जिसकी पुनरावृत्ति होती है।

23. शृंखला प्रत्येक चरण पर 4 से आरंभ करके सम संख्याओं को प्राकृतिक क्रम में जोड़ने पर प्राप्त होती है।

2 6 12 20 30 42 56

+4 +6 +8 +10 +12 +14

24. शृंखला में +2, +3 पैटर्न का अनुपालन होता है जिसकी आगे पुनरावृत्ति होती है।

25. शृंखला में दो आनुक्रमिक संख्याओं के बीच अंतर –1 से आरंभ होकर क्रमागत प्राकृतिक संख्याओं का है।

20 19 17 14 10 5

–1 –2 –3 –4 –5

✤✤✤✤✤

18 सन्निहित आकृति

इस प्रकार के प्रश्नों में ऊपर एक प्रश्न आकृति दी जाती है जिसके बाद विकल्प आकृतियाँ दी जाती हैं। दी गई प्रश्न आकृति दी गई विकल्प आकृतियों में से किसी एक में निहित होती है। वह प्रश्न आकृति जिस उत्तर आकृति में निहित होती है उसे ढूँढ़ना होता है। इस प्रकार के प्रश्नों को हल करने के लिए अभ्यर्थियों के लिए अपनी मानसिक निपुणता और कल्पना शक्ति तथा तीक्ष्ण विश्लेषणात्मक क्षमता का प्रयोग करना अत्यधिक आवश्यक है और इस प्रकार वे ऐसे प्रश्नों को काफी सरलतापूर्वक हल कर सकेंगे।

वस्तुनिष्ठ प्रश्न

निर्देश (प्र.सं. 1–15): *नीचे के प्रत्येक प्रश्न में ऊपर एक आकृति दी गई है जिसके नीचे चार विकल्प आकृतियाँ दी गई हैं। प्रत्येक प्रश्न में ऊपर दी गई आकृति नीचे दी गई विकल्प आकृतियों में से किसी एक में निहित है। उस विकल्प आकृति को ढूँढ़िए जिसमें प्रश्न आकृति (मूल आकृति) छिपी है।*

1. 
A B C D

2. 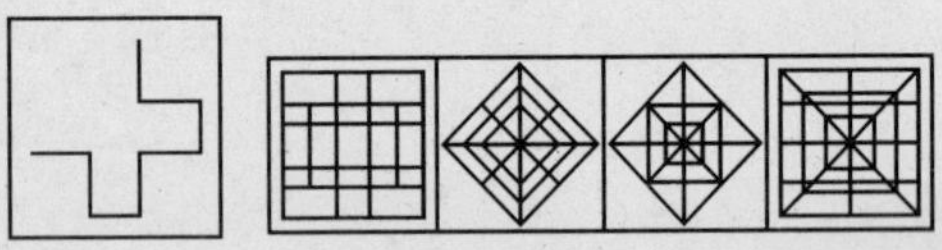
A B C D

3. 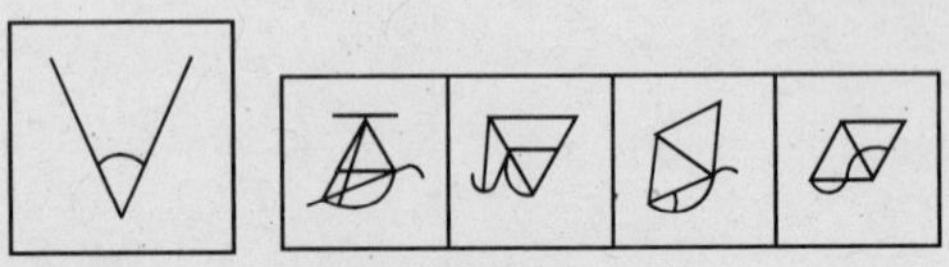
A B C D

4. 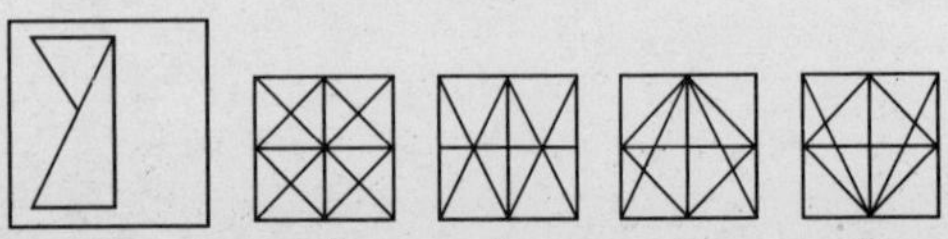
A B C D

5. 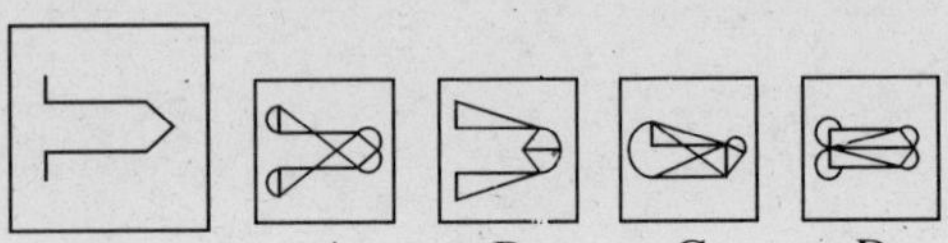
A B C D

6. 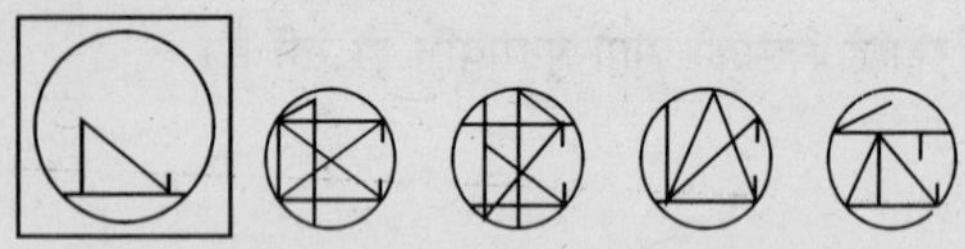
A B C D

7. 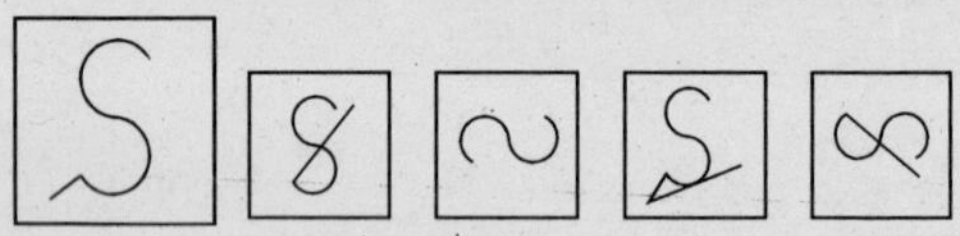
A B C D

8. 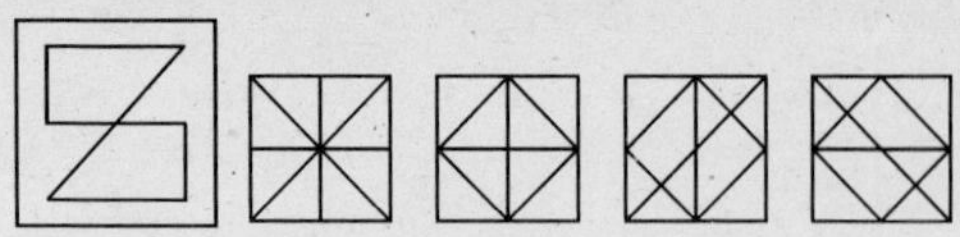
A B C D

9. 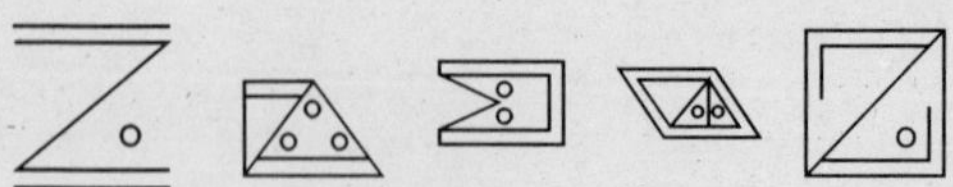
A B C D

10. 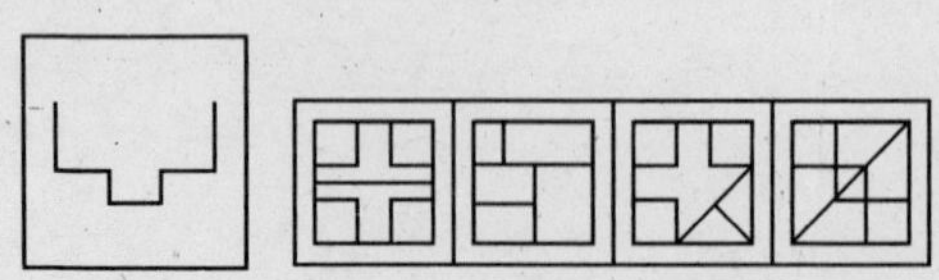
A B C D

11. 
A B C D

12. 

A B C D

13. 

A B C D

14. 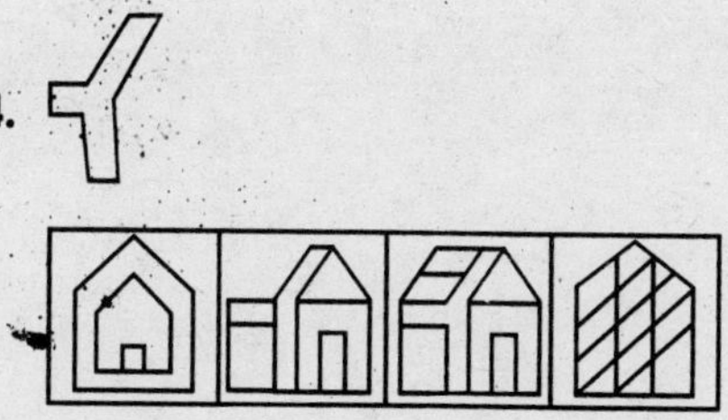

A B C D

15. 

A B C D

उत्तरमाला

1	2	3	4	5	6	7	8	9	10
A	A	D	B	A	B	C	A	D	A
11	12	13	14	15					
C	A	A	C	B					

व्याख्यात्मक उत्तर

1. 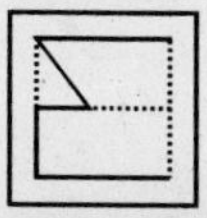

2. 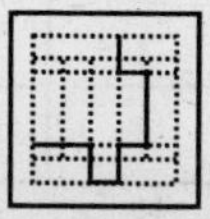

3. 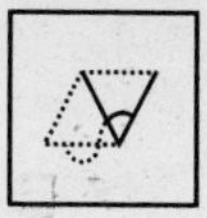

4. 

5. 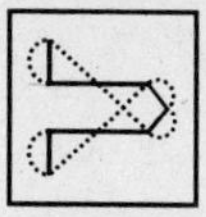

6. 

7. 

8. 

9. 

10. 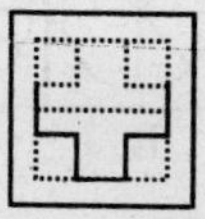

11. 

12. 

13. 

14. 

15. 

✣✣✣✣✣

19 आकृति श्रृंखला

वस्तुनिष्ठ प्रश्न

*निर्देशः नीचे के प्रत्येक प्रश्न में आकृतियों के दो समुच्चय दिए गए हैं जिनमें से एक समुच्चय को **प्रश्न आकृतियों** का समुच्चय और दूसरे समुच्चय को **उत्तर आकृतियों** का समुच्चय कहा गया है। प्रश्न आकृतियों के समुच्चय से किसी न किसी प्रकार से एक श्रृंखला बनती है। उत्तर आकृतियों के समुच्चय से उस एक आकृति का चयन करें जिससे प्रश्न आकृतियों के समुच्चय की श्रृंखला संतत हो जाए।*

1. प्रश्न आकृतियां

उत्तर आकृतियां

A. B. C. D.

2. प्रश्न आकृतियां

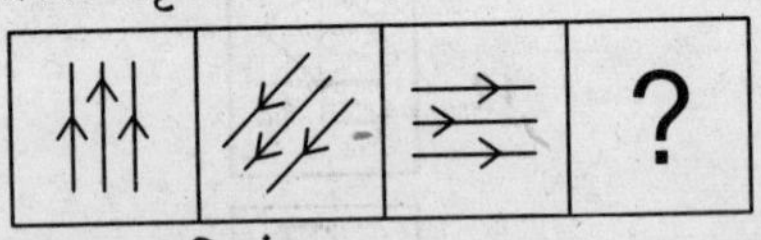

उत्तर आकृतियां

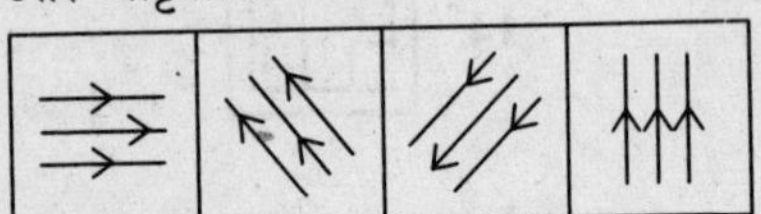

A. B. C. D.

3. प्रश्न आकृतियां

उत्तर आकृतियां

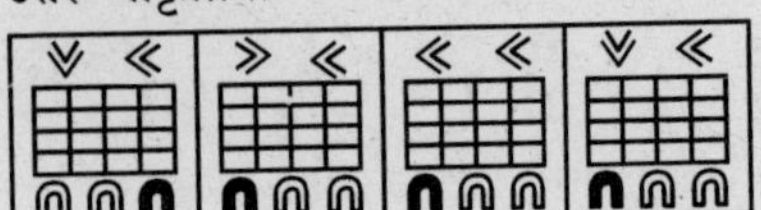

A. B. C. D.

4. प्रश्न आकृतियां

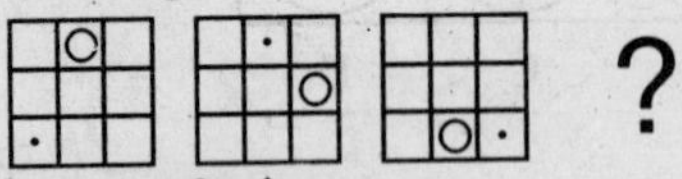

उत्तर आकृतियां

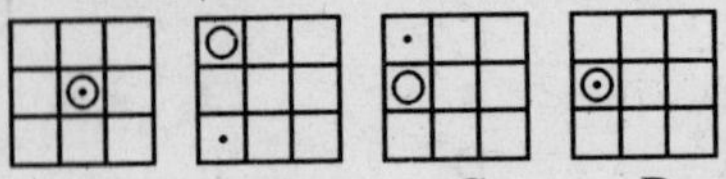

A. B. C. D.

5. प्रश्न आकृतियां

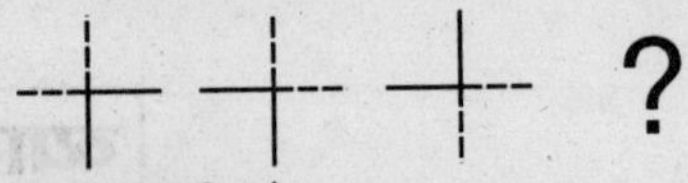

उत्तर आकृतियां

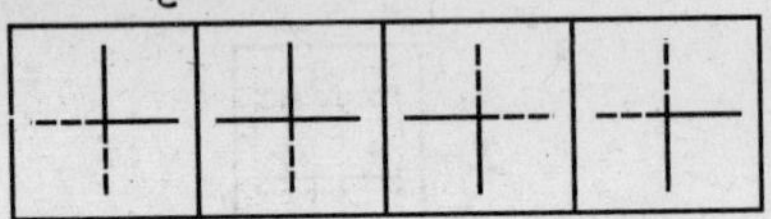

A. B. C. D.

6. प्रश्न आकृतियां

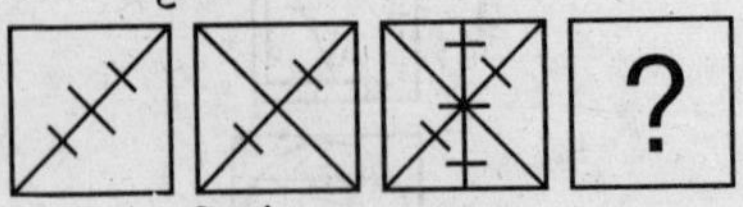

उत्तर आकृतियां

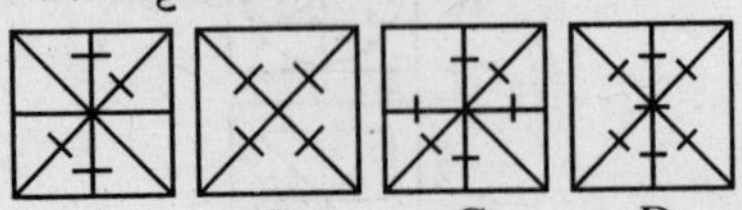

A. B. C. D.

7. प्रश्न आकृतियां

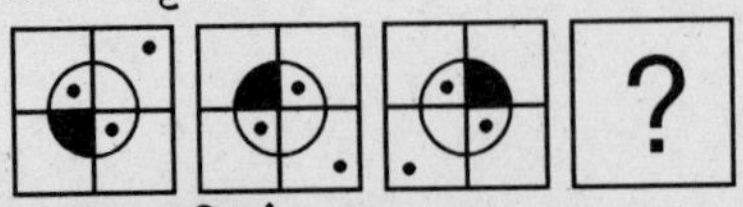

उत्तर आकृतियां

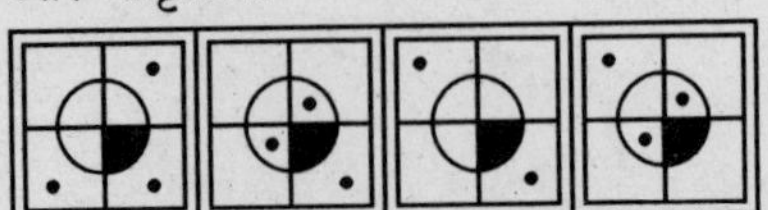

A. B. C. D.

8. प्रश्न आकृतियां

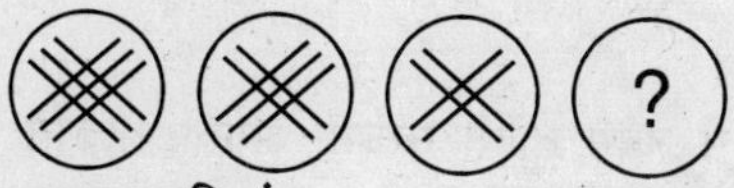

उत्तर आकृतियां

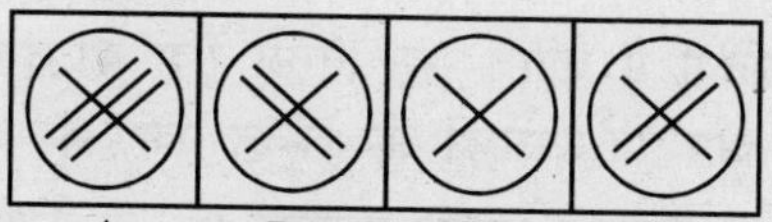

A. B. C. D.

9. प्रश्न आकृतियां

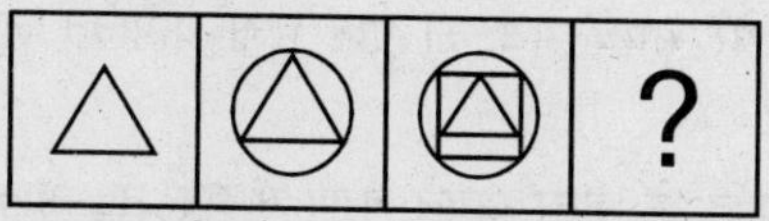

उत्तर आकृतियां

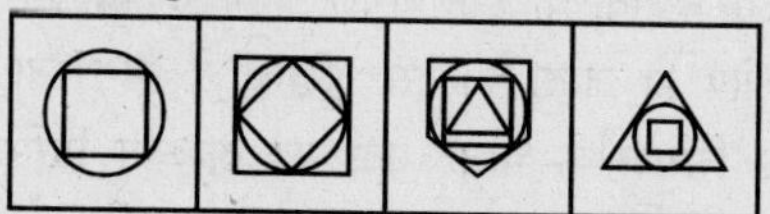

A. B. C. D.

10. प्रश्न आकृतियां

उत्तर आकृतियां

A. B. C. D.

11. प्रश्न आकृतियां

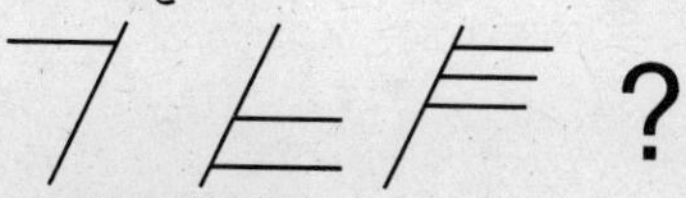

उत्तर आकृतियां

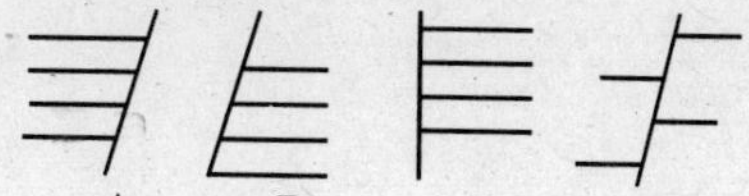

A. B. C. D.

12. प्रश्न आकृतियां

उत्तर आकृतियां

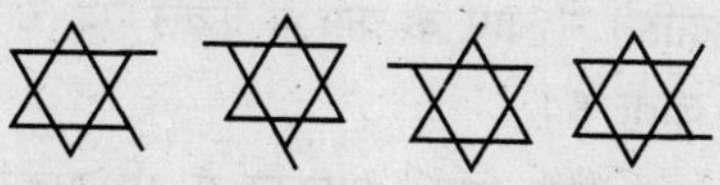

A. B. C. D.

13. प्रश्न आकृतियां

उत्तर आकृतियां

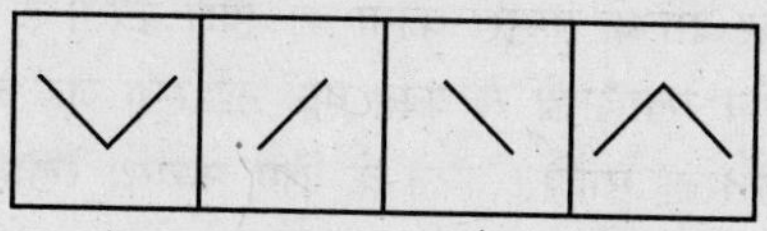

A. B. C. D.

14. प्रश्न आकृतियां

उत्तर आकृतियां

A. B. C. D.

15. प्रश्न आकृतियां

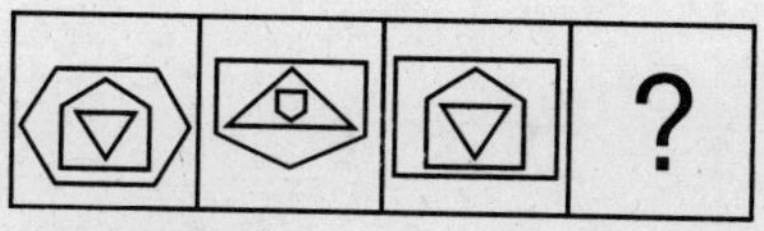

उत्तर आकृतियां

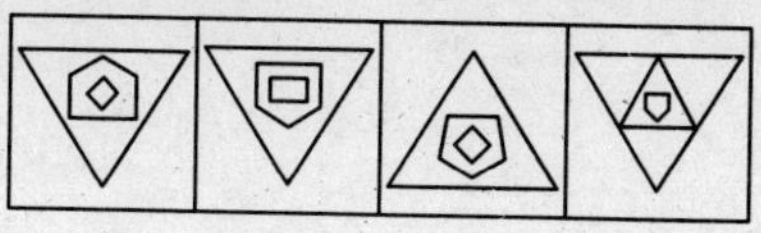

A. B. C. D.

उत्तरमाला

1	2	3	4	5	6	7	8	9	10
C	B	D	D	A	A	D	D	C	A
11	**12**	**13**	**14**	**15**					
A	D	C	D	D					

व्याख्यात्मक उत्तर

1. एक आकृति से दूसरी आकृति में वृत्त क्रमशः दक्षिणावर्त 30° के कोण से घूम जाता है और प्रत्येक चरण में वृत्त के भीतर स्थित एक त्रिज्यीय रेखाखण्ड लुप्त होता जाता है।

2. एकांतर आकृतियों में तीर दक्षिणावर्त 90° के कोण से घूम जाते हैं और तीर के चिह्नों (वाणमुखों) की संस्थिति सामने से पीछे और पीछे से सामने होती जाती है।

3. पहली आकृति में ऊपर बाएं स्थित ≫ अवयव क्रमशः अगली आकृति में वामावर्त 90° के कोण से घूम जाता है। आकृति में नीचे स्थित तीन अवयवों में से दाहिने ओर का एक अवयव दूसरी आकृति में छायांकित हो जाता है तथा उसके बाद की आकृति में इन तीनों में से दाहिने से बाएं के क्रम में केवल एक अवयव ही छायांकित होता जाता है।

4. वृत्त (गोल घेरा) और बिंदु अगली आकृति में दक्षिणावर्त क्रमशः दो और तीन खंड आगे खिसक जाते हैं।

5. प्रत्येक चरण में क्रॉस का चिह्न दक्षिणावर्त 90° के कोण से घूम जाता है।

6. पहली आकृति में विकर्ण पर बीच में स्थित रेखाखण्ड दूसरी आकृति में आगे बढ़कर वर्ग के सम्मुख कोनों को स्पर्श करता है। अगली आकृति में तीन रेखाखण्डों से युक्त एक नई रेखा जुड़ जाती है। शृंखला में निरंतरता स्थापित करने के लिए मध्यस्थ रेखाखण्ड को आगे बढ़ाकर वर्ग की भुजाओं से स्पर्श कराया जाना चाहिए।

7. प्रत्येक चरण पर संपूर्ण आकृति दक्षिणावर्त 90° के कोण से घूम जाती है।

8. तिरछे या विकर्णी रेखाखण्ड एक-एक करके एक निश्चित क्रम में लुप्त होते जाते हैं।

9. प्रत्येक चरण पर पूर्ववर्ती आकृति-समुच्चय में एक नई आकृति जुड़ती जाती है।

10. पहली आकृति में सबसे बाहरी संरचना अगली आकृति में सबसे भीतर चली जाती है।

11. एकांतर आकृतियों में क्षैतिज रेखा तिरछी रेखा की दूसरी ओर चली जाती है और तब उनसे दो ओर क्षैतिज रेखाएं जुड़ जाती हैं।

12. प्रत्येक चरण पर तारे की आकृति वामावर्त 90° के कोण से घूम जाती है।

13. प्रत्येक चरण पर समचतुर्भुज की एक भुजा वामावर्त लुप्त होती जाती है।

14. विद्यमान आकृति के भीतर अगले चरण में एक नई आकृति बना दी जाती है और उसके बाद के अगले चरण में पूर्व की विद्यमान आकृति का लोप हो जाता है। इस शृंखला में निरंतरता स्थापित करने के लिए त्रिभुज के भीतर एक नई आकृति निर्मित करना आवश्यक है।

15. प्रत्येक चरण पर त्रिभुज और पंचभुज के स्थान आपस में बदल जाते हैं और ये आकृतियां उलट जाती हैं। बाहरी संरचना में भुजाओं की संख्या में प्रत्येक चरण पर एक की कमी हो जाती है।

✤✤✤✤✤

20 आलोचनात्मक विवेचन

इस प्रकार के तर्कबुद्धि परीक्षण में दो कथन दिए जाते हैं जिनके आधार पर दो या दो से अधिक निष्कर्ष ज्ञात करने होते हैं। अभ्यर्थियों से यह अपेक्षा की जाती है कि वे अंतर्निहित तर्क को समझें और दिए गए विकल्पों में से किसी एक का सही उत्तर के रूप में चयन करें।

वस्तुनिष्ठ प्रश्न

निर्देश : *नीचे दिए गए प्रत्येक प्रश्न में दो कथन और उनके बाद कुछ निष्कर्ष दिए गए हैं। सभी निष्कर्षों को पढ़िए और फिर तय कीजिए कि दिए गए निष्कर्षों में से कौन-कौन से निष्कर्ष दिए गए कथनों का तर्कसंगत रूप से अनुसरण करते हैं और तदनुसार दिए गए विकल्पों में से सही विकल्प का चयन करें।*

1. कथन I : सभी लोमड़ियां तश्तरियां हैं।
II : सभी तश्तरियां पेड़ हैं।
निष्कर्ष I : सभी लोमड़ियां पेड़ हैं।
II : सभी पेड़ लोमड़ियां हैं।
III : कुछ पेड़ लोमड़ियां हैं।
IV : कुछ पेड़ तश्तरियां हैं।

A. सभी निष्कर्ष सही हैं।
B. केवल निष्कर्ष I, III, और IV सही हैं।
C. केवल निष्कर्ष II, III, और IV सही हैं।
D. केवल निष्कर्ष I और IV सही है।
E. उपर्युक्त में से कोई नहीं

2. कथन I : कुछ घन वर्ग हैं।
II : सभी वर्ग वृत्त हैं।
निष्कर्ष I : सभी घन वृत्त हैं।
II : कुछ वृत्त घन हैं।
III : कुछ वृत्त वर्ग हैं।
IV : सभी वर्ग घन हैं।

A. केवल निष्कर्ष I सही है।
B. केवल निष्कर्ष I, II और III सही हैं।
C. सभी निष्कर्ष सही हैं।
D. केवल निष्कर्ष II और III सही हैं।
E. उपर्युक्त में से कोई नहीं।

3. कथन I : सभी प्याले बकरियां हैं।
II : सभी बकरियां टिन हैं।
निष्कर्ष I : सभी बकरियां प्याले हैं।
II : सभी टिन बकरियां हैं।
III : कोई भी प्याला टिन नहीं है।
IV : कोई भी टिन प्याला नहीं है।

A. केवल निष्कर्ष III और IV सही हैं।
B. केवल निष्कर्ष I और II सही हैं।
C. केवल निष्कर्ष I, II और III सही हैं।
D. सभी निष्कर्ष सही हैं।
E. उपर्युक्त में से कोई नहीं।

4. कथन I : सभी बम थैले हैं।
II : कुछ थैले जेट विमान हैं।
निष्कर्ष I : सभी बम जेट विमान हैं।
II : सभी जेट विमान बम हैं।
III : कुछ जेट विमान बम हैं।
IV : कुछ बम जेट विमान हैं।

A. केवल निष्कर्ष III सही है।
B. केवल निष्कर्ष I और II सही हैं।
C. सभी निष्कर्ष सही हैं।
D. केवल निष्कर्ष III और IV सही हैं।
E. इनमें से कोई नहीं।

5. कथन I : कुछ कांटे जैकेट हैं।
II : कुछ जैकेट नाव हैं।
निष्कर्ष I : कोई भी कांटा नाव नहीं है।
II : सभी जैकेट नाव हैं।
III : कुछ नाव कांटे हैं।
IV : कोई भी जैकेट कांटा नहीं है।

A. या तो निष्कर्ष I या IV सही है।
B. या तो निष्कर्ष I या II सही है।

C. या तो निष्कर्ष I या III सही है।

D. कोई भी निष्कर्ष सही नहीं है।

E. सभी निष्कर्ष सही हैं।

6. कथन I : सभी लड़कियां कलम हैं।

II : राहुल एक लड़का है।

निष्कर्ष I : कोई भी लड़का पेन नहीं है।

II : राहुल एक कलम नहीं है।

III : कुछ कलम लड़कियां हैं।

A. केवल निष्कर्ष II और III सही हैं।

B. केवल निष्कर्ष I सही है।

C. सभी निष्कर्ष सही हैं।

D. केवल निष्कर्ष I और III सही हैं।

E. उपर्युक्त में से कोई नहीं

7. कथन I : कोई भी पुरुष गाय नहीं है।

II : सभी गाय खिड़कियां हैं।

निष्कर्ष I : कोई भी गाय पुरुष नहीं है।

II : कोई भी पुरुष खिड़की नहीं है।

III : कुछ खिड़कियां गाय हैं।

IV : कुछ गाय पुरुष हैं।

A. केवल निष्कर्ष I और IV सही हैं।

B. केवल निष्कर्ष II, III और IV सही हैं।

C. केवल निष्कर्ष I, II और III सही हैं।

D. सभी निष्कर्ष सही हैं।

E. उपर्युक्त में से कोई नहीं

8. कथन I : कुछ बाघ छिपकलियां हैं

II : सभी छिपकलियां कछुए हैं।

निष्कर्ष I : सभी बाघ कछुए हैं।

II : सभी कछुए बाघ हैं।

A. केवल निष्कर्ष I सही है।

B. केवल निष्कर्ष II सही है।

C. दोनों निष्कर्ष सही हैं।

D. आंकड़े अपर्याप्त हैं।

E. उपर्युक्त में से कोई नहीं।

9. कथन I : जो काले हैं वे सभी लाल हैं।

II : कोयला काला है।

निष्कर्ष I : कोयला लाल है।

II : कोयला लाल नहीं है।

III : जो लाल हैं वे सभी काले हैं।

A. केवल निष्कर्ष I और II सही हैं।

B. केवल निष्कर्ष II और III सही हैं।

C. केवल निष्कर्ष I सही है।

D. सभी निष्कर्ष सही हैं।

E. इनमें से कोई नहीं

10. कथन I : सभी जलमुर्गियां मोर हैं।

II : सभी मोर किसान हैं।

निष्कर्ष I : कुछ किसान जलमुर्गियां हैं।

II : सभी जलमुर्गियां किसान हैं।

III : कुछ मोर जलमुर्गियां हैं।

A. केवल निष्कर्ष I और II सही हैं।

B. केवल निष्कर्ष II और III सही हैं।

C. आंकड़े अपर्याप्त हैं।

D. सभी निष्कर्ष सही हैं।

E. उपर्युक्त में से कोई नहीं

उत्तरमाला

1	2	3	4	5	6	7	8	9	10
B	D	E	E	D	A	C	E	C	D

व्याख्यात्मक उत्तर

1.

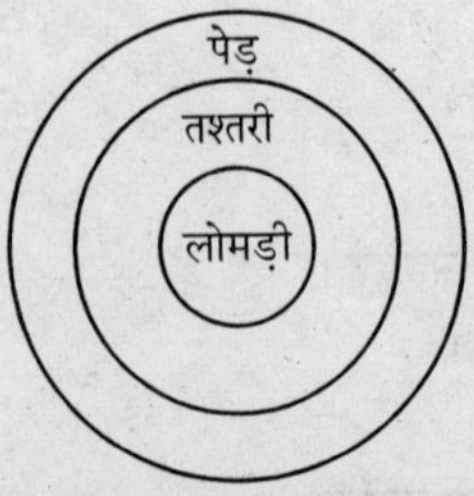

जबकि सभी लोमड़ियां तश्तरियां हैं और सभी तश्तरियां पेड़ हैं तो निश्चित ही सभी लोमड़ियां पेड़ हैं और कुछ पेड़ लोमड़ी हैं, और जब सभी तश्तरियां पेड़ हैं तो कुछ पेड़ तश्तरियां हैं। अत: केवल निष्कर्ष I, III और IV सही हैं।

2.

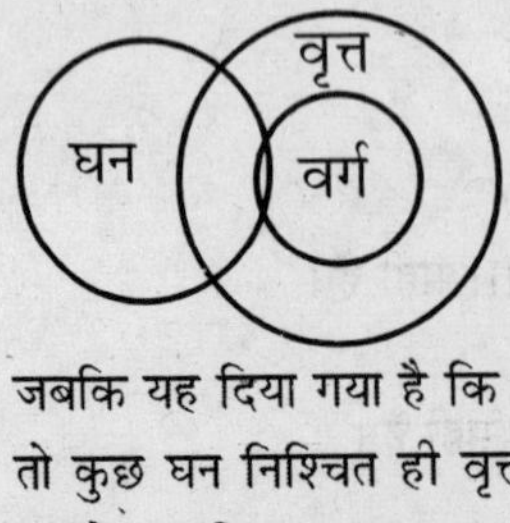

जबकि यह दिया गया है कि कुछ घन वर्ग हैं और सभी वर्ग वृत्त हैं, तो कुछ घन निश्चित ही वृत्त होंगे हालांकि सभी घन वृत्त नहीं हो सकते। जबकि कुछ घन वृत्त हैं, तो कुछ वृत्त घन होंगे और जब सभी वर्ग वृत्त हैं, तो कुछ वृत्त निश्चित ही वर्ग होंगे। दिए गए कथन II, के अनुसार सभी वर्ग वृत्त हैं। अत: सभी वर्ग घन नहीं हो सकते। अत: केवल निष्कर्ष II और III ही सही हैं।

3. जबकि सभी प्याले बकरियां हैं, तो केवल कुछ बकरियां ही प्याले होंगी। जबकि सभी बकरियां टिन हैं तो केवल कुछ टिन ही बकरियां हो सकती हैं। जबकि सभी प्याले बकरियां हैं और सभी बकरियां टिन हैं तो निश्चित ही सभी प्याले और टिन और कुछ टिन निश्चित ही प्याले हैं। अत: सभी निष्कर्ष गलत हैं।

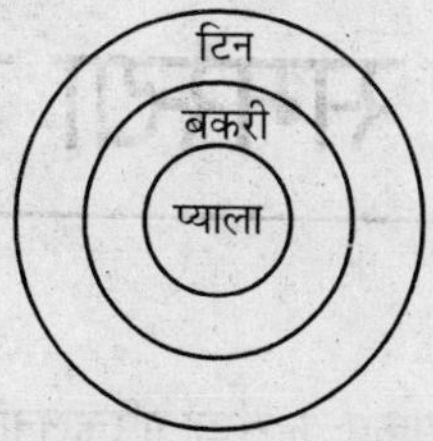

4. जबकि सभी बम थैले हैं और कुछ थैले जेट विमान हैं तो सभी बम जेट विमान नहीं हो सकते। 'कुछ बम' का अर्थ है कि कुछ बमों के जेट विमान होने की कोई संभावना नहीं है या कुछ जेट विमानों के बम होने की भी कोई संभावना नहीं है। इसके अतिरिक्त सभी जेट विमान बम नहीं हो सकते। अत: सभी निष्कर्ष गलत हैं।

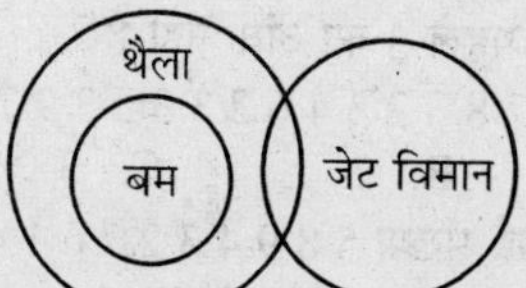

5. जबकि कुछ कांटे जैकेट हैं और कुछ जैकेट नाव हैं तो कुछ कांटे नाव हो सकते हैं। किंतु कुछ नाव काँटे नहीं हो सकते। कथन I के अनुसार कुछ काँटे जैकेट हैं, अत: कुछ जैकेट निश्चित ही काँटे हैं। जबकि कथन II के अनुसार कुछ जैकेट नाव हैं, अत: यह स्पष्ट है कि सभी जैकेट नाव नहीं हो सकते। अत: दिए गए कथनों से कोई भी विशिष्ट निष्कर्ष नहीं निकाला जा सकता।

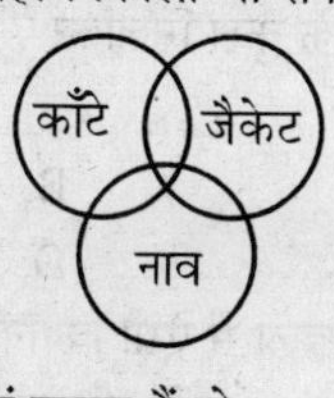

6. जबकि सभी लड़कियां कलम हैं तो

(*i*) कुछ कलम निश्चित ही लड़कियाँ हैं, और

(*ii*) जबकि राहुल एक लड़का है तो वह कलम नहीं हो सकता।

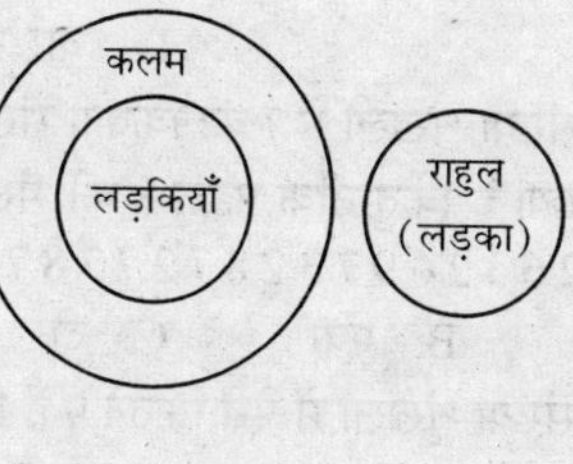

7. जबकि कोई भी पुरुष गाय नहीं है और सभी गाय खिड़कियां हैं तो कोई भी पुरुष खिड़की नहीं है। जबकि कोई भी पुरुष गाय नहीं हैं तो गायें पुरुष नहीं हो सकतीं। जबकि सभी गाय खिड़कियां हैं तो कुछ खिड़कियां निश्चित ही गाय होंगी।

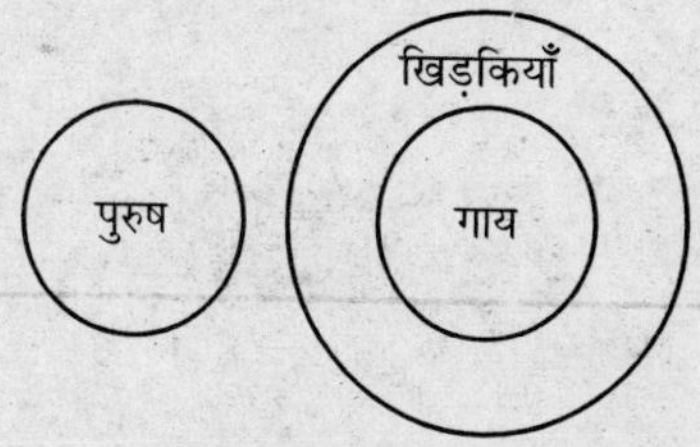

8. जबकि कुछ बाघ छिपकलियां हैं, और सभी छिपकलियां कछुए हैं, तो सभी बाघ कछुए नहीं हो सकते और इसी प्रकार सभी कछुए बाघ नहीं हो सकते।

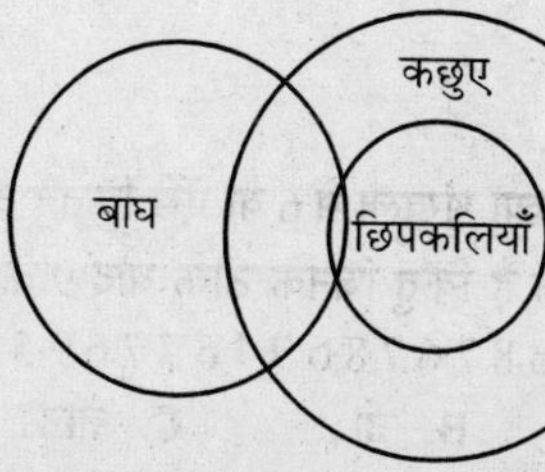

9. जबकि जो काले हैं वे सभी लाल हैं और जबकि कोयला काला है तो कोयला लाल है। जबकि जो काले हैं वे सभी लाल हैं तो यह आवश्यक नहीं हैं कि सभी लाल निश्चित ही काले होंगे हालांकि कुछ लाल निश्चित ही काले हैं। अत: केवल निष्कर्ष I ही सही है।

10. जबकि सभी जलमुर्गियां मोर हैं और सभी मोर किसान हैं तो निश्चित ही सभी जलमुर्गियां किसान हैं। जबकि सभी जलमुर्गियां मोर हैं, तो कुछ मोर निश्चित ही जलमुर्गियां हैं और जबकि सभी मोर किसान हैं तो कुछ किसान निश्चित ही जलमुर्गियां हैं। अत: सभी निष्कर्ष सही हैं।

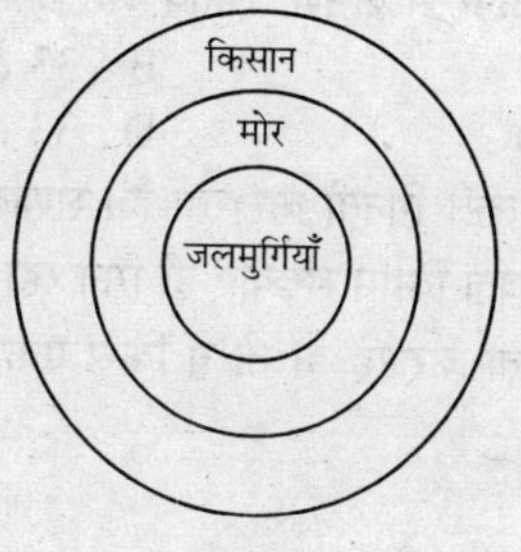

21 समस्या समाधान

संख्यात्मक अभियोग्यता परीक्षा में संख्या अनुक्रम, बीजगणितीय व्यंजकों, गणितीय परिकलनों और अन्य प्रकार के संगत परिकलनों पर आधारित प्रश्न पूछे जाते हैं।

वस्तुनिष्ठ प्रश्न

1. निम्नलिखित संख्या श्रृंखला में 6 के ऐसे कितने अंक हैं जिनके ठीक पहले 7 का अंक है किंतु जिनके ठीक बाद 9 का अंक नहीं है?
6 7 9 5 6 9 7 6 8 7 6 7 8 6 9 4 6 7 7 6 9 5 7 6 3
A. एक B. दो C. तीन D. चार

2. एक शतरंज टूर्नामेंट में छह खिलाड़ियों में से प्रत्येक खिलाड़ी प्रत्येक अन्य खिलाड़ी के साथ ठीक एक बार खेलता है। बताइए कि इस टूर्नामेंट में कितने मैच खेले जाएँगे?
A. 12 B. 15 C. 30 D. 36

3. निम्नलिखित संख्या श्रृंखला में 4 के ऐसे कितने अंक हैं जिनके ठीक पहले 7 का अंक हैं किंतु जिनके ठीक पहले 8 का अंक नहीं है?
3 4 5 7 4 3 7 4 8 5 4 3 7 4 9 8 4 7 2 7 4 1 3 6
A. 1 B. 2 C. 3 D. 4

4. निम्नलिखित संख्या श्रृंखला में ऐसी कितनी सम संख्याएँ हैं जिनमें से प्रत्येक के ठीक पहले एक विषम संख्या है किंतु ठीक बाद कोई सम संख्या नहीं है?
5 3 4 8 9 7 1 6 5 3 2 9 8 4 3 5
A. शून्य B. 1 C. 2 D. 3

5. यदि 1 से 51 तक की 3 से पूर्णतः विभाज्य सभी संख्याओं को अवरोही क्रम में व्यवस्थित किया जाए तो निम्नलिखित में से कौन-सी संख्याएँ इस श्रृंखला में ऊपर से क्रमशः सातवें और दसवें स्थान पर होंगी?
A. 33 & 27 B. 33 & 21
C. 21 & 30 D. 33 & 24

6. नितिन 32 से उलटी गिनती कर रहा है। शशांक 1 से आरंभ करके सीधे क्रम में केवल विषम संख्याएँ ही गिन रहा है। यदि ये दोनों एक ही गति से गिनती कर रहे हों तो ये किस एक संख्या को एक साथ बोलेंगे?
A. 21
B. 22
C. 19
D. वे कभी भी एक ही संख्या को एक साथ नहीं बोलेंगे

7. निम्नलिखित संख्या श्रृंखला में 3 के कितने अंकों के ठीक बाद 3 का अंक किंतु ठीक पहले 3 का अंक नहीं है?
2 4 6 3 3 1 5 7 8 3 3 3 4 6 2 3 3 3 3 9 7 2 3
A. 1 B. 2 C. 3 D. 4

8. यदि किसी दी गई संख्या 5 8 9 4 3 2 7 6 1 4 में पहले और दूसरे अंकों, तीसरे और चौथे अंकों, पाँचवें और छठे अंकों के और इसी प्रकार अन्य अंकों के भी स्थान परस्पर बदल दिए जाएँ तो प्राप्त हुई नई संख्या में दाहिने सिरे से कौन-सा अंक छठे स्थान पर होगा?
A. 3 B. 2 C. 4 D. 5

9. अपर्णा एक केक को दो बराबर भागों में काटती है और इस प्रकार दो आधे-आधे केकों में से एक भाग को समान आकार के छोटे-छोटे टुकड़ों में बाँटती है। इनमें से प्रत्येक छोटे टुकड़े का वजन 20 ग्राम है। यदि उसके पास केक के कुल मिलाकर 7 टुकड़े हों तो मूल केक का वजन कितना था?
A. 140 ग्राम B. 280 ग्राम
C. 240 ग्राम D. 120 ग्राम

10. नीचे दी गई संख्या श्रृंखला में ऐसी कितनी सम संख्याएँ हैं जो अपने ठीक पहले की संख्या द्वारा पूर्णतः विभाज्य हैं किंतु अपने ठीक बाद की संख्या द्वारा पूर्णतः विभाज्य नहीं हैं?
3 8 4 1 5 7 2 8 3 4 8 9 3 9 4 2 1 5 8 2
A. दो B. तीन
C. चार D. चार से अधिक

11. निम्नलिखित संख्या श्रृंखला में 7 की कितनी संख्याएँ हैं जिनके ठीक बाद 3 की संख्या है किंतु ठीक पहले 8 की संख्या नहीं है?
8 9 8 7 6 2 2 6 3 2 6 9 7 3 2 8 7 2 7 7 8 7 3 7 7 9 4
A. शून्य B. एक C. दो D. तीन

12. निम्नलिखित संख्या श्रृंखला में ऐसे कितने 9 हैं जिनके ठीक पहले 6 नहीं है और न ही जिनके ठीक बाद 3 है?
9 3 8 6 9 9 5 9 3 7 8 9 9 9 3 9 6 3 9
A. एक B. दो C. तीन D. चार

उत्तरमाला

1	2	3	4	5	6	7	8	9	10
C	B	D	C	D	D	C	B	C	A
11	**12**								
C	D								

व्याख्यात्मक उत्तर

1. 6 7 9 5 6 9 $\underline{7\,6\,8}$ $\underline{7\,6\,7}$ 8 6 9 4 6 7 7 6 9 5 $\underline{7\,6\,3}$
1 2 3

2. यदि प्रत्येक खिलाड़ी प्रत्येक अन्य खिलाड़ी के साथ ठीक एक बार खेलता है तो टूर्नामेंट में खेले जाने वाले मैचों की संख्या $\frac{n(n-1)}{2}$ सूत्र द्वारा ज्ञात की जा सकती है जहाँ 'n' मैच खेलने वाले खिलाड़ियों की संख्या है। अत: खेले जाने वाले मैचों की संख्या होगी:
$(6 \times 5) \div 2 = 30 \div 2 = 15$

3. 3 4 5 $\underline{7\,4}$ 3 $\underline{7\,4}$ 8 5 4 3 $\underline{7\,4}$ 9 8 4 7 2 $\underline{7\,4}$ 1 3 6
1 2 3 4

4. 5 3 4 8 9 7 $\underline{1\,6\,5}$ $\underline{3\,2\,9}$ 8 4 3 5
1 2

5. 3 से पूर्णत: (नि:शेष) विभाज्य संख्याओं का अवरोही क्रम में विन्यास निम्नवत है :
51, 48, 45, 42, 39, 36, $\underline{33,}$ 30, 27, $\underline{24,}$ 21,
7वां 10वां
18, 15, 12, 9, 6, 3.

6. जब नितिन 22 बोलेगा, उस क्षण शशांक 21 बोलेगा और जब नितिन 21 बोलेगा, उस क्षण शशांक 23 बोलेगा, अत: गिनती करते हुए वे कभी भी एक ही संख्या को एक साथ नहीं बोलेंगे।

7. 2 4 $\underline{6\,3\,3}$ 1 5 7 $\underline{8\,3\,3}$ 3 4 6 $\underline{2\,3\,3}$ 3 3 9 7 2 3
1 2 3

8. अंकों का स्थान परिवर्तित करने के बाद प्राप्त हुई नई संख्या है:
8 5 4 9 2 3 6 7 4 1
↑________|
छठा अंक

9. केक के टुकड़ों में एक बड़ा टुकड़ा है और छह छोटे-छोटे टुकड़े हैं। प्रत्येक छोटे टुकड़े का वजन 20 ग्राम हैं, अत: छह छोटे-छोटे टुकड़ों का कुल वजन 120 ग्राम है।
$\therefore$ बड़े टुकड़े का वजन = 120 ग्राम
$\therefore$ मूल केक का वजन = 240 ग्राम

10. 3 8 4 1 5 7 $\underline{2\,8}$ 3 $\underline{4\,8}$ 9 3 9 4 2 1 5 8 2
1 2

11. 8 9 $\underline{8\,7}$ 6 2 2 6 3 2 6 9 7 3 2 $\underline{8\,7}$ 2 7 7 8 7 3 7 7 9 4
1 2

12. 9 3 8 6 $\underline{9\,9\,5}$ 9 3 7 $\underline{8\,9\,9}$ $\underline{9\,3\,9\,6}$ 3 9
1 2 3 4

✤ ✤ ✤ ✤ ✤

22 भावनात्मक बुद्धिमत्ता

वस्तुनिष्ठ प्रश्न

1. मेरे मित्रों के समूह में, मुझे सामान्यत: पता रहा है कि हमारे सामाजिक मंडल में प्रत्येक व्यक्ति दूसरे लोगों के विषय में कैसा अनुभव कर रहा है।

A. पूर्णत: सहमत B. सहमत
C. असहमत D. पूर्णत: असहमत

2. जब मैं अशांत होता हूँ तो सामान्यत: मैं सही सुनिश्चित कर सकता हूँ कि मैं क्यों व्यथित हूँ?

A. पूर्णत: सहमत B. सहमत
C. असहमत D. पूर्णत: असहमत

3. यद्यपि ऐसी कुछ चीजें हैं जिन्हें मैं बदलना चाहूँगा फिर भी मैं स्वयं को इसी रूप में पसंद करता हूँ।

A. पूर्णत: सहमत B. सहमत
C. असहमत D. पूर्णत: असहमत

4. जब मुझसे त्रुटि होती है तो मैं प्राय: स्वयं को व अपनी क्षमताओं को कोसता हूँ व आलोचना करता हूँ।

A. प्राय: B. कभी-कभी
C. मुश्किल से D. लगभग कभी नहीं

5. मैं भावुकतापूर्ण दोषारोपण की परिस्थितियों में असुविधा अनुभव करता हूँ।

A. पूर्णत: सहमत B. सहमत
C. असहमत D. पूर्णत: असहमत

6. मैं टकराव से बचना पसंद करता हूँ। जब मैं टकराव में शामिल होता हूँ तो मैं उत्तेज़ित हो जाता हूँ।

A. पूर्णत: सहमत B. सहमत
C. असहमत D. पूर्णत: असहमत

7. जब तक मैं किसी व्यक्ति को यथार्थ में जान नहीं लेता मैं सामान्यत: उससे अलग-थलग रहता हूँ।

A. पूर्णत: सहमत B. सहमत
C. असहमत D. पूर्णत: असहमत

8. मैं छोटी-छोटी समस्याओं पर अतिक्रिया प्रकट करता हूँ।

A. प्राय: B. कभी-कभी
C. मुश्किल से D. लगभग कभी नहीं

9. मैं अपनी दक्षताओं, प्रतिभाओं तथा योग्यताओं पर विश्वास करता हूँ।

A. पूर्णत: सहमत
B. सहमत
C. असहमत
D. पूर्णत: असहमत

10. मैं स्वयं को चरित्र का एक अच्छा निर्णायक वर्णित करूँगा।

A. पूर्णत: सहमत B. सहमत
C. असहमत D. पूर्णत: असहमत

11. जब मेरे समक्ष कोई अप्रिय कार्य होता है तो मैं प्रयास करता हूँ–

A. योजना बनाकर कुछ कार्य प्रतिदिन करने का
B. जल्दी से उससे पीछा छुड़ाने का
C. उसको अंतिम समय के लिए रखने का
D. उसको कदापि न करने का

12. एक गर्म बहस में मैं प्राय:–

A. लड़ाई रोककर थोड़े विराम के बाद चर्चा शुरू करूँगा।
B. बिल्कुल चुप हो जाऊँगा तथा दूसरे व्यक्ति को कोई उत्तर नहीं दूँगा।
C. हार मान लूँगा और विवाद खत्म करने के लिए क्षमा मागूँगा।
D. दूसरे व्यक्ति का अपमान करूँगा।

13. जब मैं कोई महत्वपूर्ण निर्णय लेता हूँ तो मैं–

A. अपनी सहज वृत्ति की बात मानता हूँ
B. दूसरे लोगों से निर्देश लेता हूँ
C. सबसे आसान विकल्प चुनता हूँ
D. अनायास अनुमान लगाता हूँ

14. निम्न में से कौन-सा कथन आपका सही वर्णन करता है?
   A. मुझे दोस्त बनाना तथा नए लोगों को जानना आसान लगता है।
   B. मुझे दूसरे से मिलना ठीक लगता है किन्तु मैं उन्हें अच्छा दोस्त बनाने से पहले जानना चाहता हूँ।
   C. मैं लोगों से मिलने तथा दोस्त बनाने में कठिनाई अनुभव करता हूँ
   D. मैं दोस्त नहीं बना सकता।

15. यदि मुझे किसी प्रिय व्यक्ति से किसी विशेष समय पर मिलना हो और उस व्यक्ति को देरी हो जाए तो मैं चिंतित हो जाता हूँ और अंतत: भयभीत होने लगता हूँ।
   A. प्राय: B. कभी-कभी
   C. बहुत कम D. कभी नहीं

16. अन्य लोग मेरे साथ समय व्यतीत नहीं करना चाहते क्योंकि मेरा व्यवहार उन्हें उलझन में डाल देता है।
   A. प्राय: B. कभी-कभी
   C. बहुत कम D. कभी नहीं

17. मैं ऐसी परिस्थितियों से बचना चाहता हूँ जहाँ मुझे करूणा तथा स्नेह दिखाना पड़े क्योंकि मैं सांत्वना देने में असुविधा अनुभव करता हूँ।
   A. प्राय: B. कभी-कभी
   C. बहुत कम D. कभी नहीं

18. जब मैं क्रोधित होता हूँ तो मैं परवाह नहीं करता कि मैं क्या कह रहा हूँ और क्या कर रहा हूँ और मैं ऐसी बातें कह और कर देता हूँ जिनके लिए बाद में मुझे पछताना पड़ता है और माफी मांगनी पड़ती है।
   A. प्राय: B. कभी-कभी
   C. बहुत कम D. कभी नहीं

19. मैं प्राय: अकारण ही हताश तथा उदास अनुभव करता हूँ।
   A. प्राय: B. कभी-कभी
   C. बहुत कम D. कभी नहीं

20. यदि अन्य लोग मेरी त्रुटियों की ओर इंगित करते हैं या मेरे विषय में नकारात्मक प्रतिक्रिया प्रकट करते हैं। तो मैं शर्मिंदा होता हूँ, उलझन में पड़ जाता हूँ और फिर क्रोधित तथा आक्रामक हो जाता हूँ।
   A. प्राय: B. कभी-कभी
   C. बहुत कम D. कभी नहीं

21. रोने से मुझे तसल्ली मिलती है अत: मैं प्राय: रोता हूँ जब भी मुझे क्रोध आता है, शर्मिंदगी होती है या उलझन होती है।
   A. प्राय: B. कभी-कभी
   C. बहुत कम D. कभी नहीं

22. मैं अपने प्रिय लोगों को स्पष्टतया अपनी भावनाएँ व अनुभव प्रकट नहीं कर सकता और सामान्यत: चुप रहना पसंद करता हूँ जबकि मुझे वास्तव में अपनी भावनाएँ प्रकट करनी चाहिए।
   A. प्राय: B. कभी-कभी
   C. बहुत कम D. कभी नहीं

23. मैं एक परिपूर्णतावादी हूँ तथा सदैव अपने अंदर त्रुटियां ढूँढ़ता रहता हूँ और उन्हें ठीक करने की ओर प्रयासरत रहता हूँ चाहे वे मुझमें न भी हों।
   A. प्राय: B. कभी-कभी
   C. बहुत कम D. कभी नहीं

24. मुझे अपने आप पर गर्व है तथा मुझे विश्वास है कि मेरे विषय में ऐसा कुछ नहीं है जो सुधारा या बदला जाना चाहिए।
   A. प्राय: B. कभी-कभी
   C. बहुत कम D. कभी नहीं

उत्तरमाला

1	2	3	4	5	6	7	8	9	10
A	B	A	B	D	D	C	D	A	B
11	**12**	**13**	**14**	**15**	**16**	**17**	**18**	**19**	**20**
A	A	A	A	C	D	D	D	D	D
21	**22**	**23**	**24**						
D	D	A	D						

✤✤✤✤✤

23 अंकगणितीय तर्कशक्ति

वस्तुनिष्ठ प्रश्न

1. वह सबसे छोटी संख्या क्या है जिससे $\sqrt{343}$ को गुणा करने पर परिमेय संख्या प्राप्त हो सके?
A. $7\sqrt{7}$ B. $\sqrt{343}$ C. $\sqrt{7}$ D. 7

2. $p \Rightarrow q$ असत्य होता है, यदिः
A. p सत्य होता है और q असत्य होता है।
B. p असत्य होता है और q सत्य होता है।
C. उपर्युक्त में से एक से अधिक
D. उपर्युक्त में से कोई नहीं

3. ₹ 53 की राशि को A, B और C के बीच इस प्रकार बाँटा जाता है कि A को B से ₹ 7 अधिक मिलते हैं और B को C से ₹ 8 अधिक मिलते हैं। तब उनके हिस्सों का अनुपात क्या होगा?
A. 25 : 15 : 8 B. 27 : 17 : 09
C. 25 : 18 : 10 D. 23 : 19 : 11

4. यदि मूलधन पर दो वर्ष के लिए $16\frac{2}{3}\%$ प्रति वर्ष की दर से चक्रवृद्धि ब्याज लगाया जाता है और उसका योग ₹ 196 हो जाता है, तब मूलधन ज्ञात कीजिए।
A. ₹ 140 B. ₹ 144 C. ₹ 150 D. ₹ 300

5. 400 छात्रों ने मॉक टेस्ट दियाः 60% लड़कों और 80% लड़कियों ने टेस्ट में कट-ऑफ में स्थान प्राप्त किया। यदि परीक्षा में कट-ऑफ में स्थान प्राप्त करने वाले छात्रों का कुल प्रतिशत 65% है, तब कितनी लड़कियाँ परीक्षा में उपस्थित हुईं?
A. 100 B. 120 C. 150 D. 300

6. एक ट्रेन सुबह 5 बजे आगरा से रवाना होकर 9 बजे दिल्ली पहुँचती है। दूसरी ट्रेन सुबह 7 बजे दिल्ली से रवाना होती है और 10:30 बजे आगरा पहुँचती है। दोनों ट्रेनें एक दूसरे को किस समय पार करती हैं?
A. सुबह 6:36 B. सुबह 6:56
C. सुबह 7 D. सुबह 7:56

7. दो संख्या a और b का अनुपात 3 : 7 है। प्रत्येक संख्या में 9 जोड़ने के बाद, अनुपात 9 : 17 हो जाता है। संख्या a और b हैं:
A. (8, 42) B. (9, 21)
C. (15, 35) D. (18, 42)

8. निम्नलिखित में से कौन-सा कथन ''एक प्राकृतिक संख्या शून्य से बड़ी होती है'' का निषेध नहीं है?
A. यह असत्य है कि प्राकृतिक संख्या शून्य से छोटी होती है।
B. यह असत्य है कि प्राकृतिक संख्या शून्य से बड़ी होती है।
C. यह असत्य है कि एक प्राकृतिक संख्या शून्य से बड़ी नहीं होती है।
D. इनमें से कोई नहीं

9. यदि 'a', 'b' का व्युत्क्रमानुपाती है और 'b', 'c' का व्युत्क्रमानुपाती है, तो
A. 'a', 'c' का व्युत्क्रमानुपाती है
B. 'a', 'c' का समानुपाती है
C. 'a' स्थिरांक है
D. 'a', 'bc' का समानुपाती है

10. एक ठोस एक बेलन के रूप में है जिसके किनारे अर्धगोलाकार है। एक बेलन का व्यास इसकी ऊंचाई का $\frac{1}{3}$ है (अर्धगोलाकार किनारों को छोड़कर)। अर्धगोलाकार के किनारों सहित ठोस की कुल लंबाई 56 सेमी है। ठोस का सतह क्षेत्रफल ज्ञात कीजिए?
A. 3080 सेमी^{2} B. 2464 सेमी^{2}
C. 2772 सेमी^{2} D. 2156 सेमी^{2}

11. 35 छात्रों की कक्षा में, राजन को नीचे से सातवें स्थान पर रखा गया है, वहीं करण को शीर्ष से नौवें स्थान पर रखा गया है। दिव्या को दोनों के बीच में रखा गया है। राजन और दिव्या के स्थान में क्या अंतर है?
A. 9 B. 10 C. 11 D. 13

उत्तरमाला

1	2	3	4	5	6	7	8	9	10
C	A	C	B	A	D	D	C	B	B
11									
B									

व्याख्यात्मक उत्तर

1. दिया गया है:

$$\text{संख्या} = \sqrt{343}$$

343 का गुणनखंड = $7 \times 7 \times 7$

$\sqrt{343}$ को $\sqrt{7\times7\times7} = 7\sqrt{7}$ तक सरल बनाया जा सकता है हम एक परिमेय संख्या प्राप्त करने के लिए वर्गमूल को हटाना चाहते हैं।

अतः सबसे छोटी संख्या जिसे $\sqrt{343}$ से गुणा किया जाना चाहिए ताकि एक परिमेय संख्या प्राप्त हो सके वह $\sqrt{7}$ है।

$\therefore$ सही उत्तर $\sqrt{7}$ है।

2. $p \Rightarrow q$ का अर्थ होता है कि "यदि p है तो q है।"

$p \Rightarrow q$ केवल तभी असत्य होता है, जब p सत्य होता है और q असत्य होता है।

अतः विकल्प (A) सही है।

3. माना कि C को x राशि मिलती है।

तब, $B = x + 8$

और $A = x + 8 + 7 = x + 15$

तीनों को दी गई कुल धनराशि

$$x + x + 8 + x + 15 = 53$$
$$\Rightarrow 3x + 23 = 53$$
$$\Rightarrow 3x = 30$$
$$\Rightarrow x = 10$$

इसलिए, C को ₹ 10 प्राप्त होते हैं।

B को $x + 8 = 10 + 8 =$ ₹ 18 प्राप्त होते हैं।

और A को $x + 15 = 10 + 15 =$ ₹ 25 प्राप्त होते हैं।

उनके हिस्सों के अनुपात को A : B : C = 25 : 18 : 10 के रूप में व्यक्त किय जा सकता है।

4. $A = P \times \left(1+\frac{r}{100}\right)^n$

जहाँ, A मिश्रधन राशि है,

P मूलधन राशि है,

और n संयोजन अवधियों की संख्या है।

$r = 16\frac{2}{3}\%$

इसलिए, $196 = P\left(1+16\frac{2}{3}/100\right)^2$

$$\Rightarrow 196 = P\left(1+\frac{50}{300}\right)^2$$
$$\Rightarrow 196 = P\left(1+\frac{1}{6}\right)^2$$
$$\Rightarrow 196 = P\left(\frac{7}{6}\right)^2 = P\times\frac{7}{6}\times\frac{7}{6}$$
$$\Rightarrow P = \frac{196\times6\times6}{7\times7} = 144$$

अतः मूलधन = ₹ 144

5. मान लेते हैं कि टेस्ट में b लड़के और g लड़कियाँ थीं।

कट-ऑफ में स्थान प्राप्त करने वाले छात्रों की कुल संख्य

$$= \left(\frac{60}{100}\right)b+\left(\frac{80}{100}\right)g = 0.65 \times 400$$

परीक्षा देने वाले छात्रों की कुल संख्या = $b + g = 400$

$$\Rightarrow b = 400 - g$$

b के इस मान को पहले समीकरण में प्रतिस्थापित करने पर:

$$\left(\frac{60}{100}\right)(400-g)+\left(\frac{80}{100}\right)g = 0.65 \times 400$$
$$\Rightarrow 240 - 0.6\,g + 0.8\,g = 260$$
$$0.2\,g = 20$$
$$g = 100$$

अतः परीक्षा में 100 लड़कियाँ उपस्थित हुई।

6. यदि दो वस्तुएँ u और v गति से विपरीत दिशा में गति करती हैं, तो

$$\text{सापेक्ष गति} = u + v$$

ट्रेन 1 की यात्रा का समय = 4 घंटे

ट्रेन 2 की यात्रा का समय 3.5 = $\frac{7}{2}$ घंटे

हम जानते हैं, गति = $\frac{\text{दूरी}}{\text{समय}}$

माना आगरा और दिल्ली के बीच की दूरी 28 किमी है (4 और $\frac{7}{2}$ का लघुत्तम समापवर्त्य)

तब, पहली ट्रेन की गति = $\frac{28}{4}$ = 7 किमी/घंटा

तथा दूसरी ट्रेन की गति = $\frac{28}{3.5}$ = 8 किमी/घंटा

ट्रेन 1, ट्रेन 2 के शुरू होने से पहले 2 घंटे की यात्रा करती है।

शेष दूरी = $28 - \frac{28}{2}$ = 14 किमी

एक दूसरे को पार करने में लगा समय

= $\frac{14}{15}$ घंटे या 56 मिनट

पार करने में लगा कुल समय = 2 घंटे + 56 मिनट

∴ वे सुबह 7:56 बजे एक दूसरे को पार करती हैं।

7. दिया गया है:

संख्या a और b का अनुपात = 3 : 7 है

माना अनुपात x है

तो, संख्या a और b क्रमशः $3x$ और $7x$ हैं।

प्रश्नानुसार,

$$\Rightarrow \frac{(3x+9)}{(7x+9)} = \frac{9}{17}$$

$$\Rightarrow 17 \times (3x + 9) = 9 \times (7x + 9)$$

$$\Rightarrow 51x + 153 = 63x + 81$$

$$\Rightarrow 51x - 63x = 81 - 153$$

$$\Rightarrow -12x = -72$$

$$\Rightarrow x = 6$$

इसलिए, $a = 3x = 3 \times 6 = 18$

$\Rightarrow b = 7x = 7 \times 6 = 42$

∴ संख्या a और b 18 और 42 हैं।

8. कथनः एक प्राकृतिक संख्या शून्य से बड़ी होती है।

कथन का निषेधः एक प्राकृतिक संख्या शून्य से बड़ी नहीं होती है।

चूँकि हम जानते हैं कि प्राकृतिक संख्या 1 से प्रारंभ होती है।

अतः यह असत्य है कि एक प्राकृतिक संख्या शून्य से बड़ी नहीं होती है।

9. दिया गया है:

$$a \propto \frac{1}{b} \quad ...(i)$$

$$b \propto \frac{1}{c} \quad ...(ii)$$

अब, यदि $b \propto \frac{1}{c}$

$$\Rightarrow b = \frac{k}{c}$$

यहा k एक स्थिरांक है

B का मान समीकरण (i) में रखने पर हमें प्राप्त होता है,

$$a \propto \frac{1}{(k/c)}$$

$$\Rightarrow a \propto \frac{c}{k}$$

$$\Rightarrow a \propto c$$

∴ a, c का समानुपाती है।

10. दिया गया है:

बेलन का व्यास = $\frac{\text{ऊंचाई}}{3}$

कुल लंबाई = 56 सेमी

गोलार्ध का सतह क्षेत्रफल = $2\pi r^2$

माना, व्यास $2x$ है

बेलन की ऊंचाई = $6x$

अर्धगोलाकार किनारों सहित ठोस की कुल लंबाई = 56 सेमी

$$\Rightarrow 6x + 2x = 56$$

$$\Rightarrow x = 7 \text{ सेमी}$$

बेलन का सतह क्षेत्रफल = $2\pi \times 7 \times 42$

= 1848 सेमी^{2}

एक अर्धगोले का सतह क्षेत्रफल

= $2\pi \times 49$ = 308 सेमी^{2}

दो अर्धगोले का सतह क्षेत्रफल

= 308×2 = 616 सेमी^{2}

∴ ठोस का सतह क्षेत्रफल = 1848 + 616 = 2464 सेमी^{2}

11. दिया गया है:

कुल छात्र = 35

राजन को नीचे से सातवें स्थान पर रखा गया है, वहीं करण क शीर्ष से नौवें स्थान पर रखा गया है। दिव्या को दोनों के बीच रखा गया है।

नीचे से n स्थान = (कुल + 1 – n) शीर्ष के स्थान

राजन = नीचे से 7वां

= (35 + 1 – 7) शीर्ष से

= शीर्ष से 29वां

करण = शीर्ष से 9वां

दिव्या को राजन और करण के बीच में रखा गया है।

करण और राजन के बीच छात्रों की संख्या

= 35 – (9 + 7) = 35 – 16 = 1

इस प्रकार, करण से दिव्या का स्थान

$$= \frac{19+1}{2} = \frac{20}{2} = 10$$

ऊपर से दिव्या का स्थान = 9 + 10 = 19

अतः, राजन और दिव्या के स्थान में अंतर

= 29 – 19 = 10 अर्थात् कुल 10 सीटे

✤ ✤ ✤ ✤ ✤

24 शब्द निर्माण

इस प्रकार के प्रश्नों को हल करने के लिए सतर्कता एकमात्र आवश्यक और अपरिहार्य अपेक्षा है। ऐसे प्रत्येक प्रश्न में एक शब्द दिया जाता है। इस दिए गए शब्द के अक्षरों का प्रयोग करके अभ्यर्थियों के समक्ष विकल्प प्रस्तुत किए जाते हैं तथा उनसे यह अपेक्षा की जाती है कि वे दिए गए विकल्पों से ऐसे शब्द का चयन करें जो (*i*) दिए गए शब्द के अक्षरों का प्रयोग करके नहीं बन सकता, या (*ii*) जो दिए गए शब्द के अक्षरों का प्रयोग करके बन सकता है।

वस्तुनिष्ठ प्रश्न

निर्देश : *प्रत्येक दिए गए विकल्पों से उस एक शब्द का चयन करें जिसे प्रश्न में दिए गए शब्द के अक्षरों का प्रयोग करके लिखा नहीं जा सकता।*

1. ROTATION
A. TORN B. NOTE
C. TART D. RAIN

2. PHILOSOPHY
A. SOIL B. SHIP
C. SOLO D. SPIN

3. SLAVATION
A. SNORT B. LATVIA
C. SALIVA D. AVAIL

4. ACADEMY
A. DEMY B. MACE
C. DIRE D. MADE

5. INCOGNITO
A. GOING B. INACTION
C. IGNITION D. TONGO

6. JUDICIARY
A. INJURY B. CADDY
C. DICY D. ACRID

7. DOCTRINE
A. CRUST B. DOCTOR
C. TIRED D. CREED

8. EDUCATED
A. DATE B. CUTE
C. EAST D. DUCT

9. INSUFFICIENT
A. ENTICE
B. SCENT
C. SUFFICE
D. THENCE

10. DECEMBER
A. REDEEM B. DECREE
C. BRACD D. MEMBER

11. FUGITIVE
A. EXIT B. FIVE
C. GIVE D. GIFT

12. CATASTROPHE
A. TASTE B. CHEAP
C. POUCH D. STARE

उत्तरमाला

1	2	3	4	5	6	7	8	9	10
B	D	A	C	B	A	A	C	D	C
11	**12**								
A	C								

✤✤✤✤✤

25 सामाजिक बुद्धिमत्ता

इस प्रकार के प्रश्नों को हल करने के लिए आवश्यक है कि उम्मीदवार तर्कसंगत, त्वरित और सही रूप में अपनी सामान्य बुद्धि का प्रयोग करें। किसी घटना, आदि के बारे में उम्मीदवार की तत्काल प्रतिक्रिया जानने की दृष्टि से पूछे जाने वाले प्रश्नों में किसी एक घटना का वर्णन किया जाता है जिसके बाद विकल्प दिए जाते हैं जिनमें उस घटना से संबद्ध संभावित तात्कालिक प्रतिक्रियाएँ दी गई होती हैं। उस घटना के संबंध में उम्मीदवार की तात्कालिक प्रतिक्रिया क्या होगी, यह इस बात पर निर्भर करता है कि उसे अपने सम्मुख उपस्थित हो जाने वाली अप्रत्याशित परिस्थितियों या घटनाओं के समाधान का कितना अनुभव है। सुझाए गए विकल्पों को देखकर उसे तत्काल यह निर्णय करना पड़ता है कि कौन-सी कार्यवाही मामले के अनुसरण हेतु सर्वाधिक तर्कसंगत या युक्तियुक्त है जिसका उसे चयन करना होता है।

वस्तुनिष्ठ प्रश्न

निर्देश : *निम्नलिखित प्रत्येक प्रश्न में चार विकल्प दिए गए हैं। प्रश्न में वर्णित स्थिति के अनुसरण हेतु सुझाई गई कौन-सी तात्कालिक कार्यवाही सर्वाधिक युक्तियुक्त है, इसका चयन करें।*

1. परीक्षा हॉल में आप पाते हैं कि प्रश्न-पत्र अत्यधिक कठिन है और पूछे गए प्रश्नों का संतोषजनक रूप में उत्तर दे पाना आपके लिए संभव नहीं है। ऐसी स्थिति में आपका सर्वाधिक युक्तियुक्त कदम क्या होगा?

A. अपने बगल में बैठे परीक्षार्थी की नकल करना
B. परीक्षा छोड़कर हॉल से बाहर निकल जाना
C. पहले उन प्रश्नों को हल करने का प्रयास करना जिनके बारे में आप कुछ जानते हैं
D. परीक्षक से कठिन प्रश्न पूछे जाने की शिकायत करना

2. आपका सबसे अच्छा मित्र किसी कारण आपसे नाराज है, आप क्या करेंगे?

A. अपने मित्र की नाराजगी दूर करने के लिए हर संभव प्रयास करेंगे
B. बाहर जाकर और भी दूसरे नए मित्र बनाएँगे
C. इस संबंध में लापरवाह बने रहेंगे
D. मित्र को अपनी अच्छी मित्रता के बारे में बताएँगे

3. आपको किसी पार्टी में आंमत्रित किया गया है किंतु पार्टी के दिन ही आपको बताया जाता है कि पार्टी रद्द कर दी गई है, आप क्या करेंगे?

A. पार्टी रद्द होने के कारणों को जानना चाहेंगे
B. उस स्थान पर दोबारा कभी नहीं जाने का निर्णय लेंगे
C. किसी से भी इस विषय पर चर्चा नहीं करेंगे
D. अब आप इस पार्टी का आयोजन अपने घर पर करेंगे

4. यदि आप पाते हैं कि रसोई गैस का सिलिंडर रिस रहा है तो आप तत्काल निम्नलिखित में से कौन-सी कार्रवाई करेंगे?

A. बिजली के सभी स्विचों को बंद करेंगे
B. सिलिंडर का नॉब बंद कर देंगे
C. सहायता के लिए फायर ब्रिगेड को बुलाएँगे
D. घर के सभी सदस्यों को सतर्क कर देंगे

5. किसी दूर के स्थान से घर लौटते समय आपको पता चलता है कि आपकी जेब कट गई है। आप निम्नलिखित में से कौन-सी कार्रवाई करेंगे?

A. किसी वाहन चालक से अनुरोध करके उसके वाहन पर बिना भुगतान किए अपने घर तक पहुँचने का प्रयास करेंगे
B. किराए की टैक्सी से अपने घर तक पहुंचेंगे और तब टैक्सी चालक को भुगतान कर देंगे
C. निकटतम पुलिस थाने में जाकर एफ.आई.आर. दर्ज कराएँगे
D. अपने घर फोन करके कहेंगे कि घर से कोई आकर आपको उस फोन बूथ से घर ले जाए

6. आपके मित्र ने आपको अपने विवाह की पार्टी में आमंत्रित नहीं किया है, क्या आप :

A. इसे अनदेखा कर देंगे?
B. उसे अपना बधाई संदेश भेजेंगे?
C. उस विवाह समारोह में भाग लेंगे?
D. उसके विरोधी हो जाएँगे?

7. आपको एक नई नौकरी के लिए साक्षात्कार हेतु आमंत्रित किया गया है। निम्नलिखित में से कौन-सा प्रश्न आपके लिए सर्वाधिक महत्त्वपूर्ण है?

A. आपको दिये जाने वाला पारिश्रमिक

B. नई नौकरी में पदोन्नति के अवसर

C. अपनी अवधारणाओं को विकसित करने और उन्हें संगठन की कार्य-प्रणाली में सुधार लाने के लिए प्रयोग में लाने के अनुकूल अवसर

D. उपर्युक्त सभी समान रूप से महत्त्वपूर्ण हैं

8. आप सड़क पर पैदल जाते हुए अचानक देखते हैं कि दो सौ रुपये के नोट नीचे गिरे हुए हैं। आप इस स्थिति में क्या करेंगे?

A. रुपये उठाकर भिखारी को दे देंगे

B. अपनी पॉकेट में रखकर आगे चल देंगे

C. उसे उठाकर निकटतम पुलिस थाने में जमा करा देंगे

D. उसे जहाँ का तहाँ छोड़ देंगे

9. आपने कुछ मूर्खतापूर्ण गलतियाँ की हैं जिनके बारे में आपको बताया जाता है। क्या आप :

A. क्रोधित होंगे?

B. दु:खी होंगे?

C. गलती बताने वाले के आभारी होंगे और उसे इसके लिए धन्यवाद देंगे?

D. हँस कर टाल देंगे?

10. आप बस में सवार हैं। बस आपके गंतव्य स्टॉप तक पहुंच जाती है किंतु आप भारी भीड़ के कारण अभी तक टिकट नहीं ले पाए हैं। आप क्या करेंगे?

A. निकट बैठे किसी व्यक्ति को पैसे देकर उसे कंडक्टर को दे देने के लिए कहेंगे

B. कोई अप्रिय स्थिति उत्पन्न न हो, इसलिए चुपचाप बस से उतर जाएँगे

C. टिकट के पैसे ड्राइवर को दे देंगे

D. कंडक्टर को बुलाएँगे और उसे पैसे देकर टिकट ले लेंगे

उत्तरमाला

1	2	3	4	5	6	7	8	9	10
C	A	A	B	B	B	D	C	C	D

✤✤✤✤✤

26 सांकेतिक भाषा परीक्षण

कूटलेखन या 'कोडिंग' संवाद-संप्रेषण की एक प्रक्रिया है जिसमें एक गुप्त भाषा का प्रयोग वास्तविक तथ्यों शब्दों/मूल्यों की अभिव्यक्ति या प्रस्तुतिकरण को एक ऐसी भाषा में परिवर्तित करने के लिए किया जाता है जिसे संवाद के प्रेषक और प्राप्तकर्ता के अतिरिक्त कोई तीसरा व्यक्ति समझ न सके।

कूटभाषा में लिखने के लिए

(i) शब्दों के अक्षरों के स्थान पर वर्णमाला के सीधे उल्टे क्रम में एक या एकाधिक स्थान आगे या पीछे के अक्षरों को लिखा जाता है;

(ii) अक्षरों के स्थान पर संख्याओं को या संख्याओं के स्थान पर अक्षरों को लिखा जाता है;

(iii) दिए गए शब्द के कुछ या सभी अक्षरों को उल्टे क्रम में लिखा जाता है; और

(iv) शब्द के अक्षरों के स्थान पर वर्णमाला के उल्टे क्रम में समस्थानिक अक्षरों को लिखा जाता है।

वर्णमाला को सीधे क्रम में लिखने पर प्राप्त शृंखला:

A B C D E F G H I J K L M N O P Q R S T U V W X Y Z

A ↓ प्रथम अक्षर; E ↓ पांचवा अक्षर; J ↓ दसवां अक्षर; O ↓ पंद्रहवां अक्षर; T ↓ बीसवां अक्षर; Y ↓ पच्चीसवां अक्षर

वर्णमाला को उल्टे क्रम में लिखने पर प्राप्त शृंखला:

Z Y X W V U T S R Q P O N M L K J I H G F E D C B A

Z ↓ प्रथम अक्षर; V ↓ पांचवां अक्षर; Q ↓ दसवां अक्षर; L ↓ पंद्रहवां अक्षर; G ↓ बीसवां अक्षर; B ↓ पच्चीसवां अक्षर

टिप्पणी : Z पर पहुंचने के पश्चात् शृंखला A से पुन: शुरू होती है और A पर पहुंचने के पश्चात् शृंखला Z से पुन: शुरू होती है।

☛ *उदाहरण*

1. यदि एक विशेष प्रकार की कूट भाषा में शब्द FACE को GBDF की तरह लिखा जाता हो, तो इसी कूट भाषा में BADE को कैसे लिखा जाएगा?

A. CBEF B. CEBF
C. CFBE D. CBFE

उत्तर A.: शब्द के अक्षरों को वर्णमाला के सीधे क्रम में एक चरण आगे का अक्षर लिखकर कूटबद्ध किया गया है।

FACE → GBDF (F +1 → G, A +1 → B, C +1 → D, E +1 → F)

इसी प्रकार, BADE → CBEF (B +1 → C, A +1 → B, D +1 → E, E +1 → F)

2. यदि किसी कूटभाषा में RESULT को 798206 लिखा गया हो, तो उसी कूटभाषा में LET किस प्रकार लिखा जाएगा?

A. 680 B. 092
C. 096 D. 086

उत्तर C. : अक्षरों को संख्याओं द्वारा कूटबद्ध किया गया है। दिए गए शब्द को कूटबद्ध करने के लिए संबंधित कूट संख्याएं ज्ञात करें।

R	E	S	U	L	T →	अक्षर
7	9	8	2	0	6 →	कूट

अत: LET के लिए कूट संख्याएं निम्नवत् होंगी:

L E T → अक्षर

0 9 6 → कूट

कूटवाचन (decoding) कूटलेखन की विपरीत प्रक्रिया है। इसमें कूटलेखन में प्रयुक्त पद्धति या नियमों का प्रयोग करके कूटभाषा में प्रेषित संवाद को समझा जाता है।

वस्तुनिष्ठ प्रश्न

निर्देश : *निम्नलिखित प्रश्नों में दिए गए शब्दों या अक्षरों के लिए इंगित कूटभाषा के शब्द या अक्षर ज्ञात करें।*

1. यदि किसी कूट भाषा में CHAIR को FKDLU के रूप में लिखा जाए, तो उसी कूटभाषा में RAID शब्द को किस प्रकार लिखा जाएगा?

A. ULGD B. ULKG
C. ULDG D. UDLG

2. यदि किसी कूटभाषा में CONDEMN को CNODMEN लिखा जाता है, तो उसी कूटभाषा में TEACHER को कैसे लिखा जाएगा?

A. TEACHER B. TAEECHR
C. TCAEEHR D. TAECEHR

3. किसी कूटभाषा में COME को XLNV और ABLE को ZYOV लिखा जाता है। इसी कूटभाषा में MOLLY किस प्रकार लिखा जाएगा?

A. NLOBO B. NLBOO
C. LNOOB D. NLOOB

4. किसी विशेष कूटलिपि में PUNCTUAL को 16598623 के रूप में कूटबद्ध किया जाता है। इसी कूटलिपि में ACTUPULN निम्नलिखित में से किस प्रकार लिखा जाएगा?

A. 29861653 B. 29861635
C. 28916135 D. 29851536

5. यदि OUT को 152120 के रूप में कूटबद्ध किया जाता हो, तो इसी नियम का प्रयोग करके IN को निम्नलिखित में से कैसे लिखा जाएगा?

A. 1015 B. 819 C. 1813 D. 914

निर्देश : *प्रत्येक प्रश्न में दी गई कूटबद्ध सूचना को अच्छी तरह समझें और दिए गए विकल्पों में से सही उत्तर का चयन करें।*

6. यदि किसी कूटभाषा में 'पानी' को 'नीला', 'नीला' को 'लाल', 'लाल' को 'सफेद', 'सफेद' को 'आकाश', 'आकाश' को 'वर्षा', 'वर्षा' को 'हरा', 'हरा' को 'हवा' और 'हवा' को 'मेज' कहा जाए, तो इस कूटभाषा में दूध के रंग को क्या कहेंगे?

A. सफेद B. वर्षा C. आकाश D. हरा

7. यदि किसी कूटभाषा में 'प्रकाश' को 'अंधकार', 'अंधकार' को 'हरा', 'हरा' को 'नीला', 'नीला' को 'लाल', 'लाल' को 'सफेद' और 'सफेद' को 'पीला' कहा जाता हो तो इस कूटभाषा में रक्त का रंग क्या कहलाएगा?

A. लाल B. अंधकार C. सफेद D. पीला

8. यदि किसी कूटभाषा में 'आकाश' को 'समुद्र', 'समुद्र' को 'पानी', 'पानी' को 'हवा', 'हवा' को 'बादल' और 'बादल' को 'नदी' कहा जाता हो, तो प्यास लगने पर इस कूटभाषा में पीने के लिए किस चीज की मांग करेंगे?

A. आकाश B. हवा C. पानी D. समुद्र

उत्तरमाला

1	2	3	4	5	6	7	8
D	D	D	B	D	C	C	B

व्याख्यात्मक उत्तर

1. शब्द को कूटबद्ध करने के लिए उसके अक्षरों से वर्णमाला के क्रम में +3 चरण आगे के अक्षर लिए गए हैं।

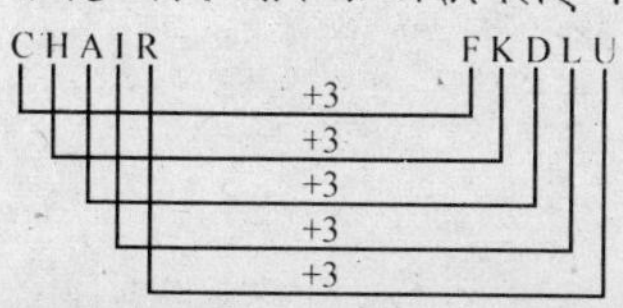

इसी प्रकार,

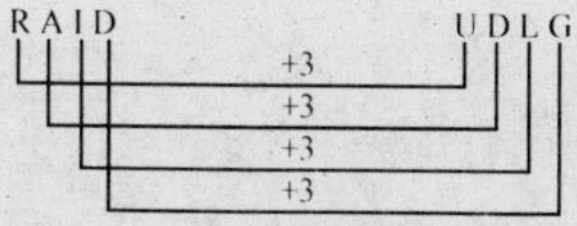

2. इस शब्द में दूसरे और तीसरे अक्षर एक-दूसरे के स्थान पर आ जाते हैं और पांचवे और छठे अक्षरों द्वारा भी इसी नियम का पालन किया जाता है। शेष अक्षरों का स्थान अपरिवर्तित रहता है।

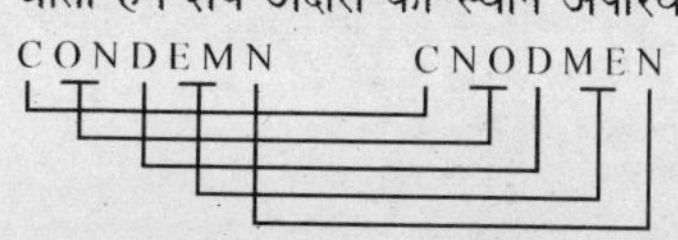

इसी प्रकार,

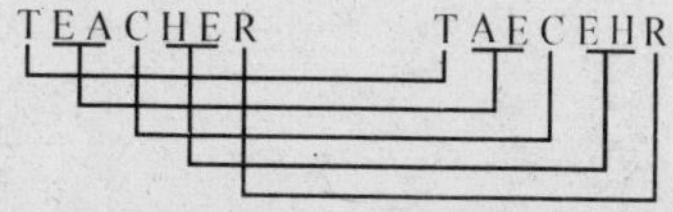

3. शब्द के अक्षरों को कूटबद्ध करने के लिए वर्णमाला के उल्टे क्रम में समान स्थान वाले अक्षरों को लिया गया है।

C O M E → वर्णमाला के सीधे क्रम में अक्षर
X L N V → वर्णमाला के उल्टे क्रम में
↓ ↓ ↓ ↓ समान स्थान वाले अक्षर
3रा 15वां 13वां 5वां → वर्णमाला में अक्षरों का स्थान
A B L E → वर्णमाला के सीधे क्रम में अक्षर
Z Y O V → वर्णमाला के उल्टे क्रम में
↓ ↓ ↓ ↓ समान स्थान वाले अक्षर
1ला 2रा 12वां 5वां → वर्णमाला के अक्षरों का स्थान

इसी प्रकार,

M O L L Y → वर्णमाला के सीधे क्रम में अक्षर
N L O O B → वर्णमाला के उल्टे
↓ ↓ ↓ ↓ ↓ क्रम में समान स्थान वाले अक्षर
13वां 15वां 12वां 12वां 25वां → वर्णमाला में अक्षरों का स्थान

4. शब्द PUNCTUAL के अक्षरों को यादृच्छिक क्रम में लेकर ACTUPULN शब्द लिखा गया है।
इसी प्रकार संख्या कूट भी लिखा जाएगा

P U N C T U A L→ दिया गया शब्द
1 6 5 9 8 6 2 3→ कूट

इसी प्रकार,

A C T U P U L N →कूटबद्ध किया जाने वाला शब्द
2 9 8 6 1 6 3 5→ उत्तर कोड

5. कूट लेखन के लिए प्रयोग में लाई गई संख्याएं वर्णमाला के सीधे क्रम (ABCD...) में अक्षरों के स्थान को सूचित करती है।

O U T → OUT
↓ ↓ ↓
15वां 21वां 20वां → 152120

इसी प्रकार,

I N → IN
↓ ↓
9वां 14वां → 914

6. दूध का रंग 'सफेद' होता है और इस कूटभाषा में 'सफेद' को 'आकाश' कहते हैं।
7. रक्त का रंग 'लाल' होता है और इस कूटभाषा में 'लाल' को 'सफेद' कहते हैं।
8. प्यास लगने पर हम 'पानी' पीते हैं और इस कूटभाषा में 'पानी' को 'हवा' कहते हैं।

✤✤✤✤✤

मात्रात्मक अभियोग्यता (Quantitative Ability)

1 संख्या पद्धति

'अंकगणित' अंकों एवं संख्याओं का विज्ञान है। अंक उन आकृतियों का प्रतिनिधित्व करते हैं जिनके माध्यम से संख्याओं को व्यक्त या प्रदर्शित किया जाता है। प्रत्येक संख्या अंकों द्वारा बनती है। 0, 1, 2, 3, 4, 5, 6, 7, 8 और 9 अंक कहलाते हैं। इस प्रकार अंकों की कुल संख्या 10 होती है। 0 (शून्य) सबसे छोटा अंक तथा 9 सबसे बड़ा अंक है। संख्याएँ अनन्त होती हैं तथा कोई भी संख्या इन्हीं दस अंकों द्वारा बनती है।

संख्याओं के प्रकार

1. **प्राकृतिक संख्याएँ (Natural Numbers) :** जिन संख्याओं से गिनती की क्रिया की जाती है उन्हें प्राकृतिक संख्याएँ कहते हैं। इनमें 0 (शून्य) शामिल नहीं है। प्राकृत संख्या अनन्त होती हैं। जैसे : 1, 2, 3, 4, 5, 6, ...
2. **पूर्ण संख्या (Whole Number) :** प्राकृतिक संख्याओं में 0 (शून्य) को शामिल करने के बाद संख्याओं का जो समूह प्राप्त होता है उसे पूर्ण संख्याओं का समूह कहा जाता है। अर्थात् 0, 1, 2, 3, 4, ... ∞ को पूर्ण संख्याएँ कहते हैं।
3. **पूर्णांक (Integers) :** ऋण पूर्णांक, शून्य और धन पूर्णांक ये तीनों सम्मिलित रूप से पूर्णांक कहलाते हैं। इनका संकेत I होता है। अर्थात् –∞ .... –5, –4, –3, –2, –1, 0, 1, 2, 3, 4, 5, ...∞ को पूर्णांक कहते हैं।

   इस प्रकार क्रमागत संख्याओं को पूर्णांक कहा जाता है। अतः प्रत्येक क्रमागत संख्या 1 के अन्तर पर घटती या बढ़ती है।
4. **भाज्य संख्याएँ (Composite Numbers) :** वे सभी धन संख्याएँ जो स्वयं और 1 के अतिरिक्त अन्य संख्या से भी विभाजित हो जाती हैं, भाज्य संख्याएँ कहलाती हैं।

   भाज्य संख्याओं के उदाहरण हैं : 4, 6, 8, 9, 10, 12, 14, 15, 16, 18, 20, 21 इत्यादि।
5. **अभाज्य संख्याएँ (Prime Numbers) :** 1 के अतिरिक्त वे धन पूर्णांक, जो केवल 1 या स्वयं से विभाजित हों। अर्थात् जो 1 और स्वयं के अतिरिक्त किसी अन्य संख्या से विभाजित न हों, अभाज्य संख्या कहलाते हैं। जैसे : 2, 3, 5, 7, 11, 13, 17, 19, 23, 29 इत्यादि।
6. **सम संख्या (Even Number) :** 2 से विभाजित होने वाली प्रत्येक संख्या को सम संख्या कहते हैं। जैसे : 12, 14, 16, 18, 20, 22 इत्यादि। क्रमागत सम संख्याओं का अन्तर 2 होता है।
7. **विषम संख्या (Odd Number) :** जो संख्या 2 से विभाजित नहीं होती उसे विषम संख्या कहते हैं। जैसे : 13, 15, 17, 19, 21 इत्यादि।
8. **असहभाज्य संख्याएँ (Co-prime Numbers) :** उन दो संख्याओं के युग्म को असहभाज्य संख्या कहते हैं जिनमें 1 के अतिरिक्त कोई अन्य उभयनिष्ठ गुणनखण्ड न हो।

   जैसे : (2, 5), (3, 7), (4, 7), (5, 9) इत्यादि।
9. **पूर्ववर्ती संख्या (Predecessor Number) :** दी गई संख्या से ठीक पहले वाली संख्या को पूर्ववर्ती संख्या कहते हैं। जैसे : 752 की पूर्ववर्ती संख्या 751 होती है।
10. **अनुवर्ती संख्या (Successor Number) :** दी गई संख्या से ठीक बाद वाली संख्या को अनुवर्ती संख्या कहते हैं। जैसे : 16543 की अनुवर्ती संख्या 16544 होती है।

किसी संख्या के विभाजित होने के नियम

1. **2 से विभाज्यता :** ऐसी संख्याएँ जिनके इकाई के स्थान पर 0, 2, 4, 6 या 8 का अंक हो, तो वे संख्याएँ 2 से पूर्णतः विभाजित होंगी। जैसे : 100, 122, 188, 246 इत्यादि।
2. **3 से विभाज्यता :** जब किसी संख्या के अंकों का योग 3 से विभाजित हो जाए, तो वह संख्या भी 3 से विभाजित होगी। जैसे : 456 के अंकों का योग (4 + 5 + 6 = 15) 3 से विभाजित हो जाता है। अतः 456 भी 3 से विभाजित होगा।
3. **4 से विभाज्यता :** यदि किसी संख्या के अन्तिम दो अंक 4 से पूर्णतः विभाजित हों, तो वे संख्याएँ भी 4 से विभाजित होंगी। जैसे : 436 के दहाई और इकाई से बनी संख्या 36, 4 से विभाजित हो रही है। अतः 436 भी 4 से विभाजित होगी।
4. **5 से विभाज्यता :** यदि किसी संख्या का अन्तिम अंक 0 (शून्य) या 5 हो, तो वह संख्या 5 से अवश्य विभाजित होगी। जैसे : 1225 और 8430 में अन्तिम अंक क्रमशः 5 तथा 0 है। अतः 1225 और 8430 दोनों ही 5 से विभाजित होंगी।

5. 6 से विभाज्यता : जो संख्याएँ 2 तथा 3 से अलग-अलग पूर्णतः विभाजित हों, तो वे संख्याएँ 6 से अवश्य विभाजित होंगी।

जैसे : 216, 72, 144 इत्यादि।

6. 8 से विभाज्यता : वे संख्याएँ जिनके अन्तिम तीन अंक 8 से विभाज्य हों, तो वे संख्याएँ भी 8 से विभाजित होंगी। जैसे : 73584 में 584, 8 से विभाजित हो जाता है। अतः संख्या 73584, 8 से अवश्य विभाजित होगी।

7. 9 से विभाज्यता : जिस संख्या के अंकों का योग 9 से विभाजित हो जाता है, वह संख्या भी 9 से विभाजित होगी।

जैसे : 47691 के अंकों का योग $= 4 + 7 + 6 + 9 + 1 = 27$ जो कि 9 से विभाजित हो रहा है। अतः दी गई संख्या 9 से अवश्य ही विभाजित होगी।

8. 10 से विभाज्यता : जिन संख्याओं के इकाई के स्थान पर 0 (शून्य) हो, तो वे संख्याएँ 10 से अवश्य ही विभाजित होंगी। जैसे : 1240, 1890, 1560 इत्यादि।

9. 11 से विभाज्यता : जिस संख्या के सम स्थानों के अंकों तथा विषम स्थानों के अंकों के योगफलों का अन्तर 0 या 11 का गुणज हों, तो वे संख्याएँ 11 से विभाजित होंगी।

जैसे : 1716 में सम स्थान वाले अंकों का योग $1 + 1 = 2$ तथा विषम स्थान वाले अंकों का योग $6 + 7 = 13$ है और इनका अन्तर $13 - 2 = 11$ है जो 11 का गुणज है। अतः 1716 भी 11 से विभाजित होगी।

संख्या का स्थानीय मान और जातीय (वास्तविक) मान

स्थानीय मान (Place Value) : किसी भी संख्या में किसी अंक (Number) का जो मान (Value) उसके स्थान के कारण होता है, उसे उस अंक का स्थानीय मान कहते हैं। जैसे : 56 में इकाई के स्थान पर 6 तथा दहाई के स्थान पर 5 है। अतः 6 का स्थानीय मान $= 6 \times 1 = 6$ तथा 5 का स्थानीय मान $= 5 \times 10 = 50$ होगा।

जातीय (वास्तविक) मान (Real Value) : किसी भी संख्या में किसी अंक (Number) का जातीय (वास्तविक) मान वही अंक होता है। जैसे : 42 में अंक 2 का जातीय मान = 2 तथा 4 का जातीय मान = 4 होगा।

वस्तुनिष्ठ प्रश्न

1. संख्या 856973 में 6 के स्थानीय मान तथा जातीय मान में अन्तर है :

A. 973 B. 6973
C. 5994 D. 994

2. 23 तथा 100 के बीच में कितनी प्राकृत संख्याएँ हैं जो 6 से पूर्णतया विभक्त होती हैं?

A. 8 B. 13
C. 9 D. 10

3. 6, 9, 0, 2 तथा 1 अंकों से बनने वाली 5 अंकों की बड़ी से बड़ी संख्या है :

A. 10926 B. 69201
C. 96210 D. 29610

4. दो अंकों की सबसे बड़ी अभाज्य संख्या है :

A. 93 B. 99
C. 89 D. 97

5. 23200 में दोनों 2 के स्थानीय मानों का अन्तर है :

A. 0 B. 198
C. 1980 D. 19800

6. 5 अंकों की सबसे छोटी संख्या तथा 4 अंकों की सबसे बड़ी संख्या का अन्तर है :

A. 1 B. 11
C. 1111 D. 8999

7. संख्या 32675149 में अंक 7 के स्थानीय मान तथा जातीय मान में अन्तर है :

A. 75142 B. 69993
C. 1549 D. 4651

8. $(784 \times 618 \times 917 \times 463)$ के गुणनफल में इकाई के स्थान पर आने वाला अंक है :

A. 4 B. 6
C. 2 D. 3

9. किसी संख्या के अभाज्य गुणज 2, 3 तथा 7 हैं, तो संख्या है :

A. 42 B. 52
C. 32 D. 72

10. दो अभाज्य संख्याओं का गुणनफल होता है :

A. विषम संख्या B. सम संख्या
C. अभाज्य संख्या D. भाज्य संख्या

11. निम्नलिखित में कौन अभाज्य संख्या नहीं है?

A. 79 B. 83
C. 87 D. 97

12. एक संख्या को 9 से भाग देने के बाद उसमें 9 जोड़ने पर परिणाम 27 होता है, तो वह संख्या है :

A. 18 B. 162
C. 21 D. 100

13. किसी संख्या तथा उस संख्या के 10 गुणा का योग 264 होता है, तो संख्या है :

A. 20 B. 22
C. 26 D. 24

14. 1 तथा 100 के बीच कितनी अभाज्य संख्याएँ हैं?

A. 22 B. 18
C. 25 D. 24

15. निम्न में से कौन-सा जोड़ा सह-अभाज्य (Co-prime) संख्याओं का होगा?

A. 9, 16 B. 8, 18
C. 9, 12 D. 15, 25

16. दो विषम संख्याओं का योगफल होता है :
A. हमेशा एक विषम संख्या B. अभाज्य संख्या
C. हमेशा एक सम संख्या D. इन्में से कोई भी

17. निम्न में सबसे बड़ा ऋण पूर्णांक है :
A. –5 B. –10
C. –20 D. –1

18. $(169 \times 52 \times 453 \times 67)$ के गुणनफल में इकाई अंक क्या होगा?
A. 8 B. 6
C. 2 D. 7

19. 0, 1, 2 तथा 3 अंकों से बनने वाली चार अंकों की सबसे छोटी संख्या है :
A. 0123 B. 1023
C. 1203 D. 1230

20. चार अंकों की सबसे बड़ी संख्या तथा चार अंकों की सबसे छोटी संख्या का अन्तर है :
A. 1 B. 11
C. 1111 D. 8999

उत्तरमाला

1	2	3	4	5	6	7	8	9	10
C	B	C	D	D	A	B	C	A	D
11	**12**	**13**	**14**	**15**	**16**	**17**	**18**	**19**	**20**
C	B	D	C	A	C	D	A	B	D

व्याख्यात्मक उत्तर

1. दी गई संख्या = 856973
6 का स्थानीय मान = 6000.
6 का जातीय मान = 6
अभीष्ट अन्तर = 6000 – 6 = 5994.

2. अभीष्ट संख्याएँ हैं :
$6 \times 4 = 24$, $6 \times 5 = 30$, $6 \times 6 = 36$,
$6 \times 7 = 42$, $6 \times 8 = 48$, $6 \times 9 = 54$,
$6 \times 10 = 60$, $6 \times 11 = 66$, $6 \times 12 = 72$,
$6 \times 13 = 78$, $6 \times 14 = 84$, $6 \times 15 = 90$,
$6 \times 16 = 96$
अतः अभीष्ट संख्याओं की संख्या = 16 – 3 = 13.

3. 6, 9, 0, 2 तथा 1 अंकों से बनी पाँच अंकों की सबसे बड़ी संख्या = 96210.

4. दो अंकों की सबसे बड़ी अभाज्य संख्या 97 होती है।

5. 23200 में पहले 2 का स्थानीय मान = 20000
23200 में दूसरे 2 का स्थानीय मान = 200
अतः अभीष्ट अन्तर = 20000 – 200 = 19800.

6. चार अंकों की सबसे बड़ी संख्या = 9999
पाँच अंकों की सबसे छोटी संख्या = 10000
अभीष्ट अन्तर = 10000 – 9999 = 1.

7. दी गई संख्या = 32675149
7 का स्थानीय मान = 70000
7 का जातीय मान = 7
अभीष्ट अन्तर = 70000 – 7 = 69993.

8. अभीष्ट अंक $(4 \times 8 \times 7 \times 3)$ का इकाई अंक = 2.

9. $\because$ संख्या का अभाज्य गुणज 2, 3, तथा 7 हैं।
अतः संख्या = $2 \times 3 \times 7 = 42$.

10. दो अभाज्य संख्याओं का गुणनफल हमेशा भाज्य संख्या होती है। जैसे : $2 \times 3 = 6$, $3 \times 5 = 15$, $5 \times 7 = 35$ इत्यादि।

11. 87 अभाज्य संख्या नहीं है क्योंकि यह 3 तथा 29 से विभाजित होता है।

12. माना कि संख्या x है।
प्रश्नानुसार, $\frac{x}{9} + 9 = 27$
$\Rightarrow \frac{x}{9} = 27 - 9 = 18 \Rightarrow x = 9 \times 18 = 162$
अतः संख्या = 162.

13. माना कि संख्या x है।
प्रश्नानुसार, $x + 10x = 264$
$\Rightarrow 11x = 264 \Rightarrow x = \frac{264}{11} = 24$
अतः संख्या = 24.

14. 1 तथा 100 के बीच 25 अभाज्य संख्याएँ होती हैं।

15. दिए गए विकल्पों में 'सह-अभाज्य' (Co-primes) संख्याओं का जोड़ा केवल विकल्प A में है क्योंकि 9 तथा 16 के अभाज्य गुणनखण्डों में 1 के अतिरिक्त अन्य कोई भी खण्ड उभयनिष्ठ खण्ड नहीं है। अतः सही उत्तर विकल्प A होगा।

16. दो विषम संख्याओं का योग हमेशा एक सम संख्या होती है।

17. –1 सबसे बड़ा ऋण पूर्णांक है।

18. चूँकि 169, 52, 453 तथा 67 में इकाई के अंक क्रमशः 9, 2, 3 तथा 7 हैं।
अतः = $9 \times 2 \times 3 \times 7 = 378$
अतः इकाई का अंक = 8 है।

19. 0, 1, 2 तथा 3 अंकों से बनी चार अंकों की सबसे छोटी संख्या = 1023 है।

20. चार अंकों की सबसे बड़ी संख्या = 9999
चार अंकों की सबसे छोटी संख्या = 1000
अभीष्ट अन्तर = 9999 – 1000 = 8999.

2 सरलीकरण

साधारण या दशमलव भिन्नों के जटिल व्यंजक को एक साधारण भिन्न या दशमलव भिन्न में बदलने की क्रिया को ''सरलीकरण'' कहते हैं। इस प्रकार के व्यंजक में ''कोष्ठक'', ''का'', (÷), (×), (+) तथा (–) आदि चिह अलग-अलग या एक साथ प्रदर्शित होते हैं। अतः ऐसे व्यंजक का ''सरलीकरण'' करने में **"BODMAS"** शब्द का प्रयोग किया जाता है। **"BODMAS"** शब्द का क्रमानुसार आशय निम्नलिखित है।

"BODMAS"

B	ब्रैकेट (कोष्ठक)	$\left[\left\{\left(\overline{\;\;}\right)\right\}\right]$
O	ऑफ (का)	का
D	डिवीजन (भाग)	÷
M	मल्टीप्लिकेशन (गुणा)	×
A	ऐडीशन (जोड़)	+
S	सब्ट्रेक्शन (घटाना)	–

अतः किसी भी जटिल व्यंजक को **"BODMAS"** शब्द के क्रमानुसार सरल किया जाता है। अर्थात् सबसे पहले ''कोष्ठक'' उसके बाद ''का'' फिर ''भाग'' फिर ''गुणा'' उसके बाद ''जोड़'' और अन्त में ''घटाना'' सरल होता है। इस क्रम को याद रखना परम आवश्यक है क्योंकि ऐसा न करने पर सरलीकरण की क्रियाएं गलत हो जाती हैं।

महत्वपूर्ण नोट :

(*i*) कोष्ठक चार प्रकार के होते हैं :

1. रेखा कोष्ठक जिसे बन्धनी रेखा (–) भी कहते हैं।

2. छोटा कोष्ठक (()),

3. मझला कोष्ठक ({}),

4. बड़ा कोष्ठक ([]),

अतः कोष्ठक के प्रश्नों में सबसे पहले रेखा कोष्ठक (–), उसके बाद छोटा कोष्ठक (()), उसके बाद मझला कोष्ठक ({}), और अन्त में बड़े कोष्ठक ([]) को सरल करना चाहिए।

(*ii*) Of (का) का सामान्य अर्थ गुणा होता है।

वस्तुनिष्ठ प्रश्न

1. $\frac{7}{4}-\frac{4}{7}=\frac{5}{28}+?$

A. 2 B. $\frac{1}{7}$

C. $\frac{2}{9}$ D. 1

2. $22\times5=22$ का ?%

A. 4500 B. 5000

C. 500 D. 750

3. 200 का $\frac{1}{25}\div8=?$

A. 1 B. 3

C. 8 D. 5

4. $\frac{40\times0.4\times0.04}{4+4\div4}=?$

A. .128 B. .148

C. .15 D. .248

5. $50\div5\div5=?$

A. 2 B. 10

C. 1/5 D. 4

6. $\frac{40\times15+25}{26+4\div4-2}=?$

A. 25 B. 30

C. 31 D. 42

7. $\frac{1.4\times3.6-1.2}{0.4\times1.2}=?$

A. 8 B. 2

C. 4 D. 3

8. $14\times3.2-2\times2.1+0.8=?$

A. 1.08 B. 2.18

C. 1.18 D. 2.08

9. $5\div\frac{3}{4}+\frac{2}{3}\times\frac{3}{4}-\frac{2}{3}$ का $\frac{13}{7}=?$

A. $4\frac{12}{11}$ B. $5\frac{13}{14}$

C. $5\frac{13}{17}$ D. $6\frac{13}{14}$

10. $(9+9+9)\div9\times9=?$

A. 27 B. 24

C. 21 D. 32

उत्तरमाला

1	2	3	4	5	6	7	8	9	10
D	C	A	A	A	A	A	A	B	A

व्याख्यात्मक उत्तर

1. $\frac{7}{4}-\frac{4}{7}=\frac{5}{28}+? \Rightarrow \frac{7\times7-4\times4}{4\times7}=\frac{5}{28}+?$

$\Rightarrow \frac{49-16}{28}=\frac{5}{28}+? \Rightarrow \frac{33}{28}=\frac{5}{28}+?$

$\Rightarrow 1\frac{5}{28}=\frac{5}{28}+? \Rightarrow 1+\frac{5}{28}=\frac{5}{28}+?$

$\therefore ?=1$

2. $\because$ $22\times5=22$ का $?\%$

$\Rightarrow 110=22\times\frac{?}{100} \Rightarrow \frac{110\times100}{22}=?$

$\therefore$ $?=500$

3. $\because$ 200 का $\frac{1}{25}\div8=?$

$\Rightarrow 8\div8=? \Rightarrow \frac{8}{8}=? \Rightarrow 1=?$

4. $\because$ $\frac{40\times0.4\times0.04}{4+4\div4}=? \Rightarrow \frac{.64}{4+\frac{4}{4}}=?$

$\Rightarrow \frac{.64}{4+1}=? \Rightarrow \frac{.64}{5}=? \Rightarrow .128=?$

5. $\because$ $50\div5\div5=? \Rightarrow \frac{50}{5}\div5=?$

$\Rightarrow 10\div5=? \Rightarrow \frac{10}{5}=? \Rightarrow 2=?$

6. $\because$ $\frac{40\times15+25}{26+4\div4-2}=? \Rightarrow \frac{600+25}{26+\frac{4}{4}-2}=?$

$\Rightarrow \frac{625}{26+1-2}=? \Rightarrow \frac{625}{25}=? \Rightarrow 25=?$

7. $\frac{1.4\times3.6-1.2}{0.4\times1.2}=\frac{5.04-1.2}{.48}=\frac{3.84}{.48}=8.$

8. "BODMAS" नियम के अनुसार पहले गुणा उसके बाद जोड़ और अन्त में घटाव की क्रिया करें।

$\therefore 1.4\times3.2-2\times2.1+0.8=4.48-4.2+0.8$
$=1.08$

9. "BODMAS" नियम के अनुसार सबसे पहले का, फिर भाग, उसके बाद गुणा, फिर जोड़ और अन्त में घटाव की क्रिया करें।

$\therefore$ $5\div\frac{3}{4}+\frac{2}{3}\times\frac{3}{4}-\frac{2}{3}$ का $\frac{13}{7}$ $=5\div\frac{3}{4}+\frac{2}{3}\times\frac{3}{4}-\frac{26}{21}$

$=\frac{20}{3}+\frac{2}{3}\times\frac{3}{4}-\frac{26}{21}=\frac{20}{3}+\frac{1}{2}-\frac{26}{21}$

$=\frac{280+21-52}{42}=\frac{249}{42}=5\frac{39}{42}=5\frac{13}{14}$

10. "BODMAS" नियम के अनुसार पहले कोष्ठक के अन्दर की संख्याओं को सरल करें, फिर भाग, उसके बाद गुणा करें।

$\therefore$ $(9+9+9)\div9\times9=27\div9\times9=\frac{27}{9}\times9=27.$

●●●

3 दशमलव भिन्न

दशमलव बिन्दु के अंकों के समूह को **दशमलव भिन्न** कहते है। जैसे–0.513, 0.317, 0.219, 0.6 आदि। प्रत्येक दशमलव एक भिन्न को दर्शाता है।

दशमलव भिन्न को साधारण भिन्न में बदलनाः

(*i*) एक ऐसी भिन्न लो जिसका हर 10 हो तथा अंश दशमलव के बाद दायीं ओर का पहला अंक हो।

(*ii*) एक ऐसी भिन्न लो जिसका हर 100 हो तथा अंश दशमलव के बाद दायीं ओर का दूसरा अंक हो।

(*iii*) इस प्रक्रिया को दोहराइये जब तक दशमलव के बाद के अंक समाप्त नहीं हो जाते। प्रत्येक दशा में हर, पहले हर का दस गुणा होगा।

(*iv*) इस प्रकार प्राप्त भिन्नों का योग जो परिणाम (*i*), (*ii*) और (*iii*) के योग से प्राप्त होता है, दशमलव भिन्न को प्रकट करता है।
जैसे :

$$0.317 = \frac{3}{10} + \frac{1}{100} + \frac{7}{1000}$$

$$= \frac{300}{1000} + \frac{10}{1000} + \frac{7}{1000} = \frac{317}{1000}$$

नोटः शून्यों से बनी कोई संख्या दशमलव के दाईं ओर बिना परिवर्तन किये लिखी जाती है।

वस्तुनिष्ठ प्रश्न

1. कौन-सी भिन्न $\frac{15}{25}$ के समान है?

A. $\frac{150}{25}$ B. $\frac{15}{250}$
C. $\frac{3}{5}$ D. $\frac{60}{75}$

2. कौन-सी भिन्न $\frac{13}{20}$ के समान नहीं है?

A. $\frac{26}{40}$ B. $\frac{130}{200}$
C. $\frac{39}{60}$ D. $\frac{52}{60}$

3. एक घंटे के $\frac{5}{6}$ भाग का मान हैः

A. आधा घण्टा B. 40 मिनट
C. 50 मिनट D. 55 मिनट

4. एक वायुयान 1250 किमी. यात्रा में 2/5 भाग ईंधन खपत करता है। शेष ईंधन में यात्रा पूरी करेगाः

A. 1875 किमी. B. 2125 किमी.
C. 250 किमी. D. 475 किमी.

5. निम्नलिखित में से कौन-सी भिन्न सबसे बड़ी है?

A. $\frac{3}{15}$ B. $\frac{5}{20}$
C. $\frac{8}{64}$ D. $\frac{25}{1000}$

6. निम्नलिखित में से कौन-सी भिन्न सबसे छोटी है?

A. $\frac{1}{10}$ B. $\frac{1}{100}$
C. $\frac{9}{1000}$ D. $\frac{500}{10,000}$

7. $.001 \times 1000 = ?$

A. .1 B. 1
C. .01 D. 10

8. $1.01 \times .1 = ?$

A. 1.01 B. 10.1
C. .101 D. .0101

9. $\frac{20 + 8 \times 0.5}{20 - ?} = 12$

A. 12 B. 4
C. 18 D. 2

10. $.01 \times 100 \div 2.5 = ?$

A. 4 B. .4
C. .04 D. 5

उत्तरमाला

1	2	3	4	5	6	7	8	9	10
C	D	C	A	B	C	B	C	C	B

व्याख्यात्मक उत्तर

1. $\frac{15}{25}=\frac{3\times5}{5\times5}=\frac{3}{5}$

2. $\frac{26}{40}=\frac{2\times13}{2\times20}=\frac{13}{20},\ \frac{39}{60}=\frac{13\times3}{20\times3}=\frac{13}{20}$

$\frac{130}{200}=\frac{13\times10}{20\times10}=\frac{13}{20},\ \frac{52}{60}=\frac{13\times4}{20\times3}=\frac{13}{20}\times\frac{4}{3}$

अतः $\frac{52}{60}\neq\frac{13}{20}$

3. 1 घण्टे का $\frac{5}{6}$ भाग $=\frac{5}{6}\times60$ मिनट $=50$ मिनट।

4. शेष ईंधन $=1-\frac{2}{5}=\frac{5-2}{5}=\frac{3}{5}$

$\frac{2}{5}$ ईंधन में तय की गई दूरी = 1250 किमी.

पूरे ईंधन में तय की गई दूरी $=\frac{1250}{2/5}=\frac{1250\times5}{2}$ किमी.

$\frac{3}{5}$ ईंधन में तय की गई दूरी $=\frac{1250\times5}{2}\times\frac{3}{5}=1875$ किमी.

5. $\frac{3}{15}=\frac{1}{5},\ \frac{8}{64}=\frac{1}{8}$

$\Rightarrow\ \frac{5}{20}=\frac{1}{4},\ \frac{25}{1000}=\frac{1}{40}$

$\frac{1}{5},\ \frac{1}{4},\ \frac{1}{8},\ \frac{1}{40}\ \Rightarrow\ \frac{8,\ 10,\ 5,\ 1}{40}$

$\therefore$ सबसे बड़ी भिन्न $=\frac{1}{4}=\frac{5}{20}$

6. $\frac{1}{10}=.1,\ \frac{9}{1000}=.009$

$\frac{1}{100}=.01,\ \frac{500}{10,000}=\frac{5}{100}=.05$

$\therefore$ सबसे छोटी भिन्न $=0.009=\frac{9}{1000}$

7. $.001\times1000=001.000=1$

8. $1.01\times.1=\frac{101\times1}{100\times10}=\frac{101}{1000}=.101$

9. $\because\ \frac{20+8\times0.5}{20-?}\Rightarrow\frac{20+4}{20-?}$

$12\Rightarrow\frac{24}{12}=2$

$\Rightarrow 2=20-?\Rightarrow ?=20-2=18$

10. $.01\times100\div2.5=.01\times\frac{100}{2.5}=.01\times40=.4$

●●●

4 संख्याओं के बीच संबंध

यह एक महत्त्वपूर्ण अध्याय है क्योंकि परीक्षाओं में इस अध्याय से कई प्रश्न पूछे जाते हैं। अतः परीक्षार्थियों के लिखित परीक्षाओं में चयन हेतु यह एक प्रमुख अध्याय है।

कोष्ठक (Bracket)

कोष्ठक प्रायः चार प्रकार के होते हैं–

नाम	*संकेत*
❖ रेखा कोष्ठक (Bar Bracket)	'—'
❖ छोटा कोष्ठक (Circular Bracket)	'( )'
❖ मध्यम कोष्ठक (Curly Bracket)	'{ }'
❖ बड़ा कोष्ठक (Box or square Bracket)	'[ ]'

यदि किसी दिये गये व्यंजक में ये चारों कोष्ठक उपस्थित हों तो क्रम से रेखा कोष्ठक, छोटा कोष्ठक, मध्यम कोष्ठक तथा बड़े कोष्ठक की क्रिया की जाती है।

यदि किसी प्रश्न में जोड़, घटाव, गुणा, भाग अर्थात् सारी क्रियाएँ एक साथ हो, तो उन्हें निश्चित क्रम (VBODMAS) के अनुसार हल करते हैं। अर्थात्, सबसे पहले (–) बार, फिर Brackets (कोष्ठक) फिर Of (का, की), Division (भाग), Multiplication (गुणा), Addition (जोड़) और अंत में Subtraction (घटाव) को हल करते हैं।

वस्तुनिष्ठ प्रश्न

1. $2-\{3-(4-\overline{3-2})\}$ का मान क्या होगा?
A. 4　B. 5
C. 3　D. 2

2. $\frac{9}{20}-\left[\frac{1}{5}+\left\{\frac{1}{4}-\left(\frac{5}{6}-\overline{\frac{1}{3}+\frac{1}{2}}\right)\right\}\right]$ का मान क्या होगा?
A. 0　B. 4
C. 3　D. 2

3. $\sqrt{x^{-1}y}\cdot\sqrt{y^{-1}z}\cdot\sqrt{z^{-1}x}=?$
A. 1　B. xyz
C. $\sqrt{xyz}$　D. $\frac{1}{xyz}$

4. $\frac{0.25\times0.25-0.24\times0.24}{0.49}=?$
A. 0.1　B. 0.0006
C. 0.49　D. 0.01

5. 100 भुजाओं वाले बहुभुज में कितने विकर्ण पाए जाते हैं?
A. 100　B. 98
C. 4850　D. 4950

6. एक समषट्भुज में कुल विकर्णों की संख्या होगी?
A. 12　B. 9
C. 18　D. 15

7. 6708 में से कम से कम कौन-सी संख्या घटाएँ कि यह ठीक 9 से विभाजित हो जाए?
A. 4　B. 5
C. 3　D. इनमें से कोई नहीं

8. 7511 में कम से कम कौन-सी संख्या जोड़ दी जाए कि यह 13 से पूर्णतः विभाजित हो जाए?
A. 5　B. 3
C. 6　D. 9

9. एक खम्भे का एक तिहाई भाग कीचड़ में तथा एक चौथाई भाग जल में तथा शेष 5 मीटर भाग ऊपर है तो बताओ खम्भे की कुल ऊँचाई कितनी है?
A. 13 मीटर　B. 12 मीटर
C. 14 मीटर　D. इनमें से कोई नहीं

10. एक प्रतिशत के आधे का 200% क्या होगा?
A. 1　B. 0.2
C. 0.01　D. 0.002

11. एक रेलगाड़ी यात्रियों से भरी हुई है पहले स्टेशन पर एक-तिहाई यात्री उतर जाते हैं तथा 96 यात्री गाड़ी में चढ़ जाते हैं। दूसरे स्टेशन पर आधे यात्री उतर जाते हैं तथा 12 नये यात्री चढ़ जाते हैं। यदि यात्रा के अन्तिम समय में यात्रियों की कुल संख्या 240 हो तो प्रारम्भ में गाड़ी में कितने यात्री थे?

A. 540 B. 580
C. 555 D. 530

12. $45^3 - 65^3 + 20^3$ का मान है:
A. –175500 B. –165500
C. शून्य D. –174500

13. $\frac{\sqrt{5}+\sqrt{3}}{\sqrt{5}-\sqrt{3}}$ को सरल करो।
A. $8+\sqrt{15}$ B. $4+2\sqrt{15}$
C. $5+2\sqrt{15}$ D. $4+\sqrt{15}$

14. वह संख्या ज्ञात करो जिसका एक तिहाई उसके पाँचवें भाग से 16 अधिक है।
A. 120 B. 110
C. 90 D. 100

15. एक विद्यार्थी ने किसी संख्या को $\frac{5}{3}$ से गुणा करने की बजाय इसे $\frac{3}{5}$ से गुणा कर दिया तो परिकलन में त्रुटि प्रतिशत कितना है?
A. 54% B. 64%
C. 34% D. 44%

16. किसी संख्या को दोगुना करके उसमें 9 जोड़ा जाता है इस प्रकार प्राप्त संख्या का तिगुना 75 के बराबर है तो वह संख्या है:
A. 10 B. 7
C. 8 D. 9

17. किन्हीं तीन क्रमागत विषम प्राकृत संख्याओं का योग 147 हो तो बीच वाली संख्या क्या होगी?
A. 51 B. 52
C. 49 D. 53

18. दो संख्याओं का योग 70 है और उनका अन्तर 20 है तो उन संख्याओं के वर्गों का योग क्या होगा?
A. 2640 B. 2450
C. 2650 D. इनमें से कोई नहीं

19. दो संख्याओं में 5 का अंतर है यदि उनका गुणनफल 336 हो तो उन संख्याओं का योग है:
A. 24 B. 37
C. 35 D. 49

20. दो संख्याओं का योग 22 और उनके वर्गों का योग 404 हो तो उन संख्याओं का गुणनफल बताइये।
A. 40 B. 46
C. 42 D. 30

उत्तरमाला

1	2	3	4	5	6	7	8	9	10
D	A	A	D	C	B	C	B	B	C
11	**12**	**13**	**14**	**15**	**16**	**17**	**18**	**19**	**20**
A	A	D	A	B	C	C	C	B	A

व्याख्यात्मक उत्तर

1. $2-\{3-4-\overline{3-2})\}$
$2 - \{3 - (4 - 1)\}$
$2 - \{3 - 3\} = 2$

2. $\frac{9}{20}-\left[\frac{1}{5}+\left\{\frac{1}{4}+\left(\frac{5}{6}-\frac{5}{6}\right)\right\}\right]$

$\frac{9}{20}-\left[\frac{1}{5}+\frac{1}{4}\right]$

$\frac{9}{20}-\frac{9}{20}=0$

3. $\sqrt{x^{-1}y}\cdot\sqrt{y^{-1}z}\cdot\sqrt{z^{-1}x}$

$\sqrt{\frac{y}{x}}\sqrt{\frac{z}{y}}\sqrt{\frac{x}{z}}$ या $\frac{\sqrt{y}}{\sqrt{x}}\cdot\frac{\sqrt{z}}{\sqrt{y}}\cdot\frac{\sqrt{x}}{\sqrt{z}}=1$

4. $\frac{0.25\times0.25-0.24\times0.24}{0.49} = \frac{(0.25)^2-(0.24)^2}{(0.25+0.24)}$

माना कि $0.25 = a$ तथा $0.24 = b$

$= \frac{a^2-b^2}{a+b} = \frac{(a+b)(a-b)}{(a+b}$

$= a - b = .25 - 0.24 = 0.01$

5. n भुजा वाले बहुभुज में विकर्णों की संख्या $= \frac{n(n-3)}{2}$

$= \frac{100\times97}{2} = 4850$

6. समषट्भुज में विकर्णों की संख्या $= \frac{n(n-3)}{2}$

$= \frac{6\times3}{2} = 9$ विकर्ण

7. 9) 6708 (745

```
  63
   40
   36
    48
    45
     3
```

दी गई संख्या में से 3 घटाने पर पूर्णतः विभाजित हो जाएगी।

8. 13) 7511 (577

```
  65
  101
   91
  (101)
  -91
   10
```

यहाँ $13 \times 7 = 91$

$13 \times 8 = (104)$

अन्तर $104 - 101 = 3$

अर्थात् 3 जोड़ने पर

9. माना खम्भे की कुल ऊँचाई = x मीटर

$$x = \frac{x}{3} + \frac{x}{4} + 5$$

$$12x = 4x + 3x + 60$$

$$5x = 60$$

$x = 12$ मीटर

10. 1% का $\frac{1}{2}$ का 200%

$\frac{1}{100} \times \frac{1}{2} \times \frac{200}{100} = 0.01$ या 1%

11. माना कुल यात्री x थे।

$\frac{\frac{2x}{3}+96}{2}+12$ या $\frac{2x}{6}+48+12 = 240$

$\frac{2x}{6} = 180, \quad x = 540$

12. $45^3 - 65^3 + 20^3$

$$(5 \times 9)^3 - (5 \times 13)^3 + (5 \times 4)^3$$

$$5^3 (9^3 - 13^3 + 4^3) = 125\ (729 - 2197 + 64)$$

$$= 125\ (-1404) = -175500$$

13. $\frac{\sqrt{5}+\sqrt{3}}{\sqrt{5}-\sqrt{3}} \times \frac{\sqrt{5}+\sqrt{3}}{\sqrt{5}+\sqrt{3}}$

$$\frac{(\sqrt{5}+\sqrt{3})^2}{5-3} = \frac{5+2\sqrt{5}\cdot\sqrt{3}+3}{2}$$

$$= \frac{8+2.\sqrt{5}\sqrt{3}}{2} = \frac{2(4+\sqrt{5}\cdot\sqrt{3})}{2}$$

$$= 4+\sqrt{5}.\sqrt{3} = 4+\sqrt{15}$$

14. माना वह संख्या = x

$$\frac{x}{3} - \frac{x}{5} = 16$$

$$5x - 3x = 240$$

$$2x = 240$$

$$x = 120$$

15. माना वह संख्या = x

सही = $\frac{5x}{3}$, गलत = $\frac{3x}{5}$, त्रुटि = $\frac{16x}{15}$

% त्रुटि = $\frac{16x}{15} \times \frac{3}{5x} \times 100 = 64\%$

16. माना वह संख्या a है

$$3(2a + 9) = 75$$

$$6a + 27 = 75$$

$$6a = 75 - 27$$

$$6a = 48$$

$$a = 8$$

17. $x + x + 2 + x + 4 = 147$

$$3x + 6 = 147$$

$$3x = 147 - 6$$

$$3x = 141$$

$$x = 47$$

अतः अभीष्ट संख्या = 47 + 2 = 49

18. पहली संख्या = $\frac{70+20}{2} = 45$ दूसरी संख्या = $\frac{70-20}{2} = 25$

$45^2 + 25^2 = 2650$

19. $(x - y)^2 = x^2 + y^2 - 2xy$

$$(5)^2 = x^2 + y^2 - 2\ (336)$$

$$x^2 + y^2 = 25 + 672$$

$$x^2 + y^2 = 697$$

$$(x + y) = \sqrt{x^2 + y^2 + 2xy}$$

$$(x + y) = \sqrt{697+2(336)}$$

$$x + y = \sqrt{697+672} = \sqrt{1369} = 37$$

इसे हम सामान्य समी. से भी हल कर सकते हैं।

जैसे— $x(x - 5) = 336$

$$x^2 - 5x - 336 = 0$$

$$x^2 - 21x + 16x - 336 = 0$$

$$(x - 21)\ (x + 16) = 0$$

अतः $x = 21$ तो दूसरी = 16

दोनों का योग = 21 + 16 = 37

20. $(x + y)^2 = x^2 + y^2 + 2xy$

$$2xy = (x + y)^2 - (x^2 + y^2)$$

$$= (22)^2 - 404 = 484 - 404$$

$$2xy = 80$$

$$xy = 40$$

●●●

5 अनुपात एवं समानुपात

अनुपात (Ratio)

- ❖ जब दो समान मात्रक (units) वाली राशियों में से एक राशि की तुलना, दूसरी राशि से की जाती है तो वह तुलनात्मक मान, अर्थात् संख्यात्मक मान उन दोनों राशियों के बीच का अनुपात कहलाता है।
- ❖ दो राशियों के बीच के अनुपात को $a : b$ के रूप में लिखते हैं। a को प्रथम पद (Antecedent) तथा b को द्वितीय पद (Consequent) कहते हैं। (:) यह अनुपात का संकेत है।

अनुपात के निम्नलिखित प्रकार हैं:

- ❖ **व्युत्क्रमानुपात (Inverse Ratio):** दो राशियों के बीच का अनुपात $a : b$ है, तो व्युत्क्रमानुपात (Inverse Ratio) $b : a$ होगा।

  जैसे: दो संख्याओं के बीच का अनुपात 7 : 8 हो, तो व्युत्क्रमानुपात (Inverse Ratio) 8 : 7 होगा।
- ❖ **वर्गानुपात (Duplicate Ratio):** यदि दो राशियों के बीच का vuqikr $a : b$ है, तो इनका वर्गानुपात $a^2 : b^2$ होगा।

  जैसे: दो संख्याओं के बीच का अनुपात 3 : 4 हो, तो उनके बीच का वर्गानुपात $3^2 : 4^2$ अर्थात् 9 : 16 होगा।
- ❖ **वर्गमूलानुपात (Sub-duplicate Ratio):** यदि दो राशियों के बीच का अनुपात $a : b$ है, तो इनके बीच का वर्गमूलानुपात $\sqrt{a} : \sqrt{b}$ होगा।

  जैसे: दो संख्याओं के बीच का अनुपात 64 : 81 हो तो इनके बीच का वर्गमूलानुपात $\sqrt{64} : \sqrt{81}$ अर्थात् 8 : 9 होगा।
- ❖ **घनानुपात (Triplicate Ratio):** यदि दो राशियों के बीच का अनुपात $a : b$ हो, तो उनके बीच का घनानुपात $a^3 : b^3$ होगा।

  जैसे: यदि दो राशियों के बीच का अनुपात 4 : 5 हो, तो उनके बीच का घनानुपात $4^3 : 5^3$ अर्थात् 64 : 125 होगा।
- ❖ **घनमूलानुपात (Sub-triplication Ratio):** यदि दो राशियों के बीच का अनुपात $a : b$ हो, तो उनके बीच का घनमूलानुपात $\sqrt[3]{a} : \sqrt[3]{b}$ होगा।

  जैसे: यदि दो राशियों के बीच का अनुपात 64 : 216 हो, तो उनके बीच का घनमूलानुपात $\sqrt[3]{64} : \sqrt[3]{216}$, अर्थात् 4 : 6 अथवा 2 : 3 होगा।
- ❖ **यौगिकानुपात (Compounded Ratio):** यदि दो राशियों के बीच का अनुपात $a : b$ तथा अन्य दो राशियों के बीच का अनुपात $c : d$ हो, तो इनका यौगिकानुपात $ac : bd$ होगा।

  जैसे: 2 : 3 एवं 4 : 5 का यौगिकानुपात $(2 \times 4) : (3 \times 5)$ अर्थात् 8 : 15 होगा।

समानुपात (Proportion)

- ❖ यदि चार राशियों में से किन्हीं दो समान मात्रक वाली राशियों के बीच का अनुपात, अन्य दो समान मात्रक वाली राशियों के बीच के अनुपात के समान हो, तो ये चारों राशियां एक समानुपात में कही जाती हैं।
- ❖ यदि a, b, c तथा d चार राशियां हैं जिनमें a एवं b के बीच का अनुपात $a : b$ तथा c एवं d के बीच का अनुपात $c : d$ समान हो, अर्थात् $a : b : : c : d$ के रूप में समानुपात को दर्शाया जाता है। (: :) समानुपात का चिह्न है। यहाँ a तथा d को बाह्य पद एवं b तथा c को मध्य पद कहते हैं।

  मध्य पदों का गुणनफल = बाह्य पदों का गुणनफल

  अर्थात् $bc = ad$

  जैसे: 3, 6, 9, 18 चार राशियां हैं, जिनमें 3 एवं 6 के बीच का अनुपात 3 : 6 अर्थात् 1 : 2 है।

  9 एवं 18 के बीच का अनुपात = 9 : 18 अर्थात् 1 : 2 है। अतः 3, 6, 9 तथा 18 एक समानुपात में कही जाएंगी, अर्थात् 3 : 6 : : 9 : 18

समानुपात के निम्नलिखित प्रकार हैं:

- **मध्य-समानुपाती (Mean Proportional):** यदि दो राशियां a तथा b के बीच x एक मध्य-समानुपात हो, तो इन्हें इस प्रकार $a : x : : x : b$ के रूप में लिखते हैं, अर्थात्

  $$x \times x = ab$$

  या $x^2 = ab$ $\quad \therefore x = \sqrt{ab}$

  अतः मध्य-समानुपात $= \sqrt{ab}$

  जैसे: 3 एवं 12 का मध्य-समानुपात

  $$= \sqrt{3 \times 12} = \sqrt{36} = 6$$
- **तृतीय समानुपाती (Third Proportional):** यदि a तथा b के बीच का तृतीय समानुपात x हो, तो इन्हें समानुपाती के रूप में $a : b : : b : x$ दर्शाते हैं।

  अब $b \times b = ax \quad \therefore x = \dfrac{b^2}{a}$

जैसे: 8 एवं 4 का तृतीय समानुपाती

$$= \frac{4^2}{8} = \frac{16}{8} = 2 \text{ होगा।}$$

- **चतुर्थ समानुपाती (Fourth Proportional):** यदि तीन राशियां a, b, c हों, जिनका चतुर्थ समानुपाती x हो, तो इन्हें समानुपाती के रूप में $a : b : : c : x$ दर्शाते हैं।

  अब $b \times c = ax \quad \therefore x = \frac{bc}{a}$

  जैसे: 3, 4 एवं 5 का चतुर्थ समानुपाती $= \frac{4 \times 5}{3} = \frac{20}{3}$ होगा।

❖ वह समानुपात जिसमें दो अनुपात होते हैं **सरल अनुपात** (Simple Proportion) कहलाता है। जैसे,

$$a : b : : c : d$$

❖ वह समानुपात जिसमें दो से अधिक अनुपात होते हैं **मिश्र अनुपात** (Compound Proportion) कहलाता है। जैसे,

$$a : b : : \begin{cases} c : d \\ e : f \\ g : h \end{cases}$$

❖ यदि किसी समानुपात में दो अलग-अलग जाति की राशियां एक-दूसरे पर इस प्रकार निर्भर हों कि एक के मान में वृद्धि (या कमी) होने पर दूसरी के मान में भी इसी अनुपात में वृद्धि (या कमी) हो, तो वे राशियां **अनुलोम समानुपाती** (Directly Proportional) कहलाती हैं तथा वह समानुपात **अनुलोम समानुपात** (Direct Proportion) कहलाता है।

❖ यदि किसी समानुपात में दो अलग-अलग जाति की राशियां एक-दूसरे पर इस प्रकार निर्भर हों कि एक के मान में वृद्धि (या कमी) होने पर दूसरी के मान में कमी (या वृद्धि) उसी अनुपात में हो, तो वे राशियां **विलोम समानुपाती** (Indirectly Proportional) कहलाती हैं तथा वह समानुपात विलोम समानुपात (Indirect Proportion) कहलाता है।

वस्तुनिष्ठ प्रश्न

1. यदि $a : b = 3 : 5$ तथा $b : c = 2 : 3$ हो, तो $a : b : c$ का मान क्या होगा?

A. 10 : 6 : 15　B. 6 : 10 : 15
C. 3 : 5 : 3　D. इनमें से कोई नहीं

2. यदि $m : n = 3 : 2$ हो, तो $(4m + 5n) : (4m - 5n)$ किसके बराबर होगा?

A. 4 : 9　B. 9 : 4
C. 11 : 1　D. 9 : 1

3. यदि A का 20% = B का 30% = C का $\frac{1}{6}$ हो, तो A : B : C का मान क्या होगा?

A. 2 : 3 : 16　B. 3 : 2 : 16
C. 10 : 15 : 18　D. 15 : 10 : 18

4. यदि A का $\frac{2}{3}$ = B का 75% = C का 0.6 हो, तो A : B : C होगा:

A. 2 : 3 : 3　B. 3 : 4 : 5
C. 4 : 5 : 6　D. 9 : 8 : 10

5. यदि $A : B = \frac{1}{2} : \frac{8}{3}$, $B : C = \frac{1}{3} : \frac{5}{9}$ और $C : D = \frac{5}{6} : \frac{3}{4}$ हो, तो A : B : C : D है:

A. 6 : 4 : 8 : 10　B. 6 : 8 : 9 : 10
C. 8 : 6 : 10 : 9　D. 4 : 6 : 8 : 10

6. यदि A : B = 7 : 9 और B : C = 6 : 7 हो, तो A : C का मान होगा:

A. 2 : 3　B. 3 : 2
C. 1 : 3　D. 2 : 7

7. 7 : 13 के प्रत्येक पद में क्या जोड़ा जाए कि नई संख्याएँ 2 : 3 के अनुपात में हो जाएं?

A. 5　B. 2
C. 3　D. 4

8. दो संख्याओं का अनुपात 5 : 9 है। प्रत्येक संख्या में 9 जोड़ देने पर उनका अनुपात 16 : 27 हो जाता है, तो दो में से एक संख्या है:

A. 99　B. 88
C. 55　D. 77

9. दो संख्याओं में 2 : 3 का अनुपात है। यदि प्रत्येक संख्या में 5 जोड़ दिया जाए, तो उनमें 5 : 7 का अनुपात हो जाता है, तो बड़ी संख्या का मान क्या होगा?

A. 25　B. 35
C. 30　D. 40

10. तीन संख्याएँ 5 : 6 : 7 के अनुपात में हैं। यदि उन संख्याओं का गुणनफल 5670 है, तो सबसे बड़ी संख्या है:

A. 18　B. 19
C. 21　D. 20

11. दो प्राकृत संख्याएँ 3 : 5 के अनुपात में हैं तथा उनका गुणनफल 2160 है, तो उनमें छोटी संख्या होगी:

A. 36　B. 15
C. 30　D. 24

12. A, B तथा C के मासिक वेतन 2 : 3 : 5 के अनुपात में हैं। यदि C का मासिक वेतन A के मासिक वेतन से ₹ 12000 अधिक हो, तो B का वार्षिक वेतन होगा:

A. ₹ 1,20,000　B. ₹ 1,44,000
C. ₹ 1,80,000　D. ₹ 2,40,000

13. किसी मिश्रण में स्पिरिट और पानी 3 : 2 के अनुपात में है। यदि इसमें पानी से स्पिरिट 3 लीटर अधिक हो, तो इस मिश्रण में स्पिरिट की मात्रा है:

A. 6 लीटर　　B. 8 लीटर
C. 7 लीटर　　D. 9 लीटर

14. 504 विद्यार्थियों वाले एक विद्यालय में लड़के व लड़कियों का अनुपात 13 : 11 है। यदि 12 लड़कियाँ और भर्ती कर ली जाएं, तो उनका नया अनुपात क्या होगा?

A. 91 : 81　　B. 81 : 91
C. 9 : 10　　D. 10 : 9

15. 60 लीटर मिश्रण में एल्कोहल व पानी का अनुपात 5 : 7 है। यदि इसमें 5 लीटर एल्कोहल और डाल दिया जाए, तो अब एल्कोहल व पानी का अनुपात क्या होगा?

A. 1 : 1　　B. 6 : 7
C. 7 : 6　　D. 3 : 2

16. किसी मिश्रण में दूध व पानी का अनुपात 7 : 6 है। इसमें 10 लीटर दूध और डाल दिया जाए, तो अब दूध व पानी का अनुपात 5 : 4 हो जाता है, तो बताओ प्रारम्भ में मिश्रण की कुल मात्रा कितनी थी?

A. 260 लीटर　　B. 250 लीटर
C. 230 लीटर　　D. 280 लीटर

17. एक स्कूल में लड़के और लड़कियों का अनुपात क्रमशः 4 : 5 है। जब 100 लड़कियां स्कूल छोड़ देती हैं, तो अनुपात क्रमशः 6 : 7 हो जाता है, तो स्कूल में लड़कों की संख्या बताओ–

A. 1400　　B. 1200
C. 1800　　D. 1500

18. किसी एक संख्या के 5% और दूसरी संख्या के 4% का योग, पहली संख्या के 6% और दूसरी संख्या के 8% के योग का $\frac{2}{3}$ है, तो पहली संख्या का दूसरी संख्या से अनुपात क्या है?

A. 2 : 3　　B. 3 : 2
C. 3 : 4　　D. 4 : 3

19. 15 : 19 के अनुपात की दोनों संख्याओं में से कौन-सी संख्या घटाई जाए ताकि यह अनुपात 3 : 4 हो जाए?

A. 4　　B. 7
C. 2　　D. 3

20. 7, 9, 12, 15 के प्रत्येक पद में कौन-सी संख्या जोड़ दी जाए ताकि ये समानुपाती हो जाएं?

A. 2　　B. 4
C. 3　　D. 5

21. एक बॉक्स में ₹ 1, 50 पैसे तथा 25 पैसे वाले सिक्के 8 : 5 : 3 के अनुपात में हैं। यदि बॉक्स में कुल धनराशि ₹ 112.50 हो, तो 50 पैसे के सिक्कों की संख्या क्या है?

A. 45　　B. 50
C. 55　　D. 40

22. ₹ 33630 की राशि को A, B तथा C में इस प्रकार विभाजित किया जाता है कि A द्वारा प्राप्त धनराशि का B की धनराशि से अनुपात 3 : 7 है तथा B की धनराशि का C की धनराशि से अनुपात 6 : 5 है। B द्वारा प्राप्त की गई धनराशि है:

A. ₹ 14868　　B. ₹ 14886
C. ₹ 14688　　D. ₹ 14888

उत्तरमाला

1	2	3	4	5	6	7	8	9	10
B	C	D	D	C	A	A	A	C	C
11	**12**	**13**	**14**	**15**	**16**	**17**	**18**	**19**	**20**
A	B	D	A	B	A	B	D	D	C
21	**22**								
B	A								

व्याख्यात्मक उत्तर

1. $a : b : c$ उल्टे N के नियम से–

3 : 5

2 : 3

6 : 10 : 15.

2. $m : n = 3 : 2$

या $\frac{m}{n} = \frac{3}{2}$

तो $(4m + 5n) : (4m - 5n)$

$(12 + 10) : (12 - 10)$

22 : 2

11 : 1.

3. A का 20% = B का 30% = C का $\frac{1}{6}$

$$\frac{20}{100}A = \frac{30}{100}B = \frac{C}{6}$$

$$\frac{A}{5} = \frac{3}{10}B = \frac{C}{6} = K$$

A = 5K तथा B = $\frac{10}{3}$K तथा

C = 6K

A : B : C

$5K : \frac{10}{3}K : 6K$

15K : 10K : 18K

15 : 10 : 18

4. $\frac{2}{3}A = \frac{75}{100}B = \frac{6}{10}C$

$\frac{2}{3}A = \frac{3}{4}B = \frac{3}{5}C$

$A = \frac{9}{20},\ B = \frac{2}{5},\ C = \frac{1}{2}$

A : B : C

$\frac{9}{20} : \frac{2}{5} : \frac{1}{2}$

या 9 : 8 : 10

5. $A : B = \frac{1}{2} : \frac{3}{8}$ या 4 : 3

$B : C = \frac{1}{3} : \frac{5}{9}$ या 3 : 5

$C : D = \frac{5}{6} : \frac{3}{4}$ या 10 : 9

A : B : C, तो A : B : C : D

4 : 3   4 : 3 : 5

3 : 5   10 : 9

4 : 3 : 5   8 : 6 : 10 : 9

6. A : B : C, तो A : C

7 : 9   42 : 63

6 : 7   2 : 3

42 : 54 : 63

7. $\frac{7+x}{13+x} = \frac{2}{3}$

$21 + 3x = 26 + 2x$

$x = 5.$

8. $\frac{5x+9}{9x+9} = \frac{16}{27}$

$144x + 144 = 135x + 243$

$144x - 135x = 243 - 144$

$9x = 99$

$x = 11$

पहली संख्या $= 5 \times 11 = 55$

दूसरी संख्या $= 9 \times 11 = 99.$

9. $\frac{2x+5}{3x+5} = \frac{5}{7}$

$15x + 25 = 14x + 35$

$x = 10$

पहली संख्या $= 2 \times 10 = 20$

दूसरी संख्या $= 3 \times 10 = 30.$

10. माना संख्याएँ $5x$, $6x$ तथा $7x$ हैं

तब, $5x \times 6x \times 7x = 5670$

$\Rightarrow 210x^3 = 5670$

$\Rightarrow x^3 = \frac{5670}{210} = 27$

$= x = 3$

$\therefore$ सबसे बड़ी संख्या $= 7 \times 3 = 21.$

11. माना दो संख्याएं $3x$ और $5x$ हैं।

$\because \quad 3x \times 5x = 2160$

$\Rightarrow \quad x^2 = 144$

$\Rightarrow \quad x = 12$

$\therefore$ छोटी संख्या $= 3 \times 12 = 36.$

12. $5 - 2 = 12000$

$\therefore \quad 3 = 12000$

= B के अनुपात की राशि

$\therefore$ B का वार्षिक वेतन $= 12 \times 12000$

= ₹ 144000.

13. माना स्प्रिट व पानी $= 3x, 2x$

$3x - 2x = 3$

$x = 3$

स्प्रिट की मात्रा $= 3 \times 3 = 9$ लीटर

14. लड़के एवं लड़कियों का अनुपात = 13 : 11

अनुपातों का योग = 13 + 11 = 24

लड़कों की संख्या $= \frac{13}{24} \times 504 = 273$

लड़कियों की संख्या $= \frac{11}{24} \times 504 = 231$

लड़के		लड़कियाँ
273		231 + 12
273	:	243
91	:	81

15. एल्होकल व पानी का अनुपात = 5 : 7

एल्कोहल की मात्रा $= \frac{5}{12} \times 60 = 25$ लीटर

पानी की मात्रा $= \frac{7}{12} \times 60 = 35$ लीटर

एल्कोहल	:	पानी
(25 + 5)	:	35
30	:	35
6	:	7

16. दूध : पानी

7 : 6

$$\frac{7x+10}{6x} = \frac{5}{4}$$

$$30x = 28x + 40$$

$$2x = 40$$

$$x = 20$$

मिश्रण की कुल मात्रा $= 13x$

या $13 \times 20 = 260$ लीटर

17. लड़के लड़कियां

$4x$ $5x$

$$\frac{4x}{5x-100} = \frac{6}{7}$$

$$x = 300$$

तो लड़के $= 1200$.

18. (x का $5\% + y$ का 4%)

$= \frac{2}{3}$(x का $6\% + y$ का 8%)

$$\left(\frac{5x}{100}+\frac{4y}{100}\right) = \frac{2}{3}\left(\frac{6x}{100}+\frac{8y}{100}\right)$$

$$5x + 4y = \frac{12x+16y}{3}$$

$$15x + 12y = 12x + 16y$$

$$15x - 12x = 16y - 12y$$

$$3x = 4y$$

$\frac{x}{y} = \frac{4}{3}$ या 4 : 3.

19.

$$\frac{15-x}{19-x} = \frac{3}{4}$$

$$60 - 4x = 57 - 3x$$

$$-x = -3$$

$$x = 3.$$

20.

$$\frac{7+x}{9+x} = \frac{12+x}{15+x}$$

$$(7 + x)(15 + x) = (12 + x)(9 + x)$$

$$105 + 7x + 15x + x^2 = 108 + 12x + 9x + x^2$$

$$22x - 21x = 108 - 105$$

$$x = 3.$$

21. ₹ 1 50 पैसे 25 पैसे

8 : 5 : 3

$$8x \times 1 + 5x \times \frac{1}{2} + 3x \times \frac{1}{4} = 112.50$$

$$8x + \frac{5x}{2} + \frac{3x}{4} = 112.50$$

$$32x + 10x + 3x = 450.00$$

$$45x = 450$$

$$x = 10$$

50 पैसे के सिक्कों की संख्या $= 5 \times 10 = 50$.

22.

A	:	B	B	:	C
3	:	7	6	:	5

A	:	B	:	C
3	:	7		
		6	:	5
18	:	42	:	35

अनुपातों का योग $= 18 + 42 + 35 = 95$

B द्वारा प्राप्त की गई धनराशि $= \frac{42}{95} \times 33630$

$= ₹\ 14868.$

●●●

6 लघुत्तम समापवर्त्य तथा महत्तम समापवर्तक

लघुत्तम समापवर्त्य (L.C.M.)

किन्हीं दो या दो से अधिक दी हुई संख्याओं का लघुत्तम समापवर्त्य वह छोटी-से-छोटी संख्या है जो प्रत्येक दी हुई संख्याओं से पूरी-पूरी विभाजित हो जाए।

लघुत्तम समापवर्त्य ज्ञात करने की दो विधियाँ हैं :

(*i*) अभाज्य गुणनखण्ड विधि द्वारा ल.स. निकालना

इस विधि में दी गई संख्याओं का सबसे पहले अभाज्य गुणनखण्ड करते हैं। इसके बाद सर्वाधिक बार आए हुए गुणनखण्डों का आपस में गुणा कर देते हैं। इस प्रकार प्राप्त गुणनफल अभीष्ट ल.स. होता है।

(*ii*) भाग विधि द्वारा ल.स. निकालना

दी हुई संख्याओं को अर्थात् जिन संख्याओं का ल.स. ज्ञात करना हो उन्हें क्रम से लिख देते हैं। फिर 2, 3, 4, 5, ... से बारी-बारी से भाग देते जाते हैं। यदि किसी संख्या में भाग न जाए, तो उसे ज्यों-का-त्यों उतार देते हैं। अगली बार उसे उसके भाजक से भाग देते हैं। जब सभी संख्याओं का अन्तिम भागफल 1 आ जाए तो सभी भाजकों को आपस में गुणा कर देते हैं। इस प्रकार प्राप्त गुणनफल अभीष्ट ल.स. होगा।

महत्तम समापवर्तक (H.C.F.)

किन्हीं दो या दो से अधिक दी गई संख्याओं का महत्तम समापवर्तक (म.स.) वह बड़ी-से-बड़ी संख्या है जो प्रत्येक दी गई संख्याओं को पूरा-पूरा विभाजित कर दे।

महत्तम समापवर्तक ज्ञात करने की दो विधियाँ हैं :

(*i*) अभाज्य गुणनखण्ड विधि द्वारा म.स. निकालना

जिन संख्याओं का म.स. ज्ञात करना होता है, उनका बारी-बारी से अभाज्य गुणनखण्ड करते हैं। अभाज्य गुणनखण्ड करने के बाद सर्वनिष्ठ गुणनखण्डों (Common factors) को आपस में गुणा कर लेते हैं। इस प्रकार प्राप्त गुणनफल अभीष्ट म.स. होता है।

(*ii*) भाग विधि द्वारा म.स. निकालना

जब दी गई संख्याएँ इस प्रकार हों कि उनका अभाज्य गुणनखण्ड आसानी से ज्ञात न हो सके, तब भाग विधि का प्रयोग किया जाता है। इस विधि में सबसे पहले दो संख्याओं को लेकर छोटी संख्या से बड़ी संख्या में भाग देते हैं। इस क्रिया के अन्त में जो शेष बचता है उससे भाजक में भाग देते हैं। पुनः इसमें प्राप्त शेष से इसके भाजक में भाग देते हैं। यही क्रिया तब तक करते हैं जब तक शेष शून्य न हो जाए। जब शेष शून्य हो जाए तो अन्तिम भाजक दोनों संख्याओं का म.स. होगा। यदि तीसरी संख्या भी प्रश्न में दी गई हो, तो इस म.स. और तीसरी संख्या का म.स. उक्त भाग विधि से ज्ञात करते हैं। इस प्रकार चौथी, पाँचवीं संख्या का म.स. ज्ञात किया जाता है।

भिन्नों का ल.स. तथा म.स. ज्ञात करना

$$\text{ल.स.} = \frac{\text{अंश का ल.स.}}{\text{हर का म.स.}}$$

तथा

$$\text{म.स.} = \frac{\text{अंश का म.स.}}{\text{हर का ल.स.}}$$

दो संख्याओं तथा उनके म.स. तथा ल.स. में सम्बन्ध (Relationship between two numbers and their H.C.F. and L.C.M.)

किन्हीं दो दी गई संख्याओं का म.स. तथा ल.स. का गुणनफल उन दो दी गई संख्याओं के गुणनफल के बराबर होता है।

अर्थात् पहली संख्या $\times$ दूसरी संख्या = म.स. $\times$ ल.स.

वस्तुनिष्ठ प्रश्न

1. 420, 315 तथा 462 का म.स. क्या है?

A. 24 B. 28
C. 27 D. 21

2. 6, 8, 10 तथा 12 का ल.स. कितना होगा?

A. 120 B. 60
C. 240 D. 130

3. $\frac{5}{6}, \frac{6}{7}, \frac{7}{8}, \frac{8}{9}$ तथा $\frac{9}{10}$ का म.स. कितना होगा?

A. $\frac{1}{2420}$ B. $\frac{1}{2520}$
C. $\frac{1}{2660}$ D. $\frac{1}{2540}$

4. दो संख्याओं का ल.स. तथा म.स. क्रमशः 4284 तथा 32 है। यदि उन संख्याओं में से एक संख्या 204 है, तो दूसरी संख्या का मान क्या होगा?

A. 672 B. 576
C. 676 D. 572

5. वह छोटी-से-छोटी संख्या क्या होगी जो 3, 4, 6 तथा 8 से पूर्णतः विभाजित हो जाए?

A. 26 B. 24
C. 28 D. 32

6. तीन अंकों की सबसे छोटी संख्या क्या होगी जो 12, 18 तथा 24 से पूर्णतः विभाजित हो?

A. 72 B. 144
C. 180 D. 224

7. तीन अंकों की वह बड़ी-से-बड़ी संख्या क्या होगी जिसमें 6, 9 तथा 12 से भाग देने पर प्रत्येक दशा में 1 शेष बचे?

A. 887 B. 987
C. 973 D. 730

8. 226 और 272 में भाग देने पर क्रमशः 1 और 2 शेषफल देने वाली बड़ी-से-बड़ी संख्या का मान कितना होगा?

A. 36 B. 45
C. 55 D. 59

9. बिजली की तारें दो तरह की हैं जिसमें एक एल्युमिनियम की है जिसकी लम्बाई 9 मी. 60 सेमी. है तथा दूसरी तार तांबे की है जिसकी लम्बाई 5 मी. 12 सेमी. है। उस तार की अधिकतम लम्बाई ज्ञात कीजिए जिससे दोनों तारों को पूर्णतः विभाजित कर सकें।

A. 40 सेमी. B. 46 सेमी.
C. 64 सेमी. D. 60 सेमी.

10. पाँच घंटियाँ एक साथ 24, 40, 64, 72 तथा 120 सेकेण्ड के अन्तर पर बजती हैं। कितने सेकेण्ड के बाद वे फिर एक साथ बजेंगी?

A. 42 मिनट B. 36 मिनट
C. 48 मिनट D. 54 मिनट

11. तीन विभिन्न चौराहों पर यातायात की बत्तियाँ 48 सेकेण्ड, 72 सेकेण्ड तथा 108 सेकेण्ड के बाद बदलती रहती हैं। यदि वे प्रातः 9 बजे एक साथ बदलें, तो पुनः एक साथ कितने बजे बदलेंगी?

A. 10 मिनट 10 सेकेण्ड B. 7 मिनट 12 सेकेण्ड
C. 7 मिनट 10 सेकेण्ड D. 12 मिनट 10 सेकेण्ड

12. वह बड़ी-से-बड़ी नाप ज्ञात कीजिए जो क्रमशः 4 मी. 3 सेमी., 4 मी. 34 सेमी. तथा 4 मी. 65 सेमी. की लम्बाइयों को पूर्णतया नाप सके।

A. 31 सेमी. B. 29 सेमी.
C. 28 सेमी. D. 32 सेमी.

13. 3, 9, 12, 15, 6 का ल.स. ज्ञात कीजिए।

A. 240 B. 90
C. 180 D. 120

14. $\frac{4}{3}, \frac{8}{9}, \frac{3}{5}$ का ल.स. ज्ञात कीजिए।

A. 20 B. 24
C. $\frac{1}{24}$ D. $\frac{1}{20}$

15. 120, 150, 180 का म.स. ज्ञात कीजिए।

A. 30 B. 60
C. 50 D. 10

16. तीन घंटियाँ 12, 15 तथा 18 मिनट के अन्तराल पर बजती हैं। यदि वे प्रातः 9 बजे एक साथ बजें तो वे पुनः कितनी देर बाद एक-साथ बजेंगी?

A. 10:00 a.m. B. 11:00 a.m.
C. 12:00 p.m. D. 1:00 p.m.

17. वह बड़ी-से-बड़ी संख्या ज्ञात कीजिए जिससे 43, 91 तथा 183 को भाग देने पर प्रत्येक दशा में समान शेष बचे।

A. 9 B. 8
C. 4 D. 3

18. दो संख्याओं का अनुपात 5 : 6 है। यदि उनका म.स. 4 है, तो उनका ल.स. होगा?

A. 90 B. 96
C. 150 D. 120

19. वह छोटी-से-छोटी संख्या ज्ञात कीजिए जो 12, 15 तथा 25 से पूर्ण विभाजित हो जाए।

A. 300 B. 150
C. 200 D. 400

20. तीन घंटियाँ क्रमशः 4, 5 तथा 6 मिनटों के अन्तराल पर बजती हैं। यदि वे प्रातः 8:30 बजे एक साथ बजना आरम्भ करें, तो वे पुनः कितने बजे एक-साथ बजेंगी?

A. 8:45 a.m. B. 9:30 a.m.
C. 9:45 a.m. D. 10:15 a.m.

उत्तरमाला

1	2	3	4	5	6	7	8	9	10
D	A	B	A	B	B	C	B	C	C
11	**12**	**13**	**14**	**15**	**16**	**17**	**18**	**19**	**20**
B	A	C	B	A	C	C	D	A	B

व्याख्यात्मक उत्तर

1. 315) 420 (1
315
105) 315 (3
315
×

105) 462 (4
420
42) 105 (2
84
21) 42 (2
42
×

∴ अभीष्ट म.स. = 21.

2. 6, 8, 10 तथा 12 का ल.स.

2	6,	8,	10,	12
2	3,	4,	5,	6
3	3,	2,	5,	3
	1,	2,	5,	1

ल.स. $= 2 \times 2 \times 3 \times 2 \times 5 = 120$.

3. $\frac{5}{6}, \frac{6}{7}, \frac{7}{8}, \frac{8}{9}$ तथा $\frac{9}{10}$ का म.स.

$$\text{म.स.} = \frac{\text{अंश का म.स.}}{\text{हर का ल.स.}}$$

$$= \frac{\text{5, 6, 7, 8, 9 का म.स.}}{\text{6, 7, 8, 9, 10 का ल.स.}} = \frac{1}{2520}.$$

4. ∵ पहली संख्या × दूसरी संख्या = ल.स. × म.स.

⇒ 204 × दूसरी संख्या = 4284 × 32

∴ दूसरी संख्या $= \frac{4284 \times 32}{204} = 42 \times 16$

∴ अभीष्ट संख्या = 672.

5. 3, 4, 6 तथा 8 का ल.स.

2	3,	4,	6,	8
2	3,	2,	3,	4
3	3,	1,	3,	2
	1,	1,	1,	2

∴ सबसे छोटी संख्या $= 2 \times 2 \times 3 \times 2 = 24$.

6. 12, 18, 24 का ल.स.

2	12,	18,	24
2	6,	9,	12
3	3,	9,	6
	1,	3,	2

ल.स. $= 2 \times 2 \times 3 \times 3 \times 2 = 72$

∴ अभीष्ट संख्या $= 72 \times 2 = 144$.

7. 6, 9 तथा 12 का ल.स.

2	6,	9,	12
3	3,	9,	6
	1,	3,	2

∴ ल.स. $= 2 \times 3 \times 3 \times 2 = 36$

∵ तीन अंकों की सबसे बड़ी संख्या = 999

36) 999 (27
72
279
252
27

∴ तीन अंकों की सबसे बड़ी संख्या जो 6, 9 तथा 12 से पूर्णतः विभाजित है

= 999 – 27 = 972

∴ अभीष्ट संख्या = 972 + 1 = 973.

8. 226 – 1 = 225

तथा 272 – 2 = 270

अब 225 तथा 270 का म.स.

225) 270 (1
225
45) 225 (5
225
×

∴ अभीष्ट संख्या = 45.

9. 9 मी. 60 सेमी. = 960 सेमी.

तथा 5 मी. 12 सेमी. = 512 सेमी.

960 तथा 512 का म.स.

512) 960 (1
512
448) 512 (1
448
64) 448 (7
448
×

∴ अभीष्ट सबसे बड़ा टुकड़ा = 64 सेमी.

10. 24, 40, 64, 72 तथा 120 का ल.स.

2	24,	40,	64,	72,	120
2	12,	20,	32,	36,	60
2	6,	10,	16,	18,	30
3	3,	5,	8,	9,	15
5	1,	5,	8,	3,	5
	1,	1,	8,	3,	1

ल.स. = 2 × 2 × 2 × 3 × 5 × 8 × 3 = 2880

$$2880 \text{ सेकेण्ड} = \frac{2880}{60} = 48 \text{ मिनट}$$

∴ अभीष्ट समय = 48 मिनट

11. 48, 72 तथा 108 का ल.स. = 432 सेकेण्ड

यातायात की बत्तियाँ 432 सेकेण्ड के बाद बदलेंगी

= 7 मिनट 12 सेकेण्ड

∴ अभीष्ट समय = 7 मिनट 12 सेकेण्ड

12. 4 मी. 3 सेमी. = 403 सेमी.

4 मी. 34 सेमी. = 434 सेमी.

4 मी. 65 सेमी. = 465 सेमी.

403, 434 तथा 465 का म.स.

```
403 ) 434 ( 1
      403
      ×31 ) 403 ( 13
             31
             ×93
              93
               ×

31 ) 465 ( 15
     31
     155
     155
       ×
```

∴ अभीष्ट माप = 403, 434 तथा 465 का म.स. = 31 सेमी.

13. 3, 9, 12, 15, 6 का ल.स.

2	3,	9,	12,	15,	6
3	3,	9,	6,	15,	3
	1,	3,	2,	5,	1

ल.स. = 2 × 3 × 3 × 2 × 5 = 180.

14. $\frac{4}{3}, \frac{8}{9}, \frac{3}{5}$ भिन्न का ल.स.

$$\text{ल.स.} = \frac{\text{अंश का ल.स.}}{\text{हर का म.स.}}$$

$$= \frac{4,8,3 \text{ का ल.स.}}{3,9,5 \text{ का म.स.}} = \frac{24}{1}$$

∴ अभीष्ट ल.स. = 24.

15. 120, 150, 180 का म.स.

```
120 ) 150 ( 1
      120
       30 ) 120 ( 4
            120
              ×

30 ) 180 ( 6
     180
       ×
```

∴ अभीष्ट म.स. = 30.

16. 12, 15 तथा 18 का ल.स.

2	12,	15,	18
3	6,	15,	9
	2,	5,	3

ल.स. = 2 × 3 × 2 × 5 × 3 = 180

$$180 \text{ मिनट} = \frac{180}{60} = 3 \text{ घंटे}$$

अभीष्ट समय = 9:00 A.M. + 3 घंटे

= 12:00 P.M.

17. इस तरह के प्रश्न में, सबसे बड़ी अभीष्ट संख्या दिए गए संख्याओं के अन्तर का म.स. होती है।

∴ (*i*) 91 − 43 = 48   (*ii*) 183 − 43 = 140   (*iii*) 183 − 91 = 92

अब तीन संख्याएँ 48, 140 तथा 92 और उनका म.स. 4 होगा।

अतः अभीष्ट बड़ी संख्या = 4.

18. माना कि संख्याएँ $5x$ तथा $6x$ हैं

$5x$ तथा $6x$ का म.स. = x

लेकिन म.स. = 4 (दिया गया है)

∴ $x = 4$

संख्याएँ 20 तथा 24 हैं

$$\therefore \quad \text{ल.स.} = \frac{\text{संख्याओं का गुणनफल}}{\text{म.स.}}$$

$$= \frac{20 \times 24}{4} = 5 \times 24 = 120.$$

19. 12, 15 तथा 25 का ल.स.

3	12,	15,	25
5	4,	5,	25
	4,	1,	5

ल.स. = 3 × 5 × 4 × 5 = 300

∴ अभीष्ट संख्या = 300.

20. 4, 5 तथा 6 का ल.स.

2	4,	5,	6
	2,	5,	3

ल.स. = 2 × 2 × 5 × 3 = 60 मिनट

60 मिनट = 1 घंटा

∴ अभीष्ट समय = 8:30 a.m. + 1 घंटा

= प्रातः 9:30 बजे

●●●

7 प्रतिशतता

❖ **प्रतिशतता:** प्रतिशत वह भिन्न है जिसका हर (Denominator) 100 हो। अंश (Numerator) को दर प्रतिशत कहा जाता है। इसे प्रायः % चिह्न द्वारा व्यक्त किया जाता है।

x प्रतिशत का अर्थ है, किसी वस्तु के 100 बराबर भागों में से x भाग। इसे $x\%$ से व्यक्त करते हैं। स्पष्ट है कि, $x\% = \frac{x}{100}$.

उदाहरण: $25\% = \frac{25}{100} = \frac{1}{4}$.

❖ **प्रतिशत को भिन्न में बदलना:** किसी प्रतिशत को भिन्न में बदलने के लिए उसे 100 से भाग दिया जाता है।

जैसे: $15\% = \frac{15}{100} = \frac{3}{20}$.

❖ **भिन्न को प्रतिशत में बदलना:** भिन्न को प्रतिशत में बदलने के लिए उसे 100 से गुणा किया जाता है।

जैसे: $\frac{3}{5} = \frac{3}{5} \times 100 = 60\%$.

❖ **दशमलव को प्रतिशत में बदलना:** दशमलव को प्रतिशत में बदलने के लिए उसे 100 से गुणा किया जाता है।

जैसे: $0.3 = 0.3 \times 100 = \frac{3}{10} \times 100 = 30\%$.

स्मरणीय तथ्य

$5\% = \frac{1}{20}$	$10\% = \frac{1}{10}$	$80\% = \frac{4}{5}$
$30\% = \frac{3}{10}$	$75\% = \frac{3}{4}$	$60\% = \frac{3}{5}$
$8\frac{1}{3}\% = \frac{1}{12}$	$40\% = \frac{2}{5}$	$90\% = \frac{9}{10}$
$12\frac{1}{2}\% = \frac{1}{8}$	$33\frac{1}{3}\% = \frac{1}{3}$	$150\% = \frac{3}{2}$

वस्तुनिष्ठ प्रश्न

1. 800 का 40% क्या होगा?
A. 420 B. 320
C. 440 D. 220

2. 1200 का कितने प्रतिशत 900 है?
A. 65% B. 70%
C. 75% D. 85%

3. किस संख्या का 65%, 260 है?
A. 300 B. 400
C. 500 D. 200

4. 1 प्रतिशत का आधा क्या होगा?
A. 0.5 B. 0.05
C. 0.005 D. 0.0005

5. 12.5 प्रतिशत को साधारण भिन्न में बदलो।
A. $\frac{2}{5}$ B. $\frac{1}{8}$
C. $\frac{4}{3}$ D. $\frac{5}{2}$

6. दो वस्तुओं का वजन 3 : 5 में है, तो बताओ प्रथम वस्तु का वजन, दूसरी वस्तु के वजन का कितने प्रतिशत है?
A. 45% B. 60%
C. 55% D. 65%

7. राम का वेतन ₹ 800 से बढ़कर ₹ 1000 हो गया, तो बताओ उसके वेतन में कितने प्रतिशत की वृद्धि हुई?
A. 24% B. 25%
C. 35% D. 28%

8. किसी शहर की जनसंख्या 4000 से बढ़कर 5000 हो जाती है, तो बताओ इस जनसंख्या में कितने % की कमी करें ताकि पुनः वही जनसंख्या हो जाए?
A. 25% B. 20%
C. 30% D. 40%

9. किसी संख्या में से से 15 घटाने पर उस संख्या में 20% की कमी हो जाती है, तो उस संख्या का 60% क्या है?

A. 75 B. 35
C. 45 D. 55

10. 5 घंटा, एक दिन का कितना % है?

A. 22% B. $20\frac{5}{6}\%$
C. 26% D. 40%

11. यदि x का 30% का 15% = 18, तो x का मान है:

A. 375 B. 425
C. 300 D. 400

12. यदि x का $x\%$ = 36, हो, तो x का मान है:

A. 45 B. 60
C. 75 D. 80

13. किसी संख्या के 60% में से 60 घटाने पर 60 प्राप्त होता है। वह संख्या है:

A. 175 B. 160
C. 125 D. 200

14. 4.8 को प्रतिशतता में व्यक्त करने पर प्राप्त होगा:

A. 0.48% B. 4.8%
C. 48% D. 480%

15. $\frac{2}{3}, \frac{1}{3}$ का कितने प्रतिशत है?

A. $33\frac{1}{3}\%$ B. 50%
C. 150% D. 200%

16. किस संख्या का 75%, 15 है?

A. 28 B. 20
C. 32 D. 30

17. किसी संख्या का 35%, 175 है। तब, 175 का कितने प्रतिशत वह संख्या होगी?

A. 35% B. 65%
C. 280% D. इनमें से कोई नहीं

18. एक संख्या में 25% कमी करने पर यह 225 हो जाती है। इसमें कितने प्रतिशत वृद्धि की जाये कि वह 375 हो जाये?

A. 25% B. 45%
C. 35% D. 15%

19. यदि x, y से 10% कम है तथा y, 125 से 10% अधिक है, तो x का मान है:

A. 123.75 B. 140.55
C. 143 D. 150

20. यदि x, y से 10% अधिक हो, तो y, x से कितने प्रतिशत कम है?

A. $9\frac{2}{11}\%$ B. $9\frac{1}{11}\%$
C. $2\frac{9}{11}\%$ D. $4\frac{11}{12}\%$

उत्तरमाला

1	2	3	4	5	6	7	8	9	10
B	C	B	C	B	B	B	B	C	B
11	**12**	**13**	**14**	**15**	**16**	**17**	**18**	**19**	**20**
D	B	D	D	D	B	D	A	A	B

व्याख्यात्मक उत्तर

1. $800 \times \frac{40}{100} = 320$

2. $1200 \times x\% = 900$

$\Rightarrow \frac{1200 \times x}{100} = 900$

$\Rightarrow x = \frac{900}{1200} \times 100 = 75\%$

अर्थात् जिसके साथ "का" लगा होता है उसे नीचे लिखते हैं।

3. $x \times 65\% = 260$

$\frac{x \times 65}{100} = 260$

$\Rightarrow x = 400$

4. 1% का $\frac{1}{2} = \frac{1}{100} \times \frac{1}{2} = \frac{1}{200} = .005.$

5. $12.5\% = \frac{12.5}{100} = \frac{125}{1000} = \frac{1}{8}.$

6. प्रथम वस्तु का वजन, दूसरी वस्तु के वजन का

$\frac{3}{5} \times 100 = 60\%.$

7. वेतन में वृद्धि = 1000 – 800 = ₹ 200

% वृद्धि = $\frac{200}{800} \times 100 = 25\%.$

8. जनसंख्या में कमी = 5000 – 4000 = ₹ 1000

% कमी = $\frac{1000}{5000} \times 100 = 20\%.$

9. माना वह संख्या = x

$x - 15 = \frac{80x}{100}$

$$5x - 75 = 4x$$
$$x = 75$$

तो $75 \times \frac{60}{100} = 45$

दूसरी विधि $20\% = 15$

तो $60\% = \frac{15}{20} \times 60 = 45.$

10. $\frac{5}{24} \times 100 = 20\frac{5}{6}\%.$

11. $\left(x \times \frac{30}{100} \times \frac{15}{100}\right) = 18$

$\Rightarrow 9x = 3600$

$\Rightarrow x = 400.$

12. $\left(x \times \frac{x}{100}\right) = 36$

$\Rightarrow x^2 = 3600$

$\Rightarrow x = \sqrt{3600} = 60.$

13. माना संख्या $= x$ तब, (x का 60%) – 60 = 60

$\Rightarrow \left(x \times \frac{60}{100}\right) = 120$

$\Rightarrow \frac{3x}{5} = 120$

$\Rightarrow x = \frac{(120 \times 5)}{3} = 200.$

14. $4.8 = \left(\frac{48}{10} \times 100\right)\% = 480\%.$

15. अभीष्ट $\% = \left\{\frac{(2/3)}{(1/3)} \times 100\right\}\% = 200\%.$

16. माना x का 75% = 15, तब, $x \times \frac{75}{100} = 15$

$\Rightarrow x = \frac{(15 \times 100)}{75} = 20.$

17. माना x का 35% = 175

तब, $x \times \frac{35}{100} = 175$

$\Rightarrow x = \left(175 \times \frac{100}{35}\right) = 500$

माना 175 का $y\% = 500$ तब, $175 \times \frac{y}{100} = 500$

$\Rightarrow y = \left(\frac{500 \times 100}{175}\right) = 285\frac{5}{7}\%.$

18. माना संख्या $= x$

तब, x का $75\% = 225$

$\Rightarrow x \times \frac{75}{100} = 225$

$\Rightarrow x = \left(\frac{225 \times 100}{75}\right) = 300$

अब मूल संख्या = 300

वृद्धि के बाद संख्या = 375

इच्छित % वृद्धि $= \left(\frac{75}{300} \times 100\right)\% = 25\%.$

19. $x = y$ का $90\% = \left(y \times \frac{90}{100}\right) = \frac{9y}{10}$

$y = 125$ का $110\% = \left(125 \times \frac{110}{100}\right) = 137.5$

$\therefore x = \left(\frac{9}{10} \times 137.5\right) = (9 \times 13.75) = 123.75.$

20. $x = y$ का $110\% = \left(y \times \frac{110}{100}\right) = \frac{11y}{10}$

$\Rightarrow y = \frac{10x}{11}$

अभीष्ट $\% = \left\{\frac{(x-y)}{x} \times 100\right\}\%$

$= \left\{\frac{\left(x - \frac{10x}{11}\right)}{x} \times 100\right\}\%$

$= \frac{100}{11}\% = 9\frac{1}{11}\%.$

●●●

8 वर्गमूल

❖ **वर्ग (Square):** यदि x कोई संख्या हो, तो $x \times x = x^2$ को x का वर्ग कहते हैं।

जैसे: 8 का वर्ग = $8 \times 8 = 64$
12 का वर्ग = $12 \times 12 = 144$
30 का वर्ग = $30 \times 30 = 900$

❖ **घन (Cube):** यदि x कोई संख्या हो, तो $x \times x \times x = x^3$ को x का घन कहते हैं।

जैसे: 5 का घन = $5^3 = 125$
8 का घन = $8^3 = 512$
11 का घन = $11^3 = 1331$

❖ **वर्गमूल (Square root):** यदि x का वर्ग x^2 हो, तो x को x^2 का वर्गमूल कहते हैं। इसे $\sqrt{x}$ या $x^{1/2}$ संकेतों से व्यक्त किया जाता है।

जैसे: $\because$ 6 का वर्ग = $6^2 = 36$
अतः 36 का वर्गमूल 6 है।
या $\sqrt{36} = 6$ या $(36)^{1/2} = 6$
$\because$ 9 का वर्ग = $9^2 = 81$
अतः 81 का वर्गमूल 9 है।
या $\sqrt{81} = 9$
या $(81)^{1/2} = 9$
$\because$ 13 का वर्ग = $13^2 = 169$
अतः 169 का वर्गमूल 13 है।
या $\sqrt{169} = 13$
या $(169)^{1/2} = 13$

वस्तुनिष्ठ प्रश्न

1. $\sqrt{53824} = ?$
A. 222 B. 232
C. 212 D. 208

2. $\sqrt{64009} = ?$
A. 253 B. 343
C. 263 D. 247

3. $\sqrt{0.000441} = ?$
A. 0.00021 B. 0.0021
C. 0.021 D. 0.21

4. $\sqrt{0.00004761} = ?$
A. 0.00069 B. 0.0069
C. 0.069 D. 0.0609

5. $\sqrt{1.5625} = ?$
A. 1.05 B. 1.25
C. 1.45 D. 1.55

6. $\sqrt{176 + \sqrt{2401}} = ?$
A. 13 B. 15
C. 16 D. 18

7. $\sqrt{50} \times \sqrt{98} = ?$
A. 65 B. 63
C. 70 D. 72

8. $\sqrt{10 + \sqrt{25 + \sqrt{108 + \sqrt{154 + \sqrt{225}}}}} = ?$
A. 4 B. 6
C. 8 D. 10

9. यदि $\sqrt{1 + \frac{x}{169}} = \frac{14}{13}$ हो, तो x का मान कितना है?
A. 15 B. 11
C. 27 D. इनमें से कोई

10. यदि $\sqrt{3^n} = 729$ हो, तो n का मान है:
A. 6 B. 10
C. 16 D. 12

11. $\sqrt{15612 + \sqrt{154 + \sqrt{225}}}$ का मान है:
A. 128 B. 145
C. 65 D. 125

12. $\dfrac{\sqrt{80}-\sqrt{112}}{\sqrt{45}-\sqrt{63}}=?$

A. $\dfrac{3}{4}$ B. $1\dfrac{1}{3}$

C. $1\dfrac{3}{4}$ D. $1\dfrac{7}{9}$

13. $\left(\dfrac{2+\sqrt{3}}{2-\sqrt{3}}+\dfrac{2-\sqrt{3}}{2+\sqrt{3}}+\dfrac{\sqrt{3}-1}{\sqrt{3}+1}\right)=?$

A. $\left(16-\sqrt{3}\right)$ B. $\left(4-\sqrt{3}\right)$

C. $\left(2-\sqrt{3}\right)$ D. $\left(2+\sqrt{3}\right)$

14. यदि $x=\left(7-4\sqrt{3}\right)$ हो, तो $\left(x+\dfrac{1}{x}\right)$ का मान है:

A. $3\sqrt{3}$ B. $8\sqrt{3}$

C. 14 D. $14+8\sqrt{3}$

15. यदि $x=\dfrac{\sqrt{3}+1}{\sqrt{3}-1}$ तथा $y=\dfrac{\sqrt{3}-1}{\sqrt{3}+1}$ हो, तो (x^2+y^2) का मान कितना है?

A. 10 B. 13

C. 14 D. 15

16. $\left(7+3\sqrt{5}\right)\left(7-3\sqrt{5}\right)$ का वर्गमूल कितना है?

A. $\sqrt{5}$ B. 2

C. 4 D. $3\sqrt{5}$

17. $\sqrt{6+\sqrt{6+\sqrt{6+....}}}=?$

A. 2 B. 3

C. 4 D. 5

18. $\sqrt{12+\sqrt{12+\sqrt{12+...}}}=?$

A. 3 B. 4

C. 6 D. 6 से अधिक

19. वह छोटी से छोटी संख्या कौन-सी है जिससे 5808 को गुणा करने पर प्राप्त गुणनफल एक पूर्ण वर्ग हो?

A. 2 B. 3

C. 7 D. 11

20. वह छोटी से छोटी संख्या कौन-सी है जिससे 1470 को भाग देने पर प्राप्त भागफल एक पूर्ण वर्ग हो?

A. 5 B. 6

C. 15 D. 30

21. 549162 में से छोटी से छोटी कौन-सी संख्या घटाई जाये कि शेष बची संख्या एक पूर्ण वर्ग हो?

A. 28 B. 36

C. 62 D. 81

22. 680621 में छोटी से छोटी कौन-सी संख्या जोड़ी जाये कि योगफल एक पूर्ण वर्ग हो जाए?

A. 4 B. 3

C. 7 D. 5

उत्तरमाला

1	2	3	4	5	6	7	8	9	10
B	A	C	B	B	B	C	A	C	D
11	**12**	**13**	**14**	**15**	**16**	**17**	**18**	**19**	**20**
D	B	A	C	C	B	B	B	B	D
21	**22**								
D	A								

व्याख्यात्मक उत्तर

1.

भाजक	संख्या	भागफल
2	$5\,\overline{38}\,\overline{24}$	232
	4	
43	138	
	129	
462	924	
	924	
	×	

$\therefore\ \sqrt{53824}=232$

2.

भाजक	संख्या	भागफल
2	$6\,\overline{40}\,\overline{09}$	253
	4	
45	240	
	225	
503	1509	
	1509	
	×	

$\therefore\ \sqrt{64009}=253$

3. $\sqrt{0.000441}=\sqrt{\dfrac{441}{1000000}}=\sqrt{\dfrac{(21)^2}{(1000)^2}}=\dfrac{21}{1000}=.021$

4. $\sqrt{0.00004761}$

$=\sqrt{\dfrac{4761}{100000000}}=\sqrt{\dfrac{(69)^2}{(10000)^2}}=\dfrac{69}{10000}=0.0069$

5. $\sqrt{1.5625}=\sqrt{\dfrac{15625}{10000}}=\sqrt{\dfrac{(125)^2}{(100)^2}}=\dfrac{125}{100}=1.25$

6.

भाजक	संख्या	भागफल
4	$\overline{24}\,\overline{01}$	49
	16	
89	801	
	801	
	×	

$\sqrt{176+\sqrt{2401}}=\sqrt{176+49}=\sqrt{225}=15$

7. $\sqrt{50}\times\sqrt{98} = \sqrt{50\times98}=\sqrt{50\times2\times49}$
$= \sqrt{100\times49} = (10 \times 7) = 70$

8. दिया गया व्यंजक
$=\sqrt{10+\sqrt{25+\sqrt{108+\sqrt{154+15}}}}$
$=\sqrt{10+\sqrt{25+\sqrt{108+\sqrt{169}}}} = \sqrt{10+\sqrt{25+\sqrt{108+13}}}$
$=\sqrt{10+\sqrt{25+\sqrt{121}}} = \sqrt{10+\sqrt{25+11}}$
$=\sqrt{10+\sqrt{36}}=\sqrt{10+6}=\sqrt{16}=4$

9. $\left(1+\frac{x}{169}\right)=\left(\frac{14}{13}\right)^2 \Leftrightarrow \left(1+\frac{x}{169}\right)=\frac{196}{169}$
$\Leftrightarrow \frac{x}{169}=\left(\frac{196}{169}-1\right)=\frac{(196-169)}{169} \Leftrightarrow \frac{x}{169}=\frac{27}{169}$
$\Rightarrow \quad x = 27.$

10. $\sqrt{3^n}=729=3^6 \Leftrightarrow 3^n=(3^6)^2 \Leftrightarrow 3^n=3^{12} \Leftrightarrow n=12$

11. दिया गया व्यंजक
$=\sqrt{15612+\sqrt{154+15}} = \sqrt{15612+\sqrt{169}}$
$=\sqrt{15612+13}=\sqrt{15625}=125$

12. $\frac{\sqrt{80}-\sqrt{112}}{\sqrt{45}-\sqrt{63}}=\frac{\sqrt{16\times5}-\sqrt{16\times7}}{\sqrt{9\times5}-\sqrt{9\times7}}$
$=\frac{\sqrt{16}\times\sqrt{5}-\sqrt{16}\times\sqrt{7}}{\sqrt{9}\times\sqrt{5}-\sqrt{9}\times\sqrt{7}} = \frac{4(\sqrt{5}-\sqrt{7})}{3(\sqrt{5}-\sqrt{7})}=\frac{4}{3}=1\frac{1}{3}$

13. दिया गया व्यंजक
$=\frac{(2+\sqrt{3})}{(2-\sqrt{3})}\times\frac{(2+\sqrt{3})}{(2+\sqrt{3})}+\frac{(2-\sqrt{3})}{(2+\sqrt{3})}\times\frac{(2-\sqrt{3})}{(2-\sqrt{3})}+\frac{(\sqrt{3}-1)}{(\sqrt{3}+1)}\times\frac{(\sqrt{3}-1)}{(\sqrt{3}-1)}$
$=\frac{(2+\sqrt{3})^2}{(4-3)}+\frac{(2-\sqrt{3})^2}{(4-3)}+\frac{(\sqrt{3}-1)^2}{(3-1)}$
$=(2+\sqrt{3})^2+(2-\sqrt{3})^2+\frac{1}{2}(\sqrt{3}-1)^2$
$=2(4+3)+\frac{1}{2}(3+1-2\sqrt{3}) = 14+(2-\sqrt{3})=(16-\sqrt{3})$

14. $\frac{1}{x}=\frac{1}{(7-4\sqrt{3})}=\frac{1}{(7-4\sqrt{3})}\times\frac{(7+4\sqrt{3})}{(7+4\sqrt{3})}$
$=\frac{(7+4\sqrt{3})}{49-48}=(7+4\sqrt{3})$
$\therefore \left(x+\frac{1}{x}\right)=(7-4\sqrt{3})+(7+4\sqrt{3})=14$

15. $(x+y)=\frac{\sqrt{3}+1}{\sqrt{3}-1}+\frac{\sqrt{3}-1}{\sqrt{3}+1}$
$=\frac{(\sqrt{3}+1)^2+(\sqrt{3}-1)^2}{(3-1)}=\frac{2\left[(\sqrt{3})^2+1^2\right]}{2}$
$=(3+1)=4$
$xy=\frac{\sqrt{3}+1}{\sqrt{3}-1}\times\frac{\sqrt{3}-1}{\sqrt{3}+1}=1$
$(x^2+y^2)=(x+y)^2-2xy = (4)^2-(2\times1) = (16-2)=14$

16. $(7+3\sqrt{5})(7-3\sqrt{5})=(7)^2-(3\sqrt{5})^2=(49-45)=4$
अतः अभीष्ट वर्गमूल $=\sqrt{4}=2$

17. माना दिया गया व्यंजक $= a$
तब, $a=\sqrt{6+a} \Leftrightarrow a^2=(6+u) \Leftrightarrow a^2-a-6=0$
$\Leftrightarrow (a-3)(a+2)=0 \quad \Leftrightarrow a=3 \quad [\because\ a\neq-2]$

18. माना दिया गया व्यंजक $= a$
तब, $a=\sqrt{12+a} \Leftrightarrow a^2=a+12$
$\Leftrightarrow a^2-a-12=0$
$\Leftrightarrow (a-4)(a+3)=0 \Leftrightarrow a=4$

19. $5808 = 2^2\times2^2\times3\times11^2$ $\therefore$ अभीष्ट संख्या = 3

2	5808
2	2904
2	1452
2	726
3	363
11	121
	11

20. $1470 = (7\times7\times30)$
अतः पूर्ण वर्ग बनाने के लिए इसे 30 से भाग देना होगा।

21.

7	$\overline{54}\,\overline{91}\,\overline{62}$	741
	49	
144	591	
	576	
1481	1562	
	1481	
	81	

अतः घटाई जाने वाली अभीष्ट संख्या = 81

22.

8	$\overline{68}\,\overline{06}\,\overline{21}$	824
	64	
162	406	
	324	
1644	8221	
	6576	
	1645	

$\therefore$ जोड़ी जाने वाली अभीष्ट संख्या $= (825)^2 - 680621$
$= 680625 - 680621 = 4$

●●●

9 औसत

❖ **औसत (Average):** दो या दो से अधिक संख्याओं का औसत वह संख्या है, जो उन सभी संख्याओं के योगफल को उनकी संख्या से भाग देने पर प्राप्त होता है।

vr %$x_1, x_2, x_3 .... x_n$

$$\text{संख्याओं का औसत} = \frac{x_1 + x_2 + ... + x_n}{n}$$

$$\text{अर्थात् औसत} = \frac{\text{सभी संख्याओं का योग}}{\text{संख्याओं की संख्या}}$$

या सभी संख्याओं का योग
= औसत × संख्याओं की संख्या

TRICKY METHOD

$$\text{औसत} = \frac{\text{कुल राशियों का योग}}{\text{कुल राशियों की संख्या}}$$

कुल राशियों का योग
= औसत × राशियों की संख्या

वस्तुनिष्ठ प्रश्न

1. 32 छात्रों की औसत आयु 10 वर्ष है। यदि अध्यापक की आयु भी सम्मिलित कर ली जाए, तो औसत आयु में 1 वर्ष की वृद्धि हो जाती है, बताओ अध्यापक की आयु क्या है?

A. 45 वर्ष B. 42 वर्ष
C. 43 वर्ष D. 40 वर्ष

2. 34 मजदूरों के 1 दिन का औसत वेतन ₹ 46.50 है एक मजदूर के आ जाने से औसत वेतन में 50 पैसे की वृद्धि हो जाती है तो इस नये मजदूर का वेतन क्या होगा?

A. ₹ 48 B. ₹ 80
C. ₹ 64 D. ₹ 96

3. एक कक्षा में 50 छात्र हैं। 40 किग्रा. वजन वाला एक छात्र चला जाता है तथा उसी समय एक अन्य कक्षा में आ जाता है। यदि इस प्रकार कक्षा का औसत वजन 100 ग्राम बढ़ जाए तो नये छात्र का वजन क्या है?

A. 28 किग्रा. B. 40 किग्रा.
C. 35 किग्रा. D. 45 किग्रा.

4. 20 लड़कों की औसत आयु 14 वर्ष है। 16 वर्ष का एक लड़का उन्हें छोड़कर चला जाता है और नया लड़का उसके स्थान पर आ जाता है। यदि अब उनकी औसत आयु 13.8 वर्ष हो तो नये लड़के की आयु कितनी है?

A. 15 वर्ष B. 12 वर्ष
C. 13 वर्ष D. इनमें से कोई नहीं

5. किसी कक्षा में 50 विद्यार्थी है। 50 किग्रा. भार वाला एक विद्यार्थी चला जाता है तथा उसके स्थान पर एक नया विद्यार्थी आ जाता है। जिससे कक्षा का औसत भार 1/2 किग्रा. बढ़ जाता है तो नये विद्यार्थी का भार है?

A. 65 किग्रा. B. 80 किग्रा.
C. 75 किग्रा. D. 62 किग्रा.

6. क्रिकेट के एक खिलाड़ी ने 24 पारियों में कुछ औसत रन बनाये। 25वीं पारी में उसने 90 रन बनाये जिससे 25वीं पारी का औसत 3 अधिक हो गया तो बताओ 24वीं पारी का औसत क्या है?

A. 15 B. 16
C. 22 D. 20

7. क्रिकेट के एक खिलाड़ी की 6 पारियों की कुछ औसत रन संख्या थी। 7वीं पारी में उसने 50 रन बनाये जिससे उसका औसत 4 बढ़ गया तो बताओ 7वीं पारी का औसत क्या था?

A. 28 B. 26
C. 24 D. 25

8. 18 संख्याओं का औसत 20 निकाला गया। परन्तु बाद में पता चला कि एक संख्या 53 के स्थान पर 35 जोड़ ली गई, तो बताओ सही औसत क्या है?

A. 16 B. 22
C. 17 D. 21

9. 20 संख्याओं का औसत 23 निकाला गया। परन्तु बाद में ज्ञात हुआ कि एक संख्या 67 के स्थान पर 87 पढ़ ली गई, तो बताओ उसका सही औसत क्या है?

A. 19 B. 22
C. 20 D. 25

10. 14 छात्रों के प्राप्तांकों का औसत 71 था। लेकिन बाद में पता चला कि एक छात्र के प्राप्तांक 56 के बजाय 42 और दूसरे के 32 के बजाय 74 लिख दिये गये थे। अतः सही औसत बताओ।

A. 65 B. 66
C. 69 D. 68

11. संख्याएँ 1, 2, 3, ...92 का औसत कितना होगा?

A. 42 B. 46.5
C. 44 D. 45.5

12. संख्याएँ 20, 21, 22 ..... 120 का औसत कितना होगा?

A. 65 B. 60
C. 75 D. 70

13. संख्याएँ $1^2, 2^2, 3^2 .... 50^2$ का औसत कितना होगा?

A. 858.5 B. 859.5
C. 856 D. 857

14. संख्याएँ $1^3, 2^3, 3^3, ... 20^3$ का औसत क्या है?

A. 2215 B. 2205
C. 2202 D. 2212

15. 1 से 200 तक की सभी सम संख्याओं का औसत क्या है?

A. 108 B. 110
C. 102 D. 101

16. 1 से 299 तक की सभी विषम संख्याओं का औसत क्या है?

A. 150 B. 155
C. 147 D. 148

17. 7 के प्रथम सात गुणज का औसत क्या होगा?

A. 26 B. 28
C. 32 D. 24

18. एक बस दिल्ली से लखनऊ 80 किमी./घंटा की गति से जाती है और 40 किमी./घंटा की गति से लौट आती है। पूरी यात्रा में उसकी औसत गति (किमी./घंटा) क्या थी?

A. $49\frac{1}{3}$ B. $53\frac{1}{3}$
C. $50\frac{1}{3}$ D. $55\frac{1}{3}$

19. एक समिति के 12 सदस्यों की औसत आयु 56 वर्ष है। दो सदस्य जिनकी उम्र क्रमशः 60 वर्ष और 52 वर्ष थी, की मृत्यु हो गयी। शेष सदस्यों की औसत आधु क्या है?

A. 58 वर्ष B. 52 वर्ष
C. 56 वर्ष D. 53 वर्ष

20. सरकार ने 8 सदस्यों की एक समिति बनायी और बाद में 45 वर्ष और 50 वर्ष के दो पुरुषों के स्थान पर दो स्त्रियों को शामिल कर लिया गया और इस तरह से समिति के सदस्यों की औसत आयु 3.5 वर्ष घट गयी। उन दोनों स्त्रियों की औसत आयु क्या है?

A. 35 वर्ष B. $33\frac{1}{2}$ वर्ष
C. $34\frac{1}{2}$ वर्ष D. 34 वर्ष

21. किसी कक्षा में 24 छात्रों का औसत वजन 32 किग्रा. है। एक शिक्षक को भी शामिल कर लेने से औसत वजन 2 किग्रा. बढ़ जाता है। उस शिक्षक का वजन कितना है?

A. 82 किग्रा. B. 88 किग्रा.
C. 84 किग्रा. D. 87 किग्रा.

22. किसी फैक्ट्री में 50 मजुदर काम करते हैं, जिनकी औसत मजदूरी ₹ 2100 रु. है। यदि मैनेजर का वेतन भी शामिल कर लिया जाए, तो औसत मजदूरी ₹ 90 से बढ़ जाती है। मैनेजर का वेतन कितना है?

A. ₹ 6690 B. ₹ 6675
C. ₹ 6689 D. ₹ 6699

23. 9 संख्याओं का औसत 24 है। यदि प्रत्येक संख्या को 12 से गुणा किया जाए, तो इस तरह से प्राप्त नयी संख्याओं का औसत क्या होगा?

A. 278 B. 298
C. 288 D. 268

24. 7 संख्याओं का औसत 18 है। यदि प्रत्येक संख्या को 3 से भाग दिया जाए, तो इस तरह से प्राप्त संख्याओं का औसत कितना होगा?

A. 2 B. 6
C. 4 D. 5

25. 14 संख्याओं का औसत 28 है। यदि सभी संख्या में 3 जोड़ दिया जाए तो इस तरह से प्राप्त नयी संख्याओं का औसत कितना होगा?

A. 28 B. 29
C. 31 D. 35

उत्तरमाला

1	2	3	4	5	6	7	8	9	10
C	C	D	B	C	A	B	D	B	C
11	**12**	**13**	**14**	**15**	**16**	**17**	**18**	**19**	**20**
B	D	A	B	D	A	B	B	C	B
21	**22**	**23**	**24**	**25**					
A	A	C	B	C					

व्याख्यात्मक उत्तर

1. अध्यापक की आयु

= पहला औसत + (कुल व्यक्ति × औसत वृद्धि)
= 10 + (33 × 1)
= 10 + 33 = 43 वर्ष

2. नये मजदूर का वेतन

= पहला औसत + (कुल व्यक्ति × औसत वृद्धि)
= 46.50 + (35 × 0.50)
= 46.50 + 17.50 = ₹ 64

3. नये छात्र का वजन

= पहले का वजन + (कुल संख्या × औसत में वृद्धि)

= 40 + (50 × 100) = 40 + 5 = 45 किग्रा.

4. नये लड़के की आयु

= पुराने लड़के की आयु – (कुल संख्या × औसत में कमी)

= 16 – (20 × 0.2) = 16 – 4 = 12 वर्ष

5. नये विद्यार्थी का भार

= पुराने लड़के का भार ± (औसत × संख्या)

$= 50 + \left(50 \times \frac{1}{2}\right) = 50 + 25 = 75$ किग्रा.

6. पहली पारी का औसत

= नये कुल रन – (दूसरी पारी × औसत में वृद्धि)

= 90 – (25 × 3) = 90 – 75 = 15 रन

7. पहली पारी का औसत

= नये कुल रन – (दूसरी पारी × औसत में वृद्धि)

= 50 – (7 × 4) = 50 – 28 = 22

तो दूसरी पारी का औसत = 22 + 4 = 26

8. सही औसत

$= \text{पुराना औसत} + \frac{\text{सही संख्या} - \text{गलत संख्या}}{\text{कुल संख्या}}$

$= 20 + \frac{53-35}{18} = 20 + \frac{18}{18}$

$= 20 + 1 = 21$

9. सही औसत $= \text{पुराना औसत} - \frac{\text{सही संख्या} - \text{गलत संख्या}}{\text{कुल संख्या}}$

$= 23 - \frac{67-87}{20} = 23 - \frac{20}{20} = 23 - 1 = 22$

10. सही औसत $= \text{पुराना औसत} + \frac{\text{सही} - \text{गलत}}{\text{कुल संख्याएँ}}$

$= 71 + \frac{(56+32)-(42+74)}{14}$

$= 71 + \frac{-28}{14} = 71 - 2 = 69$

11. अभीष्ट औसत $= \frac{n+1}{2} = \frac{92+1}{2} = \frac{93}{2} = 46.5$

12. अभीष्ट औसत $= \frac{a+m}{2} = \frac{20+120}{2} = \frac{140}{2} = 70$

13. अभीष्ट औसत $= \frac{(n+1)(2n+1)}{6}$

$= \frac{(50+1)(2\times 50+1)}{6} = \frac{51\times 101}{6} = 858.5$

14. अभीष्ट औसत $= \frac{n(n+1)^2}{4}$

$= \frac{20(20+1)^2}{4} = \frac{20\times 441}{4} = 2205$

15. सम संख्याओं का अभीष्ट औसत $= \left(\frac{n}{2}+1\right) = \left(\frac{200}{2}+1\right) = 101$

16. विषम संख्याओं का अभीष्ट औसत

$= \frac{\text{उच्च सीमा + निम्न सीमा}}{2}$

$= \frac{299+1}{2} = \frac{300}{2} = 150$

17. 7 के प्रथम सात गुणज 7, 14, 21, 28, 35, 42, 49 है।

∴ औसत ठीक बीच वाली संख्या 28 होगी।

या

अभीष्ट औसत $= \frac{7+49}{2} = \frac{56}{2} = 28$

18. अभीष्ट औसत गति $= \frac{2\times 80\times 40}{(80+40)}$

$= \frac{2\times 80\times 40}{120} = \frac{160}{3} = 53\frac{1}{3}$ किमी./घंटा

19. 12 सदस्यों की कुल आयु = 12 × 56 = 672 वर्ष

शेष 10 सदस्यों की कुल आयु = 672 – (60 + 52)

= 672 – 112 = 560 वर्ष

∴ अभीष्ट औसत $= \frac{560}{10} = 56$ वर्ष

20. दोनों स्त्रियों की कुल आयु = (45 + 50) – 8 × 3.5

= 95 – 28 = 67 वर्ष

∴ अभीष्ट औसत उम्र $= \frac{67}{2} = 33\frac{1}{2}$ वर्ष

21. शिक्षक का अभीष्ट वजन = 32 × 1 + (24 + 1) × 2

= 32 + 50 = 82 किग्रा.

22. मैनेजर का वेतन = 2100 + (50 + 1)90

= 2100 + 51 × 90 = 2100 + 4590 = ₹ 6690

23. अभीष्ट औसत = 24 × 12 = 288

24. अभीष्ट औसत $= \frac{18}{3} = 6$

25. अभीष्ट औसत = 28 + 3 = 31

●●●

10 लाभ, हानि और बट्टा

❖ **क्रय मूल्य (Cost Price):** जिस मूल्य पर कोई वस्तु खरीदी जाती है वह मूल्य उस वस्तु का क्रय मूल्य कहलाता है।
जैसेः राम ने एक पंखा ₹ 500 में खरीदा तथा ₹ 600 में बेच दिया। यहाँ क्रय मूल्य ₹ 500 है।

❖ **विक्रय मूल्य (Selling Price):** जिस मूल्य पर कोई वस्तु बेची जाती है, उसे उस वस्तु का विक्रय मूल्य कहते हैं।
जैसेः राम ने एक पुस्तक ₹ 50 में खरीदी तथा ₹ 80 में बेच दी। यहाँ विक्रय मूल्य ₹ 80 है।

❖ **लाभ (Profit):** यदि किसी वस्तु का विक्रय-मूल्य उसके क्रय-मूल्य से अधिक हो, तो वहाँ लाभ होता है।

❖ **हानि (Loss):** यदि किसी वस्तु का क्रय-मूल्य उसके विक्रय-मूल्य से अधिक हो, तो वहाँ हानि होती है।

❖ **उपरिव्यय (Overhead Expenditure):** यह वह व्यय है जो किसी व्यापारी को किसी वस्तु के क्रय मूल्य के अतिरिक्त वहन करना जरूरी हो जाता है।
जैसेः श्याम ने 8 टी.वी. ₹ 25000 में खरीदे तथा ₹ 1200 भाड़े और ₹ 600 ढुलाई पर खर्च किया।
अतः उपरिव्यय = 1200 + 600 = ₹ 1800
इसे लागत या क्रय-मूल्य में जोड़ दिया जाता है।

❖ **अंकित मूल्य (Marked Price):** यह वह मूल्य है जो किसी वस्तु पर या उसके पैकेट पर अंकित रहता है।
जैसेः किसी साबुन के पैकेट पर लिखा है "Price ₹ 10 (inclusive of all taxes)" अर्थात् अंकित मूल्य ₹ 10 है। इसे सूची मूल्य भी कहा जाता है।

❖ **बट्टा (Discount):** किसी वस्तु के अंकित मूल्य पर जो छूट दी जाती है उसे बट्टा कहते हैं।
जैसेः एक साड़ी की कीमत ₹ 200 है तथा यह 20% छूट पर बेची जाती है। अतः बट्टा = 20%.

❖ **क्रमिक बट्टा (Successive Discount):** जब किसी वस्तु के अंकित मूल्य पर r_1 % की छूट देने के बाद शेष धनराशि पर r_2 % की छूट दी जाए, फिर r_2 % की छूट देने के बाद शेष धनराशि पर r_3 % की छूट दी जाए, तो r_1 %, r_2 % तथा r_3 % को क्रमिक बट्टा कहा जाता है।

महत्वपूर्ण सूत्र

1. क्रय मूल्य (CP) = विक्रय मूल्य (SP) – लाभ (Profit)
2. क्रय मूल्य (CP) = विक्रय मूल्य (SP) + हानि (Loss)
3. लाभ (Profit) = विक्रय मूल्य (SP) – क्रय मूल्य (CP)
4. हानि (Loss) = क्रय मूल्य (CP) – विक्रय मूल्य (SP)
5. प्रतिशत लाभ = $\frac{\text{लाभ}}{\text{क्रय मूल्य}} \times 100$
6. प्रतिशत हानि = $\frac{\text{हानि}}{\text{क्रय मूल्य}} \times 100$
7. **क्रय मूल्य** = विक्रय मूल्य × $\left(\frac{100}{100+P}\right)$
   = विक्रय मूल्य × $\left(\frac{100}{100-L}\right)$
8. **विक्रय मूल्य** = क्रय मूल्य × $\left(\frac{100+P}{100}\right)$
   = क्रय मूल्य × $\left(\frac{100-L}{100}\right)$

(जहाँ P = प्रतिशत लाभ तथा L = प्रतिशत हानि)

वस्तुनिष्ठ प्रश्न

1. यदि 16 वस्तुओं का विक्रय-मूल्य 20 वस्तुओं के क्रय-मूल्य के बराबर हो, तो विक्रेता को:
A. 10% हानि होगी
B. 15% लाभ होगा
C. 25% हानि होगी
D. 25% लाभ होगा

2. यदि 8 वस्तुओं का क्रय-मूल्य 9 वस्तुओं के विक्रय-मूल्य के बराबर हो, तो विक्रेता को कितना प्रतिशत लाभ अथवा हानि होगी?
A. $11\frac{1}{9}$% लाभ
B. $11\frac{1}{9}$% हानि
C. $12\frac{1}{2}$% लाभ
D. $12\frac{1}{2}$% हानि

3. एक फल-विक्रेता ने 100 संतरे ₹ 350 में खरीद कर ₹ 48 प्रति दर्जन के भाव से बेच दिये। उसे कितने प्रतिशत लाभ अथवा हानि हुई?

A. $14\frac{2}{7}$% लाभ B. 12% लाभ
C. $14\frac{2}{7}$% हानि D. 12% हानि

4. A ने कोई वस्तु ₹ 400 की खरीदकर B को 20% लाभ पर बेच दी। B ने इसे C को 10% लाभ पर बेच दिया। C ने इसे कितने में खरीदा?

A. ₹ 482 B. ₹ 582
C. ₹ 528 D. ₹ 428

5. प्रीति ने एक पुस्तक 10% हानि पर बेची। यदि वह इसे ₹ 85 अधिक में बेचती, तो उसे 7% लाभ होता। पुस्तक का क्रय-मूल्य क्या है?

A. ₹ 500 B. ₹ 600
C. ₹ 625 D. ₹ 725

6. एक व्यापारी अपनी वस्तुओं को क्रय-मूल्य पर बेचने का दिखावा करता है। परन्तु वह 1 किग्रा. के स्थान पर 900 ग्राम का बाट प्रयोग करता है। उसका लाभ प्रतिशत कितना है?

A. $16\frac{2}{3}$% B. $33\frac{1}{3}$%
C. $8\frac{1}{3}$% D. $11\frac{1}{9}$%

7. एक बेईमान दुकानदार अपनी वस्तुओं को क्रय-मूल्य पर बेचता है, परन्तु कम तोल कर 25% लाभ कमाता है। 1 किग्रा. के लिए वह कितना भार प्रयोग करता है?

A. 775 ग्राम B. 900 ग्राम
C. 800 ग्राम D. 850 ग्राम

8. एक दुकानदार दो घड़ियों में से प्रत्येक को ₹ 616 में बेचता है। इस प्रकार वह एक घड़ी पर 12% लाभ कमाता है तथा दूसरी पर 12% हानि। कुल पर उसे कितना लाभ अथवा हानि होती है?

A. न लाभ न हानि B. $1\frac{11}{25}$% लाभ
C. $1\frac{11}{25}$% हानि D. $3\frac{2}{25}$% हानि

9. एक व्यक्ति को कोई वस्तु एक निश्चित मूल्य पर बेचने से 20% लाभ होता है। यदि वह इसे इससे दुगुने मूल्य पर बेचे, तो उसे कितने प्रतिशत लाभ होगा?

A. 125% B. 130%
C. 135% D. 140%

10. एक फल विक्रेता को ₹ 9 प्रति किग्रा. की दर से आम बेचने पर 20% हानि होती है। इस पर 5% लाभ कमाने के लिए उसे कितने ₹ प्रति किग्रा. की दर से बेचना होगा?

A. ₹ 11.81 B. ₹ 12
C. ₹ 12.25 D. ₹ 12.31

11. एक पंखे का मूल्य ₹ 1600 है तथा यह 20% बट्टे पर बेचा जा रहा है। कोई ग्राहक उसे कितने रुपये में खरीदेगा?

A. ₹ 1280 B. ₹ 1200
C. ₹ 1260 D. ₹ 1240

12. एक वातानुकूलित संयंत्र (A.C.) का अंकित मूल्य ₹ 60000 है और यह 15% बट्टे पर उपलब्ध है। ऋतु परिवर्तन के कारण इसे 10% की अतिरिक्त छूट देकर बेचा जा रहा है। उसका विक्रय मूल्य क्या है?

A. ₹ 46200 B. ₹ 45900
C. ₹ 48200 D. ₹ 44800

13. किसी वस्तु का अंकित मूल्य ₹ 1200 है तथा इसे 10% बट्टे पर बेचा जा रहा है। उस वस्तु की बिक्री बढ़ाने के लिए उस पर अतिरिक्त बट्टा घोषित किया गया और तब वह अंततः ₹ 960 में बिकी। वह अतिरिक्त बट्टा क्या था?

A. 8% B. 10%
C. $10\frac{1}{9}$% D. $11\frac{1}{9}$%

14. एक कूलर का अंकित मूल्य ₹ 3200 है तथा वह नकद 10, $\frac{5}{10}, \frac{3}{20}, \frac{n}{20}$ शर्तों पर खरीदा जा सकता है। यदि रुपयों का भुगतान 15वें दिन किया जाए तो कितने रुपये की छूट मिलेगी तथा वह कूलर कितने रुपये में बिकेगा?

A. ₹ 3000
B. ₹ 3104
C. ₹ 3205
D. ₹ 3108

15. तरुण ने एक टी.वी. सेट उस पर अंकित मूल्य के 20% छूट पर खरीदा। यदि उसने उसे 25% छूट पर खरीदा होता, तो उसे ₹ 500 का फायदा होता। बताइये उसने किस मूल्य पर टी.वी. खरीदा?

A. ₹ 7500
B. ₹ 8000
C. ₹ 8100
D. ₹ 7900

उत्तरमाला

1	2	3	4	5	6	7	8	9	10
D	B	A	C	A	D	C	C	D	A
11	**12**	**13**	**14**	**15**					
A	B	D	B	B					

व्याख्यात्मक उत्तर

1. माना प्रत्येक वस्तु का क्रय-मूल्य = ₹ 1

तब, 16 वस्तुओं का क्रय-मूल्य = ₹ 16

16 वस्तुओं का क्रय-मूल्य = 20 वस्तुओं का क्रय-मूल्य = ₹ 20

₹ 16 पर लाभ = ₹ 4

$\Rightarrow$ लाभ % $= \left(\frac{4}{16}\times 100\right)\% = 25\%$

2. माना प्रत्येक वस्तु का क्रय-मूल्य = ₹ 1

तब, 9 वस्तुओं का क्रय-मूल्य = ₹ 9

9 वस्तुओं का विक्रय-मूल्य = 8 वस्तुओं का क्रय-मूल्य = ₹ 8

₹ 9 पर हानि = ₹ 1

$\Rightarrow$ हानि % $= \left(\frac{1}{9}\times 100\right)\% = 11\frac{1}{9}\%.$

3. 100 संतरों का क्रय-मूल्य = ₹ 350

100 संतरों का विक्रय-मूल्य = ₹ $\left(\frac{48}{12}\times 100\right)$ = ₹ 400

अतः लाभ = ₹ (400 – 350) = ₹ 50

$\Rightarrow$ लाभ % $= \left(\frac{50}{350}\times 100\right)\% = 14\frac{2}{7}\%.$

4. A का विक्रय-मूल्य = ₹ 400 का 120%

= ₹ $\left(400\times\frac{120}{100}\right)$ = ₹ 480

B का विक्रय-मूल्य = ₹ 480 का 110%

= ₹ $\left(480\times\frac{110}{100}\right)$ = ₹ 528

अतः C ने इसे ₹ 528 में खरीदा।

5. माना क्रय मूल्य = ₹ x

तब, (7% लाभ पर विक्रय-मूल्य) – (10% हानि पर विक्रय-मूल्य) = 85

$$\Rightarrow \left(x\times\frac{107}{100}\right)-\left(x\times\frac{90}{100}\right) = 85$$

$$\Rightarrow 107x - 90x = 8500$$

$$\Rightarrow 17x = 8500$$

$$\Rightarrow x = 500$$

अतः पुस्तक का क्रय-मूल्य = ₹ 500.

6. माना 1 किग्रा. का क्रय-मूल्य = ₹ 1000

तब, 900 ग्राम का क्रय-मूल्य = 900

900 ग्राम का विक्रय-मूल्य = 1000

₹ 900 पर लाभ = ₹ 100

$\Rightarrow$ लाभ % $= \left(\frac{100}{900}\times 100\right)\% = 11\frac{1}{9}\%.$

7. माना कि दुकानदार 1000 ग्राम के स्थान पर $(1000 - x)$ ग्राम बाट का प्रयोग करता है तथा 1 ग्राम का क्रय-मूल्य = ₹ 1

तब क्रय-मूल्य = ₹ $(1000 - x)$ तथा विक्रय-मूल्य = ₹ 1000

लाभ = ₹ $[1000 - (1000 - x)]$ = ₹ x

$$\therefore \text{लाभ } \% = \frac{x}{(1000-x)}\times 100$$

$$\Rightarrow \frac{100x}{(1000-x)} = 25$$

$$\Rightarrow 100x = 25000 - 25x$$

$$\Rightarrow 125x = 25000$$

$$\Rightarrow x = 200$$

अतः 1000 ग्राम के स्थान पर वह (1000 – 200) = 800 ग्राम बाट का प्रयोग करता है।

8. इसमें सदैव हानि होती है।

$$\text{हानि } \% = \left(\frac{\text{उभयनिष्ठ लाभ व हानि } \%}{10}\right)^2 \%$$

$$= \left(\frac{12}{10}\right)^2 = \left(\frac{12}{10}\times\frac{12}{10}\right)\% = \frac{36}{25}\% = 1\frac{11}{25}\%.$$

9. माना क्रय मूल्य = ₹ x

तब, विक्रय मूल्य = ₹ x का 120%

= ₹ $\left(x\times\frac{120}{100}\right)$ = ₹ $\frac{6x}{5}$

नया विक्रय मूल्य = ₹ $\left(2\times\frac{6x}{5}\right)$ = ₹ $\frac{12x}{5}$

तब, लाभ = ₹ $\left(\frac{12x}{5}-x\right)$ = ₹ $\frac{7x}{5}$

$\therefore$ लाभ % $= \left(\frac{7x}{5}\times\frac{1}{x}\times 100\right)\% = 140\%.$

10. माना फल विक्रेता ने 1 किग्रा. आम बेचे।

विक्रय मूल्य = ₹ 9, हानि = 20%

$\Rightarrow$ क्रय मूल्य = ₹ $\left(\frac{100}{80}\times 9\right)$ = ₹ $\frac{45}{4}$

अब, क्रय मूल्य = ₹ $\frac{45}{4}$, लाभ = 5%

विक्रय मूल्य = ₹ $\left(\frac{105}{100}\times\frac{45}{4}\right)$ = ₹ 11.81

अतः आम बेचन की दर = ₹ 11.81 प्रति किग्रा.।

11. पंखे का सूची मूल्य = ₹ 1600

बट्टे की राशि = ₹ 1600 का $\frac{20}{100}$ = 320

$\therefore$ विक्रय मूल्य = 1600 – 320 = ₹ 1280

12. अंकित मूल्य = ₹ 60000

बट्टे की राशि = 60000 का $\frac{15}{100}$ = ₹ 9000

शेष राशि = 60000 – 9000 = ₹ 51000

अतिरिक्त बट्टा = 51000 का $\frac{10}{100}$ = ₹ 5100

अतः विक्रय मूल्य = 51000 – 5100 = ₹ 45900

13. अंकित मूल्य = ₹ 1200

पहले बट्टे की राशि = 1200 का $\frac{10}{100}$ = ₹ 120

शेष राशि = 1200 – 120 = ₹ 1080

अतिरिक्त बट्टे की राशि = 1080 – 960 = ₹ 120

$\therefore$ अतिरिक्त बट्टा = $\frac{120}{1080}\times 100 = 11\frac{1}{9}\%$

14. चूँकि भुगतान 15वें दिन होता है, अतः बट्टा की शर्त $\frac{3}{20}$ लागू होगी

अतः बट्टे (छूट) की राशि = 3200 का $\frac{3}{100}$ = ₹ 96

कूलर का विक्रय मूल्य = 3200 – 96 = ₹ 3104

15. माना कि टी.वी. सेट का अंकित मूल्य = ₹ x

$\therefore$ तरुण के लिए टी.वी. का क्रय मूल्य

= ₹ x – ₹ x का 20% = ₹ $\frac{4}{5}x$

प्रश्नानुसार,

25% छूट पर तरुण के लिए टी.वी. सेट का क्रय मूल्य

= ₹ x – ₹ x का 25% = ₹ $\frac{3}{4}x$

$\therefore \frac{4}{5}x = \frac{3}{4}x + 500 \quad \therefore \frac{4x}{5} - \frac{3x}{4} = 500$

$\Rightarrow \frac{x}{20} = 500 \quad \Rightarrow x = 10000$

अतः तरुण ने टी.वी. को $\frac{4}{5}\times 10000$ = ₹ 8000 में खरीदा।

●●●

11 साधारण एवं चक्रवृद्धि ब्याज

❖ **साधारण ब्याज:** जब कोई व्यक्ति, किसी व्यक्ति से कोई राशि उधार लेता है, तो उस राशि के अतिरिक्त वह जो धन (राशि) लौटाता है। वही साधारण ब्याज कहलाता है।

❖ **मूलधन:** उधार दी गई या ली गई राशि मूलधन कहलाती है।

❖ **मिश्रधन:** ब्याज सहित लौटाई गई राशि मिश्रधन कहलाती है। इसमें मूलधन तथा ब्याज दोनों शामिल होते हैं।

❖ **समय:** कर्ज के रूप में लिया गया धन एक निश्चित अवधि के बाद देय होता है। यह अवधि समय कहलाता है।

❖ **दर (Rate):** प्रत्येक कर्ज एक निश्चित दर पर दिया जाता है, जिसे प्रायः प्रतिशत में व्यक्त किया जाता है।

महत्वपूर्ण सूत्र

1. साधारण ब्याज (SI) = $\frac{\text{मूलधन} \times \text{दर} \times \text{समय}}{100}$
2. मिश्रधन (Amount) = मूलधन + साधारण ब्याज
3. मूलधन (Principal) = $\frac{\text{साधारण ब्याज} \times 100}{\text{दर} \times \text{समय}}$
4. दर (Rate) = $\frac{\text{साधारण ब्याज} \times 100}{\text{मूलधन} \times \text{समय}}$
5. समय (Time) = $\frac{\text{साधारण ब्याज} \times 100}{\text{मूलधन} \times \text{दर}}$
6. ब्याज (Interest) = मिश्रधन − मूलधन

❖ **चक्रवृद्धि ब्याज:** कभी-कभी उधार दिये गये धन को चुकता करने के लिए एक निश्चित अवधि तय कर ली जाती है जो कि प्रायः वार्षिक, छमाही अथवा तिमाही होती है। इस अवधि के बाद मूलधन तथा ब्याज को जोड़ने पर बना मिश्रधन अगली अवधि के लिए मूलधन बन जाता है। प्रत्येक अवधि के लिए यही क्रिया दोहराई जाती है। अन्त में बना मिश्रधन चक्रवृद्धि-मिश्रधन कहलाता है।

चक्रवृद्धि ब्याज = (चक्रवृद्धि मिश्रधन) − (मूलधन)।

महत्वपूर्ण सूत्र

माना मूलधन = ₹ P, दर = R% वार्षिक तथा समय = n वर्ष। तब,

1. यदि ब्याज वार्षिक देय हो, तो मिश्रधन (A) $= P\left(1+\frac{R}{100}\right)^n$.
2. यदि ब्याज छमाही देय हो, तो दर = $\frac{R}{2}$% प्रति छमाही तथा समय = $2n$ छमाही

   चक्रवृद्धि मिश्रधन (A) = $P\left(1+\frac{R}{2\times100}\right)^{2n}$.
3. यदि ब्याज तिमाही देय हो, तो दर = $\frac{R}{4}$% प्रति तिमाही तथा समय = $4n$ तिमाही

   चक्रवृद्धि मिश्रधन (A) = $P\left(1+\frac{R}{4\times100}\right)^{4n}$.
4. यदि ब्याज वार्षिक हो तथा ब्याज की दर पहले वर्ष R_1%, दूसरे वर्ष R_2% तथा तीसरे वर्ष R_3% हो, तो
   3 वर्ष बाद चक्रवृद्धि मिश्रधन (A)

   $= P\left(1+\frac{R_1}{100}\right)\times\left(1+\frac{R_2}{100}\right)\times\left(1+\frac{R_3}{100}\right)$.

वस्तुनिष्ठ प्रश्न

1. ₹ 2600 की राशि पर 7% वार्षिक ब्याज दर से $3\frac{1}{2}$ वर्षों में साधारण ब्याज की राशि क्या होगी?
   A. ₹ 630
   B. ₹ 640
   C. ₹ 635
   D. ₹ 637

2. कितने समय में ₹ 4500 की राशि पर 5% वार्षिक दर से साधारण ब्याज की राशि ₹ 1012.50 हो जाएगी?
   A. $3\frac{1}{2}$ वर्ष B. $4\frac{1}{2}$ वर्ष
   C. $2\frac{1}{2}$ वर्ष D. $5\frac{1}{2}$ वर्ष

3. रमन ने ₹ 12000 एक बैंक से $5\frac{1}{2}\%$ वार्षिक साधारण ब्याज दर पर लिया। चार वर्षों के बाद वह कुल कितने रुपये वापस करेगा?
A. ₹ 14560 B. ₹ 14480
C. ₹ 14640 D. ₹ 14540

4. विजय ने ₹ 4800 नीरू से 3 वर्षों के लिए कर्ज लिया। समय की समाप्ति के बाद वह ₹ 5808 वापस करता है। साधारण ब्याज की वार्षिक दर क्या है?
A. 7% B. 6%
C. 9% D. 8%

5. वह राशि क्या है जिस पर 5.5% वार्षिक ब्याज दर से 4 वर्षों में मिश्रधन ₹ 6954 हो जाता है?
A. ₹ 5600 B. ₹ 5800
C. ₹ 5700 D. ₹ 5750

6. चमन ने ₹ 5000 एक सेठ से ऋण लिया। वह 12% वार्षिक साधारण ब्याज दर से 5 वर्षों के बाद ऋण की राशि लौटा देता है तथा ब्याज के रूप में एक घड़ी तथा पेन देता है जिसके मूल्यों में 23 : 7 का अनुपात है। घड़ी की कीमत क्या है?
A. ₹ 2325 B. ₹ 2300
C. ₹ 2350 D. ₹ 2320

7. कोई राशि 12 वर्षों में तीन गुनी हो जाती है। साधारण ब्याज की दर क्या है?
A. $16\frac{2}{3}\%$ B. $12\frac{1}{2}\%$
C. 15% D. 18%

8. एक साहूकार 5% वार्षिक साधारण ब्याज की दर से 3 वर्षों के लिए कुछ रुपये कर्ज देता है। वह गणना करता है कि यदि उसने $6\frac{3}{4}\%$ दर पर रुपये कर्ज दिया होता, तो उसे ₹ 1029 अधिक प्राप्त होते। उसने कितने रुपये कर्ज के रूप में दिये थे?
A. ₹ 18600 B. ₹ 18500
C. ₹ 19500 D. ₹ 19600

9. कोई राशि $8\frac{1}{3}\%$ वार्षिक साधारण ब्याज की दर से एक निश्चित समय में चार गुनी हो जाती है। वह समय क्या है?
A. 32 वर्ष B. 28 वर्ष
C. 36 वर्ष D. 26 वर्ष

10. मैंने एक व्यक्ति को 7.57% वार्षिक साधारण ब्याज पर कुछ रुपये $2\frac{1}{2}$ वर्षों के लिए ऋण के रूप में दिये। मैंने गणना की कि यदि दर 1.37% कम होती, तो मुझे ₹ 3425 कम प्राप्त होते। मैंने कितने रुपये उसे ऋण के रूप में दिये?
A. ₹ 97000 B. ₹ 98000
C. ₹ 99000 D. ₹ 100000

11. ₹ 25000 पर 12% वार्षिक दर से 3 वर्ष का चक्रवृद्धि ब्याज क्या होगा?
A. ₹ 9000.30 B. ₹ 10123.20
C. ₹ 10483.20 D. ₹ 9720

12. आनन्द ने निशा से ₹ 15000, 12% वार्षिक दर से चक्रवृद्धि ब्याज पर उधार लिये। इस ऋण को चुकता करने के लिए आनन्द को 2 वर्ष बाद कितना धन देना होगा?
A. ₹ 18600 B. ₹ 18618
C. ₹ 18816 D. ₹ 18869

13. ₹ 11200 का 10% वार्षिक दर से $1\frac{1}{2}$ वर्ष का चक्रवृद्धि ब्याज क्या होगा, जबकि ब्याज वार्षिक देय हो?
A. ₹ 1740 B. ₹ 1750
C. ₹ 1736 D. ₹ 1725

14. एक पेड़ की ऊँचाई में प्रतिवर्ष $\frac{1}{8}$ गुना वृद्धि हो जाती है। यदि पेड़ की वर्तमान ऊँचाई 64 सेमी. हो, तो 2 वर्ष बाद इसकी ऊँचाई कितनी होगी?
A. 70 सेमी. B. 72 सेमी.
C. 81 सेमी. D. 90 सेमी.

15. ₹ 1000 पर 10% वार्षिक दर से 4 वर्ष का चक्रवृद्धि ब्याज तथा साधारण ब्याज का अन्तर क्या होगा?
A. ₹ 50.10 B. ₹ 65.20
C. ₹ 60.20 D. ₹ 64.10

16. समीर ने ₹ 15000 एक वर्ष के लिए 10% वार्षिक दर पर उधार दिये। यदि ब्याज प्रति छमाही संयोजित हो, तो वर्ष के अन्त में उसे कितना धन मिलेगा?
A. ₹ 16500 B. ₹ 16525.50
C. ₹ 16537.50 D. ₹ 18150

17. ₹ 15625 पर 9 माह का 16% वार्षिक दर से तिमाही देय चक्रवृद्धि ब्याज कितना होगा?
A. ₹ 1931 B. ₹ 1951
C. ₹ 1960 D. ₹ 1941

18. ₹ 1200 का 1 वर्ष में 10% वार्षिक दर से चक्रवृद्धि ब्याज तथा साधारण ब्याज का अन्तर कितना होगा, जबकि चक्रवृद्धि ब्याज छमाही देय हो?
A. ₹ 5 B. ₹ 3
C. ₹ 2 D. ₹ 6

19. कितने समय में ₹ 30000 का 7% वार्षिक दर से चक्रवृद्धि ब्याज ₹ 4347 हो जायेगा?
A. 2 वर्ष B. 3 वर्ष
C. 5 वर्ष D. 4 वर्ष

20. कितने वर्ष में ₹ 1600 का चक्रवृद्धि मिश्रधन 10% वार्षिक दर से ₹ 1852.20 हो जायेगा, जबकि ब्याज प्रति छमाही संयोजित होता रहे?
A. 3 वर्ष B. $1\frac{1}{2}$ वर्ष
C. $2\frac{1}{2}$ वर्ष D. 2 वर्ष

उत्तरमाला

1	2	3	4	5	6	7	8	9	10
D	B	C	A	C	B	A	D	C	D
11	**12**	**13**	**14**	**15**	**16**	**17**	**18**	**19**	**20**
B	C	C	C	D	C	B	B	A	B

व्याख्यात्मक उत्तर

1. साधारण ब्याज $= \dfrac{2600 \times 7 \times 7}{100 \times 2} = ₹\,637.$

2. समय $= \dfrac{1012.50 \times 100}{4500 \times 5} = 4\frac{1}{2}$ वर्ष।

3. ब्याज $= \dfrac{12000 \times 11 \times 4}{100 \times 2} = ₹\,2640.$

मिश्रधन $= 12000 + 2640 = ₹\,14640.$

4. ब्याज $= 5808 - 4800 = ₹\,1008.$

दर $= \dfrac{1008 \times 100}{4800 \times 3} = 7\%.$

5. मूलधन $= \dfrac{6954 \times 100}{100 + (4 \times 5.5)}$

$= \dfrac{6954 \times 100}{122} = ₹\,5700.$

6. ब्याज $= \dfrac{5000 \times 12 \times 5}{100} = ₹\,3000$

अतः घड़ी की कीमत $= \dfrac{23}{(23+7)} \times 3000$

$= \dfrac{23}{30} \times 3000 = ₹\,2300.$

7. दर $= \dfrac{(3-1) \times 100}{12}$

$= \dfrac{200}{12} = \dfrac{50}{3} = 16\frac{2}{3}\%.$

8. कर्ज की राशि अर्थात्

मूलधन $= \dfrac{1029 \times 100}{\left(6\frac{3}{4} - 5\right) \times 3} = \dfrac{1029 \times 100}{\frac{7}{4} \times 3}$

$= \dfrac{1029 \times 100 \times 4}{7 \times 3} = ₹\,19600.$

9. समय $= \dfrac{(4-1) \times 100}{\frac{25}{3}}$

$= \dfrac{3 \times 100 \times 3}{25} = 36$ वर्ष।

10. ऋण की राशि अर्थात्

मूलधन $= \dfrac{3425 \times 100}{1.37 \times \frac{5}{2}}$

$= \dfrac{3425 \times 100 \times 2}{1.37 \times 5} = ₹\,100000.$

11. चक्रवृद्धि ब्याज $= \left\{25000 \times \left(1 + \dfrac{12}{100}\right)^3 - 25000\right\}$

$= \left\{\left(25000 \times \dfrac{28}{25} \times \dfrac{28}{25} \times \dfrac{28}{25}\right) - 25000\right\}$

$= \left(\dfrac{175616}{5} - 25000\right)$

$= \dfrac{50616}{5}$

$= ₹\,10123.20.$

12. अभीष्ट धन $= \left\{15000 \times \left(1 + \dfrac{12}{100}\right)^2\right\}$

$= \left(15000 \times \dfrac{28}{25} \times \dfrac{28}{25}\right) = ₹\,18816.$

13. चक्रवृद्धि ब्याज

$= \left[\left\{11200 \times \left(1 + \dfrac{10}{100}\right) \times \left(1 + \dfrac{\frac{1}{2} \times 10}{100}\right)\right\} - 11200\right]$

$= \left\{\left(11200 \times \dfrac{11}{10} \times \dfrac{21}{20}\right) - 11200\right\}$

$= (12936 - 11200) = ₹\,1736.$

14. पेड़ की वर्तमान ऊँचाई = 64 सेमी., वार्षिक वृद्धि %

$= \left(\dfrac{1}{8} \times 100\right)\% = \dfrac{25}{2}\%$ तथा समय = 2 वर्ष

अभीष्ट ऊँचाई $= \left\{64 \times \left(1 + \dfrac{25}{2 \times 100}\right)^2\right\}$ सेमी.

$= \left(64 \times \dfrac{9}{8} \times \dfrac{9}{8}\right)$ सेमी. = 81 सेमी.

15. साधारण ब्याज = $\left(1000 \times \frac{10}{100} \times 4\right)$ = ₹ 400

चक्रवृद्धि ब्याज = $\left\{1000 \times \left(1 + \frac{10}{100}\right)^4 - 1000\right\}$

$= \left\{\left(1000 \times \frac{11}{10} \times \frac{11}{10} \times \frac{11}{10} \times \frac{11}{10}\right) - 1000\right\}$

$= \frac{4641}{10}$ = ₹ 464.10.

अभीष्ट अन्तर = (464.10 – 400) = ₹ 64.10.

16. मूलधन = ₹ 15000, दर = $\left(\frac{10}{2}\right)\%$ प्रति छमाही तथा समय = 2 छमाही

∴ अभीष्ट धन = $\left\{15000 \times \left(1 + \frac{5}{100}\right)^2\right\}$

$= \left(15000 \times \frac{21}{20} \times \frac{21}{20}\right) = \frac{33075}{2}$

= ₹ 16537.50

17. मूलधन = ₹ 15625, दर = $\left(\frac{16}{4}\right)\%$ प्रति तिमाही तथा समय = 3 तिमाही।

∴ चक्रवृद्धि ब्याज

$= \left\{15625 \times \left(1 + \frac{4}{100}\right)^3 - 15625\right\}$

$= \left\{\left(15625 \times \frac{26}{25} \times \frac{26}{25} \times \frac{26}{25}\right) - 15625\right\}$

= (17576 – 15625) = ₹ 1951.

18. साधारण ब्याज = $\left(1200 \times \frac{10}{100} \times 1\right)$ = ₹ 120

अब, मूलधन = ₹ 1200, दर = $\left(\frac{10}{2}\right)\%$ प्रति छमाही तथा समय = 2 छमाही

∴ चक्रवृद्धि ब्याज = $\left\{1200 \times \left(1 + \frac{5}{100}\right)^2 - 1200\right\}$

$= \left\{\left(1200 \times \frac{21}{20} \times \frac{21}{20}\right) - 1200\right\}$

= (1323 – 1200) = ₹ 123

अभीष्ट अन्तर = (123 – 120) = ₹ 3.

19. चक्रवृद्धि मिश्रधन = (30000 + 4347) = ₹ 34347

माना अभीष्ट समय = n वर्ष

तब, $30000 \times \left(1 + \frac{7}{100}\right)^n = 34347$

$\Leftrightarrow \left(\frac{107}{100}\right)^n = \frac{34347}{30000} = \frac{11449}{10000} = \left(\frac{107}{100}\right)^2 \Leftrightarrow n = 2.$

अतः अभीष्ट समय = 2 वर्ष।

20. मूलधन = ₹ 1600, दर = $\left(\frac{10}{2}\right)\%$ प्रति छमाही, चक्रवृद्धि मिश्रधन = ₹ 1852.20

माना समय = n वर्ष = $(2n)$ छमाही

∴ $1600 \times \left(1 + \frac{5}{100}\right)^{2n} = 1852.20$

$\Leftrightarrow \left(\frac{21}{20}\right)^{2n} = \frac{185220}{160000} = \frac{9261}{8000} = \left(\frac{21}{20}\right)^3$

$\Leftrightarrow 2n = 3 \Leftrightarrow n = \frac{3}{2}$ वर्ष = $1\frac{1}{2}$ वर्ष।

●●●

12 क्षेत्रमिति

क्षेत्रमिति से सम्बंधित प्रश्नों को हल करने के लिए निम्नलिखित प्रमुख सूत्रों का जानना आवश्यक होता है :

1. आयत:

(a) आयत का क्षेत्रफल = लम्बाई × चौड़ाई

(b) आयत की परिमिति = 2 (लम्बाई + चौड़ाई)

(c) आयत का विकर्ण = $\sqrt{(\text{लं.})^2 + (\text{चौ.})^2}$

2. वर्ग:

(a) वर्ग का क्षेत्रफल = (भुजा)^2

(b) वर्ग का परिमाप = 4 × भुजा

(c) वर्ग का विकर्ण = $\sqrt{2}$ × भुजा

3. वृत्त:

(a) वृत्त का क्षेत्रफल = π × (त्रिज्या)^2

(b) वृत्त की परिधि = 2π × (त्रिज्या)

(c) त्रिज्या = $\frac{\text{व्यास}}{2}$ या व्यास = 2 × त्रिज्या

4. त्रिभुज : (a) त्रिभुज का क्षेत्रफल

$= \sqrt{s(s-a)(s-b)(s-c)}$ जहां $s = \frac{a+b+c}{2}$

(b) यदि त्रिभुज समकोण हो, तब

क्षेत्रफल = $\frac{1}{2}$ × आधार (b) × ऊंचाई (h)

(c) समबाहु त्रिभुज का क्षेत्रफल = $\frac{\sqrt{3}}{4}$ × (भुजा)^2

5. चतुर्भुज:

(a) चतुर्भुज का क्षेत्रफल = $\frac{1}{2}$ × विकर्ण × (शीर्ष लम्बों का योग)

(b) समान्तर चतुर्भुज का क्षेत्रफल = आधार × ऊंचाई

(c) सम चतुर्भुज का क्षेत्रफल = $\frac{1}{2}$ × विकर्णों का गुणनफल

(d) समलम्ब चतर्भुज का क्षेत्रफल

= $\frac{1}{2}$ × ऊंचाई × समान्तर भुजाओं का योग

6. चार दीवारों का:

(a) चार दीवारों का क्षेत्रफल = 2 × ऊंचाई (लम्बाई + चौड़ाई)

(b) ऊंचाई = $\frac{\text{क्षेत्रफल}}{2(\text{लम्बाई + चौड़ाई})}$

ठोस : कोई वस्तु जो स्थान घेरती है, भार रखती है तथा जिसका आकार निश्चित होता है, ठोस कहलाती है। इस प्रकार ठोस में तीन मापें होती हैं— 1. लम्बाई 2. चौड़ाई 3. ऊंचाई (मोटाई)।

आयतन : ठोस के तलों द्वारा घिरी हुई जगह ठोस का आयतन कहलाती है। **घनाभ :** एक ठोस जो 6 आयताकार तलों द्वारा घिरा होता है, घनाभ कहलाता है। **घन :** एक ठोस जो 6 वर्गाकार तलों द्वारा घिरा होता है, घन कहलाता है।

ठोस आकृतियों से संबंधित समस्याओं को हल करने के लिए निम्नलिखित सूत्रों का जानना आवश्यक है :

1. गोला : (a) गोले का आयतन = $\frac{4}{3}\pi r^3$ (जहां r गोले की त्रिज्या है)

(b) गोले के धरातल का क्षेत्रफल या वक्रपृष्ठ का क्षेत्रफल = $4\pi r^2$

2. घनाभ : (a) घनाभ का आयतन = लम्बाई × चौड़ाई × ऊंचाई

(b) घनाभ का पृष्ठ = $2(l \times b + b \times h + h \times l)$ जहां l = लं., b = चौ., h = ऊं.

(c) किसी घनाभ का सबसे लम्बा विकर्ण = $\sqrt{l^2+b^2+h^2}$

3. घन : (a) घन का आयतन = (भुजा)^3

$\because$ [भुजा = ल. = चौ = ऊं.]

(b) घन का पृष्ठ = 6 × (भुजा)^2

(c) किसी घन का सबसे लम्बा विकर्ण = $\sqrt{3}$ × भुजा

4. लम्ब वृत्तीय बेलन :

(a) बेलन का आयतन = आधार (वृत्त) का क्षेत्रफल × ऊँ.

$= \pi r^2 \times h = \pi r^2 h$

(b) बेलन का वक्रपृष्ठ = आधार (वृत्त) की परिधि × ऊँचाई

$= 2\pi r \times h = 2\pi rh$

(c) बेलन का सम्पूर्ण पृष्ठ = वक्र पृष्ठ + दोनों सिरों का क्षेत्रफल = $2\pi rh + 2\pi r^2 = 2\pi r(h + r)$

5. शंकु : (a) शंकु का आयतन = $\frac{1}{3}\pi r^2 h$

(b) शंकु की तिर्यक ऊंचाई = $\sqrt{r^2+h^2}$

(c) शंकु के वक्र पृष्ठ का क्षेत्रफल

= πr × तिर्यक ऊंचाई

$= \pi r\sqrt{r^2+h^2}$

वस्तुनिष्ठ प्रश्न

1. एक आयत की लम्बाई व चौड़ाई क्रमश: 50 सेंमी. व 25 सेंमी. है, तो उसका क्षेत्रफल कितना होगा?
A. 1150 वर्ग सेंमी. B. 1250 वर्ग सेंमी.
C. 1275 वर्ग सेंमी. D. 1280 वर्ग सेंमी.

2. एक वर्गाकार मैदान का परिमाप 580 मी. है, तो बताइये उस मैदान का क्षेत्रफल कितना होगा?
A. 21025 वर्ग मी. B. 20225 वर्ग मी.
C. 30025 वर्ग मी. D. 19975 वर्ग मी.

3. एक वर्ग की प्रत्येक भुजा 20 सेंमी. है, तो इसका क्षेत्रफल कितना होगा?
A. 300 वर्ग सेंमी. B. 380 वर्ग सेंमी.
C. 360 वर्ग सेंमी. D. 400 वर्ग सेंमी.

4. एक वृत्त का क्षेत्रफल 154 वर्ग सेंमी. है। वृत्त की परिधि कितनी होगी?
A. 44 सेंमी. B. 48 सेंमी.
C. 54 सेंमी. D. 68 सेंमी.

5. यदि किसी त्रिभुज का आधार 8 सेमी तथा ऊंचाई 10 सेंमी. हो, तो उस त्रिभुज का क्षेत्रफल कितना होगा?
A. 40 वर्ग सेंमी. B. 20 वर्ग सेंमी.
C. 49 वर्ग सेंमी. D. 64 वर्ग सेंमी.

6. एक समलम्ब चतुर्भज की समान्तर भुजाएं क्रमश: 15 मी. तथा 25 मी. हैं तथा उनके बीच की दूरी 10 मी. है, तो इसका क्षेत्रफल क्या होगा?
A. 150 वर्ग मी. B. 225 वर्ग मी.
C. 200 वर्ग मी. D. 270 वर्ग मी.

7. एक आयताकार खेत का परिमाप 760 मी. है तथा उसकी लम्बाई व चौड़ाई में 11 : 8 का अनुपात है। तो बताइये आयताकार खेत का क्षेत्रफल क्या होगा?
A. 35200 वर्ग मी. B. 34700 वर्ग मी.
C. 35600 वर्ग मी. D. 45200 वर्ग मी.

8. एक घनाभ की कोरें क्रमश: 4 सेंमी., 3 सेंमी. तथा 2 सेंमी. हैं, तो उस घनाभ का आयतन कितना होगा?
A. 20 घन सेंमी. B. 22 घन सेंमी.
C. 28 घन सेंमी. D. 24 घन सेंमी.

9. एक टंकी 3 मी. लम्बी, 2 मी. चौड़ी तथा 1 मी. गहरी है। उसकी क्षमता (ली. में) क्या होगी?
A. 8000 ली. B. 10000 ली.
C. 6500 ली. D. 6000 ली.

10. एक घन का पृष्ठ क्षेत्रफल 1014 वर्ग सेंमी. है। इसका आयतन कितना होगा?
A. 2197 घन सेंमी. B. 2297 घन सेंमी.
C. 2179 घन सेंमी. D. 2117 घन सेंमी.

11. यदि दो घनाकृतियों के आयतन में 8 : 1 का अनुपात हो, तो उनकी कोरों में क्या अनुपात होगा?
A. 1 : 2 B. 2 : 1
C. 4 : 1 D. 2 : 3

12. दो गोलों के पृष्ठ क्षेत्रफल में 9 : 16 का अनुपात है, तो बताइये उनके आयतनों में क्या अनुपात होगा?
A. 64 : 27 B. 27 : 64
C. 16 : 27 D. 11 : 27

13. एक कमरे की लं., चौ. व ऊँ. क्रमश: 12 मी., 9 मी. तथा 8 मी. है, तो बताइये उस छड़ की अधिक-से-अधिक लम्बाई क्या होगी जो कमरे में ठीक प्रकार रखी जा सके?
A. 17 मी. B. 18 मी.
C. 25 मी. D. 16 मी.

14. किसी लम्बवृत्तीय शंकु की त्रिज्या तथा ऊंचाई में 3 : 5 का अनुपात है। यदि शंकु का आयतन 120π घन मी. हो, तो उसकी तिरछी ऊँचाई कितनी होगी?
A. $3\sqrt{34}$ मी. B. $2\sqrt{28}$ मी.
C. $2\sqrt{44}$ मी. D. $2\sqrt{34}$ मी.

उत्तरमाला

1	2	3	4	5	6	7	8	9	10
B	A	D	A	A	C	A	D	D	A
11	**12**	**13**	**14**						
B	B	A	D						

व्याख्यात्मक उत्तर

1. आयत का क्षेत्रफल = लम्बाई × चौड़ाई
$= 50 \times 25 = 1250$ वर्ग सेंमी.।

2. ∴ वर्गाकार मैदान का परिमाप = 4 × भुजा

प्रश्नानुसार,

∴ 4 × भुजा = 580

⇒ भुजा $= \frac{580}{4} = 145$ सेंमी.

∴ क्षेत्रफल = $(\text{भुजा})^2$
$= (145)^2 = 21025$ वर्ग सेंमी.।

3. वर्ग का क्षेत्रफल = $(\text{भुजा})^2 = (20)^2 = 400$ वर्ग सेंमी.

4. $\therefore$ वृत्त का क्षेत्रफल = $\pi \times$ (त्रिज्या)^2

$\therefore$ $\pi \times$ (त्रिज्या)^2 = 154

$\Rightarrow$ (त्रिज्या)$^2 = \frac{154}{\pi} = \frac{154}{\frac{22}{7}}$

$\Rightarrow$ (त्रिज्या)$^2 = \frac{154 \times 7}{22}$

$= 7 \times 7 \Rightarrow$ त्रिज्या = 7 सेंमी.

$\therefore$ वृत्त की परिधि = $2\pi \times$ (त्रिज्या)

$= 2 \times \frac{22}{7} \times 7 = 44$ सेंमी.।

5. त्रिभुज का क्षेत्रफल = $\frac{1}{2} \times$ आधार $\times$ ऊंचाई

$= \frac{1}{2} \times 8 \times 10 = 40$ वर्ग सेंमी.।

6. चूंकि समलम्ब चतुर्भुज का क्षेत्रफल

$= \frac{1}{2} \times$ ऊंचाई $\times$ समानान्तर भुजाओं का योग

$\therefore$ क्षेत्रफल = $\frac{1}{2} \times 10 \times (15 + 25) = \frac{1}{2} \times 10 \times 40$

= 200 वर्ग मी.।

7. माना कि आयताकार खेत की लम्बाई व चौड़ाई क्रमशः $11x$ मी. व $8x$ मी. है

$\therefore$ खेत का परिमाप = $2(11x + 8x) = 2 \times 19x = 38x$ मी.

प्रश्नानुसार, आयताकार खेत का परिमाप = 760 है

$\therefore$ $38x = 760$

$\Rightarrow$ $x = \frac{760}{38} = 20$

$\therefore$ खेत की लम्बाई व चौड़ाई क्रमशः

($11 \times 20 = 220$ मी.) व ($8 \times 20 = 160$ मी.) होगी।

$\therefore$ आयताकार खेत का क्षेत्रफल = $220 \times 160 = 35200$ वर्ग मी.।

8. $\because$ घनाभ का आयतन = लं. $\times$ चौ. $\times$ ऊं.

$= 4 \times 3 \times 2 = 24$ घन सेंमी.

9. टंकी का आयतन = लं. $\times$ चौ. $\times$ ऊं.

$= 3 \times 2 \times 1 = 6$ घन मी.

($\because$ 1 घन मी. = 1000 ली.)

$\therefore$ टंकी की क्षमता = $6 \times 1000 = 6000$ ली.।

10. $\because$ घन का पृष्ठ क्षेत्रफल = $6 \times$ (भुजा)^2

$\therefore$ $6 \times$ (भुजा)^2 = 1014

$\Rightarrow$ (भुजा)$^2 = \frac{1014}{6} = 169$

$\therefore$ घन की भुजा = $\sqrt{169} = 13$ सेंमी.

$\therefore$ घन का आयतन = (भुजा)^3

$= (13)^3$ सेंमी. = 2197 घन सेंमी.

11. माना दो घनों की भुजा क्रमशः a_1 व a_2 है।

$\therefore$ दोनों घनों का आयतन क्रमशः a_1^3 व a_2^3 होगा

प्रश्नानुसार,

$a_1^3 : a_2^3 = 8 : 1$

$\therefore \frac{a_1^3}{a_2^3} = \frac{8}{1} \therefore \left(\frac{a_1}{a_2}\right)^3 = \left(\frac{2}{1}\right)^3 \Rightarrow a_1 : a_2 = 2 : 1$

अतः उनकी कोरों में 2 : 1 का अनुपात होगा।

12. माना कि दो गोलों की त्रिज्या क्रमशः r_1 व r_2 है

दोनों गोलों का पृष्ठ क्षेत्रफल क्रमशः $4\pi r_1^2$ व $4\pi r_2^2$

प्रश्नानुसार,

$4\pi r_1^2 : 4\pi r_2^2 = 9 : 16 \Rightarrow r_1^2 : r_2^2 = 9 : 16$

$\Rightarrow \frac{r_1^2}{r_2^2} = \frac{9}{16} \Rightarrow \left(\frac{r_1}{r_2}\right)^2 = \left(\frac{3}{4}\right)^2 \Rightarrow r_1 : r_2 = 3 : 4$

$\Rightarrow \left(\frac{r_1}{r_2}\right)^3 = \left(\frac{3}{4}\right)^3 \Rightarrow \frac{r_1^3}{r_2^3} = \frac{27}{64}$

$\Rightarrow$ $r_1^3 : r_2^3 = 27 : 64$

$\because$ उनके आयतनों का अनुपात = $\frac{4}{3}\pi r_1^3 : \frac{4}{3}\pi r_2^3$

$\Rightarrow$ $r_1^3 : r_2^3 = 27 : 64$

13. $\because$ अधिक-से-अधिक लम्बाई की छड़

= घनाभ के विकर्ण की लम्बाई

$= \sqrt{(\text{लं.})^2 + (\text{चौ.})^2 + (\text{ऊँ.})^2} = \sqrt{(12)^2 + (9)^2 + (8)^2}$

$= \sqrt{144 + 81 + 64} = \sqrt{289} = 17$ मी.

अतः उस छड़ की अधिक-से-अधिक लम्बाई जो ठीक प्रकार से कमरे में रखी जा सके 17 मी. होगी।

14. माना कि लम्बवृत्तीय शंकु की त्रिज्या व ऊंचाई क्रमशः $3x$ मी. व $5x$ मी. है

$\therefore$ शंकु का आयतन = $\frac{1}{3}\pi r^2 h = \frac{1}{3}\pi \times (3x)^2 \times 5x$ घन मी.

प्रश्नानुसार,

शंकु का आयतन = 120π घन मी. (दिया है)

$\therefore \frac{1}{3}\pi \times 9x^2 \times 5x = 120\pi \Rightarrow x^3 = \frac{120 \times 3}{9 \times 5}$

$\Rightarrow$ $x^3 = 8 \Rightarrow x^3 = (2)^3 \Rightarrow x = 2$ मी.

$\therefore$ लम्बवृत्तीय शंकु की त्रिज्या व ऊंचाई क्रमशः

$3 \times 2 = 6$ मी. तथा $5 \times 2 = 10$ मी. होगी।

$\therefore$ तिर्यक ऊंचाई = $\sqrt{(\text{त्रिज्या})^2 + (\text{ऊँचाई})^2} = \sqrt{(6)^2 + (10)^2}$

$= \sqrt{36 + 100} = \sqrt{136} = 2\sqrt{34}$ मी.।

●●●

13 मिश्रण और मिश्रानुपात

मिश्रानुपात (Alligation): जब दो या दो से अधिक पदार्थों को एक निश्चित अनुपात में मिलाते हैं तो वह पदार्थ मिश्रण (Mixture) कहलाता है तथा उन वस्तुओं की मात्राओं का अनुपात मिश्रानुपात (Alligation) कहलाता है।

वस्तुनिष्ठ प्रश्न

1. एक व्यक्ति के पास 100 किग्रा. चीनी थी जिसका कुछ भाग उसने 7% लाभ पर तथा बाकी 17% लाभ पर बेचा। ऐसा करने से उसे सम्पूर्ण पर 10% लाभ हुआ, तो 7% लाभ पर उसने कितनी चीनी बेची?

A. 55 किग्रा. B. 65 किग्रा.
C. 75 किग्रा. D. 70 किग्रा.

2. एक बर्तन में दूध व पानी क्रमशः 4 : 3 के अनुपात में हैं। दूसरे बर्तन में यह अनुपात 2 : 3 के अनुपात में हैं। दोनों बर्तनों के मिश्रणों को किस अनुपात में मिलाया जाए ताकि उसमें दूध व पानी का अनुपात 3 : 2 हो जाए?

A. 4 : 3 B. 2 : 3
C. 1 : 7 D. 7 : 1

3. एक धातु A, B से 21 गुना अधिक भारी है तथा अन्य धातु C, B से 30 गुना अधिक भारी है। A तथा C को किस अनुपात में मिलाया जाए जिससे दोनों का मिश्रण B से 24 गुना अधिक भारी हो?

A. 4 : 3 B. 3 : 2
C. 2 : 1 D. 3 : 1

4. एक मर्चेंट ने 220 किग्रा. चीनी में से कुछ मात्रा 20% लाभ पर तथा शेष को 9% लाभ पर बेच दिया और इस तरह से कुल मिलाकर 13% लाभ प्राप्त करता है। 9% लाभ पर बेची गयी मात्रा क्या है?

A. 125 किग्रा. B. 130 किग्रा.
C. 135 किग्रा. D. 140 किग्रा.

5. एक ग्लास में शराब की कुछ मात्रा है जिसमें 36% एल्कोहल है। इसमें दूसरे प्रकार के शराब की कुछ मात्रा डाल दी जाती है, जिसमें एल्कोहल की मात्रा 26% है। ग्लास में दूसरे प्रकार की शराब की मात्रा कुल शराब का कितना भाग है?

A. $\frac{1}{3}$ B. $\frac{2}{3}$
C. $\frac{3}{4}$ D. $\frac{1}{4}$

6. एक बर्तन में 200 लीटर दूध रखा है। उसमें से 5 लीटर दूध निकालकर उसमें उतना ही पानी मिला दिया जाता है। यह क्रिया एक बार दुबारा की जाती है। उस बर्तन में दूध की कितनी मात्रा बच जाएगी?

A. 188.20 लीटर B. 189.255 लीटर
C. 182.50 लीटर D. 190.125 लीटर

7. एक बर्तन में 90 लीटर स्पिरिट है। उसमें से 9 लीटर स्पिरिट निकालकर उसमें उतना ही एल्कोहल डाल दिया जाता है। यह क्रिया दो बार और की जाती है। उस बर्तन में स्पिरिट की कितनी मात्रा बच जाएगी?

A. 64.65 लीटर B. 65.61 लीटर
C. 64.63 लीटर D. 62.61 लीटर

8. एक बेईमान ग्वाला कहता है कि "मैं दूध को क्रयमूल्य पर ही बेचता हूँ" लेकिन वह दूध में पानी मिलाता है और इस तरह से उसे 20% का लाभ प्राप्त होता है। उस मिश्रण में वह कितना प्रतिशत पानी मिलाता है?

A. $12\frac{1}{2}\%$ B. 25%
C. $16\frac{2}{3}\%$ D. 20%

9. 170 ग्राम नमक और पानी के मिश्रण में 20% पानी है। मिश्रण से कितना पानी वाष्प द्वारा उड़ा दिया जाए, जिससे उसमें पानी की मात्रा 15% ही बचे?

A. 10 ग्राम B. 18 ग्राम
C. 15 ग्राम D. 16 ग्राम

10. दूध और पानी के 60 लीटर मिश्रण में पानी की मात्रा 5% है। इसमें लगभग कितना पानी मिलाया जाए, जिससे मिश्रण में पानी की मात्रा 15% हो जाए?

A. 10 लीटर B. 8 लीटर
C. 7 लीटर D. 6 लीटर

11. एक व्यक्ति 312 किमी. की दूरी बस तथा कार से तय करता है। यदि बस की गति 40 किमी./घंटा और कार की गति 70 किमी./घंटा हो तथा कुल दूरी तय करने में कुल 6 घंटे लगे हों, तो उसने कार से कितनी दूरी तय की?

A. 132.2 किमी. B. 124.8 किमी.

C. 187.2 किमी. D. 164.4 किमी.

12. गोरखा रेजिमेंट में भारतीय और नेपाली सैनिक हैं, जिनकी कुल संख्या 16000 है। भारतीय सैनिकों की औसत ऊँचाई 6 फीट है और नेपाली सैनिकों की औसत ऊँचाई $5\frac{1}{6}$ फीट है। यदि रेजीमेंट की औसत ऊँचाई $5\frac{3}{4}$ फीट हो, तो उसमें कितने नेपाली सैनिक हैं?

A. 4600 B. 4500

C. 4800 D. 4900

13. एक बेईमान ग्वाला कहता है कि वह दूध को क्रय मूल्य पर ही बेचता है लेकिन वह दूध में पानी मिलाकर बेचता है और 30% का लाभ कमाता है। उस मिश्रण में पानी का प्रतिशत क्या है?

A. $24\frac{3}{13}\%$ B. $23\frac{1}{13}\%$

C. $24\frac{1}{2}\%$ D. $25\frac{3}{4}\%$

14. एक बर्तन में 200 लीटर एल्कोहल है। उसमें से 25 लीटर, 30 लीटर और 40 लीटर एल्कोहल बारी-बारी से निकालकर प्रत्येक बार पानी की उतनी ही मात्रा डाली जाती है। उस बर्तन में कितना एल्कोहल शेष बच जाएगा?

A. 120 ली. B. 118 ली.

C. 112 ली. D. 119 ली.

15. 46 लीटर दूध और पानी के मिश्रण में 20% पानी है। पानी की कितनी मात्रा को वाष्प के रूप में उड़ा दिया जाए, जिससे उसमें उसकी मात्रा 8% हो जाए?

A. 3 लीटर B. 9 लीटर

C. 5 लीटर D. 6 लीटर

16. एक बर्तन में 400 लीटर दूध है। इसमें से 25 लीटर दूध निकालकर उतना ही पानी डाल दिया जाता है। यह क्रिया एक बार और दोहराई जाती है। बर्तन में अब शेष बचे दूध तथा इसकी पूर्व मात्रा का अनुपात क्या है?

A. 25 : 24 B. 225 : 256

C. 16 : 15 D. 15 : 16

उत्तरमाला

1	2	3	4	5	6	7	8	9	10
D	D	C	D	B	D	B	C	A	C
11	**12**	**13**	**14**	**15**	**16**				
B	C	B	D	D	B				

व्याख्यात्मक उत्तर

1.

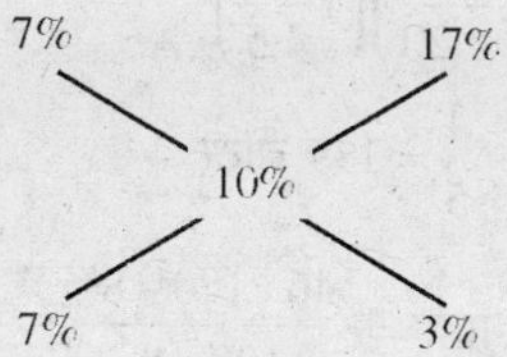

अर्थात् 7 : 3

अनुपातों का योग = 7 + 3 = 10

7% लाभ पर चीनी बेची = $\frac{7}{10} \times 100 = 70$ किग्रा.

2. पहले बर्तन में दूध = $\frac{4}{7}$, दूसरे बर्तन में दूध = $\frac{2}{5}$

मिश्रण में दूध = $\frac{3}{5}$

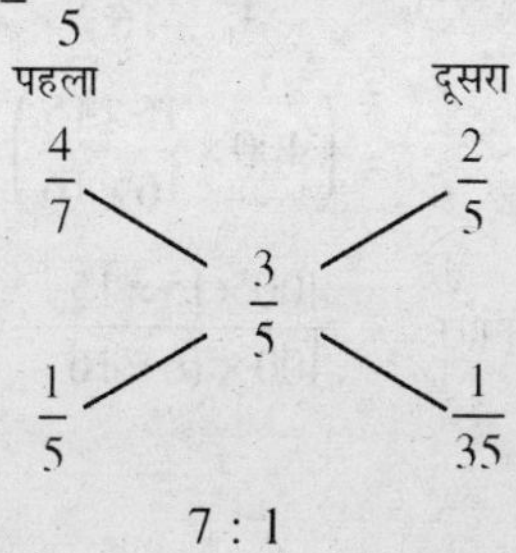

या 7 : 1

3.

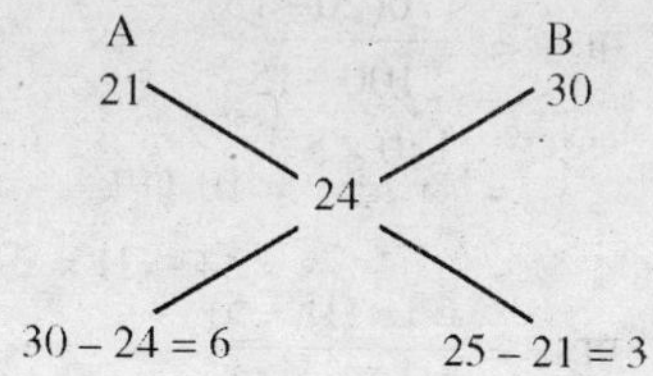

$\therefore$ अभीष्ट अनुपात = $\frac{6}{3} = \frac{2}{1} = 2 : 1$

4.

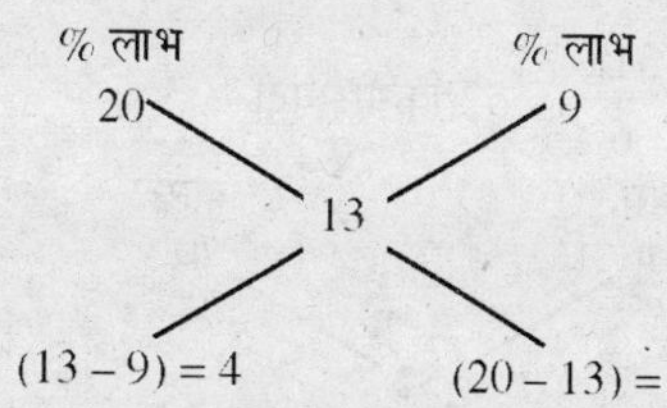

अतः चीनी की मात्रा का अनुपात = 4 : 7

$\therefore$ 9% लाभ पर बेची गयी चीनी की मात्रा = $\frac{7}{4+7} \times 220$

$= \frac{7}{11} \times 220 = 140$ किग्रा.

5. % एल्कोहल मात्रा   % एल्कोहल मात्रा

36   21

26

26 – 21 = 5   36 – 26 = 10

$\therefore$ अनुपात $= \frac{5}{10} = \frac{1}{2} = 1 : 2$

अतः अभीष्ट उत्तर $= \frac{2}{3}$

6. बर्तन में दूध की बची मात्रा $= 200\left(1-\frac{5}{200}\right)^2$

$= 200\left(1-\frac{1}{40}\right)^2$

$= 200\times\frac{39}{40}\times\frac{39}{40}$

= 190.125 लीटर

7. बर्तन में स्प्रिट की बची मात्रा $= 90\left(1-\frac{9}{90}\right)^3$

$= 90\times\left(1-\frac{1}{10}\right)^3 = 90\times\frac{9\times9\times9}{10\times10\times10}$

= 65.61 लीटर

8. मिश्रण में दूध और पानी का अनुपात = 100 : 20 = 5 : 1

$\therefore$ पानी का प्रतिशत $= \frac{1}{(1+5)}\times100$

$= \frac{1}{6}\times100 = \frac{50}{3} = 16\frac{2}{3}\%$

9. पानी की अभीष्ट मात्रा $= \frac{170(20-15)}{100-15}$

$= \frac{170\times5}{85} =$ 10 ग्राम

24 – 21 = 3

10. पानी की अभीष्ट मात्रा $= \frac{60\times(15-5)}{(100-15)}$

$= \frac{60\times10}{85} =$ 7 लीटर (लगभग)

11. औसत गति $= \frac{312}{6} =$ 52 किमी./घंटा

बस   कार

40   70

52

70 – 52 = 18   52 – 40 = 12

$\therefore$ बस : कार = 18 : 12 = 3 : 2

अतः कार से तय की गयी दूरी $= \frac{2}{3+2}\times312$

$= \frac{2}{5}\times312 = 124.8$ किमी.

12. भारतीय   नेपाली

6     $\frac{31}{6}$

$\frac{23}{4}$

$\frac{23}{4}-\frac{31}{6}=\frac{7}{12}$ $6-\frac{23}{4}=\frac{1}{4}$

$\therefore$ भारतीय : नेपाली $= \frac{\frac{7}{12}}{\frac{1}{4}} = \frac{7}{12}\times\frac{4}{1} = \frac{7}{3} = 7:3$

$\therefore$ नेपाली सैनिकों की संख्या $= \frac{3}{7+3}\times16000$

$= \frac{3}{10}\times16000 = 4800$

13. मिश्रण में दूध : पानी = 100 : 30 = 10 : 3

$\therefore$ पानी का प्रतिशत $= \frac{3}{10+3}\times100$

$= \frac{3}{13}\times100 = 23\frac{1}{13}\%$

14. बर्तन में एल्कोहल की शेष मात्रा

$= 200\left(1-\frac{25}{200}\right)\left(1-\frac{30}{200}\right)\left(1-\frac{40}{200}\right)$

$= 200\left(1-\frac{1}{8}\right)\left(1-\frac{3}{20}\right)\left(1-\frac{1}{5}\right)$

$= 200\times\frac{7}{8}\times\frac{17}{20}\times\frac{4}{5} =$ 119 लीटर

15. पानी की अभीष्ट मात्रा $= \frac{46\times(20-8)}{100-8}$

$= \frac{46\times12}{92} =$ 6 लीटर

16. बर्तन में शेष बचा दूध $= 400\left(1-\frac{25}{400}\right)^2$

$= 400\left(1-\frac{1}{16}\right)^2$

$= \left(400\times\frac{15\times15}{16\times16}\right)$ लीटर

$\therefore$ अभीष्ट अनुपात $= \frac{400\times15\times15}{400\times16\times16} = \frac{225}{256} = 225 : 256$

●●●

14 साझेदारी

❖ **साझेदारी (Partnership):** जब दो या दो से अधिक व्यक्ति किसी शर्त के अनुसार किसी व्यापार को चलाने के लिए सहमत होते हैं, तब ऐसी व्यवस्था को साझेदारी कहते हैं।

❖ **साझेदार (Partners):** वे व्यक्ति जो साझेदारी के अन्तर्गत व्यापार करते हैं, साझेदार कहलाते हैं।

❖ **पूँजी (Capital):** किसी व्यापार को चलाने के लिए आवश्यक धन पूँजी कहलाता है।

❖ **शुद्ध लाभ (Net Profit):** किसी व्यापार में कुल आय में से कुल खर्च और मशीन इत्यादि को हुई क्षति का मौद्रिक मूल्य घटाने के बाद जो राशि शेष बचती है, वह शुद्ध लाभ कहलाता है।

❖ **लाभांश (Dividend):** कोई भी कम्पनी प्रायः शुद्ध लाभ की सम्पूर्ण राशि को साझेदारों में नहीं बाँटती है। उसका कुछ अंश कम्पनी अपना विस्तार, आधुनिकीकरण इत्यादि के लिए रखती है और शेष राशि अपने साझेदारों के बीच बाँटती है। यही राशि लाभांश कहलाती है।

❖ **कार्यकारी साझेदार (Working Partner):** किसी कम्पनी या व्यापार के साझेदारों में एक या कुछ साझेदार ऐसे हो सकते हैं, जो व्यापार में पूर्णतः सक्रिय होते हैं। ऐसे साझेदारों को शुद्ध लाभ में से अलग से कुछ राशि दी जाती है तथा शेष राशि को सभी साझेदारों के बीच पूँजी तथा समय के अनुपात में बाँट दिया जाता है।

❖ **निष्क्रिय साझेदार (Sleeping Partner):** ऐसे साझेदार व्यापार में सक्रिय रूप से भाग नहीं लेते हैं। उनकी मात्र पूँजी एक निश्चित समय के लिए लगी होती है। कुल शुद्ध लाभ में से कार्यकारी साझेदार को अलग से दी जाने वाली राशि के बाद जो शेष बचता है उसे निष्क्रिय साझेदारों के बीच पूँजी तथा समय के अनुपात में बाँट दिया जाता है।

नीचे इस अध्याय से संबंधित विभिन्न प्रकार के प्रश्न दिये गये हैं तथा कुछ वैसे प्रश्नों को सन्निहित किया गया है जो पिछली परीक्षाओं में पूछे गये हैं।

वस्तुनिष्ठ प्रश्न

1. A, B तथा C ने मिलकर कुल ₹ 19,800 कमाए। A तथा B के बीच इस कमाई का अनुपात क्रमशः 2 : 1 तथा B और C के बीच इस कमाई का अनुपात क्रमशः 3 : 2 है। B ने कितने रुपए कमाए?

A. ₹ 5,500 B. ₹ 5,400
C. ₹ 5,100 D. ₹ 5,800

2. A, B एवं C ने मिलकर क्रमशः 5 : 7 : 6 के अनुपात में धन लगाकर एक व्यवसाय आरम्भ किया। 6 महीने बाद C ने अपने द्वारा लगाई गई धनराशि का आधा भाग निकाल दिया। यदि A द्वारा लगाई गई धनराशि ₹ 40,000 थी और वर्ष के अंत में प्राप्त लाभ ₹ 33,000 था तो उस लाभ में C का हिस्सा क्या था?

A. ₹ 8,000 B. ₹ 7,000
C. ₹ 9,000 D. ₹ 8,500

3. A और B साझेदारी में एक व्यापार क्रमशः ₹ 20,000 तथा ₹ 15,000 लगाकर शुरू करते हैं। 6 महीने बाद C ₹ 20,000 के साथ साझे में शामिल होता है। बताइए कि 2 साल के अन्त में हुए ₹ 25,000 के लाभ में से B को कितना हिस्सा मिलेगा?

A. ₹ 7,500 B. ₹ 8,500
C. ₹ 6,500 D. ₹ 7,200

4. सुनेत्रा ने ₹ 50,000 की राशि निवेश करके सॉफ्टवेयर व्यवसाय शुरू किया। छः महीने के बाद ₹ 80,000 राशि के साथ निखिल उसका सहयोगी बना। तीन वर्ष के अन्त में उन्होंने ₹ 24,500 लाभ अर्जित किया, तो उस लाभ में सुनेत्रा का हिस्सा कितना था?

A. ₹ 9,500 B. ₹ 7,600
C. ₹ 10,500 D. ₹ 8,500

5. M, P और Q ने मिलकर साझे में एक व्यापार प्रारम्भ किया। M ने 6 महीने तक ₹ 6500, P ने 5 महीने तक ₹ 8,400 तथा Q ने 3 महीने तक ₹ 10,000 लगाए। M उस व्यापार में क्रियाशील सदस्य है, जिसके लिए उसके लाभ का 5% अतिरिक्त मिलता है। यदि कुल लाभ ₹ 7,400 है तो लाभ में Q का हिस्सा कितना है?

A. ₹ 1,850 B. ₹ 1,800
C. ₹ 1,950 D. ₹ 1,900

6. अरविन्द, प्रवीण एवं नितिन मिलकर एक व्यापार प्रारम्भ करते हैं। अरविन्द ₹ 15,000 8 महीने के लिए, प्रवीण ₹ 12,000 9 महीने के लिए तथा नितिन ₹ 8,000 पूरे वर्ष के लिए लगाता है। वर्ष के अंत में उन्हें ₹ 10,800 का लाभ होता है तो अरविंद एवं नितिन के लाभांश में अंतर ज्ञात कीजिए :

A. ₹ 900 B. ₹ 800
C. ₹ 950 D. ₹ 990

7. एक चरागाह में A, 10 भेड़ों को 3 सप्ताह तक चराता है, जबकि B, 15 भेड़ों को 4 सप्ताह तक चराता है। 60 रु. किराए को दोनों किस अनुपात में बांटेंगे?

A. 1 : 15 B. 3 : 4
C. 1 : 2 D. इनमें से कोई नहीं

8. सुजाता ₹ 45,000 निवेश कर एक व्यवसाय प्रारम्भ करती है। 6 माह के बाद नीता ₹ 80,000 उस व्यवसाय में निवेश करती है। एक साल बाद रमेश ₹ 1,20,000 निवेश करता है। 2 वर्षों के बाद सुजाता, नीता एवं रमेश के बीच लाभ किस अनुपात में बांटा जाना है?

A. 9 : 16 : 24 B. 3 : 4 : 4
C. 3 : 4 : 8 D. 3 : 3 : 8

9. मनोज ने ₹ 4000 एक व्यापार में निवेश किये और अनिल ने उसी व्यापार में ₹ 4500 निवेश किये। ₹ 2890 के लाभ में मनोज का हिस्सा क्या होगा?

A. ₹ 1320 B. ₹ 1380
C. ₹ 1360 D. ₹ 1440

10. A और B ने बराबर पूँजी निवेशित कर एक व्यापार प्रारम्भ किया लेकिन A 9 महीने तक उस व्यापार में रहा और B 15 महीने रहा। यदि उस व्यापार में कुल लाभ ₹ 2256 हुआ हो, तो B का हिस्सा क्या होगा?

A. ₹ 1420 B. ₹ 1460
C. ₹ 1430 D. ₹ 1410

11. दो साझेदार ने क्रमशः ₹ 9500 और ₹ 10500 लगाकर एक व्यापार आरम्भ किया। यदि दूसरे साझेदार को ₹ 1701 लाभ के रूप में प्राप्त हुआ हो, तो पहले साझेदार को कितने रुपये प्राप्त होंगे?

A. ₹ 1513 B. ₹ 1539
C. ₹ 1542 D. ₹ 1532

12. सुरेन्द्र ने ₹ 120000 की पूँजी लगाकर एक ऑडियो कैसेट की दुकान खोली, 6 महीने बाद जयन्त भी उसमें आधी पूँजी के साथ शामिल हो गया। यदि दो वर्षों के बाद कुल ₹ 27500 का लाभ हुआ हो, तो उसमें जयन्त का हिस्सा क्या होगा?

A. ₹ 6500 B. ₹ 6800
C. ₹ 7500 D. ₹ 7000

13. जगमोहन ने ₹ 63000 की पूँजी निवेश कर एक लघु उद्योग की स्थापना की और 3 महीने बाद विजय भी कुछ पूँजी निवेश कर उसमें शामिल हो गया। यदि दो वर्षों के बाद दोनों को समान लाभ प्राप्त हुआ हो तो विजय ने कितने रुपये पूँजी के रूप में निवेश किये था?

A. ₹ 64000 B. ₹ 68000
C. ₹ 72000 D. ₹ 74000

14. A ने कुछ पूँजी लगाकर एक व्यापार शुरू किया और 9 महीने बाद B भी ₹ 80000 के साथ शामिल हो गया। यदि तीन वर्षों के बाद उसने लाभ को 4 : 5 अनुपात में बाँटा हो, तो A ने उस व्यापार में कितने रुपये की पूँजी निवेश किया था?

A. ₹ 46000 B. ₹ 48000
C. ₹ 42000 D. ₹ 44000

15. A ने ₹ 3000 तथा B ने ₹ 4500 निवेश कर एक किराना की दुकान खोली और 8 महीने बाद A उससे अलग हो गया। एक निश्चित समय बाद A और B ने क्रमशः ₹ 200 तथा 450 लाभ के रूप में प्राप्त किए। B कुल कितने समय तक उस दुकान में शामिल था?

A. 8 महीना B. 7 महीना
C. 9 महीना D. 12 महीना

16. अमित द्वारा निवेशित पूँजी चंद्रा से 20% अधिक है लेकिन उसका व्यापार में रहने का समय चंद्रा के समय का 20% कम है। उस व्यापार से हुए लाभ को वे किस अनुपात में बाँटेंगे?

A. 15 : 16 B. 24 : 25
C. 29 : 30 D. 20 : 21

17. A और B द्वारा किसी व्यापार में निवेशित पूँजी का अनुपात 5 : 7 है तथा उसके व्यापार में रहने के समय का अनुपात 14 : 15 है। यदि कुल लाभ ₹ 4895 हुआ हो तो उनके द्वारा प्राप्त लाभों का अंतर क्या होगा?

A. ₹ 975 B. ₹ 979
C. ₹ 977 D. ₹ 974

18. A और B द्वारा किसी व्यापार में निवेशित पूँजी का अनुपात क्या होगा यदि उनके उस व्यापार में रहने के समय का अनुपात 12 : 13 और प्राप्त लाभों का अनुपात 4 : 3 है?

A. 12 : 7 B. 10 : 7
C. 13 : 9 D. 9 : 4

उत्तरमाला

1	2	3	4	5	6	7	8	9	10
B	C	A	C	D	B	C	B	C	D
11	**12**	**13**	**14**	**15**	**16**	**17**	**18**		
B	C	C	B	D	B	B	C		

व्याख्यात्मक उत्तर

1. $A : B : C = 2 \times 3 : 1 \times 3 : 2 = 6 : 3 : 2$

B की राशि $= \dfrac{19800 \times 3}{6+3+2} = \dfrac{19800 \times 3}{11} =$ ₹ 5,400

2. $A : B : C = 5 \times 12 : 7 \times 12 : \left[(6 \times 6) + \left(\dfrac{6}{2} \times 6\right)\right]$

$= 5 \times 12 : 7 \times 12 : 54 = 10 : 14 : 9$

C का हिस्सा = $\frac{33000 \times 9}{33}$ = ₹ 9,000

3. A : B : C = 20,000 × 24 : 15,000 × 24 : 20,000 × 18

= 16 : 12 : 12

B का हिस्सा = $\frac{12 \times 25,000}{40}$ = ₹ 7,500

4. धनों का अनुपात = 50,000 × 36 : 80,000 × 30 = 3 : 4

सुनेत्रा का लाभ में हिस्सा = $\frac{3 \times 24,500}{7}$ = ₹ 10,500

5. M को कार्य करने का अतिरिक्त लाभ = 7,400 का 5% = ₹ 370

M : Q : P = 6 × 6500 : 3 × 10,000 : 5 × 8400

= 13 : 10 : 14

शेष लाभ = 7,400 – 370 = ₹ 7,030

लाभ में Q का हिस्सा = $\frac{10}{37} \times 7,030$ = ₹ 1900

6. अरविन्द : प्रवीण : नितिन

= 15,000 × 8 : 12,000 × 9 : 8000 × 12 = 10 : 9 : 8

$$(10+9+8) \xrightarrow{\times 400} 10,800$$

$$(10-8) \xrightarrow{\times 400} 800$$

लाभांश में अंतर = 2 × 400 = ₹ 800

7. A एवं B के किराए के बीच अनुपात

= 10 × 3 : 15 × 4 = 1 : 2

8.

सुजाता	:	नीता	:	रमेश
45000 × 24	:	80000 × (24 – 6)	:	120000 × (24 – 12)
1080000	:	1440000	:	1440000
108	:	144	:	144

लाभों का अनुपात

3	:	4	:	4

9. 4000 : 4500 = $P_M : P_A$

या, $P_M : P_A = 8 : 9$

∴ मनोज का अभीष्ट हिस्सा = $\frac{8}{8+9} \times 2890$

$= \frac{8}{17} \times 2890$ = ₹ 1360

10. 9 : 15 = $P_A : P_B$ या, $P_A : P_B = 3 : 5$

∴ B का अभीष्ट हिस्सा = $\frac{5}{3+5} \times 2256$

$= \frac{5}{8} \times 2256$ = ₹ 1410

11. 9500 : 10500 = $P_1 : P_2$

या, $P_1 : P_2$ = 95 : 105 = 19 : 21

∴ पहले साझेदार को प्राप्त लाभ = $\frac{19}{21} \times 1701$ = ₹ 1539

12. 120000 × 24 : 60000 × (24 – 6) = $P_S : P_J$

या, 12 × 24 : 6 × 18 = $P_S : P_J$

या, $P_S : P_J = 8 : 3$

जयन्त का अभीष्ट हिस्सा = $\frac{3}{8+3} \times 27500$

$= \frac{3}{11} \times 27500$ = ₹ 7500

13. 63000 × 24 = C_V × (24 –3)

या, 63000 × 24 = C_V × 21

या, $C_V = \frac{63000 \times 24}{21}$ = ₹ 72000

14. C_A × 36 : 80000 × (36 – 9) = 4 : 5

या, $\frac{C_A \times 36}{80000 \times 27} = \frac{4}{5}$

या, $C_A = \frac{80000 \times 27 \times 4}{36 \times 5}$ = ₹ 48000

∴ A की अभीष्ट पूँजी = ₹ 48000

15. 3000 × 8 : 4500 × T = 200 : 450

या, $\frac{3000 \times 8}{4500 \times T} = \frac{200}{450}$

या, $\frac{2 \times 8}{3 \times T} = \frac{4}{9}$

या, $T = \frac{2 \times 8 \times 9}{3 \times 4} = 12$

∴ अभीष्ट समय = 12 महीने

16. 120 × 80 : 100 × 100 = $P_A : P_C$

या, 96 : 100 = $P_A : P_C$

या, $P_A : C_C$ = 24 : 25

∴ अभीष्ट अनुपात = 24 : 25

17. 5 × 14 : 7 × 15 = $P_A : P_B$

या, $P_A : B_B$ = 2 : 3

∴ लाभों का अभीष्ट अंतर = $\frac{3-2}{2+3} \times 4895 = \frac{1}{5} \times 4895$

= ₹ 979

18. C_A × 12 : C_B × 13 = 4 : 3

या, $\frac{C_A \times 12}{C_B \times 13} = \frac{4}{3}$

या, $\frac{C_A}{C_B} = \frac{4 \times 13}{12 \times 3} = \frac{13}{9}$

∴ अभीष्ट अनुपात = 13 : 9

●●●

15

समय एवं कार्य

ऐकिक नियम के प्रश्नों में पहले इकाई वस्तु का मूल्य ज्ञात करके प्रश्न में दी गई संख्या का मूल्य निकालते हैं। उदाहरण के लिए प्रश्न है–

7 बकरियों की कीमत 630 रु. है, तो 20 बकरियों की कीमत क्या होगी?

ऐकिक नियम विधि से इस प्रश्न को हल करने में पहले एक बकरी की कीमत निकालनी होगी। उसके बाद 20 बकरियों की कीमत निकाली जायेगी।

ऐसे प्रश्नों को हल करते समय जो भाषा लिखी जाती है, उसमें जिस राशि या मद का उत्तर निकालना हो, उसे सबसे बाद में लिखा जाता है।

नोटः

(i) यदि एक आदमी एक काम को 10 दिनों में करता है, तो उसका एक दिन का काम होगा = $\frac{1}{10}$ भाग

(ii) यदि किसी आदमी का एक दिन का काम $\frac{1}{10}$ हो, तो वह पूरा काम 10 दिनों में करेगा।

(iii) ऐसे प्रश्नों में पहले एक दिन का काम निकाला जाता है।

(iv) यदि काम करने वाले आदमी बढ़ जायें, तो काम कम समय (कम दिनों) में पूरा होगा और यदि काम करने वाले आदमी कम हो जायें, तो काम अधिक समय (अधिक दिनों) में पूरा होगा।

वस्तुनिष्ठ प्रश्न

1. A एक काम को 6 दिन में तथा B उसे 10 दिन में कर सकता है। A तथा B मिलकर उसे पूरा करेंगेः

A. 10 दिन से कम तथा 6 दिन से अधिक दिनों में
B. 10 दिन से अधिक दिनों में
C. 6 दिन से कम दिनों में
D. 2 दिन में

2. A एक मेज को 3 दिन में तथा उसका मित्र उसे 6 दिन में बना सकता है। A और उसका मित्र मिलकर उसे पूरा बनाएंगेः

A. 3 दिन में　　B. 2 दिन में
C. 1 दिन में　　D. $\frac{1}{2}$ दिन में

3. X और Y मिलकर किसी कार्य को 10 दिन में कर सकते हैं। X अकेला उसे 15 दिन में कर सकता है, तो Y उसे कितने दिन में करेगा?

A. 15 दिन　　B. 20 दिन
C. 25 दिन　　D. 30 दिन

4. 24 आदमी एक मशीन को 12 दिन में तैयार करते हैं, तो 36 आदमी उसे कितने दिनों में तैयार करेंगे?

A. 8 दिन　　B. 12 दिन
C. 16 दिन　　D. 20 दिन

5. X, Y और Z किसी काम को क्रमशः 8, 10 और 8 दिन में कर सकते हैं। तीनों मिलकर उस कार्य को कितने दिनों में कर सकेंगे?

A. $2\frac{1}{7}$ दिन　　B. $2\frac{3}{7}$ दिन
C. $2\frac{5}{7}$ दिन　　D. $2\frac{6}{7}$ दिन

6. A एक काम को 5 दिन में तथा B उसी काम को 10 दिन में पूरा करता है, तो बताइये (A + B) उस काम को कितने दिनों में पूरा करेंगे?

A. $2\frac{3}{4}$ दिन　　B. $3\frac{3}{4}$ दिन
C. $3\frac{1}{3}$ दिन　　D. $2\frac{1}{4}$ दिन

7. 3 पेन और 5 पैन्सिलों का मूल्य 14 रु. है। 12 पेन और 20 पेन्सिलों का क्या मूल्य होगा?

A. 42 रु.　　B. 56 रु.
C. 20 रु.　　D. 112 रु.

8. *x*, *y* और *z* मिलकर एक कार्य को 8 दिन में पूरा कर सकते हैं। यदि *x* और *z* मिलकर उस कार्य को 12 दिन में पूरा कर सकते हों, तो बताइये *y* अकेला उस कार्य को पूरा कितने दिन में करेगा?

A. 22 दिन　　B. 24 दिन
C. $17\frac{1}{4}$ दिन　　D. 23 दिन

9. यदि 75 संतरों की एक पेटी का मूल्य 60 रु. है, तो 50 संतरों का मूल्य होगा:

A. 30 रु.

B. 40 रु.

C. 50 रु.

D. 60 रु.

10. एक नल एक हौज को 4 घण्टे में तथा दूसरा नल उस हौज को 5 घण्टे में भर सकता है। यदि दोनों नल एक साथ खोल दिए जाएं, तो हौज को भरने में कितने घण्टे लगेंगे?

A. $3\frac{2}{9}$ घण्टे

B. $2\frac{2}{9}$ घण्टे

C. $2\frac{1}{9}$ घण्टे

D. $3\frac{5}{9}$ घण्टे

उत्तरमाला

1	2	3	4	5	6	7	8	9	10
C	B	D	A	D	C	B	B	B	B

व्याख्यात्मक उत्तर

1. A का 1 दिन का काम $= \frac{1}{6}$; B का 1 दिन का काम $= \frac{1}{10}$

(A + B) का 1 दिन का काम $= \frac{1}{6}+\frac{1}{10}=\frac{8}{30}$

$\therefore$ A + B मिलकर उसे $\frac{30}{8}$ दिन में करेंगे

$= 3\frac{6}{8}$ दिन $= 3\frac{3}{4}$ दिन जो 6 दिन से कम है।

2. A तथा उसके मित्र द्वारा 1 दिन में किया गया कार्य

$= \frac{1}{3}+\frac{1}{6}=\frac{3}{6}$

$\therefore$ दोनों मिलकर उसे पूरा करेंगे $= \frac{6}{3} = 2$ दिन में।

3. X और Y का दिन का काम $= \frac{1}{10}$

अकेले X का 1 दिन का काम $= \frac{1}{15}$

अकेले Y का 1 दिन का काम $= \frac{1}{10}-\frac{1}{15}=\frac{1}{30}$

$\therefore$ Y अकेला उस काम को 30 दिन में करेगा।

4. $\because$ 24 व्यक्ति एक मशीन को बनाते हैं = 12 दिन में

$\therefore$ 1 व्यक्ति एक मशीन को बनाता है $= 24 \times 12$ दिन में।

$\therefore$ 36 व्यक्ति एक मशीन को बनाते हैं $= \frac{24\times12}{36} = 8$ दिन में।

5. X + Y + Z का 1 दिन का काम $= \frac{1}{8}+\frac{1}{10}+\frac{1}{8}=\frac{7}{20}$

$\therefore$ X + Y + Z उसे पूरा करेंगे $= \frac{20}{7}$ दिन $= 2\frac{6}{7}$ दिन में

6. $\because$ A का 1 दिन का काम $= \frac{1}{5}$ तथा B का 1 दिन का काम $= \frac{1}{10}$

$\therefore$ (A + B) का 1 दिन का काम $= \frac{1}{5}+\frac{1}{10}=\frac{2+1}{10}=\frac{3}{10}$

चूंकि $\frac{3}{10}$ काम (A + B) करते हैं = 1 दिन में

$\therefore$ पूरा काम (A + B) करेंगे $= \frac{10}{3} = 3\frac{1}{3}$ दिन में

8. $\because$ $(x + y + z)$ का 1 दिन का काम $= \frac{1}{8}$

तथा $(x + z)$ का 1 दिन का काम $= \frac{1}{12}$

$\therefore$ y का 1 दिन का काम $= \frac{1}{8}-\frac{1}{12}=\frac{3-2}{24}=\frac{1}{24}$

चूंकि $\frac{1}{24}$ काम y करता है = 1 दिन में

$\therefore$ पूरा काम y करेगा 24 दिन में।

9. $\because$ 75 संतरों का मूल्य = 60 रु. $\because$ 1 संतरे का मूल्य $= \frac{60}{75}$

$\therefore$ 50 संतरों का मूल्य $= \frac{60}{75}\times 50 = 40$ रु.

●●●

16 समय एवं दूरी

समय पर आधारित प्रश्नों के उत्तर देने के लिए निम्न बातें जानना आवश्यक है।

(i) 12 मध्यरात्रि से 12 मध्याह्न के समय पूर्वाह्न तथा 12 मध्याह्न से 12 मध्यरात्रि तक के समय को अपराह्न कहा जाता है।

(ii) 12 मध्यरात्रि को 24:00 बजे या 00:00 बजे लिखा जाता है।

(iii) 12 मध्यरात्रि को 12:00 बजे लिखा जाता है।

(iv) दाईं ओर के दो अंकों से बनने वाली संख्या मिनटों की संख्या दर्शाती है।
जैसे–10 : 15

(v) यदि बाईं ओर के दो अंकों से बनने वाली संख्या 12 से कम हो तो यह (मध्यरात्रि के बाद का समय) पूर्वाह्न कहलाती है। जैसे–
10:30 बजे = 10:30 पूर्वाह्न
11:45 बजे = 11:45 पूर्वाह्न

(vi) यदि बाईं ओर के दो अंकों से बनने वाली संख्या 12 से अधिक हो तो यह (दोपहर के बाद का समय) अपराह्न कहलाती है, जैसे–
18 : 15 बजे = 6 : 15 अपराह्न
20 : 30 बजे = 8 : 30 अपराह्न

उदाहरण 1. एक रेलगाड़ी सायं 5:40 बजे मुम्बई से चलती है और अगले दिन प्रातः 10:55 बजे नई दिल्ली पहुंचती है। रेलगाड़ी द्वारा तय यात्रा में लिया गया समय है।

हलः मुम्बई से प्रस्थान समय = 5:40
नई दिल्ली आगमन समय = 10:55 (अगले दिन)
कुल समय = 5:40 से 5:40 (अगले दिन) = 12 घंटा
तथा 5:40 से 10:55 तक
= 5 घंटे 15 मिनट
= 17 घंटे 15 मिनट

वस्तुनिष्ठ प्रश्न

1. वैशाली सुपर फास्ट गाड़ी दिल्ली से 19:45 बजे रवाना होती है और अगले दिन 15:20 बजे मुज़फ्फरपुर पहुंचती है। बताओ यह मुज़फ्फरपुर पहुंचने में कितना समय लेती है?
A. 19 घंटा 25 मिनट B. 18 घंटा 35 मिनट
C. 19 घंटा 35 मिनट D. 18 घंटा 20 मिनट

2. मनु किसी सोमवार को रात में 9:30 पर सोया और अगले दिन 5:50 पर जागा। उसके सोने की अवधि कितनी थी?
A. 8 घंटे 20 मिनट B. 8 घंटे 10 मिनट
C. 7 घंटे 40 मिनट D. 7 घंटे 20 मिनट

3. इन्टरसिटी रेलगाड़ी रक्सौल से सुबह 9:15 पर चलती है तथा उसी दिन 11 बजे पीपरा पहुंचती है। रेलगाड़ी द्वारा यात्रा में लिया गया कुल समय है?
A. 1 घंटा 15 मिनट B. 10 घंटे 45 मिनट
C. 1 घंटा 45 मिनट D. 10 घंटे 15 मिनट

4. यदि किसी दिन सूर्य 6:20 पूर्वाह्न पर उदय हो तथा 6:57 अपराह्न पर अस्त हो, तो उस दिन की लम्बाई होगी?
A. 12 घंटे 27 मिनट B. 12 घंटे 17 मिनट
C. 12 घंटे 37 मिनट D. 12 घंटे

5. 9 घंटे 30 मिनट बराबर है:
A. 0.90 बजे B. 9:30 पूर्व. के
C. 8 घंटे 90 मिनट के D. 9:30 अप. के

6. एक बस शिमला से दिल्ली के लिए 7:20 बजे प्रातः प्रस्थान करती है और दिल्ली पहुंचने में 9 घंटे का समय लेती है। बस कितने बजे दिल्ली पहुंचती है?
A. 4:20 बजे अप.
B. 3:30 बजे अप.
C. 6:30 बजे अप.
D. 7:30 बजे अप.

7. एक वायुयान मुम्बई से 7:50 बजे उड़ान भरता है। यह चेन्नई 10:30 बजे हवाई हड्डे पर उतरता है। यह चेन्नई पहुंचने में कितना समय लेता है?
A. 2 घंटे 30 मिनट B. 2 घंटे
C. 3 घंटे लगभग D. 2 घंटे 40 मिनट

8. एक लड़का रात्रि 8:30 बजे सोने के लिए गया तथा प्रातः 6:15 पर जागा। वह लड़का कितनी देर तक सोया?

A. 9 घंटे 45 मिनट B. 9 घंटे 15 मिनट
C. 2 घंटे 15 मिनट D. 4 घंटे 45 मिनट

9. एक छात्र अपने घर से विद्यालय के लिए प्रातः 8:30 बजे साइकिल से चला। वह विद्यालय से पढ़ाई करने के बाद सांय 4:50 बजे घर वापस आया। वह कितने समय तक घर से बाहर रहा?

A. 7 घंटे 20 मिनट
B. 8 घंटे 20 मिनट
C. 9 घंटे 20 मिनट
D. 7 घंटे 90 मिनट

10. एक स्कूल की वार्षिक परीक्षा 18 मार्च, 2002 को आरम्भ हुई और 23 मार्च, 2002 को समाप्त हुई। परीक्षा कितने दिन तक चली?

A. एक सप्ताह B. 8 दिन
C. 6 दिन D. 1 महीना

उत्तरमाला

1	2	3	4	5	6	7	8	9	10
C	A	C	C	B	A	D	A	B	C

व्याख्यात्मक उत्तर

1. दिल्ली से प्रस्थान का समय = 19:45
मुज़फ्फरपुर में आगमन समय = 15:20
कुल समय = 19:45 से 24:00
= 4 घंटे 15 मिनट
= 00:00 से 15:20
= 15 घंटे 20 मिनट
= 19 घंटे 35 मिनट

2. सोने का समय = 9:30
जागने का समय = 5:50
कुल समय = 9:30 से 12:00 बजे मध्य रात्रि तक
= 2 घंटे 30 मिनट
= 12:00 से 5:50 बजे सुबह तक
= 5 घंटे 50 मिनट
अर्थात् 7 घंटे 80 मिनट = 8 घंटे 20 मिनट

3. रक्सौल से प्रस्थान समय = 9:15
पीपरा में आगमन समय = 11:00
कुल समय = आगमन समय – प्रस्थान समय
= 11:00 – 9:15 = 1 घंटा 45 मिनट

4. सूर्योदय होने का समय = 6:20
अस्त होने का समय = 6:57
कुल समय = प्रातः 6:20 से 6:20 शाम तक
= 12 घंटे = शेष 37 मिनट
कुल समय = 12 घंटे 37 मिनट

5. दो अंकों से बनने वाली संख्या 12 से कम हो, तो वह पूर्वाह्न कहलाती है।
इस प्रकार 9:30 दर्शाता है 9:30 पूर्वाह्न

6. शिमला से प्रस्थान का समय = 7:20 प्रातः
दिल्ली पहुंचने में लगा समय = 9 घंटे
= 7:20 से 7:20 तक = 12 घंटे
9 घंटे के लिए = 7:20 – 3 = 4 : 20 अप.

7. मुम्बई से उड़ान भरने का समय = 7:50
चेन्नई पहुंचने का समय = 10:30
कुल समय = आगमन का समय – प्रस्थान का समय
= 10:30 – 7:50 = 2 घंटे 40 मिनट

8. सोने का समय = 8:30 शाम
जागने का समय = 6:15 सुबह
कुल समय = 8:30 से 12 बजे रात तक
= 3 घंटे 30 मिनट
= 12 बजे रात से 6:15 सुबह तक
= 6 घंटे 15 मिनट
कुल समय = 9 घंटे 45 मिनट

9. विद्यालय जाने का समय = 8:30 प्रातः
वापस आने का समय = 4:50 शाम
= 8:30 से 12 बजे दिन तक = 3:30
= 12 बजे दिन से 4:50 बजे शाम तक = 4:50
अर्थात् 7:80 = 8 घंटे 20 मिनट

10. परीक्षा की शुरुआत = 18 मार्च, 2002
परीक्षा की समाप्ति = 23 मार्च, 2002
कुल समय = 23 मार्च, 2002 से — 18 मार्च, 2002 तक
= 6 दिन

●●●

17 सारणी एवं ग्राफ

इस प्रकार के प्रश्नों में सारणी या ग्राफ दिया होता है, उससे सम्बन्धित प्रश्न पूछे जाते हैं। अतः अभ्यर्थियों को दिए गए प्रश्नों के सही उत्तर ज्ञात करने के लिए सारणी या ग्राफ का बहुत ही सावधानीपूर्वक अध्ययन करना चाहिए।

आयत चित्र

यह ऐसा सांख्यिकीय ग्राफ है जिसमें आयताकार स्तंभों की ऊँचाई द्वारा यह निरूपित या प्रदर्शित किया जाता है कि किसी प्रतिदर्श या प्रयोग में किसी परिणाम विशेष का प्रत्येक वर्ग कितनी बार आ रहा है। उदाहरणः नीचे की सारणी में किसी शहर में (15-50) आयु-वर्ग के प्रौढ़ व्यक्तियों की संख्या प्रदर्शित की गई है।

आयु वर्ग	*व्यक्तियों की संख्या*
15-20	200
20-25	350
25-30	475
30-35	600
35-40	750
40-45	900
45-50	100

उपर्युक्त आंकड़े का आयत-चित्र नीचे दिया गया है:

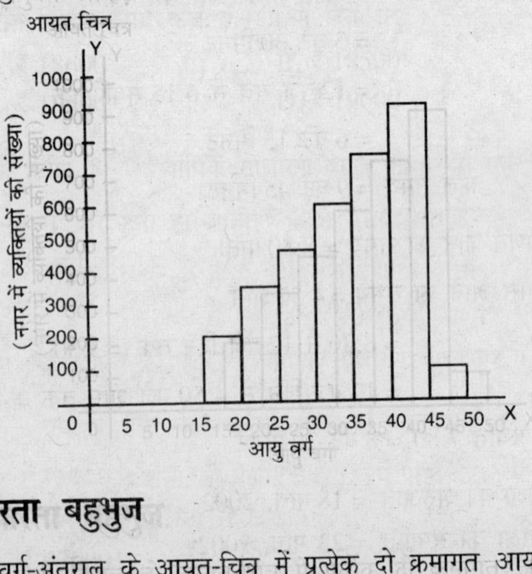

बारंबारता बहुभुज

समान वर्ग-अंतराल के आयत-चित्र में प्रत्येक दो क्रमागत आयतों की ऊपरी भुजाओं के मध्य बिंदुओं को एक रेखाखंड द्वारा मिलाने से प्राप्त आकृति को बारंबारता बहुभुज कहते हैं।

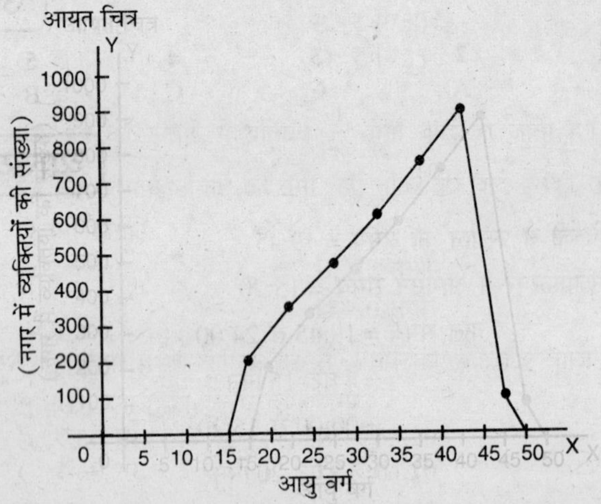

बारंबारता बहुभुज का क्षेत्रफल वही होता है जो उसके संगत आयत चित्र का है। उदाहरण : उपर्युक्त आंकड़े का बारंबारता बहुभुज चित्र में दर्शाया गया है।

दंड चार्ट

यह आंकड़ों का एक ऐसा ग्राफीय निरूपण है जिसमें आंकड़ों के किसी समुच्चय में दी गई राशियों की समानुपाती लंबाइयों के दंड बने होते हैं। इसका प्रयोग तब किया जाता है जबकि किसी एक अक्ष का कोई सांख्यिकीय पैमाना नहीं हो सकता।

उदाहरण के लिए यदि किसी अक्ष द्वारा यह निरूपित किया जाना हो कि मिश्रित बीजों के एक पैकेट से फूलों की अलग-अलग कितनी क्यारियां बनाई जा सकती हैं।

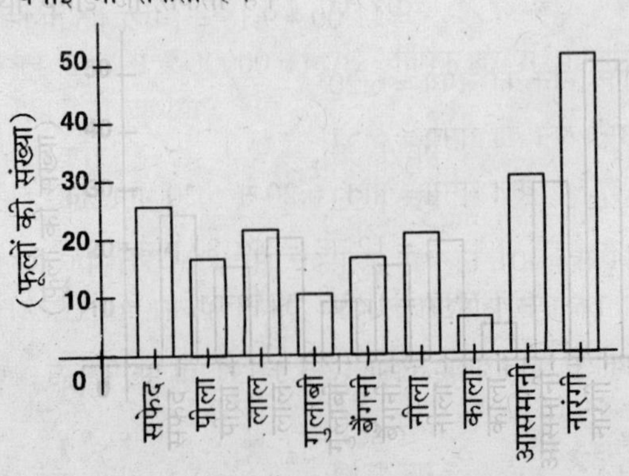

पाई चार्ट

इस प्रकार के आरेख में समानुपातों को किसी वृत्त के त्रिज्यखंडों (sectors) के रूप में प्रदर्शित किया जाता है। त्रिज्यखंडों के सापेक्षिक क्षेत्रफल विभिन्न अनुपातों को निरूपित करते हैं।

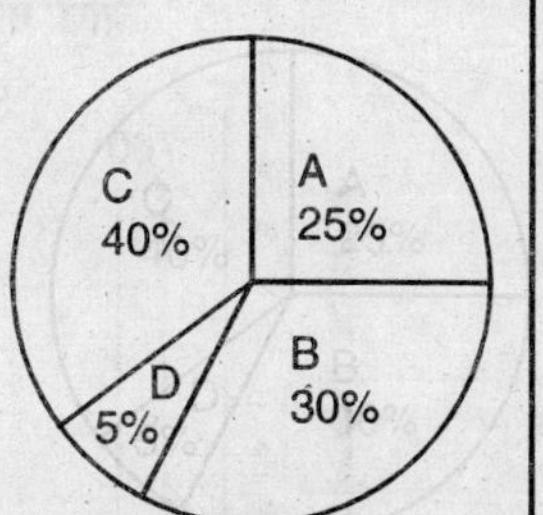

उदाहरण : यदि 100 सैनिकों में से 25 सैनिक टैंक का, 30 सैनिक युद्धपोतों का, 40 सैनिक वायुयानों का और शेष सैनिक बंदूकों का प्रयोग करते हों तो उपर्युक्त आंकड़े का पाई-चार्ट निम्नवत् होगा :

A टैंक का प्रयोग करने वाले सैनिक

$$= \frac{25 \times 360}{100} = 90^\circ$$

B युद्धपोतों का प्रयोग करने वाले सैनिक

$$= \frac{30 \times 360}{100} = 108^\circ$$

C वायुयानों का प्रयोग करने वाले सैनिक

$$= \frac{40 \times 360}{100} = 144^\circ$$

D बंदूकों का प्रयोग करने वाले सैनिक

$$= \frac{5 \times 360}{100} = 18^\circ$$

वस्तुनिष्ठ प्रश्न

निर्देश (प्र. सं. 1–5): *नीचे दिये गये ग्राफ का सावधानीपूर्वक अध्ययन करें तथा नीचे दिये प्रश्नों का उत्तर दीजिए।*

2012 में तीन कम्पनियों में अलग-अलग पदों पर नियुक्तियों की संख्याः

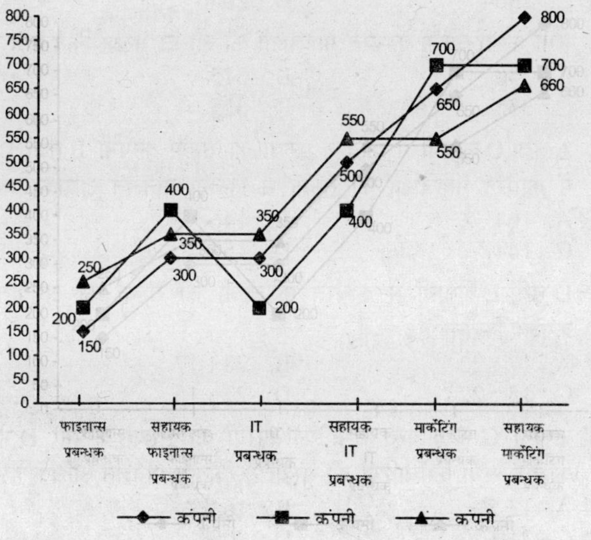

1. कम्पनी A द्वारा सभी श्रेणियों में काम करने वालों की औसत संख्या कितनी है?

A. 450 B. 460
C. 475 D. 375

2. A, B और C तीनों कम्पनियों में सहायक IT प्रबन्धक पद पर कार्य करने वालों का क्रमशः अनुपात क्या है?

A. 8 : 10 : 11 B. 10 : 8 : 11
C. 11 : 10 : 8 D. 10 : 11 : 8

3. कम्पनी C में फाइनान्स प्रबन्धक के पद पर नियुक्तों की संख्या इसी पद पर कम्पनी B में नियुक्तों की संख्या से कितना प्रतिशत ज्यादा है?

A. 35% B. 30%
C. 25% D. 40%

4. सभी कम्पनियों में सहायक मार्केटिंग प्रबन्धक के पद पर नियुक्तों की औसत संख्या कितनी है?

A. 570 B. 520
C. 620 D. 720

5. सभी A, B और C कम्पनियों में IT मैनेजर के पद पर नियुक्तियों का क्रमशः अनुपात क्या है?

A. 6 : 4 : 7 B. 5 : 3 : 7
C. 4 : 7 : 9 D. 8 : 7 : 6

निर्देश (प्र. सं. 6–10): *सभी प्रश्न दिये गये पाई-चार्ट पर आधारित हैं।* सात विभिन्न संस्थानों में कला और वाणिज्य का अध्ययन करने वाले छात्रों का प्रतिशत बंटन विभिन्न संस्थायें A, B, C, D, E, F तथा G हैं।

कला में कुल अध्ययन करने वाले छात्रों की संख्या = 3800

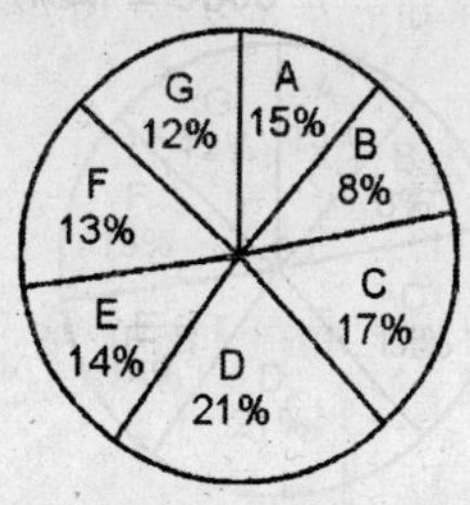

वाणिज्य में अध्ययन करने वाले कुल छात्रों की संख्या = 4200

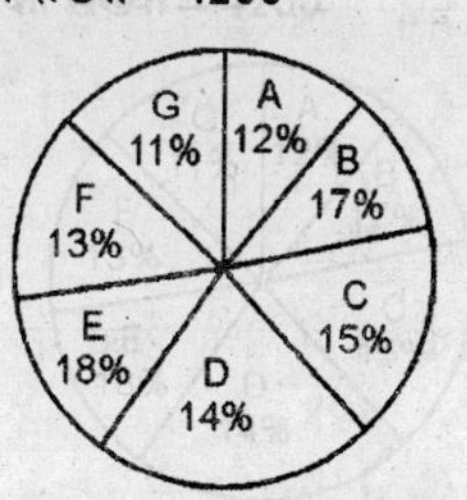

6. A और G दोनों संस्थानों में कला का अध्ययन करने वाले छात्रों की कुल संख्या कितनी है?

A. 1026 B. 1126
C. 1226 D. 1206

7. संस्थान B में कला और वाणिज्य का अध्ययन करने वाले छात्रों की संख्या कितनी है?

A. 1180 B. 1108
C. 1018 D. 1208

8. संस्थान E में कला तथा वाणिज्य का अध्ययन करने वाले छात्रों का क्रमशः अनुपात है:

A. 27 : 14 B. 19 : 27
C. 19 : 16 D. 19 : 28

9. संस्थान E में कला का अध्ययन करने वाले तथा संस्थान D में वाणिज्य का अध्ययन करने वाले छात्रों का अनुपात है:

A. 12 : 17 B. 12 : 7
C. 19 : 21 D. 17 : 19

10. संस्थान B और D में मिलाकर वाणिज्य का अध्ययन करने वाले छात्रों की संख्या कितनी है?

A. 1320 B. 1302
C. 1202 D. 1220

निर्देश (प्र. सं. 11–15): *नीचे दी गई सारणी का सावधानीपूर्वक अध्ययन करके प्रश्नों का उत्तर दीजिए।*

6 छात्रों द्वारा 6 विभिन्न विषयों में प्राप्त अंकों का प्रतिशत

छात्र	विषय					
	इतिहास (कुल अंक 50)	भूगोल (कुल अंक 50)	गणित (कुल अंक 150)	विज्ञान (कुल अंक 100)	अंग्रेजी (कुल अंक 75)	हिन्दी (कुल अंक 75)
अमित	76	85	69	73	64	88
भारत	84	80	85	78	73	92
उमेश	82	67	92	87	69	76
निखिल	73	72	78	69	58	83
प्रतीक्षा	68	79	64	91	66	65
रीतेश	79	87	88	93	82	72

11. सभी विषयों को मिलाकर उमेश द्वारा प्राप्त अंकों का प्रतिशत कितना है?

A. 80% B. 84%
C. 86% D. 78%

12. सभी छात्रों द्वारा हिन्दी में प्राप्त प्रतिशत अंकों का औसत कितना है?

A. 77.45% B. 79.33%
C. 75.52% D. 73.52%

13. गणित में सभी छात्रों के अंकों का औसत कितना है?

A. 128 B. 112
C. 119 D. 138

14. भूगोल में सभी छात्रों द्वारा प्राप्त अंकों का औसत कितना है?

A. 38.26 B. 37.26
C. 37.16 D. 39.16

15. सभी विषयों में प्रतीक्षा द्वारा प्राप्त कुल अंक कितने हैं?

A. 401.75
B. 410.75
C. 402.75
D. इनमें से कोई नहीं

निर्देश (प्र.सं. 16–20): *नीचे दिये गये दण्ड आरेख और सारणी का सावधानीपूर्वक अध्ययन करें तथा निम्न प्रश्नों का उत्तर दीजिए।*

पाँच कम्पनियों (A, B, C, D तथा E) में काम करने वाले कर्मचारियों की संख्या

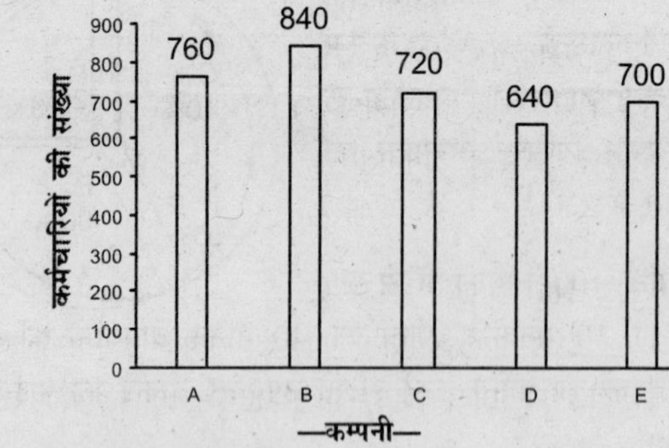

पुरुष और महिला कर्मचारियों का अनुपात

कम्पनी	पुरुष		महिला
A	13	:	6
B	4	:	3
C	7	:	8
D	9	:	11
E	23	:	12

16. सभी कम्पनियों में कार्यरत पुरुषों की संख्या कितनी है?

A. 2084 B. 2048
C. 2064 D. 2046

17. सभी कम्पनियों में कार्यरत महिलाओं की औसत संख्या कितनी है?

A. 340 B. 315
C. 335 D. 325

18. A तथा C कम्पनी में कार्यरत पुरुषों की संख्या कम्पनी B तथा D में कार्यरत महिलाओं की संख्या से कितना प्रतिशत अधिक है?

A. 164 B. 146
C. 144 D. 154

19. D तथा E कम्पनी में कार्यरत महिलाओं की संख्या का अनुपात क्रमशः कितना है?

A. 17 : 22 B. 22 : 17
C. 15 : 22 D. 22 : 15

20. कम्पनी C में कार्यरत सभी कर्मचारियों की संख्या कम्पनी D में कार्यरत सभी कर्मचारियों की संख्या से कितना प्रतिशत अधिक है?

A. 12.5% B. 16.5%
C. 21% D. 20%

निर्देश (प्र. सं. 21–25): *निम्नलिखित ग्राफ व सारणी का ध्यान से अध्ययन कर नीचे दिए गए प्रश्नों के उत्तर दीजिए:*

अलग-अलग दो दिनों पर छह वाहनों को यात्रा करने में लगा समय (घंटों में)

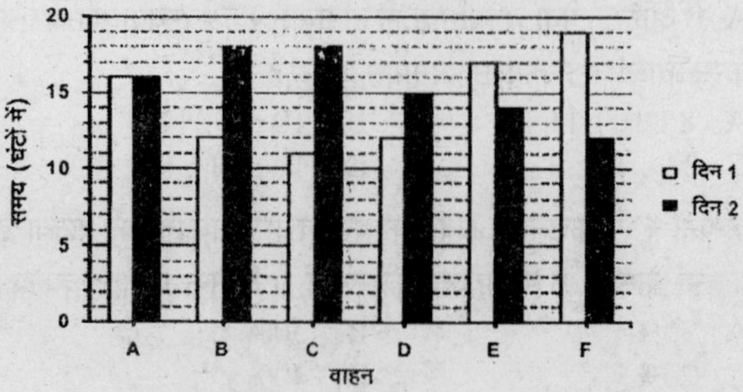

प्रत्येक दिन छह वाहनों द्वारा तय की गई दूरी (किलोमीटर में)

वाहन	दिन 1	दिन 2
A	832	864
B	516	774
C	693	810
D	552	765
E	935	546
F	703	636

21. निम्नलिखित में से कौन-सा वाहन दोनों दिन समान गति से चला था?
A. वाहन A B. वाहन C
C. वाहन F D. वाहन B

22. पहले दिन वाहन A की गति और उसी दिन वाहन C की गति के बीच क्या अंतर था?
A. 7 किमी/घंटा B. 12 किमी/घंटा
C. 11 किमी/घंटा D. 8 किमी/घंटा

23. मीटर प्रति सेकंड में दूसरे दिन वाहन C की गति क्या थी?
A. 15.3 B. 12.8
C. 11.5 D. इनमें से कोई नहीं

24. वाहन F द्वारा दूसरे दिन तय की गई दूरी उसके द्वारा पहले दिन तय की गई दूरी का लगभग कितना प्रतिशत है?
A. 80 B. 65
C. 85 D. 90

25. दूसरे दिन वाहन D और वाहन E की गति के बीच का क्रमशः अनुपात क्या था?
A. 15 : 13 B. 17 : 13
C. 13 : 11 D. 17 : 14

निर्देश (प्र. सं. 26–30): *निम्नलिखित पाइ चार्ट और सारणी का ध्यान से अध्ययन कर नीचे दिए गए प्रश्नों के उत्तर दीजिए:*

छह महीने के दौरान एक दुकानदार द्वारा बेचे गए मोबाइल फोनों की संख्या का प्रतिशतवार विभाजन

बेचे गए मोबाइल फोनों की कुल संख्या = 45,000

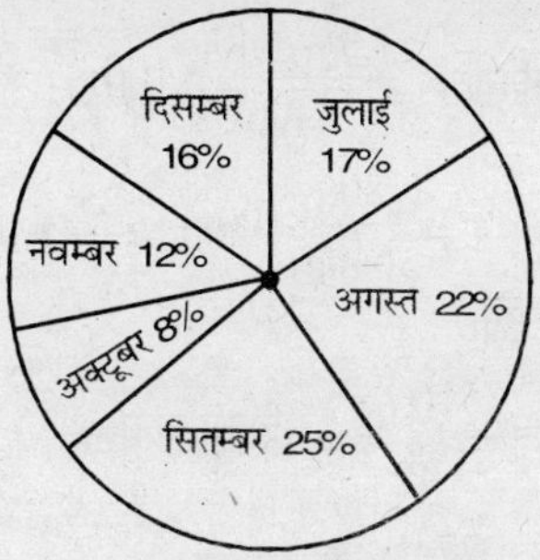

छह महीने के दौरान कंपनी A और कंपनी B के बिके हुए मोबाइल फोनों की संख्या के बीच का क्रमशः अनुपात

महीना	अनुपात
जुलाई	8 : 7
अगस्त	4 : 5
सितम्बर	3 : 2
अक्टूबर	7 : 5
नवम्बर	7 : 8
दिसम्बर	7 : 9

26. जुलाई के दौरान कंपनी B के बिके मोबाइल फोनों की संख्या उसी कंपनी के दिसंबर के दौरान बिके मोबाइल फोनों की संख्या के बीच का क्रमशः अनुपात क्या है?
A. 119 : 145
B. 116 : 135
C. 119 : 135
D. 119 : 130

27. नवंबर के दौरान कंपनी A द्वारा बेचे गए मोबाइल फोनों की संख्या में से 35% छूट सहित बेचे गए थे। कंपनी A के कितने मोबाइल फोन उस महीने बिना छूट बेचे गए थे?
A. 882 B. 1635
C. 1638 D. 885

28. अक्टूबर के दौरान बेचे गए कंपनी B के प्रत्येक मोबाइल फोन पर दुकानदार को ₹ 433 का लाभ हुआ था तो उसी महीने उस कंपनी के बेचे गए मोबाइल फोन पर उसका अर्जित कुल लाभ कितना था?
A. ₹ 6,49,900
B. ₹ 6,45,900
C. ₹ 6,49,400
D. ₹ 6,49,500

29. जुलाई के दौरान बिके कंपनी A के मोबाइल फोनों की संख्या दिसंबर के दौरान बिके कंपनी A के मोबाइल फोनों की संख्या का लगभग कितना प्रतिशत थी?
A. 110 B. 140
C. 150 D. 130

30. अगस्त और सितंबर के दौरान मिलकर कंपनी B के बिके हुए मोबाइल फोनों की कुल संख्या क्या थी?
A. 10,000 B. 15,000
C. 10,500 D. 9,500

उत्तरमाला

1	2	3	4	5	6	7	8	9	10
A	B	C	D	A	A	C	B	C	B
11	**12**	**13**	**14**	**15**	**16**	**17**	**18**	**19**	**20**
A	B	C	D	D	A	B	C	D	A
21	**22**	**23**	**24**	**25**	**26**	**27**	**28**	**29**	**30**
D	C	D	D	B	C	C	D	D	A

व्याख्यात्मक उत्तर

1. अभीष्ट औसत $= \frac{2700}{6} = 450.$

2. अभीष्ट अनुपात = 500 : 400 : 550 = 10 : 8 : 11.

3. अभीष्ट प्रतिशत $= \frac{250-200}{200}\times100 = \frac{50}{200}\times100 = 25\%.$

4. अभीष्ट औसत $= \frac{800+700+660}{3} = \frac{2160}{3} = 720.$

5. अभीष्ट अनुपात = 300 : 200 : 350 = 6 : 4 : 7.

6. अभीष्ट छात्रों की संख्या $= 3800 \times \frac{27}{100} = 1026.$

7. अभीष्ट छात्रों की संख्या $= \frac{3800\times8}{100}+\frac{4200\times17}{100}$

$= 304 + 714 = 1018.$

8. अभीष्ट अनुपात $= \frac{3800\times14}{100}:\frac{4200\times18}{100}$

$= 38 \times 14 : 42 \times 18$

$= 19 : 27.$

9 अभीष्ट अनुपात $= \frac{3800\times14}{100}:\frac{4200\times14}{100} = 19 : 21.$

10. अभीष्ट छात्रों की संख्या $= \frac{4200\times17}{100}+\frac{4200\times14}{100}$

$= 714 + 588 = 1302.$

11. उमेश के कुल अंक

$= 41+33.5+\frac{92}{100}\times150+87+\frac{69}{100}\times75+\frac{76}{100}\times75$

$= 41 + 33.5 + 138 + 87 + 51.75 + 57$

$= 408.25$

अभीष्ट प्रतिशत $= \frac{408}{500}\times100 = 80.$

12. अभीष्ट हिन्दी में प्रतिशत का औसत

$= \frac{88+92+76+83+65+72}{6}$

$= \frac{476}{6} = 79.33.$

13. गणित में सभी छात्रों का औसत अंक

$= \frac{150(69+85+92+78+64+88)}{100\times6}$

$= \frac{150\times476}{100\times6} = 119.$

14. भूगोल में सभी छात्रों का औसत अंक

$= \frac{50(85+80+67+72+79+87)}{100\times6}$

$= \frac{50\times470}{100\times6} = \frac{235}{6} = 39.16.$

15. प्रतीक्षा द्वारा प्राप्त अंक

$= 50\times\frac{68}{100}+50\times\frac{79}{100}+150\times\frac{64}{100}$

$+91+\frac{75\times66}{100}+\frac{75\times65}{100}$

$= 34 + 39.5 + 96 + 91 + 49.5 + 48.75 = 358.75.$

16. पुरुषों की संख्या = 520 + 480 + 336 + 288 + 460 = 2084

17. औरतों की संख्याः

कम्पनी A = 760 − 520 = 240

कम्पनी B = 840 − 480 = 360

कम्पनी C = 720 − 336 = 384

कम्पनी D = 640 − 288 = 352

कम्पनी E = 700 − 460 = 240

अभीष्ट औसत $= \frac{240+360+384+352+240}{5}$

$= \frac{1576}{5} = 315.$

18. कम्पनी A तथा C में कार्यरत पुरुष = 520 + 336 = 856

कम्पनी B तथा D में कार्यरत औरत = 360 + 352 = 712

अन्तर = 856 − 712 = 144.

19. अभीष्ट अनुपात = 352 : 240 = 22 : 15.

20. अभीष्ट प्रतिशत $= \frac{720-640}{640}\times100$

$= \frac{80}{640}\times100 = \frac{25}{2}\% = 12.5\%.$

21. वाहन B के लिए

$S_1 = \frac{516}{12} = 43$ किमी/घंटा

$S_2 = \frac{774}{18} = 43$ किमी/घंटा

अतः वाहन B दोनों दिन समान गति से चला था।

22. पहले दिन वाहन A की गति $= \frac{832}{16} = 52$ किमी/घं.

उसी दिन वाहन C की गति $= \frac{693}{11} = 63$ किमी/घं.

दोनों के बीच की गति का अन्तर

$= 63 - 52 = 11$ किमी/घं.

23. मीटर प्रति सेकेण्ड में दूसरे दिन वाहन C की गति

$= \frac{810}{18}$ किमी/घं. = 45 किमी/घं.

$= 45 \times \frac{5}{18}$ मी/से. = 12.5 मी/से.

24. $636 = x$ का 703%

$$636 = \frac{703}{100} \times x$$

$$\Rightarrow \quad x = \frac{636 \times 100}{703} = \frac{63600}{703} = 90.4$$

= 90 (लगभग)

25. दूसरे दिन वाहन D की गति $= \frac{765}{15} = 51$ किमी/घं.

दूसरे दिन वाहन E की गति $= \frac{546}{14} = 39$ किमी/घं.

$\therefore$ अभीष्ट अनुपात $= \frac{51}{39} = \frac{17}{13} = 17 : 13$

26. जुलाई में कम्पनी B के बिके मोबाइल फोनों की संख्या

$$= \frac{17}{100} \times 45000 = 7650$$

दिसम्बर में कम्पनी B के बिके मोबाइल फोनों की संख्या

$$= \frac{16}{100} \times 45000 = 7200$$

जुलाई में कम्पनी B के बिके मोबाइल फोनों की संख्या

$$= \frac{7}{15} \times 7650 = 3570$$

दिसम्बर में कम्पनी B के बिके मोबाइल फोनों की संख्या

$$= \frac{9}{16} \times 7200 = 4050$$

$\therefore$ अभीष्ट अनुपात $= \frac{3570}{4050} = \frac{119}{135}$

$= 119 : 135$

27. नवम्बर में कम्पनी A के द्वारा बेचे गये फोनों की संख्या

$$= \frac{12}{100} \times 45000 = 5400$$

$$= \frac{7}{15} \times 5400 = 2520$$

अभीष्ट बेचे गये फोनों की संख्या

$$= \frac{65}{100} \times 2520$$

$= 126 \times 13 = 1638$

28. अक्टूबर के दौरान $= \frac{8}{100} \times 45000 = 3600$

अक्टूबर में कम्पनी B द्वारा बेचे गये मोबाइल फोनों की संख्या

$$= \frac{5}{12} \times 3600 = 1500$$

प्रत्येक मोबाइल पर लाभ = ₹ 433

1500 मोबाइल पर लाभ = ₹ 433 × 1500 = ₹ 649500

29. जुलाई के दौरान कम्पनी A के बेचे गये मोबाइल फोनों की संख्या

$$\frac{17}{100} \times 45000 = 7650$$

दिसम्बर के दौरान कम्पनी A के बेचे गये मोबाइल फोनों की संख्या

$$\frac{16}{100} \times 45000 = 7200$$

दिसम्बर में कम्पनी A द्वारा बेचे गये मोबाइल फोनों की संख्या

$$= \frac{7}{16} \times 7200 = 3150$$

$4080 = 3150$ का $x\%$

$$4080 = \frac{x}{100} \times 3150$$

$$\Rightarrow \quad x = \frac{4080 \times 100}{3150} = \frac{2720}{21}$$

= 129.5 = 130 (लगभग)

30. अगस्त के दौरान $= \frac{22}{100} \times 45000 = 9900$

सितम्बर के दौरान $= \frac{25}{100} \times 45000 = 11250$

अगस्त में कम्पनी B द्वारा बेचे गये फोनों की संख्या

$$= \frac{5}{9} \times 9900$$

$= 5 \times 1100 = 5500$

सितम्बर में कम्पनी B द्वारा बेचे गये फोनों की संख्या

$$= \frac{2}{5} \times 11250 = 2 \times 2250 = 4500$$

$\therefore$ अगस्त व सितम्बर में कम्पनी B द्वारा कुल बेचे गये फोनों की संख्या = 10,000

●●●

18 त्रिकोणमिति

गणित की वह शाखा जिसके अन्तर्गत त्रिभुज की भुजाओं तथा कोणों के विभिन्न फलनों का अध्ययन किया जाता है त्रिकोणमिति कहलाती है।

- किसी भी त्रिभुज में जो कोण जितना बड़ा होगा उसके ठीक सामने वाली भुजा उतनी ही बड़ी होगी। जैसे समकोण त्रिभुज में सबसे बड़ा कोण 90° होता है तो उसके ठीक सामने वाली भुजा (कर्ण) सबसे बड़ी भुजा होती हैं।
- समकोण त्रिभुज में θ या ϕ देकर के लम्ब निकालना हो तो θ या ϕ के ठीक सामने वाली भुजा हमेशा लम्बे होती है यहाँ θ या ϕ न्यूनकोण है।

  जैसेः (*i*) यहाँ θ के ठीक सामने वाली भुजा AB लम्ब है।

  (*ii*) यहाँ θ के ठीक सामने वाली भुजा BC लम्ब है।

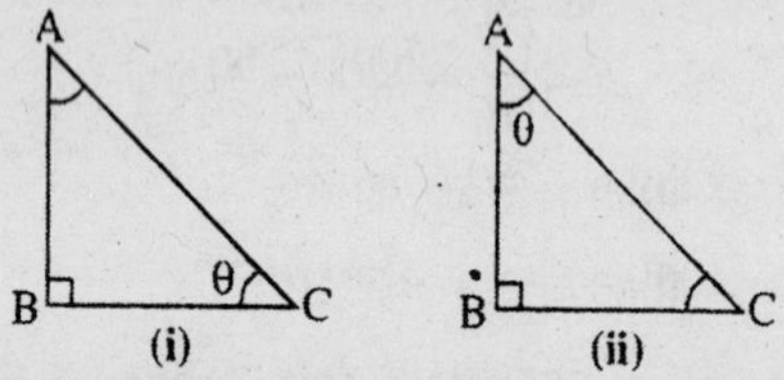

(i) (ii)

- **त्रिकोणमितीय अनुपात (Trigonometric ratios):** इसमें त्रिभुज की दो भुजाओ के मध्य सम्बन्ध दिया हुआ होता है।

$$\frac{\sin\theta\cos\theta\tan\theta}{\operatorname{cosec}\theta\sec\theta\cot\theta}\ \frac{LAL}{KKA} \text{ या } \frac{PBP}{HHB}$$

जैसेः $\sin\theta = \frac{L(\text{लम्ब})}{K(\text{कर्ण})}$, $\operatorname{cosec}\theta = \frac{K(\text{कर्ण})}{A(\text{आधार})}$

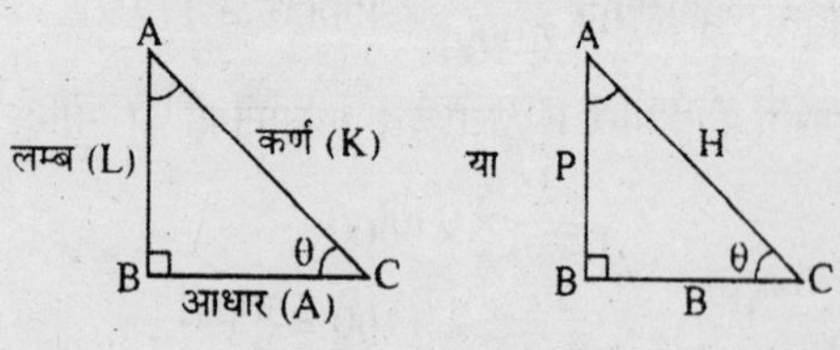

पाइथागोरस प्रमेय

$$\text{कर्ण}^2 = \text{आधार}^2 + \text{लम्ब}^2$$
$$\text{आधार}^2 = \text{कर्ण}^2 - \text{लम्ब}^2$$
$$\text{लम्ब}^2 = \text{कर्ण}^2 - \text{आधार}^2$$

त्रिकोणमितीय अनुपात

$$\frac{\sin\theta\cos\theta\tan\theta}{\operatorname{cosec}\theta\sec\theta\cot\theta}$$

यहाँ $\sin\theta$, $\operatorname{cosec}\theta$ का उल्टा,
$\cos\theta$, $\sec\theta$ का उल्टा
$\tan\theta$, $\cot\theta$ का उल्टा होता है।

(*i*) $\sin\theta\operatorname{cosec}\theta = 1$

$$\sin\theta = \frac{1}{\operatorname{cosec}\theta},\ \operatorname{cosec}\theta = \frac{1}{\sin\theta}$$

(*ii*) $\cos\theta.\sec\theta = 1$

$$\cos\theta = \frac{1}{\sec\theta},\ \sec\theta = \frac{1}{\cos\theta}$$

(*iii*) $\tan\theta.\cot\theta = 1$

$$\tan\theta = \frac{1}{\cot\theta},\ \cot\theta = \frac{1}{\tan\theta}$$

(*iv*) $\tan\theta = \frac{\sin\theta}{\cos\theta}$, $\cot\theta = \frac{\cos\theta}{\sin\theta}$

क्योंकि $\tan\theta$, $\cot\theta$ का उल्टा होता है।

(*v*) $\sin^2\theta + \cos^2\theta = 1$, $\sin^2\theta = 1 - \cos^2\theta$

(*vi*) $1 + \cot^2\theta = \operatorname{cosec}^2\theta$, $\operatorname{cosec}^2\theta - \cot^2\theta = 1$

(*vii*) $1 + \tan^2\theta = \sec^2\theta$, $\sec^2\theta - \tan^2\theta = 1$

वस्तुनिष्ठ प्रश्न

1. $\sec^4\theta - \sec^2\theta$ किसके बराबर है?

A. $\tan^2\theta - \tan^4\theta$

B. $\tan^2\theta - \tan^4\theta$

C. $\cos^4\theta - \cos^2\theta$

D. $\cos^2\theta - \cos^4\theta$

2. $\sin\theta = ?$

A. $\frac{\sqrt{1+\tan^2\theta}}{\tan\theta}$ B. $\frac{\tan\theta}{\sqrt{1+\tan^2\theta}}$

C. $\frac{\cot\theta}{\sqrt{1+\cot^2\theta}}$ D. $\frac{\sqrt{1+\cot^2\theta}}{\cot\theta}$

3. $\tan\theta - \cot\theta = ?$

A. $\frac{2\sin^2\theta - 1}{\sin\theta\cos\theta}$ B. $\frac{2\sin^2\theta - 1}{\sin\theta\cos\theta}$

C. $\sec\theta$ D. $\cot\theta$

4. $\sqrt{\sec^2\theta + \text{cosec}^2\theta}$ का मान है :

A. $\sin\theta \, . \cos\theta$ B. $\tan\theta + \cot\theta$

C. $\text{cosec}\,\theta + \sec\theta$ D. None

5. $\sin^4 A + \cos^4 A = ?$

A. $\sec^2 A \, . \tan^2 A$ B. $1 - 2\sec^2 A . \tan^2 A$

C. $1 - 2\sin^2 A \cos^2 A$ D. $1 + \tan^2 A \, . \sec^2 A$

6. $\sin^2 30° + 2\cos 45° + 3\sin^3 90° = ?$

A. $13 + 4\sqrt{2}$ B. $\frac{4\sqrt{2} + 3}{5}$

C. 0 D. $\frac{13 + 4\sqrt{2}}{4}$

7. $\sin\frac{\pi}{6} + \cos\frac{\pi}{6} - \tan^3\frac{\pi}{4}$ का मान होगा:

A. 1 B. $\frac{\sqrt{3} - 1}{\sqrt{3} + 1}$

C. 0 D. $\frac{\sqrt{3} - 1}{2}$

8. $\cos 64° \cos 19° + \sin 64° \sin 19° = ?$

A. $\frac{\sqrt{2}}{3}$ B. $\frac{1}{\sqrt{2}}$

C. $2\sqrt{3}$ D. इनमें से कोई नहीं

9. $\tan 4° . \tan 43° . \tan 47° . \tan 86°$ का मान कितना होगा?

A. 0 B. 1

C. $\sqrt{3}$ D. $\frac{1}{\sqrt{3}}$

10. $(\sin^2 1° + \sin^2 3° + \sin^2 5° + ... + \sin^2 85° + \sin^2 87° + \sin^2 89°)$ का मान कितना होगा?

A. $21\frac{1}{2}$ B. 22

C. $22\frac{1}{2}$ D. $23\frac{1}{2}$

11. यदि $\sin\theta + \cos\theta = \sqrt{2}\cos(90 - \theta)$ हो, तो $\cot\theta$ कितना होगा?

A. $\sqrt{2} + 1$ B. 0

C. $\sqrt{2}$ D. $\sqrt{2} - 1$

12. $\sin(45 + \theta) - \cos(45 - \theta)$ किसके बराबर है?

A. $2\sin\theta$ B. 1

C. $2\cos\theta$ D. 0

13. $\tan 75° - \cot 75°$ का मान होगा :

A. $2\sqrt{3}$ B. $3\sqrt{3}$

C. 0 D. इनमें से कोई नहीं

14. यदि $\tan\theta = \sqrt{3}$ हो, तो $\sin 2\theta$ का मान बताओ।

A. $\frac{1}{\sqrt{3}}$ B. $\frac{2}{\sqrt{3}}$

C. $\frac{1}{\sqrt{2}}$ D. $\frac{\sqrt{3}}{2}$

15. यदि $\tan\theta = \frac{4}{3}$ हो, तो $\frac{3\sin\theta + 2\cos\theta}{3\sin\theta - 2\cos\theta}$ का मान क्या होगा?

A. 0.5 B. –0.5

C. 3.0 D. –3.0

16. यदि $b\tan\theta = a$ हो, तो $\frac{a\sin\theta - b\cos\theta}{a\sin\theta + b\cos\theta}$ का मान होगा :

A. $\frac{a - b}{a^2 + b^2}$ B. $\frac{a + b}{a^2 + b^2}$

C. $\frac{a^2 + b^2}{a^2 - b^2}$ D. $\frac{a^2 - b^2}{a^2 + b^2}$

17. यदि α एक न्यूनकोण है और $\sin\alpha = \sqrt{\frac{x - 1}{2x}}$ है, तो $\tan\alpha$ किसके बराबर है?

A. $\sqrt{\frac{x - 1}{x + 1}}$ B. $\sqrt{\frac{x + 1}{x - 1}}$

C. $\sqrt{x^2 - 1}$ D. $\sqrt{x^2 + 1}$

18. यदि $\tan\theta = \frac{p}{q}$ है, तो $\frac{p\sec\theta - q\,\text{cosec}\,\theta}{p\sec\theta + \text{cosec}\,\theta}$ किसके बराबर है?

A. $\frac{p - q}{p + q}$ B. $\frac{q^2 - p^2}{q^2 + p^2}$

C. $\frac{p^2 - q^2}{q^2 + p^2}$ D. 1

19. निम्नलिखित में से θ के कौन-से एक मान के द्वारा $\frac{\cos\theta}{1 - \sin\theta} - \frac{\cos\theta}{1 + \sin\theta} = 2$ सन्तुष्ट होता है?

A. $\frac{\pi}{2}$ B. $\frac{\pi}{3}$

C. $\frac{\pi}{4}$ D. $\frac{\pi}{6}$

20. यदि $\sec\theta = \sqrt{2 + \sqrt{2 + \sqrt{2 + \sqrt{.....\infty}}}}$, तब $\cos\theta\,(1 + 2\cos\theta)$ का मान क्या है?

A. 0 B. –1

C. 1 D. 2

21. यदि ΔABC का कोण B, 45° का हो, तो (1 + Cot A) (1 + cot C) किसके बराबर है?

A. –1 B. 0
C. 1 D. 2

22. यदि $\tan 15° = 2-\sqrt{3}$ हो, तो tan 15° cot 75° + tan 75° cot 15° का मान क्या होगा?

A. 14 B. 12
C. 10 D. 8

23. यदि $x\sin^3\theta + y\cos^3\theta = \sin\theta\cos\theta, \theta \neq 0$ हो और $x\sin\theta - y\cos\theta = 0$ हो तो $x^2 + y^2$ का मान क्या होगा?

A. $\sin\theta - \cos\theta$ B. $\sin\theta - \cos\theta$
C. 0 D. 1

24. यदि $u_n = \cos\theta + \sin\theta$ हो तो $2u_6 - 3u_4 + 1$ का मान है :

A. 1 B. 4
C. 6 D. 0

25. यदि $3\sin\theta + 5\cos\theta = 5$ हो तो $5\sin\theta - 3\cos\theta$ का मान होगा :

A. 3 B. –3
C. 3 और –3 D. न 3 होगा न (–3)

26. एक वृक्ष की ऊँचाई 80 मीटर है, तो इसके आधार से कितनी दूर स्थित किसी बिन्दु का शिखर से उन्नयन कोण 45° होगा?

A. 40 मी. B. $80\sqrt{5}$ मी.
C. $\frac{80}{\sqrt{3}}$ मी. D. 80 मी.

27. एक खम्भे की ऊँचाई 30 मीटर है इसके ऊपरी सिरे से एक तार बंधा हुआ है जो भूमि के साथ 30° का कोण बनाता है, तो बताओ तार की लम्बाई क्या होगी?

A. 30 मी. B. 60 मी.
C. 15 मी. D. $30\sqrt{2}$ मी.

28. एक वायुयान पृथ्वी से 1500 मीटर की ऊँचाई पर उड़ रहा है यदि उस समय हवाई अड्डे से उसका उन्नयन कोण 60° हो, तो वायुयान की हवाई अड्डे से सीधी दूरी ज्ञात करो।

A. 1732 मी. B. 17.32 मी.
C. 17.32 मी. D. इनमें से कोई नहीं

29. यदि 400 मी. ऊँचे एक बहुमंजिले भवन के शीर्ष का उन्नयन कोण समतल पर स्थित किसी बिन्दु A पर 45° हो तो भवन के शीर्ष व बिन्दु A के मध्य सीधी दूरी है :

A. 400 sin 45° मी. B. 400 tan 45° मी.
C. 400 cosec 45° मी. D. 400 cot 45° मी.

30. एक सीढ़ी किसी दीवार के सहारे इस प्रकार टिकी है कि वह दीवार के शिखर को छू रही है। सीढ़ी का निचला सिरा दीवार से 1.5 मी. की दूरी पर है। सीढ़ी भूमितल के साथ 70° का कोण बनाती है। यदि tan 70° = 2.747 हो तो दीवार की ऊँचाई ज्ञात करो।

A. 4.12 मी. B. 5.07 मी.
C. 3.07 मी. D. इनमें से कोई नहीं

उत्तरमाला

1	2	3	4	5	6	7	8	9	10
B	B	A	B	C	D	D	B	B	C
11	**12**	**13**	**14**	**15**	**16**	**17**	**18**	**19**	**20**
D	D	A	D	C	D	A	C	C	C
21	**22**	**23**	**24**	**25**	**26**	**27**	**28**	**29**	**30**
D	A	D	D	C	D	B	A	C	A

व्याख्यात्मक उत्तर

1. $\sec^4\theta - \sec^2\theta = \sec^2\theta(\sec^2\theta - 1)$
$= (1+\tan^2\theta)(1+\tan^2\theta - 1) = (\tan^2\theta + \tan^4\theta).$

4. $\sqrt{\sec^2\theta + \text{cosec}^2\theta}$

$= \sqrt{(1+\tan^2\theta)+(1+\cot^2\theta)}$

$= \sqrt{2+\tan^2\theta+\cot^2\theta}$

$= \sqrt{\tan^2\theta+\cot^2\theta+2\tan\theta\cot\theta}$

$= \sqrt{(\tan\theta+\cot\theta)^2} = \tan\theta+\cot\theta.$

5. $\sin^4 A + \cos^4 A = (\sin^2 A)^2 + (\cos^2 A)^2$
$= (\sin^2 A + \cos^2 A)^2 - 2\sin^2 A\cos^2 A$
$= 1 - 2\sin^2 A\cos^2 A.$

7. $\sin\frac{\pi}{6}+\cos\frac{\pi}{6}-\tan^3\frac{\pi}{4}$

यहाँ $\pi = 180°$ तो $\sin 30° + \cos 30° - \tan^3 45°$

$= \frac{1}{2}+\frac{\sqrt{3}}{2}-(1)^3 = \frac{\sqrt{3}-1}{2}.$

8. cos 64° cos 19° + sin 64° sin 19° = ?
[∵ cos (A – B) = cos A cos B + sin A sin B]
तो cos (A – B) = cos (64° – 19°)

$\cos 45° = \frac{1}{\sqrt{2}}.$

9. tan 4°. tan 43°. tan 47°. tan 86°
= tan 4°. tan 86°. tan 43°. tan 47°
= tan 4°. tan (90 – 4°). tan 43°. tan (90° – 43°)
= tan 4° . cot 4°. tan 43°. cot 43° = 1 × 1 = 1.

12. $\sin(45+\theta) - \cos(45-\theta)$

$= \sin(90° - (45-\theta) - \cos(45-\theta)$

$[\cos(90° - \theta) = \sin\theta]$

$= \cos(45-\theta) - \cos(45-\theta) = 0.$

13. $\tan 75° = \tan(30° + 45°)$

$$= \frac{\tan 30° + \tan 45°}{1 - \tan 30°.\tan 45°} \quad \left(\because \tan(A+B) = \frac{\tan A + \tan B}{1 - \tan A.\tan B}\right)$$

$$= \frac{\frac{1}{\sqrt{3}}+1}{1-\frac{1}{\sqrt{3}}.1} = \frac{\frac{1+\sqrt{3}}{\sqrt{3}}}{\frac{\sqrt{3}-1}{\sqrt{3}}} = \frac{\sqrt{3}+1}{\sqrt{3}-1}\times\frac{\sqrt{3}+1}{\sqrt{3}+1}$$

$$= \frac{4+2\sqrt{3}}{2} \text{ या } 2+\sqrt{3}$$

तो $\cot 75° = \dfrac{1}{\tan 75°} = \dfrac{1}{2+\sqrt{3}}$

$$= \frac{1}{2+\sqrt{3}}\times\frac{2-\sqrt{3}}{2-\sqrt{3}} = 2-\sqrt{3}$$

अतः $\tan 75° - \cot 75° = 2+\sqrt{3}-\left(2-\sqrt{3}\right)$

$= 2+\sqrt{3}-2+\sqrt{3} = 2\sqrt{3}.$

14. $\sin 2\theta = \dfrac{2\tan\theta}{1+\tan^2\theta}$

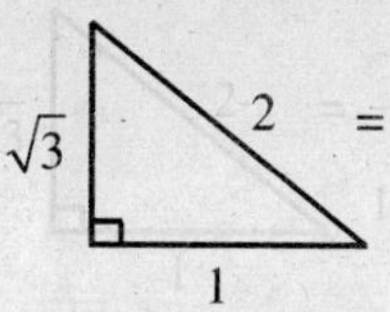

$$= \frac{2.\frac{\sqrt{3}}{1}}{1+\left(\frac{\sqrt{3}}{1}\right)^2} \quad \left(\because \tan\theta = \frac{L}{A} = \frac{\sqrt{3}}{1}\right)$$

$$= \frac{2.\sqrt{3}}{1+3} = \frac{2\sqrt{3}}{4} = \frac{\sqrt{3}}{2}.$$

19. $\dfrac{\cos\theta}{1-\sin\theta} - \dfrac{\cos\theta}{1+\sin\theta} = 2$

$$= \frac{\cos\theta + \sin\theta\cos\theta - \cos\theta + \cos\theta\sin\theta}{1-\sin^2\theta} = 2$$

$2\sin\theta\cos\theta = 2\cos^2\theta$

$2\sin\theta = 2\cos\theta$

$$\frac{\sin\theta}{\cos\theta} = 1$$

$\tan\theta = 1$

$\tan\theta = \tan 45°$

$\theta = \dfrac{\pi}{4}.$

20. माना $x = \sqrt{2+\sqrt{2+....\infty}}$

$x = 2$

$\sec\theta = 2, \sec\theta = \sec\dfrac{\pi}{3}$ तो $\theta = \dfrac{\pi}{3}$

$\cos\theta(1+2\cos\theta)$

$$= \cos\frac{\pi}{3}\left(1+2\cos\frac{\pi}{3}\right) = \frac{1}{2}\left(1+2\frac{1}{2}\right), \frac{2}{2} = 1.$$

26. $\tan\theta = \dfrac{L}{A}$

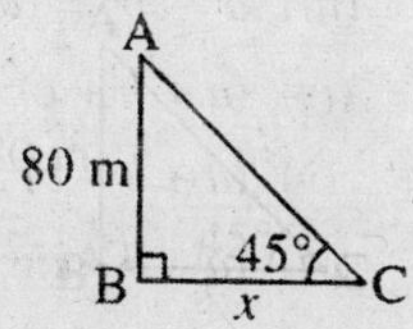

$\tan 45° = \dfrac{80}{x}$

$x = 80$ मी.

27. $\sin\theta = \dfrac{L}{K}$

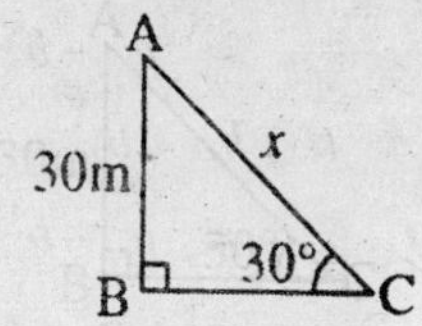

$\sin 30° = \dfrac{30}{x}$

$\dfrac{1}{2} = \dfrac{30}{x}$

$x = 60$ मी.

29. $\sin 45° = \dfrac{400}{l}$

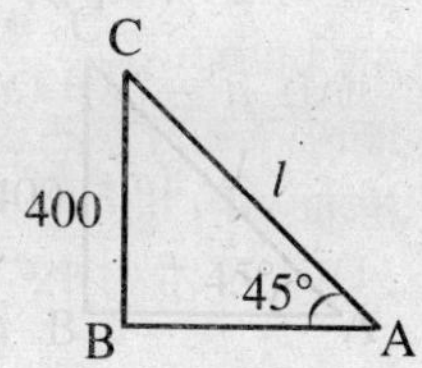

$l = \dfrac{400}{\sin 45°}$

$l = 400 \operatorname{cosec} 45°.$

30. $\tan\theta = \dfrac{L}{A}$

$\tan 70° = \dfrac{x}{1.5}$

$2.747 = \dfrac{x}{1.5}$

$x = 4.12$ मी.

●●●

19 मौलिक बीजगणित

बीजगणितीय सूत्र

(i) $(a + b)^2 = a^2 + 2ab + b^2$

(ii) $(a - b)^2 = a^2 - 2ab + b^2$

(iii) $a^2 - b^2 = (a - b)(a + b)$

(iv) $(a + b + c)^2 = a^2 + b^2 + c^2 + 2ab + 2bc + 2ca$

(v) $(a + b - c)^2 = a^2 + b^2 + c^2 + 2ab - 2bc - 2ca$

(vi) $(a - b + c)^2 = a^2 + b^2 + c^2 - 2ab - 2bc + 2ca$

(vii) $(-a + b + c)^2 = a^2 + b^2 + c^2 - 2ab + 2bc - 2ca$

(viii) $(a + b)^3 = a^3 + b^3 + 3ab(a + b)$ या

$= a^3 + b^3 + 3a^2b + 3ab^2$

(ix) $(a - b)^3 = a^3 - b^3 - 3ab\,(a - b)$ या

$= a^3 - b^3 - 3a^2b + 3ab^2$

(x) $a^3 + b^3 = (a + b)\,(a^2 + b^2 - ab)$ या

$= (a + b)^3 - 3ab(a + b)$

(xi) $a^3 - b^3 = (a - b)\,(a^2 + b^2 + ab)$ या

$= (a - b)^3 + 3ab\,(a - b)$

(xii) $a^3 + b^3 + c^3 - 3abc = (a + b + c)(a^2 + b^2 + c^2 - ab - bc - ca)$

यदि $a + b + c = 0$

$a^3 + b^3 + c^3 = 3abc$

(xiii) $(x + a)\,(x + b) = x^2 + (a + b)x + ab$

(xiv) $(a + b)^2 + (a - b)^2 = 2(a^2 + b^2)$

(xv) $(a + b)^2 - (a - b)^2 = 4ab$

(xvi) $(a + b)^3 + (a - b)^3 = 2(a^3 + 3ab^2)$

(xvii) $(a + b)^3 - (a - b)^3 = 2(b^3 + 3a^2b)$

(xviii) यदि $x + \frac{1}{x} = t$

तब, $x^2 + \frac{1}{x^2} = t^2 - 2$

(xix) यदि $x - \frac{1}{x} = t$

तब, $x^2 + \frac{1}{x^2} = t^2 + 2$

(xx) $x^3 + \frac{1}{x^3} = \left(x + \frac{1}{x}\right)^3 - 3\left(x + \frac{1}{x}\right)$

(xxi) $x^2 - \frac{1}{x^3} = \left(x - \frac{1}{x}\right)^3 + 3\left(x - \frac{1}{x}\right)$

(xxii) $x + \frac{1}{x} = \sqrt{x^2 + \frac{1}{x^2} + 2}$

(xxiii) $x - \frac{1}{x} = \sqrt{x^2 + \frac{1}{x^2} - 2}$

गुणनखण्ड

यदि कोई व्यंजक दो या दो से अधिक व्यंजक का गुणनफल है, तो इनमें से प्रत्येक व्यंजक को मूल व्यंजक का गुणनखण्ड तथा उस मूल व्यंजक को, अभाज्य गुणनखण्डों के रूप में प्रदर्शित करने की क्रिया को गुणनखण्ड (Factorisation) कहते हैं।

वस्तुनिष्ठ प्रश्न

1. यदि $2x + 3y = 26$, $2y + z = 19$ और $x + 2z = 29$ हो, तो $x + y + z$ का मान क्या होगा?

A. 20 B. 21
C. 22 D. 23

2. यदि $\frac{(x-y)^2}{x^2-y^2} = 9$ हो, तो $\frac{x+y}{x-y}$ का मान क्या होगा?

A. 1/3 B. 1/9
C. 1/27 D. 1/18

3. यदि $\frac{2x}{3}+\frac{y}{2}=4$ और $\frac{x}{3}-\frac{y}{2}=1$ हो, तो x का मान क्या होगा?

A. 2　　B. 3

C. 4　　D. 5

4. यदि $a = -5, b = -6, c = 10$ हो, तो व्यंजक

$\frac{(a^3+b^3+c^3-3abc)}{(ab+bc+ca-a^2-b^2-c^2)}$ का मान क्या होगा?

A. 0　　B. 1

C. 4　　D. 8

5. यदि $a+b+c=0$ हो, तो व्यंजक $\frac{(a^2+b^2+c^2)^2}{a^2b^2+b^2c^2+c^2a^2}$ का मान क्या होगा?

A. 4　　B. 8

C. 12　　D. 16

6. यदि $x = 1, y = -3$ तथा $z = 2$ हो, तो व्यंजक

$(x^3+y^3+z^3).\frac{(x^2-yz)}{(x^2+y^2+z^2)}$ का मान क्या होगा?

A. 9　　B. – 9

C. – 3　　D. 3

7. व्यंजक $\frac{(1.5)^3+(4.7)^3+(3.8)^3-3\times1.5\times4.7\times3.8}{(1.5)^2+(4.7)^2+(3.8)^2-1.5\times4.7-4.7\times3.8-1.5\times3.8}$ का मान क्या होगा?

A. 0　　B. 1

C. 10　　D. 50

8. व्यंजक $\frac{(0.22)^3+(0.11)^3+(0.32)^3}{(0.66)^3+(0.96)^3+(0.33)^3}$

$+\frac{(0.32)^3+(0.45)^3-(0.77)^3}{81(0.32)(0.45)(0.77)}$ का मान क्या होगा?

A. 0　　B. 1

C. 10　　D. 100

9. व्यंजक $\frac{(0.1)^3+(0.2)^3+(0.3)^3-3\times0.1\times0.2\times0.3}{(0.1)^2+(0.2)^2+(0.3)^2-0.1\times0.2-0.1\times0.3-0.2\times0.3}$ का मान क्या होगा?

A. 60　　B. 0.6

C. 0.06　　D. 0.006

10. यदि $x^2 + y^2 - 2x + 6y + 10 = 0$ हो, तो $(x^2 + y^2)$ का मान होगा :

A. 4　　B. 6

C. 8　　D. 10

11. यदि $a = 25, b = 15, c = -10$, तो व्यंजक

$\frac{a^3+b^3+c^3-3abc}{(a-b)^2+(b-c)^2+(c-a)^2}$ का मान क्या होगा?

A. 30　　B. –15

C. –30　　D. 15

12. यदि $a^2+b^2+c^2=2(a-b-c)-3$, तो $(a-b+c)$ का मान क्या होगा?

A. –1　　B. 3

C. 1　　D. –2

13. यदि $x^2 + 3x + 1 = 0$, तो $x^3+\frac{1}{x^3}$ का मान क्या होगा?

A. –18　　B. 18

C. 36　　D. –36

14. यदि $x^a.x^b.x^c = 1$, तो $a^3 + b^3 + c^3$ का मान क्या होगा?

A. 9　　B. abc

C. $a + b + c$　　D. $3abc$

15. यदि a, b, c तीन शून्येतर वास्तविक संख्याएँ हैं और $a+b+c=0$ तथा $b^2 \neq ca$, तो $\frac{a^2+b^2+c^2}{b^2-ca}$ का मान क्या होगा?

A. 3　　B. 2

C. 0　　D. 1

उत्तरमाला

1	2	3	4	5	6	7	8	9	10
C	B	D	B	A	B	C	A	B	D
11	**12**	**13**	**14**	**15**					
D	C	A	D	B					

व्याख्यात्मक उत्तर

1. दिया है, $2x + 3y = 26$ ...(*i*)

$2y + z = 19$ ....(*ii*)

तथा $x + 2z = 29$ ....(*iii*)

समी. (*i*) तथा (*ii*) से,

$[2x + 3y = 26] \times 2$

$2y + z = 19] \times 3$

$\quad - \quad - \quad -$

घटाने पर, $4x - 3z = -5$

समी. (*iii*) से, $[x + 2z = 29] \times 4$

$\quad - \quad - \quad -$

घटाने पर, $-11z = -121$

या $z = 11$

$\because$ समी. (*iii*) से, $x + 2z = 29$

$x = 29 - 2 \times 11 = 7$

पुनः समी. (*iii*) से,

$2y + z = 19$

$$y = \frac{19-11}{2} = 4$$

$\therefore \quad x + y + z = 7 + 4 + 11 = 22$

2. $\because$ दिया है $\quad \frac{(x-y)^2}{x^2-y^2} = 9$

या $\quad \frac{(x-y)^2}{(x+y)(x-y)} = 9$ या $\frac{x-y}{x+y} = 9$

$\therefore \quad \frac{x+y}{x-y} = \frac{1}{9}$

3. $\because \quad \frac{2x}{3}+\frac{y}{2} = 4 \quad ...(i)$

$\frac{x}{3}-\frac{y}{2} = 1 \quad ...(ii)$

समी. (i) तथा (ii) को जोड़ने पर,

$\frac{2x}{3}+\frac{x}{3} = 4 + 1 \Rightarrow x = 5$

4. $\frac{a^3+b^3+c^3-3abc}{ab+bc+ca-a^2-b^2-c^2}$

$= \frac{(a+b+c)(a^2+b^2+c^2-ab-bc-ca)}{-(a^2+b^2+c^2-ab-bc-ca)}$

$= -(a + b + c) = -(-5 - 6 + 10)$

$= -1(-11 + 10) = -1 \times -1 = 1$

5. दिया है, $a + b + c = 0$

$\Rightarrow \quad (a + b + c)^2 = 0$

$\Rightarrow \quad a^2 + b^2 + c^2 + 2ab + 2bc + 2ca = 0$

$\Rightarrow \quad a^2 + b^2 + c^2 = -2(ab + bc + ca)$

$\Rightarrow (a^2 + b^2 + c^2)^2 = 4(a^2b^2 + b^2c^2 + c^2a^2 + 2ab^2c + 2bc^2a + 2ca^2b)$

$\Rightarrow \quad (a^2 + b^2 + c^2)^2 = 4[a^2b^2 + b^2c^2 + c^2a^2 + 2abc\,(a + b + c)]$

$\because \quad a + b + c = 0$

$\Rightarrow \quad (a^2 + b^2 + c^2)^2 = 4(a^2b^2 + b^2c^2 + c^2a^2)$

$\Rightarrow \frac{(a^2+b^2+c^2)^2}{a^2b^2+b^2c^2+c^2a^2} = \frac{4(a^2b^2+b^2c^2+c^2a^2)}{(a^2b^2+b^2c^2+c^2a^2)} = 4$

6. $\quad x + y + z = 1 - 3 + 2$

$\therefore \quad x + y + z = 0$

$\therefore \quad x^3 + y^3 + z^3 = 3xyz$

$\Rightarrow \quad x^2 - yz = [-(y + z)]^2 - yz$

$= y^2 + 2yz + z^2 - yz$

$= y^2 + yz + z^2$

$x^2 + y^2 + z^2 = [-(y + z)]^2 + y^2 + z^2$

$[\because x = -(y + z)]$

$= y^2 + z^2 + 2yz + y^2 + z^2$

$= 2(y^2 + z^2 + yz)$

$\therefore \; (x^3+y^3+z^3)\cdot\frac{(x^2-yz)}{(y^2+y^2+z^2)}$

$= \frac{3xyz(y^2+yz+z^2)}{2(y^2+yz+z^2)} = \frac{3\times1\times(-3)\times2}{2} = -9$

7. माना $a = 15$, $b = 4.7$ तथा $c = 3.8$ तब

प्रश्नानुसार,

$\frac{a^3+b^3+c^3-3abc}{a^2+b^2+c^2-ab-bc-ca}$

$\Rightarrow \frac{(a+b+c)(a^2+b^2+c^2-ab-bc-ca)}{(a^2+b^2+c^2-ab-bc-ca)}$

$a + b + c = 1.5 + 4.7 + 3.8 = 10.0$

8. $\frac{(0.22)^3+(0.11)^3+(0.32)^3}{(0.66)^3+(0.96)^3+(0.33)^3} + \frac{(0.32)^3+(0.45)^3-(0.77)^3}{81(0.32)(0.45)+(0.77)}$

$= \frac{(0.22)^3+(0.11)^3+(0.32)^3}{(3\times0.22)^3+(3\times0.32)^3+(3\times0.11)^3} + \frac{(0.32)^3+(0.45)^3-(0.77)^3}{81(0.32)(0.45)(0.77)}$

$= \frac{1}{27}\left[\frac{(0.22)^3+(0.11)^3+(0.32)^3}{(0.22)^3+(0.11)^3+(0.32)^3}\right] + \frac{(0.32)^3+(0.45)^3-(0.77)^3}{81(0.32)(0.45)(0.77)}$

माना $\quad a = 0.32$, $b = 0.45$ तथा $c = -0.77$

तब $\quad a + b + c = 0.32 + 0.45 - 0.77 = 0$

$\therefore \quad a^3 + b^3 + c^3 = 3abc$

$\Rightarrow \quad \frac{1}{27}+\frac{3(0.32)(0.45)(-0.77)}{81(0.32)(0.45)(0.77)}$

$\Rightarrow \quad \frac{1}{27}-\frac{1}{27} = 0$

9. माना $a = 0.1$, $b = 0.2$ तथा $c = 0.3$ तब

प्रश्नानुसार,

$= \frac{a^3+b^3+c^3-3abc}{a^2+b^2+c^2-ab-bc-ca}$

$= \frac{(a+b+c)(a^2+b^2+c^2-ab-bc-ca)}{(a^2+b^2+c^2-ab-bc-ca)}$

$= a + b + c$

$= 0.1 + 0.2 + 0.3 = 0.6$

10. $\quad x^2 + y^2 - 2x + 6y + 10 = 0$

$\Rightarrow \quad x^2 - 2x + 1 + y^2 + 6y + 9 = 0$

$\Rightarrow \quad (x - 1)^2 + (y + 3)^2 = 0$

$\Rightarrow \; x = 1$ तथा $y = -3$

$\therefore \quad x^2 + y^2 = (1)^2 + (-3)^2 = 1 + 9 = 10$

11. $\because \; a^3 + b^3 + c^3 - 3abc$

$= \frac{1}{2}(a+b+c)[(a-b)^2+(b-c)^2+(c-a)^2]$

$\therefore \quad \dfrac{a^3+b^3+c^3-3abc}{(a-b)^2+(b-c)^2+(c-a)^2}$

$= \dfrac{\frac{1}{2}(a+b+c)[(a-b)^2+(b-c)^2+(c-a)^2]}{(a-b)^2+(b-c)^2+(c-a)^2}$

$= \dfrac{a+b+c}{2} = \dfrac{25+15-10}{2} = \dfrac{30}{2} = 15$

12. $\because \quad a^2 + b^2 + c^2 = 2(a - b - c) - 3$

$\Rightarrow \quad a^2 + b^2 + c^2 = 2a - 2b - 2c - 3$

$\Rightarrow a^2 - 2a + 1 + b^2 + 2b + 1 + c^2 + 2c + 1 = 0$

$\Rightarrow (a - 1)^2 + (b + 1)^2 + (c + 1) = 0$

$\therefore \quad a = 1, b = -1$ तथा $c = -1$

$\therefore \quad a - b + c = 1 + 1 - 1 = 1$

13. $\because \quad x^2 + 3x + 1 = 0$

$x + \dfrac{1}{x} = -3$

दोनों ओर घन करने पर,

$\left(x + \dfrac{1}{x}\right)^3 = (-3)^3$

$\Rightarrow \quad x^3 + \dfrac{1}{x^3} + 3 \cdot x \cdot \dfrac{1}{x}\left(x + \dfrac{1}{x}\right) = -27$

$\Rightarrow \quad x^3 + \dfrac{1}{x^3} + 3 \times -3 = -27$

$\Rightarrow \quad x^3 + \dfrac{1}{x^3} = 27 + 9 = -18$

14. $x^a \cdot x^b \cdot x^c = 1$

$\Rightarrow \quad x^{a+b+c} = x^0$

$\Rightarrow \quad a + b + c = 0$

$\because \quad a + b + c = 0$

$\therefore \quad a^3 + b^3 + c^3 = 3abc$

15. $a + b + c = 0$

या $\quad b^2 = [-(a + c)]^2$

या $\quad b^2 = a^2 + c^2 + 2ac$

$\therefore \quad \dfrac{a^2+b^2+c^2}{b^2-ca} = \dfrac{a^2+b^2+c^2+c^2+2ac}{a^2+c^2+2ac-ac}$

$= \dfrac{2[a^2+c^2+ac]}{[a^2+c^2+ac]} = 2$

●●●

20 ज्यामिति

त्रिभुज

किसी त्रिभुज की दो भुजाओं को मिलाने वाली रेखा तीसरी भुजा के समान्तर हो तो वह शेष दोनों भुजाओं को समान अनुपात में विभाजित करेगी।

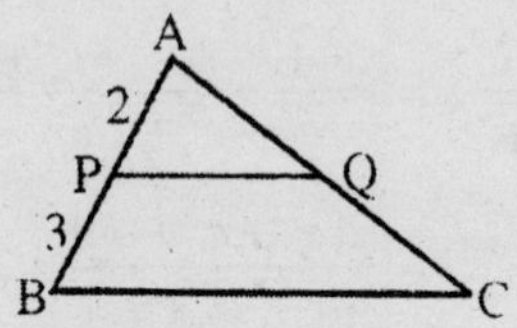

- त्रिभुज ABC में AC की माप 20 सेमी. हो, AQ : QC = 2 : 3 हो, तो QC की माप बताओ?

  $QC = \frac{3}{5} \times 20 = 12$ सेमी.

- किसी समद्विबाहु त्रिभुज की दो समान भुजाओं के मध्य बिन्दुओं को मिलाने वाली रेखा तीसरी भुजा के समान्तर हो तो वह तीसरी भुजा की आधी होगी।

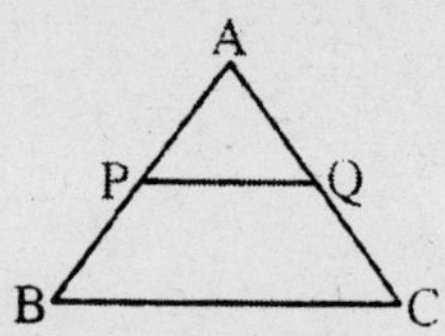

  यदि BC = 10 हो तो PQ = 5 cm होगी

- समकोण त्रिभुज की सबसे बड़ी भुजा कर्ण (Hypotenuse) होती है।
- किसी त्रिभुज की कोई एक भुजा के बढ़ाने से बना बहिष्कोण सुदूर अन्तः कोणों के योग के बराबर होता है।

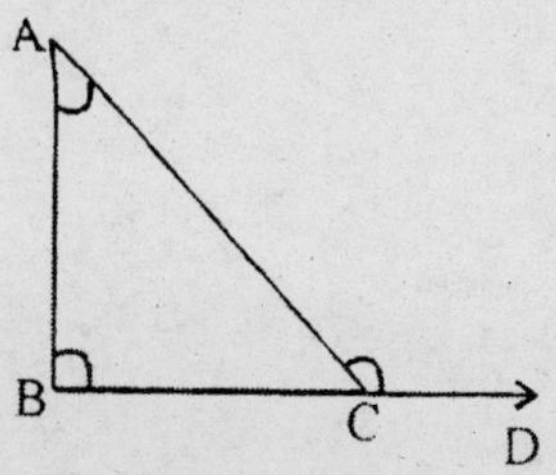

$\angle ACD = \angle BAC + \angle ABC$

- किसी त्रिभुज के तीन शीर्षों से अलग-अलग खींची गई रेखाएं जो सम्मुख भुजाओं के समान्तर हों तो इनसे बने त्रिभुज का परिमाप, मूल त्रिभुज के परिमाप का दोगुना होता है।

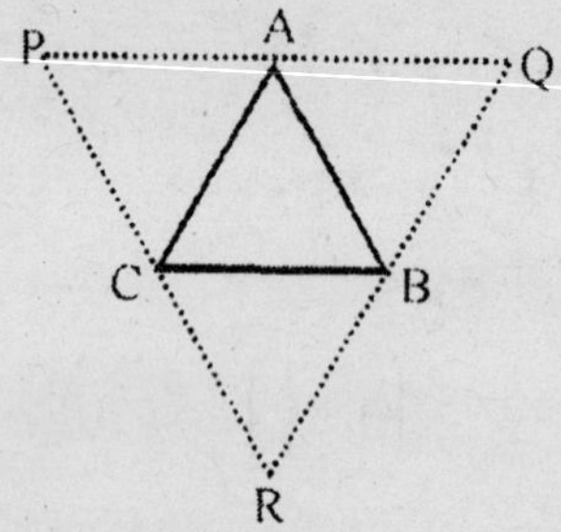

$2\Delta ABC$ परिमाप = ΔPQR परिमाप

- किसी त्रिभुज की तीनों भुजाओं के मध्य बिन्दुओं को मिलाने से बने त्रिभुज का क्षेत्रफल मूल क्षेत्रफल का चौथाई होता है।

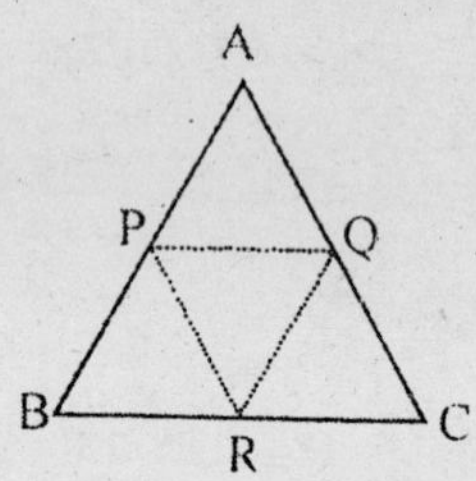

Δ PQR का क्षेत्रफल = $\frac{1}{4}$ Δ ABC का क्षेत्रफल

- किसी त्रिभुज के शीर्ष और सम्मुख भुजाओं के मध्य बिन्दुओं को मिलाने वाले रेखाखण्ड को त्रिभुज की **माध्यिका (मध्यगत रेखा)** कहते हैं।

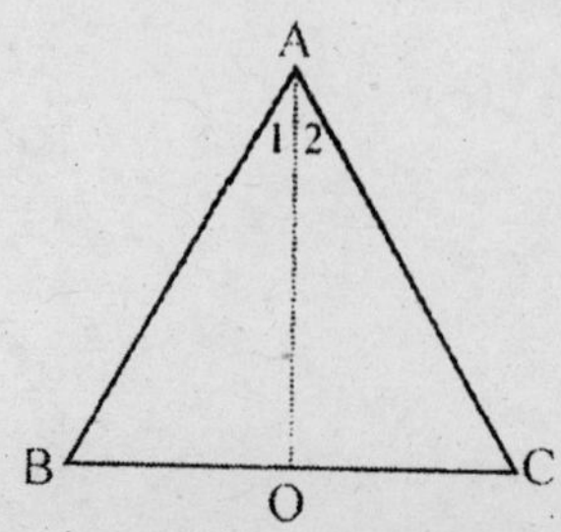

$\angle BAO = \angle CAO$, BO = OC, AO = माध्यिका

- त्रिभुज की **माध्यिकाओं** को मिलाने वाले बिन्दु को त्रिभुज का **केन्द्रक** या **माध्यकेन्द्र** (Centroid) या **गुरुत्व केन्द्र** कहते हैं।
- त्रिभुज के किसी शीर्ष से सम्मुख भुजा पर डाले गए लम्ब को त्रिभुज का **शीर्ष लम्ब** कहते हैं।

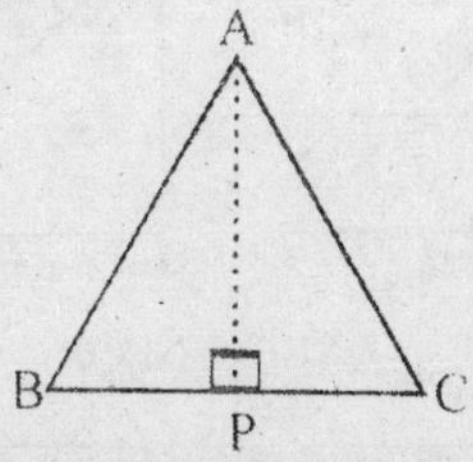

AP = लम्ब

- त्रिभुज के तीन भुजाओं के शीर्ष लम्ब जिस बिन्दु पर मिलते हैं उसे उस त्रिभुज का लम्ब केन्द्र कहते हैं।

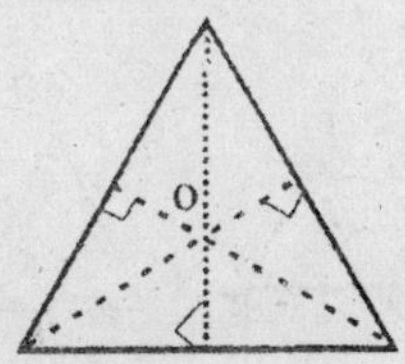

नोट :

(*i*) अधिक कोण त्रिभुज का लम्ब केन्द्र त्रिभुज के बाहर स्थिर होता है।

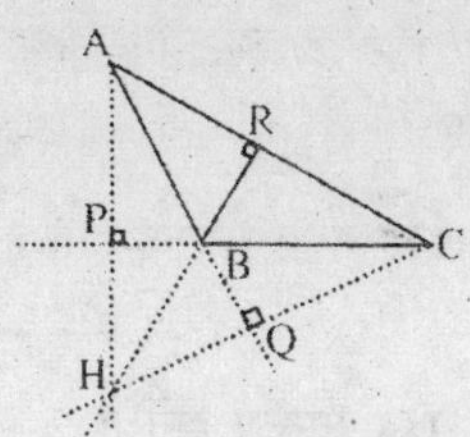

(*ii*) समकोण त्रिभुज का लम्ब केन्द्र त्रिभुज के उस शीर्ष पर स्थित होता है जो समकोण है।

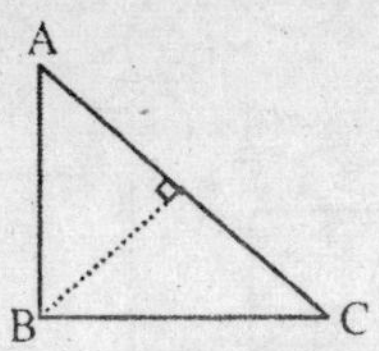

(*iii*) न्यूनकोण त्रिभुज में लम्ब केन्द्र त्रिभुज के अंदर स्थित होता है।

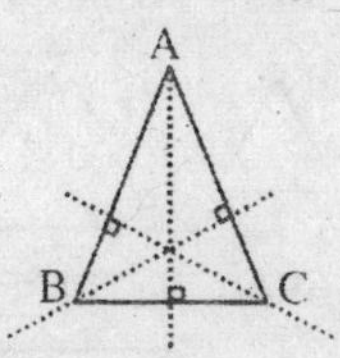

- किसी भी भुजा द्वारा लम्ब केन्द्र पर बनाए गए कोण तथा ऊर्ध्वाधर कोण का योग एक पूरक युग्म (180°) होता है।

$\angle A + \angle BOC = 180°$

$\angle B + \angle AOC = 180°$

$\angle C + \angle AOB = 180°$

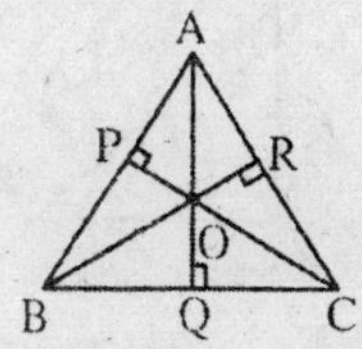

- त्रिभुज के कोणों के समद्विभाजक जिस बिन्दु पर मिलते हैं उसे उस त्रिभुज का अन्तःकेन्द्र (Incentre) कहते हैं।

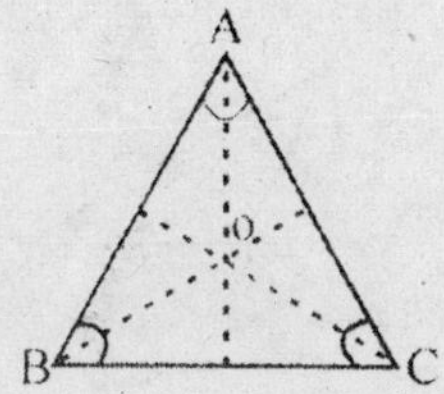

1. त्रिभुज के कोणों के समद्विभाजक संगामी होते हैं।
2. अन्तःकेन्द्र, त्रिभुज की भुजाओं से समान दूरी पर होता है और इस दूरी को अन्तः त्रिज्या कहते हैं तथा इस पर बनने वाले वृत्त को अन्तः वृत्त कहते हैं।

नोट : सभी त्रिभुजों के अन्तः केन्द्र त्रिभुज के अन्दर ही बनते हैं।

- त्रिभुज की भुजाओं के लम्ब समद्विभाजकों को मिलाने वाली भुजाएं जहाँ मिलती है उसे उस त्रिभुज का **परिकेन्द्र** (Circumcentre) कहते हैं।

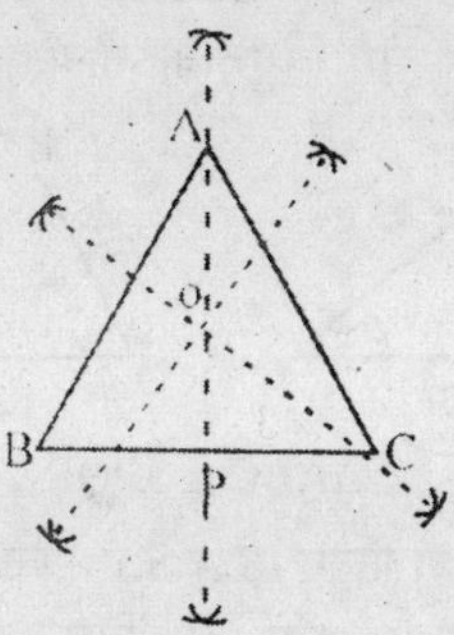

1. त्रिभुज की भुजाओं के लम्ब-समद्विभाजक संगामी होते हैं।
2. परिकेन्द्र त्रिभुज की तीनों भुजाओं से समान दूरी पर होता है। इस समान दूरी को त्रिभुज की परित्रिज्या और उस पर बनने वाले वृत्त को परिवृत्त कहते हैं।

नोट–(*i*) न्यूनकोण त्रिभुज में त्रिभुज का परिकेन्द्र त्रिभुज के अंदर स्थित होता है।

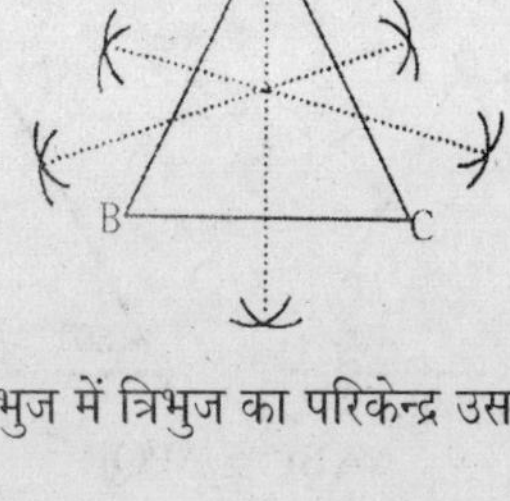

(*ii*) समकोण त्रिभुज में त्रिभुज का परिकेन्द्र उसके कर्ण पर स्थित होता है।

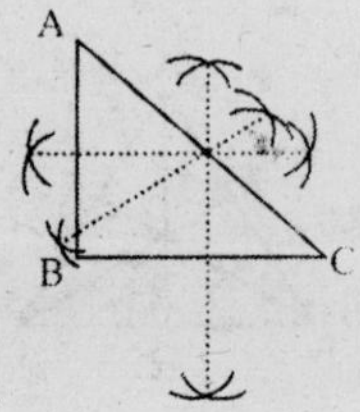

(*iii*) अधिक कोण त्रिभुज का परिकेन्द्र सबसे बड़ी भुजा की ओर तथा त्रिभुज के बाहर स्थित होता है।

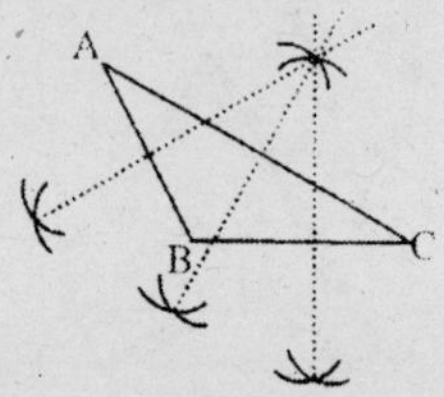

- समबाहु त्रिभुज में गुरुत्व केन्द्र, लम्बकेन्द्र, अन्तःकेन्द्र और परिकेन्द्र संपाती होते हैं।
- किसी भी त्रिभुज में लम्ब केन्द्र, गुरुत्व केन्द्र तथा परिकेन्द्र एक ही रेखा पर स्थित होते हैं।

त्रिभुज की सर्वांगसम स्थितियाँ

- दो आकृतियां जिनका आकार व माप समान हों परन्तु स्थिति अलग-अलग, सर्वांगसम कहलाती हैं।

(*i*) **भुजा-भुजा-भुजा नियम (S.S.S.)** : यदि एक त्रिभुज की तीनों भुजाएं क्रमशः दूसरे त्रिभुज की तीनों भुजाओं के समान हों।

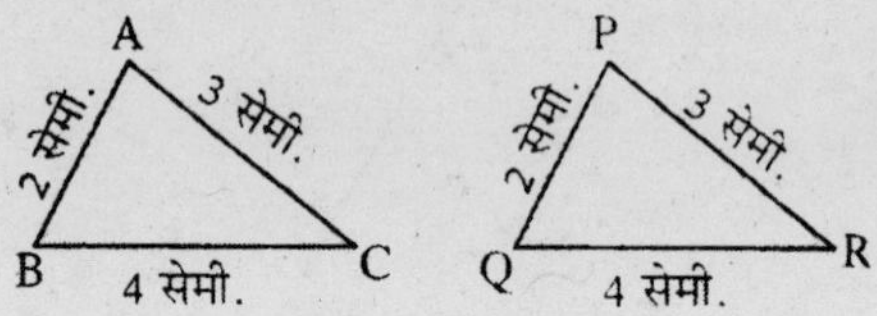

$\Delta ABC \cong \Delta PQR$

(*ii*) **भुजा-कोण-भुजा नियम (S.A.S.)** : एक त्रिभुज की दो भुजा और उनके बीच का एक कोण, दूसरे त्रिभुज की दो भुजाओं और उनके बीच के कोण बराबर हो।

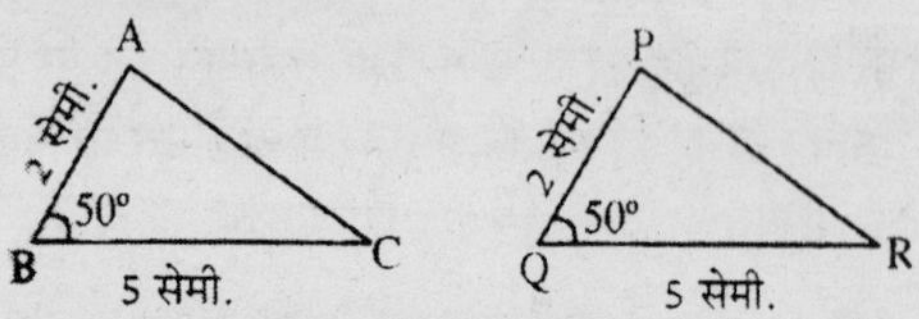

$\Delta ABC \cong \Delta PQR$

(*iii*) **दो कोण एवं एक भुजा (A.S.A.)** : एक त्रिभुज के दो कोण और उनके बीच की भुजा क्रमशः दूसरे त्रिभुज के दो कोणों और उनके बीच की भुजा के बराबर है।

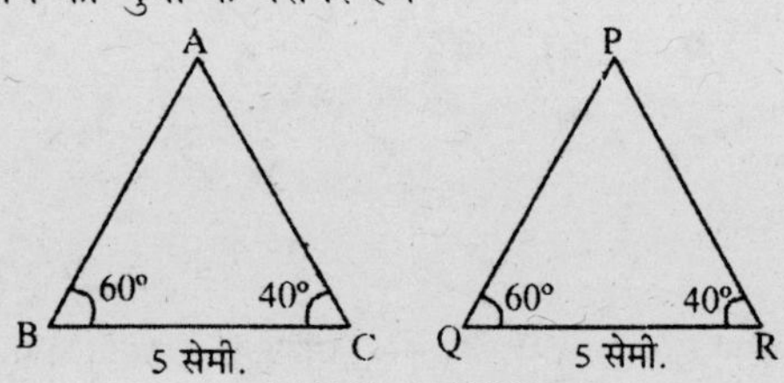

$\Delta ABC \cong \Delta PQR$

(*iv*) **समकोण कर्ण भुजा (R.H.S.)** : एक समकोण त्रिभुज का कर्ण और कोई एक भुजा क्रमशः दूसरे त्रिभुज के कर्ण और एक भुजा के समान है।

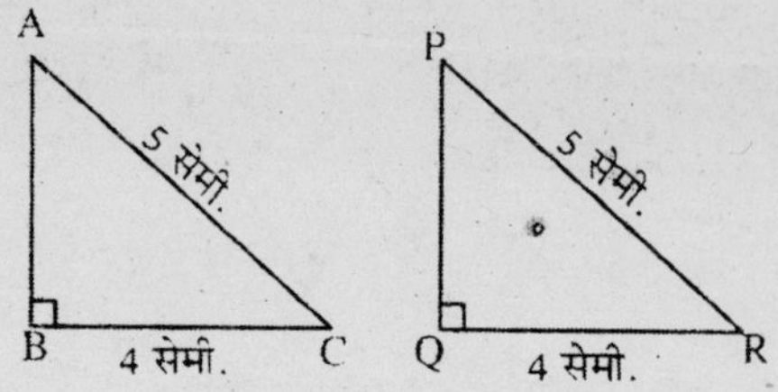

$\Delta ABC \cong \Delta PQR$

- **समरूपता :** ऐसी ज्यामितीय आकृतियाँ जिनका रूप (Shape) बिल्कुल समान हो समरूप आकृतियाँ कहलाती हैं अर्थात् जब दो या दो से अधिक त्रिभुजों की भुजाएँ समानुपात में हों एवं उनके संगत कोण आपस में बराबर हों तो वे त्रिभुज आपस में समरूप होते हैं।

नियम–

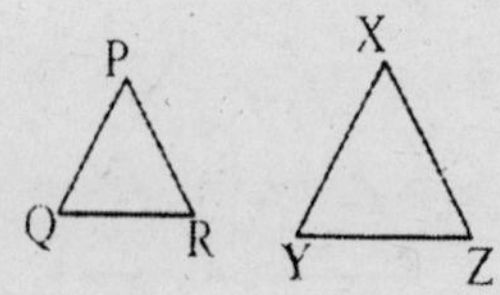

$\angle P = \angle X \quad \angle Q = \angle Y \quad \angle R = \angle Z$

तो $\dfrac{PQ}{QR} = \dfrac{XY}{YZ}$ या $\dfrac{PR}{PQ} = \dfrac{XZ}{XY}$

- समरूपता के लिए चिह्न ~ का प्रयोग किया जाता है।

$\Delta ABC \sim \Delta PQR$

- कोई भी दो रेखाखण्ड सदैव समरूप होते हैं।

- कोई भी दो वृत्त सदैव समरूप होते हैं।

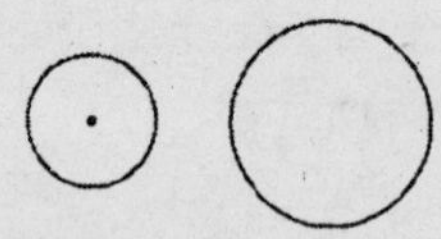

- कोई भी दो वर्ग सदैव समरूप होते हैं।

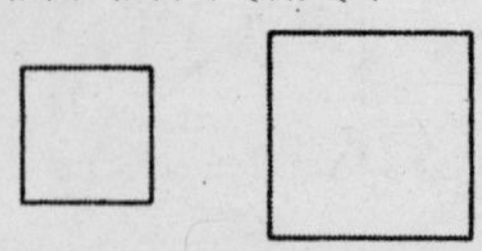

- कोई भी दो समबाहु त्रिभुज सदैव समरूप होते हैं।

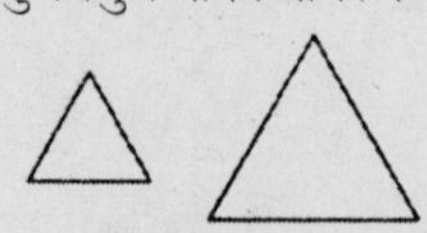

- कोई भी दो आयत समरूप हों आवश्यक नहीं है।

- समरूप आकृतियों के विभिन्न भागों में एकैकी संगतता (One to one correspondence) होती है। अर्थात् समरूप आकृतियों के संगत भाग समानुपाती होते हैं।

- **समरूप त्रिभुज और उनके गुणधर्म**—दो त्रिभुज परस्पर समरूप कहलाएँगे, यदि—

(*i*) उनके संगत कोण समान हों तथा
(*ii*) उनकी संगत भुजाएँ समानुपाती हों।

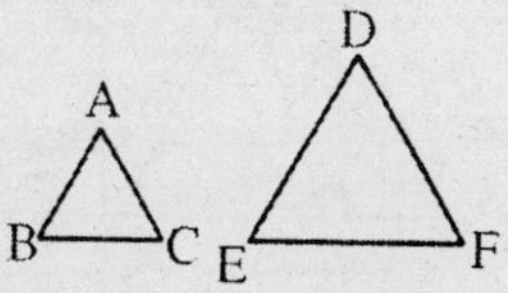

उपर्युक्त परिभाषा से स्पष्ट है कि यदि—
$\Delta ABC \sim \Delta DEF$ तो
(*i*) $\angle A = \angle D, \angle B = \angle E$ तथा $\angle C = \angle F$ तथा
(*ii*) $\frac{AB}{DE} = \frac{BC}{EF} = \frac{AC}{DF}$

Note—सभी सर्वांगसम त्रिभुज समरूप होते हैं परन्तु सभी समरूप त्रिभुज सर्वांगसम नहीं हो सकते—
सर्वांगसम = सर्व + अंग + सम, समरूप = सम + रूप

- समरूप आकृतियों में मात्र आकार की समानता होती है, जबकि माप एवं क्षेत्रफल में असमानता होती है।
- सर्वांगसम आकृतियों में आकार, माप एवं क्षेत्रफल तीनों में ही समानता होती है।
- समरूप आकृतियों में संगतता का होना अति आवश्यक है। जैसे—ΔABC व ΔPQR समरूप है। तो $ABC \leftrightarrow PQR$.

वस्तुनिष्ठ प्रश्न

1. दिए गए चित्र में $\angle BOC$ का माप निम्नलिखित में कौन-सा होगा?

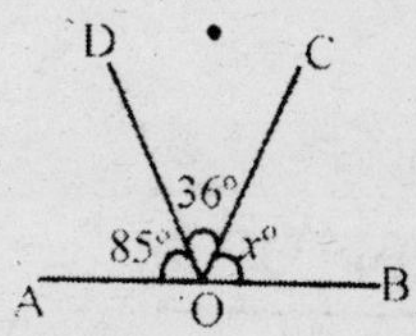

A. 85° B. 36°
C. 90° D. 59°

2. दिए गए चित्र में x का मान क्या होगा?

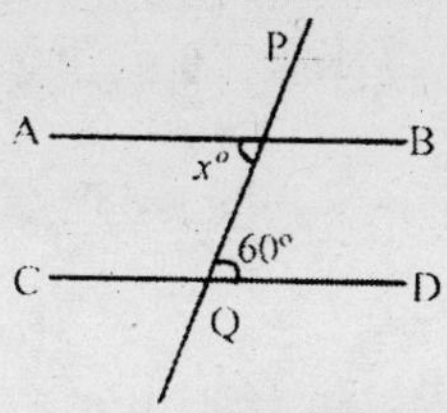

A. 60° B. 30°
C. 90° D. 180°

3. दिए गए चित्र में x का मान क्या होगा?

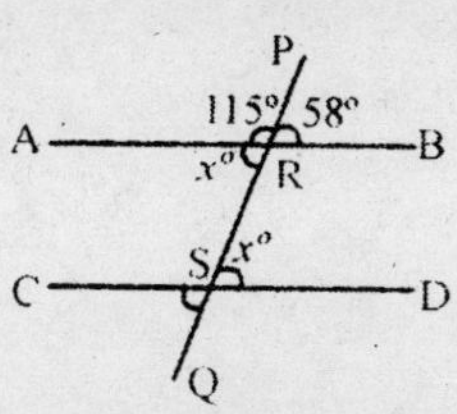

A. 122° B. 32°
C. 132° D. 58°

4. दिए गए चित्र में x तथा y का मान क्या होगा?

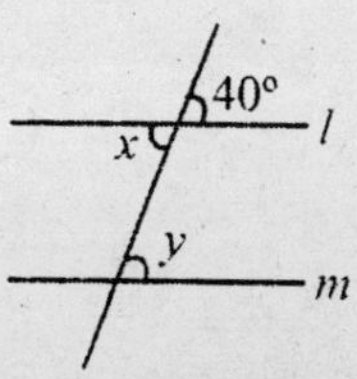

A. 40°, 40° B. 40°, 140°
C. 140°, 80° D. 40°, 60°

5. 35° के सम्पूरक कोण की माप क्या होगी?
A. 35° B. 55°
C. 145° D. 125°

6. 60° के पूरक कोण की माप क्या होगी?
A. 60° B. 30°
C. 45° D. 120°

7. एक पूरक कोण, दूसरे का $\frac{7}{8}$ है तो बताओ उन कोणों का अन्तर क्या है?
A. 5° B. 8°
C. 6° D. 12°

8. यदि ΔABC में $\angle B$, $\angle A$ से दुगुना है और $\angle C$, $\angle B$ का तिगुना है, तो $\angle A$ की माप बतायें।
A. 30° B. 20°
C. 40° D. 60°

9. किसी त्रिभुज के दो कोण बराबर हैं तथा तीसरे कोण की माप उन दोनों कोणों में से प्रत्येक से 24° अधिक है। बड़े कोण की माप अंशों में बतायें।
A. 47° B. 52°
C. 76° D. 86°

10. यदि ΔABC में, $AB = AC$ एवं $\angle B = 70°$ हो, तो $\angle C$ का मान होगा:
A. 70° B. 80°
C. 110° D. 20°

11. किसी समकोण त्रिभुज का एक कोण 40° है, तो दूसरा कोण कितने अंश का होगा?
A. 40° B. 50°
C. 60° D. 80°

12. समबाहु त्रिभुज की एक भुजा बढ़ाई जाए, तो बहिष्कोण कितने अंश का होगा?
A. 60° B. 90°
C. 120° D. 180°

13. एक समद्विबाहु त्रिभुज में समान दो भुजाओं के मध्य बिन्दुओं को मिलाने वाली रेखा की लम्बाई 6 सेमी. है तो बताओ तीसरी भुजा की माप क्या होगी?

A. 8 सेमी. B. 3 सेमी.
C. 12 सेमी. D. इनमें से कोई नहीं

14. दिए गए चित्र के आधार पर $x°$ का मान ज्ञात करें?

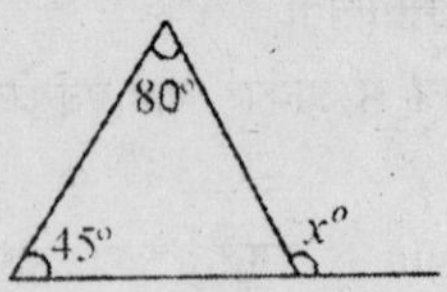

A. 55° B. 135°
C. 125° D. 155°

15. दिए गए चित्र में यदि $\angle ABD = 110°$ तथा $\angle ACE = 105°$ हो, तो $\angle BAC$ का मान क्या होगा?

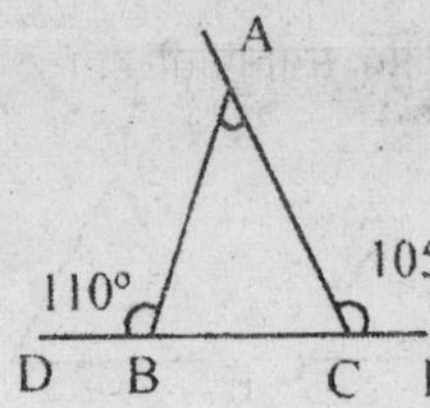

A. 45°
B. 35°
C. 65°
D. 145°

उत्तरमाला

1	2	3	4	5	6	7	8	9	10
D	A	D	A	C	B	C	B	C	A
11	**12**	**13**	**14**	**15**					
B	C	C	C	B					

व्याख्यात्मक उत्तर

2.

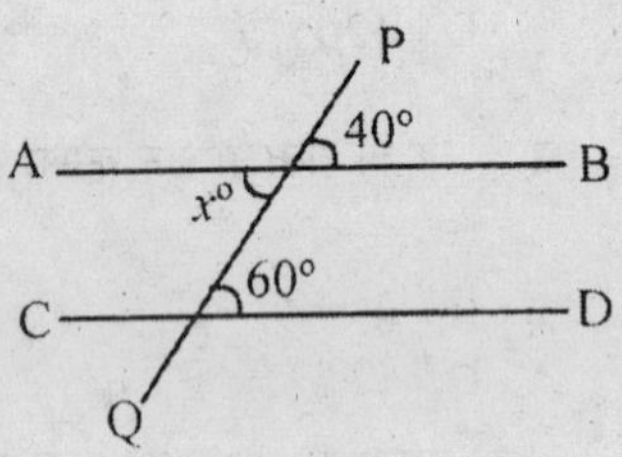

$x° = 60°$

क्योंकि दोनों एकान्तर कोण (Z) हैं।

3.

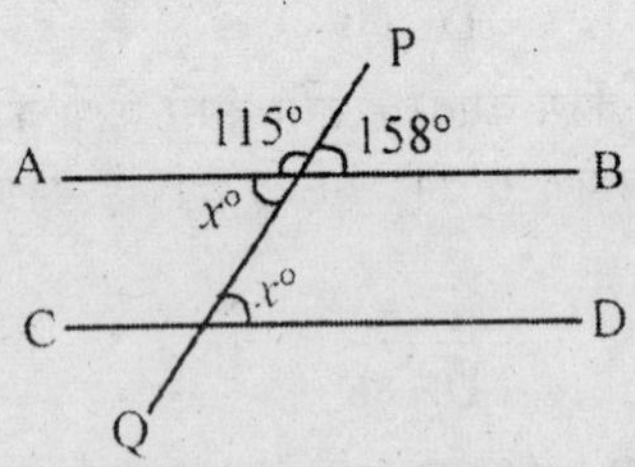

$x° = 58°$

शीर्षाभिमुख कोण हैं।

4.

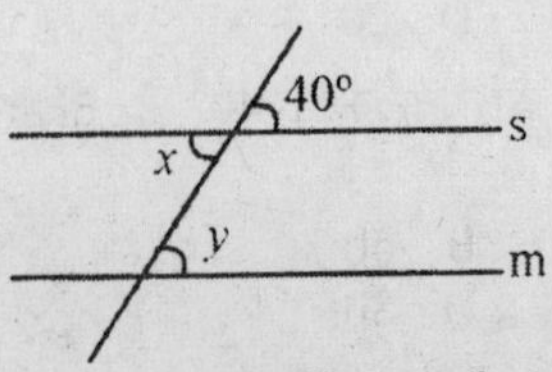

$\angle x = 40°$ (शीर्षाभिमुख कोण), $\angle y = 40°$ (संगत कोण)

6. दूसरा पूरक कोण = 90 − 60 = 30°.

7. पहला : दूसरा
7 : 8

तो पहला कोण = $\frac{7}{15} \times 90° = 42°$

दूसरा कोण = $\frac{8}{15} \times 90° = 48°$

तो अन्तर = 6°.

8. $\angle A : \angle B : \angle C$
1 : 2 : 6

$\angle A = \frac{1}{9} \times 180 = 20°$.

9. $x + x + x + 24 = 180° \Rightarrow 3x = 156, x = 52°$

बड़ा कोण = 52 + 24 = 76°.

11. समकोण त्रिभुज का दूसरा कोण
= 180° − 40° − 90° = 50°.

14.

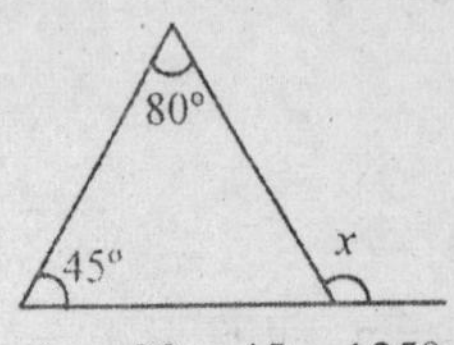

$\angle x = 80 + 45 = 125°$.

15.

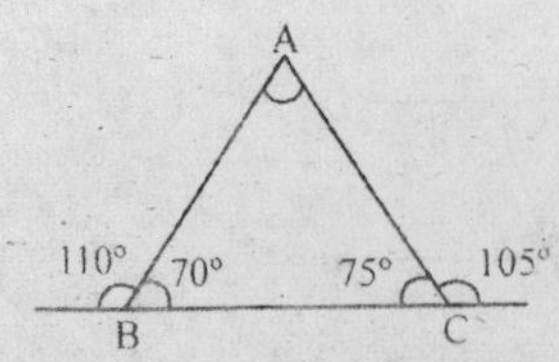

$\angle BAC = 180 - 70 - 75 = 35°$.

सामान्य विज्ञान

भौतिक विज्ञान

- भौतिक विज्ञान में द्रव्य तथा ऊर्जा और उसकी परस्पर क्रियाओं का अध्ययन होता है।
- भौतिक राशियाँ दो प्रकार की होती हैं–
  (*i*) **अदिश राशिः** ऐसी भौतिक राशियाँ जिनमें केवल परिमाण होता है दिशा नहीं, उन्हें अदिश राशि कहा जाता है, जैसे–दाब, द्रव्यमान, दूरी, चाल, आयतन, समय, कार्य, ऊर्जा, विद्युत धारा, ताप आदि।
  (*ii*) **सदिश राशिः** ऐसी भौतिक राशियाँ, जिनमें परिमाण के साथ-साथ दिशा भी रहती है, सदिश राशि कहलाती हैं, जैसे–बल, वेग, विस्थापन, त्वरण, संवेग एवं बल-आघूर्ण इत्यादि।
- **दूरीः** वस्तु द्वारा किसी समय अन्तराल में तय किए गए मार्ग की सम्पूर्ण लम्बाई दूरी कहलाती है।
- **विस्थापनः** वस्तु की अन्तिम तथा प्रारंभिक स्थिति के बीच की न्यूनतम दूरी को विस्थापन कहते हैं।
- **चालः** किसी वस्तु द्वारा प्रति सेकण्ड तय की गई दूरी को चाल कहते हैं।
- **वेगः** कोई वस्तु इकाई समय में किसी निश्चित दिशा में जितनी दूरी तय करती है, अर्थात् जितना विस्थापित होती है, उसे उस वस्तु का वेग कहते हैं।
- **त्वरणः** किसी वस्तु के वेग परिवर्तन की दर को उस वस्तु का त्वरण कहते हैं।

$$\text{त्वरण} = \frac{\text{वेग में परिवर्तन}}{\text{समयान्तराल}}$$

महत्वपूर्ण भौतिक राशियाँ

- **संवेगः** किसी गतिमान वस्तु के द्रव्यमान तथा वेग के गुणनफल को उस वस्तु का संवेग कहते हैं।
- **गतिः** यदि किसी वस्तु की स्थिति, किसी स्थिर वस्तु का सापेक्ष एकसमान रूप से बदल रही हो तो वह वस्तु गति में कही जाती है।
- **वृत्तीय गति (Circular Motion):** जब कोई वस्तु वृत्तीय पथ पर गति करती है, तो उसकी गति वृत्तीय गति कहलाती है।
- **अभिकेन्द्र बलः** जब कोई वस्तु किसी वृत्ताकार मार्ग पर चलती है, तो उस पर एक बल वृत्त के केन्द्र की ओर कार्य करता है इसे अभिकेन्द्र बल कहते हैं।
- **अपकेन्द्रीय बलः** यह अभिकेन्द्री बल के विपरीत दिशा में लगता है।
- अभिकेन्द्र बल प्राप्त करने के लिए साइकिल सवार मोड़ पर अन्दर की ओर झुक जाता है।
- कपड़ा सुखाने की मशीन तथा दूध से मक्खन निकालने की मशीन अपकेन्द्रीय बल के सिद्धान्त पर कार्य करती है।

राशि एवं उनके मात्रक

राशि	मात्रक (SI)	राशि	मात्रक (SI)
• लम्बाई	मीटर	• कार्य, ऊर्जा	जूल
• द्रव्यमान	किलोग्राम	• कोण	रेडियन
• समय	सेकण्ड	• त्वरण	मी/सेकण्ड^2
• ताप	केल्विन	• बल	न्यूटन
• विद्युत धारा	ऐम्पियर	• शक्ति	वाट
• ज्योति तीव्रता	कैण्डेला	• दाब	पास्कल
• आयतन	घनमीटर	• चाल	मी/सेकण्ड
• कोणीय वेग	रेडियन/से.	• आवृत्ति	हर्ट्ज
• संवेग	किग्रा.मी./से.	• आवेग	न्यूटन/सेकण्ड
• पृष्ठ तनाव	न्यूटन/मीटर	• विद्युत प्रतिरोध	ओम
• विभवान्तर	वोल्ट	• विद्युत धारिता	फैराडे

न्यूटन के गति के नियम

- **प्रथम नियमः** यदि कोई वस्तु विराम की अवस्था में है, तो वह विराम की अवस्था में ही रहेगी और यदि वह एकसमान गति से किसी दिशा में चल रही है, तो वह वैसे ही चलती रहेगी, जब तक कि उस पर कोई बाहरी बल लगाकर उसकी अवस्था में परिवर्तन न किया जाए। इस नियम को जड़त्व का नियम भी कहते हैं।
- **द्वितीय नियमः** वस्तु के संवेग में परिवर्तन की दर उस पर आरोपित बल के अनुक्रमानुपाती होती है तथा संवेग परिवर्तन आरोपित बल की दिशा में ही होता है।
- **तृतीय नियमः** प्रत्येक क्रिया के बराबर, परन्तु विपरीत दिशा में प्रतिक्रिया होती है। इस नियम को क्रिया-प्रतिक्रिया का नियम भी कहते हैं।

न्यूटन के गति के कुछ अनुप्रयोग

प्रथम नियम के अनुप्रयोग

- ➪ रुकी हुई गाड़ी के अचानक चल पड़ने पर उसमें बैठे यात्री पीछे की ओर झुक जाते हैं एवं चलती हुई गाड़ी के अचानक रुकने पर उसमें बैठे यात्री आगे की ओर झुक जाते हैं।
- ➪ गोली मारने से काँच में गोल छेद हो जाता है, परन्तु पत्थर मारने पर वह काँच टुकड़े-टुकड़े हो जाता है।

द्वितीय नियम के अनुप्रयोग

- क्रिकेट खिलाड़ी गेंद को कैच करते समय अपने हाथों को थोड़ा पीछे कर लेता है।
- गाड़ियों में स्प्रिंग और शॉक एब्जार्बर लगाए जाते हैं।
- गद्दे या मिट्टी के फर्श पर गिरने पर सीमेण्ट से बने फर्श पर गिरने की तुलना में कम चोट लगती है।

तृतीय नियम के अनुप्रयोग

- बंदूक से गोली छोड़ते समय पीछे की ओर झटका लगना।
- नाव के किनारे पर से जमीन पर कूदने पर नाव का पीछे हटना।
- ऊँचाई से कूदने पर चोट लगना।
- रॉकेट का आगे बढ़ना।

- **घर्षण बल :** वह विरोधी बल है, जो दो वस्तुओं के बीच होने वाली आपेक्षिक गति का विरोध करता है।
- स्नेहक जैसे तेल एवं ग्रीस आदि का प्रयोग करके घर्षण को कम किया जाता है। बॉल-बियरिंग का प्रयोग भी घर्षण कम करने के लिए किया जाता है।
- **बल-आघूर्णः** बल द्वारा एक पिण्ड को एक अक्ष के परितः घुमाने की प्रवृति को बल-आघूर्ण कहते हैं। इस सिद्धांत के आधार पर घरों में गेहूं पीसने की चक्की का हत्था कील से दूर लगाया जाता है ताकि चक्की को घुमाने के लिए कम जोर लगाना पड़े।
- **उत्तोलक (Liver):** उत्तोलक एक सीधी या टेढ़ी दृढ़ छड़ होती है, जो किसी निश्चित बिन्दु के चारों ओर स्वतंत्रतापूर्वक घूम सकती है, जैसे–चिमटा, सरौता, कैंची आदि।
- **कार्य (Work):** कार्य की माप लगाए गए बल तथा बल की दिशा में वस्तु के विस्थापन के गुणनफल के बराबर होती है। यह एक अदिश राशि है।

  कार्य = बल × बल की दिशा में विस्थापन।
- **ऊर्जा (Energy):** किसी वस्तु की कार्य करने की क्षमता को उस वस्तु की ऊर्जा कहते हैं। ऊर्जा एक अदिश राशि है, इसका मात्रक जूल है। ऊर्जा दो प्रकार की होती है–गतिज ऊर्जा एवं स्थितिज ऊर्जा।

ऊर्जा का रूपान्तरण

उपकरण	ऊर्जा का रूपान्तरण
• माइक्रोफोन	विद्युत ऊर्जा को ध्वनि ऊर्जा में
• सौर सेल	प्रकाश ऊर्जा को विद्युत ऊर्जा में
• डायनेमो	यांत्रिक ऊर्जा को विद्युत ऊर्जा में
• मोमबत्ती का जलना	रासायनिक ऊर्जा को प्रकाश एवं ऊष्मा ऊर्जा में
• विद्युत मोटर	विद्युत ऊर्जा को यांत्रिक ऊर्जा में
• बल्ब/ट्यूब-लाइट/ हीटर का जलना	विद्युत ऊर्जा को प्रकाश एवं ऊष्मा ऊर्जा में

- **ऊर्जा संरक्षण का सिद्धांतः** ऊर्जा को न तो उत्पन्न किया जा सकता है और न ही नष्ट किया जा सकता है केवल एक रूप से दूसरे रूप में परिवर्तित किया जा सकता है, इसे ऊर्जा संरक्षण का सिद्धांत कहते हैं।

गुरुत्वाकर्षण (Gravitation)

- निश्चित द्रव्यमान वाले दो पिण्डों के बीच एक आकर्षण बल कार्य करता है, जिसे गुरुत्वाकर्षण कहते हैं।
- **गुरुत्व (Gravity):** गुरुत्व वह आकर्षण बल है, जिससे पृथ्वी किसी वस्तु को अपने केन्द्र की ओर खींचती है।
- पृथ्वी के गुरुत्व के कारण ही पृथ्वी पर वायुमण्डल उपस्थित है। गुरुत्व के कारण ही वायुमण्डल के कण पृथ्वी को छोड़कर नहीं जा पाते।
- जब लकड़ी तथा लोहे की गेंद को निर्वात में एक साथ नीचे गिराया जाता है, तो दोनों गेंद एक साथ पृथ्वी पर पहुँचती हैं क्योंकि पृथ्वी द्वारा लगाया गया गुरुत्वाकर्षण बल सभी वस्तुओं पर एकसमान होता है।
- चन्द्रमा पर गुरुत्वीय त्वरण (g) का मान, पृथ्वी के गुरुत्वीय त्वरण के मान का 1/6 होता है।

पलायन वेग

- पलायन वेग वह न्यूनतम वेग है जिसमें किसी पिण्ड को पृथ्वी की सतह से ऊपर की ओर फेंके जाने पर वह गुरुत्वीय क्षेत्र को पार कर सकता है और कभी वापस नहीं आता। इसका मान पृथ्वी तल पर 11.2 किमी/से. होता है।
- चन्द्रमा पर पलायन वेग 2.38 किमी/सेकण्ड है, जिसके कारण वहाँ वायुमण्डल का अभाव है।

भू-स्थायी उपग्रह (Geo-Stationary Satellite)

- ऐसा उपग्रह जो पृथ्वी के अक्ष के लम्बवत् तल में पश्चिम से पूर्व की ओर पृथ्वी की परिक्रमा करता है तथा जिसका परिक्रमण काल पृथ्वी के परिक्रमण काल (24 घंटे) के बराबर होता है।
- यह उपग्रह पृथ्वी तल से लगभग 36,000 किमी की ऊँचाई पर रहकर पृथ्वी का परिक्रमण करता है।

तरंग (Wave)

- तरंग के द्वारा ऊर्जा का एक स्थान से दूसरे स्थान तक स्थानान्तरण होता है।
- तरंगों को मुख्यतः दो भागों में बाँटा जा सकता है–यांत्रिक तरंग व विद्युत-चुम्बकीय तरंग।

  (*i*) **यांत्रिक तरंगः** ऐसी तरंगें जो किसी पदार्थिक माध्यम (ठोस, द्रव अथवा गैस) में संचारित होती है, यांत्रिक तरंगें कहलाती हैं। यांत्रिक तरंगों को मुख्यतः दो भागों में बाँटा गया है–

  (*a*) अनुदैर्ध्य तरंग एवं

  (*b*) अनुप्रस्थ तरंग

(*ii*) **विद्युत-चुम्बकीय तरंगः** ऐसी तरंगें जिनके संचरण के लिए किसी माध्यम की आवश्यकता नहीं होती। प्रकाश एवं ऊष्मा विद्युत-चुम्बकीय तरंगों के उदाहरण हैं।

ध्वनि तरंग (Sound Wave)

- ध्वनि एक स्थान से दूसरे स्थान तक तरंगों के रूप में गमन करती है। ध्वनि तरंगें अनुदैर्ध्य यांत्रिक तरंगें होती हैं।

यांत्रिक तरंगों के आवृत्ति परिसर मुख्यतः तीन हैं-

(*i*) **श्रव्य तरंगें (Audible Waves):** 20 Hz से 20000 Hz के बीच की आवृत्ति वाली तरंगों को 'श्रव्य तरंग' कहते हैं। इन तरंगों को अपने कानों के द्वारा सुना जा सकता है।

(*ii*) **अवश्रव्य तरंगें (Infrasonic Waves):** 20 Hz से नीचे की आवृत्ति वाली ध्वनि तरंगों को 'अवश्रव्य तरंगें' कहते हैं। इन्हें हमारे कान नहीं सुन सकते हैं।

(*iii*) **पराश्रव्य तरंगें (Ultrasonic Waves):** 20,000 Hz से ऊपर की तरंगों को पराश्रव्य तरंगें कहा जाता है। मनुष्य के कान इसे नहीं सुन सकते हैं परन्तु कुछ जानवर, जैसे–कुत्ता, बिल्ली, चमगादड़ आदि इसे सुन सकते हैं।

- ध्वनि तरंगों की चाल सबसे अधिक ठोस में, उसके बाद द्रव में और उसके बाद गैस में होती है।
- **सोनार (Sonar) :** एक ऐसी विधि है, जिसके द्वारा समुद्र में डूबी हुई वस्तुओं का पता लगाया जाता है। इसके लिए पराश्रव्य तरंगों का प्रयोग किया जाता है।

दाब (Pressure)

- किसी सतह के एकांक क्षेत्रफल पर लगने वाले बल को दाब कहते हैं। यह सदिश राशि है।

दाब = बल/क्षेत्रफल

- वायुमण्डलीय दाब बैरोमीटर से मापा जाता है।
- पास्कल के नियम पर आधारित कुछ यंत्र हैंः हाइड्रोलिक लिफ्ट, हाइड्रोलिक प्रेस, हाइड्रोलिक ब्रेक इत्यादि।
- दाब बढ़ने पर पदार्थ का गलनांक बढ़ जाता है।
- सभी द्रवों का क्वथनांक दाब घटाने पर बढ़ जाता है।
- पृथ्वी की सतह से ऊपर जाने पर वायुमण्डलीय दाब कम हो जाता है जिसके फलस्वरूप–
  - व्यक्ति की नाक से खून निकलने लगता है।
  - पहाड़ों पर खाना बनाने में कठिनाई होती है।
  - वायुयान में बैठे यात्री के फाउण्टेनपेन से स्याही रिस जाती है।
  - नमक मिले पानी का क्वथनांक कम होने के कारण इसमें भोजन जल्दी पक जाता है।
  - जल 100°C से कम ताप पर उबलने लगता है।
  - अधिक ऊँचाई पर कम दाब के कारण वायु की मात्रा कम होती है, अतः साँस लेने में कठिनाई होती है।
- बैरोमीटर का पाठयांक जब एकाएक नीचे गिरता है, तो आंधी, धीरे-धीरे नीचे गिरता है तो वर्षा और जब धीरे-धीरे ऊपर चढ़ता है, तो दिन साफ रहने की संभावना होती है।

प्लवन के नियम (Law of Floatation)

(*i*) संतुलित अवस्था में तैरने पर वस्तु अपने भार के बराबर द्रव विस्थापित करती है।

(*ii*) ठोस का गुरुत्व-केन्द्र तथा हटाए गए द्रव का गुरुत्व केन्द्र दोनों एक ही उर्ध्वाधर रेखा में होने चाहिए।

- **गुरुत्व केन्द्रः** किसी वस्तु का वह बिन्दु जहाँ उसका समस्त भार कार्य करता है, गुरुत्व केन्द्र कहलाता है।

आर्किमिडीज का सिद्धांत

- जब कोई वस्तु किसी द्रव में पूरी अथवा आंशिक रूप से डुबोई जाती है, तो उसके भार में कमी का आभास होता है। भार में यह आभासी कमी वस्तु द्वारा हटाए गए द्रव के भार के बराबर होती है।
- लोहे की बनी छोटी-सी गेंद पानी में डूब जाती है तथा बड़ा जहाज तैरता रहता है, क्योंकि जहाज द्वारा विस्थापित किए गए जल का भार उसके भार के बराबर होता है।

घनत्व (Density)

- द्रव्यमान प्रति एकांक आयतन घनत्व कहलाता है।

(*i*) आपेक्षिक घनत्व एक अनुपात है। इसे **हाइड्रोमीटर** से मापा जाता है।

(*ii*) सामान्य जल की अपेक्षा समुद्री जल का घनत्व अधिक होता है, इसलिए उसमें तैरना आसान होता है।

- जब बर्फ पानी में तैरती है, तो उसके आयतन का 1/10 भाग पानी के ऊपर रहता है।
- किसी बर्तन में पानी भरा है और उस पर बर्फ तैर रही है, जब बर्फ पूरी तरह पिघल जाएगी तो पात्र में पानी का तल बढ़ता नहीं है, पहले के समान ही रहता है।

पृष्ठ तनाव (Surface Tension)

- द्रव का स्वतंत्र पृष्ठ सदैव तनाव में रहता है तथा उसमें कम-से-कम क्षेत्रफल प्राप्त करने की प्रवृत्ति होती है। द्रव के पृष्ठ का यह तनाव ही पृष्ठ तनाव कहलाता है, जैसे–

(*i*) पतली सुई पृष्ठ तनाव के कारण ही पानी पर तैरती है।

(*ii*) साबुन के घोल के बुलबुले बड़े इसीलिए बनते हैं कि जल में साबुन घोलने पर उसका पृष्ठ तनाव कम हो जाता है।

(*iii*) समुद्र की लहरों को शांत करने के लिए उन पर तेल डाल दिया जाता है।

- एक ही पदार्थ के अणुओं के मध्य लगने वाले आकर्षण बल को ससंजक बल कहते हैं जबकि विभिन्न पदार्थों के अणुओं के बीच के आकर्षण बल को आसंजक बल कहते हैं।

- आसंजक बल के फलस्वरूप ही जल किसी वस्तु को भिगोता है, पारा काँच से नहीं चिपकता आदि।
- **केशिकत्व (Capillarity):** केशनली में द्रव के ऊपर चढ़ने या नीचे दबने की घटना को केशिकत्व कहते हैं।
- **श्यानता (Viscocity):** तरल का वह गुण जिसके कारण तरल की विभिन्न परतों के मध्य आपेक्षिक गति का विरोध होता है, श्यानता कहलाता है।
- ताप बढ़ने पर द्रवों की श्यानता घट जाती है, परन्तु गैसों की बढ़ जाती है।
- **सरल लोलक:** डोरी के द्वारा दृढ़ आधार से लटका एक गोलक जो एक निश्चित बिन्दु के इर्द-गिर्द दोलन करता है उसे सरल लोलक कहते हैं।
- लोलक का अधिकतम आवर्तकाल 84.6 मिनट है।

ऊष्मा (Heat)

- ऊष्मा एक प्रकार की ऊर्जा है, जो दो वस्तुओं के बीच उनके तापान्तर के कारण एक वस्तु से दूसरी वस्तु में स्थानांतरित होती है। स्थानांतरण के समय ही ऊर्जा ऊष्मा कहलाती है।
- इसका मात्रक कैलोरी, किलो कैलोरी तथा जूल है।

ताप (Temperature)

- वस्तु की ऊष्णता और शीतलता की माप को ताप कहते हैं। ऊष्मीय ऊर्जा सदैव उच्च ताप की वस्तु से निम्न ताप की वस्तु में जाती है।
- मानव शरीर का सामान्य ताप 37° C या 98.4° C है।
- –40° C पर ताप सेल्सियस और फारेनहाइट समान होते हैं।
- वस्तु के ताप को थर्मामीटर से मापा जाता है।
- सूर्य के ताप को पायरोमीटर से मापा जाता है।

परम शून्य (Absolute Zero)

- सिद्धांत रूप में अधिकतम ताप की कोई सीमा नहीं है, परन्तु निम्नतम ताप की सीमा है। किसी भी वस्तु का ताप –273.15°C से कम नहीं हो सकता है। इसे परम शून्य ताप कहते हैं और केल्विन पैमाने पर 0K लिखते हैं।

$$0K = -273.15°C \quad \text{एवं} \quad 273.15\ K = 0°C$$

विशिष्ट ऊष्मा (Specific Heat)

- किसी पदार्थ की विशिष्ट ऊष्मा, ऊष्मा की वह मात्रा है, जो उस पदार्थ के एकांक द्रव्यमान में एकांक ताप वृद्धि उत्पन्न करती है।
- जल की विशिष्ट ऊष्मा (1 कैलोरी/ग्राम °C) का मान अन्य पदार्थों की तुलना में सबसे अधिक है।
- ऊष्मा दिये जाने पर या ऊष्मा निकाले जाने पर जल का प्रसार 0° से 4°C के बीच असाधारण-सा होता है। 0°C से 4°C तक गर्म करने पर जल का आयतन घटता है तथा 4°C के बाद आयतन बढ़ता है। जल का घनत्व 4°C पर सबसे अधिक होता है।
- इसका मात्रक जूल/किग्रा/केल्विन होता है।

गुप्त ऊष्मा (Latent Heat)

- नियत ताप पर पदार्थ की अवस्था परिवर्तन के लिए ऊष्मा की आवश्यकता होती है, इसे ही पदार्थ की गुप्त ऊष्मा कहते हैं। इसे जूल/किलोग्राम या कैलोरी/ग्राम में मापा जाता है।
- उबलते जल की अपेक्षा भाप से जलने पर अधिक कष्ट होता है, क्योंकि जल की अपेक्षा भाप की गुप्त ऊष्मा अधिक होती है।
- **ऊष्मीय संचरण:** ऊष्मा का एक स्थान से दूसरे स्थान पर जाने को ऊष्मा का संचरण कहते हैं।
- ठोस पदार्थ में ऊष्मा का संचरण चालन द्वारा होता है।
- गैस तथा द्रव में ऊष्मा का संचरण संवहन द्वारा होता है तथा वायुमंडल संवहन विधि के द्वारा ही गरम होता है।
- सूर्य से ऊष्मा पृथ्वी पर विकिरण विधि द्वारा पहुँचती है।
- उबलते जल की अपेक्षा भार से जलने पर अधिक कष्ट होता है, क्योंकि जल की अपेक्षा भाप की गुप्त ऊष्मा अधिक होती है।

प्रकाश (Light)

- प्रकाश एक प्रकार की ऊर्जा है, जो विद्युत चुम्बकीय तरंगों के रूप में संचरित होती है। वायु तथा निर्वात में प्रकाश की गति सबसे अधिक (3 × 10 मी/से) होती है।
- प्रकाश को सूर्य से पृथ्वी तक आने में 8 मिनट 16.6 सेकण्ड का समय लगता है।

प्रकाश का प्रकीर्णन

- जब प्रकाश किसी ऐसे माध्यम से गुजरता है, जिसमें धूल तथा अन्य पदार्थों के अत्यन्त सूक्ष्म कण होते हैं, तो इनके द्वारा प्रकाश सभी दिशाओं में प्रसारित हो जाता है, इस घटना को प्रकाश का प्रकीर्णन कहा जाता है।
- बैंगनी रंग के प्रकाश का प्रकीर्णन सबसे अधिक तथा लाल रंग के प्रकाश का प्रकीर्णन सबसे कम होता है।
- आकाश का नीला रंग प्रकीर्णन के कारण होता है।

प्रकाश का परावर्तन

- प्रकाश के चिकने पृष्ठ से टकराकर वापस लौटने की घटना को प्रकाश का परावर्तन कहते हैं।
- आपतित किरण, आपतित बिन्दु पर अभिलंब व परावर्तित किरण एक ही तल में होते हैं।
- आपतन कोण परावर्तन कोण के बराबर होता है।

समतल दर्पण

- समतल दर्पण में किसी वस्तु का प्रतिबिम्ब दर्पण के पीछे उतनी ही दूरी पर बनता है, जितनी दूरी पर वस्तु दर्पण के आगे रखी होती है। यह प्रतिबिम्ब काल्पनिक, वस्तु के बराबर एवं पार्श्व उल्टा बनता है।

गोलीय दर्पण

- गोलीय दर्पण दो प्रकार के होते हैं–
  (*i*) अवतल दर्पण
  (*ii*) उत्तल दर्पण।

(*i*) **अवतल दर्पणः** जिस गोलीय दर्पण का परावर्तक तल धंसा रहता है, उसे अवतल दर्पण कहते हैं। अवतल दर्पण से बना प्रतिबिम्ब बड़ा व वास्तविक होता है।

अवतल दर्पण के उपयोग–

– बड़ी फोकस दूरी वाला अवतल दर्पण दाढ़ी बनाने में काम आता है।

– आँख, कान एवं नाक के डॉक्टर के द्वारा उपयोग में लाया जाने वाला दर्पण।

– गाड़ी के हेडलाइट एवं सर्चलाइट में।

– सोलर कुकर में।

(*ii*) **उत्तल दर्पणः** जिस गोलीय दर्पण की परावर्तक सतह उभरी रहती है, उसे उत्तल दर्पण कहा जाता है। उत्तल दर्पण से बना प्रतिबिम्ब वस्तु से छोटा, सीधा एवं आभासी होता है।

उत्तल दर्पण के उपयोग–

– मोटरवाहन में चालक के बगल में पृष्ठ दृश्य दर्पण लगाया जाता है।

– सड़क पर लगे परावर्तक लैम्पों में उत्तल दर्पण का प्रयोग किया जाता है, विस्तार क्षेत्र अधिक होने के कारण ये प्रकाश को अधिक क्षेत्र में फैलाते हैं।

प्रकाश का अपवर्तन

- जब प्रकाश की किरणें एक पारदर्शी माध्यम से दूसरे पारदर्शी माध्यम में प्रवेश करती हैं, तो अपने मार्ग से विचलित हो जाती हैं। यह घटना प्रकाश का अपवर्तन कहलाती है।
- लाल रंग का अपवर्तनांक सबसे कम तथा बैंगनी रंग का अपवर्तनांक सबसे ज्यादा होता है।

लेन्स

- लेन्स के दो प्रकार होते हैं-
  (1) उत्तल लेन्स,
  (2) अवतल लेन्स।
- लेन्स की फोकस दूरी का मात्रक डायोप्टर होता है।

निकट दृष्टि दोष (Myopia)

- इस रोग से ग्रसित व्यक्ति नजदीक की वस्तु को देख लेता है, परन्तु दूर स्थित वस्तु को नहीं देख पाता है।
- इसमें वस्तु का प्रतिबिम्ब रेटिना पर न बनकर रेटिना के आगे बन जाता है। निकट दृष्टि दोष के निवारण के लिए अवतल लेंस का प्रयोग किया जाता है।

दूर दृष्टि दोष (Hypermetropia)

- इस रोग से ग्रसित व्यक्ति को दूर की वस्तु दिखलाई पड़ती है, निकट की वस्तु दिखलाई नहीं पड़ती है। इस रोग में निकट की वस्तु का प्रतिबिम्ब रेटिना के पीछे बनता है। दूर दृष्टि दोष के निवारण के लिए उत्तल लेंस का प्रयोग किया जाता है।

विद्युत धारा

- किसी चालक में विद्युत आवेश के प्रवाह की दर को विद्युत धारा कहते हैं। विद्युत धारा की दिशा धन आवेश की गति की दिशा की ओर मानी जाती है। इसका S.I. मात्रक एम्पीयर है। यह एक अदिश राशि है।

ओम का नियम

- यदि चालक की भौतिक अवस्था जैसे–ताप आदि में कोई परिवर्तन न हो तो चालक के सिरों पर लगाया गया विभवान्तर उसमें प्रवाहित धारा के अनुक्रमानुपाती होता है।
- धातुओं का ताप बढ़ाने पर उनका प्रतिरोध बढ़ता जाता है।
- अर्द्धचालकों का ताप बढ़ाने पर उनका प्रतिरोध घटता जाता है।
- **अमीटर (Ammeter):** विद्युत धारा को एम्पीयर में मापने के लिए अमीटर नामक यंत्र का प्रयोग किया जाता है। एक आदर्श अमीटर का प्रतिरोध शून्य होता है।
- **वोल्टमीटर (Voltameter):** वोल्टमीटर का प्रयोग परिपथ के किन्हीं दो बिन्दुओं के बीच विभवान्तर मापने में किया जाता है।
- **विद्युत फ्रयूजः** विद्युत फ्यूज का प्रयोग परिपथ में लगे उपकरणों की सुरक्षा के लिए किया जाता है, यह टिन (63%) और सीसा (37%) की मिश्रधातु का बना होता है। इसका गलनांक कम होता है।
- प्राकृतिक चुम्बक लोहे का ऑक्साइड (Fe_3O_4) है।

चुम्बक

- चुम्बक लोहे तथा अन्य पदार्थों का एक टुकड़ा होता है, जो लोहे के पदार्थों को अपनी ओर आकर्षित करता है।
- चुम्बक को क्षैतिज तल में स्वतंत्रतापूर्वक लटकाने पर उसका एक ध्रुव सदैव उत्तर की ओर तथा दूसरा सदैव दक्षिण की ओर ठहरता है। उत्तर की ओर ठहरने वाले ध्रुव को उत्तरी ध्रुव तथा दक्षिण की ओर ठहरने वाले ध्रुव को दक्षिणी ध्रुव कहते हैं।
- **अतिचालकता (Super Conductivity):** अत्यन्त निम्न ताप पर कुछ पदार्थों का विद्युत प्रतिरोध शून्य हो जाता है, इन्हें ही अतिचालक कहते हैं और इस गुण को अतिचालकता कहते हैं।
- **अर्द्धचालक (Semi Conductor):** ऐसे पदार्थ जिनमें इलेक्ट्रॉनिक संरचना इस प्रकार की होती है कि कहीं इलेक्ट्रॉन मुक्त हो जाता है और कहीं रिक्त बन जाता है, अर्द्धचालक कहलाते हैं। इनकी विद्युत चालकता सामान्य ताप पर चालक व विद्युत रोधी पदार्थों की चालकताओं के मध्य होती है। जर्मेनियम और सिलिकन ऐसे मुख्य पदार्थ हैं।

रेडियो सक्रियता

- जिन नाभिकों में प्रोटॉन की संख्या 83 या उससे अधिक होती है, वे अस्थायी होते हैं। स्थायित्व प्राप्त करने के लिए ये नाभिक स्वतः ही अल्फा (α), बीटा (β), गामा (γ) किरणें उत्सर्जित करने लगते हैं। ऐसे नाभिक जिन तत्वों के परमाणुओं में होते हैं, उन्हें रेडियोएक्टिव कहते हैं तथा किरणों की उत्सर्जन की घटना को **रेडियो सक्रियता** कहते हैं।
- सबसे अधिक वेधन क्षमता γ–किरण (गामा किरण) की होती है।
- सबसे अधिक आयनन क्षमता α–किरण (अल्फा किरण) की होती है।

नाभिकीय रिएक्टर

- नाभिकीय रिएक्टर एक ऐसी युक्ति है जो नाभिकीय विखण्डन से प्राप्त ऊर्जा का उपयोग विद्युत ऊर्जा के उत्पादन में करता है।
- रिएक्टर में मंदक के रूप में भारी जल या ग्रेफाइट का प्रयोग किया जाता है। मंदक रिएक्टर में न्यूट्रॉन की गति को धीमा करता है।
- रिएक्टर में नियंत्रक छड़ के रूप में कैडमियम या बोरॉन छड़ का उपयोग किया जाता है।
- रिएक्टर में ईंधन के रूप में यूरेनियम-235 या प्लूटोनियम-239 का प्रयोग किया जाता है।

X-किरणें

- **X**-किरणों की खोज रॉन्टजेन ने की थी।
- **X**-किरणें विद्युतचुम्बकीय तरंगें होती हैं।
- **X**-किरणें सीधी रेखा में चलती हैं तथा प्रकाश विद्युत प्रभाव का प्रदर्शन करती हैं।
- **X**-किरणों का उपयोग शल्य चिकित्सा क्षेत्र में, रेडियोग्राफी क्षेत्र में, इंजीनियरिंग क्षेत्र में तथा व्यवसाय क्षेत्र में किया जाता है।

लेजर

- विकिरण के उद्दीप्त उत्सर्जन द्वारा प्रकार का प्रवर्द्धन **लेजर** कहलाता है।
- लेजर किरणें क्षण भर में कठोर धातु को पिघलाकर वाष्पीकृत कर सकती हैं।
- लेजर पुंज का उपयोग चिकित्सा संचार व्यवस्था तथा दूरी मापन प्रणाली में किया जाता है।

मेजर

- मेजर का अभिप्राय है विकिरण उद्दीप्त उत्सर्जन द्वारा माइक्रो तरंगों का प्रवर्द्धन।
- इसके द्वारा दृश्य प्रकाश तरंगों का कलाबद्ध एकवर्णी संकीर्ण तथा आन्तरिक पुंज संग्रहित किया जा सकता है।
- अमोनिया मेजर एक निम्न आवृत्ति वाला दोलित्र होता है, जो एक घड़ी की तरह कार्य करता है।
- इस प्रकार की घड़ी को परमाण्विक घड़ी कहा जाता है, जिससे 100 वर्षों में 1 सेकण्ड तक यथार्थता परिकलित की जा सकती है।
- इसके उपयोग गहरे समुद्र में संकेत प्रेषण में किया जाता है तथा बाह्य अन्तरिक्ष से प्राप्त अत्यन्त निर्बल संकेतों के संसूचन में किया जाता है।

नाभिकीय विखण्डन

- नाभिकीय विखण्डन वह प्रक्रिया है, जिसमें एक भारी नाभिक, दो या अधिक मध्यम आकार के नाभिकों में टूट जाता है। इस प्रक्रिया में प्रचुर मात्रा में ऊष्मा व न्यूट्रॉन उत्पन्न होते हैं। परमाणु बम नाभिकीय विखण्डन के सिद्धान्त पर कार्य करता है।

नाभिकीय संलयन

- इस प्रक्रिया में दो या अधिक हल्के नाभिक जुड़कर एक भारी नाभिक का निर्माण करते हैं। इस प्रक्रिया में भी प्रचुर मात्रा में ऊर्जा उत्पन्न होती है।
- सूर्य की ऊर्जा तथा हाइड्रोजन बम नाभिकीय संलयन के सिद्धान्त पर ही आधारित है।

आविष्कार और आविष्कारक

आविष्कार	आविष्कारक	देश	सन्
वायुयान	ओरविल और विलबर राइट	अमेरिका	1903
बॉल-पांइट	जॉन जे. लाउड	अमेरिका	1888
बैरोमीटर	इवेंजलिस्ता टौरीसेली	इटली	1644
बाईसाइकिल	किर्कपैट्रिक मैकमिलन	इंग्लैंड	1839-40
बाईफोकल लेंस	बेन्जामिन फ्रेंकलिन	अमेरिका	1780
बुन्सेन बर्नर	आर. विल्हेम वोन बुन्सेन	जर्मनी	1855
कार (पेट्रोल)	कार्ल बेन्ज	जर्मनी	1888
सीमेंट (पोर्टलैंड)	जोसेफ एस्पडिन	इंग्लैंड	1824
सिनेमा	निकोलस और जीन लूमियर	फ्रांस	1895
क्लॉक (मैकेनिकल)	आई.सिंग और लियांग लिंग-तसान	चीन	1725

आविष्कार	आविष्कारक	देश	सन्
डीजल इंजन	रूडोल्फ डीजल	जर्मनी	1895
डायनेमो	हाइपोलाइट पिक्सी	फ्रांस	1832
इलैक्ट्रिक लैम्प	थॉमस अल्वा एडिसन	अमेरिका	1879
सेफ्टी पिन	वाल्टर हन्ट	अमेरिका	1849
सिलाई मशीन	बार्थलेमी थिम्मोनियर	फ्रांस	1829
जहाज (भाप)	जे.सी. पेरियर	फ्रांस	1775
जहाज (टरबाइन)	होन. सर सी. पारसंस	इंग्लैंड	1894
स्लाइड रूल	विलियम ऑग्ट्रेड	इंग्लैंड	1621
भाप का इंजन	जेम्स वॉट	इंग्लैंड	1765
स्टेनलेस स्टील	हेरि ब्रियरले	इंग्लैंड	1913
समुद्री जहाज	डेविड बुशनेल	अमेरिका	1776
टैंक	सर अर्नस्ट स्विनटन	इंग्लैंड	1914
टेलीग्राफ	एम. लम्मोंड	फ्रांस	1787
टेलीग्राफ कोड	सैमुअल एफ.बी. मोर्स	अमेरिका	1837
टेलीफोन (परफैक्टेड)	अलेक्जैण्डर ग्राहम बेल	अमेरिका	1876
टेलीस्कोप	हेन्स लिप्परशे	नीदरलैंड्स	1608
टेलीविजन (मैकेनिकल)	जे.एल. बेयर्ड	इंग्लैंड	1926
टेलीविजन (इलेक्ट्रॉनिक)	पी.टी. फार्न्सवर्थ	अमेरिका	1927
थर्मामीटर	गैलिलियो गैलिली	इटली	1593
ट्रांसफार्मर	माइकल फैराडे	इंग्लैंड	1831
ट्रांजिस्टर	बरडीन, शोकले तथा ब्राट्टेन	अमेरिका	1948
टाइपराइटर	पेलेग्रिन टेर्री	इटली	1808
कपड़ा धोने की मशीन (विद्युत)	हर्ले मशीन कम्पनी	अमेरिका	1907
घड़ी	बारथोलोम्यू मैनफेडी	इटली	1462

रसायन विज्ञान

विज्ञान की इस शाखा के अन्तर्गत पदार्थों के गुण, संघटन, संरचना तथा उनमें होने वाले परिवर्तनों का अध्ययन किया जाता है। **लेवायसिये** को रसायन विज्ञान का जनक कहा जाता है।

भौतिक एवं रासायनिक परिवर्तन

भौतिक परिवर्तन

- भौतिक वस्तुओं (जैसे रंग, स्थिति आदि) में होने वाले ऐसे अस्थाई परिवर्तन को भौतिक परिवर्तन कहते हैं, जिसमें न तो किसी पदार्थ का निर्माण होता है और न ही कोई नए लक्षण पैदा होते हैं।
- साधारण विधियों के द्वारा भौतिक वस्तुओं के मूल पदार्थों को प्राप्त किया जा सकता है, जैसे—बर्फ का पानी बनाना, पानी में नमक घोलना, बिजली के बल्ब का प्रकाश देना, इस्पात की सुई को चुम्बक बनाना आदि।

रासायनिक परिवर्तन

- रासायनिक परिवर्तन एक स्थायी परिवर्तन होता है, जो नए पदार्थ व नए गुणों का निर्माण करता है।
- इसमें मूल पदार्थ की पुनः प्राप्ति साधारण विधियों से नहीं हो सकती है, जैसे—मोमबत्ती का जलना, अण्डे का उबलना, दूध का फटना आदि।
- **पदार्थ (Matter):** दुनिया की कोई भी वस्तु जो स्थान घेरती हो, जिसका द्रव्यमान होता हो और जो अपनी संरचना में परिवर्तन का विरोध करती हो, पदार्थ कहलाती हैं; जैसे—वायु, जल, दूध, लोहा आदि।
- **ठोस (Solid):** ठोस पदार्थ की वह अवस्था है, जिसमें उसके आकार एवं आयतन निश्चित होते हैं, जैसे—ईंट, पत्थर, लोहा, सोना इत्यादि। ठोस पदार्थ के अणुओं में परस्पर आकर्षण बल सबल होता है।

- **द्रव (Liquid):** द्रव पदार्थ की वह अवस्था है, जिसमें उसका आयतन निश्चित होता है, परन्तु आकार अनिश्चित होता है, जैसे–जल, तेल, दूध आदि। द्रव पदार्थ के अणुओं में परस्पर आकर्षण बल ठोस अवस्था की अपेक्षा कमजोर होता है। द्रव पदार्थ का घनत्व गैस से अधिक किन्तु ठोस से कम होता है।
- **गैस (Gas):** गैस पदार्थ की वह अवस्था है, जिसमें उसके आकार और आयतन दोनों अनिश्चित होते हैं, जैसे–वायु, ऑक्सीजन, नाइट्रोजन, हाइड्रोजन आदि। गैस का कोई पृष्ठ तल नहीं होता। गैस के अणुओं में परस्पर आकर्षण बल ठोस एवं द्रव दोनों की अपेक्षा कमजोर होता है। गैसीय पदार्थ का न तो कोई निश्चित आकार होता है और न ही निश्चित आयतन।
- **तत्व (Element):** तत्व वह मौलिक पदार्थ है, जिसे किसी भी भौतिक या रासायनिक विधि द्वारा न तो दो या दो से अधिक सर्वथा भिन्न गुणों वाले पदार्थों में विभाजित किया जा सकता है और न ही दो या दो से अधिक पदार्थों के बीच संयोग कराकर संश्लेषित किया जा सकता है; जैसे–सोना, चाँदी, ऑक्सीजन आदि।
- **यौगिक (Compound):** यौगिक वह शुद्ध पदार्थ है, जो दो या दो से अधिक तत्वों के निश्चित अनुपात में रासायनिक संयोग से बनता है और जिसे उचित रासायनिक विधियों द्वारा दो या दो से अधिक सर्वथा भिन्न गुणों वाले अवयवों में विभक्त किया जा सकता है। उदाहरण के लिए, जल एक यौगिक है। जल का प्रत्येक अणु हाइड्रोजन के दो परमाणुओं तथा ऑक्सीजन के एक परमाणु से मिलकर बना होता है।
- **मिश्रण (Mixture):** मिश्रण वह अशुद्ध पदार्थ है, जो दो या दो से अधिक शुद्ध पदार्थों (तत्वों या यौगिकों या दोनों) के किसी भी अनुपात में बिना रासायनिक संयोग के मिलने से बनता है तथा जिसके अवयवी पदार्थों को सरल, यांत्रिक या भौतिक विधियों द्वारा पृथक् किया जा सकता है। उदाहरणस्वरूप वायु अनेक गैसों एवं धूलकणों का मिश्रण है, समुद्री जल कई लवणों का मिश्रण है, जिसमें सोडियम क्लोराइड प्रमुख लवण है।

क्वथनांक

- वह तापमान जिस पर किसी द्रव का वाष्पदाब, वायुमण्डलीय दाब के बराबर हो जाता है, उस द्रव का क्वथनांक कहलाता है।
- ऊँचाई या पहाड़ों पर जाने पर वायुमण्डलीय दाब, समुद्र तल के दाब की अपेक्षा कम हो जाता है। अतः जल कम तापमान (100° C से कम) पर उबलने लगता है तथा भोजन के पकने में अधिक समय लगता है।
- अशुद्धियों की उपस्थिति में किसी द्रव का क्वथनांक बढ़ जाता है।
- प्रेशर कुकर में दाब अधिक होने के कारण जल अधिक ताप पर उबलता है। यही कारण है कि खाना जल्दी पक जाता है।

परमाणु संरचना

परमाणु (Atom)

- किसी पदार्थ का वह सूक्ष्मतम कण जो स्वतंत्र अवस्था में नहीं रह सकता है, परन्तु रासायनिक अभिक्रियाओं में भाग लेता है तथा जिसमें उस पदार्थ के सभी गुण विद्यमान रहते हैं, परमाणु कहलाता है।
- परमाणु के मौलिक कण–इलेक्ट्रॉन, प्रोटॉन तथा न्यूट्रॉन परमाणु के तीन मौलिक कण हैं।
  - (*i*) **इलेक्ट्रॉन (Electron):** इलेक्ट्रॉन एक ऐसा कण है, जिसका द्रव्यमान लगभग शून्य होता है तथा जिस पर इकाई ऋण आवेश रहता है। इसकी खोज का श्रेय जे.जे. थॉमसन को है। यह नाभिक के चारों ओर घूमते रहते हैं।
  - (*ii*) **प्रोटॉन (Proton):** परमाणु के अन्दर प्रोटॉन एक ऐसा सूक्ष्म कण है, जिसका सापेक्ष द्रव्यमान हाइड्रोजन परमाणु के द्रव्यमान के लगभग बराबर होता है और इस पर इकाई धन आवेश रहता है। इसकी खोज का श्रेय गोल्डस्टीन को है। यह नाभिक में पाए जाते हैं।
  - (*iii*) **न्यूट्रॉन (Neutron):** न्यूट्रॉन एक द्रव्यमान प्रोटॉन के द्रव्यमान के लगभग बराबर होता है, लेकिन इस पर कोई आवेश नहीं होता। अर्थात् न्यूट्रॉन एक उदासीन कण है। न्यूट्रॉन की खोज जेम्स चैडविक ने की थी। यह नाभिक (परमाणु के केन्द्र) में उपस्थित रहते हैं।
- **समस्थानिक (Isotopes):** एक ही तत्व के वे परमाणु जिनकी परमाणु संख्याएँ समान, किन्तु द्रव्यमान संख्याएँ भिन्न-भिन्न होती हैं, समस्थानिक कहलाते हैं।
- **समभारिक (Isobars):** वे तत्व जिनकी द्रव्यमान संख्याएँ एक ही किन्तु परमाणु संख्याएँ भिन्न-भिन्न होती हैं, समभारिक कहलाते हैं।
- **रेडियो सक्रियता (Radioactivity):** रेडियो सक्रिय तत्व स्वतः विखंडित होकर कुछ अदृश्य किरणों का उत्सर्जन करते रहते हैं, तथा यह घटना रेडियो सक्रियता कहलाती है।

अम्ल (Acid)

- अम्ल वह पदार्थ हैं, जो पानी में घुलकर हाइड्रोजन आयन देते हैं। ये पदार्थ क्षार से क्रिया होने पर लवण तथा जल बनाते हैं।
- अम्लों का उपयोग खाने में सिरका एवं अचार (एसीटिक अम्ल), सोडा वाटर एवं अन्य पेय (कार्बोनिक अम्ल), अंगूर (टार्टरिक अम्ल), होता है।
- खाना पचाने में HCL अम्ल तथा सोना एवं चांदी के शुद्धिकरण में नाइट्रिक अम्ल का प्रयोग होता है।

क्षार (Base)

- ऐसा यौगिक जो अम्ल से प्रतिक्रिया कर लवण एवं जल देता है, क्षार कहलाता है।
- कैल्शियम हाइड्रोक्साइड का प्रयोग ब्लीचिंग पाउडर बनाने में, घरों में चूना पोतने में, जल को मृदु बनाने में तथा कास्टिक सोडा या सोडियम हाइड्रॉक्साइड का प्रयोग साबुन, कपड़ा, कागज एवं दवा बनाने में होता है।

लवण (Salt)

- अम्ल तथा क्षार के संयोग से लवण एवं जल का निर्माण होता है।

- लवणों के उपयोग-
  (*i*) साधारण नमक या सोडियम क्लोराइड का प्रयोग खाने में होता है।
  (*ii*) खाने का सोडा या सोडियम बाइकार्बोनेट का प्रयोग पेट की अम्लीयता को दूर करने एवं अग्निशमन यंत्रों में होता है।

ऊर्जा के स्रोत

- ऊर्जा के दो स्रोत हैं—नवीकरणीय स्रोत एवं अनवीकरणीय स्रोत।
- नवीकरणीय स्रोत का नवीनीकरण होता रहता है। यह असीमित मात्रा में उपलब्ध होते हैं तथा कभी भी समाप्त नहीं होते हैं, जैसे—सूर्य का प्रकाश, वायु आदि।
- अनवीकरणीय स्रोत का नवीनीकरण नहीं होता है। यह सीमित मात्रा में उपलब्ध होते हैं तथा लम्बे समय तक लगातार प्रयोग किए जाने पर समाप्त हो जाते हैं, जैसे—पेट्रोलियम, प्राकृतिक गैस, खनिज, कोयला आदि।

ज्वाला (Flame)

- ईंधन के दहन होने पर ज्वाला निकलती है। ज्वाला के तीन भाग होते हैं—
  (*i*) **आन्तरिक भाग:** इस भाग का तापमान सबसे कम होता है। बिना जले कार्बन के कणों की मौजूदगी के कारण यह भाग काला होता है।
  (*ii*) **मध्यम भाग:** यह भाग ईंधन के अपूर्ण दहन के कारण पीला होता है।
  (*iii*) **बाह्य भाग:** इस भाग का तापमान सबसे ज्यादा होता है। ईंधन के पूर्ण दहन के कारण यह नीला होता है।

कठोर एवं मृदु जल

- कठोर जल वह जल होता है जो साबुन के साथ आसानी से झाग नहीं बनाता है।
- जल, जिसमें कैल्शियम व मैग्नीशियम के बाइकार्बोनेट धुले होते हैं, अस्थाई कठोर जल कहलाता है।
- स्थायी कठोर जल में कैल्शियम व मैग्नीशियम के विलेय क्लोराइड व सल्फेट उपस्थित होते हैं।
- मृदु जल वह जल होता है जो साबुन के साथ अधिक झाग देता है।

बैटरी

- बैटरी रासायनिक ऊर्जा को विद्युत ऊर्जा में परिवर्तित कर देती है। यह दो प्रकार की होती हैं।
  (*i*) प्राथमिक बैटरी, (*ii*) द्वितीयक बैटरी
- प्राथमिक बैटरी को पुनः आवेशित नहीं किया जा सकता। शुष्क सेल, मर्करी सेल आदि प्राथमिक बैटरी हैं। जिन्हें पुनः आवेशित किया जा सकता है उन्हें द्वितीयक बैटरी कहते हैं। सीसा संचालक बैटरी निकिल-कैडमियम बैटरी आदि द्वितीयक बैटरी हैं।

औषधियाँ (Medicines)

- औषधियों का प्रयोग दर्द से राहत पाने तथा रोगों के इलाज में होता है।

औषधियाँ एवं उनके उपयोग

औषधि	उपयोग
• **प्रतिजैविक या ऐन्टिसैप्टिक** (Antiseptic)	सूक्ष्मजीवों की वृद्धि को रोकने एवं उन्हें नष्ट करने के लिए
• **पूर्तिरोधी या ऐन्टिबायोटिक** (Antibiotics)	सूक्ष्मजीवों को नष्ट करने के लिए
• **दर्दनिवारक या ऐनलजेसिक** (Analgesics)	दर्द को कम करने के लिए
• **ज्वरनाशी या ऐण्टिपायरेटिक** (Antipyretics)	ज्वर को कम करने के लिए
• **ऐन्टिमलेरियल** (Antimalarial)	मलेरिया के उपचार के लिए
• **सल्फाड्रग** (Sulpha Drug)	पूर्तिरोधी के स्थान पर प्रयुक्त की जाती है।
• **प्रतिअम्ल** (Antacid)	अम्लता को कम करने के लिए
• **प्रशान्तक** (Tranquilizers)	तनाव एवं सामान्य तथा जटिल मस्तिष्क रोगों के उपचार के लिए

कुछ प्रमुख धातुओं, अधातुओं एवं यौगिकों का उपयोग

धातु	उपयोग
• **आयोडिन :**	(*i*) कीटाणुनाशक के रूप में, (*ii*) औषधियों के उत्पादन में
• **फेरस सल्फेट ($FeSO_4 7H_2O$):**	(*i*) स्याही बनाने में, (*ii*) रंग उद्योग में
• **क्लोरीन (Cl):**	(*i*) ब्लीचिंग पाउडर बनाने में, (*ii*) हाइड्रोक्लोरिक अम्ल HCl के निर्माण में
• **सल्फ्यूरिक अम्ल (H_2SO_4):**	(*i*) पेट्रोलियम के शुद्धिकरण में, (*ii*) स्टोरेज बैटरी में
• **अमोनिया (NH_3):**	(*i*) आइस फैक्ट्री में, (*ii*) रेयॉन बनाने में
• **फॉस्फोरस (P):**	(*i*) चूहे बनाने की दवा बनाने में, (*ii*) दियासलाई बनाने में

धातु	उपयोग
• **ग्रेफाइट:**	(*i*) लोहे के बने पदार्थ पर पॉलिश करने में, (*ii*) इलेक्ट्रोड बनाने में
• **फिटकरी ($K_2SO_4Al_2(SO_4)_3.24H_2O$):**	(*i*) जल के शुद्धिकरण में, (*ii*) चर्म उद्योग में
• **ब्लीचिंग पाउडर ($CaOCl_2$):**	(*i*) कागज तथा कपड़ों के विरंजन में, (*ii*) कीटाणुनाशक के रूप में
• **मैग्नीशियम (Mg):**	(*i*) फ्लैश बल्ब के निर्माण में, (*ii*) धातु-मिश्रण बनाने में
• **भारी जल (D_2O):**	(*i*) न्यूक्लियर प्रतिक्रियाओं में, (*ii*) ड्युटरेटेड यौगिक के निर्माण में

रासायनिक पदार्थों के रासायनिक नाम व सूत्र

रासायनिक पदार्थ	रासायनिक नाम	रासायनिक सूत्र
• विरंजक चूर्ण	ब्लीचिंग पाउडर	$Ca(OCl).Cl$
• चूने का पानी	कैल्सियम हाइड्रॉक्साइड	$Ca(OH)_2$
• जिप्सम	कैल्शियम सल्फेट	$CaSO_4.2H_2O$
• प्लास्टर ऑफ पेरिस	कैल्शियम सल्फेट हेमीहाइड्रेट	$CaSO_4.\frac{1}{2}H_2O$
• साधारण नमक	सोडियम क्लोराइड	$NaCl$
• बेकिंग सोडा	सोडियम बाइकार्बोनेट	$NaHCO_3$
• कास्टिक सोडा	सोडियम हाइड्रॉक्साइड	$NaOH$
• चिली साल्टपीटर	सोडियम नाइट्रेट	$NaNO_3$
• सुहागा	बोरेक्स	$Na_2B_4O_7.10H_2O$
• फिटकरी	पोटैशियम एल्युमिनियम सल्फेट	$K_2SO_4.Al_2(SO_4)_3.24H_2O$
• शोरा	पोटैशियम नाइट्रेट	KNO_3
• चूने का पत्थर/संगमरमर	कैल्शियम कार्बोनेट	$CaCO_3$
• नौसादर	अमोनियम क्लोराइड	NH_4Cl
• लाफिंग गैस	नाइट्रस ऑक्साइड	N_2O
• लाल सिन्दूर	लेड परऑक्साइड	Pb_3O_4
• म्यूरेटिक अम्ल	हाइड्रोक्लोरिक अम्ल	HCl
• ऑयल ऑफ विट्रियॉल	सान्द्र सल्फ्यूरिक अम्ल	H_2SO_4
• अम्लराज	सान्द्र नाइट्रिक अम्ल और सान्द्र हाइड्रोक्लोरिक अम्ल का मिश्रण	$HNO_3 + HCl$
• जल गैस	कार्बन मोनोक्साइड और हाइड्रोजन गैस का मिश्रण	$CO + H_2$
• शुष्क बर्फ	ठोस कार्बन डाइऑक्साइड	CO_2
• हरा कसीस	फेरस सल्फेट	$FeSO_4.7H_2O$
• भारी जल	ड्यूटेरियम ऑक्साइड	D_2O
• लूनर कॉस्टिक	सिल्वर नाइट्रेट	$AgNO_3$
• सिलिका	सिलिकन डाइऑक्साइड	SiO_2
• सफेद कसीस	जिंक सल्फेट	$ZnSO_4.7H_2O$
• क्विक सिल्वर	मरकरी	Hg
• नीला कसीस	कॉपर सल्फेट	$CuSO_4.5H_2O$
• प्रोड्यूशर गैस	कार्बन मोनोक्साइड और नाइट्रोजन गैस का मिश्रण	$CO + N_2$
• मार्श गैस	मीथेन	CH_4
• फ्रीऑन	डाइक्लोरोडाइफ्लोरो कार्बन	CF_2Cl
• यूरिया	कार्बामाइड	NH_2CONH_2
• क्लोरोफार्म	ट्राइक्लोरो मिथेन	$CHCl_3$
• फिनॉल	हाइड्रोक्सीबेंजीन	C_6H_5OH
• ऐल्कोहॉल	इथाइल ऐल्कोहॉल	C_2H_5OH

रसायन विज्ञान से संबंधित महत्वपूर्ण खोज

खोज	आविष्कारकर्ता	खोज	आविष्कारकर्ता
• प्रोटॉन	गोल्डस्टीन	• इलेक्ट्रॉन	थामसन
• न्यूट्रॉन	जेम्स चैडविक	• नाभिक	रदरफोर्ड
• परमाणु क्रमांक	मोसले	• आवर्त सारणी	मैण्डलीफ
• आधुनिक आवर्त सारणी	मोसले	• पॉजिट्रॉन	कार्ल एण्डरसन
• त्रिक नियम	डोबरी नियर	• अपवर्जन सिद्धांत	पाउली
• क्वांटम सिद्धांत	मैक्स प्लान्क	• तरंग यांत्रिकी सिद्धांत	डी. ब्रोग्ली
• क्रमिक रचना नियम	अफबाऊ	• रेडियो सक्रियता	हेनरी बेक्वेरेल
• अनिश्चितता नियम	हाइजेनबर्ग	• वर्ग विस्थापन नियम	सॉडी व फेजेन्स
• द्रव्यमान संरक्षण का नियम	लैवोजियर	• सापेक्षिकता का सिद्धांत	आइन्सटीन
• वर्ग विस्थापन नियम	सॉडी व फेजेन्स	• अष्टक नियम	न्यूलैण्डस
• परमाणु सिद्धांत	जॉन डॉल्टन	• बोर सिद्धांत	नील्स बोर
• समस्थानिक	सॉडी	• भारी जल	यूरे
• प्रकाश विद्युत प्रभाव	आइन्सटीन	• गैसों का विसरण नियम	ग्राहम
• द्रव्यमान ऊर्जा समीकरण	आइन्सटीन	• विद्युत अपघटन का नियम	फेराडे
• सह संयोजकता	लुईस	• pH मापक्रम	लारेन्सन
• हीलियम	लोकेयर	• ऑक्सीजन	शीले एवं प्रीस्टले
• सोडियम/पोटैशियम	डेवी	• रेडियम	क्यूरी दम्पत्ति
• थोरियम	बर्जीलियस	• यूरेनियम	क्लैप्रोथ
• क्लोरीन	शीले	• आर्गन	रैमजे और रैले
• नाइट्रोजन	रदरफोर्ड	• हाइड्रोजन	कैवेण्डिश
• परासरण दाब का नियम	वर्कले		

जीव विज्ञान

जीव विज्ञान

- यह विज्ञान की वह शाखा है जिसके अन्तर्गत जीवधारियों का अध्ययन किया जाता है। जीव विज्ञान शब्द का प्रयोग सर्वप्रथम **लैमार्क** एवं **ट्रेबिरेनस** नामक वैज्ञानिकों ने किया था।

कोशिका (Cell)

- कोशिका शब्द का प्रयोग सर्वप्रथम अंग्रेज वैज्ञानिक रॉबर्ट हुक ने किया था।
- कोशिका जीवन की सबसे छोटी कार्यात्मक एवं संरचनात्मक इकाई है।
- कोशिका के अध्ययन के विज्ञान को Cytology कहा जाता है।
- सबसे लम्बी कोशिका तंत्रिका तंत्र की कोशिका है।
- कोशिका सिद्धांत का प्रतिपादन 1838-39 ई. में श्लाइडेन और श्वान ने किया था।
- कोशिका का निर्माण जिस क्रिया से होता है, उसमें केन्द्रक मुख्य अभिकर्त्ता होता है।

संतुलित आहार

- विभिन्न खाद्य पदार्थों के मिश्रण से बना वह आहार, जो हमारे शरीर को सभी पौष्टिक तत्व हमारी शारीरिक आवश्यकताओं के अनुसार उचित मात्रा में प्रदान करता है, संतुलित आहार कहलाता है।
- यह न केवल हमारी सामयिक आवश्यकताओं को पूरा करता है, अपितु इसके साथ यह शरीर के संचय कोष के लिए भी कुछ मात्रा में पौष्टिक तत्व प्रदान करता है, ताकि कठिन समय में शरीर इन्हें प्रयोग में ला सके।
- एक व्यक्ति के लिए जो आहार संतुलित है, वह दूसरे के लिए भी संतुलित हो यह आवश्यक नहीं, क्योंकि हर व्यक्ति की पोषक आवश्यकताएँ भिन्न-भिन्न होती हैं।
- भारत के सभी वर्ग के लोगों को संतुलित आहार प्रदान करने के लिए ICMR ने निम्न कई प्रयास किए हैं:
  - (*i*) सभी वर्ग के लोगों के लिए प्रस्तावित दैनिक मात्राएँ निश्चित की।
  - (*ii*) भोजन को खाद्य वर्गों में बाँटा।
  - (*iii*) खाद्य पदार्थों की प्रस्तावित मात्रा निर्धारित की।

विटामिनों के स्रोत एवं उनकी विशेषताएं

नाम	स्रोत	कार्यिकी	कमी का प्रभाव
• विटामिन-A (रेटिनॉल)	दूध, मक्खन, अण्डा, यकृत, मछली का तेल।	दृष्टि रंगों का संश्लेषण, एपिथीलियमी स्तरों की वृद्धि एवं विकास।	कॉर्निया व त्वचा की कोशिकाओं का शल्कोष्ट, रतौंधी, कुंठित वृद्धि।
• विटामिन-D (कैल्सीफेरॉल)	मक्खन, यकृत, गुर्दे, अण्डे, मछली का तेल, त्वचा और यीस्ट में सूर्य प्रकाश में संश्लेषण।	कैल्शियम व फॉस्फोरस का उपापचय, हड्डियों और दाँतों की वृद्धि।	सूखा रोग, ऑस्टियोमैलेसिया
• विटामिन-E (टेकोफेरॉल)	तेल, गेहूँ, अण्डे की जर्दी, सोयाबीन।	कोशिका कला की सुरक्षा, जननिक एपिथीलियम की वृद्धि, पेशियों की क्रियाशीलता।	जनन क्षमता की कमी, जननांग तथा पेशी की कमजोरी।
• विटामिन-K (नैफ्थोक्विनोन)	हरी पत्तियाँ, अण्डा, यकृत, टमाटर, गोभी, सोयाबीन।	यकृत में प्रोथॉम्बिन का संश्लेषण।	रुधिर का थक्का न होना।
• विटामिन-B_1 (थायमीन)	अनाज, फलियाँ, सोयाबीन, दूध, यीस्ट, अण्डे, माँस।	कार्बोहाइड्रेट एवं अमीनों अम्ल उपापचय के लिए आवश्यक एन्जाइम का सह-एन्जाइम।	बेरी-बेरी।
• विटामिन-B_2 (राइबोफ्लैविन)	हरी पत्तियाँ, पनीर, अण्डे, यीस्ट, माँस, यकृत।	उपापचय में महत्वपूर्ण सह-एन्जाइमों का घटक।	कीलोसिस।
• विटामिन-B_3 (निकोटिनिक अम्ल)	मांस, मछली, अण्डे, दूध, मटर, मेवा, फलियाँ।	उपापचय में महत्वपूर्ण सह-एन्जाइमों का घटक।	पेलाग्रा।
• विटामिन-B_5 (पैन्टोथीनिक अम्ल)	अण्डे, दूध, मांस, मूँगफली, गन्ना।	अपचय के सह-एन्जाइम-A का घटक।	वृद्धि कम, चर्म रोग, जनन क्षमता में कमी।
• विटामिन-B_6 (पाइरोडॉक्सिन)	दूध, मांस, मछली, यीस्ट, यकृत, अनाज।	प्रोटीन उपापचय में आवश्यक एन्जाइमों का सह-एन्जाइम।	रक्तक्षीणता, चर्म-रोग, पेशीय ऐंठन।
• विटामिन-H (बायोटिन)	अण्डा, मांस, गेहूँ, मूंगफली, सब्जियाँ, फल।	वसीय एवं अमीनो अम्लों सहित कई अन्य पदार्थों की संश्लेषण अभिक्रियाओं में सह-एन्जाइम।	बालों का झड़ना, चर्म रोग।
• फॉलिक अम्ल समूह	हरी पत्तियाँ, सोयाबीन, फलियाँ, यकृत।	वृद्धि, रुधिराणुओं का निर्माण, DNA का संश्लेषण।	रुधिर क्षीणता, कुंठित वृद्धि।
• विटामिन-B_{12} (सायनोकोबा लएमीन)	मांस, मछली, दूध, अण्डा।	वृद्धि रुधिराणुओं का निर्माण, न्यूक्लिक अम्लों का संश्लेषण।	रुधिर क्षीणता, तंत्रिका तंत्र की गड़बड़ियाँ।
• विटामिन-C (एस्कॉर्बिक अम्ल)	नींबू, संतरा, टमाटर, सब्जियाँ।	हड्डियों के मैट्रिक्स दाँतों के डेन्टीन का निर्माण।	स्कर्वी रोग।

मानव शरीर

- कोशिका मानव शरीर की सबसे छोटी कार्यात्मक एवं संरचनात्मक इकाई है। समान कोशिकाओं के मिलने से ऊतक का निर्माण होता है। ऊतकों के मिलने से अंग का निर्माण होता है तथा अंगों के मिलने से अंग-तंत्र का निर्माण होता है। मनुष्य के शरीर में विभिन्न प्रकार के अंग-तंत्र जैसे—श्वसन तंत्र, परिसंचरण तंत्र, तंत्रिका तंत्र, पाचन तंत्र, उत्सर्जन तंत्र, प्रजनन तंत्र आदि। इसके अलावे शरीर के विभिन्न भागों में बहुत-सी अंतःस्रावी ग्रंथियाँ पाई जाती हैं जिनसे विशेष प्रकार के द्रवों—हार्मोन का स्राव होता है।

मानव शरीर से सम्बन्धित महत्वपूर्ण तथ्य

तथ्य	स्थिति/मात्रा
• अस्थियों की कुल संख्या	206
• सबसे छोटी अस्थि	स्टेपीज (मध्य कर्ण में)
• सबसे लम्बी अस्थि	फीमर (जंघा में)
• कशेरुकाओं की कुल संख्या	33
• पेशियों की कुल संख्या	+639
• सबसे लम्बी पेशी	सारटोरियस

तथ्य	स्थिति/मात्रा
• बड़ी आँत की लम्बाई	1.5 मी (4.9 फीट)
• छोटी आँत की लम्बाई	6.25 मी (20 फीट)
• यकृत का भार (पुरुष में)	1.4-1.8 किग्रा
• यकृत का भार (महिला में)	1.2-1.4 किग्रा
• सबसे बड़ी ग्रन्थि	यकृत
• सर्वाधिक पुनरुद्भवन की क्षमता	यकृत में
• सबसे कम पुनरुद्भवन की क्षमता	मस्तिष्क में
• शरीर का सबसे कठोर भाग	दाँत का इनेमल
• सबसे बड़ी लार ग्रन्थि	पैरोटिड ग्रन्थि
• शरीर का सामान्य तापमान	98.4°F (37°C)
• शरीर में रुधिर की मात्रा	5.5 ली
• हीमोग्लोबिन की औसत मात्रा (पुरुष में)	13.16 g/dl
• हीमोग्लोबिन की औसत मात्रा (महिला में)	11.5-14 g/dl
• श्वेत रुधिर कोशिकाओं (WBCs) की संख्या	5000-10000/cu mm
• सबसे छोटी श्वेत रुधिर कोशिका	लिम्फोसाइट
• सबसे बड़ी श्वेत रुधिर कोशिका	मोनोसाइट
• श्वेत रुधिर कोशिकाओं का जीवनकाल	120 दिन
• लाल रुधिर कोशिकाओं (WBCs) का जीवनकाल	2-5 दिन
• रुधिर का थक्का बनने का समय	3-6 मिनट

तथ्य	स्थिति/मात्रा
• सर्वग्राही रुधिर वर्ग	AB
• सर्वदाता रुधिर वर्ग	O
• सामान्य रुधिर दाब	120/80 Hg
• वयस्क में हृदय गति	72 बार प्रति मिनट

खनिज लवण

- खनिज शरीर की उपापचयी क्रियाओं को नियंत्रित करता है। यह शरीर के ऊतकों के निर्माण के लिए कच्चे पदार्थ, एन्जाइमों तथा विटामिनों के लिए आवश्यक है।

श्वसन

- श्वसन एक अपचयी क्रिया है। इससे शरीर के भार में कमी होती है। यह एक ऑक्सीकरण एवं ऊर्जा प्रदान करने वाली प्रक्रिया है।
- मनुष्य के श्वसन तंत्र का सबसे महत्वपूर्ण अंग फेफड़ा (Lungs) होता है, जहाँ पर गैसों का आदान-प्रदान होता है।
- **आन्तरिक श्वसनः** शरीर के अंदर रुधिर एवं ऊतक द्रव्य के बीच गैसीय विनिमय होता है, उसे आन्तरिक श्वसन कहते हैं।
- **बाह्य श्वसनः** फेफड़ों में होने वाले गैसीय विनिमय को बाह्य श्वसन कहते हैं।

श्वसन अंग एवं उनके उदाहरण

श्वसन अंग	उदाहरण
• फेफड़े	मनुष्य, मेंढक, पक्षी, छिपकली, पशु इत्यादि
• त्वचा	मेंढक, केंचुआ
• गिल्स	टैडपोल, मछली प्रॉन
• श्वसन नाल	कीट
• शरीर सतह	अमीबा, युग्लीना

महत्वपूर्ण खनिज एवं उनके स्रोत

खनिज तत्व	प्रमुख स्रोत	कमी के प्रभाव
• फास्फोरस	दूध, पनीर, हरी पत्तेदार सब्जियाँ।	दाँत व हड्डियों की दुर्बलता, शरीर की वृद्धि एवं कार्यिकी कुंठित।
• कैल्शियम	दूध, पनीर, अनाज, हरी सब्जियाँ।	दाँत व हड्डियों की दुर्बलता।
• क्लोरीन	खाने वाला नमक।	भूख की कमी, पेशियों की ऐंठन।
• मैग्नीशियम	अनाज, हरी सब्जियाँ।	पेशी तंत्र एवं तंत्रिका तंत्र की कार्यिकी प्रभावित होना।
• सोडियम	खाने वाला नमक।	निम्न रक्तचाप, भूख की कमी, पेशियों की ऐंठन।
• पोटैशियम	मांस, दूध, फल, अनाज, सब्जियाँ।	पेशीय संकुचन एवं तंत्रिका आवेग के संचरण से सम्बन्धित समस्याएँ।
• लौह	यकृत, अंडा, चोकरयुक्त आटे की रोटी, हरी सब्जियाँ, गुड़, सेब, केला।	हीमोग्लोबिन की कमी।
• आयोडीन	मछली, हरी पत्तेदार सब्जियाँ, आयोडीन नमक।	थायरायड ग्रंथि के रोग।
• कोबाल्ट	दूध, पनीर, मांस।	रक्तहीनता।
• मैंगनीज	हरी सब्जियाँ, फल, अनाज।	उपास्थि, अस्थि तथा संयोजी ऊतकों की वृद्धि में अनियमितता।
• ताँबा	मांस, मेवा, फलियाँ, हरी सब्जियाँ।	रक्तहीनता संयोजी ऊतकों और रुधिरवाहिनियों की दुर्बलता।

प्रमुख पाचक एन्जाइम एवं उनके कार्य

पाचक एन्जाइम	स्रोत	कार्य
• टाइलिन	लार ग्रन्थि	स्टार्च का माल्टोस में परिवर्तन
• एमाइलेज	लार ग्रन्थि, अग्न्याशय	पॉलीसैकेराइड का डाइसैकेराइड में परिवर्तन
• पेप्सिन	आमाशय	प्रोटीन को पेप्टाइड खण्डों में तोड़ना
• ट्रिप्सिन एवं काइमोट्रिप्सिन	अग्न्याशय	प्रोटीन एवं पॉलीपेप्टाइड को पेप्टाइड खण्डों में तोड़ना
• लाइपेस	अग्न्याशय	ट्राइग्लिसराइड को वसीय अम्ल एवं मोनोग्लिसराइड में तोड़ना

रक्त

- रक्त एक क्षारीय विलयन है जिसका pH मान 7.4 होता है।
- रक्त में दो प्रकार के पदार्थ पाए जाते हैं–
  (*i*) प्लाज्मा, (*ii*) रुधिराणु।
- प्लाज्मा रक्त का अजीवित तरल भाग होता है। रक्त का लगभग 60% भाग प्लाज्मा होता है। इसका 90% भाग जल, 7% प्रोटीन, 0.9% लवण और 0.1% ग्लूकोज होता है।
- रुधिराणु रक्त का शेष 40% भाग होता है। इसे तीन भागों में बाँटते हैं–**(*a*)** लाल रक्त कण (RBC) **(*b*)** श्वेत रक्त कण (WBC) एवं, **(*c*)** रक्त बिम्बाणु (Blood Platelets)

रक्त आधान

रक्त समूह	रक्त प्राप्तकर्ता वर्ग	रक्तदाता वर्ग
• A	A, AB	A, O
• B	B, AB	B, O
• AB	AB	A, B, AB, O
• O	A, B, AB, O	O

रक्त परिसंचरण

- रक्त परिसंचरण की खोज सन् 1628 ई. में विलियम हार्वे ने की थी।
- शरीर से हृदय की ओर रक्त ले जाने वाली रक्तवाहिनी को शिरा (Vein) कहते हैं, जबकि हृदय से शरीर की ओर रक्त ले जाने वाली रक्तवाहिनी को धमनी (Artery) कहते हैं।
- धमनी में शुद्ध रक्त अर्थात् ऑक्सीजन-युक्त रक्त होता है।
- रक्तदाब मापने वाले यंत्र का नाम स्फिग्मोमेनोमीटर है।
- रुधिर का थक्का जमने में विटामिन K सहायक होता है।

उत्सर्जन-तन्त्र

- सभी जीव-जन्तु अलग-अलग प्रकार के नाइट्रोजनी पदार्थ उत्सर्जित करते हैं। जैसे–यूरिया, अमोनिया, यूरिक एसिड आदि।
- वृक्क (Kidney) मनुष्य का सबसे प्रमुख उत्सर्जी अंग है।
- वृक्कों का प्रमुख कार्य रक्त के प्लाज्मा को छानकर शुद्ध बनाना तथा अनुपयोगी पदार्थों को मूत्र के द्वारा शरीर के बाहर निकालना है।

अन्तःस्रावी तंत्र

- अन्तःस्रावी तंत्र में दो प्रमुख प्रकार की ग्रंथियाँ होती हैं।
  (*i*) बहिःस्रावी ग्रंथियाँ: यह नलिकायुक्त होती हैं तथा इनसे एन्जाइम का स्राव होता है जैसे–दुग्ध ग्रंथि, स्वेद ग्रंथि, अश्रुग्रंथि, श्लेष्म ग्रंथियाँ, लार ग्रंथियाँ इत्यादि।
  (*ii*) अन्तःस्रावी ग्रंथियाँ: यह नलिका विहीन होती हैं तथा इनमें हार्मोन का स्राव होता है। यह हार्मोन एक प्लाज्मा के द्वारा शरीर के विभिन्न भागों में पहुँचाए जाते हैं, जैसे–पीयूष ग्रंथि, अवटु ग्रंथि, परा-अवटु ग्रंथि आदि।

प्रमुख बीमारियों द्वारा प्रभावित अंग

बीमारी	प्रभावित अंग
• निमोनिया	फेफड़े
• टायफाइड	आँत
• डिप्थीरिया	श्वसन नलिका
• सिफलिस	जनन अंग
• मेनिनजाइटिस	मस्तिष्क
• क्षय रोग	शरीर का कोई भी अंग, विशेषकर फेफड़े
• आर्थ्राइटिस	जोड़ों की सूजन
• एग्जीमा	चमड़ी
• पीलिया	यकृत
• काला जार	रुधिर, प्लीहा व अस्थि मज्जा
• सुजाक, श्वेत प्रदर	मूत्र मार्ग
• अतिसार	आँत का अग्रभाग
• प्लूरिसी	छाती
• पायरिया	दाँत तथा मसूड़े
• गठिया या ट्यूमैटिज्म	जोड़ों में
• टिटनेस	तंत्रिका तंत्र, मांसपेशी
• कुष्ठ	त्वचा, तंत्रिकाएं
• हैजा	आँत, आहार नाल
• रिकेट्स	हड्डियाँ
• गोइटर (गण्डमाला)	थाइराइड ग्रंथि
• केटेरेक्ट, ग्लाइकोमा, ट्रेकोमा, मायोपिया	आँखें
• काली खाँसी	श्वसन तंत्र
• प्लेग	फेफड़े, लाल रक्त कणिकाएं
• एड्स	सम्पूर्ण शरीर
• चेचक	सम्पूर्ण शरीर, विशेषकर चेहरा तथा हाथ-पैर
• खसरा	सम्पूर्ण शरीर
• रेबीज या हाइड्रोफोबिया	तंत्रिका तंत्र
• बॉट्यूलिज्म	तंत्रिका-तंत्र

परजीवी (Protozoa) द्वारा होने वाली बीमारियाँ

बीमारी	परजीवी	प्रभावित अंग	वाहक मच्छर	लक्षण
• काला-जार	लीशमैनिया डोनावानी	अस्थि-मज्जा	बालू-मक्खी	तेज बुखार
• सोने की बीमारी	ट्रिपेनोसोमा	मस्तिष्क	सी-सी मक्खी	बहुत नींद के साथ बुखार
• मलेरिया	प्लाज्मोडियम	तिल्ली एवं लाल रक्त कण	मादा एनोफ्लीज	ठंड के साथ बुखार
• पायरिया	एन्ट अमीबा जिन्जिवेलिस	मसूढ़े	–	मसूढ़ों से रक्तस्राव
• पेचिस	एन्ट अमीबा हिस्टोलिटिका	आँत	–	श्लेष्मा एवं खून के साथ दस्त

जीवाणु द्वारा होने वाले रोग एवं उनके लक्षण

रोग	जीवाणु	प्रभावित अंग	लक्षण
• प्लेग	पाश्चुरेला पेस्टिस	फेफड़े, कांख दोनों पैरों के बीच	बहुत तेज बुखार, शरीर पर गिल्टियां
• क्षय रोग	माइकोबैक्टिरियस ट्यूबरकुलोसिस	फेफड़ा	बार-बार खाँसी के साथ कफ एवं रक्त निकलना
• गोनोरिया	नाइसेरिया गोनोरियाई	मूत्र मार्ग	मूत्र-मार्ग में सूजन
• सिफलिस	ट्रैपोनमा पैलिडम	शिश्न	शिश्न में घाव
• टिटनेस	क्लॉस्ट्रीडियम, टेटेनी	तंत्रिका तंत्र	तेज बुखार, जबड़ा भिंचना एवं शरीर में ऐंठन
• हैजा	विब्रिओ कालेरी	आँत	लगातार दस्त और उल्टियाँ
• डिप्थीरिया	कोरीनी बैक्टीरियम डिप्थीरी	श्वास नली	साँस लेने में कठिनाई एवं दम घुटना
• काली खाँसी	हीमोफिलस परटूसिस	श्वसन तंत्र	लगातार खाँसी आना
• कुष्ठ रोग	माइकोबैक्टिरियम लेप्री	तंत्रिका तंत्र, त्वचा	शरीर पर चकत्ते, तंत्रिकाएँ प्रभावित
• टायफायड	सालमोनेला टाइफी	आँत	तेज बुखार, सिर दर्द
• निमोनिया	डिप्लोकोकस न्यूमोनी	फेफड़ा	तेज बुखार, फेफड़ों में सूजन

विषाणुओं के द्वारा होने वाले रोग एवं उनके लक्षण

रोग	विषाणु	प्रभावित अंग	लक्षण
• पोलियो	पोलियो	गला, रीढ़, नाड़ी संस्थान	ज्वर, बदन में दर्द, रीढ़ की हड्डी एवं आँत की कोशिकाएँ नष्ट हो जाती हैं।
• चेचक	वैरिओला वायरस	सम्पूर्ण शरीर	तेज-बुखार, शरीर पर लाल दाने।
• डेंगू ज्वर	अरबो वायरस	सम्पूर्ण शरीर, विशेषकर सिर, आँख एवं जोड़	बुखार, आँखों, पेशियों, सिर तथा जोड़ों में दर्द।
• एड्स	HIV	प्रतिरक्षा प्रणाली	रोग प्रतिरोधक क्षमता का नष्ट होना।
• इन्फ्लूएंजा	मिक्सो वाइरस	सम्पूर्ण शरीर	सर्दी, छींक, बेचैनी।
• छोटी माता	वैरिसेला वाइरस	सम्पूर्ण शरीर	हल्का बुखार, शरीर पर पित्तिकाएँ।
• खसरा	ओर्बिली वाइरस	सम्पूर्ण शरीर	शरीर पर लाल दाने।
• रेबीज	रैब्डो वाइरस	तंत्रिका तंत्र	जीभ बाहर निकलना एवं पागलपन।
• हर्पीस	हर्पीस	त्वचा	त्वचा में सूजन।

चिकित्सा विज्ञान संबंधी आविष्कार

वैज्ञानिक	आविष्कार
• रफ-बैटिन	इन्सुलिन (डायबिटीज के उपचार के लिए)
• ब्रह्मचारी यू.एन.	काला-ज्वर बुखार की चिकित्सा
• डॉ. क्रिश्चियन बर्नार्ड	हृदय प्रत्यारोपण
• जी. डोमाग	सल्फा ड्रग्स

वैज्ञानिक	आविष्कार
• राबर्ट कोच	हैजे का टीका
• डॉ. पाल मुलर	डी.डी.टी.
• आइजकमेन	बेरी-बेरी की चिकित्सा
• आर्थर बर्ग तथा जेम्स वाटसन	आर.एन.ए.
• जेम्स वाटसन तथा क्रिक	डी.एन.ए.

वैज्ञानिक	आविष्कार
• ड्रेसर	एस्प्रिन
• रेबी	क्लोरोक्वीन (कुनैन)
• हरगोविन्द खुराना	कृत्रिम जीन
• फिनले	टेरामाइसिन
• ल्यूवेनहॉक	बैक्टीरिया
• रोबर्थ	टायफायड के जीवाणु
• रीड	पीले बुखार की चिकित्सा
• फिन्सेन	अल्ट्रा वायलेट रेंज द्वारा चिकित्सा
• पाल एरिक	सिफलिस की चिकित्सा
• सर अलेक्जेंडर फ्लेमिंग और फ्लोरे	पेन्सिलिन
• विलियम हार्वे	रक्त परिवहन (संचरण)
• कार्ल लैंडस्टीनर	रक्त-आधान
• हैनीमेन	होम्योपैथी की स्थापना
• फंक	विटामिन
• मैकुलन	विटामिन 'ए'
• मैकुलन	विटामिन 'बी'
• यूजोक्ट होल्कट	विटामिन 'सी'
• एफ.जी. हॉपकिन्स	विटामिन 'डी'
• एडवर्ड जेनर	चेचक का टीका
• राबर्ट कोच	टी.बी. की चिकित्सा
• लेनेक	स्टेथोस्कोप
• लार्ड जोसेफ लिस्टर	एण्टीसेप्टिक द्वारा चिकित्सा
• लुई पाश्चर	हाइड्रोफोबिया की चिकित्सा
• डॉ. रोनेल्ड रॉस	मलेरिया की चिकित्सा
• डॉ. जोन्स इ. साल्क	एण्टी पोलियो वैक्सीन
• सर जेम्स हैरीसन	क्लोरोफार्म की खोज
• वैक्समैन	स्ट्रेप्टोमाइसिन

जन्तु विज्ञान से सम्बन्धित महत्वपूर्ण तथ्य

विशेषता	नाम
• सबसे बड़ी स्तनी	नीली व्हेल
• सबसे विशाल स्थलीय स्तनी	हाथी
• सबसे बड़ी अस्थि	फीमर (जंघा में)
• सबसे बड़ा अण्डा	शतुरमुर्ग
• सबसे बड़ा शिरा	इन्फीरियर वेना केवा
• सबसे बड़ा स्थलीय पक्षी	शतुरमुर्ग
• विशालतम जीवित सरीसृप	टर्टिल
• विश्व में सबसे विषैला सर्प	ऑस्ट्रेलिया का पेनिन्सुलर टाइगर सर्प
• सबसे लम्बा स्तनी	जिराफ
• सबसे छोटी चिड़िया	हमिंग बर्ड
• दाँत रहित स्तनी	चींटीखोर
• शरीर का सबसे व्यस्त अंग	यकृत
• शरीर का सबसे भारी अंग	यकृत
• सबसे भारी कशेरुका	लुम्बर
• सबसे मजबूत पेशी	जबड़े की पेशी
• सबसे पुराना प्राइमेट	लीमर
• सबसे पुरानी स्तनी	*एकिडना*
• सबसे पुराना कपि	गिब्बन
• सबसे विषैला भारतीय सर्प	किंग कोबरा
• विषैली छिपकली	हीलोडर्मा
• विषैली मछली	स्टोन मछली
• अण्डा देने वाली स्तनी	*एकिडना*, डक बिल्ड प्लेटीपस
• सबसे छोटा स्तनी	छछुँदर
• सबसे तेज दौड़ने वाला जन्तु	चीता
• सबसे बड़ा सर्प	पाइथन
• घोंसला बनाने वाला साँप	किंग कोबरा

वनस्पति विज्ञान से सम्बन्धित महत्वपूर्ण तथ्य

विशेषता	नाम
• सबसे छोटा पुष्प	वुल्फिया माइक्रोस्पर्मिया
• सबसे बड़ा पुष्प	रेफ्लेशिया आर्नोल्डी
• सबसे छोटा बीज	ऑर्किड
• सर्वाधिक चौड़ी पत्ती	विक्टोरिया रेजिया
• सबसे बड़ा एककोशिकीय पादप	एसीटेबुलेरिया
• पादप जगत के उभयचर	ब्रायोफाइटा
• वैस्कुलर क्रिप्टोगेम्स	टेरिडोफाइटा
• वार्किंग फर्न	एडिएन्टम
• मेडिन हेयर फर्न	एडिएन्टम
• मेडिन हेयर ट्री	जिंगो बाइलोबा
• सर्वाधिक प्रोटीनयुक्त शैवाल	स्पाइरूलिना

औषधियाँ प्रदान करने वाले पौधे

सामान्य नाम	औषधि प्रदान करने वाला भाग
• आँवला	फल
• बैलाडोना	सूखी पत्तियाँ एवं जड़ें
• अफीम	कैप्सूल फल
• धतूरा	फल का रस
• सर्पगन्धा	जड़
• क्यूनीन	छाल

फल तथा उसके खाए जाने वाले भाग

फल	भाग
• अंगूर	फलभित्ति एवं बीजाण्डासन
• अमरूद	फलभित्ति एवं बीजाण्डासन
• केला	मध्य एवं अन्तःभित्ति
• आम	मध्य फलभित्ति
• नाशपाती	पुष्पासन
• सेब	पुष्पासन
• टमाटर	फलभित्ति एवं बीजाण्डासन
• नारियल	भ्रूणपोष
• पपीता	मध्य फलभित्ति
• नारंगी	रसीले हेयर
• कटहल	परिदल पुंज एवं बीज
• मूँगफली	बीजपत्र एवं भ्रूण
• गेहूँ	भ्रूणपोष एवं भ्रूण
• काजू	पुष्पवृन्त एवं बीजपत्र
• चना	बीजपत्र एवं भ्रूण
• लीची	एरिल
• शहतूत	रसीले परिदल पुंज
• अनन्नास	परिदल पुंज

विविध विज्ञान

- **ऐरोनॉटिक्स (Aeronautics)** : विमान उड़ान विज्ञान
- **अनाटमी (Anatomy)** : मानव शरीर विज्ञान
- **अन्थ्रोपोलोजी (Anthropology)** : मानव शरीर, मानव मस्तिष्क, मानव उत्पत्ति व विकास, जाति और मानव पर्यावरण संबंधी विज्ञान
- **आर्कोलॉजी (Archaeology)** : पुरातत्त्व अध्ययन विज्ञान
- **आस्ट्रोलॉजी (Astrology)** : ज्योतिष विज्ञान
- **आस्ट्रोनॉटिक्स (Astronautics)** : अन्तरिक्ष यात्रा विज्ञान
- **एस्ट्रोनामी (Astronomy)** : खगोल विज्ञान
- **सेरेमिक्स (Ceramics)** : मृत्तिका-शिल्प विज्ञान
- **कोस्मोलॉजी (Cosmology)** : ब्रह्माण्ड विज्ञान
- **डेमोग्राफी (Demography)** : जनसांख्यिकीय विज्ञान
- **जेनेटिक्स (Genetics)** : आनुवंशिकी विज्ञान
- **हार्टीकल्चर (Horticulture)** : उद्यान विज्ञान
- **हाइजीन (Hygiene)** : स्वास्थ्य विज्ञान
- **न्युरोलॉजी (Neurology)** : तंत्रिका विज्ञान/स्नायु विज्ञान
- **आस्टियोलॉजी (Osteology)** : अस्थि विज्ञान
- **पैथालॉजी (Pathology)** : रोग विज्ञान
- **फाइलोलॉजी (Philology)** : भाषा विज्ञान
- **फोनेटिक्स (Phonetics)** : ध्वनि विज्ञान/स्वर विज्ञान/स्वर संधि विज्ञान
- **फ्रेनोलॉजी (Phrenology)** : खोपड़ी और मस्तिष्क विज्ञान
- **फिजिक्स (Physics)** : भौतिक विज्ञान/भौतिकी
- **फिजियोलॉजी (Physiology)** : शरीर विज्ञान
- **पोमोलॉजी (Pomology)** : फल-कृषि विज्ञान
- **रेडियोलॉजी (Radiology)** : विकिरण विज्ञान, विकिरण चिकित्सा विज्ञान
- **सीस्मोलॉजी (Seismology)** : भूकंप विज्ञान
- **सोशियोलॉजी (Sociology)** : समाज शास्त्र
- **टेलीपैथी (Telepathy)** : दूर-संवेदी विज्ञान
- **टोक्सीकोलॉजी (Toxicology)** : विष विज्ञान
- **थेराप्युटिक्स (Therapeutics)** : रोगोपचार विज्ञान
- **वाइरोलॉजी (Virology)** : विषाणु विज्ञान
- **जूलॉजी (Zoology)** : जन्तु विज्ञान

वस्तुनिष्ठ प्रश्नोत्तर

1. जल के अन्दर वायु का बुलबुला व्यवहार करता है–

A. द्विफेसी लेन्स जैसा
B. अभिसारी लेन्स जैसा
C. अपसारी लेन्स जैसा
D. शंक्वाकार लेन्स जैसा

2. विद्युत उपकरणों में अर्थ का उपयोग होता है–

A. खर्च को कम करने के लिए
B. क्योंकि उपकरण 3 फेज में काम करते हैं
C. सुरक्षा के लिए
D. फ्यूज के रूप में

3. निम्नलिखित में से कौन-सा एक सुमेलित नहीं है?

A. डेसीबल — ध्वनि की प्रबलता इकाई
B. अश्वशक्ति — शक्ति की इकाई
C. समुद्री मील — नौसंचालन में दूरी की इकाई
D. सेल्सियस — ऊष्मा की इकाई

4. ध्वनि तरंगें–

A. निर्वात मे चल सकती हैं
B. केवल ठोस माध्यम में चल सकती हैं
C. केवल गैसों में चल सकती हैं
D. ठोस तथा गैस दोनों माध्यम में चल सकती हैं

5. अतिचालकता किस तापमान पर अत्यधिक आर्थिक महत्त्व की हो सकती है जिससे लाखों रुपये की बचत हो?

A. अत्यंन्त कम तापमान पर
B. उस तापमान पर जिस पर अर्द्धचालक होता है

C. सामान्य तापमान पर
D. अत्यधिक ऊँचे तापमान पर

6. सूर्य की ऊर्जा उत्पन्न होती है–
A. आयनन के द्वारा
B. नाभिकीय संलयन के द्वारा
C. नाभिकीय विखण्डन के द्वारा
D. ऑक्सीकरण के द्वारा

7. तारे अपनी ऊर्जा प्राप्त करते हैं–
1. नाभिकीय संलयन से 2. गुरुत्वीय संकुचन से
3. रासायनिक अभिक्रिया से 4. नाभिकीय विखण्डन से
अपने उत्तर का चयन नीचे दिए गए कूट से कीजिए–
A. 1 एवं 2 B. 1, 2 एवं 3
C. 1 एवं 4 D. 2 एवं 4

8. दोपहर के 12 बजे किस दिशा में इन्द्रधनुष दिखाई देता है?
A. पश्चिम में B. दक्षिण में
C. पूर्व में D. यह नहीं देख सकते हैं

9. धूप के चश्मे की पॉवर होती है–
A. 0 डायोप्टर B. 1 डायोप्टर
C. 2 डायोप्टर D. 4 डायोप्टर

10. दो उत्तरोत्तर शृंग अथवा दो उत्तरोत्तर गर्त के बीच की दूरी को क्या कहते हैं?
A. आयाम (Amplitude) B. तरंगदैर्ध्य
C. आवृत्ति D. उपरोक्त में से कोई नहीं

11. प्रकाश की गति है–
A. 9×10^2 मी./से. B. 3×10^{11} मी./से.
C. 3×10^8 मी./से. D. 2×10^4 मी./से.

12. पदार्थ के संवेग और वेग के अनुपात से कौन-सी भौतिक राशि प्राप्त की जाती है?
A. वेग B. त्वरण
C. द्रव्यमान D. बल

13. दूर-दृष्टि दोष से पीड़ित व्यक्ति को कठिनाई होती है–
A. दूर की वस्तु स्पष्ट देखने में
B. पास की वस्तु स्पष्ट देखने में
C. दूर एवं पास दोनों की वस्तु देखने में
D. उपरोक्त सभी

14. ऑटोमोबाइल्स के हाइड्रोलिक ब्रेक के कार्य करने का सिद्धान्त है–
A. आर्किमिडीज का सिद्धान्त B. न्यूटन के गति का नियम
C. बरनौली का सिद्धान्त D. पास्कल का नियम

15. फ्यूज (Fuse) का सिद्धान्त है–
A. विद्युत का रासायनिक प्रभाव
B. विद्युत का यान्त्रिक प्रभाव
C. विद्युत का ऊष्मीय प्रभाव
D. विद्युत का चुम्बकीय प्रभाव

16. निम्नलिखित में से किसमें ऋणात्मक आवेश होता है–
A. X-किरण B. अल्फा किरण
C. बीटा किरण D. गामा किरण

17. दूर-दृष्टि दोष निवारण के लिए काम में लेते हैं–
A. अवतल लेन्स B. उत्तल दर्पण
C. उत्तल लेन्स D. अवतल दर्पण

18. हवाई जहाज का आविष्कार किसने किया था?
A. राइट ब्रदर्स B. जेम्स वॉट
C. हम्फ्री डेवी D. वोन ब्राउन

19. एक कृत्रिम उपग्रह में विद्युत ऊर्जा का स्रोत क्या होता है?
A. थर्मोपाइल B. सौर सेलें
C. डाइनेमो D. लघु नाभिकीय रिएक्टर

20. 1 किमी दूरी का तात्पर्य है–
A. 100 मीटर B. 1000 सेमी
C. 1000 मीटर D. 100 सेमी

21. टेलीविजन के दूरस्थ नियन्त्रण में किस प्रकार की प्रकाश तरंगों का उपयोग होता है?
A. दृश्य प्रकाश B. अवरक्त तरंग
C. एक्स-किरण D. गामा-किरण

22. न्यूट्रॉन की खोज की थी–
A. चैडविक ने B. रदरफोर्ड ने
C. बोर ने D. न्यूटन ने

23. कॉस्मिक किरणों के सम्बन्ध में निम्न कथनों में से कौन-सा सही नहीं है?
A. वे विद्युत चुम्बकीय तरंगें होती हैं
B. उनकी तरंगदैर्ध्य बहुत छोटी होती है
C. वे बहुत अधिक ऊर्जा वाले आवेशित कणों से बनी होती हैं
D. वे सूर्य से उत्पन्न होती हैं

24. ट्रान्सफॉर्मर प्रयुक्त होते हैं–
A. AC को DC में बदलने के लिए
B. DC को AC में बदलने के लिए
C. DC वोल्टेज का उपचयन करने के लिए
D. AC वोल्टेज का उपचयन या अपचयन करने के लिए

25. बल गुणनफल है–
A. द्रव्यमान और वेग का B. द्रव्यमान और त्वरण का
C. भार और वेग का D. भार और त्वरण का

26. ठण्ड के दिनों में लोहे के गुटकों और लकड़ी के गुटकों को प्रातः काल छुएँ तो लोहे का गुटका ठण्डा लगता है, क्योंकि–
A. लोहे के गुटके का ताप लकड़ी के गुटके से कम होता है
B. लकड़ी की तुलना में लोहा ऊष्मा का अच्छा चालक है
C. लकड़ी की तुलना में लोहा ऊष्मा का खराब चालक है
D. लोहे का गुटका लकड़ी से भारी होता है

27. दूरदर्शन के संकेत एक निश्चित दूरी के बाद नहीं मिल सकते क्योंकि–

A. संकेत दुर्बल हैं
B. एन्टीना दुर्बल है
C. वायु संकेत को शोषित कर लेती है
D. पृथ्वी की सतह वक्राकार है

28. खतरे के संकेतों के लिए लाल प्रकाश का प्रयोग किया जाता है, क्योंकि–

A. इसका प्रकीर्णन सबसे कम होता है
B. यह आँखों के लिए आरामदायक है
C. इसका सबसे कम रासायनिक प्रभाव होता है
D. हवा द्वारा इसका अवशोषण सबसे कम होता है

29. साबुन के बुलबुले के अन्दर का दाब–

A. वायुमण्डलीय दाब से अधिक होता है
B. वायुमण्डलीय दाब से कम होता है
C. वायुमण्डलीय दाब के बराबर होता है
D. वायुमण्डलीय दाब का आधा होता है

30. पृथ्वी के परितः घूमने वाले कृत्रिम उपग्रह से बाहर गिराई गई गेंद–

A. सूर्य पर चली जाएगी
B. चन्द्रमा पर चली जाएगी
C. पृथ्वी पर गिरेगी
D. पृथ्वी के परितः उपग्रह के समान आवर्तकाल के साथ उसी के कक्ष में घूमती रहेगी

31. ऊर्जा संरक्षण का आशय है कि–

A. ऊर्जा का सृजन और विनाश होता है
B. ऊर्जा का सृजन हो सकता है, विनाश नहीं
C. ऊर्जा का सृजन नहीं हो सकता, परन्तु विनाश हो सकता है
D. ऊर्जा का न तो सृजन हो सकता है और न ही विनाश

32. प्रेशर कुकर के अन्दर का उच्चतम ताप निर्भर करेगा–

A. ऊपर के छेद का क्षेत्रफल व उस पर रखे गए वजन पर
B. ऊपर के छेद का क्षेत्रफल व पकाए जाने वाले पदार्थ पर
C. ऊपर के छेद पर रखा गया वजन व पकाए जाने वाले पदार्थ पर
D. ऊपर के छेद के केवल क्षेत्रफल पर

33. जब किसी वस्तु को पृथ्वी से चन्द्रमा पर ले जाया जाता है, तो–

A. उसका भार बढ़ जाता है
B. उसका भार घट जाता है
C. उसके भार में कोई परिवर्तन नहीं होता है
D. वह पूर्ण रूप से भार रहित हो जाती है

34. एक पीकोग्राम बराबर होता है–

A. 10^{-6} ग्राम के B. 10^{-9} ग्राम के
C. 10^{-12} ग्राम के D. 10^{-15} ग्राम के

35. निम्न रंगों में विषम रंग को पहचानिए–

A. हरा B. भूरा
C. लाल D. पीला

36. निम्नांकित में से कौन अन्तरिक्ष में नहीं पाया जाता है?

A. पल्सर B. ब्रिटल स्टार
C. ब्लैक होल D. क्वासर

37. वायुदाबमापी की रीडिंग में अचानक गिरावट इस बात का संकेत है कि मौसम–

A. स्थिर तथा शान्त होगा B. वर्षायुक्त होगा
C. ठण्डा होगा D. तूफानी होगा

38. टेलिस्कोप की खोज किस वैज्ञानिक ने की थी?

A. न्यूटन B. जेम्स वॉट
C. हम्फ्री डेवी D. गैलीलियो

39. दूध उदाहरण है, एक–

A. विलयन का B. कोलॉयड विलयन का
C. इमल्सन का D. वायु विलयन का

40. लोलक घड़ियाँ गर्मियों में क्यों सुस्त हो जाती हैं?

A. गर्मियों में दिन लम्बे होने के कारण
B. कुण्डली में घर्षण के कारण
C. लोलक की लम्बाई बढ़ जाती है जिससे इकाई दोलन में लगा हुआ समय बढ़ जाता है
D. गर्मी में लोलक का भार बढ़ जाता है

41. सौर ऊर्जा निम्न में से किससे प्राप्त होती है?

A. चन्द्रमा B. समुद्र
C. सूर्य D. हवा

42. कॉस्मास-2406 है–

A. एक सुपर कम्प्यूटर
B. एक सैन्य उपग्रह
C. एक मानव रहित विमान
D. रूस का मंगल ग्रह अभियान

43. सेल्सियस और फॉरेनहाइट थर्मामीटर में दोनों के ताप का प्रेक्षण समान होता है जबकि ताप का मान होता है–

A. 40° B. 0°
C. 32° D. 100°

44. प्रत्यावर्ती धारा को दिष्ट धारा में परिवर्तित करने वाली युक्ति को कहते हैं–

A. इन्वर्टर B. रेक्टीफायर
C. ट्रान्सफॉर्मर D. ट्रान्समीटर

45. निम्नलिखित कथनों पर विचार कीजिए–

1. आकाश के नीला दिखने का कारण प्रकाश का प्रकीर्णन (Scattering) है।
2. इन्द्रधनुष के सात रंगों का कारण प्रकाश का प्रकीर्णन है।
3. सूर्योदय के समय सूर्य लाल दिखने का कारण प्रकाश का प्रकीर्णन है।

उपरोक्त कथनों में से–

A. केवल 1 सही है B. 1 तथा 3 सही है
C. केवल 2 सही है D. 2 तथा 3 सही है

46. निम्नांकित में से कौन-सा सुमेलित नहीं है?
A. आकाश – एक मध्यम दूरी का बहुलक्षीय प्रक्षेपास्त्र
B. नाग – एक टैंकभेदी प्रक्षेपास्त्र
C. पिनाका – एक बहुनलीयुक्त रॉकेट प्रक्षेपक शस्त्र निकाय
D. त्रिशूल – एक लघु दूरी का सतह से सतह प्रक्षेपास्त्र

47. डायनमो–
A. वैद्युत ऊर्जा को गतिज ऊर्जा में बदलता है
B. यान्त्रिक ऊर्जा को वैद्युत ऊर्जा में परिवर्तित करता है
C. वैद्युत ऊर्जा को यान्त्रिक ऊर्जा में परिवर्तित करता है
D. यान्त्रिक ऊर्जा उत्पन्न करता है

48. निम्नांकित में से कौन अन्तरिक्ष शब्दावली से सम्बन्धित नहीं है?
A. टेलीमीटरिंग B. भारहीनता
C. सिसलुनर D. बाइट

49. कृष्ण-छिद्र सिद्धान्त को प्रतिपादित किया था–
A. सी॰ वी॰ रमन ने B. एच॰ जे॰ भाभा ने
C. एस॰ चन्द्रशेखर ने D. हरगोविन्द खुराना ने

50. रेफ्रीजरेटर में थर्मोस्टेट का कार्य है–
A. तापमान को कम करना
B. हिमायन ताप को बढ़ाना
C. एक समान तापमान को बनाए रखना
D. गलनांक को घटाना

51. तेल जल के तल पर फैल जाता है, क्योंकि–
A. तेल, जल की अपेक्षा अधिक घना है
B. तेल, जल की अपेक्षा कम घना है
C. तेल का तल (पृष्ठ) तनाव पानी से अधिक है
D. तेल का तल (पृष्ठ) तनाव पानी से कम है

52. डीजल इन्जन में प्रयुक्त ईंधन है–
A. डीजल की वाष्प और वायु
B. केवल डीजल
C. डीजल और पेट्रोल का मिश्रण
D. डीजल, वायु और पेट्रोल का मिश्रण

53. विस्फोटक नाइट्रोग्लिसरीन है, एक–
A. नमक B. नाइट्रो हाइड्रोकार्बन
C. सम्मिश्र हाइड्रोकार्बन D. एस्टर

54. रसायन उद्योग में कौन-सा तेजाब मूल रासायनिक माना जाता है?
A. H_2CO_3 B. HNO_3
C. H_2SO_4 D. HCl

55. भोपाल गैस त्रासदी में किस गैस के रिसने से लोगों की मृत्यु हुई?
A. क्लोरीन B. एम॰आई॰सी॰
C. अमोनिया D. फॉस्जीन

56. निम्नलिखित में कौन-सा अम्ल सिरके में उपस्थित है?
A. हाइड्रोक्लोरिक अम्ल B. साइट्रिक अम्ल
C. ऑक्जेलिक अम्ल D. एसीटिक अम्ल

57. निम्नलिखित में से कौन-सी धातु पीतल, कांस्य तथा जर्मन सिल्वर इन सभी में उभय घटक के रूप में विद्यमान है?
A. एण्टिमनी B. ताँबा
C. टिन D. जस्ता

58. पेन्सिल का लैड है–
A. ग्रेफाइट B. चारकोल (लकड़ी का कोयला)
C. लैम्प ब्लैक D. कोयला

59. निम्नलिखित युग्मों में कौन-सा सुमेलित नहीं है?
A. फुलरीन्स–फ्लोरीनयुक्त कार्बनिक यौगिक
B. शुष्क बर्फ–ठोस कार्बन डाइ–ऑक्साइड
C. किरेटिन–मानव त्वचा की बाहरी परत में पाया जाने वाला प्रोटीन
D. मस्टर्ड गैस–रासायनिक युद्ध में प्रयुक्त होने वाला विषैला द्रव

60. गैसोहोल है–
A. एथिल एल्कोहल + पेट्रोल
B. प्राकृतिक गैस + एथिल एल्कोहल
C. एल्कोहल में विलायित कोई गैस
D. एथिल एल्कोहल + मिट्टी का तेल

61. निम्नलिखित में से कौन-सा विस्फोटक (Explosive) नहीं है?
A. ट्राइनाइट्रो टॉलूईन (टी॰एन॰टी॰)
B. ट्राइनाइट्रो ग्लिसरीन
C. साइक्लो ट्राइमेथिलीन ट्राइनाइट्रैमीन (R.D.X)
D. नाइट्रो क्लोरोफॉर्म

62. पीतल के बर्तनों को कलई करते समय गरम बर्तन की सफाई के लिए प्रयोग किए जाने वाले अमोनियम क्लोराइड चूर्ण से निकलने वाला धुआँ है–
A. अमोनिया का
B. कार्बन मोनोक्साइड का
C. क्लोरिक एसिड का हाइड्रो
D. अमोनिया और हाइड्रोक्लोरिक एसिड का

63. ट्यूब लाइट में निम्न दाब पर कौन-सी गैस भरी जाती है?
A. आर्गन और नियॉन B. नियॉन और पारद वाष्प
C. नाइट्रोजन एवं नियॉन D. केवल आर्गन

64. धब्बारहित स्टील बनाने में लोहे के साथ प्रयुक्त होने वाली महत्त्वपूर्ण धातु है–
A. एल्युमीनियम B. क्रोमियम
C. टिन D. कार्बन

65. निम्नलिखित युग्मों में से कौन-सा सुमेलित नहीं है?
A. शुष्क बर्फ : ठोस कार्बन डाइ-ऑक्साइड
B. मस्टर्ड गैस : रासायनिक युद्ध में प्रयुक्त होने वाला विषैला द्रव
C. टेफ्लॉन : फ्लुओरीनयुक्त बहुलक
D. फुलरीन्स : फ्लोरीनयुक्त कार्बनिक यौगिक

66. स्टेनलेस स्टील बनाने में लोहे के साथ प्रयुक्त होने वाली महत्त्वपूर्ण धातु है–

A. कार्बन
B. टिन
C. क्रोमियम
D. एल्युमीनियम

67. मदिरा, बाजार में डिग्री अण्डर प्रूफ अथवा ओवर प्रूफ से बेची जाती है। प्रूफ स्पिरिट आयतन से 57 प्रतिशत एल्कोहॉल होती है। 20° अण्डर प्रूफ वाली मदिरा में एल्कोहॉल का प्रतिशत लगभग होगा–
A. 57
B. 69
C. 46
D. 52

68. डॉक्टरों द्वारा एनस्थीसिया (Aneasthesia) के रूप में प्रयोग होने वाली हास्य गैस है–
A. नाइट्रोजन
B. नाइट्रोजन ऑक्साइड
C. नाइट्रस ऑक्साइड
D. नाइट्रोजन डाइ-ऑक्साइड

69. निम्नलिखित में से कौन-सी गैस वायुमण्डल में अम्लीय वर्षा की उत्पत्ति के लिए उत्तरदायी है?
A. CFC
B. CH_4
C. O_3
D. SO_2

70. वायु में कौन-सी नोबल गैस नहीं होती?
A. हीलियम
B. नियॉन
C. आर्गन
D. रेडॉन

71. मायोग्लोबिन में कौन-सी नोबल धातु होती है?
A. ताँबा
B. चाँदी
C. सोना
D. लोहा

72. अशुद्ध जल से बड़ी मात्रा में पेयजल तैयार किया जाता है–
A. निर्लवणीकरण द्वारा
B. आसवन द्वारा
C. आयन आदान-प्रदान द्वारा
D. निथार कर

73. जब इनो लवण को जल में डाला जाता है तो बुलबुले बनते हैं, जिसका कारण है–
A. O_2 गैस
B. CO_2 गैस
C. CO गैस
D. H_2O गैस

74. दूध का आपेक्षिक घनत्व ज्ञात किया जा सकता है–
A. हाइड्रोमीटर से
B. ब्यूटिरोमीटर से
C. लैक्टोमीटर से
D. थर्मामीटर से

75. खाना बनाने में प्रयोग की जाने वाली गैस मुख्यतः है–
A. कार्बन डाइ-ऑक्साइड
B. कार्बन मोनोऑक्साइड
C. मीथेन
D. नाइट्रोजन एवं ऑक्सीजन गैस का मिश्रण

76. जल के लिए pH मान होता है
A. लगभग शून्य
B. लगभग 7
C. 5 या 5 से कम
D. 8.5 या उससे अधिक

77. एल्युमीनियम बनाने के लिए कौन-से मुख्य खनिज का उपयोग होता है?
A. हेमेटाइट
B. लिग्नाइट
C. बॉक्साइट
D. मैग्नेटाइट

78. किस खनिज से रेडियम प्राप्त किया गया था?
A. चूना-पत्थर
B. पिंचब्लेण्ड
C. रुटाइल
D. हेमेटाइट

79. हीलियम के नाभिक में होता है–
A. केवल एक प्रोटॉन
B. दो प्रोटॉन
C. दो प्रोटॉन एवं दो न्यूट्रॉन
D. एक प्रोटॉन एवं दो न्यूट्रॉन

80. आमतौर पर सुरक्षा फ्यूज लगाने के लिए प्रयोग होने वाला तार किस पदार्थ का बना होता है?
A. टिन
B. सीसा
C. निकेल
D. टिन और सीसे की एक मिश्रधातु

81. निम्नांकित में से किससे टेप रिकॉर्डर की टेप लेपित रहती है?
A. नीला थोथा
B. फेरोमैग्नेटिक चूर्ण
C. जिंक ऑक्साइड
D. पारा

82. नींबू में मुख्यतः कौन-सा अम्ल होता है?
A. एसीटिक अम्ल
B. एस्कॉर्बिक अम्ल
C. साइट्रिक अम्ल
D. नाइट्रिक अम्ल

83. निम्न में कौन-सा जैव-अवक्रमणीय नहीं है?
A. साबुन
B. ऊन
C. रेशम
D. LAB अपमार्जक

84. मच्छर भगाने वाली दवाओं में सक्रिय रसायन है–
A. एलिथ्रिन
B. एट्रोपिन
C. 2-आइसोप्रोयॉक्सीफिनाइल
D. बेन्जीन हेक्साक्लोरोफीन

85. क्रोमेटोग्राफी की तकनीक का प्रयोग होता है–
A. रंगीन पदार्थों की पहचान करने में
B. पदार्थों की संरचना निर्धारण में
C. रंगीन पदार्थों के प्रभावी आसवन में
D. एक मिश्रण से पदार्थों को अलग करने में

86. घरेलू एल.पी.जी. सिलेण्डरों में दाब मापक नहीं प्रदान किए जाते हैं, क्योंकि–
A. ये बहुत महँगे होते हैं
B. ये एल.पी.जी. सिलेण्डरों में गैस की मात्रा को प्रदर्शित नहीं कर सकते
C. इनका प्रयोग निरापद नहीं है
D. ये एल.पी.जी. द्वारा चोक हो जाते हैं

87. निम्नलिखित में से किस खनिज द्वारा लोहा प्राप्त किया जाता है?
A. चूने का पत्थर
B. पिच ब्लैण्ड
C. मोनाजाइट रेत
D. हेमेटाइट

88. स्वचालित वाहन निर्वातक का सबसे विषालु (Most toxic) धातु प्रदूषक है–
A. कॉपर
B. लेड
C. कैडमियम
D. मरकरी

89. निम्न कथनों पर विचार कीजिये और अन्त में दिये गये कूट में से सही उत्तर का चयन कीजिये–

कथन (A): साधारणतः यह देखा गया है कि लोहे की वस्तुएँ जब वायुमण्डल में अनाश्रित होती है तब वे भूरे पाउडर की परत से आच्छादित हो जाती है जिसको जंग कहते हैं।

कारण (R): जंग अर्थात् भूरा पाउडरी पदार्थ टैनिन के जमा होने से बनता है।

कूटः

A. A और R दोनों सही हैं तथा R, A का सही स्पष्टीकरण है
B. A और R दोनों सही हैं परन्तु R, A का सही स्पष्टीकरण नहीं है
C. A सही है, परन्तु R गलत है
D. A गलत है, परन्तु R सही है

90. परमाणु के नाभिक् में निम्न कण होते हैं–
A. प्रोट्रॉन एवं न्यूट्रॉन   B. इलेक्ट्रॉन एवं कण
C. प्रोट्रॉन एवं इलेक्ट्रॉन   D. इलेक्ट्रान एवं न्यूट्रॉन

91. जल की स्थायी कठोरता का कारण है–
A. कैल्शियम कार्बोनेट
B. कैल्शियम तथा मैग्नीशियम के क्लोराइड और सल्फेट
C. सोडियम तथा पोटैशियम के क्लोराइड और सल्फेट
D. उपरोक्त में से कोई नहीं

92. कच्ची चीनी को रंगविहीन करने हेतु जिस चारकोल का प्रयोग किया जाता है, वह है–
A. लकड़ी का चारकोल   B. चीनी का चारकोल
C. जन्तु चारकोल   D. नारियल का चारकोल

93. वाहनों में उत्सर्जित कार्बन-मोनोक्साइड को कार्बन डाइ-ऑक्साइड में परिवर्तित करने वाली उत्प्रेरक परिवर्तन की सीरैमिक डिस्क स्तरित होती है–
A. चाँदी   B. स्वर्ण
C. ताँबा   D. पैलेडियम

94. वायु में थोड़ी देर रखने पर किसी धातु के ऊपर हरे रंग के बेसिक कार्बोनेट की परत जम जाती है, वह धातु है–
A. ताँबा   B. चाँदी
C. निकेल   D. जस्ता

95. पानी की अस्थायी कठोरता के लिए निम्न में से कौन उत्तरदायी है?
A. कैल्सियम और मैग्नीशियम के बाइकार्बोनेट
B. कैल्सियम का बाइकार्बोनेट
C. मैग्नीशियम का बाइकार्बोनेट
D. सिल्वर व पोटैशियम के क्लोराइड्स

96. निम्नलिखित गैस मिश्रणों में से कौन-सा गैस वेल्डिंग के लिए प्रयुक्त किया जाता है?
A. एसीटिलीन तथा हाइड्रोजन   B. ऑक्सीजन तथा एसीटिलीन
C. हाइड्रोजन एवं ऑक्सीजन   D. हाइड्रोजन तथा हीलियम

97. निम्न में से कौन-सा एक युग्म सुमेलित नहीं है?
A. पोटैशियम क्लोरेट – माचिस
B. मैंगनीज डाइऑक्साइड – शुष्क सेल
C. हाइड्रोक्लोरिक एसिड – संचायक सेल
D. यूरेनियम – परमाणु बम

98. 'बायो डीजल' बनाने में किस वनस्पति का उपयोग किया जाता है?
A. गन्ना   B. सफेद मूसली
C. सनाय   D. रतनजोत

99. लहसुन (Garlic) में विशिष्ट गन्ध का कारण है–
A. क्लोरो यौगिक   B. फ्लोरो यौगिक
C. सल्फर यौगिक   D. ब्रोमो यौगिक

100. परमाणु के नाभिक में स्थित प्रोटॉनों की संख्या को कहते हैं?
A. परमाणु क्रमांक   B. परमाणु भार
C. संयोजकता   D. समन्यूट्रॉनिक

101. निम्न में से किसे पावर एल्कोहॉल कहते हैं?
A. ग्लिसरीन   B. यूरिया
C. ऐथिल एल्कोहॉल   D. पैराफीन

102. तरलीकृत पेट्रोलियम गैस (एल॰पी॰जी॰) का मुख्य आधार घटक क्या है?
A. मीथेन   B. इथेन
C. प्रोपेन   D. ब्यूटेन

103. निम्नलिखित कथनों का विचार कीजिए–
1. टेफ्लॉन तथा डेक्रॉन बहुलक हैं।
2. नियोप्रीन सांश्लेषिक रबर है।
3. पॉलिथीन, पॉलिएथिलीन बहुलक हैं।
4. प्राकृतिक रबर क्लोरोप्रीन है।

उपरोक्त कथनों में से कौन-से सही हैं?

कूट :
A. 1, 2 तथा 3   B. 1, 2 तथा 4
C. 2, 3 तथा 4   D. 1, 3 तथा 4

104. निम्नलिखित में से कौन-सा इलेक्ट्रॉनिक संरूपण धातु तत्वों के लिए होता है?
A. 2, 8   B. 2, 8, 7
C. 2, 8, 8   D. 2, 8, 8, 2

105. जब वैद्युतिक ऊर्जा गति में परिवर्तित होती है, तब–
A. ऊष्मा की कोई हानि नहीं होती है
B. 50% ऊष्मा की हानि होती है
C. 30% ऊष्मा की हानि होती है
D. 80% ऊष्मा की हानि होती है

106. निम्न में से कौन-सा रासायनिक परिवर्तन का उदाहरण है?
A. प्रिज्म से गुजरने पर श्वेत प्रकाश का सात रंगों में विभक्त होना
B. सब्जियों को पकाने पर उनका मुलायम हो जाना
C. सनी हुई मिट्टी का सूखने पर भंगुर हो जाना
D. नमक का पानी में घुलना

107. एस्पिरिन कहाँ से मिलती है?
A. पेट्रोलियम से
B. पृथ्वी से
C. एक पेड़ से
D. एसिडों की रासायनिक अभिक्रिया से

108. पारद धातु मिश्रण—
A. अति रंगीन मिश्रधातु होती है
B. कार्बनयुक्त मिश्रधातु होती है
C. पारदयुक्त मिश्रधातु होती है
D. अपघर्षण के लिए अति प्रतिरोधक क्षमता वाली मिश्रधातु होती है

109. परमाणु नाभिक के अवयव हैं—
A. इलेक्ट्रॉन और प्रोटॉन B. इलेक्ट्रॉन और न्यूट्रॉन
C. प्रोटॉन और न्यूट्रॉन D. प्रोटॉन, न्यूट्रॉन और इलेक्ट्रॉन

110. मौसम विज्ञान सम्बन्धी प्रेक्षण के लिये निम्न में से किसको गुब्बारों में भरने हेतु उपयोग में लाया जाता है?
A. ऑक्सीजन B. कार्बन डाइ-ऑक्साइड
C. मीथेन D. हीलियम

111. जलीय पर्यावरण में डी॰डी॰टी॰ सान्द्रण के आकलन के आधार पर आहार-शृंखला में प्रदूषण का स्तर निम्नांकित अनुक्रम में बढ़ता है—
A. पक्षी, मछली, घोंघा, जलपादप
B. जलपादप, घोंघा, मछली, पक्षी
C. घोंघा, जलपादप, मछली, पक्षी
D. घोंघा, मछली, पक्षी, जलपादप

112. निम्न में से किसका सही सुमेल नहीं है?
A. स्वजीवी उत्पादक
B. परजीवी उपभोक्ता
C. मृतोपजीवी विबन्धक
D. तृणभक्षी गौण उपभोक्ता

113. ब्रिटिश अनुसन्धानों द्वारा उद्घाटित किया गया है कि 'करी-पत्ता' का पौधा, जो भारत का देशज है, औषध निर्माणी समवाय के लिए अरबों डॉलर उत्पादन की क्षमता रखता है, करी-पत्ती द्वारा उपचार का दावा किया जाता है—
A. रक्तचाप (Blood pressure) में
B. मधुमेह (Diabetes) में
C. मलेरिया (Malaria) में
D. यक्ष्मा (Tuberculosis) में

114. सूक्ष्म जीवाणु (बैक्टीरिया) के बारे में कौन-सा कथन सत्य है?
A. ये जीवित व मृत की सीमा रेखा पर होते हैं
B. ये वनस्पति व जानवर की सीमा रेखा पर होते हैं
C. ये फूल देने वाली व फूल न देने वाली वनस्पति की सीमा रेखा पर होते हैं
D. उपरोक्त में से कोई नहीं

115. मनुष्य आर्द्रता व गर्मी से परेशानी अनुभव करता है। इसका कारण है—
A. अधिक पसीना आना
B. कम पसीना आना
C. पसीना आर्द्रता के कारण वाष्पित नहीं होता
D. आर्द्रता के कारण पसीना नहीं आता

116. रुधिर के प्लाज्मा में निम्नलिखित में से किसके द्वारा एण्टी बॉडी निर्मित होती है?
A. मोनाजाइट B. लिम्फोसाइट
C. इयोसिनोफिल D. न्यूट्रोफिल

117. दृष्टिपटल (रेटिना) पर जो चित्र बनता है—
A. वह वस्तु के बराबर होता है परन्तु उल्टा होता है
B. वह वस्तु से छोटा होता है व सीधा होता है
C. वह वस्तु से छोटा होता है व उल्टा होता है
D. वह वस्तु के बराबर होता है व सीधा होता है

118. प्रकाश-संश्लेषण होता है—
A. रात्रि में B. दिन में और रात्रि में
C. दिन में अथवा रात्रि में D. केवल दिन में

119. जैव विकास (Evolution) को सर्वप्रथम किसने समझाया?
A. न्यूटन ने B. आइन्सटीन ने
C. चार्ल्स डार्विन ने D. लैमार्क ने

120. रुधिर वर्णिका के सम्बन्ध में निम्नलिखित कथनों पर विचार कीजिए तथा नीचे दिये गये कूट से सही उत्तर चुनिए—
1. इसमें लौह होता है।
2. यह रक्त को लाल रंग प्रदान करता है।
3. यह कुछ रोगों से प्रतिरक्षा प्रदान करता है।
4. यह रक्त में ऑक्सीजन का वाहक है।

कूट :
A. 1, 2 तथा 3 B. 2, 3 तथा 4
C. 1, 3 तथा 4 D. 1, 2, 3 तथा 4

121. सूची-I को सूची-II से सुमेलित कीजिए और सूचियों के नीचे दिए गए कूट का प्रयोग कर सही उत्तर चुनिए—

सूची-I (अणु)	सूची-II (उपस्थित तत्त्व)
(*a*) विटामिन बी$_{12}$	1. मैग्नीशियम
(*b*) हीमोग्लोबिन	2. कोबाल्ट
(*c*) क्लोरोफिल	3. ताँबा
(*d*) पीतल	4. लोहा

कूट :

	(*a*)	(*b*)	(*c*)	(*d*)
A.	2	4	1	3
B.	2	1	3	4
C.	4	1	2	3
D.	3	4	2	1

122. फूलों के अध्ययन को कहते हैं–

A. पोमोलॉजी B. एन्थोलॉजी

C. एग्रोस्टोलॉजी D. पैलिनोलॉजी

123. सूची-I को सूची-II से सुमेलित कीजिए और सूचियों के नीचे दिए गये कूट का प्रयोग कर सही उत्तर चुनिए–

सूची-I	सूची-II
(*a*) हॉर्मोन	1. लाइपेज
(*b*) एन्जाइम	2. टेस्टोस्टेरोन
(*c*) फॉस्फोलिपिड	3. लेसिथिन
(*d*) बहुलक	4. पालीइथीन

कूट :

	(*a*)	(*b*)	(*c*)	(*d*)
A.	2	1	3	4
B.	4	1	2	3
C.	2	3	4	1
D.	1	2	3	4

124. सूची-I को सूची-II से सुमेलित कीजिए और सूचियों के नीचे दिए गये कूट का प्रयोग कर सही उत्तर चुनिए–

सूची-I	सूची-II
(*a*) लैक्टिक अम्ल	1. नींबू
(*b*) एसीटिक अम्ल	2. दुर्गन्धयुक्त मक्खन
(*c*) साइट्रिक अम्ल	3. दूध
(*d*) ब्यूटाइटिक	4. सिरका

कूट :

	(*a*)	(*b*)	(*c*)	(*d*)
A.	1	4	3	2
B.	3	1	4	2
C.	2	3	4	1
D.	3	4	1	2

125. जैविक सिस्टम में रासायनिक क्रिया की प्रक्रिया को तेज करने में उत्तरदायी पदार्थ है–

A. बैक्टीरिया B. डी॰ एन॰ ए॰

C. एन्जाइम D. इन्सुलिन

126. सूची-I को सूची-II से सुमेलित कीजिए और सूचियों के नीचे दिए गए कूट का प्रयोग कर सही उत्तर चुनिए–

सूची-I	सूची-II
(*a*) खट्टा दूध	1. मैलिक अम्ल
(*b*) सिरका एवं अचार	2. कार्बोनिक अम्ल
(*c*) सोडा वाटर एवं अन्य शीतल पेय	3. एसीटिक अम्ल
(*d*) सेब	4. लैक्टिक अम्ल

कूट :

	(*a*)	(*b*)	(*c*)	(*d*)
A.	1	2	3	4
B.	4	3	1	2
C.	4	3	2	1
D.	3	4	2	1

127. सूची-I को सूची-II से सुमेलित कीजिए और सूचियों के नीचे दिए गए कूट का प्रयोग कर सही उत्तर चुनिए–

सूची-I	सूची-II
A. शुष्क बर्फ	1. कैंसर का उपचार
B. जीन थिरैपी	2. पुनर्जीवित करने हेतु जीवित पिण्डों का जमना
C. क्रायोनिक्स	3. ठोस कार्बन डाइ-ऑक्साइड
D. कोबाल्ट-60	4. रक्त रोगों का उपचार

कूट :

	(*a*)	(*b*)	(*c*)	(*d*)
A.	1	2	3	4
B.	4	3	2	1
C.	3	4	2	1
D.	2	1	4	3

128. बहुचर्चित 'बबल-बेबी रोग' ऐसा इसलिए कहलाता है, क्योंकि–

A. यह पानी के बुलबुले के कारण होता है

B. रोग-ग्रस्त शिशु लार के बुलबुले बनाता है

C. रोग-ग्रस्त शिशु का उपचार जर्म रहित प्लास्टिक के बुलबुले में किया जाता है

D. इस रोग को पानी के बुलबुले से ही ठीक किया जाता है

129. इन्सुलिन प्राप्त होता है–

A. अदरक के प्रकन्द से B. डालियों की जड़ों से

C. बालसम पुष्प से D. आलू के कन्द से

130. निम्न में से किसकी कमी से मधुमेह होता है?

A. ग्लाइसीन B. हीमोग्लोबिन

C. हिस्टेमीन D. इन्सुलिन

131. वह रेडियो-समस्थानिक जिसे परिवहन तन्त्र में खून के थक्के का पता लगाने हेतु प्रयोग में लाया जाता है, वह है–

A. आर्सेनिक-74 B. कोबाल्ट-60

C. आई-131 D. सोडियम-24

132. माँ पौधे की भाँति पौधा मिलता है–

A. बीजों से

B. तना काट से

C. इन दोनों से [(A) और (B)]

D. उपरोक्त में से किसी से भी नहीं

133. मटर पौधा है–

A. शाक B. पुष्प

C. झाड़ी D. उपरोक्त में से कोई भी नहीं

134. मधुमक्खी कॉलोनी के सदस्य एक-दूसरे को किस प्रकार पहचानते हैं?

A. गन्ध से B. दृष्टि से

C. नर्तन से D. स्पर्श से

135. विटामिन C का सबसे उत्तम स्रोत है–

A. सेब B. आम

C. आँवला D. दूध

136. आर्कियोप्टेरिक्स है–
A. जुरेसिक युग का सर्वपुरातन पक्षी
B. जुरेसिक काल का सरीसृप
C. ट्राइएसिक काल का सरीसृप
D. ट्राइएसिक तथा जुरेसिक दोनों कालों का सरीसृप

137. जीवन चक्र की दृष्टि से पौधे का सबसे महत्त्वपूर्ण अंग है–
A. पुष्प B. पत्ती
C. तना D. जड़

138. जैविक जगत में होने वाले कार्य, गुण व पद्धति के अध्ययन के इस ज्ञान को मशीनी जगत में उपयोग करने को क्या कहते हैं?
A. बायोनिक्स B. बायोनोमिक्स
C. बायोनोमी D. बायोमेट्री

139. प्रतिवर्ष 5 लाख से ज्यादा भारतीय एक रोग से मरते हैं, इसकी पहचान करें–
A. एन्सेफिलाइटिस B. एड्स
C. कैन्सर D. क्षय रोग

140. पी॰ वेणुगोपाल के चर्चित होने का कारण है–
A. उनकी लम्बी कविता 'रुख तेटिशी'
B. भारतीय साहित्य के उत्थान में योगदान
C. प्रथम सफल हृदय प्रत्यारोपण
D. बच्चों एवं महिलाओं का उत्थान

141. सोयाबीन में नाइट्रोजन स्थिरीकरण (Nitrogen Fixation) के लिए जिम्मेदार बैक्टीरिया है–
A. राइजोबियम लैग्यूमिनोसैरम B. राइजोबियम जैपोनिकम
C. राइजोबियम फैजियोलाई D. राइजोबियम ट्राइफोली

142. जब हम बकरी या भेड़ का मांस खाते हैं तब हम–
A. प्राथमिक उपभोक्ता हैं B. द्वितीय उपभोक्ता हैं
C. तृतीय उपभोक्ता हैं D. उपरोक्त में से कोई नहीं

143. मनुष्य की आँख में प्रकाश तरंगें किस स्थान पर स्नायु उद्वेगों में परिवर्तित होती हैं?
A. कनीनिका (कॉर्निया) B. नेत्रतारा
C. अक्षपट (रेटिना) D. लेन्स

144. निम्न में से कौन-सा नवीनतम समझा जाता है?
A. हिडलबर्ग मानव B. क्रोमैग्नान मानव
C. पिल्ट डान मानव D. निएण्डरथल मानव

145. शरीर की वे कोशिकाएँ, जिनमें शरीर की किसी भी प्रकार की कोशिकाओं में विभाजन तथा विशिष्टीकरण की क्षमता है और जो कई गम्भीर बीमारियों पर शोध का केन्द्र बिन्दु हैं, उन्हें कहते हैं–
A. बड (Bud) कोशिकाएँ
B. रेड (Red) कोशिकाएँ
C. मीसेन्जियल (Mesangial) कोशिकाएँ
D. स्टेम (Stem) कोशिकाएँ

146. हृदय की धड़कन नियन्त्रित करने के लिए इनमें से कौन-सा खनिज आवश्यक है?
A. सोडियम B. गन्धक
C. पोटैशियम D. लोहा

147. सबसे लम्बा जीवित वृक्ष है–
A. यूकेलिप्टस B. सिकोआ
C. देवदार D. पर्णांग

148. 80% से अधिक कोशिका में पाया जाने वाला पदार्थ है–
A. प्रोटीन B. चर्बी
C. खनिज D. जल

149. निम्न में से कौन-सा एक जैव अवक्रमणीय नहीं है?
A. घरेलू मल-मूत्र B. LAB अपमार्जक
C. साबुन D. पौधों की पत्तियाँ

150. सक्रिय उपार्जित असंक्राम्यता किसके उत्पादन का परिणाम है?
A. एन्टीबॉडीज
B. वेक्सीन
C. सीरम
D. निस्पंदित हो सकने वाले वायरस

151. निम्न में कौन-सा गुण मनुष्य को अन्य सभी वानर गुणों से पृथक् करता है?
A. जानने की इच्छा प्रकट करना
B. ग्रहण शक्ति का अपविकसित होना
C. विपरीत अँगूठे
D. ठोड़ी का बाहर निकलना

152. पारिस्थितिकी तंत्र में ऊर्जा का अंतिम स्रोत होता है?
A. ए.टी.पी. B. ए.डी.पी
C. सूर्य का प्रकाश D. ग्लूकोज

153. विकास का मुख्य कारक है–
A. उत्परिवर्तन B. हासिल किए हुए गुण
C. लैंगिक जनन D. प्राकृतिक वरण

154. गलती से रामू किसी इन्जेक्शन को अधिक मात्रा में लगा लेता है, जिसके कारण उसे ऐंठन, मिर्गी, बेहोशी हो जाती है। अन्ततः कुछ समय पश्चात् उसकी मृत्यु हो जाती है। इसका कारण है–
A. रक्त में असामान्य शर्करा सान्द्रता
B. रक्त में अत्यधिक शर्करा सान्द्रता
C. रक्त में ग्लाइकोजन का अभाव
D. रक्त में कैल्शियम आयनों का अभाव

155. जल से बाहर निकाले जाने पर मछलियाँ मर जाती हैं क्योंकि–
A. उन्हें ऑक्सीजन अधिक मात्रा में प्राप्त होती है
B. उनका शारीरिक ताप बढ़ जाता है
C. वे श्वास नहीं ले पाती हैं
D. वे जल में नहीं चल पाती हैं

156. फल पकने में सहायक हॉर्मोन है–
A. जिबरेलिन B. माफेक्टिन
C. इथीलीन D. आई॰बी॰ए॰

157. निम्नलिखित किस फसल में नील हरित शैवाल (Blue green algae) मुख्यतः जैव-उर्वरक के रूप में प्रयोग होते हैं?

A. गेहूँ B. चना
C. धान D. सरसों

158. एस्ट्रोजन किसके द्वारा उत्पादित होता है?

A. अण्ड
B. पुटिका
C. कॉरपस लूटियम
D. गर्भाशय

159. हरगोविन्द खुराना को किस आविष्कार के लिए सम्मानित किया गया?

A. प्रोटीन के संश्लेषण के लिए
B. जीन के संश्लेषण के लिए
C. नाइट्रोजनी क्षारों के संश्लेषण के लिए
D. उपरोक्त में से कोई नहीं

160. अपमार्जक (Detergent) क्या है?

A. साबुन B. औषधि
C. उत्प्रेरक D. शोधन अभिकर्त्ता

उत्तरमाला

1	**2**	**3**	**4**	**5**	**6**	**7**	**8**	**9**	**10**
C	C	D	D	A	B	A	D	A	B
11	**12**	**13**	**14**	**15**	**16**	**17**	**18**	**19**	**20**
C	C	B	D	C	C	C	A	B	C
21	**22**	**23**	**24**	**25**	**26**	**27**	**28**	**29**	**30**
B	A	A	D	B	B	D	A	A	D
31	**32**	**33**	**34**	**35**	**36**	**37**	**38**	**39**	**40**
D	A	B	C	B	B	D	D	C	C
41	**42**	**43**	**44**	**45**	**46**	**47**	**48**	**49**	**50**
C	B	A	B	B	D	B	D	C	C
51	**52**	**53**	**54**	**55**	**56**	**57**	**58**	**59**	**60**
D	A	D	C	B	D	B	A	A	A
61	**62**	**63**	**64**	**65**	**66**	**67**	**68**	**69**	**70**
D	D	B	B	D	C	C	C	D	D
71	**72**	**73**	**74**	**75**	**76**	**77**	**78**	**79**	**80**
D	D	B	C	C	B	C	B	C	D
81	**82**	**83**	**84**	**85**	**86**	**87**	**88**	**89**	**90**
B	C	A	A	C	D	D	B	C	A
91	**92**	**93**	**94**	**95**	**96**	**97**	**98**	**99**	**100**
B	C	D	A	A	B	C	D	C	A
101	**102**	**103**	**104**	**105**	**106**	**107**	**108**	**109**	**110**
C	D	A	D	C	B	C	C	C	D
111	**112**	**113**	**114**	**115**	**116**	**117**	**118**	**119**	**120**
B	D	B	D	C	B	C	D	D	D
121	**122**	**123**	**124**	**125**	**126**	**127**	**128**	**129**	**130**
A	B	A	D	C	C	C	B	B	D
131	**132**	**133**	**134**	**135**	**136**	**137**	**138**	**139**	**140**
D	C	A	C	C	A	D	A	D	C
141	**142**	**143**	**144**	**145**	**146**	**147**	**148**	**149**	**150**
B	B	C	B	D	C	A	D	C	A
151	**152**	**153**	**154**	**155**	**156**	**157**	**158**	**159**	**160**
A	C	D	A	C	C	C	B	B	D

कम्प्यूटर ज्ञान (Computer Knowledge)

1 कम्प्यूटर शब्दावली

- **Active Cell :** एक्सेल (Excel) में प्रयुक्त वह खाना या सेल (Cell) जहाँ वर्तमान में डाटा लिखा या परिवर्तित किया जा रहा हो।
- **Access Time :** मेमोरी से डाटा प्राप्त करने के लिए दिए गए निर्देश तथा वास्तव में डाटा प्राप्त होने के बीच का समय।
- **Abacus :** गणना के लिए प्रयुक्त एक अति प्राचीन युक्ति।
- **Accumulator :** एक रजिस्टर जो प्रोसेसिंग के दौरान डाटा और परिणामों को भण्डारित करता है।
- **Adapter :** दो या अधिक उपकरणों के बीच सामंजस्य के लिए प्रयुक्त युक्ति।
- **Address :** कम्प्यूटर मेमोरी में डाटा की स्थिति (Location) बताने वाला पहचान चिह्न।
- **Algorithm :** किसी कार्य को पूरा करने के लिए कम्प्यूटर को दिए जाने वाले अनुदेशों का क्रम।
- **Alignment :** लिखित डॉक्यूमेंट में पैराग्राफ को व्यवस्थित करने की प्रक्रिया।
- **Analog :** लगातार परिवर्तित होने वाली या तरंग रूपीय भौतिक राशि की मात्रा, जैसे–प्रत्यावर्ती विद्युत धारा (A/C), विद्युतीय तरंगें आदि।
- **Animation :** अनेक स्थिर चित्रों को एक–एक कर तेजी से सामने से गुजारना ताकि गतिशीलता का आभास हो।
- **Antivirus :** निर्देशों का समूह या प्रोग्राम जो कम्प्यूटर को द्वेषपूर्ण प्रोग्राम (Virus) से होने वाली क्षति से बचाने के लिए प्रयोग किया जाता है।
- **Application Software :** एक या अधिक प्रोग्राम का समूह जो किसी विशेष कार्य के लिए तैयार किया जाता है।
- **Analog Computer :** वह कम्प्यूटर जो ऐसे डाटा का प्रयोग करता है जिसकी मात्रा लगातार परिवर्तित हो रही है।
- **ASCII (American Standard code for Information Interchange) :** अक्षरों और संख्याओं को 8 बिट बाइनरी तुल्यांक में प्रदर्शित करने वाला प्रचलित कोड।
- **Assembler :** कम्प्यूटर प्रोग्राम जो असेम्बली भाषा को मशीनी भाषा में परिवर्तित करता है, Assembler कहलाता है।
- **Assembly Language :** एक कम्प्यूटर भाषा जिसमें अक्षरों और चिह्नों को छोटे–छोटे कोड में प्रयोग किया जाता है। उपयोग से पहले इसे मशीनी भाषा में बदलना पड़ता है।
- **Authentication :** कम्प्यूटर प्रयोगकर्ता के वैधता की पहचान करने वाली पद्धति।
- **Automation :** किसी प्रक्रिया का स्वतः क्रियान्वयन।
- **Auxiliary Memory :** इसे द्वितीयक (Secondary) मेमोरी भी कहते हैं। यह मुख्य या प्राथमिक (Main or Primary) मेमोरी की सहायक तथा बड़ी क्षमता वाली होती है।
- **Basic :** एक सरल और उपयोगी उच्च स्तरीय कम्प्यूटर भाषा है। यह लोकप्रिय भाषा प्रायः सभी कम्प्यूटर के साथ उपलब्ध रहती है।
- **Binary :** कम्प्यूटर की सभी गणनाओं में प्रयुक्त संख्या प्रणाली, जिसमें केवल दो अंक 0 और 1 होते हैं।
- **Bit :** 'बाइनरी इकाई' के आरंभिक एवं अंतिम अक्षरों से बने संक्षिप्त शब्द 0 से 1 को 'बिट' कहा जाता है। यह कम्प्यूटर सूचना की सबसे छोटी इकाई है।
- **Bite :** कम्प्यूटर क्रियाओं में सामूहिक रूप से भाग लेने वाले (प्रायः आठ) द्विआधारी अंक। इस प्रकार, 8 बिटों से बनने वाले अक्षरों को 'बाइट' कहा जाता है। एक किलोबाइट में 1024 बाइट होते हैं। कम्प्यूटर के स्मृति भंडार को मेगाबाइट में ही मापा जाता है।
- **Backbone :** कम्प्यूटर नेटवर्क की मुख्य लाइन जिससे अन्य कम्प्यूटर जोड़े जाते हैं।
- **Backup :** प्रोग्राम, डाटा या हार्डवेयर की वैकल्पिक व्यवस्था जिसका प्रयोग मुख्य संसाधन के नष्ट या खराब हो जाने पर किया जाता है। इसके अंतर्गत प्रोग्राम और डाटा की अतिरिक्त कापियाँ बनाई जाती है।
- **Band Width :** डाटा संचारण में प्रयुक्त आवृत्ति (Frequency) की उच्चतम और निम्नतम सीमा का अंतर। इसे बिट्स प्रति सेकेण्ड (BPS) से इंगित करते हैं।

- **Bar Code :** अल्फान्यूमेरिक डाटा को विभिन्न चौड़ाई की उर्ध्वाधर पट्टियों से व्यक्त करना। यह किसी उत्पाद के कूट (Code) के रूप में प्रयोग की जाती है।
- **Batch Processing :** अनेक प्रोग्रामों का एक समूह बनाकर एक के बाद एक स्वतः संपादित करता है।
- **Baud :** डाटा संचारण की गति को मापने की इकाई। 1 बॉड = 1 बिट प्रति सेकेण्ड।
- **Binary Digit :** इसे संक्षेप में बिट (Bit) कहते हैं। यह कम्प्यूटर मेमोरी की सबसे छोटी इकाई है। इसमें 0 तथा 1 अंकों का प्रयोग होता है।
- **Browser :** इंटरनेट पर अपनी पसंद की साइट को खोजकर सूचना प्राप्त करने में सहायता करने वाला सॉफ्टवेयर।
- **Bridge ware :** विभिन्न प्रकार के कम्प्यूटर के मध्य सामंजस्य स्थापित करने वाला सॉफ्टवेयर।
- **Buffer :** कम्प्यूटर के विभिन्न उपकरणों के बीच डाटा स्थानान्तरण की गति में अंतर को कम करने के लिए बनाई गई भंडारण युक्ति। इनमें डाटा को अस्थायी तौर पर रखा जाता है।
- **Burning :** रॉम (Read Only Memory) में डाटा लिखने की प्रक्रिया।
- **Bus :** डाटा या इलेक्ट्रॉनिक सिगनल के एक स्थान से दूसरे स्थान पर जाने का मार्ग। यह विभिन्न उपकरणों को एक साथ जोड़ता है।
- **Blue Tooth :** यह एक बेतार संचार अभिकरण है जिसके माध्यम से विभिन्न डिजिटल उपकरणों, जैसे कम्प्यूटर आदि के अंदर एक लघु रेडियो ट्रांसमीटर लगा दिया जाता है, जिसकी सहायता से सूचनाओं का आदान–प्रदान करना संभव है। इस तकनीक के बाजार में आ जाने के बाद हमें अपने कम्प्यूटर को मॉडेम, प्रिंटर आदि से जोड़ने के लिए तारों के जाल बिछाने की जरूरत नहीं रह गई है।
- **Boot :** कम्प्यूटर को कार्यावस्था में लाने के लिए ऑपरेटिंग सिस्टम द्वारा किया जाने वाला प्रारंभिक कार्य 'बूट' कहलाता है।
- **Bug :** कम्प्यूटर प्रोग्राम या सिस्टम में उत्पन्न खलल (Error) को बग कहते हैं। बग को निकालने अर्थात् 'एरर' हटाने को 'डिबग' (Debug) कहा जाता है।
- **Chip :** सिलिकॉन की एक पतली चिप, जिस पर विशेष प्रक्रिया से इलेक्ट्रॉनिक सर्किट बनाए जाते हैं। यह वस्तुतः अर्द्धचालक पदार्थ का वह छोटा–सा टुकड़ा होता है, जिस पर इलेक्ट्रॉनिक सर्किट खुदा होता है। इसका उपयोग कम्प्यूटरों, रेडियो, टेलीविजन तथा अन्य आधुनिक इलेक्ट्रॉनिक युक्तियों में किया जाता है।
- **CD-R/W (Compact Disk-Read/Write Disk) :** प्रकाशीय भंडारण युक्ति (Optical Storage Device) जिस पर डाटा व सूचना बार–बार लिखी तथा पढ़ी जा सकती है।
- **CD-R (Compact Disk-Recordable) :** एक भंडारण युक्ति जिस पर डाटा को एक बार लिखा परन्तु कई बार पढ़ा (Worm-Write Once Read Many) जा सकता है।
- **Cell :** स्प्रेडशीट प्रोग्राम में रो और कॉलम से बना भाग जिसमें डाटा लिखा जाता है।
- **Central Processing Unit (CPU) :** कम्प्यूटर का मुख्य भाग जो कंट्रोल यूनिट (CU), अरिथमैटिक लॉजिक यूनिट (ALU) तथा मेमोरी से मिलकर बना होता है। यह कम्प्यूटर का दिमाग कहलाता है।
- **Character Printer :** एक बार में एक कैरेक्टर (अक्षर, अंक या चिह्न) प्रिंट करने वाला प्रिंटर।
- **Character Map :** विंडोज के अंदर अक्षरों के समूह को दर्शाने वाला प्रोग्राम।
- **Client Computer :** नेटवर्क में सर्वर को सेवा प्रदान करने का अनुरोध करने वाला कम्प्यूटर।
- **Compile :** उच्च स्तरीय भाषा को मशीनी भाषा में परिवर्तन करना।
- **Communication Protocol :** डाटा संचरण में प्रयुक्त नियमों और प्रक्रियाओं का समूह ताकि इस कार्य को सरल व सुविधाजनक बनाया जा सके।
- **Command :** किसी कार्य को सम्पन्न करने के लिए कम्प्यूटर को दिया गया संकेत या निर्देश।
- **Computer Aided Manufacturing (CAM) :** प्रबंध, नियंत्रण व उत्पादन में कम्प्यूटर का प्रयोग।
- **Console :** मुख्य कम्प्यूटर के साथ जुड़ा टर्मिनल जो कम्प्यूटर के क्रियाकलापों पर नियंत्रण रखने के लिए प्रोग्राम किया जाता है।
- **Cut and Paste :** मॉनीटर पर चयनित (Selected) टेक्स्ट या ग्राफिक्स को एक स्थान से हटाकर दूसरे स्थान पर रखना।
- **Cryptography :** सामान्य सूचना को सुरक्षा की दृष्टि से सांकेतिक कूटों (Codes) में बदलना तथा आवश्यकता पड़ने पर पुनः सूचना में बदलने की क्रिया।
- **Corel Draw :** डेस्कटॉप पब्लिशिंग (DTP) में प्रयोग किया जाने वाला एक सॉफ्टवेयर जिससे डिजाइन तैयार किये जाते हैं।
- **Chache :** मेमोरी का ही एक भाग जिसे अस्थायी स्टोरेज के लिए प्रयोग किया जाता है, 'केश' कहलाता है। इसमें वे डाटा रखे जाते हैं जिसकी बार–बार जरूरत होती है। इससे कम्प्यूटर की प्रोसेसिंग गति में वृद्धि होती है।
- **CD-ROM :** यह प्लास्टिक की बनी एक डिस्क होती है जिस पर लेजर बीम की सहायता से सूचना स्टोर की जाती है। इसकी सामान्य स्टोरेज क्षमता 700 MB (80 मिनट) होती है।
- **Cursor :** टेक्स्ट मैसेज लिखते समय स्क्रीन पर 'ब्लिंक' करने वाली खड़ी रेखा को कर्सर, तथा इसे स्क्रीन पर मूव (नियंत्रित) कराने के लिए उपयोग में लाए जाने वाले तीर के निशान वाले की–बोर्ड पर अंकित बटनों को कर्सर की कहते हैं।
- **Debugging :** किसी सॉफ्टवेयर प्रोग्राम में गलतियों को ढूँढना और उसमें सुधार करना। इस कार्य के लिए तैयार किए गए सॉफ्टवेयर को डीबगर (Debugger) कहा जाता है।

- **Daughter Board :** मुख्य पटल (Mother Board) के साथ जोड़ा जा सकने वाला छोटा प्रिंटेड सर्किट बोर्ड।
- **Data Transfer Rate :** डाटा स्थानान्तरण दर : डाटा को सहायक मेमोरी से मुख्य मेमोरी या एक कम्प्यूटर से दूसरे कम्प्यूटर में स्थानान्तरित करने की दर।
- **Data Processing :** डाटा को आवश्यकतानुसार व्यवस्थित करने की क्रिया।
- **Data Base Management System (DBMS) :** प्रोग्रामों का समूह जो डाटा को व्यवस्थित करने, सूचना निर्माण करने तथा उसमें परिवर्तन करने की सुविधा प्रदान करता है।
- **Dialog Box :** विंडोज सॉफ्टवेयर में दिखाई पड़ने वाला बॉक्स जिसके माध्यम से कम्प्यूटर व उपयोगकर्ता के बीच संवाद स्थापित किया जाता है।
- **Desk Top Publishing-DTP :** यह कम्प्यूटर का प्रकाशन के क्षेत्र में उपयोग किए जाने के लिए तैयार एप्लिकेशन सॉफ्टवेयर है।
- **Delete :** चयनित किए गए एक या अधिक अक्षर, शब्द, पैराग्राफ या फाइल को डिस्क या मेमोरी से हटाना।
- **Dedicated line :** डाटा/ध्वनि के स्थानान्तरण के लिए प्रयुक्त विशेषीकृत टेलीफोन लाइन। इसे व्यक्तिगत या लीज्ड (Private or Leased) लाइन भी कहते हैं। इसके द्वारा दो कम्प्यूटरों को आपस में जोड़ा जा सकता है।
- **Digital Computer :** इलेक्ट्रॉनिक संकेतों पर चलने वाले तथा द्विआधारी अंक पद्धति (Binary number system) का प्रयोग करने वाले कम्प्यूटर।
- **Digital Video/Versatile Disk (DVD) :** यह सूचना भंडारण के लिए प्रयुक्त प्रकाशीय डिस्क है। इसकी भंडारण क्षमता उच्च होती है। इसमें सूचनाओं को लिखने और पढ़ने के लिए लेजर किरणों का प्रयोग किया जाता है।
- **Disk Drive :** डिस्क पर डाटा लिखने और उसे पढ़ने की एक युक्ति।
- **Disk Operating System (DOS) :** कम्प्यूटर को बूट (Boot) करने तथा नियंत्रित करने वाला ऑपरेटिंग सॉफ्टवेयर।
- **Diskette :** एक लोचदार, पतली चुम्बकीय भंडारण युक्ति। इसे फ्लॉपी डिस्क भी कहा जाता है।
- **Domain name :** इंटरनेट पर किसी वेबसाइट का पता बताने वाला विशिष्ट नाम। इसमें एक सामान्य नियम व प्रक्रियाएँ लागू होती हैं।
- **Drag :** माउस द्वारा किसी फाइल को क्लिक कर उसे खींचकर एक स्थान से दूसरे स्थान तक ले आना।
- **Downloading :** किसी नेटवर्क में दूरस्थ कम्प्यूटर से स्थानीय कम्प्यूटर पर डाटा या फाइल को लाना।
- **Dot Pitch :** मॉनीटर पर एक मिलीमीटर में बिंदुओं की कुल संख्या। यह मॉनीटर की गुणवत्ता का द्योतक है।
- **Dots Per Inch (DPI) :** प्रति एक इंच में ऊर्ध्वाधर या क्षैतिज रूप में उपस्थित बिंदुओं की संख्या। इसके द्वारा प्रिंट की गुणवत्ता की पहचान की जाती है।
- **EEPROM :** यह एक भण्डारण चिप है जिसमें उच्च विद्युत विभव द्वारा डाटा को मिटाकर दूसरा डाटा डाला जा सकता है।
- **Electronic Pen :** यह एक इनपुट डिवाइस है जिसका प्रयोग इंगित करने (Point) और रेखाचित्र बनाने में किया जाता है।
- **Embedded Command :** वर्ड प्रोसेसिंग में प्रयुक्त ऐसे कमाण्ड जो प्रिंटर द्वारा प्रिंट नहीं होते।
- **Encryption :** सूचना को पूर्व निर्धारित नियमों के अनुसार गुप्त कोड में बदलना।
- **End User :** कम्प्यूटर के प्रयोग से प्राप्त की गई सूचना का किसी अन्य उद्देश्य में प्रयोग करने वाला व्यक्ति।
- **Erasable PROM :** एक भंडारण चिप जिसमें विशेष युक्ति द्वारा पुरानी सूचना को मिटाकर नई सूचना भरी जा सकती है।
- **Ethernet :** कम्प्यूटर को स्थानीय नेटवर्क (LAN) में जोड़ने के लिए प्रयुक्त तकनीक।
- **Execution Time :** कम्प्यूटर द्वारा किसी एक प्रोग्राम को क्रियान्वित करने में लगा कुल समय।
- **Exe File :** क्रियान्वित किए जा सकने वाले फाइल का एक प्रकार।
- **Expansion slot :** मदरबोर्ड पर बना स्थान जहाँ अन्य उपकरण लगाकर कम्प्यूटर की क्षमता बढ़ायी जा सकती है।
- **Error Message :** किसी सॉफ्टवेयर द्वारा किसी गड़बड़ी के बारे में दर्शाया जाने वाला संदेश 'एरर मैसेज' कहलाता है।
- **File :** एक ही प्रकार के कई रिकॉर्डों को सामूहिक रूप से फाइल कहते हैं।
- **Floppy Disk :** फ्लॉपी प्लास्टिक की बनी एक युक्ति होती है, जिसके ऊपर मैग्नेटिक ऑक्साइड की परत चढ़ाई गई होती है।
- **Flame :** इंटरनेट पर लिखे या भेजे गए अपशब्द।
- **Firm ware :** एक प्रकार का सॉफ्टवेयर जो हार्डवेयर की जगह काम करता है।
- **Fire wall :** नेटवर्क सुरक्षा के लिए प्रयुक्त हार्डवेयर तथा सॉफ्टवेयर का समूह जो किसी संस्था के कम्प्यूटर नेटवर्क पर आने जाने वाले सूचनाओं पर नजर रखता है।
- **File Utilities :** फाइल पर कुछ सामान्य क्रियाओं को करने में सहायक सॉफ्टवेयर।
- **File Transfer Protocol (FTP) :** नियमों का एक समूह जो विभिन्न उपयोगकर्ताओं को नेटवर्क से जुड़े कम्प्यूटरों के बीच फाइल के स्थानान्तरण में सहायक होता है।
- **File Extension :** विभिन्न फाइलों को वर्गीकृत करने के लिए दिया गया तीन अक्षरों का नाम।

- **File Allocation Table (FAT) :** एम.एस. डॉस या विंडोज में फाइल को संग्रहीत करने की एक व्यवस्था।
- **Feed :** कम्प्यूटर में डाटा डालना या प्रिंटर में कागज को आगे बढ़ाना।
- **Flip Flop :** एक इलेक्ट्रॉनिक युक्ति जो दो बाइनरी स्थिति (0 या 1) में से किसी एक में रहता है।
- **Flop :** शक्तिशाली कम्प्यूटरों में गणना क्षमता को मापने की एक इकाई।
- **Flow Chart :** पूर्व निर्धारित चिह्नों के प्रयोग द्वारा बनाया गया चित्र जो किसी प्रोग्राम के क्रियान्वयन की दिशा तथा चरण बताता है।
- **Font :** एक समान आकृति और आकार में बने कैरेक्टर का संपूर्ण समूह। यह अक्षरों को विभिन्न प्रकार से लिखने की व्यवस्था है।
- **Front end Processor :** संचारण के कार्य के लिए प्रयुक्त प्रोसेसर। यह मुख्य प्रोसेसर के कार्यभार को कम करता है।
- **Fragmentation :** मेमोरी में ट्रैक को व्यवस्थित करने की प्रक्रिया ताकि इसकी क्षमता का महत्तम प्रयोग किया जा सके।
- **Fortran :** वैज्ञानिक और गणितीय उपयोग के लिए बनाई गई एक उच्च स्तरीय भाषा।
- **Format :** डिस्क को प्रयोग से पूर्व सेक्टर तथा ट्रैक में बाँटने की प्रक्रिया।
- **Footer :** किसी पेज की सबसे नीचे की पंक्ति में स्वतः लिखा जाने वाला टेक्स्ट।
- **Gray Code :** कम्प्यूटर को दिए जाने वाले निर्देश जिनके द्वारा इनपुट और आउटपुट की प्रक्रिया सम्पन्न होती है, 'ग्रे–कोड' कहलाते हैं।
- **Graphic Display Unit :** चित्र प्रदर्शन इकाई में अक्षर लिखने के साथ–साथ चित्र भी बनाए जाते हैं।
- **Gateway :** विशेषीकृत लाइन द्वारा इंटरनेट से जुड़ा कम्प्यूटर जो अन्य कम्प्यूटर टर्मिनलों को इंटरनेट की सुविधा प्रदान करता है। यह अलग–अलग नेटवर्क से जुड़ा कम्प्यूटर है जो अपने से जुड़े अन्य कम्प्यूटरों को सभी नेटवर्कों से जोड़ता है।
- **GIGO-Garbage-in-Garbage out :** इनपुट या प्रोग्राम की गलती के कारण आउटपुट में आई त्रुटि।
- **Graphical User Interface GUI :** यह एक विजुअल इंटरफेस है जो फाइलों, कमांड्स, सॉफ्टवेयर्स आदि को आइकॉन (Icon) के रूप में दर्शाता है। इन आइकॉन्स को माउस जैसे किसी प्वाइंटिंग डिवाइस के माध्यम से चुना एवं प्रयोग किया जाता है।
- **Handshake :** दो या अधिक कम्प्यूटरों का किसी नेटवर्क में समान प्रोटोकॉल का पालन कर आपस में जुड़ना। हार्डवेयर हैंडशेक यह इंगित करता है कि वह युक्ति डाटा भेजने या प्राप्त करने के लिए तैयार है।
- **Half Duplex :** संचारण की विधि जिसमें डाटा को दोनों दिशाओं में संचारित किया जा सकता है, पर एक बार में किसी एक ही दिशा में डाटा का संचारण संभव है।
- **Home Page :** प्रत्येक वेबसाइट का प्रथम पृष्ठ जो उसके अंदर स्थित सूचनाओं की सूची प्रदान करता है।
- **High Level Language :** कम्प्यूटर प्रोग्राम की एक भाषा जो अंग्रेजी भाषा के काफी करीब है। यह भाषा सभी प्रकार के कम्प्यूटर में प्रयुक्त की जा सकती है।
- **Hibernation :** कम्प्यूटर की स्थिति जिसमें वह सभी चालू प्रोग्राम को हार्डडिस्क में संचित कर बंद होता है। कम्प्यूटर पुनः चालू करने पर सभी प्रोग्राम उसी अवस्था में खुले दिखाई देते हैं।
- **Header :** किसी पेज की सबसे ऊपर की पंक्ति में स्वतः लिखा जाने वाला टेक्स्ट।
- **Hardware :** कम्प्यूटर का भौतिक भाग जिसे हम छूकर महसूस कर सकते हैं।
- **Hard Disk :** धातु (अल्युमिनियम) का बना कठोर डिस्क, जिस पर चुम्बकीय पदार्थ की परत चढ़ी रहती है। इसका उपयोग डाटा भंडारण में किया जाता है।
- **Hard Copy :** कम्प्यूटर द्वारा प्रस्तुत स्थायी आउटपुट जिसे कम्प्यूटर के प्रयोग के बिना भी बाद में उपयोग किया जा सकता है। जैसे–पेपर पर प्रिंट किया गया आउटपुट।
- **Hang :** कम्प्यूटर द्वारा निर्देशों का पालन न करने की स्थिति।
- **Hyper Text Transfer Protocol (HTTP) :** विभिन्न कम्प्यूटर को इंटरनेट पर आपस में जोड़ने के लिए प्रयुक्त नियमों का समूह।
- **Hyper Text Markup Language (HTML) :** हाइपर टेक्स्ट के निर्माण के लिए प्रयुक्त भाषा।
- **Hyper Text :** एक डॉक्यूमेंट के किसी शब्द या शब्द समूह को उसी डॉक्यूमेंट या किसी अन्य डॉक्यूमेंट से लिंक करने की व्यवस्था।
- **Hyper Link :** किसी पेज या दस्तावेज को उसी या किसी अन्य दस्तावेज से जोड़ना।
- **Hacker :** किसी के कम्प्यूटर में अनधिकार प्रवेश करने वाला व्यक्ति हैकर कहलाता है।
- **Host :** इंटरनेट सेवा या अन्य सुविधाएं प्रदान करने के लिए प्रयुक्त कम्प्यूटर।
- **Ink Jet Printer :** यह प्रिंटर अपेक्षाकृत नई तकनीक पर आधारित है। यह स्याही की छोटी–छोटी बूंदों को कागज पर छितराकर संकेतों को प्रिंट करता है।
- **Inter Block Gap (IBG) :** चुंबकीय टेप पर दो लगातार ब्लॉक के बीच स्थित खाली स्थान।
- **Integrated Services Digital Network (ISDN) :** ध्वनि और डाटा स्थानान्तरण के लिए स्थापित डिजिटल टेलीफोन सेवा।

- **Integrated Circuit (IC) :** सिलिकॉन का एक पतला चिप जिस पर अनेक इलेक्ट्रॉनिक उपकरण जैसे ट्रांजिस्टर, प्रतिरोधक (Resistor) तथा संधारित्र (Capacitor) बने रहते हैं। इससे उनके बीच बाह्य संबंध स्थापित करने की आवश्यकता नहीं पड़ती।
- **Instructions :** किसी भी कार्य को सम्पन्न करने के लिए कम्प्यूटर को दिया गया आदेश।
- **Input Device :** डाटा और अनुदेशों को कम्प्यूटर में डालने के लिए प्रयुक्त युक्ति।
- **Input :** प्रोसेसिंग के लिए डाटा और अनुदेशों को कम्प्यूटर में डालना।
- **Information :** डाटा को प्रोसेस करने के पश्चात् प्राप्त आउटपुट जिसका प्रयोग किसी विशेष उद्देश्य के लिए किया जाता है।
- **I/O Port :** कम्प्यूटर सिस्टम यूनिट में इनपुट और आउटपुट डिवाइस को लगाने के लिए बना सॉकेट।
- **Inter Record Gap (IRG) :** चुम्बकीय टेप पर दो लगातार रिकॉर्ड के बीच स्थित खाली स्थान।
- **Inter Face :** कम्प्यूटर के इनपुट और आउटपुट डिवाइस को सीपीयू या मेमोरी के साथ जोड़ने के लिए इलेक्ट्रॉनिक सर्किट।
- **Internal Storage :** आंतरिक भंडारण : सीपीयू से सीधा जुड़ा हुआ मेमोरी।
- **Internet :** कम्प्यूटर के नेटवर्कों का नेटवर्क जो दुनिया के विभिन्न कम्प्यूटरों को आपस में जोड़ता है।
- **Internet Service Provider (ISP) :** इंटरनेट सेवा प्रदान करने वाली संस्था जिसमें एक या आधुनिक गेटवे कम्प्यूटर रहता है तथा जो अन्य कम्प्यूटरों को गेटवे के सहारे इंटरनेट से जुड़ने की सेवा प्रदान करता है।
- **Internet Surfing :** इंटरनेट पर उपयोगी सूचनाओं को खोजना।
- **Inter Networking :** दो या अधिक नेटवर्क को आपस में जोड़ना।
- **Interpreter :** उच्च स्तरीय भाषा को मशीनी भाषा में परिवर्तित करने वाला सॉफ्टवेयर। यह प्रोग्राम को एक–एक लाइन कर परिवर्तित करता है।
- **IP Address (Internet Protocol Address) :** इंटरनेट पर किसी वेबसाइट का 32 बिट का अंकीय पता।
- **Intranet :** वैन (WAN) या लेन (LAN) का प्रयोग कर संचालित की जाने वाली व्यक्तिगत नेटवर्क।
- **Icon :** स्क्रीन पर प्रदर्शित छोटे ग्राफिकल चिह्न जो किसी प्रोग्राम, कमांड या फाइल को इंगित करता है, आइकॉन कहलाता है।
- **Java :** एक प्रोग्रामिंग भाषा जिसका प्रयोग मुख्यतः इंटरनेट से संबंधित उपयोग के लिए किया जाता है।
- **Jack :** कम्प्यूटर उपकरणों को आपस में जोड़ने के लिए बना सॉकेट।
- **Joystick :** एक इनपुट डिवाइस (उपकरण) जिसका प्रयोग मुख्यतः वीडियो गेम, सिमुलेटर, रोबोट आदि में प्वाइंट या सेलेक्ट करने के लिए किया जाता है।
- **Justification :** टैक्स्ट डॉक्यूमेंट में दायां, बायां या दोनों मार्जिन को शब्द लंबाई के अनुरूप व्यवस्थित करना।
- **Key-Board :** कुंजी–पटल टाइपराइटर के समान युक्ति है, जिसका उपयोग कम्प्यूटर के आंकड़ों को प्रेषित करने में किया जाता है। कुंजी पटल में 'QWERTY' टाइपराइटर के अलावा कुछ अल्फान्यूमेरिक कुंजी, विशेष कुंजी और फंक्शन कुंजी होते हैं।
- **Kilobytes (KB) :** मेमोरी की इकाई। 1 KB = 2^{10} बाइट = 1024 बाइट।
- **Kiosk :** सार्वजनिक स्थानों पर लगाया गया कम्प्यूटर जो किसी खास विषय पर उपयोगकर्ता को सामान्य जानकारी उपलब्ध कराता है।
- **Logic Gate :** एक इलेक्ट्रॉनिक परिपथ जो एक या अधिक इनपुट संकेतों के आधार पर पूर्व निर्धारित आउटपुट संकेत देता है। जैसे–एण्ड, और या नॉट गेट।
- **Location :** मेमोरी में डाटा को रखने की स्थिति बताने वाला शब्द।
- **Load :** डाटा या निर्देशों को मेमोरी में स्टोर करना।
- **Local Area Network (LAN) :** कई कम्प्यूटरों को एक सीमित क्षेत्र में जोड़ने वाला नेटवर्क।
- **Linux :** व्यक्तिगत कम्प्यूटर (PC) के लिए बनाया गया ऑपरेटिंग सिस्टम। इसका विकास दुनिया भर के अनेक प्रोग्रामरों द्वारा किया गया है।
- **Laser Disk :** एक भंडारण युक्ति जिस पर लेजर बीम का प्रयोग कर डाटा लिखा या पढ़ा जाता है। इसे प्रकाशीय डिस्क (Optical Disk) भी कहते हैं।
- **Large Scale Integration (LSI) :** एक चिप जिस पर लगभग 30,000 इलेक्ट्रॉनिक उपकरण बने रहते हैं।
- **Logoff :** अपना कार्य समाप्त कर उस प्रोग्राम से बाहर निकलने की प्रक्रिया।
- **Low Level Language :** कम्प्यूटर में प्रयुक्त असेम्बली भाषा जिसमें छोटे–छोटे न्यूमेरिक कोड का प्रयोग किया जाता है।
- **Language Processor :** किसी अन्य भाषा में लिखे प्रोग्राम को मशीन भाषा में परिवर्तित करने वाले सॉफ्टवेयर। जैसे असेम्बलर, कंपाइलर, इंटरप्रेटर आदि।
- **Main Memory :** वह मेमोरी जो सीधे सीपीयू संपर्क में रहता है।
- **Magnetic Storage :** एक भंडारण उपकरण जिसमें चुम्बकीय पदार्थों का प्रयोग किया जाता है।
- **Magnetic Ink Character Recognition (MICR) :** बैंकों के चेक में प्रयुक्त विधि जिसे कम्प्यूटर द्वारा पढ़कर तीव्रता से प्रोसेस किया जा सकता है।

- **Machine Language :** एक निम्नस्तरीय भाषा जिसका प्रयोग कम्प्यूटर में सीधे किया जा सकता है। यह प्रत्येक प्रकार के कम्प्यूटर के लिए अलग–अलग होती है।
- **Menu :** उपलब्ध विकल्पों की एक सूची जिसमें किसी एक या अधिक का चयन किया जा सकता है।
- **Menu Bar :** एक क्षैतिज बार के रूप में प्रदर्शित विकल्पों की सूची।
- **Metropolitan Area Network (MAN) :** एक निश्चित भौगोलिक क्षेत्र (लगभग 100 कि.मी.) में स्थित कम्प्यूटरों को आपस में जोड़ने की व्यवस्था।
- **Modulation :** डिजिटल संकेतों को एनालॉग संकेतों में बदलकर संचार माध्यम पर भेजने की प्रक्रिया।
- **Monitor :** सॉफ्टकॉपी प्रदान करने वाला आउटपुट उपकरण। यह कम्प्यूटर में सम्पन्न होने वाली प्रक्रियाओं को प्रदर्शित भी करता है।
- **Multicore Processor :** कई प्रोसेसर को एक साथ जोड़कर एक उच्च क्षमता के प्रोसेसर का निर्माण करना।
- **Multimedia :** सूचना प्रदर्शित करने के लिए टेक्स्ट, ग्राफ, एनीमेशन, श्रव्य या दृश्य माध्यमों में से दो या अधिक माध्यम का एक साथ प्रयोग।
- **Multiplexing :** किसी एक माध्यम पर एक साथ कई सूचनाओं को भेजने की प्रक्रिया।
- **Multiprocessing :** कई प्रोग्रामों को एक साथ सम्पन्न करने की व्यवस्था।
- **Mother Board :** कम्प्यूटर के कैबिनेट के भीतर का मुख्य बोर्ड जिस पर सीपीयू, मेमोरी एवं अन्य सर्किट बने होते हैं, मदरबोर्ड कहलाता है।
- **Network :** विभिन्न कम्प्यूटरों का एक जाल जिसमें सभी कम्प्यूटर एक–दूसरे से केबल या अन्य माध्यम से जुड़े रहते हैं नेटवर्क कहलाता है।
- **Non Volatile Memory :** वह मेमोरी जिसमें संग्रहीत डाटा सप्लाई बंद किए जाने पर भी बना रहता है।
- **Node :** नेटवर्क से जुड़े विभिन्न कम्प्यूटरों का अंतिम बिंदु या टर्मिनल।
- **Network topology :** नेटवर्क के विभिन्न टर्मिनल्स को आपस में जोड़ने की व्यवस्था।
- **Network Interface Card (NIC) :** किसी कम्प्यूटर को नेटवर्क से जोड़ने के लिए प्रयुक्त हार्डवेयर।
- **Netizen :** इंटरनेट प्रयोगकर्ताओं के लिए प्रयुक्त शब्द।
- **Nano Second :** एक सेकेण्ड का एक अरबवां भाग।
- **Orwel :** ऐसी व्यवस्था जिसके द्वारा अपने कम्प्यूटर स्क्रीन पर अपने पड़ोस से लेकर दुनिया के किसी भी भू–भाग के दृश्य जब चाहें तब देख सकते हैं। इस प्रणाली का विस्तृत नाम 'अब्जर्विंग रडार फॉर होल अर्थ लो कॉस्ट लुकिंग' है।
- **Optical Character Recognition Device :** यह युक्ति हर संकेत को, चाहे वह अक्षर हो या अंक अथवा कोई अन्य निशान, अत्यंत लघु बिंदुओं से बना मानती है।
- **Optical Mark Recognition :** आजकल प्रतियोगिता परीक्षाओं में परीक्षार्थियों की वस्तुनिष्ठ प्रकार की उत्तर पुस्तिकाओं को जांचने के लिए इस युक्ति का प्रयोग किया जाता है।
- **Operating System :** प्रोग्रामों का समूह जो कम्प्यूटर सिस्टम और उसके विभिन्न संसाधनों को नियंत्रित करता है तथा हार्डवेयर और उपयोगकर्ता के बीच संबंध स्थापित करता है।
- **Online :** कम्प्यूटर में प्रयुक्त उपकरण जो सीपीयू से सीधा जुड़ा रहता है तथा सीपीयू का उस पर नियंत्रण रहता है।
- **Off line :** कम्प्यूटर में प्रयुक्त उपकरण जो सीपीयू से सीधा जुड़ा रहता है तथा सीपीयू का उस पर नियंत्रण रहता है।
- **Octal Number :** एक संख्या पद्धति जिसमें 0 से 7 (कुल 8) अंकों का प्रयोग किया जाता है।
- **Object Oriented Programming (OOP) :** कम्प्यूटर को दिए गए ऐसे निर्देश जो वास्तविक समस्या की पहचान कर परिणाम उत्पन्न करते हैं।
- **Object Program :** किसी सोर्स प्रोग्राम का लैंग्वेज ट्रांसलेटर द्वारा परिवर्तन किए जाने के बाद प्राप्त प्रोग्राम।
- **Object Code :** किसी प्रोग्राम को असेम्बलर या कम्पाइलर से गुजारने के बाद प्राप्त करना।
- **Output Device :** एक उपकरण जो डाटा प्रोसेसिंग के पश्चात् उत्पन्न सूचना को प्रदर्शित करता है।
- **Prompt :** एक अंकित अक्षर या शब्द, जो सूचित करता है कि कुंजी पटल द्वारा निर्दिष्ट विवरण स्वीकार करने के लिए कम्प्यूटर तैयार है अथवा नहीं।
- **Pixel :** किसी भी इमेज (Image) का सबसे छोटा भाग पिक्सेल कहलाता है। एक मॉनीटर का एक पिक्सेल एक बारीक बिन्दु (•) होता है। स्क्रीन पर विभिन्न रंगों को दर्शाने के लिए प्रत्येक पिक्सेल उत्तरदायी होता है।
- **Pointer :** स्क्रीन पर दिखाई देने वाला तीर का निशान जिसे माउस द्वारा नियंत्रित किया जाता है प्वाइंटर कहलाता है। जिस दिशा में माउस पैड पर मूव किया जाता है। उसी दिशा में यह प्वाइंटर भी घूमता है।
- **Port :** यह सी.पी.यू. में ऐसा स्थान होता है जो सी.पी.यू. को बाह्य डिवाइसों से जोड़ता है। एक कम्प्यूटर में विभिन्न प्रकार के पोर्ट हो सकते हैं, जैसे–पैरेलल पोर्ट, सीरियल पोर्ट।
- **Palmtop :** एक अति कम्प्यूटर जिसका प्रयोग हथेली पर रखकर किया जाता है।
- **Paper Feed :** प्रिंटर में कागज को लगाने और आगे बढ़ाने की प्रक्रिया।

- **Page Setup :** प्रिंट करने से पहले डॉक्यूमेंट में पेज की स्थिति को निर्धारित करने वाला सॉफ्टवेयर।
- **Page Break :** वर्ड प्रोसेसिंग में एक पेज समाप्त कर नया पेज प्रारम्भ करने की प्रक्रिया।
- **Packet Switching :** डाटा संचारण की विधि जिसमें डाटा को कई भागों में बाँटकर प्रत्येक को अलग–अलग भेजा जाता है।
- **Picosecond :** 1 सेकेण्ड का 10 खरबवाँ भाग।
- **Pen Drive :** पेन के आकार का इलेक्ट्रॉनिक मेमोरी उपकरण जिसे कम्प्यूटर के यूनिवर्सल सीरियल बस (USB) से जोड़कर उसका उपयोग किया जा सकता है।
- **Path :** किसी फाइल के प्रयोग के लिए रास्ता निर्धारित करना।
- **Patch :** सॉफ्टवेयर में प्राप्त त्रुटि को ठीक करने के उद्देश्य से जोड़ा गया प्रोग्राम।
- **Password :** सुरक्षा की दृष्टि से प्रयुक्त कोड जिसका प्रयोग कर ही कम्प्यूटर का उपयोग किया जा सकता है। पासवर्ड अंकों, अक्षरों तथा चिह्नों से बना होता है। यह छापे के बड़े और छोटे अक्षरों में पहचान कर सकता है अर्थात् यह केस सेंसिटिव (Case Sensitive) होता है।
- **Pascal :** एक उच्च स्तरीय भाषा जिसका नामकरण प्रसिद्ध गणितज्ञ ब्लेज पास्कल के नाम पर किया गया।
- **Parity bit :** डाटा संचारण में त्रुटि को पहचानने के उद्देश्य से प्रत्येक बिट के साथ जोड़ा गया अतिरिक्त बिट।
- **Print out :** प्रिंटर द्वारा कागज पर हार्डकॉपी प्राप्त करना।
- **Primary Colour :** रंगीन मॉनीटर में प्रयुक्त तीन मूलभूत रंग–नीला, लाल व हरा।
- **Preview :** वर्ड प्रोसेसर में प्रिंट से पहले प्रिंटेड डॉक्यूमेंट की स्थिति देखने की व्यवस्था।
- **Portrait mode :** प्रिंटिंग में कागज की व्यवस्था जिसमें लाइन छोटे किनारे के समानान्तर होती है।
- **Plotter :** आउटपुट उपकरण जो उच्चस्तरीय गुणवत्ता वाला तथा बड़ा हार्डकॉपी प्रस्तुत करता है।
- **Pitch :** प्रिंटेड डॉक्यूमेंट में अक्षरों का घनत्व।
- **Piracy :** किसी मूल सॉफ्टवेयर की गैरकानूनी तौर पर प्रति बनाना।
- **Processor :** कम्प्यूटर का वह भाग जो कम्प्यूटर की मूलभूत क्रियाओं और अनुदेशों को सम्पन्न करता है।
- **Program :** अनुदेशों का समूह जिन्हें एक क्रम में क्रियान्वित करने पर कम्प्यूटर द्वारा किसी विशेष उद्देश्य की पूर्ति कराई जा सकती है।
- **Programmable Read Only Memory (PROM) :** स्थायी भंडारण की इलेक्ट्रॉनिक युक्ति जिसमें स्थित डाटा को विशेष उपकरणों द्वारा बदला जा सकता है।
- **Programming Language :** वह भाषा जो कम्प्यूटर समझ सकता है तथा जिसमें कम्प्यूटर प्रोग्राम तैयार किया जाता है।
- **Prolog :** एक उच्च स्तरीय प्रोग्रामिंग भाषा जिसमें कृत्रिम बुद्धि व तार्किक प्रोग्रामिंग का प्रयोग किया जाता है।
- **Protocol :** नियमों का वह समूह जो दो कम्प्यूटरों के बीच डाटा संचारण में सहायक होता है।
- **Pull Down Menu :** विंडोज में किसी आइकन को क्लिक करने पर उपस्थित होने वाला मेनू जिसमें कई विकल्प रहते हैं।
- **Quick Format :** स्टोरेज उपकरणों की कम समय में फॉरमेट करने की व्यवस्था जिसमें सूचनाएँ बनी रहती है।
- **Query Language :** कम्प्यूटर में प्रयुक्त भाषा जो उपयोगकर्ता को आवश्यकतानुसार सूचना प्राप्त करने की सुविधा प्रदान करता है।
- **Quasi Language :** कम्प्यूटर में प्रयुक्त भाषा जिसे कम्प्यूटर कम्पाइलर या इंटरप्रेटर के प्रयोग के बिना समझ सकता है।
- **RAM :** कम्प्यूटर की मुख्य स्मृति, जिसमें हर स्थान का अलग पता होता है और उस पते का उल्लेख कर उस स्मृति स्थान में संचित विवरण को प्राप्त किया जा सकता है। इस कम्प्यूटर स्मृति का उपयोग आंकड़ों तथा प्रोग्राम के अल्पकालिक संग्रहण हेतु किया जाता है। इसके डाटा को पढ़ा एवं सुधारा जा सकता है। ये तथ्य कम्प्यूटर को बंद करने पर समाप्त हो जाते हैं।
- **ROM :** इसमें स्थायी रूप से रिकॉर्ड किया गया निर्देश होता है, जिसे पढ़ा तो जा सकता है, परन्तु इसे सुधारा नहीं जा सकता है। इसके निर्देश कम्प्यूटर को बंद कर दिए जाने के बावजूद भी समाप्त नहीं होते हैं।
- **Recover :** नष्ट की गई फाइल या डाटा को पुनः प्राप्त करना।
- **Reboot :** कम्प्यूटर को ऑफ कर पुनः ऑन करने की प्रक्रिया।
- **Real Time Processing :** प्रोसेसिंग का एक प्रकार जिसमें तुरंत परिणाम प्राप्त किया जा सकता है।
- **Read Head :** किसी डिस्क ड्राइव का वह भाग जो मेमोरी से डाटा को पढ़ने के लिए प्रयुक्त होता है।
- **Read :** मेमोरी से डाटा या सूचना को पढ़कर उसे सीपीयू में भेजना।
- **Run time :** किसी ऑब्जेक्ट प्रोग्राम को एक बार क्रियान्वित करने में लगा समय।
- **Routing :** नेटवर्क में किसी संदेश को प्रेषित करने के लिए चुना गया रास्ता।
- **Router :** विभिन्न नेटवर्क को आपस में जोड़ने के लिए प्रयुक्त विधि।
- **Register :** सीपीयू से लगा उच्च गति वाला भंडारण इकाई जो अंतरिम परिणामों और आवश्यक अनुदेशों को अस्थायी तौर पर संग्रहीत करता है।

- **Software :** कम्प्यूटर के संचालन के लिए जिन प्रोग्राम की आवश्यकता होती है, उन्हें सॉफ्टवेयर कहते हैं।
- **Scanner :** स्कैनर एक निवेश युक्ति है, जिसका प्रयोग ग्राफिक फार्मेट में प्रयुक्त आंकड़े या टेक्स्ट को स्क्रीन पर आवश्यकतानुसार समायोजित करने के लिए किया जाता है।
- **Semiconductor Storage :** इंटिग्रेटेड सर्किट चिप पर इलेक्ट्रॉनिक पुर्जो द्वारा तैयार मेमोरी उपकरण।
- **Security :** सूचना और संसाधनों के नष्ट होने या अनधिकृत व्यक्ति द्वारा उपयोग किए जाने से रोकने के लिए अपनाए गए उपाय।
- **Search Engine :** वर्ल्ड वाइड वेब पर उपयोगी सूचना वाले वेब साइट को खोजने के लिए तैयार सॉफ्टवेयर।
- **Secondary Memory :** एक स्थायी मेमोरी जो सीपीयू से सीधे जुड़ा नहीं रहता तथा कम्प्यूटर बन्द कर देने पर भी डाटा नष्ट नहीं होता।
- **Secondary Data :** किसी उद्देश्य के लिए एकत्रित डाटा जिसका प्रयोग किसी अन्य स्रोत के रूप में किया जा रहा हो।
- **Scroll :** किसी विंडो में दिखाई देने वाली कम्प्यूटर स्क्रीन से बड़ा डाटा या चित्र को ऊपर–नीचे या दायें–बायें खिसकाने की व्यवस्था।
- **Screen saver :** एक चलायमान चित्र जो कम्प्यूटर के एक निश्चित समय तक निष्क्रिय रहने की स्थिति में स्क्रीन पर दिखाई देता है।
- **Scheduler :** कम्प्यूटर द्वारा निश्चित समय अंतराल पर किसी कार्य को सम्पन्न करने के लिए दिया गया निर्देश।
- **Smart Terminal :** नेटवर्क में वह टर्मिनल जिसकी स्वयं की प्रोसेसिंग क्षमता होती है।
- **Smart Card :** माइक्रो प्रोसेसर से युक्त एक कार्ड जिसमें आवश्यक सूचना संग्रहीत रहती है।
- **Slot :** मदरबोर्ड में रिक्त स्थान जहाँ अन्य इलेक्ट्रॉनिक कार्ड लगाए जा सकते हैं।
- **Simulation :** किसी व्यवस्था में उत्पन्न हो सकने वाली वास्तविक परिस्थितियों का प्रयोगात्मक तौर पर निर्माण करना।
- **Simplex Transmission :** डाटा संचारण की विधि जिसमें डाटा का प्रवाह एक बार में केवल एक दिशा में ही होता है।
- **Setup :** किसी सॉफ्टवेयर को कम्प्यूटर में स्थापित करने की प्रक्रिया आरंभ करने के लिए तैयार फाइल।
- **Server Computer :** मुख्य कम्प्यूटर जो नेटवर्क से जुड़े अन्य कम्प्यूटरों, साझा संसाधनों तथा सेवाओं पर नियंत्रण रखता है तथा उनकी सेवा उपलब्ध कराता है।
- **Serial Port :** इनपुट और आउटपुट उपकरणों को जोड़ने वाला पोर्ट जिसमें संकेतों का आदान–प्रदान क्रमबद्ध तरीके से होता है।
- **Serial Data :** क्रमबद्ध तरीके से एक के बाद स्थानान्तरित होने वाला डाटा।
- **Sequencial access :** मेमोरी उपकरण जिसमें डाटा या सूचना को एक क्रम में ही पढ़ा जा सकता है।
- **Software Package :** किसी विशेष कार्य के लिए निर्मित प्रोग्रामों का समूह जो प्रयोग के लिए एक साथ ही उपलब्ध है।
- **Sort :** डाटा को वांछित क्रम में व्यवस्थित करना।
- **Source Program :** मशीन भाषा से अलग अन्य भाषा में लिखे गए प्रोग्राम।
- **Space :** अक्षरों के मध्य का रिक्त स्थान।
- **Spam :** इंटरनेट पर ई–मेल प्रयोग कर किसी अवांछित विज्ञापन को दूसरे कम्प्यूटर तक भेजना।
- **Special Character :** अक्षर या अंक के अलग कम्प्यूटर में प्रयुक्त विशेष कैरेक्टर।
- **Speech Synthesizer :** लिखित सूचना को ध्वनि संकेतों में बदलने के लिए प्रयुक्त उपकरण।
- **Spread Sheet :** अंकीय डाटा के प्रयोग के लिए तैयार सॉफ्टवेयर। इससे कम्प्यूटराइज्ड लेजर (खाता) तैयार किया जाता है तथा कार्यस्थल रो और कॉलम में विभाजित होता है।
- **Star Topology :** अनेक नोड केंद्रीय हब या होस्ट कम्प्यूटर से जुड़े होते हैं तथा इसी के सहारे संचार स्थापित करते हैं।
- **Static Ram :** मेमोरी का प्रकार जो डाटा को विद्युत सप्लाई रहने तक ही स्टोर करती है।
- **Storage hierarchy :** गति, क्षमता और खर्च आदि के आधार पर कम्प्यूटर में प्रयोग की जाने वाली मेमोरी के प्रकार।
- **Stroke :** की–बोर्ड पर किसी बटन को दबाने की प्रक्रिया।
- **Sub Program :** एक छोटा प्रोग्राम जो किसी कार्य को सम्पन्न कराने में सक्षम है।
- **Sub Script :** किसी अंक या अक्षर के बाद उसके नीचे कोई दूसरा अंक या अक्षर छोटे आकार में लिखना।
- **Super Computer :** अति उच्च क्षमता वाले कम्प्यूटर जिनमें कई प्रोसेसर समानान्तर क्रम में लगे रहते हैं।
- **Super Script :** किसी अंक या अक्षर के बाद उसके ऊपर कोई दूसरा अंक या अक्षर छोटे आकार में लिखना।
- **Surfing :** इंटरनेट पर अपने पसंद की वेबसाइट को खोजना।
- **Swapping :** डाटा व प्रोग्राम को डिस्क पर स्टोर करना तथा आवश्यकता पड़ने पर उसे मुख्य मेमोरी में डालना।
- **Synchronous Communication :** डाटा संचारण की विधि जिसमें प्रेषक और प्राप्तकर्ता के बीच समन्वय स्थापित होना आवश्यक है।
- **Syntax :** प्रोग्रामिंग भाषा में शब्दों और विराम चिह्नों की व्यवस्था के लिए बनाए गए नियम।

- **System :** एकीकृत भागों का समूह जो किसी विशेष उद्देश्य के लिए संग्रहीत किए जाते हैं। कम्प्यूटर सिस्टम में हार्डवेयर, सॉफ्टवेयर तथा मानव शामिल होते हैं।
- **Thumbnail :** किसी चित्र का लघु रूप जिसका प्रयोग विभिन्न चित्रों के बीच तेजी से कार्य करने के लिए किया जाता है।
- **Throughput :** इकाई समय में कम्प्यूटर द्वारा किया गया उपयोगी प्रोसेसिंग।
- **Text :** शब्दों, अंकों और प्रतीकों का समूह।
- **Terminal :** की–बोर्ड व मॉनीटर, जो मुख्य कम्प्यूटर के साथ कार्य करते हैं, संयुक्त रूप से टर्मिनल कहलाता है।
- **Teraflop :** 1 ट्रिलियन (10^{12} या 10 खरब) अंकगणितीय गणनाएं प्रति सेकेण्ड।
- **Terabyte (TB) :** मेमोरी का मात्रक, 1 टेराबाइट = 2^{40} बाइट।
- **Tab :** की–बोर्ड का बटन जो कर्सर को पूर्व निर्धारित मात्रा में कुदाते हुए आगे खिसकाता है।
- **Topology :** किसी कम्प्यूटर नेटवर्क में विभिन्न कम्प्यूटरों की स्थिति।
- **Transducer :** एनालॉग सिगनल को डिजिटल और डिजिटल सिगनल को एनालॉग में परिवर्तित करने वाला उपकरण।
- **Trouble Shooting :** सॉफ्टवेयर तथा हार्डवेयर में गलतियों को ढूँढना तथा उनका निदान खोजना।
- **Turn around time :** कम्प्यूटर को कार्य के प्रोसेसिंग का निर्देश देने और उसे सम्पन्न होने के बीच का समय।
- **Upgrade :** कम्प्यूटर हार्डवेयर तथा सॉफ्टवेयर को अधिक कार्य कुशल बनाने की प्रक्रिया।
- **Upload :** नेटवर्क में स्थानीय कम्प्यूटर में दूरस्थ कम्प्यूटर को फाइल भेजना।
- **Unix :** नेटवर्क उपयोग के लिए तैयार किया गया बहुउपयोगकर्ता, टाइम शेयरिंग ऑपरेटिंग सॉफ्टवेयर।
- **Universal Product Code (UPC) :** बार कोड का एक प्रकार जिसका उपयोग उत्पादों पर नजर रखने के लिए किया जाता है।
- **Universal Gate**–NAND तथा NOR गेट जो किसी भी बुलियन परिपथ के निर्माण में सक्षम हैं।
- **Uninterrupted Power Supply (UPS) :** कम्प्यूटर को लगातार निर्बाध विद्युत उपलब्ध कराने के लिए प्रयुक्त उपकरण। इसमें बैटरी का प्रयोग किया जाता है।
- **Uniform Resource Locator (URL) :** इंटरनेट पर साइट को खोजने के उद्देश्य से बनाया गया पता।
- **Undo :** विंडोज सॉफ्टवेयर में पूर्व में दिए गए निर्देशों के प्रभाव को समाप्त करना।
- **Unbundeled :** हार्डवेयर, सॉफ्टवेयर तथा अन्य सुविधाओं को अलग–अलग बेचना।
- **UVEPROM :** स्थायी मेमोरी का एक प्रकार जिसमें डाटा या सूचना को पराबैंगनी (Ultraviolet) किरणों के प्रयोग से परिवर्तित किया जा सकता है।
- **Ultra Large Scale Integration (ULSI) :** एक चिप पर 1 करोड़ इलेक्ट्रॉनिक पुर्जों का निर्माण।
- **User Friendly :** प्रोग्राम या कम्प्यूटर जिसे बिना पूर्व अनुभव के कम जानकर व्यक्ति द्वारा भी आसानी से चलाया जा सकता है।
- **Utilities :** उपयोगकर्ता द्वारा कम्प्यूटर पर कुछ मूलभूत कार्यों को सम्पन्न करने के लिए बनाया गया सॉफ्टवेयर जिससे कम्प्यूटर की कार्यक्षमता में वृद्धि हो।
- **Voice Reproduction :** एक आउटपुट उपकरण जो टेक्स्ट को पूर्व में रिकॉर्ड किए गए आवाज के आधार पर ध्वनि में बदलता है।
- **Voice Recognition Device :** एक इनपुट उपकरण जो उपयोगकर्ता की आवाज पहचानकर ध्वनि को डाटा में बदलता है।
- **Virus :** एक छोटा अवैध प्रोग्राम जिसे क्रियान्वित करने पर वह कम्प्यूटर सॉफ्टवेयर तथा सूचना को कुप्रभावित करता है।
- **Video Display Terminal (VDT) :** एक कम्प्यूटर टर्मिनल जिसमें इनपुट के लिए की–बोर्ड तथा आउटपुट के लिए मॉनीटर का प्रयोग होता है।
- **Video Disk :** भंडारण डिस्क जिसमें वीडियो संकेत संग्रहीत रहता है।
- **Video Digitizer :** एक इनपुट डिवाइस जो वीडियो कैमरे के संकेत को डिजिटल संकेत में बदलकर कम्प्यूटर में भेजता है।
- **Video Conferencing :** दो अलग–अलग स्थान पर बैठे व्यक्तियों द्वारा कम्प्यूटर के माध्यम से श्रव्य व दृश्य (Audio and Video) संचार स्थापित करना।
- **Very Large Scale Integration (VLSI) :** एक चिप पर 10,000 के करीब इलेक्ट्रॉनिक पुर्जों का निर्माण।
- **Wi-max :** लम्बी दूरी के लिए बेतार की सहायता से संचार उपलब्ध कराने की व्यवस्था।
- **Wild Card :** एक विशेष कैरेक्टर (* या ?) जिसका प्रयोग किसी अज्ञात कैरेक्टर के स्थान पर किया जा सकता है।
- **Wide Area Network (WAN) :** एक विस्तृत भौगोलिक क्षेत्र (देश, महाद्वीप या संपूर्ण विश्व) में फैले कम्प्यूटरों का नेटवर्क। इंटरनेट भी वैन का एक उदाहरण है।
- **Website :** किसी व्यक्ति या संस्था से संबंधित इंटरनेट पर उपलब्ध विवरण।
- **Web Server :** हाइपर टेक्स्ट ट्रांसफर का प्रयोग कर इंटरनेट सुविधाएं उपलब्ध कराने वाला कम्प्यूटर।
- **Web Page :** वर्ल्ड वाइड वेब (WWW) पर उपलब्ध प्रत्येक पृष्ठ।
- **Web Document :** वर्ल्ड वाइड वेब पर उपस्थित एचटीएमएल डॉक्यूमेंट।

- **Web Client :** कोई कम्प्यूटर जो सर्वर के माध्यम से इंटरनेट से जुड़ सकता है।
- **Web Browser :** इंटरनेट पर वेबसाइट को खोजने की प्रक्रिया को आसान बनाने के लिए प्रयुक्त सॉफ्टवेयर।
- **Warm Boot :** कम्प्यूटर को मुख्य स्विच द्वारा पुनः ऑन करना।
- **Windows :** माइक्रोसॉफ्ट द्वारा तैयार किया गया एक ऑपरेटिंग सिस्टम जिसमें ग्राफिकल यूजर इंटरफेस का प्रयोग किया जाता है।
- **Wireless Local Loop :** एक स्थानीय बेतार तकनीक जिसका प्रयोग संचार स्थापित करने के लिए किया जा रहा है।
- **Word Length :** कम्प्यूटर में प्रयुक्त किसी शब्द का आकार जिसे कैरेक्टर या बिट में व्यक्त किया जा सकता है।
- **Word Processing :** शब्द संसाधनों से भरपूर डॉक्यूमेंट बनाने, उसे संशोधित करने, संग्रहीत करने तथा प्रिंट करने के लिए प्रयुक्त सॉफ्टवेयर।
- **World Wide Web :** हाइपर टैक्स्ट का प्रयोग कर इंटरनेट से जुड़े संसार भर के कम्प्यूटरों का विशाल नेटवर्क।
- **Worm :** एक प्रकार का कम्प्यूटर वायरस जो मेमोरी में संग्रहीत डाटा या प्रोग्राम को नष्ट करता है।
- **Write Once Read Many (Worm) Disk :** प्रकाशीय डिस्क जिस पर सूचना एक बार लिखी जा सकती है, पर उसे बार–बार पढ़ा जा सकता है।
- **Zoom :** किसी चित्र या ग्राफिक्स को बड़ा कर देखने के लिए दिया गया आदेश।

वस्तुनिष्ठ प्रश्न

1. निम्नलिखित में से URL का पूर्ण रूप क्या है?
A. Uniform Resource Locator
B. Universal Remote Land
C. Uniform Remote Locator
D. Universal Resource Locator

2. COBOL का पूर्ण रूप क्या है?
A. Computer Basic Operation Language
B. Computer Business Oriented Language
C. Common Business Organised Language
D. Common Business Oriented Language

3. दूरसंचार क्षेत्र (telecom field) में ISP से तात्पर्य क्या है?
A. Internet Speed Provider
B. Internet Speed Protocol
C. Internet Service Protocol
D. Internet Service Provider

4. HTTP में P का अर्थ क्या होता है?
A. प्रोटोकॉल (Protocol) B. पॉलिसी (Policy)
C. पैटर्न (Pattern) D. प्रोग्राम (Program)

5. निम्नलिखित में से ASCII का पूर्ण रूप कौन–सा है?
A. American Standard Code for Information Interchange
B. Asian Standard Code for Information Interchange
C. Analytical Scientific Code for Information Interchange
D. Analytical Standard Code for Intermitted Information

6. फाइल फॉर्मेट (File Formate) के संदर्भ में PDF का Full Form क्या होता है?
A. Portable Document Format
B. Prefixed Detachable Format
C. Picture Disc Format
D. Processing Digital File

7. कंप्यूटर क्षेत्र में LIFO का अर्थ निम्न में से क्या है?
A. Last-In-First-Out
B. Left-In-First-Out
C. Last-In-Finish-Out
D. Lost-In-First-Out

8. निम्नलिखित में से SMPS का पूर्ण रूप कौन–सा है?
A. Switched-Model Power Supply
B. Single-Mode Power Supply
C. Start-Mode Power Supply
D. Store-Mode Power Supply

9. निम्नलिखित में से MPEG का सही पूर्ण रूप क्या है?
A. Micro Pictures Expert Group
B. Many Pictures Expert Group
C. Moving Picture Experts Group
D. Motion Pictures Expert Group

10. कंप्यूटर क्षेत्र में, FORTRAN का अर्थ क्या होता है?
A. Formula Translation
B. Format Transformer
C. Forensic Transistor
D. Foreign Transmitter

11. OCR का पूर्ण रूप क्या है?
A. Optical Computer Recording
B. Optimum Colour Recognition
C. Optimum Computer Recording
D. Optical Character Recognition

12. निम्नलिखित में से EVM का पूर्ण रूप क्या है?
A. Electric Voting Machine
B. Essential Voting Machine
C. Election Voting Machine
D. Electronic Voting Machine

13. निम्नलिखित में से कौन–सा EBCDIC का पूर्ण रूप है?

A. Extended Binary-Coded-Decimal Interchange Code
B. Extended Binary-Control-Device Interchange Code
C. Electronic Binary-Coded-Device Interchange Code
D. Electronic Binary-Control-Decimal Interchange Code

14. कंप्यूटर और इंटरनेट के क्षेत्र में W3C का क्या अर्थ है?

A. World Wide Web Consortium
B. World Wide Web Commission
C. World Wide Web Centre
D. World Wide Web Content

15. कंप्यूटर शब्दावली में CLI का पूर्ण रूप क्या है?

A. Code Line Interface
B. Command Line Interface
C. Control Line Interface
D. Central Line Interface

16. कंप्यूटर के संदर्भ में GUI का अर्थ निम्न में से क्या है?

A. Gigabyte Used in Internet
B. Group User Interface
C. Gopher Used Investigation
D. Graphical User Interface

17. कंप्यूटर शब्दावली में IDN का पूर्ण रूप क्या होता है?

A. Internal Digital Networks
B. Input Distributed Networks
C. Internationalized Domain Name
D. Intertwined Disc Networks

18. Users को enterprise data को बदलने की अनुमति देने वाली कंप्यूटर आधारित प्रणाली ESS का पूर्ण रूप क्या है?

A. Executive Support System
B. Executive Series System
C. Executive Senior System
D. Executive Service System

19. कंप्यूटर शब्दावली में, ALU का पूर्ण रूप क्या होता है?

A. Arithmetic Logic Unit
B. Active Load Unit
C. Air Lock Unit
D. Application Logical Unit

20. निम्नलिखित में से FTP का पूर्ण रूप क्या है?

A. Fast Transfer Protocol
B. Fast Transfer Program
C. File Transfer Program
D. File Transfer Protocol

उत्तरमाला

1	2	3	4	5	6	7	8	9	10
A	D	D	A	A	A	A	A	C	A
11	**12**	**13**	**14**	**15**	**16**	**17**	**18**	**19**	**20**
D	D	A	A	B	D	C	A	A	D

❖ ❖ ❖ ❖ ❖

2

कम्प्यूटर फंडामेंटल

'कम्प्यूटर' शब्द की उत्पत्ति लैटिन भाषा के शब्द 'Computare' से हुई है, जिसका अर्थ होता है 'गणना करना'। यद्यपि प्रारंभ में कम्प्यूटर का उपयोग विशेषतः गणनात्मक कार्यों के लिए किया जाता था, परन्तु अब इसका कार्यक्षेत्र बहुत बढ़ गया है। अतः कम्प्यूटर एक ऐसी इलेक्ट्रॉनिक युक्ति (device) है, जो दिए गए निर्देशन-समूह के आधार पर सूचना को संसाधित (process) करती है। इस निर्देशन-समूह को प्रोग्राम (Program) कहते हैं। 'Computer' में प्रयुक्त आठ अक्षरों का अर्थ इस प्रकार है–

C	—	Commonly (समरूपता)
O	—	Operator (चालक)
M	—	Machine (यंत्र)
P	—	Particular (मुख्य)
U	—	User (प्रयोग)
T	—	Trade (व्यवसाय)
E	—	Education (शिक्षा)
R	—	Research (अनुसंधान)

इस प्रकार कम्प्यूटर केवल एक गणक (कैलकुलेटर) ही नहीं है बल्कि यह गणितीय तथा अगणितीय, सभी प्रकार की सूचना को संसाधित करने वाला उपकरण है।

कम्प्यूटर एक इलेक्ट्रॉनिक डिवाइस है, जो इनपुट के माध्यम से आंकड़ों को ग्रहण करता है, उन्हें प्रोसेस करता है एवं सूचनाओं को निर्धारित स्थान पर स्टोर करता है। कम्प्यूटर एक क्रमादेश्य मशीन है।

वर्तमान समय के कम्प्यूटर इलेक्ट्रॉनिक और डिजिटल हैं। इनमें मुख्य रूप से तार ट्रांजिस्टर एवं सर्किट का उपयोग किया जाता है जिसे हार्डवेयर कहा जाता है। निर्देश एवं डाटा को सॉफ्टवेयर कहा जाता है। कम्प्यूटर अपने कामकाज, प्रयोजन या उद्देश्य तथा रूप-आकार के आधार पर विभिन्न प्रकार के होते हैं। वस्तुतः इनका सीधे-सीधे अर्थात् प्रत्यक्षतः (Direct) वर्गीकरण करना कठिन है, इसलिए इन्हें हम निम्नलिखित तीन आधारों पर वर्गीकृत करते हैं :

1. अनुप्रयोग (Application)
2. उद्देश्य (Purpose)
3. आकार (Size)

1. **अनुप्रयोग के आधार पर कम्प्यूटरों के प्रकार (Types of Computers based on Application) :** यद्यपि कम्प्यूटर के अनेक अनुप्रयोग हैं जिनमें से तीन अनुप्रयोगों के आधार पर कम्प्यूटरों के तीन प्रकार होते हैं :

   (*a*) एनालॉग कम्प्यूटर (Analog Computer)
   (*b*) डिजिटल कम्प्यूटर (Digital Computer)
   (*c*) हाइब्रिड कम्प्यूटर (Hybrid Computer)

2. **उद्देश्य के आधार पर कम्प्यूटरों के प्रकार (Types of Computers based on Purpose) :** कम्प्यूटर को दो उद्देश्यों के लिए हम स्थापित कर सकते हैं–सामान्य और विशिष्ट। इस प्रकार कम्प्यूटर उद्देश्य के आधार पर निम्न दो प्रकार के होते हैं :

   (*a*) सामान्य-उद्देशीय कम्प्यूटर (General Purpose Computer)
   (*b*) विशिष्ट-उद्देशीय कम्प्यूटर (Special Purpose Computer)

3. **आकार के आधार पर कम्प्यूटरों के प्रकार (Types of Computers based on Size):** आकार के आधार पर हम कम्प्यूटरों को निम्न श्रेणियाँ प्रदान कर सकते हैं–

   1. माइक्रो कम्प्यूटर (Micro Computer)
   2. वर्क स्टेशन (Work Station)
   3. मिनी कम्प्यूटर (Mini Computer)
   4. मेनफ्रेम कम्प्यूटर (Mainframe Computer)
   5. सुपर कम्प्यूटर (Super Computer)

कम्प्यूटर संबंधी प्रारंभिक शब्द (Computer Related Word)

1. **डाटा (Data) :** यह अव्यवस्थित आँकड़ा या तथ्य है। यह प्रोसेस के पहले की अवस्था है। साधारणतः डाटा को दो भागों में विभाजित करते हैं–

   (*a*) **संख्यात्मक डाटा (Numerical Data)**–इस तरह के डाटा में 0 से 9 तक के अंकों का प्रयोग होता है; जैसे–कर्मचारियों का वेतन, परीक्षा में प्राप्त अंक, जनगणना, रोल नं., अंकगणितीय संख्याएँ आदि।

(*b*) **अल्फान्यूमेरिक डाटा (Alphanumeric Data)**– इस तरह के डाटा में अंकों, अक्षरों तथा चिह्नों का प्रयोग किया जाता है; जैसे–पता (Address) आदि।

2. **सूचना (Information)**–यह अव्यवस्थित डाटा का प्रोसेस करने के बाद प्राप्त परिणाम है जो व्यवस्थित होता है।

कम्प्यूटर की विशेषताएँ (Properties of Computer)

- **उच्च गति (High Speed)**–कम्प्यूटर में मनुष्यों की अपेक्षा अधिक गति से दैनंदिन के कार्य पूरा करने की क्षमता है। वे जटिल गणनाओं को क्षणभर में कर सकते हैं।
- **परिशुद्धता (Accuracy)**–जब कोई कार्य मैन्युअल रूप से किया जाता है, तो हमेशा मानवीय त्रुटि की सम्भावना होती है। यदि डाटा इनपुट सही है तो कम्प्यूटर का उपयोग उस तरीके से कार्य करने के लिए किया जा सकता है जो परिशुद्धता सुनिश्चित करता है।
- **संग्रहण (Storage)**–कम्प्यूटर बड़ी मात्रा में जानकारी संग्रह कर सकता है। जानकारी का संग्रह करने के बाद, जैसी आवश्यकता हो उसे वापस लाया जा सकता है।
- **स्वचलन (Auto-calculation)**–कम्प्यूटर को जटिल कार्य स्वचालित रूप से करने के लिए कहा जा सकता है।
- **एकरूपता (Uniformality)**–कम्प्यूटर एक ही कार्य को बिना थके बार-बार उसी परिशुद्धता के साथ कर सकता है।
- **बहुविज्ञता (Versatility)**–कम्प्यूटर का उपयोग आसान और जटिल दोनों ही कार्यों को करने के लिए किया जाता है।
- **लागत-प्रभाविता**–कम्प्यूटर्स कागजी कार्यवाही और मानवीय प्रयास की मात्रा को घटाते हैं, इस तरह वे लागत में कटौती कर रहे हैं।

कम्प्यूटर की सीमाएँ (Limitations of the Computer)

1. **विद्युत पर निर्भरता (Depends on Electricity)**– कम्प्यूटर अपने कार्य के लिए विद्युत पर निर्भर करता है तथा इसके अभाव में कोई भी कार्य सम्पन्न कर पाने में सक्षम नहीं है।
2. **वायरस का खतरा (Immune to virus)**–कम्प्यूटर में वायरस का खतरा बना रहता है जो सूचना और निर्देशों को दूषित या समाप्त कर सकता है। ये वायरस कम्प्यूटर की भंडारण क्षमता को भी प्रभावित करते हैं। हालांकि एंटीवायरस सॉफ्टवेयर (Antivirus Software) का प्रयोग कर इससे बचा जा सकता है।
3. **खर्चीला (Expensive)**–कम्प्यूटर के हार्डवेयर तथा सॉफ्टवेयर काफी महंगे होते हैं तथा इन्हें समय-समय पर आवश्यकता अनुसार परिवर्तित भी करना पड़ता है।
4. **बुद्धिहीन (Mindless)**–कम्प्यूटर में स्वयं की सोचने और निर्णय लेने की क्षमता नहीं होती। यह केवल दिए गए दिशा-निर्देशों के अंदर ही कार्य कर सकता है।

डेटा प्रोसेसिंग और इलेक्ट्रॉनिक डेटा प्रोसेसिंग (Data Processing & Electronic Data Processing)

कम्प्यूटर के निर्माण से पहले निश्चित लक्ष्य को प्राप्त करने के लिए डाटा का संकलन, संचयन, संसाधन और निर्गमन हस्तचालित विधि (manual method) से होता था, जिसे डाटा प्रोसेसिंग कहते थे। जैसे-जैसे टेक्नॉलोजी का विकास हुआ इन सभी कार्यों के लिए कम्प्यूटर का उपयोग होने लगा। इसे इलेक्ट्रॉनिक डाटा प्रोसेसिंग (E.D.P.) कहते हैं।

डाटा प्रोसेसिंग का मुख्य लक्ष्य अव्यवस्थित डाटा (Raw Data) से व्यवस्थित डाटा (Information) प्राप्त करना है। जिसका उपयोग निर्णय लेने के लिए होता है।

Input → Process → Output
↑ ↓
Incoming Data Outgoing information

कम्प्यूटर सिस्टम (Computer System)

यह उपकरणों का एक समूह है जो एक साथ मिलकर डाटा प्रोसेस करते हैं। कम्प्यूटर सिस्टम में अनेक इकाइयाँ होती हैं जिनका उपयोग इलेक्ट्रॉनिक डाटा प्रोसेसिंग में होता है–

1. **इनपुट यूनिट (Input unit)**–वैसी इकाई जो यूजर (User) से डाटा प्राप्त कर सेन्ट्रल प्रोसेसिंग यूनिट को इलेक्ट्रॉनिक पल्स के रूप में प्रवाहित (transmit) करता है। जैसा कि ऑटोमेटिक टेलर मशीन (Automatic Teller Machine—ATM) में जब हम निकासी (Withdraw) के लिए जाते हैं तो हमें पिन नम्बर (Personal Identification Number) डालना होता है। उसके लिए इनपुट इकाई के रूप में कीपैड का उपयोग किया जाता है।
2. **सेन्ट्रल प्रोसेसिंग यूनिट (CPU)**–इसे प्रोसेसर भी कहते हैं। यह एक इलेक्ट्रॉनिक माइक्रोचिप है जो डाटा को इनफॉर्मेशन में बदलते हुए प्रोसेस करता है। इसे 'कम्प्यूटर का ब्रेन' कहा जाता है। यह कम्प्यूटर सिस्टम के सारे कार्यों को नियंत्रित करता है तथा यह इनपुट को आउटपुट में रूपान्तरित करता है। यह इनपुट यूनिट तथा आउटपुट यूनिट से मिलकर पूरा कम्प्यूटर सिस्टम बनाता है। इसके अग्रलिखित भाग होते हैं–

सेन्ट्रल प्रोसेसिंग यूनिट
अर्थमेटिक लॉजिक यूनिट
इनपुट → कंट्रोल यूनिट → आउटपुट यूनिट
मेन मेमोरी

(*a*) **अर्थमेटिक लॉजिक यूनिट (Arithmetic Logic Unit या ALU)**–इसका उपयोग अंकगणितीय तथा तार्किक गणना में होता है। अंकगणितीय गणना के अन्तर्गत जोड़, घटाव, गुणा और भाग इत्यादि तथा तार्किक गणना के अन्तर्गत तुलनात्मक गणना जैसे, (<, > या =), हाँ या ना (Yes या No) इत्यादि आते हैं।

(*b*) **कंट्रोल यूनिट (Control Unit)**–यह कम्प्यूटर के सारे कार्यों को नियंत्रित करता है तथा कम्प्यूटर के सारे भागों जैसे; इनपुट, आउटपुट डिवाइसेज, प्रोसेसर इत्यादि की सारी गतिविधियों के बीच तालमेल बैठाता है।

(*c*) **मेमोरी यूनिट (Memory Unit)**–यह डाटा तथा निर्देशों के संग्रह करने में प्रयुक्त होता है। इसे मुख्यतः दो वर्गों प्राइमरी तथा सेकेंडरी मेमोरी में विभाजित करते हैं। जब कम्प्यूटर कार्यशील रहता है, अर्थात् वर्तमान में उपयोग हो रहे डाटा तथा निर्देशों का संग्रह प्राइमरी मेमोरी में होता है। सेकेंडरी मेमोरी का उपयोग बाद (later) में उपयोग होने वाले डाटा तथा निर्देशों को संग्रहीत करने में होता है।

3. **आउटपुट यूनिट (Output Unit)**–वैसी इकाई जो सेन्ट्रल प्रोसेसिंग यूनिट से डाटा लेकर उसे यूजर को समझने योग्य बनाता है। जैसा कि, जब हम सुपर मार्केट में बिल अदा करते हैं तो हमें रसीद प्राप्त होता है, जो आउटपुट का रूप है। यह आउटपुट उपकरण (output device) प्रिन्टर से प्राप्त होता है।

पर्सनल कम्प्यूटर (Personal Computer)

पर्सनल कम्प्यूटर माइक्रो कम्प्यूटर समानार्थक से जाने वाले वैसे कम्प्यूटर प्रणाली हैं जो विशेष रूप से व्यक्तिगत अथवा छोटे समूह के द्वारा प्रयोग में लाए जाते हैं। इन कम्प्यूटरों को बनाने में माइक्रोप्रोसेसर मुख्य रूप से सहायक होते हैं। पर्सनल कम्प्यूटर निर्माण विशेष क्षेत्र तथा कार्य को ध्यान में रखकर किया जाता है। उदाहरणार्थ–घरेलू कम्प्यूटर तथा कार्यालय में प्रयोग किए जाने वाले कम्प्यूटर। बाजार में, छोटे स्तर की कम्पनियाँ अपने कार्यालयों के कार्य के लिए पर्सनल कम्प्यूटर को प्राथमिकता देती हैं। पर्सनल कम्प्यूटर के मुख्य कार्यों में क्रीड़ा-करना, इंटरनेट का प्रयोग, शब्द-प्रक्रिया इत्यादि शामिल हैं। पर्सनल कम्प्यूटर के कुछ व्यावसायिक कार्य निम्नलिखित हैं–

1. कम्प्यूटर सहायक रूपरेखा तथा निर्माण
2. इन्वेन्ट्री तथा प्रोडक्शन कन्ट्रोल
3. स्प्रेडशीट कार्य
4. अकाउन्टिंग
5. सॉफ्टवेयर निर्माण
6. वेबसाइट डिजाइनिंग तथा निर्माण
7. सांख्यिकी गणना

पर्सनल कम्प्यूटर के मुख्य भाग (Important Parts of Personal Computer)

माइक्रोप्रोसेसर वह चिप होती है जिस पर कंट्रोल यूनिट और ए.एल.ए. एक परिपथ होता है। माइक्रोप्रोसेसर चिप तथा अन्य डिवाइस एक इकाई में लगे रहते हैं, जिसे सिस्टम यूनिट कहते हैं। पी.सी. में एक सिस्टम यूनिट, एक मॉनीटर या स्क्रीन, एक की-बोर्ड, एक माउस और अन्य आवश्यक डिवाइसेज, जैसे–प्रिंटर, मॉडेम, स्पीकर, स्कैनर, प्लॉटर, ग्राफिक टेबलेट, लाइच पेन आदि होते हैं।

पर्सनल कम्प्यूटर का मूल सिद्धान्त (Fundamental Principle of P.C.)

पी.सी. एक प्रणाली है जिसमें डाटा और निर्देशों को इनपुट डिवाइस के माध्यम से स्वीकार किया जाता है। इस इनपुट किए गए डाटा व निर्देशों को आगे सिस्टम यूनिट में पहुँचाया जाता है, जहाँ निर्देशों के अनुसार सी.पी.यू. डाटा पर क्रिया या प्रोसेसिंग का कार्य करता है और परिचय को आउटपुट यूनिट मॉनीटर या स्क्रीन पर भेज देता है। यह प्राप्त परिणाम आउटपुट कहलाता है। पी.सी. में इनपुट यूनिट में प्रायः की-बोर्ड और माउस काम आते हैं जबकि आउटपुट यूनिट के रूप में मॉनीटर और प्रिंटर काम आते हैं।

कम्प्यूटर का इतिहास (History of Computer)

विकास	वर्ष	मुख्य तथ्य
अबैकस	3000-2000 ई. पूर्व	प्रथम मशीनी कैलकुलेटर
पास्कल्स कैलकुलेटर	1642	प्रथम मशीन जो जोड़, घटाव और गिनती करने में सक्षम था।
जैक्वार्ड विविंग लूम	1801	बुनाई के पैटर्न को कंट्रोल करने के लिए धातु प्लेट पंच होल के साथ उपयोग किया गया था।
बैबेज एनालिटिकल इंजन	1834-1871	प्रथम जनरल परपस कम्प्यूटर बनाने की कोशिश की; परन्तु बैबेज के जीवनकाल में ये संभव न हो सका।
हरमन टैबुलेटिंग	1887-1896	डाटा को कार्ड में पंच करने तथा संग्रहीत डाटा को सारणीकृत (tabulate) करने हेतु कूट (code) और यंत्र (device) का निर्माण किया गया।
हावर्ड आइकेन मार्क 1	1937-1944	इलेक्ट्रोमैकेनिकल कम्प्यूटर का निर्माण हुआ, जिनमें डाटा संग्रह के लिए पंच पेपर टेप का प्रयोग हुआ।
इनियक (ENIAC)	1943-1950	प्रथम सम्पूर्ण इलेक्ट्रॉनिक गणना यंत्र जिसमें प्रोग्राम (Program) स्थायी रूप से समाहित था।
वॉन न्यूमेन स्टोर्ड प्रोग्राम कॉन्सेप्ट	1945-1949	कम्प्यूटर के मेमोरी में निर्देश और डाटा (Instruction and Data) स्टोर करने की अवधारणा (concept) का विकास हुआ। डाटा और निर्देश को बाइनरी में कूटबद्ध (Coding) करने की शुरूआत हुई।

विकास	वर्ष	मुख्य तथ्य
एडजैक (EDSAC)	1946-1952	प्रथम कम्प्यूटर जो सूचनाओं (Data) और निर्देशों (Instructions) को अपने मेमोरी में संग्रहीत करने में सक्षम था।
यूनिवैक-1 (UNIVAC-I)	1951-1954	प्रथम कन्प्यूटर जो व्यावसायिक रूप से उपलब्ध था।

कम्प्यूटर की पीढ़ियाँ (Computer's Generations)

पीढ़ी	हार्डवेयर	सॉफ्टवेयर	उदाहरण	विशेषताएँ
प्रथम (1942-1955)	निर्वात, ट्यूब, पंचकार्ड, विद्युत और यांत्रिक मशीन	मशीनी भाषा, असेम्बली भाषा, स्टोर प्रोग्राम	एनियक; इडवैक; यूनीवैक-1	बड़ा आकार, खर्चीला, केवल वैज्ञानिक अनुप्रयोग
द्वितीय (1955-1964)	ट्रांजिस्टर, चुम्बकीय मेमोरी	उच्च स्तरीय भाषा; बैच ऑपरेटिंग सिस्टम	आईबीएम; यूनीवैक	अपेक्षाकृत छोटा, तीव्र, खर्चीला, वैज्ञानिक और व्यावसायिक उपयोग
तृतीय (1964-1975)	इंटीग्रेटेड चिप, SSI व MSI; चुम्बकीय भंडारण क्षमता में वृद्धि	उच्च स्तरीय भाषा का मानकीकरण; टाइम शेयरिंग ऑपरेटिंग सिस्टम' हार्डवेयर व सॉफ्टवेयर की अलग–अलग बिक्री	आईबीएम-360; पीडीपी-8	तीव्र, छोटे, सस्ते, विश्वसनीय, उपयोग में आसान
चतुर्थ (1975-1989)	VLSI, माइक्रोप्रोसेसर सेमीकंडक्टर मेमोरी; पीसी; उच्च क्षमता वाले नेटवर्क	पीसी के लिए ऑपरेटिंग सिस्टम, ग्राफिकल यूजर, इंटरफेस, यूनिक्स, 'C' प्रोग्राम भाषा; एक साथ कई कार्य करने की क्षमता	आईबीएम-पीसी एप्पल-II	सस्ते, उच्च क्षमतायुक्त उपयोग में आसान, व्यावसायिक उत्पादन तथा व्यक्तिगत उपयोग
पंचम (1989-अब तक)	कृत्रिम बुद्धिमत्ता (AI) पर आधारित; अल्ट्रा लार्ज–स्केल इंटीग्रेशन (ULSI) प्रौद्योगिकी का उपयोग; ऑप्टीकल डिस्क; कम जगह से अधिक भंडारण	इंटरनेट तथा मल्टीमीडिया सॉफ्टवेयर	आईबीएम नोटबुक पेंटियम पीसी, सुपर कम्प्यूटर	अति छोटे, अति तीव्र उपयोग में आसान; प्लग और प्ले

कम्प्यूटर की कार्यप्रणाली (Working of Computer)

कम्प्यूटर की अपनी कोई बुद्धिमता नहीं होती है, न ही इसमें कोई सोचने-विचारने की समझ या निर्णय लेने या तर्क करने की शक्ति होती है। यह शक्ति तो उसे मानव द्वारा ही प्रोग्राम के रूप में प्रदान की जाती है। यद्यपि कम्प्यूटर की तुलना मस्तिष्क से की जाती है परन्तु कम्प्यूटर मानव की ही कृति है, इसलिए यह मानव से श्रेष्ठ कार्य करने के लिए अभिकल्पित तो किया ही जा सकता है क्योंकि उसमें समस्त मानव सभ्यता की सबसे अधिक श्रेष्ठ एवं परिष्कृत तथा आधुनिकतम अभियान्त्रिकी एवं प्रतिभा का उपयोग किया जा रहा है। कम्प्यूटर की कार्य प्रणाली के चार मुख्य अवयव होते हैं। इन्हें कम्प्यूटर का रचना-शिल्प भी कहते हैं। इनके नाम हैं–1. निवेश (Input); 2. केन्द्रीय संसाधन एकक (CPU); 3. बाह्य स्मृति (External Memory); 4. निर्गम (Output)

निवेश एवं निर्गम एककों (Input and output units) के द्वारा कम्प्यूटर एवं मानव के बीच सम्पर्क स्थापित होता है। चूँकि ये एकक कम्प्यूटर को चारों तरफ घेरे हुए होती हैं, इसलिए इन्हें परिधीय युक्तियाँ (Peripheral devices) भी कहा जाता है।

वस्तुनिष्ठ प्रश्न

1. सीपीयू (CPU) का प्रमुख कार्य है :

A. प्रोग्राम अनुदेशों पर अमल करना
B. डाटा/जानकारी भावी प्रयोग हेतु स्टोर करना
C. डाटा और जानकारी प्रोसेस करना
D. इनमें से कोई नहीं

2. ATM क्या होते हैं?

A. बैंकों की शाखाएँ
B. बैंकों के स्टाफ-युक्त काउंटर
C. बिना स्टाफ के, नकदी देने वाला
D. ये सभी

3. कम्प्यूटर :

1. आँकड़ों के भंडारण करनेवाली एक सक्षम युक्ति है।
2. आँकड़ों के विश्लेषण करने के लिए सक्षम है।
3. पूर्ण गोपनीयता बनाए रखने में सक्षम है।
4. कभी-कभी वायरस द्वारा संक्रमित होता है।

नीचे दिए गए कूट में से सही उत्तर का चयन कीजिए–

A. 1 और 2 B. 1, 2 और 3
C. 1, 2 और 4 D. सभी चारों

4. माइक्रोप्रोसेसर के लिए निम्नलिखित सही है :

A. वह चिप होती है जिस पर कंट्रोल यूनिट और ए.एल.यू. व एक परिपथ होता है
B. माइक्रोप्रोसेसर चिप तथा अन्य उपकरण एक इकाई में लगे रहते हैं, जिसे सिस्टम यूनिट कहते हैं
C. उपर्युक्त दोनों सही हैं
D. कोई सही नहीं है

5. सी.पी.यू. के कार्य हैं :

A. इनपुट तथा आउटपुट डिवाइस को नियंत्रित करना
B. डाटा को तात्कालिक रूप से स्टोर करना
C. निर्देशों को पढ़ना और आदेश देना
D. ये सभी

6. इनपुट का आउटपुट में रूपान्तरण किया जाता है :

A. मेमोरी द्वारा
B. पेरिफेरल्स द्वारा
C. सी.पी.यू. द्वारा
D. इनपुट तथा आउटपुट द्वारा

7. निम्नलिखित में से कम्प्यूटर का जनक किसे कहा जाता है?

A. मारकोनी B. एडीसन
C. चार्ल्स बैबेज D. हरमन होलेरिथ

8. भारत में निर्मित प्रथम कम्प्यूटर का क्या नाम है?

A. आर्यभट्ट B. सिद्धार्थ
C. बुद्ध D. अशोक

9. माइक्रोप्रोसेसर किस पीढ़ी का कम्प्यूटर है?

A. प्रथम B. द्वितीय
C. तृतीय D. चतुर्थ

10. तृतीय पीढ़ी के कम्प्यूटर में मुख्य घटक है :

A. इलेक्ट्रॉन ट्यूब B. ट्रांजिस्टर
C. इंटिग्रेटेड सर्किट D. एल.आई.सी.

11. आधुनिक डिजिटल कम्प्यूटर में किस पद्धति का उपयोग किया जाता है?

A. द्विआधारी अंक पद्धति B. दशमलव अंक पद्धति
C. अनुरूप गणना पद्धति D. उपर्युक्त तीनों

12. ऑपरेटिंग सिस्टम का प्रयोग हुआ :

A. प्रथम पीढ़ी कम्प्यूटर B. द्वितीय पीढ़ी कम्प्यूटर
C. तृतीय पीढ़ी कम्प्यूटर D. चतुर्थ पीढ़ी कम्प्यूटर

13. सुपर कम्प्यूटर :

A. एक साथ बहुत सारे प्रयोक्ता के डाटा प्रोसेस करता है
B. यह तीव्र तथा महंगी कम्प्यूटर सिस्टम है
C. बड़े संगठनों में उपयोग होता है
D. ये सभी

14. CRAY क्या है?

A. मिनी कम्प्यूटर B. माइक्रो कम्प्यूटर
C. मेनफ्रेम कम्प्यूटर D. सुपर कम्प्यूटर

15. प्रथम पीढ़ी के कम्प्यूटर में मुख्य इलेक्ट्रॉनिक घटक .... है।

A. ट्रांजिस्टर B. वृहद् एकीकृत सर्किट
C. बॉल (निर्वात ट्यूब) D. इण्टिग्रेटेड सर्किट

16. सबसे पहला संग्रहित प्रोग्राम कम्प्यूटर था :

A. EDSAC B. ENIAC
C. MARK – I D. EDRAC

17. आस्की (ASCII) कोड क्या है?

A. कम्प्यूटर का कंट्रोल कोड
B. स्पीड मेजरमेंट कोड
C. सूचनाओं का आदान-प्रदान करने का मानक कोड
D. ए.एल.यू. (ALU) कोड

18. .... संपूर्ण कम्प्यूटर प्रणाली के लिए संप्रेषण नियंत्रण करता है।

A. अंकगणितीय तार्किक यूनिट B. सेमी कंडक्टर
C. मदरबोर्ड D. कोप्रोसेसर

19. बाइट है :

A. यह कम्प्यूटर की स्मृति की मानक इकाई है
B. 8 बिट मिलकर 1 बाइट बनती है
C. A तथा B दोनों गलत हैं
D. A तथा B दोनों सही हैं

20. द्वि-अंकीय प्रणाली :

A. इस प्रणाली के अन्तर्गत आँकड़ों को मुख्य रूप से केवल दो अंकों के संयोजन द्वारा दर्शाया जाता है
B. ये दो अंक उपर्युक्त '0' तथा '1' होते हैं
C. उपर्युक्त दोनों गलत हैं
D. A तथा B दोनों सही हैं

21. मदरबोर्ड के कंपोनेन्ट्स के बीच इन्फार्मेशन......... के माध्यम से ट्रेवल करता है।

A. फ्लैश मेमोरी B. CMOS
C. बेज D. बसेज (Bus)

22. MICR में C का पूरा रूप क्या है?

A. कोड B. कलर
C. कम्प्यूटर D. कैरेक्टर

23. कम्प्यूटर प्रिंटर किस प्रकार का डिवाइस है?

A. इनपुट B. आउटपुट
C. सॉफ्टवेयर D. स्टोरेज

24. OCR का पूर्ण रूप क्या है?

A. Optical Character Recognition
B. Optical CPU Recognition
C. Optimal Character Rendering
D. Other Character Restoration

25. .... और .... सर्वाधिक सामान्य इनपुट डिवाइस हैं।

A. माइक्रोफोन, प्रिन्टर
B. स्कैनर, मॉनीटर
C. डिजिटल कैमरा, स्पीकर्स
D. की-बोर्ड, माउस

उत्तरमाला

1	2	3	4	5	6	7	8	9	10
D	C	D	C	D	C	C	B	D	C
11	**12**	**13**	**14**	**15**	**16**	**17**	**18**	**19**	**20**
A	C	D	D	C	A	B	C	D	D
21	**22**	**23**	**24**	**25**					
D	D	B	A	D					

❖❖❖❖❖

3 वर्ड सॉफ्टवेयर, एक्सेल सॉफ्टवेयर, पावरपाइंट

माइक्रोसॉफ्ट ऑफिस का आविष्कार वर्ष 1988 में माइक्रोसॉफ्ट कंपनी (USA) ने किया था। मुख्य रूप से यह एक पैकेज है, जो विभिन्न प्रकार के सॉफ्टवेयर के संगठन से बना है। यह सॉफ्टवेयर किसी कार्यालय, किसी स्कूल आदि में विशेष रूप से प्रयोग किया जाता है। इसलिए इसका नाम MS-office है।

MS-office के पाँच प्रमुख सॉफ्टवेयर्स निम्नलिखित हैं: (*i*) MS-Word, (*ii*) MS-Excel, (*iii*) MS-PowerPoint, (*iv*) MS-Access, (*v*) MS-Outlook.

माइक्रोसॉफ्ट ऑफिस के प्रमुख संस्करण निम्नलिखित हैं: (*i*) Microsoft Office XP, (*ii*) Microsoft Office 95, (*iii*) Microsoft Office 97, (*iv*) Microsoft Office 2000, (*v*) Microsoft Office 2003, (*vi*) Microsoft Office 2007, (*vii*) Microsoft Office 2010, (*viii*) Microsoft Office 2013, (*ix*) Microsoft Office 2016, (*x*) Microsoft Office 2019, (*xi*) Microsoft 365

माइक्रोसॉफ्ट वर्ड

Microsoft word, Microsoft office का एक भाग है और यह माइक्रोसॉफ्ट ऑफिस का सबसे बड़े पैमाने पर इस्तेमाल होने वाले Computer के एक अनुप्रयोगों में से एक है।

यह माइक्रोसॉफ्ट कम्पनी द्वारा बनाया गया। यह सबसे पहले सन् 1983 में पहली बार Multi-Word tool के नाम से xenix system से जारी किया गया था। बाद में DOS (1983) व Apple Macintosh (1984) सहित कई अन्य प्लेटफार्म के लिए इसे लिखा गया था। Windows Operating System के लिए MS-Word का first version 1989 में आया।

Microsoft word को शॉर्ट रूप में MS-Word कहा जाता है। इसके जरिए हम कम्प्यूटर में एक टेक्स्ट फाइल बना सकते हैं जिसमें हम राइटिंग का, एडिटिंग का और ड्राइंग का काम कर सकते हैं। MS-Word के Document को हम आसानी से शेयर कर सकते हैं। इसके डॉक्यूमेंट को सिस्टम से दूसरे सिस्टम में आसानी से ले जाया जा सकता है।

MS-Word के लाभ

- MS-Word में टेक्स्ट को आसानी से लिखा जा सकता है।
- यह आसान और लगभग तत्काल शाब्दिक (alphabets, numbers) को इनपुट कर सकता है।
- MS-Word में बहुत ही बड़ी संख्या में फॉर्मेटिंग टूल्स हैं। जैसे–Fonts weight (regular/bold) से टेक्स्ट को रेगूलर या बोल्ड में बदलने की क्षमता टेक्स्ट के नीचे अंडरलाइन खींचना आदि सहित स्वरूप विकल्पों की एक विशाल रेंज इसमें है।
- MS–Word में images को मेन्युअली डाला जा सकता है या फिर इसको वर्ड आर्ट गैलरी से आयात भी किया जा सकता है।
- इसमें सूचियों को आसानी से बनाया और प्रारूपित किया जा सकता है।
- MS-Word में सामग्री (content), Standard मानक HTML में होते हैं जिनको हम आसानी से नियंत्रित कर सकते हैं।
- इसमें Self-Explanatory dialogue boxes और Menu option हैं।
- MS-Word में हम आसानी से ग्राफिक वर्क भी कर सकते हैं।
- इसमें टेबल बना सकते हैं और डाटा को टेबल फॉर्म में रख सकते हैं।

सारणी–1 : स्टैंडर्ड टूलबार

टूल्स का नाम	की-बोर्ड ऑपरेशन	विवरण
New Blank Document	Ctrl + N	एक नई फाइल या टेम्पलेट आधारित फाइल बनाता है।
Open (File menu)	Ctrl + O	चयनित (selected) फाइल को खोलता है।

टूल्स का नाम	की-बोर्ड ऑपरेशन	विवरण
Save (File menu)	Ctrl + S	सक्रिय फाइल को इसके वर्तमान फाइल नाम, स्थान तथा स्वरूप (Format) के साथ सेव (Save) है।
Mail Recipient		दस्तावेज को (Content of Document) को ई–मेल संदेश के ढाँचे (Body) के रूप में भेजता है।
Print (File menu)	Ctrl + P	सक्रिय फाइल या चयन करने के लिए फाइल मेन्यू में प्रिंट करता है। प्रिंट विकल्प का चयन करने के लिए फाइल मेन्यू में प्रिंट विकल्प पर क्लिक करते हैं।
Print Preview (File Menu)	Ctrl + F2	जब हम फाइल प्रिंट करने में हों तो यह कैसा दिखेगा यह बताता है।
Spelling and Grammar (Tools menu)	F7	सक्रिय दस्तावेज में वर्तनी तथा व्याकरण जाँच तथा लेखन शैली त्रुटियाँ बताता है। उन्हें ठीक करने के लिए सुझाव देता है।
Cut (Edit Menu)	Ctrl + X	सक्रिय दस्तावेज से चयनित चित्र या टेक्स्ट को हटाकर क्लिपबोर्ड में रखता है।
Copy (Edit Menu)	Ctrl + C	क्लिपबोर्ड में चयनित चित्र या टेक्स्ट की प्रतिलिपि (Copy) बनाकर रखता है।
Paste (Edit Menu)	Ctrl + V	क्लिपबोर्ड के सामग्री को प्रविष्टि बिन्दु (Insertion Point) पर पेस्ट करता है।
Undo (Edit Menu)	Ctrl + Z	अंतिम आदेश को विफल करता है तथा अंतिम में टाइप किए गए टेक्स्ट को हटा देता है।
Redo (Edit menu)	Ctrl + Y	Undo आदेश के क्रिया (action) को विफल करता है।
Hyperlink	Ctrl + K	नए हाइपरलिंक को डालता है या चयनित हाइपरलिंक को एडिट (Edit) करता है।
Tables and Borders		टेबल और बॉर्डर (Tables and Borders) टूलबार प्रदर्शित करता है।
Insert Table		टेबल बनाता है।
Insert Excel Worksheet		दस्तावेज में एक्सल स्प्रेडशीट जोड़ता है।
Zoom		सक्रिय दस्तावेज के प्रदर्शन (Display) को 10% से 400% तक बढ़ा–घटा सकता है।
Office Assistant	F1	यह हेल्प टॉपिक और युक्तियाँ (Help Topic and Tips) प्रदान करता है जिसकी सहायता से हम अपने कार्य को पूरा करते हैं।

सारणी–2 : फार्मेटिंग टूलबार

टूल्स का नाम	की-बोर्ड ऑपरेशन	विवरण
Style	Ctrl + Shift + S	चयनित टेक्स्ट की शैली (Style) में परिवर्तन कर उसे अपने अनुरूप शैली में ढालना संभव करता है।
Font	Ctrl + Shift + F	चयनित टेक्स्ट के लिखावट (Font) में परिवर्तन करता है।
Font size	Ctrl + Shift + P	चयनित टेक्स्ट के फॉन्ट के आकार में परिवर्तन करना संभव करता है।
Bold	Ctrl + B	चयनित टेक्स्ट को बोल्ड अर्थात् थोड़ा मोटे अक्षरों में परिवर्तित करता है।
Italic	Ctrl + I	चयनित टेक्स्ट को तिरछे टाइप (Italics) में परिवर्तित करता है।
Underline	Ctrl + U	चयनित टेक्स्ट को लगातार अंडरलाइन करता है।
Align Left	Ctrl + L	टेक्स्ट या पैराग्राफ को बाएं हाशिये (Margin) से भरता है या लिखना शुरू करता है।
Centre	Ctrl + E	टेक्स्ट या पैराग्राफ को दायें तथा बायें हाशिये के बीच रखता है।
Align Right	Ctrl + R	टेक्स्ट या पैराग्राफ को दायें हाशिये से भरता है या लिखना शुरू करता है।
Justify	Ctrl + J	टेक्स्ट को बायें तथा दाहिने हाशिये के बीच हर शब्दों के बीच की जगह को बढ़ा या घटाकर समान रूप से फैलाता है।

टूल्स का नाम	की-बोर्ड ऑपरेशन	विवरण
Numbering		वर्तमान डिफाल्ट के आधार पर संख्यात्मक लिस्ट बनाता है अर्थात् हर पंक्ति या पैराग्राफ को श्रेणीबद्ध संख्या देता है। जैसे–1, 2, 3 आदि।
Bullets		वर्तमान डिफाल्ट बुलेट के आधार पर बुलेटेड सूची बनाता है।
Decrease Indents		यह बायें हाशिये (Left Margin) को घटाता है।
Increase Indents		यह बायें हाशिये को बढ़ाता है।
Outside Borders		चयनित टेक्स्ट, पैराग्राफ, चित्र या दूसरे वस्तु के चारों ओर बॉर्डर बनाता या हटाता है।
Highlight		चयनित टेक्स्ट के टुकड़े को अपने अनुरूप चुने हुए रंग से हाइलाइट करता है।
Font Colour		टेक्स्ट के लिखावट के रंग को परिवर्तित करना संभव करता है।

सारणी–3 : टेबल्स एंड बॉर्डर्स टूलबार

टूल्स का नाम	विवरण
Draw Table	दस्तावेज में जहाँ भी चाहें टेबल बना सकते हैं, उसके बाद रो तथा कॉलम माउस ड्रैग कर बना सकते हैं।
Eraser	टेबल के खानों के लाइन को हटाता है तथा उन खानों की सारी सामग्री को मिला (Merge) देता है।
Line Weight	टेबल के रेखाओं को मोटा या पतला (Thick or Thin) करना संभव करता है।
Line Style	भिन्न–भिन्न तरह की रेखा खींचना (Draw Line) संभव करता है।
Border Colour	टेबल के बॉर्डर के रंग को परिवर्तन करने में सक्षम बनाता है।
Outside Border	चयनित टेक्स्ट, पैराग्राफ या चित्र इत्यादि के चारों ओर बॉर्डर बनाता तथा हटाता है।
Fill Colour	चयनित वस्तु पर रंग भरता है तथा पहले से भरे हुए रंग को हटाना, बदलना संभव करता है।
Insert Table	दस्तावेज में रो तथा कॉलम की संख्या पूछकर टेबल बनाता है।
Merge Cells	दो लगातार चयनित खानों के सामग्री को संयुक्त कर देता है।
Split Cells	चयनित टेबल के खानों को रो तथा कॉलम में विभक्त कर देता है।
Align Top Left	टेबल के खानों की सामग्री बायें ऊपर से लिखना शुरू करता है।
Distribute Rows Evently	चयनित रो तथा खानों को समान ऊँचाई में परिवर्तित करता है।
Distribute Columns Evently	चयनित सारे कॉलम या खानों को समान चौड़ाई में बदल देता है।
Table Auto	पूर्व निर्धारित बॉर्डर फार्मेट तथा शेडिंग का उपयोग कर टेबल बनाता है। टेबल के खाने सामग्री (Content) के अनुसार स्वतः परिवर्तित हो जाते हैं।
Change Text Direction	टेक्स्ट की दिशा में परिवर्तन करने में सक्षम बनाता है।
Sort Ascending	चयनित चीजों (Selected items) को बढ़ते हुए क्रम में या A से Z के रूप में श्रेणीबद्ध करता है।
Sort Descending	चयनित चीजों को घटते हुए क्रम में या Z to A के रूप में श्रेणीबद्ध करता है।
Auto Sum	एक सूत्र क्षेत्र बनाता है जो टेबल के खानों के मान को जोड़कर प्रदर्शित करता है।

सारणी–4 : ड्राइंग टूलबार

टूल्स का नाम	विवरण
Draw	ड्राइंग में कोई परिवर्तन करने में सक्षम बनाता है। जैसे–फ्लिप (Flip), घुमाना (Rotate), टेक्स्ट रैपिंग (Text wrapping) etc.
Select Objects	किसी विशेष ड्राइंग वस्तु को चयन करने में सक्षम बनाता है।
Free Rotate Auto Shapes	Autoshapes बटन पर Click करने पर कई आकारों की सूची प्राप्त होती है। सूची से एक सेट का चयन कर माउस Drag कर प्राप्त सूची से एक आकार का चयन करते हैं।

टूल्स का नाम	विवरण
Line	यह रेखा खींचने (Draw) के लिए उपयोग होता है।
Arrow	यह भी रेखा खींचने में प्रयुक्त होता है परन्तु खींची गई रेखा के एक ओर तीर का निशान बन जाता है। (Arrow head Line)
Rectangle	आयत (Rectangle) बनाने में प्रयुक्त होता है।
Oval	अंडाकार वृत्त (Oval) या वृत्त (Circle) बनाने में प्रयुक्त होता है।
Text Box	एक टेक्स्ट बॉक्स बनाने में प्रयोग होता है, जिनके अंदर हम कोई टेक्स्ट लिख सकते हैं।
Word Art	Word Art डालने में प्रयुक्त होता है।
Fill Colour	ड्राइंग किए गए चित्र या आकार में रंग भरने में प्रयुक्त होता है।
Clip Art	क्लिप आर्ट डालने में प्रयुक्त होता है।
Font Colour	चयनित (Selected) टेक्स्ट को हमारे द्वारा चुने गए रंग में परिवर्तित करता है।
Line Colour	बनाए गए वस्तु (Draw Object) के लाइन का रंग में परिवर्तन करने में प्रयुक्त होता है।
Line Style	इसके द्वारा ड्राइंग में प्रयोग किए गए रेखा (Line) के रूप, (जैसे–रेखा की मोटाई, डबल रेखा आदि) में परिवर्तन किया जा सकता है।
Dash Style	इसके प्रयोग से रेखा को भिन्न-भिन्न बिन्दु (Dotted) स्टाइल में परिवर्तित किया जा सकता है।
Arrow Style	Arrow युक्त लाइन के स्टाइल में परिवर्तन करने में प्रयुक्त होता है।
Shadow	चयनित (Selected) वस्तु को छाया शैली (Shadow Style) में परिवर्तन करने में प्रयुक्त होता है।
3-D	चयनित वस्तु (Selected Object) को 3-D शैली में परिवर्तन करने में प्रयुक्त होता है।

एम.एस. एक्सल (M.S. Excel)

माइक्रोसॉफ्ट एक्सल एक इलेक्ट्रॉनिक स्प्रेडशीट है, जो सांख्यिक गणना करने तथा चार्ट बनाने में सहायता करता है। स्प्रेडशीट सांख्यिकी विश्लेषण के लिए एक युक्ति (Tool) है तथा विश्लेषण क्या कहता है, यह बताने के लिए रिपोर्ट और प्रेजेन्टेशन तैयार करता है। जिन लोगों को संख्या का विश्लेषण, रिकॉर्ड तथा व्यवस्थित करने की आवश्यकता होती है, वे लोग स्प्रेडशीट का प्रयोग करते हैं।

स्प्रेडशीट रो तथा कॉलम के हर वर्ग या खाने (cell) को एक सेल एड्रेस (address) देता है तथा प्रयोक्ता को सूचना डालने की अनुमति देता है। कॉलम में टेक्स्ट प्रायः लेफ्ट अलाइन होता है। यह सेल एड्रेस का कॉलम तथा रो लेबल है। यह जल्द सांख्यिक गणना करने, वार्षिक या मासिक आँकड़े संग्रहीत करने, वित्तीय विवरण (statement) तैयार करने के लिए तथा कर (Tax) वर्कशीट तैयार करने इत्यादि के लिए उपयोग होता है।

इलेक्ट्रॉनिक स्प्रेडशीट कम्प्यूटर मेमोरी में तार्किक वर्कशीट है जो कॉलम तथा रो में बँटा है। यह यूटिलिटी सॉफ्टवेयर पैकेज है। एक बार सूत्र (Formula) का निर्धारण करने के बाद गणना स्वतः होती रहती है तथा परिणाम उपयोगकर्ता को दिखता रहता है। एम.एस. एक्सल वर्क बुक (Work book) चार्टों का संग्रह है।

एम.एस. पॉवरप्वाइंट (MS-PowerPoint)

यह माइक्रोसॉफ्ट द्वारा विकसित, एम.एस. ऑफिस (MS-Office) का एक भाग है। यह प्रस्तुतीकरण तथा स्लाइड शो (Presentation and slide show) को तैयार करने के लिए शक्तिशाली उपकरण है।

पॉवरप्वाइंट के उपयोग (Use of PowerPoint)

1. व्यवसाय अनुप्रयोग प्रस्तुतीकरण (Business Application Presentation) का स्लाइड तैयार करना।
2. एनिमेशन के द्वारा ग्राफिकल चीजों (Graphical Object) को तैयार करना।
3. सामान्य उपयोग के लिए आर्ट गैलरी के द्वारा कलात्मक स्लाइड तैयार करना।
4. व्यवसाय जगत में ट्रेनिंग देने के लिए।

एम.एस. एक्सेस (MS-Access)

माइक्रोसॉफ्ट एक्सेस डाटाबेस बनाने तथा प्रबंधन के लिए शक्तिशाली प्रोग्राम है। इनमें डाटा को देखने तथा निर्माण में सहायता करने के लिए कई सुविधाएँ हैं। सर्वप्रथम हमें यह पता होना चाहिए कि MS-एक्सेस का डाटाबेस को तोड़ने में कैसे उपयोग होता है।

डाटाबेस फाइल–यह मुख्य फाइल है जो संपूर्ण डाटाबेस है तथा हार्ड ड्राइव या फ्लॉपी डिस्क में सुरक्षित है। जैसे–Student database.mdb.

टेबल–रिलेशनल डाटाबेस में टेबल एक डाटा स्ट्रक्चर है जो सूचनाओं को कॉलम तथा रो में व्यवस्थित करता है। यह एक विशिष्ट विषय (Specific Topic) के डाटा का संग्रह है। एक डाटाबेस में कई टेबल हो सकते हैं। टेबल डाटा को रो (Rows) तथा कॉलम (Fields) में व्यवस्थित करता है। जैसे–1. छात्र, 2. शिक्षक।

फील्ड–एक टेबल में फील्ड की विभिन्न श्रेणियाँ हैं। जैसे–1. छात्र Last Name, 2. छात्र First Name।

डाटा टाइप–यह हर फील्ड का गुण है। एक फील्ड एक ही डाटा टाइप के हो सकते हैं। जैसे–फील्ड–छात्र (Last Name), डाटा टाइप–टेक्स्ट।

वस्तुनिष्ठ प्रश्न

1. यह सॉफ्टवेयर समाचार–पत्र, व्यवसाय कार्डस्, flyers ग्रीटिंग कार्ड या पोस्टकार्डों को बनाने के लिए काम आता है :

A. माइक्रोसॉफ्ट प्रकाशक
B. माइक्रोसॉफ्ट PowerPoint
C. माइक्रोसॉफ्ट Access
D. इनमें से कोई नहीं

2. प्राइमरी-की है :

A. यूनिक-की　　B. कॉमन-की
C. Tuples　　D. उपरोक्त सभी

3. Ms-Access किस language को integrate करता है?

A. Java　　B. Visual Basic
C. C++　　D. C

4. Ms-Access में टेबल तैयार करने के लिये कौन-कौन सी पद्धतियां हैं?

A. Data table
B. Create table by design view
C. Wizard
D. उपरोक्त सभी

5. Ms-Access निम्न में किस सुविधा को नहीं देता है?

A. Report　　B. Firm
C. Table　　D. Programme

6. प्रिन्ट के लिए कौन–सा मेनू सिलेक्ट किया जाता है?

A. एडिट　　B. स्पेशल
C. फाइल　　D. टूल्स

7. प्रयोक्ता दस्तावेज को जो नाम देता है उसे ....कहते हैं।

A. फाइल नेम　　B. प्रोग्राम
C. रिकॉर्ड　　D. डाटा

8. कट, कॉपी और पेस्ट करने के लिए कौन–सा मेनू सिलेक्ट किया जाता है?

A. फाइल　　B. टूल्स
C. स्पेशल　　D. एडिट

9. रिलेटेड फाइलों के कलेक्शन को .... कहा जाता है।

A. कैरेक्टर　　B. फील्ड
C. डाटाबेस　　D. रिकॉर्ड

10. विद्यमान डॉक्यूमेंट को परिवर्तित करना डॉक्यूमेंट की .... कहलाता है।

A. क्रिएटिंग　　B. एडिटिंग
C. मोडीफाइंग　　D. एडजेस्टिंग

11. वर्ड में टेक्स्ट की फार्मेटिंग करते समय किस ग्रुपिंग में काम किया जाता है?

A. टेबल्स, पैराग्राफ्स और इन्डेक्सेज
B. पैराग्राफ्स, इन्डेक्सेज और सेक्शन्ज
C. कैरेक्टर्स, सेक्शन्ज और पैराग्राफ्स
D. इन्डेक्सेज, कैरेक्टर्स और टेबल्स

12. माइक्रोसॉफ्ट ऑफिस ....

A. शेयरवेयर है
B. पब्लिक–डोमेन सॉफ्टवेयर है
C. ओपन–सोर्स सॉफ्टवेयर है
D. एक एप्लिकेशन स्यूट है

13. नए नाम सहित या नए लोकेशन पर किसी विद्यमान फाइल को सेव करने के लिए आपको .... कमांड का प्रयोग करना चाहिए।

A. सेव　　B. सेव एंड रिप्लेस
C. सेव एज　　D. न्यू फाइल

14. नीचे दिए गए सभी पद स्प्रेडशीट सॉफ्टवेयर संबद्ध हैं, सिवाय :

A. वर्कशीट　　B. सेल
C. फार्मूला　　D. वायरस डिटेक्शन

15. माइक्रोसॉफ्ट ऑफिस एक्सेल डॉक्यूमेंट में प्रत्येक सेल अपने सेल एड्रेस से रिफर किया जाता है, जो .... है।

A. सेल का कॉलम लेबल
B. सेल का कॉलम लेबल और वर्कशीट टैब नाम
C. सेल का रो लेबल
D. सेल का रो और कॉलम लेबल

16. रिलेशन डाटाबेस में, यह एक डाटा स्ट्रक्चर है, जो एक सिंगल टॉपिक सम्बन्धी इनफार्मेशन को रॉ और कॉलमों में आर्गेनाइज करता है :

A. ब्लॉक　　B. रिकॉर्ड
C. ट्यूपल　　D. टेबल

17. माइक्रोसॉफ्ट ऑफिस एक्सेल डॉक्यूमेंट में सेल एड्रेस में क्या होता है?

A. कॉलम का नाम
B. रो का नाम
C. पहले रो फिर कॉलम का नाम
D. पहले कॉलम फिर रो का नाम

18. किस कमांड की सहायता से हम किसी दस्तावेज को बचा सकते हैं?

A. Ctrl + S
B. Ctrl + X
C. Ctrl + A
D. Shift + F

19. विंडोज आधारित पर्सनल कम्प्यूटरों पर निम्नांकित में से कौन–सा पैकेज डाटाबेस के रूप में अधिक पाया जाता है?

A. एम.एस. एक्सेस
B. वर्ड–स्टार
C. लोटस
D. वेन्चुरा

20. कम्प्यूटर में संचित फाइलों के समूह को क्या कहा जाता है?

A. डिक्शनरी
B. इन्डेक्स
C. सूची
D. डायरेक्टरी

उत्तरमाला

1	2	3	4	5	6	7	8	9	10
A	A	B	D	D	C	A	D	C	B
11	**12**	**13**	**14**	**15**	**16**	**17**	**18**	**19**	**20**
A	D	C	D	D	D	D	A	A	D

✤✤✤✤✤

4 इंटरनेट एवं वेब ब्राउजर

इंटरनेट शब्द को अगर दो भागों में बाँट दिया जाए तो इंटरनेशनल + नेटवर्क दो शब्द बनते हैं और दोनों शब्दों का मतलब निकाला जाए तो इसका अर्थ होता है अन्तर्राष्ट्रीय जाल अर्थात् ऐसा जाल जिसमें सम्पूर्ण संसार शामिल हो। इंटरनेट दुनियाभर में सार्वजनिक रूप से सुलभ कम्प्यूटर का सुपर नेटवर्क है। इंटरनेट नेटवर्क में हजारों की संख्या में पूरी दुनिया के कम्प्यूटर जुड़े हुए हैं।

इंटरनेट का सफर, 1970 के दशक में, विंट सर्फ (Vint Cerf) और बॉब काहन् (Bob Kanh) ने शुरू किया। उन्होंने एक ऐसे तरीके का आविष्कार किया, जिसके द्वारा कम्प्यूटर पर किसी सूचना को छोटे-छोटे पैकेट में तोड़ा जा सकता था और दूसरे कम्प्यूटर में इस प्रकार से भेजा जा सकता था कि वे पैकेट दूसरे कम्प्यूटर पर पहुँच कर पुनः उस सूचना की प्रतिलिपि बना सकें–अर्थात् कम्प्यूटरों के बीच संवाद करने का तरीका निकाला। इस तरीके को ट्रांसमिशन कंट्रोल प्रोटोकॉल {Transmission Control Protocol (TCP)} कहा गया।

सूचना का इस तरह से आदान-प्रदान करना तब भी दुहराया जा सकता है जब किसी भी नेटवर्क में दो से अधिक कम्प्यूटर हों। क्योंकि किसी भी नेटवर्क में हर कम्प्यूटर का खास पता होता है। इस पते को इंटरनेट प्रोटोकॉल पता [Internet Protocol (I.P.) Address] कहा जाता है। इंटरनेट प्रोटोकॉल (I.P.) पता वास्तव में कुछ नम्बर होते हैं जो एक-दूसरे से एक बिंदु के द्वारा अलग-अलग किए गए हैं।

सूचना को जब छोटे-छोटे पैकेटों में तोड़कर दूसरे कम्प्यूटर में भेजा जाता है तो यह पैकेट एक तरह से एक चिट्ठी होती है जिसमें भेजने वाले कम्प्यूटर का पता और पाने वाले कम्प्यूटर का पता लिखा होता है। जब वह पैकेट किसी भी नेटवर्क कम्प्यूटर के पास पहुँचता है तो कम्प्यूटर देखता है कि वह पैकेट उसके लिए भेजा गया है या नहीं। यदि वह पैकेट उसके लिए नहीं भेजा गया है तो वह उसे आगे उस दिशा में बढ़ा देता है जिस दिशा में वह कम्प्यूटर है जिसके लिए वह पैकेट भेजा गया है। इस तरह से पैकेट को एक जगह से दूसरी जगह भेजने को इंटरनेट प्रोटोकॉल [Internet Protocol (I.P.)] कहा जाता है।

अक्सर कार्यालयों के सारे कम्प्यूटर आपस में एक-दूसरे से जुड़े रहते हैं और वे एक-दूसरे से संवाद कर सकते हैं। इसको Local Area Network (LAN) लेन कहते हैं। लेन में जुड़ा कोई कम्प्यूटर या कोई अकेला कम्प्यूटर, दूसरे कम्प्यूटरों के साथ टेलीफोन लाइन या सेटेलाइट से जुड़ा रहता है। अर्थात् दुनियाभर के कम्प्यूटर एक-दूसरे से जुड़े हैं। इंटरनेट, दुनियाभर के कम्प्यूटर का ऐसा नेटवर्क है जो एक-दूसरे से संवाद कर सकता है।

मोडेम (MODEM–Modulator Demodulator)

जब इंटरनेट को टेलीफोन लाइन के माध्यम से कनेक्ट करते हैं तो मोडेम की आवश्यकता होती है। यह कम्प्यूटर में चल रहे इंटरनेट ब्रोजर और इंटरनेट सर्विस प्रदाता के बीच आवश्यक लिंक हैं। टेलीफोन लाइन पर एनालोग सिग्नल भेजा जा सकता हैं, जबकि कम्प्यूटर डिजिटल सिग्नल देता है। अतः इन दोनों के बीच सामंजस्य स्थापित करने के लिए मोडेम की आवश्यकता होती है, जो डिजिटल सिग्नल को एनालॉग में और एनालॉग सिग्नल को डिजिटल सिग्नल में रूपांतरित करता है। मोडेम के दोनों ओर कम्प्यूटर और टेलीफोन लाइन से जुड़ा होना आवश्यक होता है। मोडेम से स्पीड को Bit Per Second (BPS), Kilobyte Per Second (KBPS), Megabyte Per Second (MBPS) में मापा जाता है।

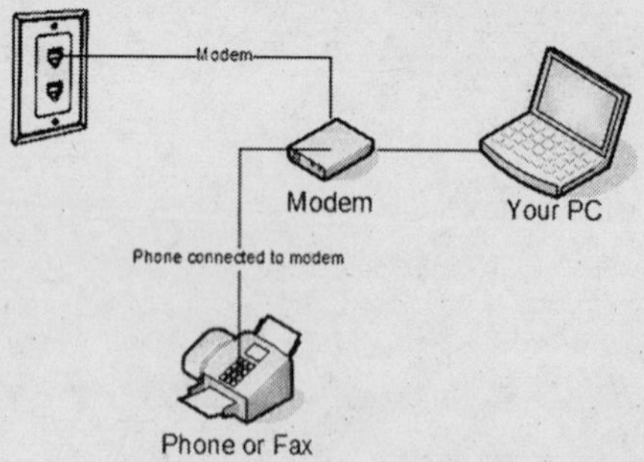

मोडेम मुख्यतः दो प्रकार के होते हैं–

(*a*) **इंटरनल (आंतरिक) मोडेम**–ऐसा मोडेम जो डेस्कटॉप या लैपटॉप में अंदर से ही लगा होता है। ऐसा मोबाइल जिसमें हम इंटरनेट का प्रयोग करते हैं, उसमें इसी प्रकार के मोडेम का इस्तेमाल किया जाता है।

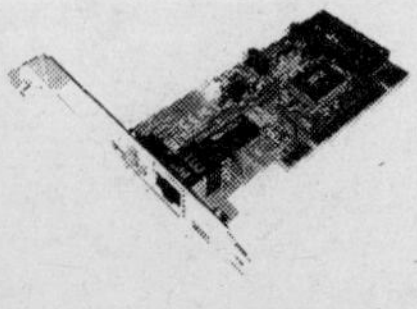

(*b*) **एक्स्टर्नल (बाह्य) मोडेम**–ऐसा मोडेम जिसे डेस्कटॉप या लैपटॉप में बाहर से लगाना पड़ता है। डाटा कार्ड (Photon, IDIA etc) या PCMCI में इस प्रकार के मोडेम का उपयोग किया जाता है।

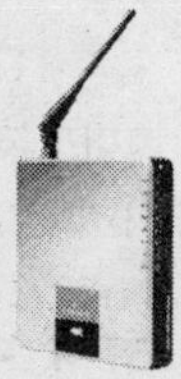

अतः मोडेम एक ऐसा डिवाइस है जो डाटा को पल्स में परिवर्तित करता है तथा उन्हें टेलीफोन लाइन पर संप्रेषित करता है।

इंटरनेट सॉफ्टवेयर या वेब ब्राउजर

वेब एक विशाल पुस्तक की तरह है तथा वेब ब्राउजर एक सॉफ्टवेयर है जो कम्प्यूटर को इंटरनेट से जोड़ता है। कुछ वेब ब्राउजर निम्नलिखित हैं–

1. नेटस्केप नेविगेटर
2. माइक्रोसॉफ्ट इंटरनेट एक्सप्लोरर
3. मोजिला फायरफॉक्स
4. गूगल क्रोम
5. ओपेरा आदि

इन सॉफ्टवेयर का उपयोग कर हम लोग इंटरनेट से जुड़ सकते हैं तथा वेब से अपनी पसंद की जानकारियाँ प्राप्त कर सकते हैं। वेब ब्राउजर का प्रयोग कर हम लोग किसी विशेष पेज या लोकेशन पर उसके पता (Address) को टाइप कर जा सकते हैं। URL (Universal Resources Locater) में प्रयुक्त हो रहे टूल्स और इंटरनेट पता दोनों रहते हैं। जैसे–URL http://www.samidhafoundation. co.cc में टूल्स http (hypertext transfer protocol यह एक प्रोटोकॉल अर्थात् एक पूर्व से निर्धारित नियम है जिसका काम संकेत को दिए गए इंटरनेट पता पर भेजना है) है और इंटरनेट पता www.samidhafoundation.co.cc है।

इंटरनेट के लिए आवश्यक उपकरण

हम देखेंगे कि कम्प्यूटर पर इंटरनेट शुरू करने से पहले हमें किन–किन चीजों की आवश्यकता होती हैं–

- कम्प्यूटर या मोबाइल (जो G.P.R.S. सपोर्ट करता हो)
- टेलीफोन या मोबाइल सिम कार्ड
- मोडेम
- सॉफ्टवेयर जिसकी मदद से इंटरनेट पर काम किया जाता है।

कम्प्यूटर या मोबाइल (जो G.P.R.S. सपोर्ट करता हो)–बाजार में मिलने वाले घरेलू उपयोग वाले सभी कम्प्यूटर को इंटरनेट से जोड़ा जा सकता है। अगर आप अपने मोबाइल में इंटरनेट का उपयोग करना चाहते हैं तो मोबाइल लेने से पहले यह सुनिश्चित कर लेना जरूरी है कि वह मोबाइल फोन G.P.R.S. सपोर्ट करता है या नहीं। बस जो फोन G.P.R.S. सपोर्ट कर सकता है उसी में इंटरनेट का उपयोग किया जा सकता है।

टेलीफोन या मोबाइल सिम कार्ड–कम्प्यूटर द्वारा बनने वाले डिजिटल सिग्नल को टेलीफोन लाइन वाले एनालॉग सिग्नल के माध्यम से ही एक जगह से दूसरी जगह भेजा जाता है। इस कारण इंटरनेट के इस्तेमाल के लिए एक फोन लाइन का होना अति आवश्यक होता है। नया फोन लेते वक्त कुछ खास बातों पर ध्यान देना होता है।

- हम जिस कंपनी का फोन लेने जा रहे हैं। वह इंटरनेट सेवा प्रदान करता है या नहीं।
- कंपनी स्वयं मोडेम प्रदान करता है या नहीं।
- कंपनी किस प्रकार की सेवा मुहैया करवाता है जैसे ब्रॉडबैंड, डायलअप, लीज्ड लाइन आदि।
- फोन प्रदाता कम्पनी किस प्रकार अपना बिल लेता है। मसलन मासिक चार्ज कितना लेती है, उसमें कितना डाउनलोड्स मुफ्त मिलता है। अतिरिक्त डाउनलोड होने पर चार्ज कितना लिया जाता है आदि।

मोबाइल में डिजिटल सिग्नल को टेलीफोन लाइन वाले एनालॉग सिग्नल के माध्यम से एक जगह से दूसरी जगह भेजने के लिए सिम कार्ड का उपयोग किया जाता है। मोबाइल में सिम कार्ड लेते वक्त ये जानकारी प्राप्त करना जरूरी होता है कि सिम कार्ड वाली कंपनी इंटरनेट सेवा देती है या नहीं और देती है तो उसके चार्ज कितने होते हैं।

मोडेम–अगर फोन प्रदाता कंपनी आपको मोडेम प्रदान नहीं कर रही हैं तो आपको बाजार से मोडेम खरीदना होगा। यहाँ आपको इस बात पर ध्यान देना होगा कि फोन सेवा देने वाली कंपनी अधिकतम कितने स्पीड का इंटरनेट सेवा प्रदान करती है। उसी के आधार पर आपको मोडेम लेना पड़ता है।

मोबाइल फोन जिसमें G.P.R.S. सुविधा होती है। मोडेम आंतरिक तौर पर ही लगा होता है। इस कारण हम मोबाइल में तो इंटरनेट उपयोग कर ही सकते हैं। इसके साथ ही हम मोबाइल को कम्प्यूटर से जोड़कर फोन और मोडेम जैसा भी उपयोग कर सकते हैं।

इसके साथ ही बाजार में बहुत डाटा कार्ड भी उपलब्ध है जिसका उपयोग हम सीधे तौर पर मोडेम और टेलीफोन जैसा कर सकते हैं। इसमें भी मोबाइल जैसे टेलीफोन और मोडेम दोनों का एक साथ उपयोग करने के लिए सिम कार्ड की जरूरत होती है। डाटा कार्ड भी मोबाइल जैसा मुख्यतः दो प्रकार का होता है।

(*a*) GSM (ग्रुप स्पेशल मोबाइल)

(*b*) CDMA (कोड डिवीजन मल्टीपल एक्सेस)

सॉफ्टवेयर जिसकी मदद से इंटरनेट पर काम किया जाता है–

इंटरनेट पर काम करने के लिए एक विशेष प्रकार के एप्लीकेशन सॉफ्टवेयर की आवश्यकता होती है। जिसके उपयोग से ही हम इंटरनेट पर काम कर सकते हैं। जब उपरोक्त सभी सामग्री उपलब्ध हो जाए तब ही इंटरनेट प्रारम्भ करना सम्भव हो सकता है।

इंटरनेट का उपयोग (Use of Internet)

1. वर्ल्ड वाइड वेब (World Wide Web)
2. ई–कॉमर्स (E-Commerce)
3. ऑनलाइन शॉपिंग (Online Shopping)
4. इलेक्ट्रॉनिक मेल (Electronic mail)
5. बातचीत करना (Chatting)
6. यूजनेट (Usenet)
7. फाइल ट्रांसफर प्रोटोकॉल (FTP–File Transfer Protocol)
8. वीडियो कॉन्फरेंसिंग (Video Conferencing)
9. टेलीनेट (Telenet)
10. मनोरंजन (Entertainment)

इंटरनेट संबंधित प्रोटोकॉल (Internet Related Protocols)

किसी नेटवर्क पर सूचनाओं का आदान-प्रदान करने के लिए कुछ निश्चित नियम होते हैं, जिन्हें प्रोटोकॉल (Protocol) कहा जाता है। इंटरनेट भी इसका अपवाद नहीं है, क्योंकि यह संसार का सबसे बड़ा नेटवर्क है। इसका भी अपना एक प्रोटोकॉल है, जिसको TCP/IP कहा जाता है, जिसका पूरा नाम Transmission Control Protocol/Internet Protocol है।

TCP/IP एक डाक विभाग की तरह कार्य करता है। कंप्यूटरों का परस्पर त्रुटिहीन संचार सुनिश्चित करने के लिए दो प्रकार की आवश्यकताएँ होती हैं: (1) पता, (2) सूचना पहुँचाने या प्राप्त करने के लिए एक सुरक्षित माध्यम। TCP मूलतः सूचना के आदान–प्रदान के लिए उसको छोटे–छोटे पैकेट्स में विभाजित करने, उनके पुनः संयोजन (reassemble) और सुरक्षित पहुँचाने के लिए नियम है।

IP उस पर गंतव्य स्थान का पता लिखने की औपचारिकता को पूरा करता है। पते को हम मानकीकृत रूप में use@host.domain के रूप में लिखते हैं। इसमें इन्टरनेट से जुड़े सभी कंप्यूटर्स अथवा websites का एक Main Adress दिया जाता है, जिसकों IP address कहते हैं। यह कंप्यूटर की पहचान है। इसके चार भाग होते हैं, तथा ये दशमलव से अलग होते हैं, जिसमें सभी भाग में 0 से 255 तक की एक संख्या होती है। उदाहरण के लिए, 192.168.210.15. किसी भी दो कंप्यूटर्स या वेबसाइटों का IP पता एक जैसा नहीं हो सकता है। यह सभी प्रकार के हार्डवेयर एवं सॉफ्टवेयर पर लागू होता है। प्रत्येक डिवाइस (जैसे, कंप्यूटर, सर्वर, प्रिंटर, स्मार्टफोन) का एक यूनिक एड्रेस होता है और कम्युनिकेशन के लिए वे इंटरनेट प्रोटोकॉल का उपयोग करते हैं।

TCP/IP के डिजाइनर ने IP ऐड्रेस को एक 32 बिट नम्बर के रूप में परिभाषित किया और इंटरनेट प्रोटोकॉल वर्जन 4 या IPv4 के नाम से जानी जाने वाली यह प्रणाली, आज भी उपयोग में है। बाद में इंटरनेट के व्यापक विकास और इसके परिणामस्वरूप उपलब्ध पतों की कमी के कारण, 1995 में एड्रेस के लिए 128 बिट का उपयोग करके एक नया परिचयन सिस्टम (IPv6) विकसित किया गया।

TCP के स्थान पर User Datagram Protocol (UDP) का भी प्रयोग किया जा सकता है। IP एवं UDP को कनेक्शनलेस प्रोटोकॉल्स भी कहा जाता है।

अन्य महत्त्वपूर्ण प्रोटोकॉल्स

- **HTTP (HyperText Transfer Protocol):** वेब ब्राउजर और वेबसर्वर के मध्य संचार को स्थापित करने हेतु।
- **IMAP (Internet Message Access Protocol):** ई–मेल सर्वर और उपभोगकर्त्ता के मध्य संचार हेतु। इसके स्थान पर कई जगह Post Office प्रोटोकॉल का भी प्रयोग किया जाता है।
- **SSL (Secure Sockets Layer):** इंटरनेट के द्वारा निजी दस्तावेजों को सम्प्रेषित करने हेतु।
- **FTP (File Transfer Protocol):** डेटा फाइलों को एक कंप्यूटर से दूसरे कंप्यूटर पर भेजने हेतु।
- **TFTP (Trivial File Transfer Protocol):** नेटवर्क यंत्रों के बीच डेटा फाइलों को स्थानान्तरित करने हेतु।
- **SMTP (Simple Mail Transfer Protocol):** नेटवर्क आधारित ई–मेल को पहले APRANET पर FTP की सहायता से प्रेषित किया जाता था, अब यही कार्य SMTP के द्वारा किया जाता है।
- **SGML (Standardised General Markup Language):** इसकी एक भाषा कहना ठीक नहीं है। वस्तुतः एक मेटा भाषा है, जो कि एक दस्तावेज के आयोजन और टैगिंग के लिए दिशा निर्देश के बारे में है। SGML को वर्ष 1986 में International Organization for Standards (ISO) ने विकसित किया था। यह किसी विशेष फॉर्मेटिंग को परिभाषित नहीं करता। यह टैगिंग तत्वों के लिए नियमों को निर्दिष्ट करता है।

टेलनेट (TelNet): इस सुविधा से कोई व्यक्ति इंटरनेट से जुड़े दूरस्थ दूसरे कंप्यूटर से डेटा प्राप्त कर सकता है। इसको 'रिमोट लोग इन' भी कहा जाता है।

यूजनेट (UseNet): इस सेवा का प्रयोग लोगों के समूह द्वारा अपनी पसन्द के किसी विषय पर अपनी राय या सूचना देने के लिए किया जा सकता है। इस सम्बद्ध में हम न्यूज ग्रुप तथा न्यूज सर्वर शब्दों का प्रयोग करते हैं।

पुश नेट (Push Net): इससे संदेश इलेक्ट्रॉनिक बुलेटिन बोर्ड पर भेजा जा सकता है, जहाँ पर वह सबके लिए उपलब्ध रहता है।

सर्च इंजन (Search Engine)

सर्च इंजन एक ऐसा प्रोग्राम है, जो इंटरनेट पर उपलब्ध सूचनाओं में से किसी विशेष सूचना को ढूँढकर कंप्यूटर स्क्रीन पर प्रदर्शित करता है। हमें किसी संस्थान, वस्तु, व्यक्ति, विषय आदि किसी के बारे में कुछ भी सूचना प्राप्त करनी है, तो हम इस सर्च टूल का प्रयोग करते हैं। गूगल, याहू, अल्टाविस्टा, लाइकोस, हॉटबोट, आदि अनेक उदाहरण हैं।

मेटासर्च इंजन (Metasearch engine) या जिसको एग्रीगेटर (aggregator) एक ऐसा सर्च उपकरण है जो अपने स्वयं के परिणाम दर्शाने के लिए दूसरे सर्च इंजन के डेटा का उपयोग करता है। मेटाक्रॉलेर, हॉटबोट, डॉगपाइल, आदि मेटा सर्च इंजन के उदाहरण हैं।

वेबसाइट (Website)

यह वेब पेज और अन्य जानकारी (चित्र, ध्वनि और वीडियो फाइल, आदि) का समूह है, जो कि एकल वेब सर्वर के माध्यम से हमें उपलब्ध होती हुई प्रतीत होती है। दूसरी तरफ यूआरएल, इंटरनेट पर किसी संसाधन का पता है। वर्ल्ड वाइड वेब URL की शुरुआत http:// से होती है।

पोर्टल (Portal)

इसका अर्थ Gateway होता है, जो कि एक वेब ब्राउजिंग का प्रारम्भिक चरण है। प्रायः ऐसे सर्च इंजन या वेबसाइटों की बड़ी डायरेक्टरियाँ होती हैं। पोर्टल का मुख्य कार्य यूजर को उसकी रुचि अनुसार कुछ वेबसाइटों की सूची प्रदान करना है, परन्तु आजकल ये बहुत सारी सूचनाएँ एवं सेवाएँ भी उपलब्ध कराते हैं।

पोर्टल्स के प्रकार

1. Web Searching Portals
2. E-Commerce Portals
3. E-Learning Portals
4. Government Portals, आदि

ब्लॉग (Blog)

ब्लॉग शब्द का उद्‌गम लॉग अर्थात डायरी है। ब्लॉग एक तरह की वेबसाइट होती है, हम अपने विचार, अनुभव और सुझाव दूसरों के समक्ष ब्लॉग के माध्यम से क्रमिक रूप से रख सकते हैं। आप अगर ब्लॉग में काम करते हैं, तो उसे ब्लॉगिंग (blogging) कहते हैं और जो ब्लॉग लिखता है उसे ब्लॉगर (blogger) कहते हैं। ब्लॉगस्पॉट (blogspot) गूगल के द्वारा ही जारी किया गया एक प्लेटफार्म है। गूगल आपको फ्री में ब्लॉग डालने की अनुमति देता है। ब्लॉग के माध्यम से तत्काल प्रतिपुष्टि एवं सहभागिता सुनिश्चित की जा सकती है।

एक शिक्षक एडुबलॉग्स के माध्यम से शिक्षण अधिगम प्रक्रिया को और प्रभावी बना सकता है, इसमें शिक्षा के नीति निर्धारकों का भी योगदान हो सकता है। इससे विद्यार्थी परस्पर चर्चा कर सकते हैं जिसमें शिक्षक की भूमिका एक सुगमकर्त्ता की बन जाती है। कुछ ब्लॉग सबके लिए मुक्त (open) है, कुछ को पासवर्ड से सुरक्षित किया जा सकता है।

फ्री ब्लॉग होस्टिंग (Free Blog Hosting): wordpress selva, blogger, tumblr

ब्लॉग होस्ट्स विद फीस (Blog Hosting with Fees): GoDaddy, Bluehost, Hostgator, hostmonster

आरएसएस (RSS): इस वेब उपकरण की सहायता से आप सूचना को दूसरी कुछ वेबसाइटों से एकत्रित कर अपनी वेबसाइट पर दिखा सकते हैं। इससे शिक्षक और विद्यार्थी के पास कई विषय–वस्तुओं के बारे में विस्तृत जानकारी इकट्‌ठी हो जाती है, विशेषतया समसामयिक घटनाओं के बारे में। यह एक प्रकार से किसी विषय–वस्तु पर अनुसन्धान जैसा बन जाता है, जिसमें कई पहलू कवर किए जा सकते हैं। आप इसके बारे में और अधिक जानकारी प्राप्त करने हेतु rssfeedreader.com पर जा सकते हैं।

इंटरनेट चैटिंग (Internet Chatting)

चैटिंग इंटरनेट पर की जाने वाली एक रोचक क्रिया है। यह टेलीफोन पर बात करने के समान है। अंतर केवल यह है कि बोलने की जगह हम अपनी बात या संदेश की बोर्ड पर टाइप करते हैं, तो तत्काल ही प्राप्तकर्ता के मॉनीटर की स्क्रीन पर तुरंत ही दिया जाता है। तब प्राप्तकर्त्ता अपने की-बोर्ड पर उसका उत्तर टाइप करता है, जो हमारे मॉनीटर की स्क्रीन पर तुरंत ही दिखा दिया जाता है। इस प्रकार बातचीत तब तक चलती रहती है जब तक आप चाहते हैं। इस तरह चैटिंग को टेक्स्ट चैट कहा जाता है।

चैटिंग चैट समूहों में की जाती है। किसी चैट समूह को चैनल भी कहा जाता है। चैनल सामान्यतः विशेष विषयों पर केन्द्रित होते हैं जैसे– राजनीति, खेल, संगीत, फिल्म आदि। प्रत्येक चैनल का नाम '#' चिन्ह से प्रारंभ होता है। उदाहरण के लिये #politics एक चैनल भी हो सकता है, जो राजनीति पर केन्द्रित हो। यदि कोई उपनाम '@' चिन्ह से प्रारंभ हो रहा हो, जैसे– @robotman, तो वह किसी व्यक्ति के बजाय उस प्रोग्राम का नाम होता है, जो उस चैट समूह को संचालित या व्यवस्थित करता है।

वीडियो कॉन्फ्रेंसिंग (Video Conferencing)

वीडियो कॉन्फ्रेंसिंग के द्वारा दो या दो से अधिक व्यक्ति विश्व के किसी भी भाग में बैठकर audio-video रूप में आपस में Interaction कर सकते हैं, अर्थात् आसानी से एक–दूसरे से बातचीत कर सकते हैं। वीडियो कॉन्फ्रेंसिंग कम्युनिकेशन की एक आधुनिक एवं नई टेक्नोलोजी है। इसमें कई दूर सम्प्रेषण (Remote communication) तकनीकियों का उपयोग किया जाता है। वीडियो कॉन्फ्रेंसिंग अन्य दूर सम्प्रेषण विधियों से अलग है क्योंकि जहाँ दूर सम्प्रेषण तकनीकों में केवल ध्वनि को ही एक स्थान से दूसरे स्थान पर संचारित किया जाता है वहीं वीडियो कॉन्फ्रेंसिंग से आवाज के साथ चित्र भी दिखाई देते हैं। वीडियो कॉन्फ्रेंसिंग में ऐसा लगता है कि जैसे दो व्यक्ति आमने–सामने बैठकर ही बातें कर रहे हैं।

वीडियो कॉन्फ्रेंसिंग के लाभ

(Advantages of Video Conferencing):

वीडियो कॉन्फ्रेंसिंग के मुख्य लाभ निम्न हैं:

1. Teleseminars
2. Teacher's Conference
3. E-Learning
4. Help From Experts
5. Guest Lectures
6. Study during Vacations
7. E-Tutor
8. Helpful in Research
9. Directing and consulting

वीडियो कॉन्फ्रेंसिंग के दोष

(Disadvantages of Video Conferencing):

वीडियो कॉन्फ्रेंसिंग के उपर्युक्त कई लाभ हैं लेकिन फिर भी तकनीक के कुछ दोष हैं जो निम्न हैं–

1. Costly techinque **2.** Complex process
3. Use of Internet **4.** Proper training requirement

ई–बैंकिंग (e-Banking)

ई–बैंकिंग एक अदृश्य है जो किसी को नजर नहीं आता है। परंतु यह बहुत काम की चीज है। जिस प्रकार भूत किसी को नजर नहीं आता है। जब भी किसी को भी डरा देता है। बिल्कुल ई–बैंकिंग भी ठीक वैसा ही है। किसी को नजर नहीं आता है, जब भी यह पूरा काम कर देता है। अब ई–बैंकिंग क्या है इसकी परिभाषा बता रहा हूँ।

किसी भी बैंक द्वारा प्रदान की जा रही सेवाओं को किसी भी स्थान से कंप्यूटर, मोबाइल के दवारा इन्टरनेट के माध्यम से प्रयोग करना ई–बैंकिंग कहते हैं। इस ई–बैंकिग को कई नामों से जानते है जैसे ई–बैंकिंग, इंटरनेट बैंकिंग, मोबाइल बैंकिंग।

बैंकिग के प्रकार

बैंकिंग के निम्नलिखित प्रकार होते हैं–

- **इंटरनेट बैंकिंगः** यह बैंकिंग इंटरनेट के माध्यम से होती है इसलिए इसे इंटरनेट बैंकिंग कहते है। इसे ई बैंकिंग के नाम से भी जानते है।
- **मोबाइल बैंकिंगः** बैंकिंग कार्य को किसी मोबाइल एप्प पर करते है तो इस बैंकिंग को मोबाइल बैंकिंग कहते है। मोबाइल बैंकिंग को बढ़ावा देने के लिये सभी बैंक अपना-अपना एप्प निकालते हैं। जिससे मोबाइल बैंकिग बहुत तेजी से आगे बढ़ रहा है।
- **टेलीफोन बैंकिंगः** यह भी बैंकिंग का एक रूप है। परंतु एक पुराना तरीका है। इसका इस्तेमाल बहुत कम होता है। यह बैंकिंग टेलीफोन पर होता था।
- **एसएमएस बैंकिंगः** जिस बैंकिग कार्य को एसएमएस के द्वारा किया जाता है, उसे एसएमएस बैंकिंग कहते हैं।

ई–बैंकिग के कार्यः

- ई-बैंकिंग से एक खाते से किसी अन्य के खाते में पैसे भेज सकते हैं।
- ई-बैंकिंग से अपने खाते की शेष राशि की जानकारी प्राप्त कर सकते हैं।
- ई-बैंकिंग की मदद से आप अपने बैंक खाते के लेन-देन के स्टेटमेंट देख सकते हैं।
- शेयर बाजार और अन्य विभिन्न निवेश ऑनलाइन कर सकते हैं।
- बस, रेल व अन्य टिकट इंटरनेट से बुक करवा सकते हैं।
- ऑनलाइन DD डिमांड ड्राफ्ट के लिये फॉर्म भर सकते हैं।
- अपने लोन और अन्य खातों का विवरण देख सकते हैं।

वस्तुनिष्ठ प्रश्न

1. वेब पेज/पृष्ठ को रीलोड करने हेतु.........बटन दबाएं।
A. रीडू B. रीलोड
C. रिस्टोर D. सीटीआरएल (Ctrl)

2. इंटरनेट के जरिये लिंकों के संग्रहण से एक इंटर कनेक्टेड नेटवर्क सृजित हो जाता है, उसे .... कहा जाता है।
A. डब्ल्यू डब्ल्यू डब्ल्यू B. वेब
C. वर्ल्डवाइड वेब D. उपर्युक्त सभी

3. ....में कई कम्प्यूटर्स का समावेश है जो संसाधन और डाटा शेयर करने हेतु एकत्रित जोड़े जाते हैं।
A. इंटरनेट B. नेटवर्क
C. बैंकबोन D. हाइपरलिंक

4. क्लासरूम में न जाते हुए कम्प्यूटरों के विषय में अध्ययन के लोकप्रिय तरीके को .... कहा जाता है।
A. आइ–लर्निंग B. आइसोलेटेड लर्निंग
C. ई–लर्निंग D. क्लोज लर्निंग

5. एक व्यक्ति जिसकी विशेषज्ञता अन्य व्यक्तियों के कम्प्यूटर्स से जानकारी गैरकानूनी तरीके से या उसे डैमेज करने हेतु .... से एक्सेस प्राप्त किया जाता है।
A. स्पैमर B. हैकर
C. तत्काल संदेशवाहक D. प्रोग्रामर

6. .... फोल्डर संदेशों की कापियाँ रखता है जिन्हें आपने आरंभ किया है तथापि भेजने हेतु तैयार नहीं है।
A. इन बॉक्स B. आउट बॉक्स
C. ड्रॉफ्ट्स D. सेंट/भेजे गए आइटम्स

7. उनकी पहचान/आइडेंटिटी को गलत दिखलाने/ झुठलाने के जरिए व्यक्तियों द्वारा ....प्रयास है, ताकि आपसे गोपनीय सूचनाएं प्राप्त की जा सकें।
A. फिशिंग ट्रिप्स
B. कम्प्यूटर वायरस्पेस
C. स्पायवेयर स्कैम्स
D. फिशिंग स्कैन्स

8. निम्न में से कौन–सा सत्य नहीं है?
A. चैटिंग ई–मेल के समान है
B. चैटिंग केवल एक व्यक्ति के साथ की जा सकती है
C. चैटिंग में बहुत से लोग शामिल हो सकते हैं
D. चैटिंग इलेक्ट्रॉनिक संवाद है

9. ई–मेल पते के दो भाग कौन–से हैं?

A. यूजर नाम और गली का नाम
B. विधिक नाम और फोन नंबर
C. इनीशियल और पासवर्ड
D. यूजर नाम और डोमेन नाम

10. ई–मेल भेजना किसके समान है?

A. पत्र लिखना
B. तस्वीर बनाना
C. फोन पर बात करना
D. पैकेज भेजना

11. ब्राउजर क्या करता है?

A. पुस्तकालय में पत्रिकाओं और किताबों को ढूँढता है
B. सामग्री को वास्तव में तेजी से पढ़ता है
C. आपका समय बर्बाद करता है
D. यह वेब पेज देखने के लिए प्रयुक्त एक सॉफ्टवेयर है

12. अधिकांश वेबसाइट में मेन पेज, ... होता है जो शेष वेब साइट पेजेज के डोरवे का काम करता है।

A. सर्च इंजन
B. होम पेज
C. ब्राउजर
D. URL

13. ई–मेल अकाउंट में एक स्टोरेज एरिया होता है जिसे अक्सर .... कहते हैं।

A. अटैचमेंट
B. हाइपरलिंक
C. मेल–बॉक्स
D. IP एड्रेस

14. मॉडेम किससे जुड़ा होता है?

A. प्रोसेसर
B. मदर बोर्ड
C. प्रिंटर
D. फोन लाइन

15. आप इंटरनेट से ....

A. इलेक्ट्रॉनिक मेल भेज सकते हैं
B. वेब पेज देख सकते हैं
C. पूरे विश्व में सर्वर से जुड़ जाते हैं
D. उपरोक्त सभी

16. 'स्पैम' (Spam) किस विषय से सम्बन्धित शब्द है?

A. कम्प्यूटर
B. कला
C. संगीत
D. खेल

17. निम्नांकित में से कौन–सी सूचना प्रौद्योगिकी पारिभाषिकीय नहीं है?

A. लॉग इन
B. मोडेम
C. पासवर्ड
D. पिनाका

18. भारत में सर्वप्रथम दिखाई देने वाला कम्प्यूटर वायरस है :

A. सी–ब्रेन
B. कोलम्बस
C. मैक बग
D. इनमें से कोई नहीं

19. जब इंटरनेट का उपयोग संदेश प्रेषित करने में किया जाता है तो यह सुविधा कहलाती है :

A. साइबर स्पेस
B. निकनेट
C. ई–मेल
D. आईनेट

20. इनमें से कौन–से कम्प्यूटर में वायरस नहीं है?

A. बनहाफ
B. मंकी
C. चंगू–मंगू
D. मनोज

21. ....में माइकेल एंजेलो नामक वायरस विश्व में चिन्ता का कारण बना हुआ था।

A. 1999
B. 1992
C. 1994
D. 1993

22. ई–मेल क्या है?

A. एक इंटरनेट स्टैण्डर्ड जो यूजर को फाइल्स अपलोड और डाउनलोड करने देता है
B. एक ऑनलाइन एरिया जिसमें यूजर किसी खास विषय के बारे में लिखित रूप से चर्चा करता है
C. कम्प्यूटर नेटवर्क के माध्यम से संदेशों तथा फाइलों का ट्रांसमिशन
D. एक रियल टाइम टाइप्ड कनवर्सेसन

23. चैट क्या है?

A. एक इंटरनेट स्टैण्डर्ड जो यूजर को फाइल्स अपलोड और डाउनलोड करने देता है
B. एक ऑनलाइन एरिया जिसमें यूजर किसी खास विषय के बारे में लिखित रूप से चर्चा करता है
C. कम्प्यूटर नेटवर्क के माध्यम से संदेशों तथा फाइलों का ट्रांसमिशन
D. एक रियल टाइम टाइप्ड कनवर्सेसन

24. गोपनीय कोड जो कुछ प्रोग्रामों में प्रविष्टि प्रतिबंधित करता है :

A. पासवर्ड
B. पासपोर्ट
C. एन्ट्रीकोड
D. एक्सेस कोड

25. इंटरनेट पर सर्वर से सूचना पाने के कम्प्यूटर के प्रोसेस को .... कहते हैं।

A. पुलिंग
B. पुशिंग
C. डाउनलोडिंग
D. ट्रांसफरिंग

उत्तरमाला

1	2	3	4	5	6	7	8	9	10
B	D	A	C	B	C	D	B	D	A
11	**12**	**13**	**14**	**15**	**16**	**17**	**18**	**19**	**20**
D	B	C	D	D	A	D	D	C	D
21	**22**	**23**	**24**	**25**					
D	C	B	A	C					

✤ ✤ ✤ ✤ ✤

5 कम्युनिकेशन

आज के युग में उपयोगकर्ता को इलेक्ट्रॉनिक संचार की आवश्यकता है। लोगों के परस्पर सूचना के संचार के लिए तकनीक की आवश्यकता है। एक अच्छी सूचना संचार पद्धति प्रत्येक संस्थानों के लिए आवश्यक है। संस्थाएँ सूचना की प्रक्रिया के लिए परस्पर जुड़े हुए कम्प्यूटर पर निर्भर रहती हैं। इलेक्ट्रॉनिकी की सहायता से एक स्थान से दूसरे स्थान पर सूचना प्रेषित करने की क्रिया को दूरसंचार कहते हैं। एक या एक से अधिक कम्प्यूटर और विविध प्रकार के टर्मिनलों के बीच आंकड़ों को भेजना या प्राप्त करना डाटा संचार कहलाता है।

नेटवर्क की रूपरेखा

सामान्यतया संचार नेटवर्क में किसी चैनल के माध्यम से प्रेषक अपना संदेश प्राप्तकर्ता को भेजता है। किसी भी नेटवर्क के पाँच मूल अंग हैं।

1. **टर्मिनल**–टर्मिनल मुख्य रूप से वीडियो टर्मिनल एवं वर्कस्टेशनों का समावेश होता है। इनपुट एवं आउटपुट उपकरण नेटवर्क में डाटा भेजने एवं प्राप्त करने का कार्य करते हैं। उदाहरण–माइक्रोकम्प्यूटर, टेलीफोन, फैक्स मशीन आदि।
2. **दूरसंचार प्रोसेसर**–दूरसंचार प्रोसेसर टर्मिनल और कम्प्यूटर के बीच रहते हैं। ये डाटा भेजने एवं प्राप्त करने में सहायता करते हैं। मोडेम मल्टीप्लेक्सर, फ्रन्ट एंड प्रोसेसर जैसे उपकरण नेटवर्क में होने वाली विविध क्रियाओं और नियंत्रणों में सहायता करता है।
3. **दूरसंचार चैनल एवं माध्यम**–वे माध्यम जिनके ऊपर डाटा प्रेषित एवं प्राप्त किया जाता है, उसे दूरसंचार चैनल कहते हैं। दूरसंचार नेटवर्क के विभिन्न अंगों को जोड़ने के लिए माध्यम का उपयोग करते हैं।
4. **कम्प्यूटर**–नेटवर्क सभी प्रकार के कम्प्यूटर को आपस में जोड़ता है। जिससे वे उसकी सूचना पर प्रक्रिया कर सके।
5. **दूरसंचार सॉफ्टवेयर**–दूरसंचार सॉफ्टवेयर एक प्रोग्राम है जोकि होस्ट कम्प्यूटर पद्धति पर आधारित है। यह कम्प्यूटर पद्धति दूरसंचार विधियों को नियंत्रित करता है और नेटवर्क की क्रियाओं को व्यवस्थित करता है।

कम्प्यूटर नेटवर्क के प्रकार

कम्प्यूटर नेटवर्क आपस में जुड़े कम्प्यूटरों का समूह है जो एक–दूसरे से संचार स्थापित करने तथा सूचनाओं, संसाधनों को साझा इस्तेमाल करने में सक्षम होते हैं।

नेटवर्क के निम्नलिखित प्रकार होते हैं–

लोकल एरिया नेटवर्क (LAN–Local Area Network)–यह एक कम्प्यूटर नेटवर्क है जिसके अंदर भौगोलिक परिधि सीमित होती है। जैसे–घर, ऑफिस, भवनों का छोटा समूह आदि का कम्प्यूटर नेटवर्क। वर्तमान लेन इथर्नेट तकनीक पर आधारित होता है। इस नेटवर्क का आकार छोटा परन्तु डाटा संचारण की तीव्र गति होती है।

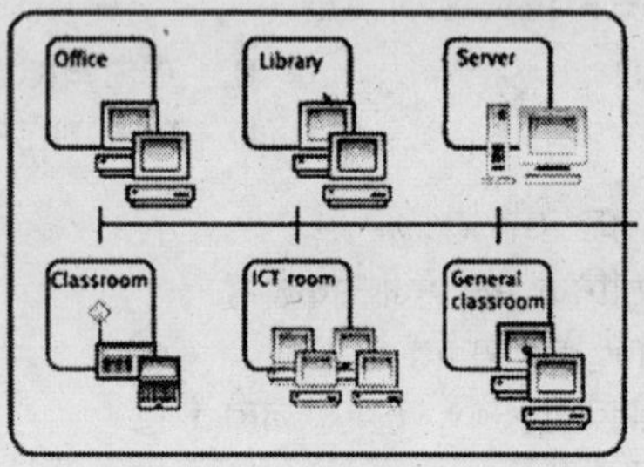

वाइड एरिया नेटवर्क (WAN–Wide Area Network)– इस नेटवर्क में कम्प्यूटर आपस में लीज्ड लाइन या स्विच सर्किट के द्वारा जुड़े रहते हैं। इस नेटवर्क की भौगोलिक परिधि बड़ी होती है जैसे पूरा शहर, देश या महादेश में फैला नेटवर्क का जाल। इंटरनेट इसका एक अच्छा उदाहरण है। बैंकों की ATM सुविधा वाइड एरिया नेटवर्क का उदाहरण है।

मेट्रोपोलिटन एरिया नेटवर्क (MAN–Metropolitan Area Network)–इसके अंतर्गत दो या दो से अधिक लोकल एरिया नेटवर्क एक साथ जुड़े होते हैं। यह एक शहर की सीमाओं के भीतर स्थित कम्प्यूटर नेटवर्क होता है। राउटर, स्विच और हब्स मिलकर एक मेट्रोपोलिटन एरिया नेटवर्क का निर्माण करते हैं।

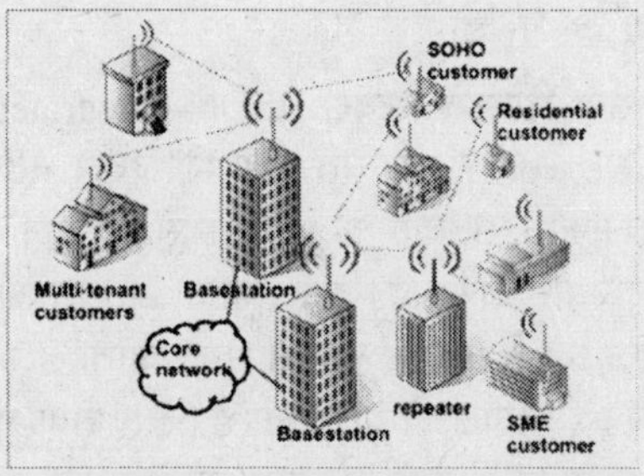

नेटवर्क टोपोलॉजी

नेटवर्क टोपोलॉजी विभिन्न नोड्स या टर्मिनल (कम्प्यूटर) को आपस में जोड़ने का तरीका है। यह विभिन्न नोड्स के बीच भौतिक संरचना को दर्शाता है।

नेटवर्क टोपोलॉजी निम्नलिखित प्रकार के होते हैं–

1. **मेस नेटवर्क**–यह नेटवर्क उच्च ट्रैफिक स्थिति में मार्ग को ध्यान में रखकर उपयोग किया जाता है। इसमें किसी भी स्रोत से कई मार्गों से संदेश भेजा जा सकता है। पूर्णतः इंटरकनेक्टेड मेस नेटवर्क खर्चीला है, क्योंकि इसमें ज्यादा केबल और हर नोड पर इंटेलीजेंस की आवश्यकता होती है। इस नेटवर्क में उच्च सुरक्षा अनुप्रयोग में डाटा प्रेषित किया जाता है।

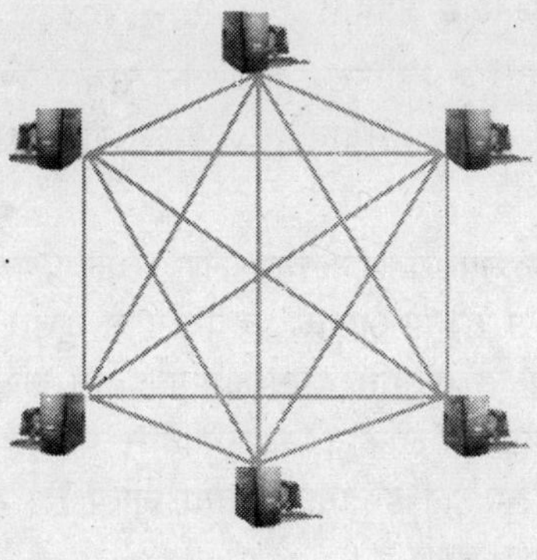

2. **स्टार नेटवर्क**–इस नेटवर्क में एक केन्द्रीय नोड होता है जो इंटेलीजेंस से युक्त होता है। बाकी नोड्स इससे जुड़ा होता है। इस केन्द्रीय नोड को हब कहा जाता है। कोई एक केबल में कोई समस्या आने पर नोड विफल होता है। परन्तु हब में कोई समस्या आने पर सारा नेटवर्क विफल हो जाता है। इसका स्वरूप तारे के समान होने के कारण इसे स्टार नेटवर्क के नाम से जाना जाता है।

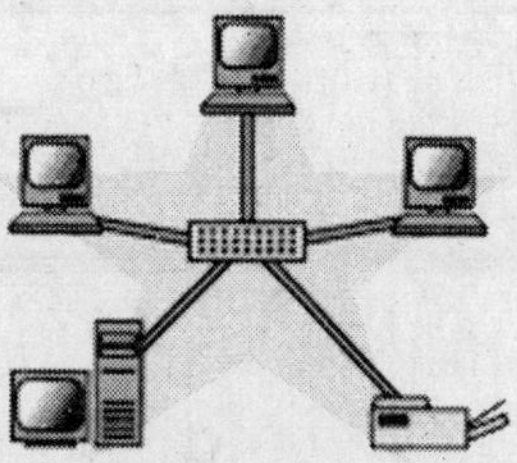

3. **रिंग नेटवर्क**–इस नेटवर्क में सभी नोड्स में इंटेलीजेंस होता है। डाटा का प्रवाह हमेशा एक ही दिशा में होता है परन्तु किसी भी एक केबल या नोड में समस्या आने पर दूसरी दिशा में डाटा का प्रवाह संभव है। इसका स्वरूप रिंग (गोले) के समान होने के कारण इसे रिंग नेटवर्क के नाम से जाना जाता है।

4. **बस नेटवर्क**–इस नेटवर्क के सभी नोड एक ही केबल से जुड़े होते हैं। कोई भी नोड किसी दूसरे नोड को डाटा प्रेषित करना चाहता है तो उसे देखना होता है कि बस में कोई डाटा प्रवाहित तो नहीं हो रहा है। बस खाली रहने पर नोड डाटा प्रेषित कर सकता है। डाटा प्राप्त करने के लिए हर नोड के पास इतनी इंटेलीजेंस होनी चाहिए कि बस से अपने पता ज्ञात कर डाटा प्राप्त कर सके। इसमें कम केबल की आवश्यकता होती है तथा कोई नया नोड जोड़ना आसान होता है।

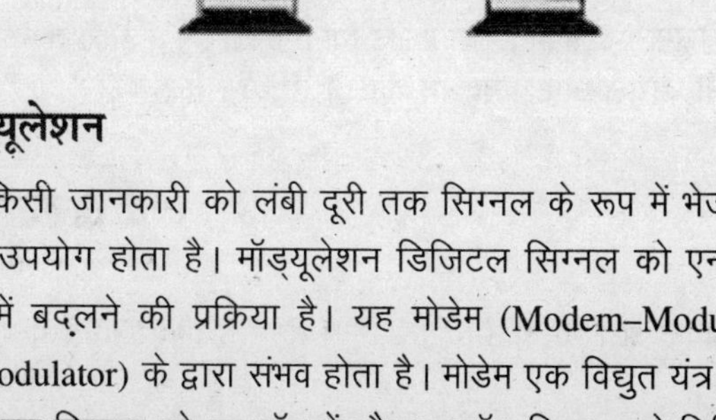

मॉड्यूलेशन

यह किसी जानकारी को लंबी दूरी तक सिग्नल के रूप में भेजने के लिए उपयोग होता है। मॉड्यूलेशन डिजिटल सिग्नल को एनालॉग रूप में बदलने की प्रक्रिया है। यह मोडेम (Modem–Modulator Demodulator) के द्वारा संभव होता है। मोडेम एक विद्युत यंत्र है जो डिजिटल सिग्नल को एनालॉग में और एनालॉग सिग्नल को डिजिटल सिग्नल में बदलने का काम करता है।

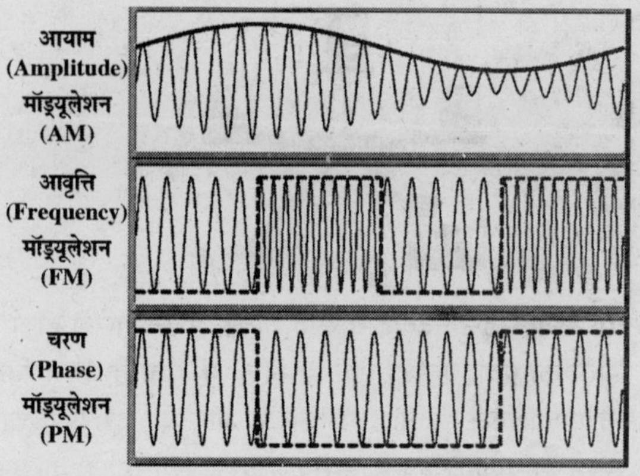

मॉड्यूलेशन तीन प्रकार के होते हैं–

1. **आयाम (Amplitude) मॉड्यूलेशन** (AM)–इस प्रक्रिया में वाहक सिग्नल का आयाम सूचना युक्त डिजिटल सिग्नल के अनुरूप बदला जाता है।
2. **आवृत्ति (Frequency) मॉड्यूलेशन** (FM)–इस प्रक्रिया में वाहक सिग्नल की आवृत्ति को सूचना युक्त डिजिटल सिग्नल के अनुरूप बदला जाता है।
3. **चरण (Phase) मॉड्यूलेशन** (PM)–इस प्रक्रिया में वाहक सिग्नल के फेज को डिजिटल सिग्नल के अनुरूप बदला जाता है।

डाटा ट्रांसमिशन सेवा (Data Transmission Service)

डाटा को एक स्थान से दूसरे स्थान पर भेजने के लिए जिस सेवा का उपयोग होता है उसे डाटा ट्रांसमिशन सेवा कहते हैं। इस सेवा को देने वाले को डाटा ट्रांसमिशन सेवा प्रदाता (Data Transmission Service Provider) कहते हैं। जैसे–

1. VSNL–विदेश संचार निगम लिमिटेड
2. BSNL–भारत संचार निगम लिमिटेड
3. MTNL–महानगर टेलीफोन निगम लिमिटेड

डाटा ट्रांसमिशन सेवा निम्नलिखित हैं–

1. **डायल अप लाइन** (Dialup Line)–डायल अप लाइन टेलीफोन कनेक्शन से सम्बन्धित हैं जो एक सिस्टम में बहुत सारे लाइनों तथा यूजर्स से जुड़ा होता है। इसका उपयोग टेलीफोन की तरह नंबर डायल कर संचार स्थापित करने में किया जाता है। इसे कभी–कभी स्विच लाइन भी कहा जाता है। यह पहले से विद्यमान टेलीफोन सेवा का उपयोग करता है। ब्रॉडबैंड तकनीक भी डायल अप कनेक्शन का ही उपयोग करता है।
2. **लीज्ड लाइन** (Leased Line)–लीज्ड लाइन आवाज और डाटा दूरसंचार सेवा के लिए दो स्थानों को जोड़ती है। यह एक सिर्फ, समर्पित लाइन (Dedicated Line) नहीं हैं, बल्कि यह वास्तव में दो बिंदु के बीच आरक्षित सर्किट है। इसका सबसे ज्यादा उपयोग उद्योगों द्वारा अपनी शाखाओं को जोड़ने के लिए किया जाता है क्योंकि यह नेटवर्क ट्रैफिक के लिए बैंडविड्थ की गारंटी देता है।
3. **एकत्रित सेवा डिजिटल नेटवर्क** (ISDN–Integrated Services Digital Network)–एकत्रित सेवा डिजिटल नेटवर्क सर्किट स्विच टेलीफोन नेटवर्क के माध्यम से आवाज, डाटा और इमेज का स्थानान्तरण है। इस सेवा के अंतर्गत आवाज, डाटा और इमेज को डिजिटल रूप में भेजा जाता है और जरूरत के अनुरूप इस्तेमाल किया जाता है। इस सेवा में मोडेम की जरूरत नहीं होती क्योंकि डाटा का आदान–प्रदान केवल डिजिटल रूप में होता है।

नेटवर्क इंटरफेस कार्ड

यह एक हार्डवेयर डिवाइस है जो कम्प्यूटर को नेटवर्क में संचार स्थापित करने में सहायता प्रदान करता है। नेटवर्क के अन्तर्गत कम्प्यूटर एक निश्चित प्रोटोकॉल (कोई काम करने का पूर्व से निर्धारित एक नियम) के तहत डाटा पैकेट को आपस में आदान–प्रदान करता है।

वायरलेस तकनीक–जैसा कि नाम से ज्ञात होता है यह बिना तारों की तकनीक है। अर्थात् इसके द्वारा डाटा का परिवहन बिना तारों या केबल के होता है। इस तकनीक के प्रयोग से केबल में होने वाले खर्च की भी बचत होती है। इस तकनीक में केबल के स्थान पर इलेक्ट्रोमैग्नेटिक तरंगें, माइक्रोवेव, इन्फ्रारेड आदि के द्वारा डाटा का परिवहन होता हैं। वायरलेस तकनीक के अनुप्रयोग निम्नलिखित हैं–टेलीविजन रिमोट, मोबाइल फोन, वाई–फाई आदि।

वाई–मैक्स–यह एक डिजिटल वायरलेस संचार प्रणाली है। यह तकनीक बिना केबल के 75 मेगाबाइट/सेकंड ब्रॉडबैंड स्पीड प्रदान करती हैं।

वायरलेस लोकल लूप–यह एक वायरलेस संचार प्रणाली है जिसमें उपभोक्ता नेटवर्क से रेडियो आवृत्ति के प्रयोग से जुड़ते हैं। यह एक बेहतर आवाज तथा उच्च गति डाटा क्षमता प्रदान करता है। जिस स्थान पर लैंड लाइन टेलीफोन का प्रावधान नहीं है उस जगह वायरलेस लोकल लूप का इस्तेमाल किया जाता है। यह CDMA तकनीक पर आधारित होता है।

वस्तुनिष्ठ प्रश्न

1. व्यापक क्षेत्र नेटवर्किंग निम्नांकित किसके लिए उपयोगी नहीं है?

A. विदेश मंत्रालय B. नगर विमानन विभाग
C. विदेशी बैंक D. नगर निगम

2. .... एक बहुत ही सीमित भौगोलिक क्षेत्र, सामान्यतः एक ही बिल्डिंग में पर्सनल कम्प्यूटरों को टिपिकली कनेक्ट करता है।

A. LAN B. BAN
C. TAN D. NAN

3. .... एक सेन्ट्रल कम्प्यूटर है जो बहुत से PCs, वर्क–स्टेशन और अन्य कम्प्यूटरों के लिए डाटा और प्रोग्रामों के संग्रह को होल्ड करता है।

A. सुपर कम्प्यूटर B. मिनी कम्प्यूटर
C. लैपटॉप D. सर्वर

4. प्रथम नेटवर्क जिससे इंटरनेट की नींव पड़ी :

A. ARPA NET B. NSF NET
C. V NET D. I NET

5. जब कई कम्प्यूटरों को एक ही जगह पर जोड़ना होता है, तो उसे क्या कहा जाता है?

A. LAN B. WAN
C. INFINET D. WON

6. डम्ब टर्मिनल क्या है?

A. माइक्रो कम्प्यूटर
B. नगण्य इंटेलिजेंस वाला टर्मिनल
C. सेंट्रल कम्प्यूटर
D. CPU के साथ टर्मिनल

7. बैंकों द्वारा उपलब्ध कराई गई एटीएम की सुविधा किस नेटवर्किंग का उदाहरण है?

A. स्थानीय नेटवर्किंग B. व्यापक क्षेत्रीय नेटवर्किंग
C. मिश्रित नेटवर्किंग D. बहुउद्देशीय नेटवर्किंग

8. कम्प्यूटर नेटवर्क में कौन–से प्रकार का संसाधन सामान्यतः शेयर किया जाता है?

A. प्रिंटर्स B. स्पिकर्स
C. फ्लॉपी डिस्क ड्राइव D. कुंजीपटल

9. निम्नांकित में से कौन समान समूह का नहीं है?

A. इंटरनेट B. एप्पल टॉक
C. बस D. रिंग

10. .... नियमों का एक सैट है।

A. संसाधन/रिसोर्स लोकेटर B. डोमेन
C. हाइपरटेक्स्ट D. प्रोटोकॉल

11. मेनफ्रेम या सुपर कम्प्यूटर में एक्सेस के लिए यूजर्स अक्सर .... का उपयोग करते हैं।

A. टर्मिनल B. नोड
C. डेस्कटॉप D. हैंडहेल्ड

12. पर्सनल कम्प्यूटर.............बनाने के लिए साथ कनेक्ट किए जा सकते हैं।

A. सर्वर B. सुपर कम्प्यूटर
C. इंटरप्राइज D. नेटवर्क

13. टिपिकल नेटवर्क में सबसे महत्वपूर्ण या शक्तिशाली कम्प्यूटर कौन–सा है?

A. डेस्कटॉप B. नेटवर्क क्लाइंट
C. नेटवर्क सर्वर D. नेटवर्क स्टेशन

14. ....हार्डवेयर और सॉफ्टवेयर का एक कांबिनेशन है जो कम्प्यूटिंग डिवाइसों के बीच सूचना के आदान–प्रदान की सुविधा प्रदान करता है।

A. नेटवर्क B. पेरिफेरल
C. एक्सपैंशन बोर्ड D. डिजिटल डिवाइस

15. सर्वर्स वे कम्प्यूटर हैं जो .... से कनेक्टेड दूसरे कम्प्यूटरों को रिसोर्सेस प्रोवाइड करते हैं।

A. नेटवर्क B. मेनफ्रेम
C. सुपरकम्प्यूटर D. क्लाइंट

16. डायल–अप इंटरनेट एक्सेस का एक लाभ निम्नलिखित है :

A. यह ब्रॉडबैंड टेक्नोलॉजी का उपयोग करता है
B. यह विद्यमान टेलीफोन सेवा का उपयोग करता है
C. यह सुरक्षा के लिए राऊटर का उपयोग करता है
D. मॉडेम स्पीड बहुत तेज होती है

17. ....टोपोलॉजी में नेटवर्क कम्पोनेन्ट एक ही केबल से कनेक्ट किए जाते हैं।

A. स्टार B. रिंग
C. बस D. मेश

18. सूचना शेयर करने के लिए एक–दूसरे से कनेक्टेड दो या अधिक कम्प्यूटर से ....बनता है।

A. नेटवर्क B. राऊटर
C. सर्वर D. टनल

19. बड़े पैमाने पर भौगोलिक रूप से अलग–अलग फैले हुए ऑफिस LANs एक कॉर्पोरेट ....के उपयोग से कनेक्ट किए जा सकते हैं।

A. CAN B. LAN
C. DAN D. WAN

20. निम्नलिखित में से कौन–सा एक छोटा सिंगल–साइट नेटवर्क है?

A. LAN B. DSL
C. RAM D. USB

21. टर्मिनल क्या है?

A. कम्प्यूटर को पावर सप्लाई देने वाला उपकरण
B. वह बिंदु जिस पर डाटा कम्प्यूटर में प्रवेश करता है या निकलता है
C. किसी प्रोग्राम का अंतिम अनुदेश
D. कोई भी इनपुट/आउटपुट उपकरण

22. उस डिवाइस को क्या कहते हैं जो केबल के प्रयोग के बिना नेटवर्क से कनेक्ट कर देती है?

A. डिस्ट्रीब्यूटिड B. वायरलेस
C. सेंट्रलाइज्ड D. ओपन सोर्स

23. कम्प्यूटर................में दो या अधिक कम्प्यूटर और अन्य डिवाइसेस होते हैं जो डाटा और प्रोग्राम शेयर करने के लिए कनेक्टेड होते हैं।

A. नेटवर्क B. सिस्टम
C. वर्क स्टेशन D. डिवाइस

24. इलेक्ट्रॉनिक्स की सहायता से एक स्थान से दूसरे स्थान पर सूचना प्रेषित करने की क्रिया को.........कहते हैं।

A. दूरसंचार B. डाटा संचार
C. सुगम संचार D. कोई भी नहीं

25. एक या एक से अधिक कम्प्यूटर और विविध प्रकार के टर्मिनलों के बीच आँकड़ों को भेजना या प्राप्त करना .... कहलाता है।

A. दूरसंचार B. डाटा संचार
C. सुगम संचार D. कोई भी नहीं

26. किसी भी नेटवर्क के मूल अंग हैं :

A. टर्मिनल
B. दूरसंचार प्रोसेसर
C. दूरसंचार चैनल एवं माध्यम
D. उपर्युक्त तीनों

27. निम्नलिखित कथन सही है :

A. टर्मिनल मुख्य रूप से वीडियो टर्मिनल एवं वर्क–स्टेशन का समावेश होता है
B. इनपुट एवं आउटपुट उपकरण नेटवर्क में डाटा भेजने एवं प्राप्त करने का कार्य करते हैं
C. उपर्युक्त दोनों गलत
D. A तथा B दोनों सही

28. निम्नलिखित में से कौन–सा कथन दूरसंचार प्रोसेसर के लिए सही है :

A. यह टर्मिनल और कम्प्यूटर के बीच रहते हैं
B. ये डाटा भेजने एवं प्राप्त करने में सहायता करते हैं
C. उपर्युक्त दोनों गलत
D. A तथा B दोनों सही

29. दूरसंचार प्रोसेसर है :

A. मोडेम मल्टीप्लेक्सर B. फ्रन्ट एंड प्रोसेसर
C. उपर्युक्त दोनों D. कोई भी नहीं

30. दूरसंचार चैनल एवं माध्यम के लिए सही है :

A. वे माध्यम जिनके ऊपर डाटा प्रेषित एवं प्राप्त किया जाता है
B. दूरसंचार नेटवर्क के विभिन्न अंगों को जोड़ने के लिए इनका उपयोग करते हैं
C. उपर्युक्त दोनों गलत
D. A तथा B दोनों सही

उत्तरमाला

1	2	3	4	5	6	7	8	9	10
D	A	B	A	A	B	B	A	B	D
11	**12**	**13**	**14**	**15**	**16**	**17**	**18**	**19**	**20**
A	D	C	A	A	A	C	A	D	A
21	**22**	**23**	**24**	**25**	**26**	**27**	**28**	**29**	**30**
B	B	A	A	B	D	D	D	C	D

✤✤✤✤✤

6 ई–मेल

इलेक्ट्रॉनिक मेल को संक्षेप में ई–मेल कहा जाता है। यह व्यक्तियों/संस्थाओं के बीच संदेशों के आदान–प्रदान करने के विभिन्न आधुनिक संचार माध्यमों में से एक है। इंटरनेट के प्रसार के साथ–साथ ई–मेल ने भी सार्वभौमिक लोकप्रियता हासिल की है। ई–मेल के माध्यम से भेजे जाने वाले संदेश कुछ ही सेकंड में विश्व के किसी भी कोने में स्थित सर्वर तक पहुंच जाता है, जिसे सर्वर द्वारा प्राप्तकर्ता के खाते में भेज दिया जाता है।

ई–मेल में प्रयोक्ताओं द्वारा एक मानक प्रोटोकॉल का प्रयोग किया जाता है, जिसके माध्यम से संदेशों को दूसरे प्रयोक्ता तक पहुंचाया जाता है। इस प्रोटोकॉल को सरल संदेश ट्रांसफर प्रोटोकॉल (SMTP) कहा जाता है। पोस्ट ऑफिस प्रोटोकॉल (POP), इंटरनेट मैसेज एक्सेस प्रोटोकॉल (IMAP) इत्यादि कुछ ऐसे प्रोटोकॉल हैं, जो संदेश को समय पर प्राप्त करने और उसे स्टोर करने की सुविधा प्रदान करते हैं।

ई–मेल की सुविधा के प्रारंभ के बारे में कुछ अनिश्चितता है, परंतु इसके आधुनिक संस्करण का जनक अमरीकी प्रौद्योगिकीविद् रे टॉमलिंसन को माना जाता है। टॉमलिंसन ने इस यूटिलिटी की संकल्पना, विभिन्न कम्प्यूटर सिस्टम पर काम करने वाले प्रयोक्ताओं के बीच सरलता से संदेशों का आदान–प्रदान करने के उद्देश्य से की थी। ई–मेल को संचार के क्षेत्र में 20वीं सदी के सबसे महत्वपूर्ण आविष्कारों में गिना जाता है।

प्रमुख वेबमेल सेवाएँ

हॉटमेल

यह मुफ्त ई–मेल सेवा उपलब्ध कराने वाली पहली वेबमेल प्रणाली है, जो विश्व की लगभग 30 उन्नत भाषाओं में ई–मेल की सुविधा उपलब्ध कराती है। 04 जुलाई, 1996 को MSN (Microsoft) द्वारा hotmail वेब प्रणाली की शुरूआत की गई थी। hotmail पर 250 MB की भंडारण क्षमता, Spam, मुफ्त वायरस स्कैनिंग, स्पेल चेक आदि की सुविधा भी उपलब्ध है।

रेडिफ मेल

rediff.com द्वारा उपलब्ध कराई गई इस वेबमेल प्रणाली में प्रयोक्ताओं को असीमित भंडारण की सुविधा प्राप्त है। rediffmail पर कई भारतीय भाषाओं के माध्यम से भी ई–मेल भेजने और प्राप्त करने की सुविधा मिलती है। इस वेब प्रणाली का प्रयोग Symbian Java, Android और Windows युक्त मोबाइल से भी किया जा सकता है।

याहू मेल

'याहू मेल' की शुरूआत वर्ष 1997 में एक अमरीकी कंपनी Yahoo द्वारा की गई थी। याहू मेल मुफ्त ई–मेल सेवा प्रदान करने वाली विश्व की तीसरी सबसे बड़ी वेबमेल सेवा है। वर्ष 2005 में ड्रैग एंड ड्रॉप, उन्नत खोज, की–बोर्ड, शॉर्टकट, ई–मेल ऐड्रेस को स्वतः पूर्ण करने वाले Interface को याहू मेल में शामिल किया गया। इसके नवीनतम संस्करण में कार्य संपादन, उन्नत खोज प्रणाली एवं Facebook Integration आदि सुविधाएँ सम्मिलित हैं।

जीमेल

जीमेल एक निःशुल्क वेबमेल प्रणाली है, जिसका विकास Google कंपनी के कर्मचारियों के आंतरिक प्रयोग के लिए किया गया था, परंतु व्यापक सफलता के बाद 01 अप्रैल, 2004 से इस सेवा को आम प्रयोग के लिए भी उपलब्ध करा दिया गया। Search और Internet forum इस वेबमेल सेवा के प्रमुख आकर्षण हैं। यह हिंदी एवं अन्य भारतीय भाषाओं के मामले में यूनिकोड का समर्थन प्राप्त ई–मेल सेवा प्रणाली है, जिसमें हिंदी में मेल लिखने के लिए अंतर्निर्मित (In-built) विजुअल कुँजीपटल उपलब्ध है।

NIC ई-मेल

भारत सरकार द्वारा मंत्रालयों/विभागों/कार्यालयों के बीच सूचनाओं के सुरक्षित आदान–प्रदान के लिए http://mail.gov.in पोर्टल बनाया गया है, जिसका सर्वर पूरी तरह भारत सरकार के नियंत्रण में कार्य करता है। इसके माध्यम से सभी सरकारी कार्यालय मुफ्त ई–मेल सेवा का प्रयोग कर सकते हैं।

यह पोर्टल राष्ट्रीय सूचना विज्ञान केंद्र (NIC) की देखरेख में है, जहाँ से उपभोक्ता कार्यालयों के कार्मिकों के लिए ई–मेल खाता सुविधा उपलब्ध कराई जाती है।

वस्तुनिष्ठ प्रश्न

1. ई–मेल का पूरा नाम क्या है?
A. इंग्लिश मेल B. इलेक्ट्रिक मेल
C. इलेक्ट्रॉनिक मेल D. इसेन्सियल मेल

2. ई–मेल (E-Mail) का जन्मदाता किसे माना जाता है?
A. बिल गेट्स B. टिमोथी बिल
C. लिंकन गोलिट्सबर्ग D. रे टॉमलिंसन

3. याहू गूगल एवं MSN हैं–
A. इंटरनेट साइट्स B. कम्प्यूटर ब्राण्ड
C. स्विट्जरलैंड निर्मित घड़ियाँ D. शनि ग्रह के छल्ले

4. ई–मेल पते के दो भाग कौन–से हैं?
A. यूजर नाम और गली का नाम
B. विधिक नाम और फोन नंबर
C. इनीशियल और पासवर्ड
D. यूजर नाम और डोमेन नाम

5. ई–मेल भेजना किसके समान है?
A. पत्र लिखना B. तस्वीर बनाना
C. फोन पर बात करना D. पैकेज भेजना

6. ई–मेल अकाउंट में एक स्टोरेज एरिया होता है जिसे अक्सर .... कहते हैं।
A. अटैचमेंट B. हाइपरलिंक
C. मेल–बॉक्स D. IP एड्रेस

7. जब इंटरनेट का उपयोग संदेश प्रेषित करने में किया जाता है तो यह सुविधा कहलाती है–
A. साइबर स्पेस B. निकनेट
C. ई–मेल D. आईनेट

8. ई–मेल क्या है?
A. एक इंटरनेट स्टैण्डर्ड जो यूजर को फाइल्स अपलोड और डाउनलोड करने देता है
B. एक ऑनलाइन एरिया जिसमें यूजर किसी खास विषय के बारे में लिखित रूप से चर्चा करता है
C. कम्प्यूटर नेटवर्क के माध्यम से सदेशों तथा फाइलों का ट्रांसमिशन
D. एक रियल टाइम टाइप्ड कनवर्सेसन

9. ई–मेल भेजना निम्नलिखित के समान है–
A. किसी घटना का चित्र बनाना
B. कहानी सुनाना
C. पत्र लिखना
D. चित्र का सृजन करना

10. ई–मेल भेजते समय .... की लाइन संदेश की विषय–वस्तु के बारे में बता देती है।
A. टू B. सब्जेक्ट
C. कन्टेन्ट्स D. CC

11. अनसॉलिसिटेड ई–मेल को क्या कहते हैं?
A. न्यूज ग्रुप B. यूजनेट
C. बैकबोन D. स्पैम

12. आपको ऐसे किसी से ई–मेल प्राप्त होता है जिसे आप नहीं जानते हैं, आपको क्या करना चाहिए?
A. इसे सीधा पुलिस को भेजना चाहिए
B. बिना खोले इसे मिटा देना चाहिए
C. खोलकर आप उन्हें नहीं जानते हैं बताते हुए उसका उत्तर देना चाहिए
D. उत्तर देकर उनकी वैयक्तिक जानकारी माँगनी चाहिए

13. अधिकांश मेल प्रोग्राम किसी ई–मेल के निम्नलिखित दो भागों को अपने आप पूरा कर लेते हैं..............
A. फ्रॉम : एंड बॉडी : B. फ्रॉम : एंड डेट :
C. फ्रॉम : एंड टू : D. फ्रॉम : एंड सब्जेक्ट :

14. एक ई–मेल एड्रेस में सामान्यतः एक यूजर ID और उसके बाद ....का चिह्न और उस ई–मेल सर्वर का नाम होता है जो यूजर के इलेक्ट्रॉनिक पोस्ट बॉक्स का प्रबंध करता है।
A. @ B. #
C. & D. ★

15. अनजाने ई–मेल अनुलग्नकों को क्यों निकाला जाता है?
A. आप जेल जा सकते हैं
B. वह व्यक्ति आपको पहचान कर जख्मी/नुकसान कर सकता है
C. ये गलत तौर–तरीके (मैनर्स) हैं
D. इसमें वायरस हो सकता है जो आपके कम्प्यूटर को नुकसान पहुँचा सकता है

उत्तरमाला

1	2	3	4	5	6	7	8	9	10
C	D	A	D	A	C	C	C	C	B
11	12	13	14	15					
D	B	B	A	D					

✤✤✤✤✤

7 वेबसाइट्स से डेटा डाउनलोड और अपलोड करना

डाउनलोड क्या होता है

जब किसी फाइल को सर्वर से स्मॉल पेरिफेरल इकाई पर ट्रांसफर किया जाता है तो उसे डाउनलोडिंग कहा जाता है। कम्प्यूटर नेटवर्क में डाउनलोडिंग का अर्थ किसी लोकल सिस्टम या रिमोट सिस्टम पर डाटा को रिसीव करना होता है। सामान्य शब्दों में जब हमारे कम्प्यूटर या अन्य किसी डिवाइस में किसी भी प्रकार का डाटा आता है तो उसे डाउनलोड कहा जाता है।

उदाहरण के लिए–यदि हमें किसी भी व्यक्ति ने कोई फाइल भेजी है और हम उस फाइल को अपनी डिवाइस में रखना चाहते हैं तो इंटरनेट के माध्यम से हम उस फाइल को अपनी डिवाइस में डाउनलोड कर सकते हैं जिससे वह फाइल और उसका डाटा हमारी डिवाइस में आ जाता है। अपने कम्प्यूटर या मोबाइल में किसी भी वेबसाइट से किसी भी जानकारी को कॉपी करके उस जानकारी को सुरक्षित रखना ही डाउनलोडिंग कहलाता है। गानों को अपने मोबाइल या कम्प्यूटर में इंटरनेट के माध्यम से जब हम सुरक्षित रखते हैं तो उसे हम डाउनलोडिंग कहते हैं।

अपलोड क्या होता है

जब पेरिफेरल सिस्टम से बड़े सेंट्रल सिस्टम पर कॉपी किया जाता है, तो उसे अपलोड्डिंग कहा जाता है। जब हमारे कम्प्यूटर या अन्य डिवाइस से किसी भी प्रकार का डाटा किसी दूसरे सर्वर पर जाता है तो उसे अपलोड कहा जाता है।

उदाहरण के लिए–यदि हम अपनी कोई भी पिक्चर फेसबुक या इंस्टाग्राम पर डालते हैं, तो वह पिक्चर अपलोड करना कहलाता है। एक लोकल सिस्टम से रिमोट सिस्टम में डाटा को रिसीव करना ही अपलोड कहलाता है। अपलोडिंग फाइल शेयरिंग होता है जो P2P नेटवर्क में होता है। कम्प्यूटर या अन्य डिवाइसों में बहुत सारे स्टोरेज वेबसाइट में फाइल अपलोड करना अलाउड होता है और यह यूजर्स को फाइल्स को अपलोड करने के लिए एक्सेस करने में मदद करती है। अपलोडिंग के माध्यम से किसी भी फाइल या पिक्चर को बहुत कम समय में पब्लिक भी किया जा सकता है। अपलोडिंग की स्पीड को Megabits per seconds (Mbps) में मापा जाता है।

डाउनलोड (Download) करने के सही तरीके

1. यदि आप अपने कम्प्यूटर या अन्य किसी डिवाइस में बहुत सारे ऐप्लिकेशन में काम कर रहे हैं तो किसी भी फाइल को डाउनलोड करने से पहले उन खुली हुई सभी ऐप्लिकेशन्स को क्लोज कर लेना चाहिए जिससे फाइल डाउनलोड में कोई परेशानी न हो सके।
2. फाइल डाउनलोड करने से पहले एंटीवायरस और फायरवॉल को सेट कर लेना चाहिए। एंटीवायरस और फायरवॉल डाउनलोडेड फाइल को ऑटोमेटिकली स्कैन करती है।
3. ई–मेल के अटैचमेंट्स को स्कैन किए बिना कोई भी फाइल डाउनलोड न करें।
4. किसी भी फाइल को डाउनलोड करने से पहले उसका URLs जरूर चेक करें और हमेशा उन्हीं वेबसाइट्स का इस्तेमाल करें जो https (hypertext transfer protocol secure) का समर्थन करता हो।
5. किसी भी फाइल को डाउनलोड करने से पहले उस फाइल के टर्म्स और कंडीशन जरूर पढ़ें।
6. ऐसी वेबसाइट्स से कोई भी फाइल जैसे–म्यूजिक, वीडियो और गेम आदि को डाउनलोड न करें जिस पर विश्वास न किया जा सके क्योंकि कई वेबसाइट्स में बहुत अधिक मात्रा में वायरस हो सकते हैं।
7. यदि किसी फाइल को डाउनलोड करते वक्त कोई खराब शब्द प्रदर्शित होता है तो उसे वहीं पर बंद कर दें, इससे आपके सिस्टम में कोई अनवांटेड सॉफ्टवेयर या फ्रीवेयर डाउनलोड नहीं होगा।

अपलोड (Upload) और डाउनलोड (Download) में अंतर

अपलोड (Upload)	डाउनलोड (Download)
इसमें कोई भी फाइल की कॉपी छोटे पेरीफेरल सिस्टम से एक बड़े सेंट्रल सिस्टम पर होती है।	इसमें किसी फाइल का ट्रांसफर एक बड़े सर्वर से छोटे पेरीफेरल यूनिट पर होता है।
इसमें रिमोट सिस्टम से सर्वर सिस्टम तक डाटा सेंड किया जाता है।	इसमें सर्वर से पर्सनल सिस्टम पर डाटा रिसीव किया जाता है।
जब किसी सर्वर में कोई फाइल अपलोड हो रही हो तो सर्वर में ज्यादा स्पेस की आवश्यकता होती है।	जब कोई फाइल डाउनलोड हो रही हो, तो कम्प्यूटर या डिस्क में ज्यादा स्पेस होना आवश्यक होता है।
अपलोडिंग में क्लाइंट से सर्वर तक डाटा ट्रांसफर होता है।	डाउनलोड में सर्वर से क्लाइंट तक डाटा ट्रांसफर होता है।
इसमें दूसरों से भी आसानी से फाइल एक्सेस की जा सकती है।	इसमें फाइल्स केवल लोकल सिस्टम के ओनर द्वारा ही एक्सेस की जा सकती है।
अपलोडिंग में किसी फाइल को अपलोड करना फाइल के साइज पर निर्भर करता है।	डाउनलोडिंग में किसी फाइल को डाउनलोड करना फाइल के साइज पर निर्भर नहीं करता है।
अपलोडिंग में वायरस का कोई भी खतरा नहीं होता है। इससे हमारी डिवाइस में कोई वायरस प्रवेश नहीं कर सकते हैं।	डाउनलोडिंग में वायरस का खतरा बना रहता है। जब हम किसी भी फाइल को अपनी फाइल में डाउनलोड करते हैं, तब उस फाइल से वायरस आने का ख़तरा बना रहता है।

अपलोड (Upload) की स्पीड डाउनलोड (Download) की स्पीड से कम होती है क्योंकि हाई स्पीड इंटरनेट कनेक्शंस जिसमें केबल, मॉडेम्स और डीएसएल आते हैं वे सारे असममित होते हैं और उन्हें खास तौर से ऐसे डिजाइन किया जाता है जिससे वे अपलोडिंग की तुलना में डाउनलोडिंग में बेहतर स्पीड दे सकें।

EXE फाइलें

.exe फाइलों का मतलब है निष्पादन योग्य फाइलें। यह एक ऐसा एप्लिकेशन है जिसे निष्पादित किया जा सकता है। यह विंडोज ऑपरेटिंग सिस्टम पर सबसे आम फाइल एक्सटेंशन में से एक है। ये फाइलें प्रोग्राम और एप्लिकेशन को चलाने के लिए उपयोग की जाती हैं, जैसे कि गेम, वीडियो प्लेयर या अन्य सॉफ्टवेयर।

ZIP फाइलें

ZIP फाइलों को संपीडित करने और उन्हें तेजी से डाउनलोड करके संयोजित करने के लिए एक लोकप्रिय फाइल प्रारूप है। Windows के कुछ संस्करण (जैसे XP और ME) अतिरिक्त सॉफ्टवेयर की आवश्यकता के बिना ZIP फाइलों को पढ़ सकते हैं।

यदि आपके पास कोई एप्लिकेशन नहीं है, तो आपको इन ZIP फाइलों को पढ़ने के लिए एक अनजिपिंग एप्लिकेशन की आवश्यकता होगी।

वस्तुनिष्ठ प्रश्न

1. वेब एप्लिकेशन पर अप्रतिबंधित फाइल अपलोड की अनुमति देने से जुड़ा एक प्रमुख जोखिम क्या है?
- A. बेहतर उपयोगकर्ता अनुभव
- B. संभावित रिमोट कोड निष्पादन
- C. बेहतर सर्वर प्रदर्शन
- D. बढ़ी हुई डेटा उपलब्धता

2. हमलावर वेब एप्लिकेशन से समझौता करने के लिए फाइल अपलोड भेद्यता का कैसे फायदा उठा सकते हैं?
- A. SQL क्वेरीज़ इंजेक्ट करके
- B. दुर्भावनापूर्ण निष्पादन योग्य कोड वाली फाइलें अपलोड करके
- C. ट्रांज़िट में डेटा एन्क्रिप्ट करके
- D. उपयोगकर्ता प्रमाणीकरण बढ़ाकर

3. फाइल अपलोड भेद्यता को कम करने के लिए एक सामान्य सुरक्षा उपाय क्या है?
- A. मजबूत पासवर्ड नीतियों को लागू करना
- B. नेटवर्क फायरवॉल लागू करना
- C. फाइल प्रकारों और आकारों को मान्य और प्रतिबंधित करना
- D. सर्वर बैंडविड्थ बढ़ाना

4. फाइल अपलोड के संदर्भ में, फाइल प्रकार सत्यापन का उद्देश्य क्या है?
- A. सर्वर के प्रदर्शन को बेहतर बनाने के लिए
- B. ट्रांसमिशन के दौरान डेटा को एन्क्रिप्ट करने के लिए
- C. यह सुनिश्चित करने के लिए कि फाइलें दूषित न हों
- D. दुर्भावनापूर्ण फाइलों को अपलोड करने से रोकने के लिए

5. फाइल अपलोड में अपर्याप्त इनपुट सत्यापन का संभावित परिणाम क्या है?

A. बेहतर डेटा समग्रता
B. रिमोट कोड निष्पादन
C. बेहतर उपयोगकर्ता अनुभव
D. सर्वर बैंडविड्थ में वृद्धि

6. यादृच्छिक फाइल नामों का उपयोग फाइल अपलोड की सुरक्षा में कैसे योगदान दे सकता है?

A. यह सर्वर के प्रदर्शन को बेहतर बनाता है
B. यह निर्देशिका लिस्टिंग हमलों को रोकता है
C. यह उपयोगकर्ता प्रमाणीकरण को बढ़ाता है
D. यह पारगमन में डेटा को एन्क्रिप्ट करता है

7. फाइल अपलोड के संदर्भ में सुरक्षित फाइल संग्रहण लोकेशन को लागू करने का उद्देश्य क्या है?

A. सर्वर बैंडविड्थ को बढ़ाना
B. डेटा उपलब्धता में सुधार करना
C. अपलोड की गई फाइलों तक अनधिकृत पहुँच को रोकना
D. उपयोगकर्ता प्रमाणीकरण को बढ़ाना

8. सामग्री–विस्थापन हेडर फाइल डाउनलोड सुरक्षा में कैसे योगदान दे सकते हैं?

A. सर्वर प्रदर्शन को बढ़ाकर
B. डेटा समग्रता में सुधार करके
C. यह निर्दिष्ट करके कि ब्राउज़र को फाइल डाउनलोड को कैसे संभालना चाहिए
D. ट्रांसमिशन के दौरान डेटा एन्क्रिप्ट करके

9. फाइल डाउनलोड के संदर्भ में, निर्देशिका ट्रैवर्सल हमलों से जुड़ा संभावित जोखिम क्या है?

A. बेहतर उपयोगकर्ता अनुभव
B. संवेदनशील फाइलों तक अनधिकृत पहुँच
C. बेहतर सर्वर प्रदर्शन
D. बढ़ी हुई डेटा उपलब्धता

10. एक सुरक्षित फाइल डाउनलोड प्रक्रिया वेब एप्लिकेशन सुरक्षा में कैसे योगदान दे सकती है?

A. डेटा उपलब्धता में सुधार करके
B. ट्रांसमिशन के दौरान डेटा एन्क्रिप्ट करके
C. उपयोगकर्ता प्रमाणीकरण को बढ़ाकर
D. दुर्भावनापूर्ण कोड के निष्पादन को रोककर

11. वेब एप्लिकेशन में फाइल अपलोड दर सीमित करने को लागू करने का उद्देश्य क्या है?

A. सर्वर प्रदर्शन में सुधार करना
B. उपयोगकर्ता अनुभव को बढ़ाना
C. सेवा अस्वीकार करने वाले हमलों को रोकना
D. डेटा उपलब्धता बढ़ाना

12. उचित फाइल एक्सटेंशन सत्यापन की कमी फाइल अपलोड भेद्यता में कैसे योगदान दे सकती है?

A. सर्वर प्रदर्शन को बढ़ाकर
B. दुर्भावनापूर्ण सामग्री वाली फाइलों को अपलोड करने की अनुमति देकर
C. उपयोगकर्ता प्रमाणीकरण को बढ़ाकर
D. डेटा समग्रता में सुधार करके

13. फाइल डाउनलोड के संदर्भ में प्रत्यक्ष ऑब्जेक्ट संदर्भ से जुड़ा प्राथमिक जोखिम क्या है?

A. रिमोट कोड निष्पादन
B. संवेदनशील फाइलों तक अनधिकृत पहुँच
C. डेटा उपलब्धता में वृद्धि
D. बेहतर उपयोगकर्ता अनुभव

14. कंटेंट डिलीवरी नेटवर्क (CDN) का उपयोग फाइल डाउनलोड सुरक्षा को कैसे बढ़ा सकता है?

A. सर्वर प्रदर्शन को बढ़ाकर
B. ट्रांसमिशन के दौरान डेटा एन्क्रिप्ट करके
C. कई सर्वरों में फाइलों को वितरित करके
D. उपयोगकर्ता प्रमाणीकरण में सुधार करके

15. वेब एप्लिकेशन में सुरक्षित फाइल अपलोड API को लागू करने का उद्देश्य क्या है?

A. निर्देशिका ट्रैवर्सल हमलों को रोकने के लिए
B. डेटा समग्रता में सुधार करने के लिए
C. उपयोगकर्ता प्रमाणीकरण को बढ़ाने के लिए
D. बाहरी सेवाओं के साथ सुरक्षित अंतःक्रिया को सक्षम करने के लिए

16. फाइल अपलोड के संदर्भ में, क्लाइंट–साइड सत्यापन की क्या भूमिका है?

A. सेवा अस्वीकार हमलों को रोकने के लिए
B. उपयोगकर्ता अनुभव को बढ़ाने के लिए
C. सर्वर प्रदर्शन में सुधार करने के लिए
D. अपलोड की गई फाइलों की समग्रता सुनिश्चित करने के लिए

17. अपलोड की गई फाइलों पर अपर्याप्त फाइल अनुमति सेटिंग्स का संभावित परिणाम क्या है?

A. बेहतर उपयोगकर्ता अनुभव
B. संवेदनशील डेटा तक अनधिकृत पहुँच
C. बेहतर सर्वर प्रदर्शन
D. डेटा उपलब्धता में वृद्धि

18. सामग्री सुरक्षा नीति (CSP) हेडर का उपयोग फाइल डाउनलोड भेद्यता को कम करने में कैसे मदद कर सकता है?

A. ट्रांसमिशन के दौरान डेटा एन्क्रिप्ट करके
B. डाउनलोड की गई फाइलों में दुर्भावनापूर्ण कोड के निष्पादन को रोककर
C. उपयोगकर्ता प्रमाणीकरण में सुधार करके
D. सर्वर बैंडविड्थ बढ़ाकर

19. फाइल अपलोड प्रक्रिया के दौरान फाइल एक्सटेंशन ही नहीं, बल्कि फाइल सामग्री को मान्य करने का उद्देश्य क्या है?

A. सर्वर प्रदर्शन में सुधार करना
B. उपयोगकर्ता अनुभव को बढ़ाना
C. दुर्भावनापूर्ण सामग्री वाली फाइलों को अपलोड होने से रोकना
D. डेटा उपलब्धता बढ़ाना

20. सुरक्षित हैश एल्गोरिदम का उपयोग फाइल डाउनलोड सुरक्षा में कैसे योगदान दे सकता है?

A. सेवा अस्वीकार हमलों को रोककर
B. सर्वर प्रदर्शन में सुधार करके
C. उपयोगकर्ता अनुभव को बढ़ाकर
D. डाउनलोड की गई फाइलों की समग्रता सुनिश्चित करके

21. 'WebDAV' (वेब–आधारित वितरित संलेखन और संस्करण) का उद्देश्य क्या है?

A. फाइल संपीड़न
B. वेब सामग्री निर्माण और संपादन
C. उच्च गति फाइल स्थानांतरण
D. सुरक्षित फाइल संग्रहण

22. FTP में रिमोट सर्वर पर वर्तमान कार्यशील निर्देशिका को देखने के लिए किस कमांड का उपयोग किया जाता है?

A. PWD B. DIR
C. LS D. CD

23. FTP में, "सक्रिय मोड" का उद्देश्य क्या है?

A. उच्च गति डेटा स्थानांतरण के लिए एक मोड
B. निष्क्रिय डेटा स्थानांतरण के लिए एक मोड
C. एक मोड जहाँ क्लाइंट डेटा कनेक्शन आरंभ करता है
D. सुरक्षित फाइल स्थानांतरण के लिए एक मोड

24. रिमोट सर्वर पर एक नई निर्देशिका बनाने के लिए किस FTP कमांड का उपयोग किया जाता है?

A. MKDIR B. NEWDIR
C. CREATE D. ADDDIR

25. SSL/TLS (FTPS) पर FTP का प्राथमिक उद्देश्य क्या है?

A. हाई–स्पीड फाइल ट्रांसफ़र
B. एन्क्रिप्शन के साथ सुरक्षित फाइल ट्रांसफ़र
C. टेक्स्ट–आधारित फाइल ट्रांसफ़र
D. सरलीकृत फाइल प्रबंधन

उत्तरमाला

1	2	3	4	5	6	7	8	9	10
B	B	C	D	B	B	C	C	B	D
11	12	13	14	15	16	17	18	19	20
C	B	B	C	D	B	B	B	C	D
21	22	23	24	25					
B	A	C	A	B					

❖ ❖ ❖ ❖ ❖

सामान्य अध्ययन
(GENERAL STUDIES)

1

भारत का इतिहास

प्राचीन भारत

सिंधु घाटी सभ्यता

- सिंधु सभ्यता की खोज 1921 ई. में दयाराम साहनी ने की।
- सिंधु घाटी की सभ्यता का नामकरण, हड़प्पा नामक स्थान, जहाँ यह संस्कृति पहली बार खोजी गई थी, के नाम पर हड़प्पा संस्कृति भी किया गया है।
- हड़प्पा संस्कृति का काल निर्धारण लगभग 2600 और 1900 ई.पू. के बीच किया गया है।
- हड़प्पा सभ्यता प्राक्ऐतिहासिक अथवा कांस्ययुगीन थी। इस सभ्यता के मुख्य निवासी भूमध्यसागरीय एवं द्रविड़ थे।
- हड़प्पा संस्कृति का भौगोलिक विस्तार वृहद था। यह उत्तर में कश्मीर के माण्डा से दक्षिण में ताप्ती नदी के मुहाने पर स्थित भगतराव तथा पश्चिम में बलूचिस्तान के सुत्कागेंडोर से पूर्व में पश्चिमी उत्तर प्रदेश के आलमगीरपुर तक विस्तृत है।
- भारत में हड़प्पा सभ्यता के सर्वाधिक क्षेत्र गुजरात, राजस्थान, हरियाणा तथा पंजाब में प्राप्त हुए हैं।

नगर योजना

- हड़प्पा सभ्यता नगरीय सभ्यता थी जहाँ नियोजित जल–निकास प्रणाली भी विकसित थी।
- नगर दो भागों में विभाजित हैं–ऊपरी तथा निम्न भाग। ऊपरी भाग दुर्गीकृत है जिसमें राजकीय इमारतें, खाद्य भंडार गृह एवं स्नानागार आदि निर्मित हैं तथा निम्न भाग में सामान्य बस्ती अवस्थित थी।
- भवनों का निर्माण पक्की ईंटों से हुआ है। प्रत्येक घर के अंदर स्नानागार भी होता था।
- मोहनजोदड़ो से एक विशाल स्नानागार भी मिला है।
- मोहनजोदडो सिंधु नदी के किनारे जबकि हड़प्पा रावी नदी के तट पर अवस्थित है।
- मोहनजोदड़ो से प्राप्त अन्नागार संभवतः हड़प्पा सभ्यता की सबसे बड़ी इमारत है।

धार्मिक व्यवस्था

- हड़प्पाई मुहर संभवतः हड़प्पा अथवा सिंधु घाटी सभ्यता की सबसे विशिष्ट पुरावस्तु है। सेलखड़ी नामक पत्थर से बनाई गई इन मुहरों पर सामान्य रूप से जानवरों के चित्र तथा चित्राक्षर लिपि प्राप्त होती है। लिपि प्रायः बाईं से दाईं ओर है।
- मोहनजोदड़ो से कांसे की नर्तकी की मूर्ति मिली है।
- मोहनजोदड़ो से प्राप्त एक मुहर पर तीन मुख वाले देवता की मूर्ति मिली है। उनके चारों ओर हाथी, गैंडा, चीता एवं भैंसे की आकृति मिलती है। देवता की पहचान 'पशुपतिनाथ' के रूप में हुई है।
- हड़प्पा की मुहरों पर सबसे अधिक एकशृंगी पशु का अंकन मिलता है।
- मनका निर्माण की कर्मशाला चन्हुदड़ो और लोथल में प्राप्त हुई है।
- हड़प्पा सभ्यता से मातृदेवी की मृण्मूर्तियां अधिक संख्या में मिली हैं। लिंग पूजा की प्रथा भी प्रचलित थी। सिंधु सभ्यता में मंदिर के अवशेष नहीं मिले हैं।

आर्थिक जीवन

- कृषि के प्राचीनतम साक्ष्य मेहरगढ़ से प्राप्त हुए हैं।
- कोल्डीहवा (बेलन घाटी) से चावल की कृषि का साक्ष्य मिला है।
- हड़प्पा सभ्यता की प्रमुख खाद्य फसल गेहूँ और जौ थी।
- लोथल एवं रंगपुर से चावल के साक्ष्य मिले हैं।
- हड़प्पा संस्कृति के लोग काले रंग के चित्रित लाल मिट्टी के बर्तन प्रयोग करते थे।

वैदिक काल

- आर्यों की सामाजिक–सांस्कृतिक तथा आर्थिक व्यवस्था वैदिक संस्कृति के रूप में जानी जाती है। आर्यों के बारे में जानकारी मुख्यतः वेदों–ऋग्वेद, यजुर्वेद, सामवेद एवं अथर्ववेद से मिलती है।

- वैदिक काल को दो भागों में विभाजित किया जाता है– ऋग्वैदिक काल (1500–1000 ई.पू.) और उत्तर वैदिक काल (1000–600 ई.पू.)।

ऋग्वैदिक काल (1500–1000 ई.पू.)

- आर्यों के निवास के विस्तृत क्षेत्र को 'सप्तसैन्धव' प्रदेश कहा गया। इस क्षेत्र में सात प्रमुख नदियाँ प्रवाहित हैं। ये नदियाँ हैं–सिंधु, सतलज, रावी, चिनाब, झेलम, व्यास तथा सरस्वती।
- सप्तसैन्धव प्रदेश को ब्रह्मावर्त भी कहा गया है।
- ऋग्वैदिक समाज ग्रामीण कबीलाई समाज था; सामाजिक संरचना समतावादी तथा वर्णविहीन थी।
- परिवार पितृसत्तात्मक था परन्तु महिलाओं को उचित सम्मान प्राप्त था।
- परिवार के मुखिया को कुलप कहा जाता था।
- आर्यों की प्रशासनिक इकाई आरोही क्रम से निम्नलिखित पाँच भागों में बंटी थी–कुल, ग्राम, विश, जन, राष्ट्र।
- जन के अधिपति को राजा कहा जाता था।
- ग्राम के प्रधान को ग्रामणी कहा जाता था।
- राज्याधिकारियों में पुरोहित एवं सेनानी प्रमुख थे।
- सभा, समिति तथा विदथ जनप्रतिनिधि संस्थाएँ थीं। इन संस्थाओं में राजनीतिक, सामाजिक, धार्मिक तथा आर्थिक प्रश्नों पर विचार किया जाता था।
- राजा युद्ध में कबीले का नेतृत्व करता था। युद्ध के लिए गविष्ठि (गायों की खोज) का प्रयोग किया गया है।
- राजा का चयन किया जाता था।
- ऋग्वेद में दाशराज्ञ युद्ध का वर्णन है जिसमें भरत जन के स्वामी सुदास ने रावी नदी के तट पर दश राजाओं के संघ को हराया था।
- इन्द्र ऋग्वैदिक आर्यों का सबसे महत्वपूर्ण देवता था जिसे पुरन्दर कहा गया है। वरुण, सूर्य, मित्र, अग्नि, इत्यादि अन्य प्रमुख देवता थे।
- ऋग्वेद में सर्वाधिक पवित्र नदी के रूप में 'सरस्वती' का वर्णन हुआ है।
- गायत्री–मंत्र का उल्लेख ऋग्वेद के तृतीय मंडल में मिलता है।
- ऋग्वेद के 10वें मंडल के पुरुषसूत्र में चतुर्वर्ण– ब्राह्मण, क्षत्रिय, वैश्य और शूद्र की उत्पत्ति के उल्लेख मिलते हैं।
- आर्यों का मुख्य व्यवसाय कृषि एवं पशुपालन था।

उत्तर वैदिक काल (1000–600 ई.पू.)

- उत्तर वैदिक काल में आर्यों ने स्थायी जीवन व्यतीत करना प्रारंभ कर दिया था। इस समय आर्य मुख्य रूप से गंगा–यमुना दोआब में फैल गए थे।
- आर्यों ने पशुपालन की जगह कृषि कार्य को जीवन का प्रमुख आधार बनाया।
- चित्रित धूसर–मृद्भाण्ड तथा धातुओं में लोहा इस काल की प्रमुख विशिष्टता हैं।
- उत्तर वैदिक काल में राजा का पद वंशानुगत होने लगा। शासकों ने राजसूय, वाजपेय तथा अश्वमेध यज्ञों के माध्यम से अपनी शक्ति में वृद्धि की।
- इस काल में इन्द्र के स्थान पर प्रजापति सर्वाधिक महत्वपूर्ण देवता हो गए थे। विभिन्न कर्मकाण्डों तथा अंधविश्वासों का विस्तार हुआ जिनका उल्लेख अथर्ववेद में मिलता है।
- पूषण जो ऋग्वैदिक काल में पशुओं के देवता थे अब शूद्रों के देवता के रूप में प्रचलित हो गए।
- उत्तर वैदिक काल में वर्ण विभाजन कर्म मूलक ही था परन्तु धीरे–धीरे यह जन्म मूलक बन रहा था।
- गोत्र नामक संस्था का उदय उत्तर वैदिक काल में हुआ।
- अथर्ववेद में 'सभा' एवं 'समिति' को प्रजापति की दो पुत्रियां कहा गया है। अथर्ववेद के मंत्रों का उच्चारण करने वाले पुरोहित को 'ब्रह्मा' कहा जाता था।
- अथर्ववेद में मगध एवं अंग महाजनपद का उल्लेख है।
- उपनिषदों एवं दर्शनों की रचना शुरू हो गई थी।

धार्मिक आन्दोलन

जैन धर्म

- जैन धर्म के संस्थापक तथा प्रथम तीर्थंकर ऋषभदेव थे।
- जैन परंपरा के अनुसार जैन धर्म में कुल 24 तीर्थंकर हुए।
- जैन धर्म के 23वें तीर्थंकर पार्श्वनाथ थे।
- जैन धर्म के मुख्य प्रवर्तक तथा 24वें एवं अंतिम तीर्थंकर महावीर स्वामी थे।

महावीर स्वामी

जन्म	: 540 ई.पूर्व
जन्म स्थान	: वैशाली के निकट कुण्ड ग्राम
पिता	: सिद्धार्थ (ज्ञातृक क्षत्रिय कुल)
माता	: त्रिशला (लिच्छिवी नरेश चेटक की बहन)
पत्नी	: यशोदा
संन्यास ग्रहण	: 30 वर्ष की आयु में (गृह त्याग)
मृत्यु	: 468 ई.पूर्व; 72 वर्ष की आयु, पावापुरी

- वर्द्धमान महावीर ने तीस वर्ष की अवस्था में गृह त्याग दिया तथा 12 वर्षों की कठिन तपस्या के बाद ऋजुपालिका नदी के तट पर श्रम्भिक ग्राम में उन्हें ज्ञान प्राप्त हुआ, जिसके बाद उन्हें 'जिन', निर्ग्रंथ, अर्हत तथा केवलिन कहा गया।
- महावीर से पहले पार्श्वनाथ ने चार जैन–सिद्धांत दिए थे। ये हैं–सत्य, अहिंसा, अपरिग्रह तथा अस्तेय। महावीर ने इसमें पाँचवाँ सिद्धांत 'ब्रह्मचर्य' जोड़ा।
- महावीर की मृत्यु के बाद जैन संघ दो भागों में विभाजित हुआ–**दिगम्बर** (भद्रबाहु के समर्थक) तथा **श्वेताम्बर** (स्थूलभद्र के समर्थक)। श्वेताम्बर श्वेत वस्त्र धारण करते हैं, जबकि दिगम्बर पन्थ को मानने वाले वस्त्रों का परित्याग करते हैं।

- जैन धर्म ग्रंथों की रचना प्राकृत भाषा में हुई।
- जैन ग्रंथों को पूर्व या आगम कहा जाता है। इनकी संख्या 12 है।
- जैन धर्म के अनुसार मोक्ष के लिए तीन तत्वों का होना जरूरी है। ये हैं–
  - ❑ सम्यक दर्शन
  - ❑ सम्यक ज्ञान
  - ❑ सम्यक कर्म या सम्यक आचरण
- जैन धर्म में ईश्वर की मान्यता नहीं है।

बौद्ध धर्म

- महात्मा बुद्ध का जन्म 563 ई.पू. में कपिलवस्तु के निकट लुम्बिनी में हुआ था।
- बुद्ध के पिता शुद्धोधन शाक्य गणराज्य के शासक थे। उनकी माता का नाम महामाया था। माता की मृत्यु के बाद मौसी महाप्रजापति ने उनका पालन–पोषण किया।
- बुद्ध के बचपन का नाम सिद्धार्थ था।
- गौतम बुद्ध का विवाह 16 वर्ष की आयु में यशोधरा से हुआ था। इनके पुत्र का नाम राहुल था।
- पुत्र जन्म के कुछ समय पश्चात् ही 29 वर्ष की अवस्था में उन्होंने गृह त्याग दिया।
- आलार कलाम बुद्ध के प्रथम गुरू थे।

महात्मा बुद्ध

जन्म	:	563 ई.पूर्व
जन्म स्थान	:	लुम्बिनी (कपिलवस्तु)
गृह त्याग	:	महाभिनिष्क्रमण
ज्ञान प्राप्ति	:	उरूवेला (बोधगया) (सम्बोधि)
प्रथम उपदेश	:	सारनाथ (धर्म चक्र प्रवर्तन)
मृत्यु	:	483 ई.पूर्व; कुशीनारा (महापरिनिर्वाण)
त्रिरत्न	:	बुद्ध, धम्म एवं संघ

- निरंजना नदी (गया) के तट पर उरूवेला नामक स्थान पर वैशाख पूर्णिमा के दिन सिद्धार्थ को ज्ञान की प्राप्ति हुई जिसके बाद वे बुद्ध कहलाए।
- बौद्ध धर्म के सिद्धांत चार सत्यों पर आधारित हैं जिन्हें **'चार आर्यसत्य'** कहा जाता है, जो निम्नलिखित हैं–
  - ❑ जीवन दुखमय है।
  - ❑ तृष्णा, लालसा, मोह आदि सांसारिक जीवन के कारण हैं।
  - ❑ तृष्णा, लालसा, मोह आदि को समाप्त कर सांसारिक जीवन से मुक्ति पाई जा सकती है।
  - ❑ इसके लिए अष्टांगिक मार्ग का अनुसरण करना चाहिए।
- बुद्ध ने निर्वाण (मोक्ष) प्राप्ति के लिए निम्न **अष्टांगिक मार्ग** बताए–

1. सम्यक दृष्टि	2. सम्यक संकल्प
3. सम्यक वाणी	4. सम्यक कर्म
5. सम्यक आजीविका	6. सम्यक व्यायाम
7. सम्यक स्मृति	8. सम्यक समाधि

त्रिपिटक

- ❑ **सुत्तपिटक**–इसमें बौद्ध धर्म के सिद्धांतों का उल्लेख है।
- ❑ **विनयपिटक**–इसमें बौद्ध संघ के नियमों की व्याख्या की गई है।
- ❑ **अभिधम्मपिटक**–इसमें बौद्ध दर्शन पर प्रकाश डाला गया है।

- महात्मा बुद्ध के महापरिनिर्वाण के बाद बौध धर्म कई सम्प्रदायों में विभक्त हो गया। इनमें प्रमुख हैं–हीनयान तथा महायान।

बौद्ध संगीतियाँ

संगीति	*काल*	*स्थान*	*शासक*	*अध्यक्ष*
प्रथम संगीति	483 ई.पू.	राजगृह	अजातशत्रु	महाकस्यप
द्वितीय संगीति	383 ई.पू.	वैशाली	कालाशोक	साबकमीर
तृतीय संगीति	250 ई.पू.	पाटलिपुत्र	अशोक	मोगगलिपुत्र तिस्स
चतुर्थ संगीति		कुण्डलवन (कश्मीर)	कनिष्क	वसुमित्र

शैव धर्म

- **लकुलिश** ने पाशुपत शैव सम्प्रदाय की स्थापना की थी।
- शैव धर्म पांच सिद्धांतों पर आधारित है। ये हैं–कार्य, कारण, योग, विधि तथा दुखान्त।
- कश्मीरी शैव सम्प्रदाय के संस्थापक **वसुगुप्त** तथा दक्षिण के लिंगायत सम्प्रदाय के संस्थापक वासवराज थे।
- लिंग पूजा का वर्णन **मत्स्य पुराण** में मिलता है।

वैष्णव धर्म

- वैष्णव धर्म के संस्थापक वासुदेव कृष्ण थे।
- वैष्णव धर्म को पहले भागवत धर्म कहा जाता था।
- मेगास्थनीज ने कृष्ण को हेराक्लीज कहा है।
- अवतारवाद वैष्णव धर्म का आधारभूत सिद्धान्त है।
- विष्णु एवं कृष्ण का एकीकरण नारायण से हुआ है। नारायण के उपासक **पंचरात्रिक** कहलाए।

महाजनपद काल

- आरंभिक भारतीय इतिहास में छठी शताब्दी ई.पू. में 16 महाजनपदों का उदय हुआ। बौद्ध ग्रंथ अंगुत्तर निकाय में पहली बार 16 महाजनपदों की चर्चा मिलती है।
- जनपद का अर्थ एक ऐसा भूखंड है जहाँ कोई 'जन' अपना पाँव रखता है अथवा बस जाता है। इस शब्द का प्रयोग संस्कृत और प्राकृत दोनों में मिलता है।
- अधिकांश महाजनपदों पर राजा का शासन होता था लेकिन गण और संघ के नाम से प्रसिद्ध राज्यों में कई लोगों का समूह शासन करता था, इस समूह का प्रत्येक व्यक्ति राजा कहलाता था। भगवान महावीर और भगवान बुद्ध इन्हीं गणों से सम्बन्धित थे।

महाजनपदों की स्थिति

क्र.स.	महाजनपद	राजधानी	क्र.स.	महाजनपद	राजधानी
1.	मगध	राजगृह	9.	वत्स	कौशाम्बी
2.	अवन्ति	उज्जयिनी	10.	कुरू	हस्तिनापुर
3.	वज्जि	वैशाली	11.	मत्स्य	विराटनगर
4.	कोसल	श्रावस्ती	12.	पांचाल	अहिच्छत्र
5.	काशी	वाराणसी	13.	शूरसेन	मथुरा
6.	अंग	चम्पा	14.	गान्धार	तक्षशिला
7.	मल्ल	कुशीनारा	15.	कम्बोज	राजपुर
8.	चेदि	शुक्तिमती	16.	अश्मक	पोतन

- छठी से चौथी शताब्दी ई.पू. में मगध सबसे शक्तिशाली महाजनपद बन गया।
- मगध पर शासन करने वाला शासकीय वंश हर्यक वंश था। इसके बाद शिशुनाग तथा नन्द वंश ने शासन किया। नन्दों को समाप्त कर मौर्य वंश ने शासन आरंभ किया।
- प्रारंभ में, राजगाह (राजगीर) मगध की राजधानी थी। इस शब्द का अर्थ है 'राजाओं का घर'।
- बिम्बिसार हर्यक वंश का पहला साम्राज्यवादी शासक था। उसकी राजधानी गिरिव्रज (राजगृह) थी।
- बिम्बिसार की हत्या कर उसका पुत्र अजातशत्रु शासक बना।
- अजातशत्रु के बाद उसका पुत्र उदयिन शासक बना। उसने पाटलिपुत्र नगर की स्थापना की तथा उसे अपनी राजधानी बनाया।
- हर्यक वंश के अंतिम शासक नागदासक की हत्या कर शिशुनाग ने शिशुनाग वंश की स्थापना की।
- शिशुनाग का उत्तराधिकारी कालाशोक था। उसके समय में द्वितीय बौद्ध संगीति का आयोजन वैशाली में हुआ था।
- शिशुनाग वंश के अंतिम शासक नंदिवर्धन की हत्या कर महापद्मनंद ने 'नंद वंश' की नींव रखी।
- घनानंद के शासन के दौरान जनता के असन्तोष का लाभ उठाकर चन्द्रगुप्त मौर्य ने चाणक्य की सहायता से मगध पर आधिपत्य कायम किया।

मौर्य साम्राज्य

चन्द्रगुप्त मौर्य

- 322 ई.पू. में चंद्रगुप्त मौर्य ने मौर्य साम्राज्य की स्थापना की।
- चंद्रगुप्त ने 305 ई.पू. में यूनानी शासक सेल्यूकस के साथ संधि की। संधि शर्तों के अनुसार सेल्यूकस ने 500 हाथियों के बदले चार प्रांत काबुल, कन्धार, हेरात एवं मकरान चंद्रगुप्त को दिए।
- सेल्यूकस ने चन्द्रगुप्त के दरबार में अपने राजदूत मेगस्थनीज की नियुक्ति की।
- मेगस्थनीज ने पाटलिपुत्र में रहते हुए इण्डिका की रचना की।
- स्ट्रैबो तथा जस्टिन की रचनाओं में चंद्रगुप्त मौर्य को 'सैण्ड्रोकोट्स' कहा गया है। जबकि एरियन तथा प्लूटार्क ने उसे 'एण्ड्रोकोट्स' कहा है।
- चन्द्रगुप्त मौर्य के मंत्री चाणक्य (कौटिल्य) ने अर्थशास्त्र की रचना की थी।

बिन्दुसार

- चन्द्रगुप्त का उत्तराधिकारी बिन्दुसार बना।
- बिंदुसार के शासनकाल में तक्षशिला में दो विद्रोह हुए प्रथम को अशोक ने दबाया तथा दूसरे विद्रोह को सुसीम ने दबाया।
- सीरिया के शासक एण्टीओकस ने डायमेकस को बिंदुसार के दरबार में अपना राजदूत बनाया।

अशोक

- बिंदुसार का उत्तराधिकारी अशोक था जो 272 ई.पू. में मगध का शासक बना।
- अशोक शासक बनने से पूर्व उज्जयिनी तथा तक्षशिला का गवर्नर था।
- राज्याभिषेक के कई वर्षों बाद 261 ई.पू. में अशोक ने कलिंग पर आक्रमण किया। कलिंग युद्ध में व्यापक हिंसा से उसका मन द्रवित हो गया एवं उसने युद्ध विजय की जगह धम्म विजय की नीति अपनाई।
- अशोक बौद्ध धर्म का अनुयायी बन गया तथा उसके प्रचार–प्रसार में लग गया। अशोक ने अपने पुत्र महेंद्र तथा पुत्री संघमित्रा को बौद्ध धर्म के प्रचार के लिए श्रीलंका भेजा।
- जेम्स प्रिंसेप ने 1837 ई. में अशोक के शिलालेखों को पढ़ने में सफलता प्राप्त की।

शुंग वंश

- मौर्य सेनापति पुष्यमित्र शुंग ने अंतिम मौर्य शासक वृहद्रथ की हत्या कर 184 ई.पू. में शुंग वंश की स्थापना की।
- पुष्यमित्र ब्राह्मण धर्म का समर्थक था तथा उसने दो बार अश्वमेध यज्ञ किए।
- शुंग वंश का अन्तिम शासक देवभूति था, जिसकी हत्या कर उसके सेनापति वसुदेव ने कण्व वंश की स्थापना की।
- कण्व वंश के अंतिम शासक सुशर्मा को सातवाहन शासक सिमुक ने पराजित किया।

हिन्द–यूनानी शासक

- बैक्ट्रिया के शासक डेमेट्रियस ने भारत पर 190 ई.पू. में आक्रमण कर अफगानिस्तान, पंजाब, सिंध के बड़े भूभाग पर अधिकार कर शाकल को अपनी राजधानी बनाया। इसे हिन्द–यवन राज्य कहा गया।
- हिन्द–यूनानी शासकों में मिनान्डर का नाम प्रमुख है जिसने नागसेन से बौद्ध धर्म की दीक्षा ली जो मिलिन्दपन्हों ग्रंथ में संकलित है।
- भारत में सोने के सिक्के सर्वप्रथम 'हिन्द–यूनानी' शासकों ने ही जारी किए।

शक

- यूनानियों के बाद शक आए। शकों की पांच शाखाएं थीं और हर शाखा की राजधानी भारत और अफगानिस्तान में अलग–अलग भागों में थी।

- शक मूलतः मध्य एशिया के निवासी थे और चरागाह की खोज में भारत आए।
- शकों का सबसे प्रतापी शासक रूद्रदामन प्रथम (130–150 ई.) था जिसका शासन गुजरात के बड़े भाग पर था। इसने काठियावाड़ की अर्धशुष्क सुदर्शन झील (मौर्यों द्वारा निर्मित) की मरम्मत करवाई।

कुषाण

- कुषाण वंश का संस्थापक कुजुल कडफिसस था। इसका उत्तराधिकारी विम कडफिसस था।
- इस वंश का सबसे प्रसिद्ध शासक कनिष्क था। कुषाणों की एक राजधानी पुरुषपुर या पेशावर थी और दूसरी राजधानी मथुरा थी।
- कनिष्क ने 78 ई. अर्थात् अपने राज्याभिषेक के वर्ष में एक संवत् चलाया, जो शक संवत् कहलाता है, जिसे भारत सरकार द्वारा प्रयोग में लाया जाता है।

गुप्त साम्राज्य

- गुप्त साम्राज्य के शासनकाल को प्राचीन भारतीय इतिहास का स्वर्णकाल कहा जाता है।
- गुप्त वंश का संस्थापक श्रीगुप्त (240–280 ई.) को माना जाता है।

चन्द्रगुप्त प्रथम

- चंद्रगुप्त प्रथम ने गुप्त सम्वत् की स्थापना 319–320 ई. में की थी।
- चंद्रगुप्त प्रथम गुप्त वंश का प्रथम महान सम्राट था। इसने 'महाराजधिराज' की उपाधि धारण की।
- गुप्त वंश में सर्वप्रथम चंद्रगुप्त प्रथम ने ही चांदी के सिक्कों का प्रचलन करवाया था।

समुद्रगुप्त

- चंद्रगुप्त प्रथम के पश्चात् उसका पुत्र समुद्रगुप्त शासक बना। उसने स्वयं को लिच्छवी दौहित्र कहा।
- समुद्रगुप्त ने आर्यावर्त के 9 शासकों को और दक्षिणावर्त के 12 शासकों को पराजित किया। इन्हीं विजयों के कारण इसे भारत का नेपोलियन कहा जाता है।
- हरिषेण रचित प्रयाग प्रशस्ति से समुद्रगुप्त की विजयों की विस्तृत जानकारी मिलती है।
- समुद्रगुप्त ने 'कविराज' नाम से कई उच्च कोटि की कविताएं भी लिखीं। एक सिक्के पर उसे वीणा बजाते दिखाया गया है।

चन्द्रगुप्त द्वितीय

- चंद्रगुप्त द्वितीय को देवराज और देवगुप्त दोनों नामों से भी जाना जाता है। इसने 'देवश्री', 'विक्रम', 'विक्रमादित्य', 'प्रतिरथ', 'सिंहविक्रम', 'परमभागवत', 'विक्रमांक' आदि उपाधियां धारण कीं।
- चंद्रगुप्त द्वितीय का काल साहित्य और कला का स्वर्णकाल भी कहा जाता है।
- चंद्रगुप्त द्वितीय के शासनकाल में चीनी बौद्ध यात्री फाह्यान भारत आया था।
- चंद्रगुप्त द्वितीय के दरबार में नौरत्न थे–कालिदास, धनवन्तरि, क्षपणक, अमरसिंह, शंकु, बैताल भट्ट, घटकर्पर, वराहमिहिर और वररूचि।

कुमारगुप्त प्रथम

- चंद्रगुप्त द्वितीय का उत्तराधिकारी कुमारगुप्त प्रथम था।
- कुमारगुप्त प्रथम (412–454 ई.) ने नालंदा विश्वविद्यालय की स्थापना की थी।

स्कन्दगुप्त

- स्कन्दगुप्त (454–467 ई.) गुप्त वंश का अंतिम महान शासक था। इसने देवराज, विक्रमादित्य, क्रमादिव्य आदि उपाधियां ग्रहण की।
- स्कन्दगुप्त ने मौर्यों द्वारा निर्मित सुदर्शन झील का पुनरुद्धार करवाया था।
- स्कन्दगुप्त ने पर्णदत्त को सौराष्ट्र का गवर्नर नियुक्त किया था।

गुप्तकाल में प्रशासन

- गुप्त साम्राज्य की सबसे बड़ी प्रादेशिक इकाई 'देश' थी, जिसके शासक को गोप्ता कहा जाता था। 'भुक्ति' एक दूसरी प्रादेशिक इकाई थी, जिसके शासक उपरिक कहलाते थे।
- भुक्ति के बाद विषय नामक प्रशासनिक इकाई होती थी, जिसके प्रमुख विषयपति कहलाते थे।
- पुलिस विभाग का मुख्य अधिकारी 'दण्डपाशिक' कहलाता था।
- कालिदास, हरिषेण, वीरसेन, विशाखदत्त आदि इस युग के प्रसिद्ध विद्वान थे। बौद्ध विद्वानों में असंग, वसुबन्धु, दिग्ङनाग तथा धर्मपाल आदि प्रमुख थे।

गुप्तकाल में सामाजिक-आर्थिक-धार्मिक विकास

- गुप्तकाल में स्त्रियों की दशा पहले से निम्न हो गई। सती–प्रथा की प्रथम घटना का उल्लेख इसी काल में मिलता है।
- गुप्त शासक वैष्णव धर्न के अनुयायी थे।
- गुप्तकाल में मंदिरों तथा मूर्तियों का निर्माण आरंभ हो गया था।
- सारनाथ की बुद्ध मूर्ति, मथुरा की वर्धमान महावीर की मूर्ति, झांसी की शेषशायी विष्णु की मूर्ति, विदिशा की वराह अवतार की मूर्ति, काशी की गोवर्धनधारी कृष्ण की मूर्ति आदि इस युग की मूर्तिकला के प्रमुख उदाहरण हैं।

विज्ञान

- गुप्तकाल में गणित, भौतिक विज्ञान, रसायन विज्ञान, धातु विज्ञान, ज्योतिष एवं चिकित्सा विज्ञान की बहुत उन्नति हुई।
- दशमलव तथा शून्य का अन्वेषण गुप्तकाल में ही हुआ।
- आर्यभट्ट इस युग के प्रख्यात गणितज्ञ एवं खगोलशास्त्री थे। आर्यभट्टीयम इनकी सुप्रसिद्ध रचना है, जिसमें अंकगणित, बीजगणित तथा रेखागणित की विवेचना की गई है। आर्यभट्ट ने सूर्य सिद्धांत नामक ग्रंथ में यह प्रमाणित किया कि पृथ्वी सूर्य का चक्कर लगाती है।
- सुश्रुत और धनवन्तरि इस युग के प्रख्यात वैद्य थे।

गुप्तोत्तर काल

- गुप्त वंश के पतन के बाद कई नये राजवंशों का उद्भव हुआ, उनमें मैत्रक, मौखरि, पुष्यभूति, परवर्ती गुप्त और गौड़ प्रमुख हैं। इन राजवंशों में, पुष्यभूति सबसे प्रमुख थे।

हर्षवर्द्धन

- पुष्यभूति वंश का संस्थापक पुष्यभूति था। इनकी राजधानी थानेश्वर थी।
- राज्यवर्द्धन की मृत्यु के बाद 606 ई. में 16 वर्ष की अवस्था में हर्षवर्द्धन थानेश्वर का शासक बना। इसने 'परमभट्टारक' की उपाधि धारण की। हर्ष को शिलादित्य के नाम से भी जाना जाता है।
- हर्षवर्द्धन के शासन की जानकारी बाणभट्ट की रचना हर्षचरित से मिलती है।
- हर्ष और पुलकेशिन–II के बीच नर्मदा नदी के तट पर युद्ध हुआ जिसमें हर्ष की पराजय हुई। इस युद्ध का वर्णन पुलकेशिन–II के एहोल अभिलेख में मिलता है।
- चीनी यात्री ह्वेनसांग हर्षवर्द्धन के शासनकाल में भारत आया।

ह्वेनसांग को यात्रियों में राजकुमार, नीति का पंडित एवं वर्तमान शाक्यमुनि कहा जाता है। वह नालंदा विश्वविद्यालय में पढ़ने एवं बौद्ध ग्रंथ संग्रह करने के उद्देश्य से हर्ष के काल में भारत आया था।

दक्षिण एवं उत्तर भारत के प्रमुख राजवंश

पल्लव वंश

- पल्लव वंश का संस्थापक **सिंहविष्णु** (575–600 ई.) था। इनकी राजधानी कांची थी।
- प्रसिद्ध लेखक भारवि जिन्होंने किरातार्जुनीयम की रचना की थी, सिंहविष्णु के दरबार में रहते थे।
- महाबलीपुरम के एकाश्म मंदिर जिन्हें रथ कहा जाता है का निर्माण पल्लव राजा नरसिंहवर्मन प्रथम के द्वारा करवाया गया था। रथ मंदिरों की संख्या सात है। रथ मंदिरों में सबसे छोटा द्रौपदी रथ है।

चालुक्य वंश (वातापी)

- जयसिंह ने वातापी के चालुक्य–वंश की स्थापना की जिसकी राजधानी वातापी थी।
- वातापी के चालुक्य वंश के प्रमुख शासक थे–पुलकेशिन प्रथम, कीर्तिवर्मन, पुलकेशिन द्वितीय, विक्रमादित्य, विनयादित्य एवं विजयादित्य। इनमें सबसे प्रतापी राजा पुलकेशिन द्वितीय था।

चालुक्य वंश (कल्याणी)

- कल्याणी के चालुक्य वंश की स्थापना **तैलप द्वितीय** ने की थी। इस वंश का सबसे प्रतापी शासक विक्रमादित्य–VI था।
- विल्हण एवं विज्ञानेश्वर विक्रमादित्य–VI के दरबार में ही रहते थे। विज्ञानेश्वर ने मिताक्षरा की रचना की थी।
- विल्हण ने विक्रमांकदेवचरित की रचना की थी। इसमें विक्रमादित्य–VI के जीवन पर प्रकाश डाला गया है।

राष्ट्रकूट

- राष्ट्रकूट राजवंश का संस्थापक दन्तिदुर्ग (752 ई.) था। इसकी राजधानी मान्यखेत थी।
- राष्ट्रकूट वंश के प्रमुख शासक थे : कृष्ण प्रथम, ध्रुव, गोविन्द तृतीय, अमोघवर्ष, कृष्ण द्वितीय, इन्द्र तृतीय एवं कृष्ण तृतीय।
- कृष्ण प्रथम प्रसिद्ध राष्ट्रकूट शासक था, जिसने एलोरा में कैलाशनाथ मंदिर का निर्माण करवाया।
- एलोरा एवं ऐलिफेंटा में गुहामंदिरों का निर्माण राष्ट्रकूटों के समय में हुआ। ध्रुव राष्ट्रकूट वंश का पहला शासक था, जिसने कन्नौज पर अधिकार करने हेतु त्रिपक्षीय संघर्ष में भाग लिया और प्रतिहार नरेश वत्सराज एवं पाल नरेश धर्मपाल को पराजित किया।

चोल

- चोल वंश का संस्थापक विजयालय था। इसकी राजधानी तंजौर थी। विजयालय ने नरकेसरी की उपाधि धारण की।
- राजराज प्रथम ने श्रीलंका पर आक्रमण किया। वहाँ के राजा को पराजित कर एक नया प्रांत 'मुम्मिडचोलमंडलम' बनाया और पोलन्नरूवा को इसकी राजधानी बनाया।
- राजराज प्रथम शैव धर्म का अनुयायी था। इसने तंजौर में राजराजेश्वर शिव मंदिर बनवाया।
- स्थानीय स्वशासन चोल प्रशासन की मुख्य विशेषता थी।

पाल वंश

- आठवीं शताब्दी के मध्य में बंगाल में पाल राजवंश की स्थापना हुई। पाल वंश का संस्थापक गोपाल था।
- गोपाल बौद्ध धर्म का अनुयायी था। इसने ओदन्तपुरी विश्वविद्यालय की स्थापना की।
- पालवंश का सबसे महान शासक धर्मपाल था जिसने विक्रमशिला विश्वविद्यालय की स्थापना की थी।

सेन वंश

- बंगाल में सेनवंश की स्थापना सामन्त सेन ने राढ़ में की थी। सेन वंश की राजधानी नदिया (लखनौती) थी।
- सेन वंश के प्रमुख शासक विजय सेन, बल्लालसेन एवं लक्ष्मण सेन थे।
- लक्ष्मणसेन की राजसभा में गीतगोविन्द के लेखक जयदेव रहते थे।

कश्मीर के राजवंश

- कश्मीर पर विभिन्न शासक वंशों ने क्रमानुसार शासन किया–कार्कोट वंश, उत्पल वंश, लोहार वंश।
- दुर्लभवर्द्धन ने 627 ई. में कश्मीर में कार्कोट वंश (हिंदू वंश) की स्थापना की।
- कश्मीर के मार्तण्ड मंदिर का निर्माण ललितादित्य ने करवाया था।

राजपूत राजवंश

- अग्निकुल सिद्धान्त के अनुसार प्रतिहार, चालुक्य, चौहान तथा परमार की उत्पत्ति आबू पर्वत पर वशिष्ठ के अग्नि कुंड से हुई। यह सिद्धान्त चन्दबरदाई की पृथ्वीराज रासो पर आधारित है।

गुर्जर प्रतिहार वंश

- नागभट्ट प्रथम मालवा के गुर्जर प्रतिहार वंश का संस्थापक था।
- मिहिरभोज प्रतिहार वंश का सर्वाधिक शक्तिशाली एवं प्रतापी शासक था। इसने आदिवाराह की उपाधि धारण की।
- मिहिरभोज की राजधानी कन्नौज थी।
- प्रसिद्ध कवि राजशेखर, प्रतिहार शासक महेन्द्रपाल के दरबार में रहते थे।
- राजशेखर ने काव्य मीमांसा लिखी थी।

चौहान वंश

- चौहान वंश का संस्थापक वासुदेव था। इनकी प्रारंभिक राजधानी अहिच्छत्र थी।
- अजयराज द्वितीय ने अजमेर नगर की स्थापना की और उसे राजधानी बनाया।
- पृथ्वीराज तृतीय इस वंश का अंतिम शासक था।
- चन्दबरदाई पृथ्वीराज तृतीय का राजकवि था, जिसकी रचना पृथ्वीराजरासो है।
- तराइन का प्रथम युद्ध 1191 में हुआ जिसमें पृथ्वीराज तृतीय की विजय एवं मुहम्मद गोरी की हार हुई।
- तराइन का द्वितीय युद्ध 1192 में हुआ, जिसमें गोरी की विजय एवं पृथ्वीराज तृतीय की हार हुई।

परमार वंश

- परमार वंश की स्थापना 9वीं शताब्दी में उपेन्द्र कृष्णराज ने की। इसकी राजधानी धारा नगरी (उज्जैन) थी।
- परमार वंश का सर्वाधिक शक्तिशाली शासक राजा भोज था।
- भोज ने चिकित्सा, गणित एवं व्याकरण पर अनेक ग्रंथ लिखे। भोजकृत युक्तिकल्पतरू में वास्तुशास्त्र के साथ–साथ विविध वैज्ञानिक यंत्रों व उनके उपयोग का उल्लेख है। इसने कविराज की उपाधि ग्रहण की थी।

चंदेल वंश

- 831 ई. में नन्नुक ने बुंदेलखंड में चंदेल वंश की स्थापना की थी। इसकी प्रारंभिक राजधानी कालिंजर (महोबा) थी।
- राजा धंग ने अपनी राजधानी कालिंजर से खजुराहो में स्थानान्तरित की थी। कंदरिया महादेव मंदिर का निर्माण धंग ने ही करवाया।
- चंदेल वंश का सबसे प्रतापी राजा यशोवर्मन था।

मध्यकालीन भारत

- भारत पर आक्रमण करने वाला प्रथम मुस्लिम शासक मुहम्मद बिन कासिम था।
- मुहम्मद बिन कासिम के आक्रमण के समय सिन्ध का शासक दाहिर था। कासिम ने 712 ई. में सिंध पर विजय प्राप्त की। इसने मुल्तान को भी जीता।

महमूद गजनवी

- महमूद गजनवी खुरासान का शासक था।
- महमूद ने 1001 से 1027 ई. तक भारत पर 17 बार आक्रमण किया। उसके आक्रमण का उद्देश्य धन लूटना था।
- महमूद गजनवी ने भारत पर पहला आक्रमण 1001 ई. में शाही राजा जयपाल के विरुद्ध किया था। इस युद्ध में जयपाल पराजित हुआ था।
- महमूद गजनवी ने 1025 ई. में सोमनाथ मंदिर पर आक्रमण किया तथा वहां से प्रचुर मात्रा में संपत्ति को लूटा।
- महमूद गजनवी का अंतिम आक्रमण 1027 ई. में जाटों के विरुद्ध था।

मुहम्मद गोरी

- शिहाबुद्दीन मुहम्मद गोरी ने 1175 ई. में भारत में मुल्तान के विरुद्ध पहला आक्रमण किया।
- मुहम्मद गोरी का दूसरा आक्रमण 1178 ई. में पाटन पर हुआ। यहां के शासक भीम द्वितीय ने गोरी को पराजित किया था।
- तराइन का प्रथम युद्ध 1191 में हुआ जिसमें मुहम्मद गोरी पृथ्वीराज चौहान से पराजित हुआ था।
- तराइन का द्वितीय युद्ध 1192 में हुआ, जिसमें मुहम्मद गोरी ने पृथ्वीराज चौहान को पराजित किया था।
- 1206 ई. में खोखरों के साथ युद्ध में मुहम्मद गोरी मारा गया।
- मुहम्मद गोरी को भारत में तुर्की राज्य का संस्थापक माना जाता है।

दिल्ली सल्तनत

- 1206 से 1526 ई. तक भारत पर दिल्ली सल्तनत के शासकों ने शासन किया।

दिल्ली सल्तनत के राजवंश

गुलाम वंश	1206–1290 ई.
खिलजी वंश	1290–1320 ई.
तुगलक वंश	1320–1414 ई.
सैय्यद वंश	1414–1451 ई.
लोदी वंश	1451–1526 ई.

गुलाम वंश

- गुलाम वंश की स्थापना 1206 ई. में कुतुबुद्दीन ऐबक ने की। उसने लाहौर को अपनी राजधानी बनाया।
- कुतुबुद्दीन को अपनी उदारता के कारण **लाखबक्श** कहा जाता था।
- कुतुबमीनार की नींव कुतुबुद्दीन ऐबक ने डाली थी।

- ऐबक ने दिल्ली का कुव्वत–उल–इस्लाम मस्जिद एवं अजमेर का ढाई दिन का झोंपड़ा नामक मस्जिद का निर्माण करवाया था।
- 1210 ई. में चौगान खेलते हुए, कुतुबुद्दीन ऐबक की मृत्यु हो गई थी। ऐबक का मकबरा लाहौर में स्थित है।

इल्तुतमिश

- आरामशाह की हत्या करके इल्तुतमिश 1211 ई. में दिल्ली की गद्दी पर बैठा।
- इल्तुतमिश पहला शासक था, जिसने 1229 ई. में बगदाद के खलीफा से सुल्तान पद की वैधानिक स्वीकृति प्राप्त की।
- इल्तुतमिश ने कुतुबमीनार का निर्माण कार्य पूरा करवाया।

रजिया सुल्तान

- इल्तुतमिश ने अपनी पुत्री रजिया को अपना उत्तराधिकारी नियुक्त किया था।
- रजिया दिल्ली सल्तनत की प्रथम तथा अंतिम महिला शासिका थी। 1236 ई. में तुर्की अमीरों ने रूक्नुद्दीन फिरोज को गद्दी से हटाकर रजिया को शासक बनाया।
- रजिया एक योग्य शासक थी परन्तु गैर तुर्कों को सामंत बनाने के रजिया के प्रयासों से तुर्की अमीर उसके विरुद्ध हो गए तथा उसे सत्ता से हटा दिया गया।
- रजिया की हत्या 13 अक्टूबर, 1240 ई. को डाकुओं के द्वारा कैथल के पास कर दी गई।

बलबन

- रजिया के बाद बहरामशाह, मसूदशाह तथा नासिरूद्दीन महमूद शासक बने।
- 1266 ई. में ग्यासुद्दीन बलबन दिल्ली की गद्दी पर बैठा। अपने विरोधियों के प्रति इसने 'लौह एवं रक्त' की नीति अपनाई।
- बलबन ने मंगोलों के आक्रमण से भारत की सफलतापूर्वक रक्षा की।
- सिजदा एवं पैबोस प्रथा की शुरुआत बलबन ने की।
- बलबन ने फारसी रीति–रिवाज पर आधारित नवरोज उत्सव को प्रारंभ करवाया।

खिलजी वंश

- गुलाम वंश के शासन को समाप्त कर 1290 ई. में जलालुद्दीन फिरोज खिलजी ने खिलजी वंश की नींव डाली।
- जलालुद्दीन की हत्या कर 1296 ई. में अलाउद्दीन खिलजी ने शासन पर अधिकार कर लिया।
- अलाउद्दीन अपनी बाजार नियंत्रण प्रणाली के लिए जाना जाता है। उसने मूल्य नियंत्रण के लिए 'दीवान–ए–रियासत', एवं 'शहना–ए–मण्डी' की नियुक्ति की। 'बरीद' तथा 'मुनहिस' गुप्तचर विभाग से संबंधित थे।
- अलाउद्दीन खिलजी ने जमैयत खाना मस्जिद, दिल्ली में अलाई दरवाजा, हौजखास, सीरी का किला इत्यादि का निर्माण करवाया।

तुगलक वंश

गयासुद्दीन तुगलक

- गाजी मलिक उर्फ गयासुद्दीन तुगलक ने 1320 ई. में दिल्ली में तुगलक वंश की स्थापना की।
- उसने दिल्ली के निकट तुगलकाबाद नामक नगर की स्थापना की।
- ग्यासुद्दीन प्रथम सुल्तान था जिसने नहरों का निर्माण करवाया।

मुहम्मद–बिन तुगलक

- गयासुद्दीन की मृत्यु के बाद उसका पुत्र 'जूना खां' मुहम्मद–बिन–तुगलक' के नाम से सुल्तान बना।
- मुहम्मद–बिन–तुगलक ने अपनी राजधानी दिल्ली से देवगिरि में स्थानांतरित की तथा इसका नाम दौलताबाद रखा।
- सांकेतिक मुद्रा के अंतर्गत तांबे के सिक्के चलवाए गए जिनका मूल्य चांदी के रुपए टंका के बराबर था। यह प्रयोग विफल रहा।
- इब्नबतूता नामक अफ्रीकी यात्री लगभग 1333 ई. में भारत आया। मुहम्मद–बिन–तुगलक ने इसे दिल्ली का काजी नियुक्त किया। 1342 ई. में सुल्तान ने इसे अपने राजदूत के रूप में चीन भेजा।
- जियाउद्दीन बरनी मुहम्मद बिन तुगलक के दरबार में था।

फिरोजशाह तुगलक

- मुहम्मद–बिन–तुगलक की मृत्यु के बाद तुर्की सरदारों ने फिरोजशाह तुगलक को सुल्तान बनाया।
- फिरोज ने शरीयत के अनुसार स्वीकृत चार कर लगाए–खराज, खुम्स,,जजिया तथा जकात।
- फिरोज ने ब्राह्मणों पर सर्वप्रथम जजिया कर लगवाया।
- उसने गरीबों की सहायता के लिए दीवान–ए–खैरात नामक दान विभाग की स्थापना की।
- फिरोज तुगलक ने लगभग 300 नये नगरों की स्थापना की जिनमें हिसार, फिरोजाबाद (दिल्ली), फतेहाबाद, फिरोजपुर आदि प्रमुख हैं।
- तैमूरलंग ने तुगलक शासक नासिरूद्दीन महमूद तुगलक के समय 1398 ई. में दिल्ली पर आक्रमण किया।

सैय्यद वंश

- सैय्यद वंश का संस्थापक खिज्र खाँ था। इसने 1414 ई. में 'रैयत–ए–आला' की उपाधि के साथ शासन सभाला।
- मुबारक शाह के दरबार में याह्या अहमद सरहिन्दी रहते थे जिन्होंने तारीख–ए–मुबारक शाही की रचना की।
- सैय्यद वंश का अंतिम शासक अलाउद्दीन आलमशाह था।

लोदी वंश

- बहलोल लोदी ने 1451 ई. में लोदी वंश की स्थापना की। इसने गाजी की उपाधि ग्रहण की।

- बहलोल लोदी को दिल्ली में प्रथम अफगान राज्य की स्थापना का श्रेय दिया जाता है।

सिकंदर लोदी

- बहलोल का पुत्र निजाम खाँ सिकन्दर लोदी के नाम से 1489 ई. में शासक बना।
- सिकन्दर लोदी ने 1504 ई. में आगरा शहर की स्थापना की।
- इसने आगरा को अपनी राजधानी बनाया।
- इसने भूमि की पैमाइश के लिए प्रामाणिक पैमाना 'गजे सिकन्दरी' का प्रचलन करवाया।

इब्राहिम लोदी

- 1517 ई. में सिकन्दर लोदी की मृत्यु के पश्चात् इब्राहिम लोदी शासक बना। वह दिल्ली सल्तनत का अंतिम शासक था।
- 21 अप्रैल, 1526 ई. में पानीपत की प्रथम लड़ाई में इब्राहिम लोदी बाबर से पराजित हुआ, जिसके पश्चात् लोदी वंश एवं दिल्ली सल्तनत का अंत हुआ।

प्रान्तीय राज्यों का उदय

जौनपुर

- जौनपुर की स्थापना फिरोजशाह तुगलक ने अपने भाई जौना खाँ की स्मृति में की थी।
- जौनपुर स्थापत्य की शर्की कला के लिए जाना जाता है। इसे भारत का सिराज कहा जाता है।

गुजरात

- जफरखाँ ने 1407 में सुल्तान मुजफ्फरशाह की उपाधि धारण कर स्वतन्त्र राज्य की स्थापना की।
- अहमदशाह ने 'अहमदाबाद' नगर बसाया एवं इसे अपनी राजधानी बनाया।

विजयनगर (1335–1614 ई.)

- विजयनगर साम्राज्य की स्थापना हरिहर तथा बुक्का नामक दो भाइयों ने अपने गुरू विद्यारण्य की सहायता से की।
- हम्पी विजयनगर की राजधानी थी।
- विजयनगर पर चार वंशों ने शासन किया। ये हैं–संगम, सालुव, तुलुव तथा आरविडु।

विजयनगर आने वाले प्रमुख विदेशी यात्री

यात्री	वर्ष	देश	शासक
निकोलो कोण्टी	1420 ई.	इटली	देवराय प्रथम
अब्दुर्रज्जाक	1442 ई.	फारस	देवराय द्वितीय
नूनीज	1450 ई.	पुर्तगाल	मल्लिकार्जुन
डोमिंगो पायस	1515 ई.	पुर्तगाल	कृष्णदेव राय

- कृष्णदेव राय विजयनगर का सर्वाधिक प्रसिद्ध एवं सफल शासक था। वह 1509 ई. में शासक बना।

बहमनी साम्राज्य

- 1347 ई. में अलाउद्दीन बहमनशाह ने बहमनी साम्राज्य की स्थापना की तथा गुलबर्गा को अपनी राजधानी बनाया।
- अहमदशाह ने बीदर को बहमनी साम्राज्य की राजधानी बनाया।
- मुहम्मद तृतीय के शासनकाल में रूसी यात्री निकितिन बहमनी राज्य की यात्रा की थी।
- कालान्तर में बहमनी राज्य पांच स्वतंत्र राज्यों में विभक्त हो गया था जो निम्नलिखित हैं–

राज्य	स्थापना वर्ष	वंश	संस्थापक
बीजापुर	1489 ई.	आदिलशाही	युसुफ आदिलशाह
अहमदनगर	1490 ई.	निजामशाही	मलिक अहमद
बरार	1490 ई.	इमादशाही	फतेहउल्लाह इमादशाह
गोलकुण्डा	1512 ई.	कुतुबशाही	कुली कुतुबशाह
बीदर	1526 ई.	बरीदशाही	अमीर अली बरीद

धार्मिक आंदोलन

सूफी आंदोलन

- सूफी दर्शन एकेश्वरवाद में विश्वास करता था। यह एक प्रकार का रहस्यवादी दर्शन था। अजमेर के ख्वाजा मुइनुद्दीन चिश्ती, दिल्ली के शेख निजामुद्दीन औलिया और नासिरुद्दीन, फतेहपुर सीकरी के शेख सलीम चिश्ती तथा फरीदुद्दीन गंजशकर प्रसिद्ध सूफी सन्त थे।

सूफी सम्प्रदाय एवं उनके संस्थापक

सम्प्रदाय	संस्थापक	भारत में प्रचारक
चिश्ती	अबू अब्दाल चिश्ती	ख्वाजा मुइनुद्दीन चिश्ती
सुहारावर्दी	जियाउद्दीन अबुलजीव	बहाउद्दीन जकारिया
कादिरी	अब्दुल कादिर	शाह नियामतुल्ला
नक्शबन्दी	बहाउद्दीन	मखदूम जिलानी
शत्तारिया	अब्दुल शत्तार	ख्वाजा बाकीबिल्लाह

भक्ति आंदोलन

- छठी शताब्दी में भक्ति आन्दोलन की शुरूआत तमिल क्षेत्र से हुई, जो कर्नाटक और महाराष्ट्र में फैल गई। भक्ति आंदोलन का विकास 12 अलवार (वैष्णव सन्त) तथा 63 नयनार (शैव सन्त) ने किया।
- दक्षिण में रामानुज, उत्तर में रामानन्द और कबीर, महाराष्ट्र में नामदेव, बंगाल में चैतन्य एवं पंजाब में गुरु नानक भक्ति आन्दोलन के प्रमुख सन्त थे।
- कबीर की शिक्षाएँ बीजक में संगृहीत हैं।

मुगल साम्राज्य

बाबर

- भारत में मुगल वंश की स्थापना बाबर ने 1526 ई. में की। बाबर का जन्म 1483 में फरगना में हुआ था।
- बाबर को अपनी उदारता के लिए 'कलन्दर' की उपाधि दी गई।

- बाबर ने पानीपत के प्रथम युद्ध में तोपखाना का प्रयोग किया तथा युद्ध में 'तुलुगमा' नीति अपनाई।
- बाबर ने तुर्की भाषा में अपनी आत्मकथा 'तुजुक-ए-बाबरी' (बाबरनामा) लिखी।
- बाबर की मृत्यु 1530 ई. में आगरा में हुई।

बाबर द्वारा लड़े गए प्रमुख युद्ध

युद्ध	वर्ष	युद्धरत पक्ष	परिणाम
पानीपत का प्रथम युद्ध	21 अप्रैल, 1526 ई.	इब्राहिम लोदी एवं बाबर	बाबर की विजय
खानवा का युद्ध	17 मार्च, 1527 ई.	राणा सांगा एवं बाबर	बाबर की विजय
चन्देरी का युद्ध	29 जनवरी, 1528 ई.	मेदनी राय एवं बाबर	बाबर की विजय
घाघरा का युद्ध	6 मई, 1529 ई.	अफगान एवं बाबर	बाबर की विजय

हुमायूँ

- हुमायूँ 29 दिसम्बर, 1530 ई. को आगरा में सिंहासन पर बैठा।
- 1533 ई. में हुमायूँ ने दीनपनाह नामक नगर की स्थापना दिल्ली में की।
- अफगान सरदार शेरशाह सूरी ने उसे चौसा (1539 ई.) एवं कन्नौज (बिलग्राम) के युद्ध में 1540 ई. में पराजित कर दिया। परिणामस्वरूप उसे भारत से बाहर शरण लेनी पड़ी।
- शेरशाह की मृत्यु के पश्चात् वह पुनः भारत आया और 1555 ई. में दिल्ली की सत्ता हासिल की।
- 1556 ई. में पुस्तकालय की सीढ़ियों से गिरने के कारण हुमायूँ की मृत्यु हो गई।
- हाजी बेगम ने दिल्ली में हुमायूँ का मकबरा बनवाया।
- हुमायूँ की बहन गुलबदन बेगम ने हुमायूँनामा की रचना की।

शेरशाह

- शेरशाह ने **बिलग्राम युद्ध (1540)** में हुमायूँ को पराजित कर सूर साम्राज्य की स्थापना की।
- शेरशाह की मृत्यु कलिंजर के किले को जीतने के क्रम में 22 मई, 1545 ई. को हो गई।
- शेरशाह का मकबरा **सासाराम** में है।
- डाक प्रथा का प्रचलन शेरशाह द्वारा किया गया।
- पद्मावत की रचना करने वाले मालिक मुहम्मद जायसी शेरशाह के समकालीन थे।
- शेरशाह ने 'ग्रैंड ट्रंक रोड' बनवाई।

अकबर

- अकबर का जन्म 1542 ई. में हुमायूँ के निर्वासन के दौरान, अमरकोट में राणा बीरसाल के महल में हुआ। अकबर की माँ का नाम हमीदाबानो बेगम था।
- अकबर का राज्याभिषेक 14 फरवरी, 1556 ई. को पंजाब के कलानौर नामक स्थान पर हुआ। 1556 ई. में ही पानीपत के द्वितीय युद्ध में हेमू विक्रमादित्य को पराजित किया।
- बैरम खाँ 1556 से 1560 ई. तक अकबर का संरक्षक रहा।
- 1580 ई. में अकबर ने भू-राजस्व के लिए आइन-ए-दहशाला पद्धति लागू की। इसमें उसे राजा टोडरमल का सहयोग मिला।
- अकबर ने मनसबदारी प्रथा लागू की।
- 1605 ई. में अकबर की मृत्यु हो गई।
- अकबर का मकबरा सिकन्दरा में है।
- अकबर के दरबार का प्रसिद्ध संगीतकार तानसेन था।
- अकबर के दरबार का प्रसिद्ध चित्रकार अब्दुस्समद था।
- दसवंत एवं बसावन अकबर के दरबार के चित्रकार थे।
- अकबर प्रसिद्ध सूफी सन्त शेख सलीम चिश्ती का भक्त था।
- स्थापत्य कला के क्षेत्र में अकबर की महत्वपूर्ण कृतियां हैं–दिल्ली में हुमायूँ का मकबरा, आगरा का लाल किला, फतेहपुर सीकरी में शाहीमहल, दीवान-ए-खास, पंचमहल, बुलंद दरवाजा, जोधाबाई का महल, इबादतखाना, इलाहाबाद का किला और लाहौर का किला।
- अबुल फजल दीन-ए-इलाही धर्म का मुख्य पुरोहित था। इसने अकबरनामा ग्रंथ की रचना की।

जहाँगीर

- अकबर का उत्तराधिकारी जहाँगीर था जो 24 अक्टूबर, 1605 ई. को शासक बना।
- जहाँगीर को न्याय की जंजीर के लिए जाना जाता है।
- जहाँगीर ने सिखों के पांचवें गुरु, गुरु अर्जुनदेव को शाहजादा खुसरो की सहायता करने के कारण मृत्युदंड दिया।
- जहाँगीर ने फारसी में अपनी आत्मकथा तुजुक-ए-जहाँगीरी की रचना की।
- जहाँगीर के शासनकाल में प्रथम अंग्रेज मिशन कैप्टन हॉकिंस के नेतृत्व में मुगल दरबार में आया जिसे व्यापारिक अनुमति नहीं मिली।
- जहाँगीर के शासनकाल में 1613 ई. में अंग्रेजों ने सूरत में प्रथम व्यापार केन्द्र की स्थापना की।
- जहाँगीर के समय को चित्रकला का स्वर्णकाल कहा जाता है।
- जहाँगीर के दरबार के प्रमुख चित्रकार थे–आगा रजा, अबुल हसन, मुहम्मद नासिर, मुहम्मद मुराद, उस्ताद मंसूर, बिशनदास, मनोहर एवं गोवर्धन आदि।
- नूरजहाँ का वास्तविक नाम मेहरुन्निसा था।
- नूरजहाँ की मां अस्मत बेगम ने गुलाब से इत्र निकालने की विधि खोजी थी।

शाहजहाँ

- शाहजहाँ 4 फरवरी, 1628 ई. को आगरा में सिंहासन पर बैठा।
- शाहजहाँ के शासनकाल को स्थापत्यकला का स्वर्णयुग कहा जाता है।
- शाहजहाँ द्वारा बनवायी गई प्रमुख इमारतें हैं–दिल्ली का लालकिला, दिल्ली की जामा मस्जिद, आगरा की मोती मस्जिद, ताजमहल इत्यादि।
- शाहजहाँ ने दिल्ली के निकट शाहजहाँनाबाद नगर की स्थापना की और आगरा से राजधानी को यहाँ स्थानांतरित किया।
- शाहजहाँ के पुत्रों में दारा शिकोह सर्वाधिक विद्वान था। इसने भगवद्गीता, योगवशिष्ट, उपनिषद् एवं रामायण का अनुवाद फारसी में करवाया।
- 1658 में औरंगजेब ने शाहजहाँ को बन्दी बना लिया, 1666 में उसकी मृत्यु हो गई।

मुगलकालीन महत्वपूर्ण शासकों के मकबरे

शासक		मकबरा
बाबर	–	काबुल
हुमायूँ	–	दिल्ली
अकबर	–	सिकन्दरा
जहाँगीर	–	शाहदरा (लाहौर)
शाहजहाँ	–	आगरा
औरंगजेब	–	दौलताबाद

औरंगजेब

- औरंगजेब ने आलमगीर की उपाधि से 31 जुलाई, 1658 को आगरा में प्रथम बार तथा 5 जून, 1659 को दिल्ली में दूसरी बार अपना राज्याभिषेक करवाया।
- औरंगजेब ने उलेमा वर्ग की सलाह के अनुसार इस्लामी ढंग से राज किया। इसने गैर मुस्लिम जनता पर (1679 ई.) जजिया कर लगा दिया।
- औरंगजेब को व्यक्तिगत चारित्रिक गुणों के कारण जिन्दापीर के नाम से जाना जाता है।
- इस्लाम नहीं स्वीकार करने के कारण सिक्खों के 9वें गुरु, गुरु तेग बहादुर की 1675 ई. में दिल्ली में हत्या करवा दी।
- औरंगजेब ने दरबार में संगीत पर पाबन्दी लगा दी। इसने नौरोज, झरोखा दर्शन एवं तुलादान पर भी रोक लगा दी।
- औरंगजेब ने **बीबी का मकबरा** का निर्माण 1679 ई. में औरंगाबाद (महाराष्ट्र) में करवाया।

उत्तर मुगल शासक

- बहादुर शाह को **शाहे बेखबर** के नाम से जाना जाता है।
- मुहम्मदशाह के शासनकाल में 1739 ई. में ईरानी आक्रमणकारी नादिरशाह ने दिल्ली पर आक्रमण किया। नादिरशाह मयूर सिंहासन और कोहिनूर हीरा भारत से ले गया।
- शाह आलम द्वितीय के समय अहमदशाह अब्दाली एवं मराठों के बीच पानीपत का तीसरा युद्ध (1761 ई.) हुआ। इस युद्ध में मराठों की हार हुई।
- अंतिम मुगल सम्राट बहादुरशाह जफर ने 1857 ई. के विद्रोह का नेतृत्व किया। यह विद्रोह असफल रहा और उन्हें बर्मा निर्वासित कर दिया गया।

मराठा साम्राज्य

- शिवाजी मराठा साम्राज्य के संस्थापक थे।
- शिवाजी के पिता शाहजी भोंसले और माता जीजाबाई थीं।
- शिवाजी के आध्यात्मिक गुरु समर्थ रामदास थे।
- शिवाजी ने 1656 ई. में रायगढ़ को अपनी राजधानी बनाया।
- औरंगजेब के सेनापति जयसिंह ने शिवाजी को पुरन्दर की संधि (1664 ई.) करने के लिए विवश किया जिसमें शिवाजी के काफी दुर्ग मुगलों के पास चले गए।
- 1674 ई. में शिवाजी ने रायगढ़ के दुर्ग में स्वतंत्र मराठा शासक के रूप में अपना राज्याभिषेक कराया और छत्रपति की उपाधि ली।
- 12 अप्रैल, 1680 ई. को शिवाजी की मृत्यु हो गई।
- शिवाजी के प्रशासन की प्रमुख विशेषता उनके आठ मंत्री थे जिन्हें 'अष्ट प्रधान' कहा जाता था।
- पानीपत का तृतीय युद्ध (1761 ई॰) बालाजी बाजीराव के समय ही लड़ा गया था जिसमें अहमदशाह अब्दाली के द्वारा मराठे बुरी तरह पराजित हुए।

सिख शक्ति

सिख गुरु एवं उनसे संबंधित तथ्य

गुरु नानक (1469-1539):	सिख धर्म की स्थापना, आदिग्रन्थ की रचना।
गुरु अंगद (1539-1552):	गुरुमुखी लिपि के जनक।
गुरु अमरदास (1552-1574):	22 गद्दियों की स्थापना।
गुरु रामदास (1574-1581):	अमृतसर की स्थापना।
गुरु अर्जुन देव (1581-1606):	हरमन्दिर साहब (स्वर्ण मन्दिर) का निर्माण।
गुरु हरगोविन्द (1606-1645):	अकालतख्त की स्थापना।
गुरु हरराय (1645-1661):	मुगलों से युद्ध।
गुरु हरकिशन (1661-1664):	कम आयु में निधन।
गुरु तेगबहादुर (1664-1675):	मुगलों से संघर्ष।
गुरु गोविन्द सिंह (1675-1708):	खालसा पंथ की स्थापना।

मैसूर राज्य

- 1761 ई. में हैदर अली मैसूर का शासक बना। इसने डिंडिगुल में आधुनिक शस्त्रागार की स्थापना की।
- हैदर अली ने प्रथम आंग्ल-मैसूर युद्ध (1767-1769 ई.) में अंग्रेजों को पराजित किया एवं मद्रास की संधि की।
- द्वितीय आंग्ल-मैसूर युद्ध में हैदर अली की लड़ते हुए मृत्यु हो गई।
- तृतीय आंग्ल-मैसूर युद्ध (1789-1792 ई॰) में अंग्रेज, निजाम और मराठों ने मिलकर टीपू को हरा दिया और उसे श्रीरंगपट्टनम की संधि करनी पड़ी।
- चतुर्थ आंग्ल-मैसूर युद्ध (1799 ई॰) के दौरान टीपू सुल्तान की मृत्यु हुई और अंग्रेजों ने मैसूर पर नियंत्रण स्थापित कर लिया।

बंगाल

- मुर्शीद कुली खाँ ने बंगाल के स्वतंत्र राज्य की स्थापना की थी। इसने 1717 ई. में बंगाल की राजधानी ढाका से स्थानांतरित कर मुर्शिदाबाद कर दी।
- 1739 ई. में अलीवर्दी खाँ शासक बना।
- 1757 ई. में प्लासी के युद्ध में अंग्रेजों ने क्लाइव के नेतृत्व में बंगाल के नवाब सिराजुद्दौला को पराजित कर दिया।
- 1764 ई. में बक्सर के युद्ध में मीर कासिम अंग्रेजों से पराजित हुआ।
- 1765 ई. में इलाहाबाद की संधि के साथ बंगाल पर ईस्ट इंडिया कम्पनी का प्रभुत्व हो गया।

आधुनिक भारत

यूरोपीय कम्पनियों का भारत आगमन

- 1498 ई. में वास्को–डि–गामा ने भारत के समुद्री मार्ग की खोज की और कालीकट के समुद्र तट पर उतरा।
- पुर्तगालियों का पहला गवर्नर द् अल्मीडा (1505–1509 ई.) था।
- नौसैनिक शक्ति के आधार पर पुर्तगालियों ने भारत में घोड़े के आयात पर एकाधिकार कायम किया था।
- पुर्तगालियों ने भारत में तम्बाकू की खेती तथा प्रिंटिंग प्रेस का काम आरंभ किया।
- पुर्तगालियों ने अपनी पहली व्यापारिक कोठी कोचीन में खोली।
- डचों ने 1605 ई. में मसुलीपट्टनम में अपनी पहली फैक्ट्री स्थापित की। इसके बाद पुलीकट, चिनसुरा, पटना, सूरत, नागपट्टनम, बालासोर तथा कासिम बाजार में डचों ने अपनी फैक्ट्री स्थापित की।
- 1759 ई. में बेदरा की लड़ाई में अंग्रेजों के हाथों पराजित होने के बाद डच कम्पनी का नियन्त्रण भारतीय क्षेत्रों से समाप्त हो गया।

भारत में यूरोपीय कम्पनियां

कम्पनी	स्थापना वर्ष
पुर्तगाली ईस्ट इण्डिया कम्पनी	1498 ई.
अंग्रेजी ईस्ट इण्डिया कम्पनी	1600 ई.
डच ईस्ट इण्डिया कम्पनी	1602 ई.
डैनिश ईस्ट इण्डिया कम्पनी	1616 ई.
फ्रांसीसी ईस्ट इण्डिया कम्पनी	1664 ई.

- इंग्लिश ईस्ट इण्डिया कम्पनी की स्थापना 1600 ई. में हुई थी। 1611 ई. में दक्षिण–पश्चिम में मसुलीपट्टम में व्यापारिक कोठी की स्थापना की।
- अंग्रेजों ने 1608 ई. में अपनी पहली फैक्ट्री सूरत में स्थापित की।
- 1664 ई. में फ्रेंच ईस्ट इंडिया कम्पनी की स्थापना हुई।

1857 की क्रांति

- 1857 की क्रान्ति को प्रथम स्वतंत्रता संग्राम कहा जाता है। 1857 की क्रांति का प्रारंभ 29 मार्च, 1857 को मंगल पांडे ने बैरकपुर छावनी में किया।
- विद्रोहियों ने 11 मई, 1857 को बहादुरशाह जफर को भारत का बादशाह घोषित किया। इस क्रांति के समय ब्रिटिश प्रधानमंत्री पामर्स्टन था।
- 1857 का विद्रोह असफल रहा परन्तु इसका प्रभाव यह हुआ कि कम्पनी का शासन समाप्त करके ब्रिटिश सरकार ने भारत का शासन प्रत्यक्ष रूप से अपने हाथ में ले लिया। इसके लिए भारत शासन अधिनियम, 1858 पारित हुआ।

1857 के विद्रोह के प्रमुख केन्द्र

केन्द्र	विद्रोही नायक	विद्रोह की तिथि	ब्रिटिश सेनापति
दिल्ली	बहादुरशाह द्वितीय, बख्त खाँ	11 मई, 1857	निकलसन, हडसन
कानपुर	नाना साहब, तात्याँ टोपे	5 जून, 1857	कॉलिन कैम्पबेल
लखनऊ	बेगम हजरत महल, बिरजिस कादर	4 जून, 1857	कॉलिन कैम्पबेल
झाँसी	रानी लक्ष्मीबाई	4 जून, 1857	जनरल ह्यूरोज
जगदीशपुर	कुँवर सिंह	12 जून, 1857	विलियम टेलर, विंसेंट आयर
फैजाबाद	मौलवी अहमदुल्ला	जून 1857	जनरल रेनॉर्ड
इलाहाबाद	लियाकत अली	जून 1857	कर्नल नील
बरेली	खान बहादुर	जून 1857	विंसेंट आयर

सामाजिक-धार्मिक आंदोलन

थियोसोफिकल सोसायटी

- इस सोसायटी की स्थापना 1875 ई. में मैडम ब्लावात्सकी एवं कर्नल अल्काट ने न्यूयॉर्क (यू.एस.ए.) में की थी।
- 1882 ई. में इसका अन्तर्राष्ट्रीय कार्यालय मद्रास के निकट अड्यार में स्थापित हुआ। 1893 ई. में एनी बेसेन्ट भारत आईं और थियोसोफिकल आन्दोलन का नेतृत्व सम्भाला।

अलीगढ़ आन्दोलन

- इस आन्दोलन का नेतृत्व सैयद अहमद खान ने किया। 1877 ई. में उन्होंने आंग्ल–मुस्लिम स्कूल की स्थापना अलीगढ़ में की। यह 1920 ई. में अलीगढ़ मुस्लिम विश्वविद्यालय बना।

यंग–बंगाल आन्दोलन

- इस आन्दोलन की स्थापना बंगाल में 1828 ई. में हेनरी विवियन डेरोजियो नामक एंग्लो इण्डियन ने की।

अहमदिया आन्दोलन

- इस आन्दोलन का नेतृत्व गुलाम अहमद ने 1889 ई. में किया।

राष्ट्रीय आन्दोलन

भारतीय राष्ट्रीय कांग्रेस (1885 ई.)

- भारतीय राष्ट्रीय कांग्रेस की स्थापना 1885 ई. में **ए.ओ. ह्यूम** ने बम्बई में की।
- मुंबई में पहले अधिवेशन में 72 प्रतिनिधियों ने भाग लिया था। इसके प्रथम अध्यक्ष व्योमेशचन्द्र बनर्जी थे।
- 1885–1907 ई. के बीच कांग्रेस में उदारवादी नेताओं का प्रभाव रहा, लेकिन आगे गरमपंथी नेताओं की प्रमुखता रही।
- दादाभाई नौरोजी, सुरेन्द्रनाथ बनर्जी, फिरोजशाह मेहता, गोविन्द रानाडे, गोपाल कृष्ण गोखले आदि उदारवादी कांग्रेसी नेता थे।
- बाल गंगाधर तिलक, विपिन चन्द्र पाल तथा लाला लाजपत राय आदि गरमपंथी नेता थे।

बंगाल विभाजन (1905 ई.)

- राष्ट्रीय चेतना का दमन, करने के लिए लॉर्ड कर्जन ने 20 जुलाई, 1905 को बंगाल विभाजन की घोषणा की, जो 16 अगस्त, 1905 से प्रभावी हुई।
- 1905 में बंगाल के विभाजन के विरोध में स्वदेशी आंदोलन प्रारंभ हुआ।

मुस्लिम लीग की स्थापना (1906 ई.)

- मुस्लिम लीग की स्थापना 30 दिसम्बर, 1906 को ढाका में नवाब सलीमुल्ला खाँ एंवं आगा खाँ के नेतृत्व में हुई।
- मुस्लिम लीग ने अमृतसर अधिवेशन (1908 ई.) में मुसलमानों के लिए पृथक निर्वाचन मण्डल की मांग की, जिसे 1909 में मार्ले–मिण्टो सुधारों में मान लिया गया।

दिल्ली दरबार (1911 ई.)

- इंग्लैण्ड के सम्राट जॉर्ज पंचम एवं महारानी मेरी के स्वागत में 1911 ई. में दिल्ली में एक भव्य दरबार का आयोजन किया गया।
- इसमें बंगाल का विभाजन रद्द करने तथा भारत की राजधानी को कलकत्ता से दिल्ली स्थानान्तरित करने की घोषणा हुई।

होमरूल आंदोलन (1916 ई.)

- बाल गंगाधर तिलक ने 28 अप्रैल, 1916 को पूना में होमरूल लीग की स्थापना की।
- सितम्बर 1916 में एनी बेसेण्ट ने भी होमरूल लीग की मद्रास में स्थापना की।

गाँधी युग (महात्मा गांधी)

- महात्मा गाँधी का जन्म 2 अक्टूबर, 1869 को गुजरात के पोरबन्दर में हुआ था।
- गाँधी जी 1893 ई. में दक्षिण अफ्रीका गए तथा रंगभेद नीति के खिलाफ आवाज उठाई।
- गाँधी जी 1915 में भारत लौटे तथा 1916 ई. में अहमदाबाद के निकट साबरमती आश्रम की स्थापना की।
- गाँधी जी ने सन् 1917 में बिहार के **चम्पारन** के नील किसानों के समर्थन में सर्वप्रथम 'सत्याग्रह' का प्रयोग किया।
- गाँधी जी ने 1918 में अहमदाबाद मिल हड़ताल के मुद्दे पर हस्तक्षेप किया।
- गाँधी जी ने 1918 में गुजरात के खेड़ा में लगान अदायगी के विरुद्ध आन्दोलन चलाया।

जलियाँवाला बाग हत्याकांड (1919 ई.)

- 13 अप्रैल, 1919 को बैसाखी के दिन अमृतसर के जलियाँवाला बाग में डॉ. सत्यपाल एवं सैफुद्दीन किचलू की गिरफ्तारी के विरोध में एक सार्वजनिक सभा का आयोजन किया गया।
- जनरल ओ डायर ने बिना किसी पूर्व सूचना के हजारों की संख्या में मौजूद लोगों पर गोलियाँ चलवा दी, जिसमें लगभग 1000 लोग मारे गए।
- इस हत्याकांड के विरोध स्वरूप रवीन्द्रनाथ टैगोर ने **नाइट हुड,** महात्मा गाँधी **कैसर–ए–हिन्द** तथा जमना लाल बजाज ने **राय बहादुर** की उपाधि त्याग दी।

खिलाफत आंदोलन (1919 ई.)

- 1919 ई. में मोहम्मद अली तथा शौकत अली ने अखिल भारतीय खिलाफत कमेटी का गठन किया।
- 31 अगस्त 1920 को खिलाफत दिवस मनाया गया।

असहयोग आंदोलन (1920 ई.)

- 1920 ई. में लाला लाजपत राय की अध्यक्षता में हुए कलकत्ता अधिवेशन में असहयोग आंदोलन का प्रस्ताव पारित किया गया।
- अगस्त, 1920 में गाँधी जी ने असहयोग आन्दोलन की शुरुआत की।
- 5 फरवरी 1922 को चौरी–चौरा की घटना के बाद गांधीजी ने असहयोग आंदोलन स्थगित करने की घोषणा की।

साइमन कमीशन (1927 ई.)

- साइमन कमीशन का गठन 1927 में हुआ तथा 3 फरवरी, 1928 को यह भारत पहुँचा। इस कमीशन के सभी सदस्य ब्रिटिश थे परिणामस्वरूप भारत में इसका व्यापक विरोध हुआ।
- साइमन कमीशन के विरोध में आयोजित आंदोलन का नेतृत्व करते हुए लाला लाजपत राय को पुलिस की लाठियां लगीं और वह गम्भीर रूप से घायल हो गए। बाद में उनकी मृत्यु हो गई।

नेहरू रिपोर्ट (1928 ई.)

- भारतीय संविधान के प्रारूप को तैयार करने के लिए 11 मई, 1928 को पण्डित मोतीलाल नेहरू की अध्यक्षता में 8 सदस्यीय समिति गठित की गई।
- इस समिति ने अगस्त, 1928 में संविधान का प्रारूप तैयार किया। इस प्रारूप को **नेहरू रिपोर्ट** कहते हैं।
- नेहरू रिपोर्ट में भारत को **डोमिनियन स्टेट्स** का समर्थन किया गया था।

पूर्ण स्वराज की घोषणा (1929 ई.)

- दिसम्बर 1929 में हुए कांग्रेस के लाहौर अधिवेशन में **पूर्ण स्वराज** की मांग की गई।
- इस अधिवेशन की अध्यक्षता **जवाहरलाल नेहरू** ने की थी।
- 26 जनवरी, 1930 को पूरे देश में स्वतंत्रता दिवस के रूप में मनाने का निर्णय लिया गया।

सविनय अवज्ञा आंदोलन (1930 ई.)

- गाँधी जी ने वायसराय इरविन के समक्ष 13 जनवरी, 1930 को 11 सूत्रीय प्रस्ताव रखा।
- 5 अप्रैल, 1930 को नमक कानून तोड़कर गांधी जी सविनय अवज्ञा आंदोलन आरंभ किया।
- 12 मार्च, 1930 को गाँधी जी ने 79 स्वयंसेवकों के साथ साबरमती आश्रम से 322 किमी. दाण्डी तट की यात्रा आरंभ की। इस यात्रा का उद्देश्य नमक कानून का उल्लंघन करना था।

प्रथम गोलमेज सम्मेलन (1930–31 ई.)

- प्रथम गोलमेज सम्मेलन का आयोजन 12 नवम्बर, 1930 से 13 जनवरी, 1931 तक लन्दन में हुआ।
- इस सम्मेलन में कांग्रेस ने भाग नहीं लिया परन्तु बी.आर. अम्बेडकर ने दलित वर्ग का प्रतिनिधित्व किया।

गांधी–इर्विन समझौता (1931 ई.)

- 5 मार्च, 1931 को गांधीजी तथा वायसराय इर्विन के मध्य एक समझौता हुआ। इसे **गांधी–इर्विन समझौता** कहा जाता है। समझौते के परिणामस्वरूप कांग्रेस ने सविनय अवज्ञा आंदोलन वापस ले लिया तथा गांधीजी ने द्वितीय गोलमेज सम्मेलन में भाग लेने का प्रस्ताव मान लिया।

द्वितीय गोलमेज सम्मेलन (1931 ई.)

- द्वितीय गोलमेज सम्मेलन का आयोजन दिसम्बर, 1931 में लन्दन में हुआ। गांधीजी ने कांग्रेस के प्रतिनिधि के रूप में इस सम्मेलन में भाग लिया। यह सम्मेलन विफल रहा।

तृतीय गोलमेज सम्मेलन (1932 ई.)

- 17 नवम्बर, 1932 से आरम्भ तृतीय गोलमेज सम्मेलन में कांग्रेस ने भाग नहीं लिया।
- तीनों गोलमेज सम्मेलनों के दौरान इंग्लैंड के प्रधानमंत्री रैम्जे मैकडोनाल्ड थे।
- इस सम्मेलन में भारत सरकार अधिनियम, 1935 को अंतिम रूप दिया गया।

कम्युनल अवॉर्ड (1932 ई.)

- 16 अगस्त, 1932 को तत्कालीन ब्रिटिश प्रधानमंत्री रैम्जे मैक्डोनाल्ड ने 'कम्युनल अवार्ड' जारी किया। इसमें मुसलमानों, सिखों, ईसाइयों के साथ दलित वर्गों के लिए भी पृथक निर्वाचन पद्धति लागू की गई।
- 'कम्युनल अवार्ड' का विरोध करने के लिए 20 सितम्बर, 1932 को गांधीजी ने यरवदा जेल में आमरण अनशन आरंभ किया। मदन मोहन मालवीय के प्रयासों से 25 सितम्बर, 1932 को बी.आर. अम्बेडकर तथा गाँधीजी के बीच एक समझौता हुआ, जिसमें संयुक्त निर्वाचक मण्डल के अन्तर्गत दलितों के लिए सुरक्षित स्थानों की संख्या बढ़ाकर 148 करने की बात कही गई। इस समझौते को पूना पैक्ट कहा गया।

अगस्त प्रस्ताव (1940 ई.)

- 8 अगस्त, 1940 को तत्कालीन वायसराय लॉर्ड लिनलिथगो ने अगस्त प्रस्ताव की घोषणा की। अगस्त प्रस्ताव के अन्तर्गत भारतीयों को वायसराय की कार्यकारिणी में प्रतिनिधित्व देने की बात कही गई।
- कांग्रेस ने अगस्त प्रस्ताव को अस्वीकार कर दिया।

क्रिप्स मिशन (1942 ई.)

- क्रिप्स मिशन 1942 ई. में भारत आया। इसने युद्ध के उपरान्त भारत को डोमिनियन स्टेटस देने की बात प्रस्तावित की थी।

भारत छोड़ो आंदोलन (1942 ई.)

- गांधीजी के भारत छोड़ो प्रस्ताव को कांग्रेस कार्यसमिति ने 8 अगस्त, 1942 ई. को स्वीकार कर लिया। भारत छोड़ो आंदोलन की शुरुआत 9 अगस्त, 1942 ई. को हुई। इसी आंदोलन में गांधीजी ने **'करो या मरो'** का नारा दिया।
- मुस्लिम लीग ने 'भारत छोड़ो आन्दोलन का विरोध किया। 23 मार्च, 1943 को पाकिस्तान दिवस मनाया गया।

वेवेल योजना (1945 ई.)

- 4 जून, 1945 को वेवेल योजना का प्रस्ताव रखा गया। वेवेल योजना के अन्तर्गत वायसराय की कार्यकारिणी परिषद् को पुनर्गठित करने एवं इसमें सभी दलों को प्रतिनिधित्व देने का प्रस्ताव था तथा युद्ध के उपरान्त भारत को स्वयं संविधान बनाने की जिम्मेदारी दी जानी थी।

कैबिनेट मिशन (1946 ई.)

- 15 फरवरी, 1946 को कैबिनेट मिशन भारत आया। जुलाई 1946 में कैबिनेट मिशन योजना के अन्तर्गत संविधान सभा के सदस्यों का चुनाव हुआ।
- मुस्लिम लीग ने कैबिनेट मिशन योजना को अस्वीकार कर दिया तथा 16 अगस्त, 1946 को प्रत्यक्ष कार्रवाई दिवस की घोषणा की।

माउण्टबेटन योजना (3 जून, 1947 ई.)

- 22 मार्च, 1947 को भारत के अन्तिम ब्रिटिश वायसराय लॉर्ड माउण्टबेटन भारत आए।
- उनके द्वारा 3 जून, 1947 को एक योजना की घोषणा की गई, जिसे 'माउण्टबेटन योजना' के नाम से जाना जाता है।
- माउण्टबेटन योजना के आधार पर ही 'भारतीय स्वतंत्रता विधेयक' ब्रिटिश संसद में 4 जुलाई, 1947 को प्रस्तुत किया गया, जिसे 18 जुलाई को मंजूरी मिली।
- 15 अगस्त, 1947 को भारत को स्वतंत्रता दे दी गई।

❑ ❑ ❑

2

भारतीय राजव्यवस्था

भारत का संविधान

- संविधान का निर्माण भारतीय जनता द्वारा चुने गए प्रतिनिधियों की संविधान सभा द्वारा किया गया।
- संविधान सभा का प्रथम अधिवेशन 9 दिसम्बर, 1946 को दिल्ली में हुआ जिसकी अध्यक्षता डॉ. सच्चिदानंद सिन्हा ने की थी।
- 11 दिसम्बर, 1946 को डॉ. राजेन्द्र प्रसाद को संविधान सभा का स्थायी अध्यक्ष नियुक्त किया गया।
- डॉ. भीमराव अम्बेडकर की अध्यक्षता में सात सदस्यों वाली प्रारूप समिति ने संविधान का अन्तिम रूप से निर्माण किया।
- 26 नवम्बर, 1949 को संविधान अंगीकृत किया गया तथा 26 जनवरी, 1950 से इसे सम्पूर्ण भारत में लागू किया गया। इसी कारण 26 जनवरी को गणतंत्र दिवस मनाया जाता है।
- 26 नवम्बर, 1949 को पारित भारतीय संविधान में 22 भाग, 395 अनुच्छेद तथा 8 अनुसूचियां थी।
- वर्तमान में इसमें 12 अनुसूचियां हैं।
- भारतीय संविधान का लगभग दो-तिहाई भाग 'भारत शासन अधिनियम 1935' से लिया गया था।
- संविधान की प्रस्तावना को संविधान की कुंजी कहा जाता है।
- संविधान के 42वें संशोधन अधिनियम 1976 के द्वारा इसमें 'पन्थ निरपेक्ष' तथा 'समाजवादी' एवं 'अखंडता' शब्द जोड़े गए।
- भारतीय संविधान के निर्माण में विभिन्न देशों के संविधान से उनके महत्वपूर्ण तत्व समावेशित किए गए थे।

भारतीय संविधान के स्रोत

राष्ट्र	विविध स्रोत
• संयुक्त राज्य अमेरिका	मौलिक अधिकार, न्यायिक पुनर्विलोकन, संविधान की सर्वोच्चता, न्यायपालिका की स्वतंत्रता, निर्वाचित राष्ट्रपति एवं उस पर महाभियोग, उपराष्ट्रपति का पद, उच्चतम एवं उच्च न्यायालयों के न्यायाधीशों को हटाने की विधि एवं वित्तीय आपात।
• ब्रिटेन	संसदीय शासन प्रणाली; एकल नागरिकता व विधि निर्माण प्रक्रिया।
• आयरलैंड	नीति निर्देशक तत्व, राष्ट्रपति के निर्वाचक मंडल की व्यवस्था, आपातकालीन उपबंध।
• ऑस्ट्रेलिया	प्रस्तावना की भाषा, समवर्ती सूची का प्रावधान, केन्द्र व राज्यों के बीच संबंध तथा शक्तियों का विभाजन।
• सोवियत संघ (रूस)	मौलिक कर्त्तव्य।
• जापान	विधि द्वारा स्थापित प्रक्रिया।
• फ्रांस	गणतंत्रात्मक शासन पद्धति।
• कनाडा	संघात्मक शासन व्यवस्था एवं अवशिष्ट शक्तियों का केन्द्र के पास होना।
• द० अफ्रीका	संविधान संशोधन की प्रक्रिया का प्रावधान।
• जर्मनी	आपातकाल के प्रवर्तन के दौरान राष्ट्रपति को मौलिक अधिकारों से संबंधित शक्तियां।

भारतीय संविधान की प्रस्तावना

"हम भारत के लोग, भारत को एक सम्पूर्ण प्रभुत्व सम्पन्न समाजवादी', पंथ निरपेक्ष', लोकतांत्रिक गणराज्य बनाने के लिए तथा उसके समस्त नागरिकों को सामाजिक, आर्थिक और राजनीतिक न्याय, विचार, अभिव्यक्ति, विश्वास, धर्म और उपासना की स्वतंत्रता, प्रतिष्ठा और अवसर की समता प्राप्त करने के लिए तथा उन सब में व्यक्ति की गरिमा और राष्ट्र की एकता और अखण्डता सुनिश्चित करने वाली बंधुता बढ़ाने के लिए, दृढ़ संकल्प होकर इस संविधान सभा में आज दिनांक 26 नवम्बर, 1949 ई० को एतद् द्वारा इस संविधान को अंगीकृत, अधिनियमित और आत्मार्पित करते हैं।"

नागरिकता

- भारत में एकल नागरिकता का प्रावधान किया गया है।
- भारतीय नागरिकता अधिनियम, 1955 के अनुसार निम्नलिखित में से किसी एक आधार पर नागरिकता प्राप्त की जा सकती है
  1. जन्मजातः इसके अन्तर्गत 26 जनवरी, 1950 तथा उसके बाद भारत में जन्म लेने वाला व्यक्ति भारत का जन्मजात नागरिक होगा।
  2. वंशानुगत, **3.** देशीयकरण द्वारा, **4.** पंजीकरण द्वारा, **5.** भूमि विस्तार द्वारा।

भारतीय नागरिकता का अंत

- नागरिकता का परित्याग करने पर, किसी अन्य देश की नागरिकता स्वीकार कर लेने पर या सरकार द्वारा इसे छीनने पर नागरिकता का अंत हो जाता है।

मौलिक अधिकार

- जब संविधान का प्रवर्तन किया गया, उस समय मूल अधिकारों की संख्या 7 थी। लेकिन 44वें संविधान संशोधन, 1976 के द्वारा सम्पत्ति के मूल अधिकार को समाप्त करके इस अधिकार को विधिक अधिकार बना दिया गया।
- भारतीय नागरिकों को निम्नलिखित छः प्रकार के मौलिक अधिकार प्राप्त हैं–

1. समता का अधिकार (अनुच्छेद 14-18)

- **अनुच्छेद 14:** विधि के समक्ष समता का अधिकार।
- **अनुच्छेद 15:** धर्म, नस्ल, जाति, लिंग या जन्म–स्थान के आधार पर भेदभाव का निषेध।
- **अनुच्छेद 16:** लोक नियोजन के विषय में अवसर की समता।
- **अनुच्छेद 17:** अस्पृश्यता का अंत।
- **अनुच्छेद 18:** उपाधियों का अंत।

2. स्वतंत्रता का अधिकार (अनुच्छेद 19-22)

- **अनुच्छेद 19:** इसके अंतर्गत ये अधिकार सम्मिलित हैं:
  (*i*) बोलने की स्वतंत्रता,
  (*ii*) शांतिपूर्वक बिना हथियारों के एकत्रित होने और सभा करने की स्वतंत्रता,
  (*iii*) संघ बनाने की स्वतंत्रता,
  (*iv*) देश के किसी भी क्षेत्र में आवागमन की स्वतंत्रता,
  (*v*) देश के किसी भी क्षेत्र में निवास करने और बसने की स्वतंत्रता,
  (*vi*) अपनी पसंद की वृत्ति, व्यवसाय की स्वतंत्रता।
- **अनुच्छेद 20:** अपराधों के लिए दोष–सिद्धि के संबंध में संरक्षण।
- **अनुच्छेद 21:** प्राण एवं दैहिक स्वतंत्रता का संरक्षण।
- **अनुच्छेद 21 (क):** राज्य 6 से 14 वर्ष की आयु के समस्त बच्चों को इस ढंग से जैसा कि राज्य, विधि द्वारा अवधारित करें, निःशुल्क तथा अनिवार्य शिक्षा उपलब्ध करेगा। (86वाँ संशोधन–2002 के द्वारा।)
- **अनुच्छेद 22:** कुछ दशाओं में गिरफ्तारी और निरोध में संरक्षण।

3. शोषण के विरूद्ध अधिकार (अनुच्छेद 23-24)

- **अनुच्छेद 23:** मानव के दुर्व्यापार और बलात् श्रम का प्रतिषेध।
- **अनुच्छेद 24:** बालकों के नियोजन का प्रतिषेध।

4. धार्मिक स्वतंत्रता का अधिकार (अनुच्छेद 25-28)

- **अनुच्छेद 25:** अंतःकरण की और धर्म के अबाध रूप से मानने, आचरण और प्रचार करने की स्वतंत्रता।
- **अनुच्छेद 26:** धार्मिक कार्यों के प्रबंध की स्वतंत्रता।
- **अनुच्छेद 27:** राज्य किसी भी व्यक्ति को ऐसे कर देने के लिए बाध्य नहीं कर सकता है, जिसकी आय किसी विशेष धर्म अथवा धार्मिक सम्प्रदाय की उन्नति या पोषण में व्यय करने के लिए विशेष रूप से निश्चित कर दी गई है।
- **अनुच्छेद 28:** राज्य–विधि से पूर्णतः पोषित किसी शिक्षा संस्था में कोई धार्मिक शिक्षा नहीं दी जाएगी।

5. संस्कृति एवं शिक्षा संबंधी अधिकार (अनुच्छेद 29-30)

- **अनुच्छेद 29:** अल्पसंख्यक वर्गों के हितों का संरक्षण।
- **अनुच्छेद 30:** शिक्षा संस्थाओं की स्थापना और प्रशासन करने का अल्पसंख्यक वर्गों को अधिकार।

6. संवैधानिक उपचारों का अधिकार

- **अनुच्छेद 32:** इसके अन्तर्गत मौलिक अधिकारों को प्रवर्तित कराने के लिए समुचित कार्रवाइयों द्वारा उच्चतम न्यायालय में आवेदन करने का अधिकार प्रदान किया गया है। इस सन्दर्भ में सर्वोच्च न्यायालय को पाँच तरह के रिट (writ) निकालने की शक्ति प्रदान की गयी है। ये रिट निम्नलिखित हैं–
- **बन्दी प्रत्यक्षीकरणः** जब किसी व्यक्ति को अवैध रूप से बन्दी बनाया जाता है, तो सर्वोच्च न्यायालय उस बन्दी बनाने वाले अधिकारी को आदेश देता है कि वह बन्दी बनाए गए व्यक्ति को 24 घण्टे के भीतर न्यायालय में पेश करे। यह आपराधिक जुर्म के मामलों में जारी नहीं किया जा सकता।
- **परमादेशः** यह उस समय जारी किया जाता है, जब कोई पदाधिकारी अपने सार्वजनिक कर्त्तव्य का निर्वाह नहीं करता है।
- **प्रतिषेधः** यह निचली अदालत को ऐसा कार्य करने से रोकता है, जो उसके अधिकार क्षेत्र से बाहर है।
- **अधिकार–पृच्छाः** यह एक व्यक्ति को एक जन कार्यालय में काम करने से मना करता है, जिसका उसे अधिकार नहीं है।
- **उत्प्रेषणः** यह तभी जारी किया जाता है जब एक अदालत या न्यायालय अपने न्याय क्षेत्र से बाहर कार्य करता है। यह 'निषेध' से अलग है और यह कार्य सम्पादित होने के बाद ही जारी किया जाता है।

राज्य के नीति निदेशक सिद्धांत (भाग-4, अनुच्छेद 36 से 51 तक)

- नीति निदेशक सिद्धांत राष्ट्र के प्रशासकों के लिए एक आचार संहिता है।
- इसे न्यायालय द्वारा लागू नहीं किया जा सकता अर्थात् इसे वैधानिक शक्ति प्राप्त नहीं है।

- राज्य के नीति निर्देशक सिद्धांत निम्न हैं–
  - **अनुच्छेद 38:** राज्य लोक कल्याण की अभिवृद्धि के लिए सामाजिक व्यवस्था बनायेगा।
  - **अनुच्छेद 39:** राज्य का यह कर्त्तव्य है कि वह समान कार्य के लिए समान वेतन प्रदान करे।
  - **अनुच्छेद 40:** ग्राम पंचायतों का गठन।
  - **अनुच्छेद 41:** कुछ दशाओं में काम, शिक्षा और लोक सहायता पाने का अधिकार।
  - **अनुच्छेद 42:** काम की न्याय संगत और मानवोचित दशाओं तथा प्रसूति सहायता का उपबंध।
  - **अनुच्छेद 43:** कर्मकारों के लिए निर्वाचन मजदूरी एवं कुटीर उद्योग को प्रोत्साहन।
  - **अनुच्छेद 44:** नागरिकों के लिए एक समान सिविल संहिता।
  - **अनुच्छेद 45:** बालकों के लिए निःशुल्क और अनिवार्य शिक्षा का उपबन्ध।
  - **अनुच्छेद 46:** राज्य की अनुसूचित जातियों, अनुसूचित जनजातियों और अन्य दुर्बल वर्गों की शिक्षा और अर्थ संबंधी हितों की अभिवृद्धि।
  - **अनुच्छेद 47:** पोषाहार स्तर और जीवन स्तर को ऊंचा करने तथा लोक स्वास्थ्य का सुधार करने का राज्य कर्त्तव्य।
  - **अनुच्छेद 48:** कृषि और पशुपालन का संगठन।
  - **अनुच्छेद 48 (क):** पर्यावरण का संरक्षण तथा संवर्धन और वन्य जीवों की रक्षा का प्रयास करेगा।
  - **अनुच्छेद 49:** राष्ट्रीय महत्व के संस्मारकों, स्थानों और वस्तुओं का संरक्षण।
  - **अनुच्छेद 50:** कार्यपालिका से न्यायपालिका का पृथक्करण।
  - **अनुच्छेद 51:** अन्तर्राष्ट्रीय शांति और सुरक्षा की अभिवृद्धि।

मौलिक कर्त्तव्य (भाग–4 (क) में), अनुच्छेद 51 (क)

- मौलिक कर्त्तव्य सरदार स्वर्ण सिंह समिति की अनुशंसा पर संविधान के 42वें संशोधन अधिनियम द्वारा अनुच्छेद 51 (क) के अन्तर्गत अंतःस्थापित किये गये हैं।
- ये न्यायालय के माध्यम से प्रवृत्त तो नहीं कराए जा सकते, किन्तु संविधान के निर्वचन में दिशा दर्शन के रूप में महत्वपूर्ण हैं।
- वर्तमान में मौलिक कर्त्तव्यों की संख्या 11 है, जो इस प्रकार हैः प्रत्येक नागरिक का यह कर्त्तव्य होगा कि–

1. संविधान का पालन करे और उसके आदर्शों, संस्थाओं, राष्ट्रध्वज और राष्ट्रगान का आदर करें।
2. स्वतंत्रता के लिए हमारे राष्ट्रीय आन्दोलन को प्रेरित करने वाले उच्च आदर्शों को हृदय में संजोये रखे और उनका पालन करे।
3. भारत की प्रभुता, एकता और अखण्डता की रक्षा करे और उसे अक्षुण्ण रखे।
4. देश की रक्षा करें और आह्वान किये जाने पर राष्ट्र की सेवा करे।
5. भारत के सभी लोगों में समरसता और समान भ्रातृत्व की भावना का निर्माण करे।
6. हमारी सामाजिक संस्कृति की गौरवशाली परंपरा का महत्व समझें और उसका परिरक्षण करे।
7. प्राकृतिक पर्यावरण की रक्षा और उसका संवर्द्धन करे।
8. वैज्ञानिक दृष्टिकोण और ज्ञानार्जन की भावना का विकास करे।
9. सार्वजनिक संपत्ति को सुरक्षित रखें।
10. व्यक्तिगत और सामूहिक गतिविधियों के सभी क्षेत्रों में उत्कर्ष की ओर बढ़ने का सतत् प्रयास करें।
11. 6 से 14 साल तक की आयु के बच्चे के माता–पिता या अभिभावक अपने बच्चे को शिक्षा दिलाने के लिए अवसर उपलब्ध कराने का प्रयास करेंगे।

संघीय कार्यपालिका

- भारत में संसदीय शासन प्रणाली को अपनाया गया है। संसद के अन्तर्गत राष्ट्रपति, राज्य सभा और लोक सभा आते हैं।

राष्ट्रपति

- राष्ट्रपति देश का संवैधानिक प्रधान होता है। भारतीय संघ की कार्यपालिका शक्तियाँ उसी में निहित हैं। उसका कार्यकाल पांच वर्ष का होता है।

योग्यताएँ

- अनुच्छेद 58 के अनुसार कोई व्यक्ति राष्ट्रपति होने योग्य तब होगा, जब वह–
  1. भारत का नागरिक हो।
  2. 35 वर्ष की आयु पूरी कर चुका हो।
  3. लोक सभा का सदस्य निर्वाचित किए जाने योग्य हो।
  4. चुनाव के समय लाभ का पद धारण नहीं किया हो।

राष्ट्रपति का चुनाव

- राष्ट्रपति का निर्वाचन एक निर्वाचक मंडल के द्वारा होता है।
- निर्वाचक मंडल में राज्य सभा, लोक सभा और राज्यों की विधानसभाओं में निर्वाचित सदस्य शामिल होते हैं।
- राष्ट्रपति का निर्वाचन समानुपातिक प्रतिनिधित्व प्रणाली और एकल संक्रमणीय मत पद्धति के द्वारा होता है।
- राष्ट्रपति के निर्वाचन से संबंधित विवादों का निपटारा उच्चतम न्यायालय द्वारा किया जाता है।
- उच्चतम न्यायालय का प्रधान न्यायाधीश राष्ट्रपति को शपथ दिलाता है।

पद त्याग

- राष्ट्रपति अपना पदत्याग उपराष्ट्रपति को संबोधित अपने त्यागपत्र के द्वारा कर सकता है।
- राष्ट्रपति द्वारा संविधान के प्रावधानों के उल्लंघन पर संसद में उस पर महाभियोग चलाया जा सकता है।

कार्य एवं शक्तियाँ

- **कार्यपालिका सम्बन्धी शक्तियाँ :** महत्त्वपूर्ण अधिकारियों की नियुक्ति व पदच्युति, शासन संचालन सम्बन्धी शक्ति, सैनिक क्षेत्र में शक्ति, इत्यादि।
- **विधायी शक्तियाँ :** विधायी क्षेत्रों का प्रशासन, सदस्यों का मनोनयन, अध्यादेश जारी करने की शक्ति, आदि।
- **आपातकालीन शक्तियाँ :** संविधान में अनुच्छेद 352 से अनुच्छेद 360 तक आपातकालीन उपबंध किए गए हैं। केन्द्रीय मंत्रिपरिषद् के परामर्श से राष्ट्रपति तीन प्रकार के आपात लागू कर सकता है–

(*i*) युद्ध या बाह्य आक्रमण या सशस्त्र विद्रोह के कारण लगाया गया आपात (अनु॰ 352)। (*ii*) राज्यों में सांविधानिक तंत्र के विफल होने से उत्पन्न आपात (अनु॰ 356)। (*iii*) वित्तीय आपात (अनु॰ 360)।

प्रमुख तथ्य

- भारत के प्रथम राष्ट्रपति डॉ. राजेन्द्र प्रसाद थे। वह लगातार दो बार राष्ट्रपति निर्वाचित हुए।
- नीलम संजीव रेड्डी निर्विरोध चुने जाने वाले एकमात्र राष्ट्रपति थे।
- डॉ. एस. राधाकृष्णन लगातार दो बार उपराष्ट्रपति तथा एक बार राष्ट्रपति रहे।
- भारत की प्रथम महिला राष्ट्रपति प्रतिभा पाटिल थीं।
- राष्ट्रपति का पद खाली होने के बाद छः महीने के अन्दर भरा जाना अनिवार्य है।
- राष्ट्रपति का वेतन संचित निधि पर भारित तथा आयकर से मुक्त होता है।

उपराष्ट्रपति

- संविधान के अनुच्छेद 63 के अनुसार, भारत का एक उपराष्ट्रपति होगा। इसका कार्यकाल 5 वर्षों का होता है।
- उपराष्ट्रपति राज्य सभा का पदेन सभापति होता है।
- उपराष्ट्रपति का निर्वाचन संसद के दोनों सदनों के सदस्यों से मिलकर बनने वाले निर्वाचक मंडल द्वारा आनुपातिक प्रतिनिधित्व पद्धति के अनुसार एकल संक्रमणीय मत द्वारा होगा तथा ऐसा निर्वाचन गुप्त होगा। कोई व्यक्ति उपराष्ट्रपति निर्वाचित होने का पात्र तभी होगा जब वह–
  (*i*) भारत का नागरिक हो,
  (*ii*) पैंतीस वर्ष की आयु पूरी कर चुका हो,
- डॉ. एस. राधाकृष्णन भारत के पहले उपराष्ट्रपति थे।
- उप–राष्ट्रपति के चुनाव से संबंधित कोई भी विवाद सर्वोच्च न्यायालय द्वारा निपटाया जाता है।

प्रधानमंत्री एवं मंत्रिपरिषद्

- अनु॰ 74 के अनुसार, राष्ट्रपति को सहायता और सलाह देने के लिए मंत्रिपरिषद् होगी, जिसका प्रमुख **प्रधानमंत्री** होगा।
- प्रधानमंत्री की नियुक्ति राष्ट्रपति करता है तथा अन्य मंत्रियों की नियुक्ति राष्ट्रपति प्रधानमंत्री की सलाह पर करता है।
- मंत्री राष्ट्रपति के प्रसादपर्यंत अपने–अपने पद धारण करते हैं।
- मंत्रिपरिषद् लोक सभा के प्रति सामूहिक रूप से उत्तरदायी होती है।
- राष्ट्रपति मंत्रियों को पद एवं गोपनीयता की शपथ दिलाता है।
- किसी भी गैर संसद सदस्य को मंत्री बनाया जा सकता है, लेकिन उसे 6 मास की अवधि तक संसद का सदस्य हो जाना चाहिए।
- प्रधानमंत्री नीति (NITI) आयोग का पदेन अध्यक्ष होता है।
- संवैधानिक रूप से देश की समस्त शक्तियाँ राष्ट्रपति के हाथों में होती हैं किन्तु उसकी समस्त शक्तियों का उपयोग मंत्रिपरिषद् प्रधानमंत्री के नेतृत्व में संचालित करती है।

विधायिका

संसद

- भारत की केन्द्रीय व्यवस्थापिका को संसद कहा जाता है। भारतीय संसद के तीन अंग हैं–राष्ट्रपति, राज्य सभा और लोक सभा।
- संसद के **उच्च सदन** को राज्य सभा तथा निम्न सदन को **लोक सभा** कहा जाता है।

राज्य सभा

- संविधान के अनुच्छेद 80 के अनुसार, राज्य सभा का गठन 250 सदस्यों द्वारा होता है। इनमें 12 सदस्य राष्ट्रपति द्वारा नाम निर्देशित किये जाते हैं तथा शेष 238 का चुनाव राज्य तथा संघ राज्य क्षेत्रों की विधानसभाओं द्वारा किया जाता है। वर्तमान में राज्य सभा सदस्यों की संख्या 245 है।
- राज्य सभा का कभी विघटन नहीं होता, लेकिन इसके एक तिहाई सदस्य हर दो वर्ष बाद सेवानिवृत्त हो जाते हैं।
- राज्य सभा के सदस्य 6 वर्ष की अवधि के लिए निर्वाचित किए जाते हैं।
- राज्य सभा में उत्तर प्रदेश की सबसे अधिक सीटें (31) हैं।
- राज्य सभा पहली बार 3 अगस्त, 1952 को विधिवत गठित हुई थी।
- राज्य सभा का कोई सदस्य यदि सदन की अनुमति के बिना सदन से 60 दिनों से अधिक अनुपस्थित रहता है, तो सदन में उसका स्थान समाप्त हो सकता है।
- राज्य सभा के सदस्यों का चुनाव अप्रत्यक्ष रूप से होता है।

राज्य सभा का सदस्य होने के लिए अर्हता

1. वह भारत का नागरिक हो।
2. उसकी आयु सीमा 30 वर्ष या उससे अधिक हो।
3. संसदीय विधि द्वारा निर्धारित सभी योग्यताएँ रखता हो।

शक्तियाँ एवं कार्य

- राज्य सभा को यह अधिकार प्राप्त है कि वह संविधान के अनुच्छेद 249 के तहत राज्य सूची के किसी विषय को राष्ट्रीय महत्व का घोषित कर सके।
- केवल राज्य सभा को यह अधिकार प्राप्त है कि वह संविधान के अनुच्छेद 312 के तहत अखिल भारतीय सेवाओं का सृजन कर सके।
- किसी भी धन विधेयक को राज्य सभा में पेश नहीं किया जा सकता।
- लोकसभा द्वारा पारित धन विधेयक को राज्यसभा केवल 14 दिनों के लिए रोककर रख सकती है। वह विधेयक को रद्द नहीं कर सकती।

लोकसभा

- अनुच्छेद 81 के अनुसार, लोक सभा का गठन 5 वर्ष के लिए किया जाता है। वर्तमान में लोकसभा की सदस्य संख्या 543 है। ये सदस्य राज्यों तथा केन्द्र शासित प्रदेशों से निर्वाचित होते हैं। लोकसभा में आंग्ल भारतीय वर्ग के दो सदस्यों के राष्ट्रपति द्वारा मनोनयन की व्यवस्था को 104वें संविधान संशोधन अधिनियम, 2019 द्वारा समाप्त कर दिया गया है।

- लोक सभा के सदस्यों का चुनाव गुप्त मतदान के द्वारा वयस्क मताधिकार (18 वर्ष) के आधार पर होता है।

लोकसभा की सदस्यता के लिए योग्यताएँ

(*i*) भारत का नागरिक हो,

(*ii*) उसकी आयु 25 वर्ष या इससे अधिक हो,

(*iii*) भारत सरकार अथवा किसी राज्य सरकार के अन्तर्गत वह कोई लाभ के पद पर नहीं हो,

(*iv*) वह पागल तथा दिवालिया न हो।

- आपातकाल की घोषणा लागू होने पर विधि द्वारा संसद लोक सभा के कार्यकाल में वृद्धि कर सकती है, जो एक बार में एक वर्ष से अधिक नहीं होगी।
- लोक सभा की दो बैठकों में 6 माह से अधिक का अन्तर नहीं होना चाहिए। लोक सभा की गणपूर्ति या कोरम कुल सदस्य संख्या का दसवाँ भाग होता है।
- संविधान के अनुच्छेद 108 में संसद के संयुक्त अधिवेशन की व्यवस्था है। संयुक्त अधिवेशन की अध्यक्षता लोक सभा अध्यक्ष करता है।
- धन विधेयक के सम्बन्ध में लोक सभा का निर्णय अंतिम होता है। इस संबंध में संयुक्त अधिवेशन की व्यवस्था नहीं है।

लोकसभा अध्यक्ष

- संविधान के अनुच्छेद 93 के अनुसार, लोक सभा स्वयं ही अपने सदस्यों में से एक अध्यक्ष और एक उपाध्यक्ष का निर्वाचन करेगी। लोकसभा अध्यक्ष को **स्पीकर** भी कहा जाता है।
- प्रथम लोक सभा अध्यक्ष **जी.वी. मावलंकर** एवं उपाध्यक्ष **श्री अनंतशयनम आयंगर** थे।
- लोकसभा अध्यक्ष यह निर्णय करता है कि कोई विधेयक धन विधेयक है या नहीं और उसका निर्णय अन्तिम होता है।
- देश की पहली महिला लोकसभा अध्यक्ष मीरा कुमार थीं।

न्यायपालिका

उच्चतम न्यायालय

- अनुच्छेद 124 में उच्चतम न्यायालय के गठन संबंधी प्रावधान किये गये हैं।
- उच्चतम न्यायालय में एक मुख्य न्यायाधीश तथा 33 अन्य न्यायाधीश होते हैं।
- उच्चतम न्यायालय के मुख्य न्यायाधीश तथा अन्य न्यायाधीशों की नियुक्ति राष्ट्रपति द्वारा की जाती है।

योग्यताएँ

(*i*) वह भारत का नागरिक हो।

(*ii*) वह किसी उच्च न्यायालय अथवा दो या दो से अधिक न्यायालयों में लगातार कम–से–कम 5 वर्षों तक न्यायाधीश के रूप में कार्य कर चुका हो।

या

किसी उच्च न्यायालय या न्यायालयों में लगातार 10 वर्षों तक अधिवक्ता रह चुका हो।

या

राष्ट्रपति की राय में पारंगत विधिवेत्ता हो।

न्यायाधीश को हटाया जाना

- उच्चतम न्यायालय का प्रत्येक न्यायाधीश तब तक पद धारण करेगा जब तक वह 65 वर्ष की आयु प्राप्त नहीं कर लेता। इससे पूर्व उसे उसके पद से साबित कदाचार या असमर्थता के आधार पर हटाया जा सकता है।
- कदाचार या असमर्थता के आधार पर हटाये जाने के लिए संसद के प्रत्येक सदन द्वारा अपनी कुल सदस्य संख्या के बहुमत द्वारा तथा उपस्थित और मत देने वाले सदस्यों के कम–से–कम दो–तिहाई बहुमत द्वारा पारित प्रस्ताव को राष्ट्रपति के समक्ष उसी सत्र में रखा जाता है, तब राष्ट्रपति के आदेश से न्यायाधीश को हटाया जा सकताहै।

उच्चतम न्यायालय का क्षेत्राधिकार

- प्रारंभिक क्षेत्राधिकार के अन्तर्गत उच्चतम न्यायालय उसी विवाद को निर्णय के लिए स्वीकार करेगा, जिसमें किसी तथ्य या विधि का प्रश्न शामिल है।
- **अपीलीय क्षेत्राधिकारः** देश का सबसे बड़ा अपीलीय न्यायालय उच्चतम न्यायालय है। भारत के राज्य क्षेत्र के किसी उच्च न्यायालय के निर्णय के विरुद्ध अपील सुनने का उसे अधिकार है।
- **न्यायिक पुनरीक्षणः** उच्चतम न्यायालय को अमेरिका के उच्चतम न्यायालय के समान न्यायिक पुनरीक्षण के रूप में व्यापक शक्तियाँ प्रदान की गई हैं।

उच्च न्यायालय

- संविधान के अनुच्छेद 214 में यह उपबंध है कि प्रत्येक राज्य में एक उच्च न्यायालय होगा।
- प्रत्येक उच्च न्यायालय में एक मुख्य न्यायाधीश सहित अन्य अनेक न्यायाधीश होते हैं जो समय–समय पर राष्ट्रपति द्वारा नियुक्त किये जाते हैं।

योग्यताएँ

(*i*) वह भारत का नागरिक हो।

(*ii*) भारत में कम-से-कम 10 वर्ष तक न्यायाधीश के पद पर कार्य कर चुका हो अथवा किसी उच्च न्यायालय अथवा दो या दो से अधिक न्यायालयों में लगातार कम-से-कम 10 वर्ष तक अधिवक्ता रहा हो।

या

राष्ट्रपति की दृष्टि में प्रतिष्ठित विधिवेत्ता हो।

(*iii*) जिसकी आयु 62 वर्ष से अधिक न हो।

(*iv*) उच्च न्यायालय के न्यायाधीशों की अवकाश ग्रहण करने की अधिकतम आयु सीमा 62 वर्ष है।

उच्च न्यायालय के कार्य एवं क्षेत्राधिकार

1. प्रारंभिक क्षेत्राधिकार
2. अपीलीय क्षेत्राधिकार
3. रिट जारी करने का अधिकार
4. अधीनस्थ न्यायालयों पर नियंत्रण

राज्य की कार्यपालिका

राज्यपाल

- राज्य की कार्यपालिका का प्रधान राज्यपाल होता है, जो मंत्रिपरिषद् की सलाह के अनुसार कार्य करता है।
- राज्यपाल की नियुक्ति राष्ट्रपति करता है।
- राज्यपाल की नियुक्ति 5 वर्षों के लिए होती है। पाँच वर्ष की अवधि से पूर्व भी उसे राष्ट्रपति के द्वारा हटाया जा सकता है।
- राज्यपाल अपने कार्यकाल की समाप्ति के पूर्व भी राष्ट्रपति को अपना त्यागपत्र भेज सकता है।

राज्यपाल के कार्य तथा अधिकार

कार्यपालिका संबंधी

- राज्य के समस्त कार्यपालिका संबंधी कार्य राज्यपाल के नाम से किए जाते हैं।
- राज्यपाल मुख्यमंत्री की नियुक्ति करता है तथा मुख्यमंत्री की सलाह पर मंत्रिपरिषद् के अन्य सदस्यों की नियुक्ति करता है।

विधायी शक्तियां

- राज्यपाल राज्य विधान मंडल का अंग होता है।
- राज्य विधान मंडल का सत्रावसान करने, सत्र बुलाने तथा विधान सभा को विघटित करने का अधिकार है।

राज्यपाल की न्यायिक शक्तियां

- राज्यपाल को उस विषय संबंधी, जिस विषय पर उस राज्य की कार्यपालिका शक्ति का विस्तार है, किसी विधि के विरुद्ध, किसी अपराध के लिए सिद्ध दोष ठहराये गए किसी व्यक्ति के दंड को क्षमा, उसका प्रविलंबन, लघुकरण या परिहार कर सकता है।

राज्य मंत्रिपरिषद्/मुख्यमंत्री

- अनुच्छेद 163 के अन्तर्गत राज्यपाल की सहायता और सलाह देने के लिए एक मंत्रिपरिषद् होती है जिसका प्रधान **मुख्यमंत्री** होता है।
- अनुच्छेद 164 के अनुसार, मुख्यमंत्री की नियुक्ति राज्यपाल करता है तथा अन्य मंत्रियों की नियुक्ति राज्यपाल, मुख्यमंत्री की सलाह पर करता है।
- मंत्रिपरिषद् राज्य की विधान सभा के प्रति सामूहिक रूप से उत्तरदायी होता है। सामान्यतः मुख्यमंत्री अपने पद पर तब तक बना रहता है जब तक उसे विधान सभा का विश्वास प्राप्त होता है।

राज्य विधायिका

विधानपरिषद्

- विधान परिषद् राज्य विधानमण्डल का उच्च सदन होता है।
- विधान परिषद् का सदस्य बनने के लिए न्यूनतम आयु सीमा 30 वर्ष है।
- विधान परिषद् एक स्थायी सदन है। इसका विघटन नहीं होता।
- इसके सदस्यों का कार्यकाल 6 वर्ष का होता है। इसके 1/3 सदस्य प्रत्येक दो वर्ष की समाप्ति पर अपना पद त्याग करते हैं और उनके स्थान पर नए सदस्यों का चुनाव होता है।
- निम्नलिखित छह राज्यों में विधान परिषद् विद्यमान हैं– 1. उत्तर प्रदेश, 2. कर्नाटक, 3. महाराष्ट्र, 4. आंध्र प्रदेश, 5. बिहार, 6. तेलंगाना
- संविधान में विधान परिषद् के लिए एक सभापति (chairman) तथा उप-सभापति (Vice-chairman) की व्यवस्था की गई है।

विधानसभा

- अनुच्छेद 170 के अनुसार, विधान सभा के सदस्यों की संख्या अधिकतम 500 और न्यूनतम 60 होगी। अपवादस्वरूप सिक्किम (32), गोवा (40) एवं मिजोरम (40) हैं।
- विधान सभा में निर्वाचित होने के लिए न्यूनतम आयु सीमा 25 वर्ष है।
- विधान सभा का कार्यकाल 5 वर्ष है, किन्तु राज्य मंत्रिपरिषद् की सिफारिश पर इसे समय से पूर्व भी भंग किया जा सकता है।
- राज्य विधान सभा का सदस्य बनने के लिए आवश्यक है कि व्यक्ति भारत का नागरिक हो तथा उसमें ऐसी अन्य योग्यताएं हों, जो संसद निर्धारित करे।
- संविधान में विधानसभा के लिए अध्यक्ष (Speaker) तथा उपाध्यक्ष (Deputy-Speaker) की व्यवस्था की गई है।

स्थानीय प्रशासन

पंचायती राज

- पंचायती राज का शुभारंभ 2 अक्टूबर, 1959 को नागौर, राजस्थान में हुआ। बाद में इसे आन्ध्र प्रदेश में लागू किया गया।
- पंचायती राज का लक्ष्य लोगों को विकास और योजनाओं से जोड़ना है, ताकि अफसरशाही पर निर्भरता को कम किया जा सके।
- 73वाँ संविधान संशोधन पंचायती राज से संबंधित है। इसके मुख्य प्रावधान निम्नलिखित हैं–
  1. पंचायती राज का ढाँचा त्रिस्तरीय होगा। ग्राम स्तर पर ग्राम पंचायत, प्रखण्ड स्तर पर पंचायत समिति तथा जिला स्तर पर जिला परिषद् के गठन की व्यवस्था की गई है।
  2. इसका निर्वाचन पाँच वर्षों के लिए होता है। समय पूर्व पंचायत के भंग होने पर 6 माह के अन्दर निर्वाचन होंगे।
  3. पंचायती राज संस्था के प्रत्येक स्तर में महिलाओं को एक–तिहाई स्थानों पर आरक्षण का प्रावधान है।

नगरपालिकाएँ

- 74वां संविधान संशोधन अधिनियम, 1993 के तहत भारतीय संविधान के अनुच्छेद 243(त) से 243(य)(छ) तक इसका विशेष उल्लेख है।
- इसके अन्तर्गत तीन प्रकार की नगरीय व्यवस्था का उल्लेख है–
  (1) नगर पंचायत
  (2) नगरपालिका परिषद्
  (3) नगर निगम
- नगरपालिकाओं में महिलाओं के लिए एक–तिहाई स्थान आरक्षित है।
- नगरीय संस्थाओं का कार्यकाल पाँच वर्ष का होता है। विघटन की स्थिति में छह माह के अन्दर चुनाव अनिवार्य होते हैं।

❑❑❑

3

भारतीय अर्थव्यवस्था

- अर्थव्यवस्था एक ऐसा तंत्र या ढाँचा है जिसके अन्तर्गत विभिन्न प्रकार की आर्थिक क्रियाएँ सम्पादित की जाती हैं, जैसे–कृषि, उद्योग, व्यापार, बैंकिंग, बीमा, परिवहन तथा संचार आदि। दूसरे शब्दों में, अर्थव्यवस्था आर्थिक क्रियाओं का एक ऐसा संगठन है जिसके अन्तर्गत लोग कार्य करके अपनी आजीविका चलाते हैं।

भारतीय अर्थव्यवस्था की संरचना

आर्थिक क्रियाओं को तीन भागों में बाँटा जाता है–

(i) **प्राथमिक क्षेत्र** (Primary Sector): प्राथमिक क्षेत्र को कृषि क्षेत्र भी कहा जाता है। इसके अन्तर्गत कृषि, पशु पालन, मछली पालन, जंगलों से वस्तुओं को प्राप्त करना जैसे व्यवसाय आते हैं।

(ii) **द्वितीयक क्षेत्र** (Secondary Sector): द्वितीयक क्षेत्र को औद्योगिक क्षेत्र भी कहा जाता है। इसके अन्तर्गत खनिज व्यवसाय, निर्माण कार्य, जनोपयोगी सेवाएँ, जैसे–गैस और बिजली आदि के उत्पादन आते हैं।

(iii) **तृतीयक क्षेत्र** (Tertiary Sector): तृतीयक क्षेत्र को सेवा क्षेत्र भी कहा जाता है। इसके अन्तर्गत बैंक एवं बीमा, परिवहन, संचार एवं व्यापार आदि क्रियाएँ सम्मिलित होती हैं। ये क्रियाएँ प्राथमिक एवं द्वितीयक क्षेत्रों की क्रियाओं को सहायता प्रदान करती हैं। इसलिए इसे सेवा क्षेत्र कहा जाता है।

अर्थव्यवस्था के प्रकार

विश्व में तीन प्रकार की अर्थव्यवस्था पाई जाती है–

1. **पूँजीवादी अर्थव्यवस्था** (Capitalist Economy): पूँजीवादी अर्थव्यवस्था वह अर्थव्यवस्था है जहाँ उत्पादन के साधनों का स्वामित्व निजी व्यक्तियों के पास होता है जो इसका उपयोग अपने निजी लाभ के लिए करते हैं। जैसे–अमेरिका, जापान, फ्रांस आदि।
2. **समाजवादी अर्थव्यवस्था** (Socialist Economy): समाजवादी अर्थव्यवस्था वह अर्थव्यवस्था है जहाँ उत्पादन के साधनों का स्वामित्व एवं संचालन देश की सरकार के पास होता है जिसका उपयोग सामाजिक कल्याण के लिए किया जाता है। चीन, क्यूबा, रूस आदि देशों में समाजवादी अर्थव्यवस्था है।
3. **मिश्रित अर्थव्यवस्था** (Mixed Economy): मिश्रित अर्थव्यवस्था पूँजीवादी तथा समाजवादी अर्थव्यवस्था का मिश्रण है। मिश्रित अर्थव्यवस्था वह अर्थव्यवस्था है जहाँ उत्पादन के साधनों का स्वामित्व सरकार तथा निजी व्यक्तियों के पास होता है। भारत में मिश्रित अर्थव्यवस्था है।

भारत में आर्थिक नियोजन

- **योजना आयोग** की स्थापना 15 मार्च, 1950 को नियोगी समिति की सिफारिश पर हुई थी। यह एक गैर-संवैधानिक संस्था है। 1 जनवरी 2015 को योजना आयोग को समाप्त कर उसकी जगह नीति (NITI) आयोग का गठन किया गया।
- **राष्ट्रीय विकास परिषद्** (National Development Council) का गठन 6 अगस्त, 1952 को किया गया था। यह योजनाओं को अन्तिम रूप से अनुमोदन प्रदान करती है।

भारतीय अर्थव्यवस्था के लक्षण

भारतीय अर्थव्यवस्था के निम्नलिखित लक्षण हैं–1. प्रति व्यक्ति आय का कम होना; 2. जनसंख्या के एक बड़े भाग का अर्थव्यवस्था के प्राथमिक क्षेत्र में संलग्न होना; 3. तकनीकी पिछड़ापन; 4. पर्याप्त पूँजी का अभाव; 5. त्रुटिपूर्ण सम्पत्ति वितरण; 6. बेरोजगारी की समस्या; 7. अर्थव्यवस्था पर जनसंख्या का बढ़ता प्रभाव

राष्ट्रीय आय

- राष्ट्रीय आय द्वारा किसी अर्थव्यवस्था में प्रतिवर्ष वस्तुओं और सेवाओं के प्रवाह का अनुमान लगाया जाता है।
- एक वर्ष में जो अंतिम वस्तुएं तथा सेवाएं उत्पन्न होती हैं, उनके बाजार मूल्य के जोड़ को राष्ट्रीय आय कहा जाता है।
- स्वतंत्रता के पश्चात् 1949 में भारत सरकार ने प्रोफेसर महालनोबिस की अध्यक्षता में राष्ट्रीय आय समिति गठित की थी। इस समिति ने अपनी पहली रिपोर्ट 1951 में तथा अन्तिम रिपोर्ट 1954 में प्रस्तुत की थी।
- उसके बाद से राष्ट्रीय आय का अनुमान केन्द्रीय सांख्यिकी संगठन (CSO) लगा रहा है।
- **सकल घरेलू उत्पाद** (Gross Domestic Product): किसी देश की सीमा के अन्दर किसी भी दी गई समयावधि, प्रायः एक वर्ष में उत्पादित

समस्त अंतिम वस्तुओं तथा सेवाओं का कुल बाजार या मौद्रिक मूल्य उस देश का सकल घरेलू उत्पाद (GDP) कहा जाता है।

- **सकल राष्ट्रीय उत्पाद** (Gross National Product): किसी देश में एक साल के अन्तर्गत जितनी वस्तुओं तथा सेवाओं का उत्पादन होता है उनके मौद्रिक मूल्य को कुल राष्ट्रीय उत्पाद कहते हैं। कुल राष्ट्रीय उत्पाद को निकालने के लिए सकल घरेलू उत्पादन में देशवासियों द्वारा विदेशों में उत्पादित वस्तुओं और सेवाओं के मूल्य को जोड़ दिया जाता है तथा विदेशियों द्वारा देश में उत्पादित वस्तुओं के मूल्य को घटा दिया जाता है।
- **शुद्ध राष्ट्रीय उत्पाद** (Net National Product): सकल राष्ट्रीय उत्पाद में से मूल्य ह्रास की राशि घटा देने के उपरान्त शुद्ध राष्ट्रीय उत्पाद ज्ञात किया जाता है।
- **प्रति व्यक्ति आय** (Per Capita Income): राष्ट्रीय आय में देश की कुल जनसंख्या से भाग देने पर जो राशि प्राप्त होती है उसे प्रतिव्यक्ति आय कहते हैं।

पंचवर्षीय योजनाएँ

- 1 अप्रैल, 1951 से भारत की प्रथम पंचवर्षीय योजना की शुरुआत की गई। तत्पश्चात् वर्ष 2017 तक 12 पंचवर्षीय योजनाएँ लागू की गईं। 31 मार्च, 2017 को 12वीं पंचवर्षीय योजना के पूरी होने के साथ ही देश में पंचवर्षीय योजनाओं की व्यवस्था समाप्त हो गई है। इसके स्थान पर 15 वर्षीय दृष्टिकोण, सात वर्षीय रणनीति व तीन वर्षीय कार्य योजना नीति आयोग द्वारा तैयार की गई है।
- पंचवर्षीय योजनाओं के अतिरिक्त सात वार्षिक योजनाएँ भी बनीं। ये वार्षिक योजनाएँ 1966–67, 67–68, 68–69, 78–79, 79–80 तथा 90–91, 91–92 के लिए बनी थीं।
- 1978–83 के लिए जनता सरकार ने अनवरत–योजना बनायीं थी, परन्तु कांग्रेस सरकार ने 1980 ई० में छठी पंचवर्षीय योजना प्रारंभ की।

नीति (NITI) आयोग

केन्द्र सरकार ने 1 जनवरी, 2015 को 65 साल पुराने योजना आयोग को समाप्त करके उसके स्थान पर नीति आयोग का गठन कर दिया है। नीति (NITI) का मतलब नैशनल इंस्टिट्यूट फॉर ट्रांसफॉर्मिंग इंडिया है। आयोग का काम अब सिर्फ नीति बनाने तक सीमित रहेगा। पहली बार मुख्यमंत्रियों को भी इससे जोड़ा गया है। केंद्र और राज्य मिलकर ऐसी नीतियां बनाएंगे, जिन्हें सबसे निचले स्तर तक लागू किया जा सकेगा।

प्रधानमंत्री नरेन्द्र मोदी ने स्वतंत्राता दिवस पर लालकिले से अपने पहले भाषण में योजना आयोग को खत्म करने की घोषणा की थी। 1950 से देश और राज्यों की योजनाओं को रूप देने वाला योजना आयोग अब इतिहास के पन्नों में दर्ज हो गया है। नीति आयोग का काम अब केंद्र और राज्यों के विकास की नीति बनाने, इनोवेशन लाने और मॉनिटरिंग तक ही सीमित रहेगा।

योजना आयोग का सबसे महत्वपूर्ण काम पंचवर्षीय योजना बनाना या हर साल की योजना के लिए रकम आवंटित करने का काम नीति आयोग के जिम्मे नहीं रहेगा। नए नीति आयोग में तीन विभाग होंगे। पहला इंटर–स्टेट काउंसिल की तर्ज पर होगा। दूसरा लम्बे समय की योजना बनाने और उसकी निगरानी का काम करेगा। तीसरा विभाग डायरेक्ट बेनिफिट ट्रांसफर व यूआइडीएआइ को मिलाकर बनेगा। एडीबी वेफ मुख्य अर्थशास्त्री रह चुके अरविंद पनगढ़िया को नीति आयोग का पहला उपाध्यक्ष बनाया गया था।

भारत सरकार की प्रमुख कल्याणकारी योजनाएँ

कार्यक्रम का नाम	*वर्ष*	*उद्देश्य*
• मिड-डे-मील योजना	1995	स्कूली बच्चों को दोपहर का भोजन उपलब्ध कराना।
• स्वर्ण जयंती शहरी रोजगार योजना	1997	शहरी क्षेत्रों में निर्धनता निवारण योजना।
• स्वर्ण जयन्ती ग्राम स्वरोजगार	1999	सामूहिक प्रयास पर बल। सहायता प्राप्त गरीब व्यक्ति को 3 वर्ष में BPL के ऊपर लाना। इसमें छः कार्यक्रमों का विलय कर दिया गया। (*i*) IRDP (*ii*) TRYSEM (*iii*) DWCRA (*iv*) SITRA (*v*) MWS (*vi*) GKY
• कृषि श्रमिक सामाजिक सुरक्षा योजना	2001	कृषि श्रमिकों को जीवन बीमा निगम के सहयोग से सामाजिक सुरक्षा उपलब्ध कराना।
• वाल्मीकि अम्बेडकर आवास योजना	2001	शहरी स्लम आबादी को स्वच्छ आवास उपलब्ध कराने हेतु।
• प्रधानमंत्री स्वास्थ्य सुरक्षा योजना	2003	देश के पिछड़े राज्यों में 6 नए AIIMS अस्पतालों को स्थापित करने हेतु।
• भारत निर्माण योजना	2006	ग्रामीण अवस्थापना, सर्वांगीण तथा व्यापक विकास योजना।
• आम आदमी बीमा योजना	2007-08	भूमि रहित ग्रामीण परिवार के मुखिया या आयअर्जक व्यक्ति की बीमा योजना।
• राजीव आवास योजना	2010	भारत को अगले पाँच वर्षों में स्लम मुक्त बनाना।
• राजीव खाद्य सुरक्षा योजना	2013	देश की 67% जनसंख्या को भोजन की गारंटी का अधिकार देना।
• प्रधानमंत्री जन-धन योजना	2014	ऐसे लोगों का खाता खोलना जिनका पहले से किसी बैंक में खाता न हो।
• अटल पेंशन योजना	2015	असंगठित क्षेत्र के लोगों के लिए मासिक पेंशन।
• दीनदयाल उपाध्याय ग्राम ज्योति योजना	2015	इस कार्यक्रम का उद्देश्य ग्रामीण भारत में सभी घरों को 24 × 7 निर्बाध विद्युत आपूर्ति उपलब्ध कराने है।

कार्यक्रम का नाम	वर्ष	उद्देश्य
• डिजिटल भारत कार्यक्रम	2015	सरकारी सेवाओं को इलेक्ट्रॉनिक रूप में नागरिकों के लिए उपलब्ध कराना हैं और लोगों को नवीनतम सूचना और संचार प्रौद्योगिक से लाभ सुनिश्चित करना है।
• प्रधानमंत्री सुरक्षा बीमा योजना	2015	₹ 20 के वार्षिक प्रीमियम के साथ दुर्घटना बीमा।
• प्रधानमंत्री जीवन ज्योति बीमा योजना	2015	यह मूल रूप से एक वार्षिक आधार पर या समय की एक लम्बी अवधि के लिए होता है। यह पॉलिसी धारक के मृत्यु पर जीवन बीमा कवरेज प्रदान करता है।
• प्रधानमंत्री उज्ज्वला योजना	2016	ऐसी महिलाएँ जो गरीबी रेखा से नीचे जीवनयापन करती हैं, उन्हें मुफ्त एलपीजी कनेक्शन प्रदान करना है।
• SMILE (मुस्कान) योजना	2022	ट्रांसजेंडर समुदाय और भिखारियों के कल्याण के लिए।
• पीएम विश्वकर्मा योजना	2023	सुनार, लोहार, बढ़ई, राजमिस्त्री, कुम्हार व चर्मकार आदि पारम्परिक कारीगरों के हितार्थ।
• प्रधानमंत्री धन-धान्य कृषि योजना	2025	कृषि उत्पादकता को बढ़ाना, फसल विविधीकरण और टिकाऊ कृषि पद्धतियों को अपनाना।
• विकसित भारत–जी राम जी अधिनियम	2025	ग्रामीण क्षेत्र में इच्छुक वयस्कों को 125 दिन के रोजगार की गारण्टी देने के लिए।

मुद्रा एवं बैंकिंग

मुद्रा

- भारत की मुद्रा प्रणाली में धात्विक मुद्रा और कागजी मुद्रा दोनों शामिल हैं।
- धात्विक मुद्रा का नियंत्रण भारत सरकार द्वारा किया जाता है और कागजी मुद्रा का नियंत्रण रिजर्व बैंक ऑफ इण्डिया (आरबीआई) द्वारा किया जाता है।
- सिक्के (धात्विक मुद्रा) भारत की टकसालों में ढाले जाते हैं। कागजी मुद्रा में एक रुपए के नोट के अतिरिक्त अन्य सभी नोट आरबीआई जारी करता है।
- भारत में सिक्कों की दाशमिक प्रणाली 1 अप्रैल, 1957 से लागू हुई।
- रुपया '₹' प्रामाणिक मुद्रा (standard money) है।

बैंकिंग

- बैंकिंग पद्धति पर भारत में विदेशी पूंजी से खुलने वाला पहला बैंक 'बैंक ऑफ हिन्दुस्तान था, जो 1770 में खोला गया था।
- 1806 में बैंक ऑफ बंगाल, 1840 में बैंक ऑफ बम्बई और 1843 में बैंक ऑफ मद्रास की स्थापना हुई।
- इन्हीं तीनों बैंकों को मिलाकर 1921 में इम्पीरियल बैंक ऑफ इण्डिया बनाया गया। इसका राष्ट्रीयकरण 1 जुलाई, 1955 को किया गया और तब इसका नाम बदलकर स्टेट बैंक ऑफ इण्डिया कर दिया गया।
- स्टेट बैंक ऑफ इण्डिया के राष्ट्रीयकरण के समय इसके सहयोगी बैंकों का भी राष्ट्रीयकरण किया गया था, परन्तु बाद में सरकार ने स्टेट बैंक ऑफ सौराष्ट्र तथा स्टेट बैंक ऑफ इन्दौर का स्टेट बैंक ऑफ इण्डिया में विलय कर दिया।
- 1 अप्रैल, 2017 को SBI के सभी 5 सहयोगी बैंकों–स्टेट बैंक ऑफ हैदराबाद; स्टेट बैंक ऑफ बीकानेर एण्ड जयपुर; स्टेट बैंक ऑफ त्रावणकोर; स्टेट बैंक ऑफ पटियाला; स्टेट बैंक ऑफ मैसूर एवं भारतीय महिला बैंक का SBI में विलय कर दिया गया।

बैंकों का राष्ट्रीयकरण

- 50 करोड़ से अधिक पूँजी वाले 14 बड़े व्यावसायिक बैंकों का राष्ट्रीयकरण 19 जुलाई, 1969 को किया गया था।
- 200 करोड़ से अधिक पूँजी वाले 6 अनुसूचित बैंकों का राष्ट्रीयकरण 15 अप्रैल, 1980 को किया गया था।
- न्यू बैंक ऑफ इण्डिया का विलय पंजाब नेशनल बैंक में 4 सितम्बर, 1993 को हुआ था।
- देना बैंक और विजया बैंक का 1 अप्रैल, 2019 को बैंक ऑफ बड़ौदा में विलय हो गया है।
- वर्ष 2020 में ओरिएंटल बैंक ऑफ कॉमर्स और यूनाइटेड बैंक ऑफ इंडिया का पंजाब नेशनल बैंक में, सिंडीकेट बैंक का केनरा बैंक में, आंध्र बैंक और कॉर्पोरेशन बैंक का यूनियन बैंक ऑफ इंडिया में और इलाहाबाद बैंक का इंडियन बैंक में विलय हो गया है। यह विलय 1 अप्रैल, 2020 से प्रभावी हुआ। इसके फलस्वरूप देश में सार्वजनिक क्षेत्र के बैंकों की संख्या घटकर 12 रह गई है।
- भारतीय रुपए का प्रतीक चिह्न '₹' है।

भारतीय रिजर्व बैंक

- भारतीय रिजर्व बैंक की स्थापना 1 अप्रैल, 1935 को 5 करोड़ रुपए की अधिकृत पूंजी से की गई थी। इसका राष्ट्रीयकरण 1 जनवरी, 1949 को किया गया था। इसका मुख्यालय मुम्बई में स्थित है।
- भारत में वित्तीय वर्ष 1 अप्रैल से 31 मार्च तक होता है।
- 10, 20, 50, 100 तथा 500 रुपए के करेन्सी नोट भारतीय रिजर्व बैंक निर्गत करता है।

भारतीय रिजर्व बैंक के कार्य

1. करेंसी नोटों का निर्गमन
2. सरकारी बैंकर का काम
3. बैंकों के बैंक का काम
4. विदेशी विनिमय को नियंत्रित करना
5. साख नियंत्रण का कार्य
6. आंकड़ों का संग्रहण और प्रकाशन

कृषि

- कृषि भारतीय अर्थव्यवस्था का एक प्रमुख आधार स्तंभ है। निजी क्षेत्र का यह सबसे प्रमुख व्यवसाय है।
- भारत में हरित क्रांति को डॉ. एम.एस. स्वामीनाथन ने सफल बनाया।
- गेहूँ, चना, जौ, सरसों, तोरिया, मटर, रबी की प्रमुख फसलें हैं।
- धान, ज्वार, बाजरा, मक्का, कपास, गन्ना, सोयाबीन, अरहर, खरीफ की प्रमुख फसलें हैं।
- तिलहन, गन्ना, चुकन्दर, चाय, कपास, जूट, मेस्टा, कहवा, तम्बाकू, दलहन, प्रमुख नकदी फसलें हैं।

कृषि के प्रकार

• एपीकल्चर	–	मधुमक्खी पालन
• हॉर्टीकल्चर	–	बागवानी
• फ्लोरीकल्चर	–	फलों की कृषि
• विटीकल्चर	–	अंगूर की कृषि
• वर्मीकल्चर	–	केंचुआ पालन
• पिसीकल्चर	–	मत्स्य पालन
• मैरीकल्चर	–	समुद्री जीवों का उत्पादन
• आर्वरीकल्चर	–	वृक्षों तथा झाड़ियों की कृषि

कृषि क्षेत्र की विभिन्न क्रांतियाँ

• श्वेत क्रांति	दुग्ध उत्पादन
• नीली क्रांति	मछली उत्पादन
• पीली क्रांति	तिलहन उत्पादन
• ग्रे क्रांति	ऊन उत्पादन
• इन्द्रधनुषी क्रांति	समग्र कृषि उत्पादन
• सिल्वर क्रांति	अण्डा एवं पोल्ट्री उत्पादन
• सुनहरी क्रांति	बागवानी उत्पादन

उद्योग

- देश में पहला लौह–इस्पात कारखाना 1874 ई. में कुल्टी (पश्चिम बंगाल) नामक स्थान पर खुला था।
- देश में सबसे प्रथम बड़े स्तर का कारखाना वर्ष 1907 में तत्कालीन बिहार राज्य में स्वर्ण रेखा नदी की घाटी में साकची नामक स्थान पर जमशेदजी टाटा द्वारा स्थापित किया गया था।
- सन् 1948 में प्रथम, 1956 में द्वितीय तथा 1991 में तृतीय औद्योगिक नीति घोषित की गई थी।
- सार्वजनिक क्षेत्र के उपक्रमों को वाणिज्य एवं प्रबंधन की स्वायत्तता देने के लिए नवरत्न एवं मिनीरत्न की संकल्पना सन् 1997 में शुरू की गई थी। यह दर्जा 'केन्द्रीय लोक उद्यम विभाग' द्वारा दिया जाता है। जनवरी 2026 तक कुल 26 कंपनियों को नवरत्न का दर्जा प्राप्त है।
- 21 दिसम्बर, 2009 को सार्वजनिक क्षेत्र की कंपनियों के लिए महारत्न क्षेत्रों का सृजन किया गया। यह कम्पनियाँ अपने कुल निवल मूल्य के 25% तक का निवेश करने के लिए स्वतंत्र हैं। जनवरी 2026 तक कुल 14 कंपनियों को महारत्न का दर्जा प्राप्त है।

भारत का विदेश व्यापार

- भारत का विश्व व्यापार में कुल हिस्सा मात्र 1.4% है।
- भारत के आयात में सर्वाधिक हिस्सा पेट्रोलियम उत्पादों का है।
- भारत का प्रथम निर्यात संवर्धन औद्योगिक पार्क सीतापुर (जयपुर) में स्थापित किया गया है।
- एशिया का प्रथम निर्यात प्रसंस्करण केन्द्र काण्डला में 1965 ई॰ में स्थापित किया गया था।

प्रमुख निर्यात विकास केन्द्र

• तिरुपुर : हौजरी एवं बुनाई उद्योग; • मुरादाबाद : ब्रासवेयर हैण्डीक्राफ्ट; • लुधियाना : भारी मशीनरी तथा हौजरी; • सूरत : रत्न और आभूषण; • पानीपत : हथकरघा; • अलेप्पी : नारियल के रेशे और इससे निर्मित सामान; • जालन्धर : खेल का सामान; • रानीपत (अम्बूर): चमड़ा; • नागपुर : हस्त उपकरण; • मेरठ : खेल का सामान; • अलीगढ़ : पीतल के ताले; • आगरा : चमड़ा फुटवियर; • खुर्जा : मिट्टी के बर्तन; • कांचीपुरम : रेशम; • शिवाकाशी : माचिस; • अम्बाला : वैज्ञानिक उपकरण; • जामनगर : ब्रास पार्टस्; • बटाला : मशीन उपकरण।

भारत की जनगणना 2011

भारत में जनगणना का विधिवत् कार्य 1881 में आरम्भ हुआ। 2011 की जनगणना के अनुसार भारत की कुल जनसंख्या 121,08,54,977 थी। जबकि 10 वर्ष पूर्व 2001 में कुल जनसंख्या 102,70,15,247 थी। वर्ष 2011 की जनगणना के प्रमुख तथ्य निम्नलिखित हैं:–

• कुल जनसंख्या	–	121,08,54,977
• पुरुष	–	62,32,70,258
• महिला	–	58,75,84,719
• कुल जनसंख्या में पुरुषों का प्रतिशत	–	51.53%
• कुल जनसंख्या में महिलाओं का प्रतिशत	–	48.46%
• भारत की जनसंख्या का विश्व जनसंख्या में भाग	–	17.5%
• दशकीय वृद्धि दर (2001-2011)	–	17.7%
• सर्वाधिक वृद्धि दर	–	मेघालय 27.9%
• न्यूनतम वृद्धि दर	–	नगालैंड –0.6%
• सर्वाधिक जनसंख्या वाला राज्य	–	उत्तर प्रदेश (19,98,12,341)
• न्यूनतम जनसंख्या वाला राज्य	–	सिक्किम (6,10,577)
• स्त्री-पुरुष अनुपात	–	943 : 1000
• सर्वाधिक लिंगानुपात	–	केरल, 1084 : 1000
• न्यूनतम लिंगानुपात	–	हरियाणा 879 : 1000
• जनसंख्या घनत्व	–	382 व्यक्ति प्रति वर्ग किलोमीटर
• सर्वाधिक घनत्व	–	बिहार (1,106)
• न्यूनतम घनत्व	–	अरुणाचल प्रदेश (17)
• केन्द्रशासित प्रदेशों में सर्वाधिक घनत्व	–	दिल्ली (11,320)
• केन्द्रशासित प्रदेशों में न्यूनतम घनत्व	–	अण्डमान निकोबार द्वीप समूह (46)
• साक्षरता प्रतिशत	–	73%
• पुरुष साक्षरता	–	80.9%
• महिला साक्षरता	–	64.6%
• सर्वाधिक साक्षरता	–	केरल (94%)
• न्यूनतम साक्षरता	–	बिहार (61.8%)

❑❑❑

4

भूगोल

हमारी पृथ्वी

पृथ्वी : तथ्य और आँकड़े	
• पृथ्वी का द्रव्यमान	5.882 × 10^{21} टन
• पृथ्वी का घनत्व	पानी की अपेक्षा 5.517 गुणा
• पृथ्वी का आयतन	1.083 × 10^{11} घन किमी.
• भूमध्यरेखीय परिधि	4.007 × 10^{4} किमी.
• ध्रुवीय व्यास	12,714 किमी.
• विषुवतीय व्यास	12,756 किमी.
• ध्रुवीय परिधि	4.0 × 10^{4} किमी.
• अनुमानित आयु	लगभग 4600 करोड़ वर्ष
• भू-पृष्ठ	148,951,000 वर्ग किमी.
• जलीय सतह	361,150,000 वर्ग किमी.
• भू-सतह का सबसे उच्च बिन्दु	माउंट एवरेस्ट (8,848 मीटर)
• भू-सतह का सबसे निम्न बिन्दु	मृत सागर का तट (समुद्र तल से 396 मीटर नीचे)
• महासागर की सर्वाधिक गहराई	फिलीपींस के पूर्व में मेरियाना ट्रेंच (समुद्र तल से 11,033 मीटर नीचे)

सौरमण्डल			
• सबसे बड़ा ग्रह	बृहस्पति (Jupiter)	• रात्रि में लाल दिखाई देने वाला ग्रह	मंगल (Mars)
• सबसे छोटा ग्रह	बुध (Mercury)	• सबसे बड़ा उपग्रह	गैनीमेड (Gannymede)
• पृथ्वी का उपग्रह	चन्द्रमा (Moon)	• सबसे छोटा उपग्रह	डिमोस (Deimos)
• सूर्य के सबसे निकट ग्रह	बुध (Mercury)	• नीला ग्रह	पृथ्वी (Earth)
• सूर्य से सबसे दूर स्थित ग्रह	वरुण (Neptune)	• भोर का तारा	शुक्र (Venus)
• पृथ्वी के सबसे निकट स्थित ग्रह	शुक्र (Venus)	• साँझ का तारा	शुक्र (Venus)
• सबसे अधिक चमकीला ग्रह	शुक्र (Venus)	• पृथ्वी की बहन	शुक्र (Venus)
• सबसे अधिक चमकीला तारा	साइरस (Dog Star)	• हरा ग्रह	वरुण (Neptune)
• सबसे अधिक ठण्डा ग्रह	वरुण (Neptune)	• विशाल लाल धब्बे वाला ग्रह	बृहस्पति (Jupiter)
• सबसे अधिक गर्म ग्रह	शुक्र (Venus)		

विश्व का भूगोल

विभिन्न देशों के राष्ट्रीय प्रतीक

देश	प्रतीक	देश	प्रतीक	देश	प्रतीक
ऑस्ट्रेलिया	कंगारू	कनाडा	सफेद लिली	डेनमार्क	वुलिन
फ्रांस	लिली	जर्मनी	कार्न फ्लावर	भारत	सिंह स्तम्भ
ईरान	गुलाब	आयरलैंड	तीन पत्ती वाली घास	इटली	सफेद लिली
जापान	गुलदाउदी	पाकिस्तान	अर्द्धचंद्र	स्पेन	बाज
यूनाइटेट किंगडम	गुलाब	यू.एस.ए.	सुनहरी छड़ी		

महत्त्वपूर्ण सीमा रेखाएं

- **डूरंड लाइन** : यह भारत और अफगानिस्तान के बीच सीमा के विभाजन को परिलक्षित करती थी। इसका सीमांकन सर मोर्टीमर डूरंड ने 1896 में किया था। अब यह पाकिस्तान और अफगानिस्तान के बीच की सीमा रेखा है।
- **हिंडेनवर्ग लाइन** : यह वह रेखा है जहां से विश्व युद्ध के दौरान जर्मनी की सेना वापस लौट गई थी। यह रेखा पोलैण्ड और जर्मनी के बीच की सीमा रेखा है।
- **मैकमोहन रेखा** : यह भारत और चीन के बीच सीमा रेखा है जिसका सीमांकन सर हेनरी मैकमोहन ने किया था।
- **मैगिनोट रेखा** : यह फ्रांस और जर्मनी के बीच सीमा रेखा है।
- **रेडक्लिफ रेखा** : यह भारत और पाकिस्तान के बीच सीमा रेखा है जिसका सीमांकन सर सिरिल रेडक्लिफ ने किया था।
- **17वां पैरेलल** : यह उत्तरी एवं दक्षिणी वियतनाम के बीच की सीमा रेखा है।
- **38वां पैरलल** : यह उत्तर और दक्षिण कोरिया के बीच सीमा रेखा है।
- **49वां पैरलल** : यह यू.एस. और कनाडा के बीच सीमा रेखा है।
- **अदूर निसे रेखा** : यह रेखा पोलैण्ड और पूर्वी जर्मनी के बीच की सीमा रेखा है जो द्वितीय विश्व युद्ध में खींची गई थी।
- **सिंगफ्रेड रेखा** : प्रथम विश्व युद्ध में फ्रांस और जर्मनी के बीच की सीमा रेखा।

विश्व की प्रमुख नदियाँ

नाम	उद्गम स्थल	गिरने का स्थान	लम्बाई (किमी)	प्रमुख स्थान
नील (विश्व की सबसे लम्बी नदी)	विक्टोरिया झील	भूमध्य सागर	6670	आस्वान बाँध व नासिर झील स्थित है।
अमेजन (आयतन की दृष्टि से विश्व की सबसे बड़ी नदी)	एण्डीज पर्वत	अटलांटिक महासागर	6448	
मिसीसिपी मिसौरी	अलास्का झील	मैक्सिको की खाड़ी	6300	पक्षीपाद डेल्टा बनाती है।
यांग्टिसीक्यांग	तिब्बत का पठार	चीन सागर	5494	
ह्वांग हो	कुललुन पर्वत	चीन की खाड़ी	4840	
कांगो / जायरे	लुआलिया और लुआपुआ का संगम	अटलाण्टिक महासागर	4800	विषुवत् रेखा को दो बार काटती है।
अमूर	शिल्का रूस, आरगून का संगम	टार्टइ स्ट्रेट	4510	चीन और रूस की सीमा बनाती है।
वोल्गा	बल्डाई पठार	कैस्पियन सागर	3700	यूरोप की सबसे लम्बी नदी
डेन्यूब	ब्लैक फॉरेस्ट	काला सागर	2820	बेलग्रेड, बुखारेस्ट, बुडापेस्ट और वियना शहर स्थित है।
सेंट लारेंस	आण्टेरियो झील	सेंट-लॉरेंस की खाड़ी	3058	नियाग्रा जल प्रपात स्थित है।
कोलोरेडो	ग्रैण्ड कंट्री	कैलीफोर्निया की खाड़ी	2333	ह्यूबर बाँध स्थित
नाइजर	गिनी	गिनी की खाड़ी	4800	तेल नदी कहलाती है।
मेकांग	तिब्बत का पठार	दक्षिण चीन सागर	4023	द.पू. एशिया की सबसे लम्बी नदी।
सिन्धु	मानसरोवर झील के पास	अरब सागर	3180	
ब्रह्मपुत्र	मानसरोवर झील	बंगाल की खाड़ी	2900	
डार्लिंग-मर्रे	ऑस्ट्रेलिया आल्पस	हिन्द महासागर	3720	ऑस्ट्रेलिया की सबसे बड़ी नदी।

विश्व की प्रमुख झीलें

झील का नाम	भौगोलिक क्षेत्र	क्षेत्रफल (वर्ग.किमी.)	विशेष तथ्य
कैस्पियन सागर	पूर्व सोवियत संघ तथा ईरान	3,94,299	खारे पानी की सबसे बड़ी झील
सुपीरियर झील	संयुक्त राज्य अमेरिका एवं कनाडा	82,414	ताजे पानी की सबसे बड़ी झील
विक्टोरिया झील	केन्या, युगाण्डा तथा तंजानिया	69,485	
अरल सागर झील	कजाकिस्तान एवं उज्बेकिस्तान	64,457	
ह्यूरन झील	संयुक्त राज्य अमेरिका तथा कनाडा	59,600	
मिशीगन झील	संयुक्त राज्य अमेरिका	57,800	
बैकाल झील	रूस	31,500	यह सबसे गहरी (1940 मी.) झील है।
ग्रेट बेरियर झील	कनाडा	31,080	
ग्रेट स्लेव झील	कनाड़ा	28,438	
विनीपेग झील	कनाडा	24,341	
ओण्टेरियो झील	सं.रा. अमेरिका तथा कनाडा	19,529	
टिटिकाका	पेरू-बोलीविया	9,065	यह विश्व की सबसे ऊँची (3811 मी.) झील है।
आयर झील	ऑस्ट्रेलिया	9,583	

नदियों के तट पर बसे विश्व के प्रमुख नगर

नगर	नदी	नगर	नदी	नगर	नदी
लन्दन (इंग्लैंड)	टेम्स	कैन्टन (चीन)	सीक्यांग	मास्को (रूस)	मस्कोवा
न्यूयार्क (सं.रा.अ.)	हडसन	बर्लिन (जर्मनी)	स्प्री	बेलग्रेड	डेन्यूब
पेरिस (फ्रांस)	सीन	बुडापेस्ट (हंगरी)	डेन्यूब	पर्थ (ऑस्ट्रेलिया)	स्वान
वाशिंगटन	पोटोमेक	बगदाद (इराक)	टाइग्रिस	वियाना (ऑस्ट्रिया)	डेन्यूब
आस्वान (मिस्र)	नील	टोकियो (जापान)	अराकावा	सेंट लुईस (अमेरिका)	मिसिसिपी
शंघाई (चीन)	यांग्टिसीक्यांग	रोम (इटली)	टाइबर	यंगून (म्यांमार)	इरावदी
प्राग	वितावा	ओटावा (कनाडा)	सेंट लारेंस	सिडनी (ऑस्ट्रेलिया)	डार्लिंग
मैड्रिड (स्पेन)	मैजेनसेस	लिस्बन	टेगस	लिस्बन (पुर्तगाल)	टंगस
अंकारा (तुर्की)	किजिल	लाहौर (पाकिस्तान)	रावी	मॉण्ट्रियल (कनाडा)	सेंट लारेंस
कराची (पाकिस्तान)	सिंधु	बोन (जर्मनी)	राइन	डबलिन (आयरलैंड)	लीफें
काहिरा (मिस्र)	नील	दिल्ली (भारत)	यमुना	ब्यूनस आयर्स (अर्जेंटीना)	लाप्लाटा
शिकागो (सं.रा.अ.)	शिकागो	लिवरपुल (इंग्लैंड)	मर्सी	ब्रिस्टल (इंग्लैंड)	एवन्
बसरा (इराक)	दजला एवं फरात	कीव (यूक्रेन)	नीपर		

विश्व के प्रमुख औद्योगिक नगर

नगर	उद्योग	नगर	उद्योग	नगर	उद्योग
बेलफास्ट	जहाज निर्माण	चेलियाबिंस्क	लोहा इस्पात	बर्मिंघम	लोहा इस्पात
डेट्रायट	ऑटोमोबाइल	एसेन (जर्मनी)	लोहा इस्पात	ग्लासगो	जहाज निर्माण
हवाना	सिगार	हॉलीवुड	फिल्म उद्योग	लॉस एंजिल्स	पेट्रोलियम, फिल्म
कंशास	मांस उद्योग	कोबे	लोहा इस्पात	कीव	इंजीनियरिंग उद्योग
लियोन्स (फ्रांस)	सिल्क उद्योग	मैनचेस्टर	सूती वस्त्र उद्योग	मिलान	सिल्क वस्त्र उद्योग
फिलाडेल्फिया	लोकोमोटिव	प्लेमाउथ	जहाज निर्माण	पिट्सबर्ग	लोहा एवं इस्पात
शेफील्ड (ब्रिटेन)	कैंची, छुरी	सिएटल	वायुयान निर्माण	वेनिस	काँच उद्योग
ब्लाडीवोस्टक	जहाज निर्माण	बेलिंगटन	डेयरी उद्योग	मुल्तान	मिट्टी के बर्तन
ढाका	कालीन उद्योग	म्युनिख (जर्मनी)	लेंस निर्माण	नागोया	जहाज निर्माण

भारत का भूगोल

प्रसिद्ध पर्वत शिखर

पर्वत शिखर	समुद्र तल से ऊंचाई (मीटर में)	पर्वत शिखर	समुद्र तल से ऊंचाई (मीटर में)
1. K_2	8,611 पाकिस्तान के कब्जे में	6. डिस्तगिल सर	7,885 पाकिस्तान के कब्जे में
2. कंचनजंगा	8,598	7. माशेर ब्रुम (पूर्वी)	7,821
3. नंगा पर्वत	8,126	8. नंदा देवी	7,817
4. गशेर ब्रुम	8,068 पाकिस्तान के कब्जे में	9. माशेर ब्रुम (पश्चिम)	7,806 पाकिस्तान के कब्जे में
5. ब्रॉड पीक	8,047 पाकिस्तान के कब्जे में	10. राकापोशी	7,788 पाकिस्तान के कब्जे में

भारत के प्रमुख दर्रे

दर्रे	राज्य/(के. शा. प्र.)	दर्रे	राज्य/(के. शा. प्र.)	दर्रे	राज्य/(के. शा. प्र.)
काराकोरम	लद्दाख	माना	उत्तराखण्ड	जोजिला	लद्दाख
नीति	उत्तराखण्ड	पीरपंजाल	जम्मू-कश्मीर	नाथूला	सिक्किम
बनिहाल	जम्मू-कश्मीर	जैलेप्ला	सिक्किम	बुर्जिल	जम्मू-कश्मीर
बोम्डिला	अरुणाचल प्रदेश	शिपकी	हिमाचल प्रदेश	यांग्याप	अरुणाचल प्रदेश
रोहतांग	हिमाचल प्रदेश	दिफू	अरुणाचल प्रदेश	बड़ालाचा	हिमाचल प्रदेश
तुजु	मणिपुर	लिपुलेख	उत्तराखण्ड		

भारत की प्रमुख नदियाँ

नदी	उद्गम	मुहाना	लम्बाई (किमी.)
सिन्धु	मानसरोवर झील (तिब्बत)	अरब सागर	3100 (भारत में 1114)
सतलज	राक्षसताल	चिनाब	1450 (भारत में 1050)
गंगा	गंगोत्री के पास गोमुख से	बंगाल की खाड़ी	2525
यमुना	यमुनोत्री के पास बंदरपूंछ से	गंगा	1376
चम्बल	महूँ (जानपाव पहाड़ी)	यमुना	1050
गण्डक	धौलाधार पर्वत	गंगा	300
सोन	अमरकंटक पहाड़ी	गंगा	784
ब्रह्मपुत्र	मानसरोवर झील (तिब्बत)	बंगाल की खाड़ी	2900 (भारत में 916)
नर्मदा	अमरकंटक	अरब सागर	1290
ताप्ती	मुलताई (बैतूल)	खम्भात की खाड़ी	720
महानदी	सिहावा के समीप	बंगाल की खाड़ी	890
कृष्णा	पश्चिमी घाट की पहाड़ी (महाबलेश्वर के पास)	बंगाल की खाड़ी	1290
गोदावरी	त्रयम्बक गाँव की पहाड़ी	बंगाल की खाड़ी	1450
कावेरी	ब्रह्मगिरि की पहाड़ी	बंगाल की खाड़ी	760
तुंगभद्रा	कर्नाटक के पश्चिमी घाट	कृष्णा	331
माही	विन्ध्याचल पर्वत	खम्भात की खाड़ी	533

प्रमुख बहुउद्देशीय नदी घाटी परियोजनाएँ

परियोजना का नाम	नदी	लाभान्वित राज्य/केन्द्र शासित प्रदेश
दामोदर घाटी परियोजना	दामोदर	झारखंड, पश्चिम बंगाल
टिहरी बाँध परियोजना	भागीरथी	उत्तराखंड
नागार्जुन सागर परियोजना	कृष्णा	आन्ध्र प्रदेश
कोसी परियोजना	कोसी	बिहार तथा नेपाल
हीराकुड बाँध परियोजना	महानदी	ओडिशा
व्यास परियोजना	व्यास	राजस्थान, पंजाब, हरियाणा, हिमाचल प्रदेश
चम्बल परियोजना	चम्बल	राजस्थान, मध्य प्रदेश
मयूराक्षी परियोजना	मयूराक्षी	पश्चिम बंगाल

परियोजना का नाम	नदी	लाभान्वित राज्य/केन्द्र शासित प्रदेश
तुंगभद्रा परियोजना	तुंगभद्रा	आन्ध्र प्रदेश, कर्नाटक
गण्डक परियोजना	गण्डक	बिहार, नेपाल
फरक्का परियोजना	गंगा, भागीरथी	पश्चिम बंगाल
काकरापारा परियोजना	ताप्ती	गुजरात
नागपुर शक्तिगृह परियोजना	कोराडी	महाराष्ट्र
इन्दिरा गाँधी नहर परियोजना	सतलज	राजस्थान, पंजाब तथा हरियाणा
रिहन्द परियोजना	रिहन्द	उत्तर प्रदेश
महानदी डेल्टा परियोजना	महानदी	ओडिशा
कुण्डा परियोजना	कुण्डा	तमिलनाडु
इडुक्की परियोजना	पेरियार	केरल
कोयना परियोजना	कोयना	महाराष्ट्र
सतलज परियोजना	चिनाब	जम्मू-कश्मीर
रंजीत सागर बाँध परियोजना	रावी	पंजाब
नाथपा-झाकरी परियोजना	सतलज	हिमाचल प्रदेश
शरावती परियोजना	शरावती	कर्नाटक
नर्मदा सागर परियोजना	नर्मदा	मध्य प्रदेश, गुजरात
जवाहर सागर परियोजना	चम्बल	राजस्थान
तुलबुल परियोजना	झेलम	जम्मू कश्मीर
सरदार सरोवर परियोजना	नर्मदा	गुजरात, मध्य प्रदेश, महाराष्ट्र एवं राजस्थान
दुलहस्ती परियोजना	चिनाब	जम्मू-कश्मीर
तिलैया परियोजना	बराकर	झारखंड

राष्ट्रीय उद्यान और अभयारण्य

कुछ महत्त्वपूर्ण अभयारण्यों और उद्यानों के नाम नीचे दिए गए हैं।

- कान्हा राष्ट्रीय उद्यान (म.प्र.)
- जलदापाड़ा अभयारण्य (प. बंगाल)
- मानस अभयारण्य (असम)
- पलामू राष्ट्रीय उद्यान (झारखंड)
- सेमलीपाल राष्ट्रीय पार्क (ओडिशा)
- भरतपुर वन्य जीव अभयारण्य (राजस्थान)
- कॉर्बेट राष्ट्रीय उद्यान (उत्तराखंड)
- डाचीगाम अभयारण्य (जम्मू-कश्मीर)
- नन्दा देवी कस्तूरी मृग वन (उत्तराखंड)
- रणथम्भौर वन्य जीव अभयारण्य (राजस्थान)
- रंगथिट्टू पक्षी अभयारण्य (कर्नाटक)
- डंडेली अभयारण्य (कर्नाटक)
- पेरियार अभयारण्य (केरल)
- गिरि वन (गुजरात)
- मोलेम क्रीड़ा अभयारण्य (गोवा)
- नागजीरा वन्य जीव अभयारण्य (महाराष्ट्र)
- घाट प्रभा पक्षी अभयारण्य (कर्नाटक)
- पेंच राष्ट्रीय उद्यान (महाराष्ट्र)
- सुल्तानपुर सरोवर पक्षी अभयारण्य (हरियाणा)
- मुदमलाई अभयारण्य (तमिलनाडु)
- नाल सरोवर पक्षी अभयारण्य (गुजरात)
- तनसा झील वन्य जीव अभयारण्य (महाराष्ट्र)
- ईराविकुलम राजमल्ली राष्ट्रीय उद्यान (केरल)
- शिवपुरी राष्ट्रीय उद्यान (म.प्र.)
- काजीरंगा अभयारण्य (असम)
- हजारीबाग राष्ट्रीय उद्यान (झारखंड)
- डालमा वन्य जीव अभयारण्य (झारखंड)
- वनकटना वन्य जीव अभयारण्य (उ.प्र.)
- डर्राह वन्य जीव अभयारण्य (राजस्थान)
- चन्द्रप्रभा अभयारण्य (उ.प्र.)
- दुधवा राष्ट्रीय उद्यान (उ.प्र.)
- माउंट आबू वन्य जीव अभयारण्य (राजस्थान)
- सरिस्का क्रीड़ा अभयारण्य (राजस्थान)
- बांदीपुर अभयारण्य (कर्नाटक)
- महावीर अभयारण्य (गोवा-कर्नाटक सीमा)
- वेदान्त-गाल पक्षी अभयारण्य (तमिलनाडु)
- बोरीवल्ली राष्ट्रीय उद्यान (महाराष्ट्र)
- कोट्टीगांव क्रीड़ा अभयारण्य (गोवा)
- वान्धवगढ़ राष्ट्रीय उद्यान (मध्य प्रदेश)
- खगचन्दजेन्दा राष्ट्रीय उद्यान (सिक्किम)
- रोहिया राष्ट्रीय उद्यान (हिमाचल प्रदेश)
- तोदोवा राष्ट्रीय उद्यान (महाराष्ट्र)
- नगर होल अभयारण्य (कर्नाटक)
- बोंडला क्रीड़ा अभयारण्य (गोवा)
- बनारघट्टा राष्ट्रीय उद्यान (कर्नाटक)

परिवहन

रेलवे

महत्वपूर्ण तथ्य

- रेलवे भारत का सबसे बड़ा उपक्रम है।
- भारत में पहली रेलगाड़ी 16 अप्रैल, 1853 को मुंबई और ठाणे के बीच (34 कि॰मी॰) चली।
- स्वतंत्रता मिलने के बाद भाप से चलने वाले रेल इंजन बनाने का कारखाना चितरंजन में स्थापित किया गया (26 जनवरी, 1950)। लेकिन अब इस कारखाने में बिजली से चलने वाले रेल इंजन बनाए जाते हैं।
- मार्च 2024 तक देश में रेलवे स्टेशनों की संख्या 7,461 है।
- मार्च 2024 तक भारतीय रेल मार्गों की कुल लंबाई 69,181 कि॰मी॰ है।
- मार्च 2024 तक भारतीय रेल के पास 15,110 इंजन, 91,948 यात्री डिब्बे तथा 3,27,991 माल के डिब्बे हैं।
- मार्च 2024 तक भारतीय रेलवे के कुल रेलमार्ग के 90% भाग का विद्युतीकरण हो चुका है।
- रेल वित्त को 1924-25 से सामान्य राजस्व से अलग रखा जाता था, लेकिन वर्ष 2017-2018 से इसे पुनः सामान्य राजस्व में मिला दिया गया है।
- देश का एकमात्र सबसे पुराना चालू हालत इंजन 'फेयरी क्वीन' है।
- भारतीय रेल की पहली विद्युत चालित गाड़ी 3 फरवरी, 1925 को मुंबई और कुर्ला के बीच चली।
- कोलकाता मैट्रो देश की सबसे पहली और एकमात्र भूमिगत रेलवे है।
- दिल्ली में मैट्रो रेल का चालन 24 दिसम्बर, 2002 को, बेंगलुरु में 20 अक्टूबर, 2011 को, मुंबई में 8 जून, 2014 को, जयपुर में 3 जून, 2015 को तथा चेन्नई में 29 जून, 2015 को शुरू हुआ।
- भारतीय रेल की सबसे लम्बी रेल यात्रा डिब्रूगढ़ से कन्या कुमारी के बीच 4,286 किमी. की है। इस दूरी को तय करने में 82.30 घंटे का समय लगता है।
- श्री सिद्धारूढ़ा स्वामी जी रेलवे स्टेशन हुब्बल्लि, कर्नाटक का प्लेटफार्म विश्व का सबसे लम्बा प्लेटफॉर्म है। इसकी लम्बाई 1507 मीटर है।
- भारतीय रेल की सबसे लम्बी सुरंग जम्मू–कश्मीर में खारी और सम्बेर सेक्शन के मध्य स्थित T-50 सुरंग है, जो 12.77 किमी. लम्बी है।
- भारतीय रेलवे बोर्ड की स्थापना 1905 में हुई थी।
- भारतीय रेलों के तीन गेज हैं–ब्रॉड गेज, मीटर गेज, और नैरो गेज।
- रेलवे में वातानुकूलित, प्रथम श्रेणी और द्वितीय श्रेणी हैं। तृतीय श्रेणी 1974 से समाप्त कर दी गई।
- देश में कुल 95% स्थानों पर कम्प्यूटर रिजर्वेशन की व्यवस्था है।
- देश में सबसे लम्बा रेल पुल वेम्बानद रेल पुल है। यह केरल में स्थित है।

भारतीय रेलवे के जोन एवं मुख्यालय

जोन	मुख्यालय
1. दक्षिण रेलवे	चेन्नई
2. पश्चिमी रेलवे	मुंबई-चर्चगेट
3. मध्य रेलवे	मुंबई वी.टी.
4. उत्तर रेलवे	नई दिल्ली
5. पूर्वी रेलवे	कोलकाता
6. दक्षिण-पूर्वी रेलवे	कोलकाता
7. उत्तर-पूर्वी रेलवे	गोरखपुर
8. दक्षिण-मध्य रेलवे	सिकंदराबाद
9. उत्तर-पूर्वी सीमान्त	मालेगांव (गुवाहाटी)
10. पूर्व-मध्य रेलवे	हाजीपुर
11. उत्तरी-पश्चिमी रेलवे	जयपुर
12. पूर्वी तटीय रेलवे	भुवनेश्वर
13. पश्चिमी-मध्य रेलवे	जबलपुर
14. दक्षिणी-पश्चिमी रेलवे	हुबली
15. दक्षिण-पूर्व मध्य रेलवे	बिलासपुर
16. उत्तर-मध्य रेलवे	प्रयागराज
17. कोलकाता मैट्रो रेलवे	कोलकाता
18. दक्षिण तटीय रेलवे	विशाखापत्तनम (प्रस्तावित)

सड़क परिवहन

महत्वपूर्ण तथ्य

- भारत दुनिया की सबसे बड़ी सड़क प्रणाली वाले देशों में से एक है।
- मार्च 2024 तक देश में सड़कों की कुल लंबाई 66.71 लाख किलोमीटर है।
- देश के सड़क नेटवर्क में राष्ट्रीय राजमार्ग, राज्यों के राजमार्ग, प्रमुख / अन्य जिला सड़कें और ग्रामीण / देहाती सड़कें शामिल हैं।
- देश में 1,46,195 कि॰मी॰ (मार्च 2024 तक) लम्बे राष्ट्रीय राजमार्ग की जिम्मेदारी केन्द्र सरकार पर है।
- सीमा सड़क संगठन का गठन 1960 में किया गया था।
- देश में राष्ट्रीय राजमार्गों की लंबाई, सड़कों की कुल लंबाई का मात्र दो प्रतिशत है, मगर 40 प्रतिशत सड़क यातायात इनसे होकर गुजरता है।
- देश में महाराष्ट्र में सड़कों की लम्बाई सबसे ज्यादा और सबसे कम लक्षद्वीप में है।
- देश के चारों कोनों को चार या छह लेन के राजमार्ग के एक नेटवर्क से जोड़ने हेतु राष्ट्रीय राजमार्ग विकास परियोजना बनाई गई है। जिसके अन्तर्गत चार महानगरों कोलकाता, दिल्ली, चेन्नई और मुम्बई को 5,882 कि॰मी॰ लम्बे स्वर्ण चतुर्भुज से जोड़ा जाएगा।

जहाजरानी

महत्वपूर्ण तथ्य

- परिवहन क्षेत्र में देश की अर्थव्यवस्था को मजबूत करने में जहाजरानी की प्रमुख भूमिका है। लगभग 95 प्रतिशत माल समुद्री रास्ते से ही ढोया जाता है।
- भारत के संपूर्ण समुद्र तट की लंबाई 7,517 किलोमीटर है।
- विकासशील देशों में भारत के पास व्यापारिक जहाजों का सबसे बड़ा बेड़ा है। भारत व्यापारिक जहाजरानी बेड़े की दृष्टि से विश्व में 16वें स्थान पर है।
- सार्वजनिक क्षेत्र की सरकारी जहाजरानी कंपनी, शिपिंग कारपोरेशन ऑफ इंडिया लिमिटेड की स्थापना 2 अक्टूबर, 1961 को हुई थी।
- भारत में 12 बड़े और 200 अन्य बंदरगाह हैं। बड़े बंदरगाह केन्द्र सरकार के अधीन आते हैं, जबकि अन्य बंदरगाह सम्बद्ध राज्य सरकारों के क्षेत्राधिकार में आते हैं।

देश के बड़े बंदरगाह

1. श्यामा प्रसाद मुखर्जी (कोलकाता), 2. मुंबई, 3. जवाहर लाल नेहरू (न्हावासेवा), 4. वी.ओ. चिदंबरनार (तूतीकोरिन), 5. चेन्नई, 6. मझगांव, 7. न्यू मंगलौर, 8. पारा द्वीप, 9. दीनदयाल (कांडला), 10. विशाखापट्टनम, 11. कोच्चि, 12. कामराजार (एन्नौर)

प्रमुख राष्ट्रीय जलमार्ग

जलमार्ग	लम्बाई	विस्तार	नदी
एन डब्ल्यू-1	1629 किमी	प्रयागराज से हल्दिया तक	गंगा
एन डब्ल्यू-2	819 किमी	सादिया से धुबरी पट्टी तक	ब्रह्मपुत्र
एन डब्ल्यू-3	186 किमी	कोल्लम से कोट्टापुरम तक	चम्पाक्कारा
एन डब्ल्यू-4	1100 किमी	काकीनाडा से मरक्कानम तक	कृष्णा-गोदावरी

वायु परिवहन

सार्वजनिक क्षेत्र की इकलौती विमान सेवा कम्पनी एयर इंडिया का जनवरी 2022 में पूर्ण निजीकरण कर दिया गया है। इस हेतु मार्ग अक्टूबर 2021 में उस समय प्रशस्त हो गया था जब इसके लिए टाटा संस की ₹ 18,000 करोड़ की उच्चतम बोली को सरकार ने स्वीकार कर लिया था तथा इसके 100 प्रतिशत शेयरों की टाटा समूह को बिक्री के लिए शेयर परचेज एग्रीमेंट पर हस्ताक्षर 26 अक्टूबर, 2021 को सम्पन्न किए थे। इससे एयर इंडिया का स्वामित्व एक बार पुनः अब टाटा संस के हाथ में आ गया है। भारी घाटे में चल रही इस एयरलाइंस में अपनी 100 प्रतिशत हिस्सेदारी निजी क्षेत्र को बेचने के लिए इच्छुक निवेशकों से अभिरुचि पत्र (Expression of interest) सरकार ने वर्ष 2020 में आमंत्रित किए थे। देश की अन्य प्राइवेट एयरलाइन्स इंडिगो, स्पाइस जेट और गो एयर आदि हैं।

देश के प्रमुख हवाई अड्डे

नाम	स्थान	नाम	स्थान
वीर सावरकर अन्तर्राष्ट्रीय हवाई अड्डा	श्री विजय पुरम (पोर्ट ब्लेयर)	छत्रपति शिवाजी अन्तर्राष्ट्रीय हवाई अड्डा	मुम्बई
		डॉ. बाबा साहेब अम्बेडकर अन्तर्राष्ट्रीय हवाई अड्डा	नागपुर
राजीव गांधी अन्तर्राष्ट्रीय हवाई अड्डा	हैदराबाद	श्री गुरु रामदासजी अन्तर्राष्ट्रीय हवाई अड्डा	अमृतसर
लोकप्रिय गोपीनाथ बोरदोलोई अन्तर्राष्ट्रीय हवाई अड्डा	गुवाहाटी	जयपुर अन्तर्राष्ट्रीय हवाई अड्डा	जयपुर
इन्दिरा गांधी अन्तर्राष्ट्रीय हवाई अड्डा	नई दिल्ली	अन्ना अन्तर्राष्ट्रीय हवाई अड्डा	चेन्नई
दाबोलिम हवाई अड्डा	गोवा	कोयम्बटूर अन्तर्राष्ट्रीय हवाई अड्डा	कोयम्बटूर
सरदार वल्लभभाई पटेल अन्तर्राष्ट्रीय हवाई अड्डा	अहमदाबाद	चौधरी चरण सिंह अन्तर्राष्ट्रीय हवाई अड्डा	लखनऊ
श्रीनगर हवाई अड्डा	श्रीनगर	लाल बहादुर शास्त्री अन्तर्राष्ट्रीय हवाई अड्डा	वाराणसी
बेंगलुरू अन्तर्राष्ट्रीय हवाई अड्डा	बेंगलुरू	नेताजी सुभाषचन्द्र बोस अन्तर्राष्ट्रीय हवाई अड्डा	कोलकाता
मंगलुरू अन्तर्राष्ट्रीय हवाई अड्डा	मंगलुरू	बीजू पटनायक अन्तर्राष्ट्रीय हवाई अड्डा	भुवनेश्वर
कोचीन अन्तर्राष्ट्रीय हवाई अड्डा	कोच्चि	गया हवाई अड्डा	गया
त्रिवेन्द्रम अन्तर्राष्ट्रीय हवाई अड्डा	तिरुवनंतपुरम	पुणे हवाई अड्डा	पुणे
देवी अहिल्याबाई होल्कर अन्तर्राष्ट्रीय हवाई अड्डा	इन्दौर		

❑❑❑

5

सामान्य विज्ञान

विज्ञान की विविध शाखाएं

नाम	अध्ययन	नाम	अध्ययन
एरोनॉटिक्स	वैमानिकी का अध्ययन	एन्टोमोलॉजी	कीट-पतंगों का अध्ययन
एनाटोमी	मानव शरीर की रचना	फिलाटेली	टिकट संग्रह कला
आर्कियोलॉजी	पुरातत्व अध्ययन	हार्टीकल्चर	बागवानी
एकॉस्टिक	ध्वनि से संबंधित अध्ययन	सीस्मोलॉजी	भूकंप का अध्ययन
		ऑस्टोलॉजी	हड्डियों का अध्ययन
एस्ट्रोनामी	खगोल अध्ययन	जेनेटिक्स	आनुवंशिकी का अध्ययन
एण्टोमोलॉजी	कीटाणुओं का अध्ययन	जूलॉजी	जन्तु विज्ञान
एस्ट्रोफिजिक्स	ग्रह-मंडल का अध्ययन	बायलॉजी	प्राणी विज्ञान
कैलिस्थेनिक्स	व्यायाम विद्या का अध्ययन	जिओलॉजी	भूगर्भ की बनावट का अध्ययन
क्रोनोलॉजी	ऐतिहासिक क्रम का अध्ययन	पैथॉलाजी	रोगों का अध्ययन
बॉटनी	वनस्पति का अध्ययन	फिजिक्स	भौतिक विज्ञान
केमिस्ट्री	रसायन का अध्ययन	बायोकेमिस्ट्री	प्राणी का रासायनिक अध्ययन
सेरामिक्स	चीनी के बर्तनों के निर्माण का अध्ययन	युजेनिक्स	नस्ल सुधार का अध्ययन
इकोलॉजी	जीव एवं पर्यावरण संबंधों का अध्ययन	एटिमोलॉजी	शब्द व्युत्पत्ति का अध्ययन

आविष्कार और आविष्कारक

आविष्कार	आविष्कारक	देश	सन्
वायुयान	ओरविल और विलबर राइट	अमेरिका	1903
बॉल-पाइट	जॉन जे. लाउड	अमेरिका	1888
बैरोमीटर	इवेंजलिस्ता टौरीसेली	इटली	1644
बाईसिकिल	कर्कपैट्रिक मैकमिलन	इंग्लैंड	1839-40
बाईफोकल लेंस	बेन्जामिन फ्रैंकलिन	अमेरिका	1780
बनसेन बर्नर	आर. विल्हेम वोन बनसेन	जर्मनी	1855
कार (पेट्रोल)	कार्ल बेन्ज	जर्मनी	1888
सीमेंट (पोर्टलैंड)	जोसेफ एस्पडिन	इंग्लैंड	1824
सिनेमा	निकोलस और जीन लूमियर	फ्रांस	1895
क्लॉक (मैकेनिकल)	आई.सिंग और लियांग लिंग-तसान	चीन	1725
डीजल इंजन	रूडोल्फ डीजल	जर्मनी	1895
डायनेमो	हाइपोलाइट पिक्सी	फ्रांस	1832
इलैक्ट्रिक लैम्प	थॉमस अल्वा एडिसन	अमेरिका	1879
सेफ्टी पिन	वाल्टर हन्ट	अमेरिका	1849

आविष्कार	आविष्कारक	देश	सन्
सिलाई मशीन	बार्थलेमी थिम्मोनियर	फ्रांस	1829
जहाज (भाप)	जे.सी॰ पेरियर	फ्रांस	1775
जहाज (टरबाइन)	होन॰ सर सी॰ पारसंस	इंग्लैंड	1894
स्लाइड रूल	विलियम ऑग्ट्रेड	इंग्लैंड	1621
भाप का इंजन	जेम्स वॉट	इंग्लैंड	1765
स्टेनलेस स्टील	हेरि ब्रियरले	इंग्लैंड	1913
समुद्री जहाज	डेविड बुशनेल	अमेरिका	1776
टैंक	सर अर्नस्ट स्विनटन	इंग्लैंड	1914
टेलीग्राफ	एम॰ लम्मोंड	फ्रांस	1787
टेलीग्राफ कोड	सैमुअल एफ॰ बी॰ मोर्स	अमेरिका	1837
टेलीफोन (परफैक्टेड)	अलेक्जैण्डर ग्राहम बेल	अमेरिका	1876
टेलीस्कोप	हेन्स लिप्परशे	नीदरलैंड्स	1608
टेलीविजन (मैकेनिकल)	जे.एल॰ बेयर्ड	इंग्लैंड	1926
टेलीविजन (इलेक्ट्रॉनिक)	पी.टी॰ फार्न्सवर्थ	अमेरिका	1927
थर्मामीटर	गैलिलियो गैलिली	इटली	1593
ट्रांसफार्मर	माइकल फैराडे	इंग्लैंड	1831
ट्रांजिस्टर	बरडीन, शोकले तथा ब्राट्टेन	अमेरिका	1948
टाइपराइटर	पेलेग्रिन टेरी	इटली	1808
कपड़ा धोने की मशीन (विद्युत)	हर्ले मशीन कम्पनी	अमेरिका	1907
घड़ी	बारथोलोम्यू मैनफ्रेडी	इटली	1462

विटामिन की कमी से होने वाले रोग

विटामिन	रोग	स्रोत	विटामिन	रोग	स्रोत
विटामिन A	रतौंधी	गाजर, दूध, अंडा	विटामिन B_{12}	अरक्तता	कलेजी, अंडा
विटामिन B_1	बेरी-बेरी	दाल, अंडा, मूंगफली	विटामिन C	स्कर्वी	संतरा, टमाटर
विटामिन B_2	मुँह की त्वचा	कलेजी, दूध, मांस	विटामिन D	सूखा रोग	सूर्य का प्रकाश, मछली का तेल
विटामिन B_6	एनीमिया और होंठ फटना	कलेजी, दूध, मांस	विटामिन E	बांझपन	हरी सब्जियाँ, दूध, कलेजी
विटामिन B_7	पेलाग्रा	मछली, अंडा	विटामिन K	रक्त का थक्का जमने में कमी	हरी सब्जी

प्रमुख बीमारियों द्वारा प्रभावित अंग

बीमारी	प्रभावित अंग	बीमारी	प्रभावित अंग
निमोनिया	फेफड़े	टायफाइड	आँत
डिप्थीरिया	श्वसन नलिका	सिफलिस	जनन अंग
मेनिनजाइटिस	मस्तिष्क	आर्थ्राइटिस	जोड़ों की सूजन
एग्जीमा	चमड़ी	पीलिया	यकृत
अतिसार	आँत का अग्रभाग	सुजाक, श्वेत प्रदर	मूत्र मार्ग
प्लूरिसी	छाती	पायरिया	दाँत तथा मसूड़े
गठिया या ट्यूमैटिज्म	जोड़ों में	टिटनेस	तंत्रिका तंत्र, मांसपेशी
कुष्ठ	त्वचा, तंत्रिकाएं	हैजा	आँत, आहार नाल
रिकेट्स	हड्डियाँ	गोइटर (गण्डमाला)	थाइराइड ग्रंथि
काली खाँसी	श्वसन तंत्र	बॉट्यूलिज्म	तंत्रिका-तंत्र
एड्स	सम्पूर्ण शरीर	प्लेग	फेफड़े, लाल रक्त कणिकाएं
रेबीज या हाइड्रोफोबिया	तंत्रिका तंत्र	खसरा	सम्पूर्ण शरीर
कालाजार	रुधिर, प्लीहा व अस्थि मज्जा	हरपीस	त्वचा, श्लेष्मकला
केटेरेक्ट, ग्लाइकोमा, ट्रेकोमा, मायोपिया	आँख	क्षय रोग	शरीर का कोई भी अंग, विशेषकर फेफड़े
		चेचक	सम्पूर्ण शरीर, विशेषकर चेहरा तथा हाथ-पैर

परमाणु शक्ति एवं अंतरिक्ष अनुसंधान

- **परमाणु शक्तिः** अगस्त, 1948 में परमाणु-शक्ति आयोग की स्थापना की गयी। यह परमाणु-शक्ति के शांतिपूर्ण उपयोग पर बल देता है। परमाणु-शक्ति की खोज और विकास के लिए मुंबई के निकट ट्राम्बे (महाराष्ट्र) में भाभा परमाणु-शक्ति अनुसंधान केंद्र (बी.ए.आर.सी.) की स्थापना की गई है। ट्राम्बे में छः परमाणु भट्टियाँ हैं–(1) 'अप्सरा', (2) 'साइरस', (3) 'जरलीना', (4) 'पूर्णिमा' I, (5) 'पूर्णिमा' II, (6) ध्रुव। देश के सबसे बड़े परमाणु केन्द्र ध्रुव ने 8 अगस्त, 1985 से काम करना शुरू कर दिया है। देश में सात परमाणु विद्युत केन्द्र हैं–(1) कलपक्कम (तमिलनाडु), (2) रावतभाटा (राजस्थान), (3) तारापुर (महाराष्ट्र), (4) नरौरा (उ.प्र.), (5) काकरापारा (गुजरात), (6) कैगा (कर्नाटक) और (7) कुडनकुलम (तमिलनाडु)।
- **भारत द्वारा परमाणु विस्फोटः** भारत ने 18 मई, 1974 को प्रातः 8 बजकर 5 मिनट पर राजस्थान के रेगिस्तानी इलाके के पोखरण क्षेत्र में जमीन के 100 मीटर नीचे एक आणविक विस्फोट किया। यह पहला भारतीय परमाणु विस्फोट प्लूटोनियम पर आधारित 100% भारतीय सामग्री, तकनीक व कौशल का प्रमाण था। विशुद्ध अनुसंधान व अध्ययन के लिए किए गए इस विस्फोट ने, जिसका उद्देश्य शांति-कार्यों के लिए अणु शक्ति का प्रयोग करना है, भारत को विश्व की छठी अणु-शक्ति बना दिया। अन्य पाँच देश हैं–संयुक्त राज्य अमेरिका, रूस, इंग्लैंड, फ्राँस व चीन। भारत ने पोखरण में ही पांच परमाणु परीक्षण क्रमशः 11 मई और 13 मई 1998 को किए। भारत ने अभी तक NPT और CTBT पर हस्ताक्षर नहीं किए हैं।
- **अंतरिक्ष अनुसंधानः** भारत में अंतरिक्ष अनुसंधान का कार्य 1969 में स्थापित 'भारतीय अंतरिक्ष अनुसंधान संगठन' (Indian Space Research Organisation—ISRO) के अधीन है। जून, 1972 में अंतरिक्ष आयोग (Space Commission) की स्थापना की गई। थुम्बा इक्वेटोरियल राकेट लांचिंग स्टेशन (केरल में थुम्बा नामक स्थान पर) से बहुत से राकेट सफलतापूर्वक छोड़े जा चुके हैं। इस केंद्र को 1968 में अंतर्राष्ट्रीय सहयोग के लिए राष्ट्र संघ को समर्पित कर दिया गया था। आंध्र प्रदेश में श्रीहरिकोटा नामक स्थान पर सैटेलाइट लांचिंग स्टेशन स्थापित किया गया है।

अन्तरिक्ष में प्रथम

• अन्तरिक्ष उड़ानों से सम्बन्धित नियमों का प्रथम प्रणेता	आइजक न्यूटन
• अन्तरिक्ष में भेजा गया प्रथम कृत्रिम उपग्रह	स्पूतनिक-1 (1957)
• अन्तरिक्ष में जाने वाला प्रथम जीव	'लाइका', एक कुत्ता
• मानव चालित प्रथम अन्तरिक्ष यात्रा	वास्टोक-1 (1961)
• अन्तरिक्ष में प्रथम व्यक्ति	यूरी गैगरिन, सोवियत संघ, (1961)
• प्रथम महिला अन्तरिक्ष यात्री	वेलेन्तीना तेरेश्कोवा (सोवियत संघ, जून 1963)
• अन्तरिक्ष में यान से बाहर विचरण करने वाला प्रथम व्यक्ति	एलेक्सी लियोनोव (सोवियत संघ, जून 1965)
• चाँद पर कदम रखने वाला प्रथम मानव	नील आर्मस्ट्रांग (अमेरिका, 21 जुलाई, 1969)
• चाँद पर प्रथम मानवरहित बग्घी	ल्यूनोखेव-1 (सोवियत संघ, 1970)
• कक्षा में प्रथम अन्तरिक्ष प्रयोगशाला	स्काईलैब (अमेरिका, 1973)
• प्रथम अन्तरिक्ष शटल	कोलम्बिया (अमेरिका, 1981)
• अन्तरिक्ष में प्रथम भारतीय (पुरुष)	स्क्वाड्रन लीडर राकेश शर्मा (13 अप्रैल, 1984)
• अन्तरिक्ष में प्रथम भारतीय (महिला)	कल्पना चावला (19 नवम्बर, 1997)
• प्रथम अमेरिकी महिला अन्तरिक्ष यात्री	सैलीराइड (1983)
• मंगल ग्रह पर पहला अन्तरिक्ष यान	पाथफाइंडर (6 जुलाई, 1997)
• प्रथम महिला जिसने अन्तरिक्ष यान का नेतृत्व किया	एलीन कोलिस (अमेरिका)
• प्रथम मानव रहित अन्तरिक्ष यान	शेन्जू (चीन) 20 नवम्बर, 1999

❑❑❑

6

विविध

भारत एक दृष्टि में

• राजधानी	–	नई दिल्ली
• क्षेत्रफल	–	32,87,263 वर्ग कि.मी.
• क्षेत्रफल की दृष्टि से विश्व में स्थान	–	सातवां
• स्थित	–	भूमध्य रेखा के उत्तर में 8°4′ और 37°6′ उत्तरी अक्षांश और 68°7′ तथा 97°25′ पूर्वी देशांतर के मध्य
• विस्तार	–	उत्तर से दक्षिण तक 3,214 किमी. पूर्व से पश्चिम तक 2,933 किमी.
• भूमि सीमा	–	15,200 किमी.
• समुद्री तट	–	7,516.6 किमी.
• सीमावर्ती देश	–	उत्तर-पश्चिम में पाकिस्तान और अफगानिस्तान, उत्तर में चीन, नेपाल और भूटान, पूर्व में म्यांमार और बंगलादेश, दक्षिण में मन्नार की खाड़ी और पाक-जलडमरूमध्य श्रीलंका से अलग करते हैं।
• प्राकृतिक संरचना	–	मुख्य भूमि चार भागों में विभक्त–विस्तृत पर्वतीय क्षेत्र, सिंधु और गंगा के मैदान, रेगिस्तानी क्षेत्र, दक्षिणी प्रायद्वीप
• प्रमुख नदियाँ	–	(क) **हिमालय समूह** : गंगा, यमुना, सिन्धु तथा ब्रह्मपुत्र; (ख) **दक्षिणी नदियाँ** : कृष्णा, कावेरी, गोदावरी, महानदी, दामोदर, नर्मदा, ताप्ती, पम्बा, पेरियार, पेण्णार, शरावती, नेत्रवती
• जलवायु	–	ऊष्ण कटिबंधीय चार ऋतुएँ–शीत ऋतु, ग्रीष्म ऋतु, वर्षा ऋतु, शरद ऋतु
• जीव-जंतु	–	लगभग 89,451 किस्म के
• जनसंख्या (2011)	–	121,08,54,977
• साक्षरता (2011)	–	73.0%
• राजभाषा	–	हिन्दी
• मान्य भाषाएं	–	22
• उच्च न्यायालयों की संख्या	–	25

भारतीय संघ : राज्य व संघीय प्रदेश

संघ राज्य एवं संघीय प्रदेश	राजधानी	क्षेत्रफल (वर्ग कि॰मी॰)	भाषा
भारत	नई दिल्ली	32,87,263	हिन्दी-राजभाषा
आंध्र प्रदेश	अमरावती	1,60,229	तेलुगू
असम	दिसपुर	78,438	असमिया
ओडिशा	भुवनेश्वर	1,55,707	ओडिया
उत्तर प्रदेश	लखनऊ	2,40,928	हिन्दी
केरल	तिरुवनन्तपुरम्	38,863	मलयालम
गुजरात	गांधीनगर	1,96,024	गुजराती
तमिलनाडु	चेन्नई	1,30,058	तमिल
त्रिपुरा	अगरतला	10,492	त्रिपुरी, बंगला
नगालैण्ड	कोहिमा	16,579	अंग्रेजी, सेमा
पंजाब	चण्डीगढ़	50,362	पंजाबी
प. बंगाल	कोलकाता	88,752	बांग्ला
बिहार	पटना	94,163	हिन्दी, मैथिली, भोजपुरी, मगही
मध्य प्रदेश	भोपाल	3,08,000	हिन्दी
महाराष्ट्र	मुम्बई	3,07,713	मराठी
मेघालय	शिलांग	22,429	खासा भारा
मणिपुर	इम्फाल	22,327	मणिपुरी, अंग्रेजी
राजस्थान	जयपुर	3,42,239	हिन्दी, मारवाड़ी
हरियाणा	चण्डीगढ़	44,212	हिन्दी
हिमाचल प्रदेश	शिमला	55,673	हिन्दी, पहाड़ी
कर्नाटक	बेंगलुरू	1,91,791	कन्नड़
सिक्किम	गंगटोक	7,096	लेपचा, नेपाली, हिन्दी
मिजोरम	आईजॉल	20,987	मिजो, अंग्रेजी
अरुणाचल प्रदेश	ईटानगर	83,743	बिस्सी, वांची
गोवा	पणजी	3,702	कोंकणी, मराठी
छत्तीसगढ़	रायपुर	1,35,191	हिन्दी
झारखण्ड	रांची	79,714	हिन्दी, संथाली, बांग्ला तथा ओडिया
उत्तराखंड	देहरादून	53,483	हिन्दी, गढ़वाली, कुमायुँनी
तेलंगाना	हैदराबाद	1,14,840	तेलुगू
अण्डमान निकोबार द्वीप समूह	श्री विजय पुरम	8,249	निकोबारी, हिन्दी
चण्डीगढ़	चण्डीगढ़	114	हिन्दी, पंजाबी
दिल्ली	दिल्ली	1,483	हिन्दी, पंजाबी
दादरा और नागर हवेली और दमन और दीव	दमन	603	भीली, गुजराती
पुडुचेरी	पुडुचेरी	480	तमिल, हिन्दी
लक्षद्वीप	कावारत्ती	32	मलयालम
जम्मू और कश्मीर	श्रीनगर (ग्रीष्मकाल में) जम्मू (शीतकाल में)	2,22,236*	कश्मीरी, उर्दू, डोगरी
लद्दाख	लेह	—	लद्दाखी

* पाकिस्तान और चीन द्वारा अवैध रूप से कब्जा किए गए क्षेत्र तथा केन्द्रशासित प्रदेश लद्दाख के क्षेत्रफल सहित।

राष्ट्रीय प्रतीक

- **राष्ट्रीय ध्वज :** भारत का राष्ट्रीय ध्वज **तिरंगा** है। यह आयताकार तीन पट्टियों से बना है। इसमें सबसे ऊपर केसरिया, मध्य में श्वेत और नीचे हरा रंग है। केसरिया शक्ति, श्वेत शांति और हरा समृद्धि का प्रतीक माना जाता है। झण्डे की लम्बाई-चौड़ाई का अनुपात 3 : 2 है। श्वेत पट्टी के मध्य नीले रंग का एक चक्र है। चक्र में 24 तीलियाँ हैं। झण्डा फहराने के संबंध में भारत सरकार ने कुछ नियम बनाए हैं जिनका पालन करना अति आवश्यक है। संविधान सभा ने इसे 22 जुलाई 1947 को अंगीकार किया था।
- **राजचिह्न :** भारत का राजचिह्न सारनाथ में अशोक निर्मित सिंह स्तम्भ की अनुकृति है। इस चिह्न में चार सिंह हैं, जो एक दूसरे के विपरीत दिशा में घूम कर बैठे हुए हैं। इन चार में से केवल तीन सिंह दिखाई देते हैं, चौथा पीछे की ओर छिपा हुआ है और दिखाई नहीं देता। नीचे चौरस पट्टी के मध्य में उभरी हुई नक्काशी में एक चक्र है, जिसके दाईं ओर एक सांड़ और बाईं ओर एक घोड़ा है। नीचे मुण्डकोपनिषद से लिया गया सूत्र 'सत्यमेव जयते' देवनागरी लिपि में लिखा गया है। इसका अर्थ है 'सत्य की ही विजय होती है'। सरकार ने राजचिह्न को 26 जनवरी 1950 को स्वीकृत किया।
- **राष्ट्र गीत :** श्री बंकिम चन्द्र चटर्जी द्वारा रचित गीत 'वन्दे मातरम्' को राष्ट्र गान के समकक्ष स्थान दिया गया है। उनके विख्यात उपन्यास 'आनन्द मठ' से उद्धृत यह गीत राष्ट्रीय आन्दोलन में एक महान प्रेरणा-स्रोत रहा है। इस गीत को सबसे पहले 1896 में भारतीय राष्ट्रीय कांग्रेस के अधिवेशन में गाया गया था।
- **राष्ट्र गान :** रवीन्द्र नाथ टैगोर के गीत 'जन गण मन' को 24 जनवरी, 1950 को राष्ट्र गान के रूप में स्वीकार किया गया। यह गीत 'भारत-विधाता' शीर्षक से सर्वप्रथम 'तत्व-बोधिनी' पत्रिका के जनवरी 1912 के अंक में प्रकाशित हुआ था। यह गीत पहली बार 27 दिसम्बर 1911 को भारतीय कांग्रेस के कलकत्ता (कोलकाता) अधिवेशन में गाया गया था। पूरे गीत के 5 पद हैं। इसमें से प्रथम पद को राष्ट्र गान स्वीकार किया गया है। इसे गाने का निर्धारित समय लगभग 52 सेकण्ड है।
- **राष्ट्रीय पंचांग :** सरकारी कार्यों में प्रयोग हेतु राष्ट्रीय पंचांग 22 मार्च, 1957 से अपनाया गया है। यह पंचांग शक संवत् पर आधारित है। 78 ई. में प्रारम्भ हुए शक संवत् का पहला महीना चैत्र है और वर्ष 365 दिन का है। इस पंचांग के दिन स्थायी रूप से ग्रेगेरियन कैलेंडर से सम्बद्ध दिनों के अनुरूप बैठते हैं। इस प्रकार सामान्य वर्षों में इस पंचांग का पहला दिन 22 मार्च के दिन आता है और लौंद (लीप) वर्ष में 21 मार्च के दिन।

  राष्ट्रीय पंचांग के माह इस प्रकार हैं: 1. चैत्र, 2. बैशाख, 3. ज्येष्ठ, 4. आषाढ़, 5. श्रावण, 6. भाद्रपद, 7. आश्विन, 8. कार्तिक, 9. मार्गशीर्ष, 10. पौष, 11. माघ, 12. फाल्गुन।
- **राष्ट्रीय पशु :** बाघ (पैंथरा टाइग्रिस-लिन्नायस); **राष्ट्रीय पक्षी :** मोर (पावो क्रिस्टेटस); **राष्ट्रीय पुष्प :** कमल।

संयुक्त राष्ट्र

• **स्थापना**	:	24 अक्टूबर, 1945
• **संस्थापक सदस्य**	:	50
• **मुख्यालय**	:	न्यूयार्क
• **वर्तमान सदस्य संख्या**	:	193 (इस संगठन का सदस्य बनने वाला अन्तिम देश दक्षिण सूडान है)।
• **ध्वज**	:	ध्वज की पृष्ठभूमि हल्की नीली है और उस पर श्वेत रंग से राष्ट्र संघ का प्रतीक बना हुआ है।
• **कार्यकारी भाषाएँ**	:	अंग्रेजी तथा फ्रेंच
• **अन्य मान्यता प्राप्त भाषाएँ**	:	रशियन, अरबी, स्पेनिश तथा चीनी।

संयुक्त राष्ट्र के लक्ष्य और उद्देश्य

संयुक्त राष्ट्र के कार्यों को तीन भागों में विभाजित किया जा सकता है, यथा–सुरक्षा, कल्याण और मानव अधिकार। संयुक्त राष्ट्र के सदस्य राष्ट्रों से चार कर्त्तव्यों के पालन की अपेक्षा की जाती है कि–(क) वे अपने विवादों को शांतिपूर्वक ढंग से निपटायेंगे, (ख) वे सैन्यबल का प्रयोग नहीं करेंगे, (ग) घोषणा-पत्र के पालन में सहायता करेंगे और (घ) आक्रामक की सहायता नहीं करेंगे। संयुक्त राष्ट्र–जाति, भाषा, लिंग और धर्म का विचार किए बिना सब मनुष्यों के मानवीय अधिकारों को मान्यता देता है।

संयुक्त राष्ट्र के प्रमुख अंग

प्रमुख अंग 6 हैं–**1.** साधारण महासभा, **2.** सुरक्षा परिषद्, **3.** आर्थिक व सामाजिक परिषद्, **4.** अंतर्राष्ट्रीय न्यायालय, **5.** प्रन्यास परिषद्, **6.** सचिवालय

प्रमुख अंतर्राष्ट्रीय संगठन और उनके मुख्यालय

अंतर्राष्ट्रीय संगठन	मुख्यालय	अंतर्राष्ट्रीय संगठन	मुख्यालय
संयुक्त राष्ट्र (UN)	न्यूयार्क	अरब लीग	काहिरा
अंतर्राष्ट्रीय मुद्रा कोष (IMF)	वाशिंगटन डी.सी.	राष्ट्रमंडल (Commonwealth)	लंदन
विश्व स्वास्थ्य संगठन (WHO)	जेनेवा	विश्व व्यापार संगठन (WTO)	जेनेवा
खाद्य एवं कृषि संगठन (FAO)	रोम	अंतर्राष्ट्रीय विकास संघ (IDA)	वाशिंगटन डी.सी.
अंतर्राष्ट्रीय श्रम संगठन (ILO)	जेनेवा	अंतर्राष्ट्रीय पुनर्निर्माण एवं विकास बैंक (विश्व बैंक) (IBRD)	वाशिंगटन डी.सी.
यूनेस्को (UNESCO)	पेरिस	विश्व बौद्धिक संपदा संगठन (WIPO)	जेनेवा
अंतर्राष्ट्रीय न्यायालय	हेग	मुस्लिम राष्ट्रों का संघ (OIC)	जेद्दा
विश्व डाक संघ (UPU)	बर्न	यूरोपियन संघ	ब्रुसेल्स
अंतर्राष्ट्रीय नागरिक उड्डयन संगठन (ICAO)	मांट्रियल	रेडक्रास	जेनेवा
सं॰ रा॰ औद्यो॰ विकास संगठन (UNIDO)	वियना	इंटरपोल (INTERPOL)	लियोन
अंतर्राष्ट्रीय परमाणु ऊर्जा अभिकरण (IAEA)	वियना	एशियाई विकास बैंक (ADB)	मनीला
अंतर्राष्ट्रीय वित्त निगम (IFC)	वाशिंगटन डी.सी.	उत्तरी अटलांटिक संधि संगठन (NATO)	ब्रुसेल्स
सं॰ रा॰ विकास कार्यक्रम (UNDP)	न्यूयॉर्क	आसियान (ASEAN)	जकार्ता
यूनिसेफ (UNICEF)	न्यूयॉर्क	BRICS बैंक	शंघाई
अंतर्राष्ट्रीय समुद्री संगठन (IMO)	लंदन	संयुक्त राष्ट्र व्यापार एवं विकास सम्मेलन (UNCTAD)	जेनेवा
विश्व मौसम विज्ञान संगठन (WMO)	जेनेवा	जी-15	जेनेवा
अंतर्राष्ट्रीय दूर संचार संघ (ITU)	जेनेवा	दक्षेस (SAARC)	काठमांडू

रक्षा

भारत की रक्षा सेनाओं का सर्वोच्च कमाण्डर भारत का राष्ट्रपति होता है। भारत की सशस्त्र सेनाओं में तीन मुख्य सेवाएं हैं—थल सेना, नौ सेना और वायु सेना। तीनों सेनाओं के प्रमुख क्रमशः थल सेनाध्यक्ष, नौ सेनाध्यक्ष और वायु सेनाध्यक्ष होते हैं।

सेना में कमीशंड पद
(Commissioned Ranks)

थल सेना	नौ सेना	वायु सेना
जनरल	एडमिरल	एयर चीफ मार्शल
लेफ्टिनेन्ट-जनरल	वाइस-एडमिरल	एयर मार्शल
मेजर जनरल	रियर-एडमिरल	एयर वाइस मार्शल
ब्रिगेडियर	कमोडोर	एयर कमोडोर
कर्नल	कैप्टेन	ग्रुप कैप्टेन
लेफ्टिनेंट कर्नल	कमाण्डर	विंग कमाण्डर
मेजर	लेफ्टिनेंट कमाण्डर	स्क्वाड्रन लीडर
कैप्टेन	लेफ्टिनेंट	फ्लाइट लेफ्टिनेंट
लेफ्टिनेंट	सब-लेफ्टिनेंट	फ्लाइंग ऑफिसर

थल सेना कमाण्ड :

कमाण्ड	मुख्यालय
पश्चिमी कमाण्ड	चांडी मंदिर (चंडीगढ़)
पूर्वी कमाण्ड	कोलकाता
उत्तरी कमाण्ड	ऊधमपुर
दक्षिणी कमाण्ड	पुणे
मध्य कमाण्ड	लखनऊ
द.प. कमाण्ड	जयपुर
ट्रेनिंग कमाण्ड	शिमला

नौ सेना कमाण्ड :

कमाण्ड	मुख्यालय
पूर्वी कमाण्ड	विशाखापट्टनम
दक्षिणी कमाण्ड	कोच्चि
पश्चिमी कमाण्ड	मुम्बई

वायु सेना कमाण्ड :

कमाण्ड	मुख्यालय
पूर्वी कमाण्ड	शिलांग
पश्चिमी कमाण्ड	नई दिल्ली
केन्द्रीय कमाण्ड	प्रयागराज
दक्षिणी कमाण्ड	तिरुअनंतपुरम
द.-प. कमाण्ड	गांधीनगर
ट्रेनिंग कमाण्ड	बेंगलुरु
मेन्टेनेन्स कमाण्ड	नागपुर

थल सेना प्रशिक्षण संस्थान :

संस्थान	मुख्यालय
नेशनल डिफेन्स एकेडमी (NDA)	खड़कवासला
नेशनल डिफेन्स कॉलिज	नई दिल्ली
इंडियन मिलिट्री एकेडमी (IMA)	देहरादून
डिफेन्स सर्विस स्टाफ कॉलिज	विलिंग्टन
इन्फेनटरी स्कूल	महू
आर्म्ड सेण्टर	अहमदनगर
आर्टीलरी स्कूल	देवलाली

वायु सेना प्रशिक्षण संस्थान :

संस्थान	मुख्यालय
एयर फोर्स एडमिनिस्ट्रेटिव कॉलिज	कोयम्बटूर
एयर फोर्स एकेडमी	हैदराबाद
पैराटूपर ट्रेनिंग स्कूल	आगरा
एयर फोर्स टेक्निकल कॉलिज	जलाहली (बेंगलुरु)
एलीमेन्ट्री फ्लाइंग स्कूल	बिदर

नौ सेना प्रशिक्षण संस्थान :

संस्थान	मुख्यालय
आइ.एन.एस. चिल्का	भुवनेश्वर
आइ.एन., बेन्दुरथी	कोच्चि
आइ.एन.एस. तसिरकार्स	विशाखापट्टनम
इण्डियन नेवल एकेडमी	कोच्चि
आइ.एन.एस. शिवाजी	लोनावाला

आंतरिक सुरक्षा के संगठन

संगठन	स्थापना वर्ष	मुख्यालय
असम राइफल्स	1835	शिलांग
केन्द्रीय रिजर्व पुलिस बल	1939	नई दिल्ली
भारत-तिब्बत सीमा पुलिस	1962	नई दिल्ली
सीमा सुरक्षा बल (BSF)	1965	नई दिल्ली
केन्द्रीय औद्योगिक सुरक्षा बल	1969	नई दिल्ली
तट रक्षक बल	1978	नई दिल्ली
राष्ट्रीय सुरक्षा गार्ड	1984	नई दिल्ली

रक्षा स्टाफ प्रमुख (सीडीएस)

देश में उच्चतर रक्षा प्रबंधन में सुधार लाने के लिए सेवा प्रमुख समतुल्य वेतन और अतिरिक्त सुविधाओं वाले रक्षा स्टाफ प्रमुख (सीडीएस) का पद गठित किया गया है जो फोर स्टार वाले जनरल रैंक का है। रक्षा स्टाफ प्रमुख (चीफ ऑफ डिफेंस स्टाफ) रक्षा मंत्रालय में बनाये जाने वाले सैन्य मामलों के विभाग (डीएमए) के भी मुखिया होंगे और इसके सचिव के रूप में कार्य करेंगे। जनरल विपिन रावत ने 1 जनवरी, 2020 से 08 दिसम्बर, 2021 तक देश के प्रथम सीडीएस के रूप में कार्य किया।

कला एवं संस्कृति

भारत में कला और संस्कृति की समृद्ध परंपरा रही है। भारतीय राजे-महाराजे कला और संस्कृति के बड़े पारखी और हितैषी थे। उन्होंने न सिर्फ कला की विविध शाखाओं को आश्रय दिया, उनके फलने-फूलने में मदद की बल्कि कलाकारों, फनकारों को भी भरपूर समर्थन एवं पुरस्कार प्रदान किया। संस्कृति विचारने और क्रिया करने की पद्धति है जो सीखी जाती है अपनायी जाती है। इनमें मूल्य, रहन-सहन के तौर-तरीके, विचारने की पद्धतियां, भाषा, शिक्षा, कलाकारिता, सामाजिक संरचना की संस्थाएँ आदि शामिल हैं।

ललित कला

विजुअल आर्ट के जरिए चित्रों को उकेरने, कर्मकांडों को सामने रखने और भावनाओं को अभिव्यक्त करने की परंपराएं उतनी ही पुरानी हैं जितनी कि प्राचीन भारत की सभ्यता। पत्थरों पर नक्काशी करने और चिकनी मिट्टी के नमूने तैयार करने का कार्य आरंभिक दिनों में विकसित हुआ। बाद में धातु की मूर्तियाँ बनाने, धातु की वस्तुएँ बनाने, चित्रकारी करने और बेल-बूटों की कढ़ाई करने का कार्य विकसित हुआ।

भारत के प्रमुख चित्रकार एवं उनकी कृतियां

अवनीन्द्र नाथ टैगोर	शाहजहाँ का ताज को देखना, बुद्ध और सुजाता, वन साम्राज्ञी, औरंगजेब का बुढ़ापा, भारतमाता आदि।
गगनेन्द्र नाथ टैगोर	माँ से विदा लेते चैतन्य, कल्कि अवतार आदि।
राजा रवि वर्मा	दुष्यन्त को प्रेम-पत्र लिखती शकुन्तला, नायर लेडी, शकुन्तला वियोग आदि।

नन्द लाल बोस	उमा की तपस्या, घायल बकरी को ले जाते भगवान बुद्ध, कृष्णार्जुन, प्रणाम, बसन्त, गोपिनी आदि।
के॰ वेंकटप्पा	हनुमान द्वारा लंका दहन, स्वर्ण मृग, राम और मृग तृष्णा आदि।
जॉर्ज कीट	कृष्ण जन्म, कर्ण जन्म, यम मार्कण्डेय, निराभरण गोपियाँ आदि।
भवेश चन्द्र सन्याल	आश्रयहीन लड़की, गोल मार्केट के भिखारी आदि।
मनीषी डे	नारी-शृंगार, पनघट की ओर, बंगाली शरणार्थी।
अमृता शेरगिल	एलिफेन्ट्स बाथिंग इन ग्रीन पुल, हिल साईड, भारतीय लड़कियाँ आदि।
नारायण श्रीधर बेन्द्रे	स्टेशन पर यात्री, बुद्ध पूजा आदि।
देवी प्रसाद राय चौधरी	लेपचा कुमारी, भौटिया आदि।
शोभा सिंह	हीर-राझा
सतीश गुजराल	काला चांद

संगीत

भारत में चार प्रकार के संगीत-साज मिलते हैं—तंतु या तार वाले, समीर या वायु वाले, अवनाद अथवा थाप से संचालित होने वाले और घन जिसमें घंटियाँ, मंजीरे, घड़ियाल आदि शामिल हैं। तंतु या तार वाले सामान्य साज हैं जैसे—वीणा, सितार, सारंगी, सरोद, दिलरुबा, इसराज, एकतारा, तानपुरा और मयूरी। वायु संचालित साज हैं शहनाई, बाँसुरी, नादस्वरम, निनकिर्नस और पोंगी। थाप अथवा संघात से संचालित होने वाले साज हैं: तबला, मृदंग, ढोलक, पखावज, घटाम तथा कंजीरा-मंजीरा। करतल, जल तरंग आदि अन्य भारतीय साज हैं।

गायन के क्षेत्र में विष्णु नारायण भातखण्डे, बेगम अख्तर, बड़े गुलाम अली, हीराबाई बरोडकर, भीमसेन जोशी, केसरभाई केलकर, ओंकारनाथ ठाकुर, सिद्धेश्वरी देवी, त्यागराज, विष्णु दिगंबर पलुसकर, पंकज मलिक, एम.एस. सुब्बालक्ष्मी, पंडित जसराज, गंगूभाई हंगल, मल्लिकार्जुन मंसूर, डागर बंधु, डी.के. जयरामन, के.जे. यशुदास, गुलाम मुस्तफा खान, कुमार गंधर्व, के.एल. वसंधा कुमारी, किशोरी अमोनकर, गिरिजा देवी, वी.के. नारायण स्वामी दीक्षित, तानसेन, श्यामा शास्त्री, स्वाति तिरूनल आदि साजपरक संगीत के कुछ दिग्गज कलाकार रहे हैं।

पुस्तकें और उनके लेखक

पुस्तकें	लेखक	पुस्तकें	लेखक
आधे-अधूरे	मोहन राकेश	गीतांजलि	रवीन्द्रनाथ टैगोर
आग का दरिया	कुर्रतुल-एन-हैदर	ग्लिम्पसेज ऑफ वर्ल्ड हिस्ट्री	जवाहरलाल नेहरू
ए मिलियन म्युटिनीज नाऊ	वी.एस. नायपॉल	गोदान	मुंशी प्रेमचंद
ए सूटेबल ब्वाय	विक्रम सेठ	द गॉड ऑफ स्माल थिंग्स	अरुंधति राय
ए पैसेज टू इंग्लैंड	नीरद सी-चौधरी	गोल्डन गेट	विक्रम सेठ
ए वॉयस ऑफ फ्रीडम	नयनतारा सहगल	गोरा	रवीन्द्र नाथ टैगोर
एक्सेशन टू इंस्टिंक्शन	डॉ. आर. मनेकर	द गाइड	आर.के. नारायण
आदि ग्रंथ	गुरु अर्जुन देव	हर्ष चरित	बाणभट्ट
बिट्विन द लाइंस	कुलदीप नैयर	हिंदू व्यू ऑफ लाइफ	राधाकृष्णन
भगवत गीता, महाभारत	वेदव्यास	हितोपदेश	नारायण भट्ट
भारत भारती	मैथिलीशरण गुप्त	हंग्री स्टोन्स	रवीन्द्र नाथ टैगोर
विसर्जन	रवीन्द्रनाथ टैगोर	आई एम नॉट एन आइलैंड	ख्वाजा अहमद अब्बास
ब्रोकन विंग	सरोजिनी नायडू	आईडोल्स	सुनील गावस्कर
बुद्ध चरित	अश्वघोष	लौरिंगन	वी.के. भट्टाचार्य
बाय गाड्स डिक्री	कपिल देव	जूही की कली	सूर्यकांत त्रिपाठी ''निराला''
चंडालिका	रवीन्द्रनाथ टैगोर	जुग बदल गया	सोहन सिंह शीतल
चैमिन	शिवशंकर पिल्लई	जाब्स फॉर मिलियंस	वी.वी. गिरि
चिदंबरा	सुमित्रानंदन पंत	कादंबरी	बाणभट्ट
देवदास	शरत चंद्र	कामसूत्र	वात्स्यायन
डिस्कवरी ऑफ इंडिया	जवाहरलाल नेहरू	कामायनी	जयशंकर प्रसाद
डिवाइन लाइफ	शिवानंद	कपाल-कुंडला	बंकिम चंद्र चटर्जी
गीत गोविन्द	जयदेव	कर्पूर मंजरी	राजशेखर
घासीराम कोतवाल	विजय तेंदुलकर	खाक-ए-दिल	जां निसार अख्तर

शब्द संक्षेप

ABC	ऑडिट ब्यूरो ऑफ सरकुलेशन्स
ADB	एशियन डेवलपमेण्ट बैंक
AIDS	एक्वायर्ड इम्यूनो डेफिसियेन्सी सिण्ड्रोम
AIIMS	ऑल इण्डिया इन्स्टीट्यूट ऑफ मेडिकल साइंसेज
BBC	ब्रिटिश ब्रॉडकास्टिंग कॉरपोरेशन
BP	ब्लड प्रेशर
BSF	बॉर्डर सिक्योरिटी फोर्स
CA	चार्टर्ड एकाउण्टेण्ट
CAG	कॉम्पट्रोलर एण्ड ऑडिटर जनरल
CBI	सेण्ट्रल ब्यूरो ऑफ इन्वेस्टीगेशन
CTBT	कम्प्रेहेन्सिव टेस्ट बैन ट्रीटी
GIC	जनरल इंश्योरेन्स कॉरपोरेशन
HIV	ह्यूमेन इम्युनो-डेफिशिएंसी वाइरस
INSAT	इण्डियन नेशनल सैटेलाइट
ISD	इण्टरनेशनल सब्सक्राइबर डायलिंग
JPC	ज्वाइंट पार्लियामेण्टरी कमेटी
Lbw	लेग बिफोर विकेट
NCC	नेशनल कैडेट कार्प्स
NCERT	नेशनल काउन्सिल ऑफ एजूकेशन रिसर्च एण्ड ट्रेनिंग
PIN	पोस्टल इण्डेक्स नम्बर
RBI	रिजर्व बैंक ऑफ इण्डिया
SSC	स्टाफ सलेक्शन कमीशन
SSP	सीनियर सुपरिन्टेण्डेन्ड ऑफ पुलिस
VAT	वैल्यू एडेड टैक्स
WHO	वर्ल्ड हेल्थ ऑर्गेनाइजेशन
GST	गुड्स एंड सर्विसेज टैक्स

महत्वपूर्ण दिवस

तिथि	दिवस	तिथि	दिवस
9 जनवरी	प्रवासी दिवस	21 जून	अन्तर्राष्ट्रीय योग दिवस
15 जनवरी	थल सेना दिवस	11 जुलाई	विश्व जनसंख्या दिवस
25 जनवरी	भारतीय पर्यटन दिवस	6 अगस्त	विश्व शांति दिवस, हिरोशिमा दिवस
26 जनवरी	भारतीय गणतंत्र दिवस	10 अगस्त	अंतर्राष्ट्रीय युवा दिवस
30 जनवरी	शहीद दिवस, विश्व कुष्ठ निवारण दिवस (महात्मा गाँधी की पुण्य तिथि)	29 अगस्त	राष्ट्रीय खेल दिवस
फरवरी	तटरक्षक दिवस, डाक जीवन बीमा दिवस	5 सितम्बर	शिक्षक दिवस
फरवरी	विश्व कैंसर दिवस	8 सितम्बर	विश्व साक्षरता दिवस
22 फरवरी	पल्स पोलियो दिवस	14 सितम्बर	हिन्दी दिवस
मार्च	अन्तर्राष्ट्रीय महिला दिवस	21 सितम्बर	अन्तर्राष्ट्रीय शांति दिवस
5 मार्च	विश्व उपभोक्ता अधिकार दिवस, विश्व विकलांगता दिवस	27 सितम्बर	विश्व पर्यटन दिवस
2 मार्च	विश्व जल दिवस	2 अक्टूबर	गाँधी जयन्ती / अन्तर्राष्ट्रीय अहिंसा दिवस
3 मार्च	शहीद दिवस, विश्व मौसम विज्ञान दिवस	3 अक्टूबर	विश्व पर्यावास दिवस
4 मार्च	विश्व तपेदिक दिवस	5 अक्टूबर	विश्व आवास दिवस
अप्रैल	विश्व स्वास्थ्य दिवस	9 अक्टूबर	विश्व डाक दिवस
2 अप्रैल	विश्व पृथ्वी दिवस	16 अक्टूबर	विश्व खाद्य दिवस
मई	मई दिवस (अन्तर्राष्ट्रीय श्रम दिवस)	17 अक्टूबर	विश्व गरीबी उन्मूलन दिवस
मई	विश्व रेडक्रॉस दिवस	24 अक्टूबर	संयुक्त राष्ट्र दिवस
मई	कॉमनवेल्थ दिवस	14 नवम्बर	बाल दिवस
मई	धूम्रपान विरोध दिवस	19 नवम्बर	अन्तर्राष्ट्रीय नागरिक दिवस
जून	विश्व पर्यावरण दिवस	26 नवम्बर	विश्व पर्यावरण संरक्षण दिवस
		1 दिसम्बर	विश्व एड्स दिवस
		10 दिसम्बर	अन्तर्राष्ट्रीय मानवाधिकार दिवस

खेल जगत

खेलों से जुड़ी शब्दावली

- **बेसबॉल (Baseball):** बेस, टैपर, पिचर, कैचर, डायमंड, पुल्आउट, पुटइन, स्ट्राइक, हिटर, पिंच, प्लेट, इन फिल्ड।
- **बास्केटबॉल (Basketball):** बॉल, ब्लाकिंग, शिफ्टिंग, होल्डिंग, हेल्ड बॉल, जम्प बॉल।
- **बैडमिंटन (Badminton):** ड्यूस, ड्रॉप, लेट, स्मैश, लव ऑल, डबल फाल्ट, मिक्सड डबल।
- **बिलियर्ड्स (Billiards):** क्यू, जिगर, पॉट, इनऑफ, इन बॉक, कैनन, ब्रेक, स्कैच, पोस्टमैन नॉक, बॉल लाइन।
- **शतरंज (Chess):** किंग, क्वीन, नाईट, पॉन, रूक, कैशल, बिशप, गैमबिट, चेकमेट, स्टेलमेट।
- **क्रिकेट (Cricket):** क्रीज, एल.बी.डब्लू., ब्रेक, बाई, लेगबाई, नो बॉल, सिली प्वाइंट, सिली मीडऑन, हिट विकेट।
- **हॉकी (Hockey):** बुली, कैरी, कॉर्नर, ड्रिब्बल, हैट्रिक, ऑफसाइड, स्कूप, शार्ट, कॉर्नर, स्ट्रिक, स्ट्राइकिंग।
- **फुटबॉल (Football):** कॉर्नर, किक, डायरेक्ट फ्री कीक, ड्रिब्बल, गोल किक, हैट्रिक, ऑफ साइड, पेनाल्टी किक।
- **गोल्फ (Golf):** पुट, बंकर, कैडी, बॉगी, टी पार, निब्लिक, लिंक्स, बेस्टबॉल, फेरसाम, प्रीमस, ग्रीडहोल्स।
- **वॉलीबॉल (Volleyball):** लव, हीव, बॉली प्वाईंट, सर्विस, ब्लैकिंग, होल्डिंग, डब्बलिंग, बुस्टर, स्पाइकर, ड्यूस।
- **लॉन टेनिस (Lawn Tennis):** ड्यूस, फॉल्ट, डबल फॉल्ट, लेट स्मैश, वॉली, हाफ वॉली, ग्राउण्ड स्ट्रोक।
- **नौकायन (Rowing):** बो, वुकेट, काऊ, फीदर, पैडल, रेगेटा, कॉक्स, ईर्गेमीटर।
- **तैराकी (Swimming):** क्रॉल, ब्रेस्ट स्ट्रॉक।
- **कुश्ती (Wrestling):** हेड लॉक, हीव होल्ड, रीबाउट्स, ए हॉफ नेशेस, ए फुल नेल्सन सीजर।
- **पोलो (Polo):** बंकर, चुकर, मैलेट।
- **वाटर पोलो (Water Polo):** दो एवं चार मीटर लाईन, गोल लाईन, होल्ड, सिंकपुल, बॉलअंडर।
- **निशानेबाजी (Shooting):** मजल, प्लग, बैग, टारगेट, बुल्स आई।
- **खो-खो (Kho-Kho):** क्रॉसलेन, फ्रीजो, पोल, चेज, एक्टिव, चेजर, रनर्स।
- **कबड्डी (Kabaddi):** मार्च लाईन, वकलाईन, बैटिंग ब्लॉक, लाबी, रेडर, एण्टीरेडर।
- **तलवारबाजी (Fencing):** टच

ओलंपिक

- प्राचीन काल में अपने नागरिकों को स्वस्थ एवं फिट बनाए रखने के लिए यूनानवासी प्रतियोगी खेल स्पर्द्धाओं का आयोजन करते थे। जौस देवता के सम्मान में प्रथम ओलम्पिक खेलों का आयोजन ओलम्पस माउंट में ईसा पूर्व 776 में किया गया था। इसके बाद 394 ईस्वी जबकि यूनानी सभ्यता का पतन हो गया, प्रत्येक 4 वर्षों के अंतराल के बाद ओलम्पिक खेलों का आयोजन किया जाता रहा।
- आधुनिक समय में फ्रांस के धनकुबेर पियरे डी कुबर्टिन ने आधुनिक खेलों को पुनर्जीवित किया। प्रथम आधुनिक ओलम्पिक खेल का आयोजन 1896 में एथेंस (यूनान) में किया गया। इसके बाद से विश्व युद्धों को छोड़कर प्रत्येक 4 वर्ष के अंतराल पर ओलम्पिक खेलों का आयोजन होता रहा है। ओलम्पिक खेलों का ध्वज श्वेत रंग का है जिस पर 5 रंगीन छल्ले बने हैं। प्रत्येक रिंग एक महादेश का प्रतिनिधित्व करता है। एक ही वर्ष में ग्रीष्मकालीन और शीतकालीन ओलंपिक खेलों का आयोजन किया जाता है।

एशियाई खेल

- द्वितीय विश्व युद्ध के पश्चात् अनेकों एशियाई देशों ने स्वतंत्रता प्राप्त की। ओलंपिक खेलों की तर्ज पर प्रत्येक चार वर्षों बाद एशियाई खेलों के आयोजन की योजना बनायी गई। भारत ने 1951 में नई दिल्ली में प्रथम एशियाई खेलों का आयोजन किया।

राष्ट्रमंडल खेल

- राष्ट्रमंडल खेल भी प्रत्येक चार वर्ष बाद आयोजित किए जाते हैं उसी वर्ष में जिसमें एशियाई खेल आयोजित होते हैं।
- सभी राष्ट्रमंडल देश (ब्रिटेन के पूर्व उपनिवेश) इसमें भाग ले सकते हैं। प्रथम राष्ट्रमंडल खेल 1930 में हैमिल्टन (कनाडा) में आयोजित हुआ।
- पहले राष्ट्रमंडल खेल, जो 1930 में कनाडा के हैमिल्टन में आयोजित किये गये थे, को ''ब्रिटिश अम्पायर गेम'' के नाम से जाना गया। 1954 में इनका नाम बदलकर ''ब्रिटिश अम्पायर एण्ड कॉमनवेल्थ गेम्स'' कर दिया गया। 1970 में एक बार फिर इनका नाम परिवर्तन कर 'ब्रिटिश कॉमनवेल्थ गेम्स' किया गया। वर्ष 1978 से इन्हें कामनवेल्थ गेम्स अथवा राष्ट्रमंडल खेलों के नाम से जाना जा रहा है।

विश्व के प्रसिद्ध कप और ट्राफियाँ

- अमेरिकन कप — याच रेसिंग
- एशेज — क्रिकेट (इंग्लैंड बनाम आस्ट्रेलिया)
- कनाडा कप — गोल्फ (विश्व चैम्पियनशिप)
- कोलम्बो कप — सॉकर
- चैम्पियन ट्रॉफी — हॉकी (पुरुष) विश्व की 6 श्रेष्ठ टीमों के मध्य
- कोरबिलन कप — टेबल टेनिस (महिला) विश्व कप
- डेविस कप — लॉन टेनिस (पुरुष)
- डर्बी — घुड़ दौड़ (इंग्लैंड)
- जुल्स रिमेट कप — सॉकर—विश्व कप (पुरुष)

- किंग्स कप — एयर रेसेज (इंग्लैंड)
- मर्डेका कप — सॉकर (पुरुष) (मलेशिया)
- प्रिंस ऑफ वेल्स कप — गोल्फ (इंग्लैंड)
- रोथमेंस कप — क्रिकेट
- रायडर कप — गोल्फ (इंग्लैंड)
- स्वेथलिंग कप — विश्व टेबल टेनिस (पुरुष)
- थॉमस कप — विश्व बैडमिंटन (पुरुष)
- टुंकु अब्दुल रहमान कप — बैडमिंटन
- उबेर कप — विश्व बैडमिंटन (महिला)
- वाकर कप — गोल्फ (इंग्लैंड)
- विटमैन कप — लॉन टेनिस (महिला)
- विम्बलडन कप — लॉन टेनिस (इंग्लैंड)

प्रसिद्ध खेल मैदान एवं उनसे सम्बन्धित खेल

खेल-मैदान	खेल	स्थान
नरेन्द्र मोदी स्टेडियम	क्रिकेट	अहमदाबाद
इंदिरा गांधी स्टेडियम	इन्डोर गेम	दिल्ली
जवाहरलाल नेहरू स्टेडियम	एथलेटिक्स	दिल्ली
अरुण जेटली स्टेडियम	क्रिकेट	दिल्ली
अम्बेडकर स्टेडियम	फुटबॉल	दिल्ली
शिवाजी स्टेडियम	हॉकी	दिल्ली
नेशनल स्टेडियम	हॉकी	दिल्ली
हेनले स्टेडियम	रेगाटा	इंग्लैंड
नेशनल स्टेडियम	हॉकी	मुम्बई
वानखेडे स्टेडियम	क्रिकेट	मुम्बई
ब्रेबोर्न स्टेडियम	क्रिकेट	मुम्बई
ईडन गार्डन	क्रिकेट	कोलकाता
ग्रीन पार्क स्टेडियम	क्रिकेट	कानपुर
कीनन स्टेडियम	क्रिकेट	जमशेदपुर
नेहरू (चेपक) स्टेडियम	क्रिकेट	चेन्नई
वाराबती स्टेडियम	क्रिकेट	कटक
हेडिंग्ले मानचेस्टर	क्रिकेट	ब्रिटेन
लार्ड्स, ओवल, लीड्स	क्रिकेट	ब्रिटेन
ब्लैक हीथ	रग्बी फुटबॉल	लन्दन
विम्बलडन	लॉन टेनिस	लन्दन
वेम्बले स्टेडियम	फुटबॉल	लन्दन
ब्रुकलैण्ड	फुटबॉल	इंग्लैंड
टिबंकहम	रग्बी फुटबॉल	इंग्लैंड
टेंट ब्रिज	क्रिकेट	इंग्लैंड
एण्ट्री	घुड़दौड़	इंग्लैंड
हरलिघम	पोलो	इंग्लैंड
पर्थ, ब्रिस्बेन, मेलबोर्न	क्रिकेट	आस्ट्रेलिया
यांकी स्टेडियम	बॉक्सिंग	न्यूयार्क
ब्रूकलिन	बेसबॉल	न्यूयार्क
फोरस्ट हिल	टेनिस	न्यूयार्क

पुरस्कार एवं सम्मान

राष्ट्रीय पुरस्कार

- **भारत रत्नः** यह भारत का सर्वोच्च असैनिक सम्मान है। यह कला, साहित्य, विज्ञान एवं खेलकूद के क्षेत्र में अतिविशिष्ट सेवाओं तथा सार्वजनिक क्षेत्र में उत्कृष्टतम योगदान के लिए प्रदान किया जाता है। सरकारी सेवाओं में लगे व्यक्तियों को यह पुरस्कार नहीं दिया जाता।
- **पद्म विभूषणः** यह अलंकरण सभी क्षेत्रों में उल्लेखनीय योगदान के लिए दिया जाता है। सरकारी सेवाओं में लगे व्यक्ति भी इसके पात्र माने जाते हैं।
- **पद्म भूषणः** सभी क्षेत्रों में उल्लेखनीय योगदान के लिए यह उपाधि प्रदान की जाती है। सरकारी सेवाओं में रत व्यक्ति भी इसे पाने के हकदार हैं।
- **पद्म श्रीः** विविध क्षेत्रों में उत्तम कार्य करने के उपलक्ष्य में यह उपाधि प्रदान की जाती है। सरकारी सेवा में लगे लोगों को भी इस उपाधि से अलंकृत किया जा सकता है।

शौर्य पदक

- **परमवीर चक्रः** शत्रु के समक्ष दृढ़ता से वीरता-प्रदर्शन के फलस्वरूप दिया जाने वाला यह सबसे बड़ा पुरस्कार है। यह अत्यन्त वीरतापूर्ण कार्य जल, थल तथा नभ में से किसी भी सेना के कर्मचारी द्वारा किये जाने पर दिया जाता है।
- **महावीर चक्रः** यह दूसरा सर्वोच्च पदक है जो शत्रु के समक्ष अद्वितीय शौर्य प्रदर्शन के फलस्वरूप प्रदान किया जाता है। इस प्रकार का वीरतापूर्ण कार्य थल, जल एवं नभ सेनाओं में से किसी के भी द्वारा किया गया हो सकता है।
- **वीर चक्रः** यह तीसरी श्रेणी का सेना पदक है जो शत्रु के समक्ष वीरता-प्रदर्शन करने के उपलक्ष्य में प्रदान किया जाता है। यह पदक जल, थल और नभ सेना के किसी भी वर्ग के कर्मचारी को वीरतापूर्ण कार्य के लिए प्राप्त हो सकता है।
- **अशोक चक्रः** यह ऐसा पदक है जो जल, थल और नभ कहीं पर भी उत्कृष्ट वीरतापूर्ण कार्य करने अथवा आत्म-बलिदान होने के फलस्वरूप प्रदान किया जाता है। लेकिन इस प्रकार का काम शत्रु के समक्ष होना आवश्यक नहीं। गुणों के आधार पर इस पदक के तीन वर्ग हैं–प्रथम, द्वितीय तथा तृतीय। द्वितीय पदक का नाम कीर्ति चक्र तथा तृतीय पदक का नाम शौर्य चक्र है।

अन्य राष्ट्रीय पुरस्कार/सम्मान

- **ज्ञानपीठ पुरस्कारः** यह पुरस्कार सांस्कृतिक एवं साहित्यिक संस्था 'भारतीय ज्ञानपीठ' द्वारा वर्ष 1965 से प्रदान किया जाता है। प्रत्येक वर्ष यह पुरस्कार संविधान की आठवीं अनुसूची में सम्मिलित 22 भारतीय भाषाओं और अंग्रेजी में से चयनित भारतीय लेखकों को प्रदान किया जाता है। इस पुरस्कार से पुरस्कृत साहित्यकार को 21 लाख रुपए नकद, एक स्मृति चिह्न, एक प्रशस्ति-पत्र तथा वाग्देवी (सरस्वती) की प्रतिमा प्रदान की जाती है।
- **दादा साहब फाल्के पुरस्कारः** इस पुरस्कार की स्थापना भारतीय फिल्म उद्योग के संस्थापक दादा साहब फाल्के की याद में भारत सरकार के सूचना एवं प्रसारण मंत्रालय द्वारा की गई है। इस पुरस्कार की धनराशि 15 लाख रुपए है।
- **जमनालाल बजाज पुरस्कारः** यह पुरस्कार रचनात्मक सामाजिक कार्य क्षेत्र में महत्त्वपूर्ण योगदान, ग्रामीण विकास हेतु विज्ञान एवं प्रौद्योगिकी के उपयोग तथा महिलाओं एवं बच्चों के उत्थान व कल्याण कार्यों हेतु प्रदान किया जाता है।
- **मेजर ध्यानचंद खेल रत्न पुरस्कारः** 1992 में स्थापित यह पुरस्कार भारत सरकार द्वारा खेलों में सराहनीय प्रदर्शन करने वाले खिलाड़ियों को प्रदान किया जाता है। इसमें 25 लाख रुपये की धनराशि, एक पदक और एक प्रशस्ति पत्र प्रदान किया जाता है। पहले इस पुरस्कार का नाम राजीव गांधी खेल रत्न पुरस्कार था।
- **अर्जुन पुरस्कारः** 1961 में स्थापित यह पुरस्कार भारत सरकार द्वारा विभिन्न खेलों में विशेष उपलब्धि प्राप्त करने वाले खिलाड़ियों को प्रदान किया जाता है। इसमें अर्जुन की काँस्य प्रतिमा, प्रशस्ति–पत्र तथा 15 लाख रुपये की धनराशि और समारोह परिधान प्रदान किया जाता है।
- **द्रोणाचार्य पुरस्कारः** 1985 में स्थापित यह पुरस्कार भारत सरकार द्वारा खेल प्रशिक्षकों द्वारा की गयी उत्कृष्ट सेवाओं के लिए प्रदान किया जाता है। यह पुरस्कार दो वर्गों आजीवन और नियमित में प्रदान किया जाता है। द्रोणाचार्य (आजीवन) में 15 लाख रुपए और द्रोणाचार्य (नियमित) में 10 लाख रुपए गुरु द्रोणाचार्य की प्रतिमा, प्रशस्ति–पत्र, तथा समारोह परिधान प्रदान किया जाता है।

अंतर्राष्ट्रीय पुरस्कार

- **नोबेल पुरस्कारः** इस पुरस्कार का प्रवर्तन सन् 1901 में डाइनामाइट के आविष्कारक अल्फ्रेड बर्नहर्ड नोबेल (1833-1896 ई॰) द्वारा व्यक्त की गई इच्छा के परिणामस्वरूप किया गया था। नोबेल पुरस्कार प्रति वर्ष रसायन शास्त्र, भौतिकी, साहित्य, चिकित्सा, शान्ति-प्रोत्साहन और अर्थशास्त्र (अर्थशास्त्र के लिए यह पुरस्कार 1969 से दिया जाना शुरू किया गया) के क्षेत्र में दिये जाते हैं।
- **रेमन मैग्सेसे पुरस्कारः** एशिया महाद्वीप का सबसे बड़ा पुरस्कार फिलीपीन्स के भूतपूर्व राष्ट्रपति की स्मृति में वर्ष 1957 से प्रदान किया जाता है। इसमें एक स्वर्ण पदक तथा नगद पुरस्कार प्रदान किये जाते हैं। इसे एशिया का नोबेल पुरस्कार भी कहा जाता है।
- **शान्ति, निःशस्त्रीकरण व विकास के लिए इन्दिरा गांधी पुरस्कारः** 1986 में स्थापित यह पुरस्कार अन्तर्राष्ट्रीय शान्ति, निरस्त्रीकरण एवं विकास के क्षेत्र में उल्लेखनीय योगदान हेतु प्रदान किया जाता है। इसमें नगद पुरस्कार व साथ में एक स्मृति-चिन्ह दिया जाता है।
- **महात्मा गांधी अन्तर्राष्ट्रीय शांति पुरस्कारः** एक करोड़ रु॰ की राशि का यह पुरस्कार भारत सरकार का सर्वोच्च असैनिक अन्तर्राष्ट्रीय पुरस्कार है जो 1995 में शुरू किया गया था। यह पुरस्कार अहिंसा के जरिए सामाजिक, आर्थिक और राजनीतिक परिवर्तन के लिए काम करने वाले व्यक्ति को दिया जाता है।
- **मैन बुकर पुरस्कारः** ब्रिटेन की संस्था बुकर मैकोनल कंपनी एंड पब्लिशर्स एसोसियेशन के द्वारा यह पुरस्कार 1969 में स्थापित हुआ। यह प्रतिवर्ष दुनियाभर के देशों के किसी लेखक को अंग्रेजी भाषा की उत्कृष्ट रचना हेतु प्रदान किया जाता है।
- **ऑस्कर पुरस्कारः** संयुक्त राज्य अमेरिका की 'नेशनल एकेडमी ऑफ मोशन पिक्चर आर्ट्स एण्ड साइंसेज' द्वारा फिल्म जगत का अत्यन्त प्रतिष्ठित यह पुरस्कार प्रतिवर्ष प्रदान किया जाता है।
- **अन्तर्राष्ट्रीय नेहरू पुरस्कारः** भारत सरकार द्वारा 1964 में स्थापित यह पुरस्कार प्रत्येक वर्ष ऐसे व्यक्ति को प्रदान किया जाता है, जिसने विश्व में अन्तर्राष्ट्रीय सद्भावना और मित्रता का प्रसार करने में उल्लेखनीय भूमिका अदा की हो। वर्ष 1965 में पहला नेहरू सद्भावना पुरस्कार यू थांट (संयुक्त राष्ट्र संघ के तृतीय महासचिव) को प्रदान किया गया था।

❑❑❑

7

वस्तुनिष्ठ प्रश्न

1. भारत के संविधान को कब अपनाया गया था ?
   A. 15 अगस्त, 1947 B. 26 जनवरी, 1950
   C. 26 नवंबर, 1949 D. 15 अगस्त, 1950
2. उपराष्ट्रपति को पद व गोपनीयता की शपथ कौन दिलाता है ?
   A. भारत का मुख्य न्यायाधीश
   B. भारत का राष्ट्रपति
   C. लोकसभा का अध्यक्ष
   D. भारत का महाधिवक्ता
3. निम्नलिखित में से किसकी नियुक्ति राष्ट्रपति द्वारा नहीं की जाती है ?
   A. संघ लोकसेवा आयोग के अध्यक्ष
   B. राज्य के राज्यपाल
   C. उच्च न्यायालय के न्यायाधीश
   D. उपराष्ट्रपति
4. राष्ट्रपति किसकी सलाह पर लोकसभा को समयपूर्व भंग कर सकता है ?
   A. प्रधानमंत्री B. स्पीकर
   C. उपराष्ट्रपति D. निर्वाचन आयुक्त
5. मौलिक कर्तव्यों का विचार कहां के संविधान से लिया गया है ?
   A. रूस के संविधान
   B. ब्रिटेन के संविधान
   C. अमेरिका के संविधान
   D. जर्मनी के संविधान
6. निम्नलिखित में से किसकी अध्यक्षता एक गैर-सदस्य करता है ?
   A. लोकसभा
   B. राज्यसभा
   C. विधानसभा
   D. लोकसभा और राज्यसभा की संयुक्त बैठक
7. निम्नलिखित में किसमें कानून बनाने की शक्ति है?
   A. राष्ट्रपति B. प्रधानमंत्री
   C. संसद D. गवर्नर
8. राज्यसभा की सदस्यता के लिए निर्धारित न्यूनतम आयु सीमा है :
   A. 18 वर्ष B. 21 वर्ष
   C. 25 वर्ष D. 30 वर्ष
9. राष्ट्रपति पद के लिए निर्धारित न्यूनतम आयु सीमा है :
   A. 21 वर्ष B. 25 वर्ष
   C. 30 वर्ष D. 35 वर्ष
10. राष्ट्रपति और उपराष्ट्रपति की अनुपलब्धता की स्थिति में राष्ट्रपति का कार्य निर्वहन कौन करता है ?
    A. प्रधानमंत्री
    B. लोकसभा का अध्यक्ष
    C. वरिष्ठ कैबिनेट मंत्री
    D. भारत का मुख्य न्यायाधीश
11. किस मौलिक अधिकार की व्याख्या 'संविधान की आत्मा और उसके हृदय' के रूप में की जाती है ?
    A. समानता की अधिकार
    B. समृद्धि का अधिकार
    C. संवैधानिक उपचारों का अधिकार
    D. भाषण की स्वतंत्रता का अधिकार
12. अध्यादेश कौन लागू करता है ?
    A. प्रधानमंत्री B. लोकसभा का अध्यक्ष
    C. राष्ट्रपति D. राज्यसभा का अध्यक्ष
13. भारतीय राज्य मुख्यत: किस आधार पर गठित किए गए हैं ?
    A. भौगोलिक स्थिति B. भाषा
    C. प्रशासन की सहूलियत D. आर्थिक स्थिति
14. मुख्य निर्वाचन आयुक्त को किसके द्वारा हटाया जा सकता है ?
    A. प्रधानमंत्री
    B. राष्ट्रपति
    C. सर्वोच्च न्यायालय का मुख्य न्यायाधीश
    D. संसद

15. राज्य विधान सभा के सदस्यों की संख्या कितनी हो सकती है ?

A. 30 से 300 B. 40 से 400
C. 50 से 600 D. 60 से 500

16. उच्चतम न्यायालय के न्यायाधीशों के लिए अवकाश प्राप्ति की उम्र है :

A. 58 वर्ष B. 60 वर्ष
C. 62 वर्ष D. 65 वर्ष

17. राष्ट्रपति राज्यसभा के लिए कुल कितने सदस्यों को मनोनीत कर सकता है ?

A. 6 B. 12
C. 15 D. 18

18. संघीय कार्यपालिका किसके प्रति उत्तरदायी होती है ?

A. लोकसभा B. राज्यसभा
C. राष्ट्रपति D. उच्चतम न्यायालय

19. भारत के महान्यायवादी की नियुक्ति किसके द्वारा होती है ?

A. यूपीएससी B. राष्ट्रपति
C. प्रधानमंत्री D. लोकसभा अध्यक्ष

20. संसद के दो सत्रों के बीच कितने से अधिक की अवधि नहीं होनी चाहिए ?

A. 3 माह B. 6 माह
C. 1 वर्ष D. कोई तय अवधि नहीं

21. सुरक्षा बलों का सर्वोच्च कमाण्डर कौन होता है ?

A. सेना प्रमुख B. रक्षामंत्री
C. प्रधानमंत्री D. राष्ट्रपति

22. निम्नलिखित में कौन एक पूर्ण राज्य नहीं है ?

A. मिजोरम B. मणिपुर
C. पुडुचेरी D. अरुणाचल प्रदेश

23. एकमात्र राष्ट्रपति, जिन्हें दोबारा राष्ट्रपति चुना गया :

A. राजेन्द्र प्रसाद
B. राधाकृष्णन
C. वी.वी. गिरि
D. नीलम संजीवा रेड्डी

24. उपराष्ट्रपति अपना त्यागपत्र किसे दे सकता है ?

A. राष्ट्रपति को
B. प्रधानमंत्री को
C. भारत के मुख्य न्यायाधीश को
D. राज्यसभा के उपसभापति को

25. संविधान के प्रारूप समिति के अध्यक्ष कौन थे ?

A. राजेन्द्र प्रसाद
B. जवाहरलाल नेहरू
C. बी.आर. अम्बेडकर
D. सरदार पटेल

26. राष्ट्रपति निम्नलिखित में से किसकी नियुक्ति नहीं करता ?

A. प्रधानमंत्री
B. लोकसभा अध्यक्ष
C. निर्वाचन आयुक्त
D. नियंत्रक और महालेखा परीक्षक

27. उपराष्ट्रपति होता है :

A. राज्यसभा का सदस्य
B. राज्यसभा का सभापति
C. लोकसभा का सदस्य
D. लोकसभा का अध्यक्ष

28. भारत की अधिकारिक भाषा है :

A. देवनागरी लिपि में हिन्दी
B. रोमन लिपि में हिन्दी
C. रोमन लिपि में अंग्रेजी
D. हिन्दी और अंग्रेजी

29. संविधान में मौजूद अनुसूचियों की संख्या — है।

A. 395 B. 100
C. 12 D. 8

30. वित्त आयोग का गठन कौन करता है ?

A. संसद B. राष्ट्रपति
C. प्रधानमंत्री D. लोकसभा अध्यक्ष

31. भारत में पहली महिला राष्ट्रपति बनने का श्रेय किसे प्राप्त है?

A. प्रतिभा पाटिल B. ममता बनर्जी
C. जयललिता D. सुषमा स्वराज

32. चार वेदों में से पहला वेद है :

A. ऋग्वेद B. सामवेद
C. यजुर्वेद D. अथर्ववेद

33. रामायण के रचनाकार हैं :

A. वेद व्यास B. तुलसीदास
C. द्रोणाचार्य D. वाल्मीकि

34. वर्द्धमान महावीर जैन धर्म के कौन से तीर्थंकर थे ?

A. प्रथम B. द्वितीय
C. तृतीय D. चौबीसवें

35. सिकंदर और पोरस की सेनाओं ने किस नदी के तट पर लड़ाई लड़ी थी ?

A. रावी B. झेलम
C. सतलज D. सिंधु

36. सिकंदर के आक्रमण के समय मगध पर किसका शासन था ?

A. नंद राजाओं का B. गुप्त राजाओं का
C. मौर्य राजाओं का D. वर्द्धमान राजाओं का

37. सातवाहनों ने मुख्य रूप से किस पर शासन किया?

A. अवध B. आंध्र

C. मध्य भारत D. मगध

38. अशोक संबंधित था :

A. गुप्त वंश से B. मौर्य वंश से

C. कुषाण वंश से D. शक वंश से

39. विक्रमादित्य का नाम निम्न में से किसे दिया गया था?

A. चंद्रगुप्त मौर्य B. बिंदुसार

C. चंद्रगुप्त द्वितीय D. समुद्रगुप्त

40. उत्तर भारत के अंतिम महान् हिंदू शासक हर्षवर्द्धन ने कब शासन किया?

A. दूसरी शताब्दी में B. चौथी शताब्दी में

C. सातवीं शताब्दी में D. दसवीं शताब्दी में

41. गुलाम वंश की स्थापना निम्न में से किसने की?

A. बलवन ने B. इल्तुतमिश ने

C. रजिया बेगम ने D. कुतुबुद्दीन ऐबक ने

42. रजिया बेगम बेटी थी :

A. इल्तुतमिस B. बलवन

C. अलाउद्दीन खिलजी D. गयासुद्दीन तुगलक

43. तुगलक राजवंश ने किस वंश के पतन के बाद दिल्ली का तख्त संभाला?

A. लोदी वंश B. खिलजी वंश

C. गुलाम वंश D. सूरी वंश

44. अपनी राजधानी को दिल्ली से हटाकर दौलताबाद ले जाने वाला राजा कौन था?

A. फिरोज तुगलक

B. गयासुद्दीन तुगलक

C. मोहम्मद तुगलक

D. मुहम्मद बिन कासिम

45. पानीपत के प्रथम युद्ध में बाबर ने किसके खिलाफ लड़ाई लड़ी थी?

A. शेरशाह सूरी B. फिरोज तुगलक

C. हुमायूं D. इब्राहिम लोदी

46. फतेहपुर सीकरी का निर्माण किसने करवाया?

A. बाबर B. औरंगजेब

C. अकबर D. जहांगीर

47. खुर्रम का वास्तविक नाम था :

A. अकबर B. जहांगीर

C. शाहजहां D. शाह आलम

48. दीन-ए-इलाही की शुरुआत किसने की?

A. अकबर B. हुमायूं

C. बाबर D. जहांगीर

49. शेरशाह ने किस मुगल शासक को पराजित किया?

A. बाबर B. हुमायूं

C. अकबर D. औरंगजेब

50. अंतिम मुगल शासक था :

A. शाह आलम B. मुहम्मद शाह रंगीला

C. बहादुरशाह जफर D. दोस्त मुहम्मद

51. भारत में अंग्रेजों के पांव जमाने की दृष्टि से कौन-सी लड़ाई निर्णायक साबित हुई?

A. प्लासी की लड़ाई

B. बक्सर की लड़ाई

C. पानीपत की तीसरी लड़ाई

D. मैसूर की लड़ाई

52. सती प्रथा की समाप्ति किसने की थी?

A. लार्ड कार्नवालिस B. लार्ड क्लाइव

C. लार्ड वेलेजली D. लार्ड बैंटिक

53. बंगाल का विभाजन किसने कराया था?

A. लार्ड मिंटो B. लार्ड कर्जन

C. लार्ड कैनिंग D. लार्ड रिपन

54. स्वतंत्रता प्राप्ति के समय भारत के गवर्नर जनरल थे :

A. लार्ड माऊंटबेटन B. लार्ड वेवेल

C. राजगोपालाचारी D. लार्ड लिंगलिथगो

55. कृष्णदेव राय महान् थे :

A. चोल राजा

B. पल्लव राजा

C. राष्ट्रकूट राजा

D. विजय नगर साम्राज्य के राजा

56. औरंगजेब ने किस गुरु की हत्या करवा दी थी?

A. गुरु गोविंद सिंह का B. गुरु तेगबहादुर का

C. गुरु अंगद देव का D. गुरु अर्जुन देव का

57. 1857 के विद्रोह में निम्न में से कौन शामिल नहीं था?

A. नाना साहब B. कुंवर सिंह

C. रणजीत सिंह D. रानी झांसी

58. ओंग जनजाति कहां रहती है?

A. अंडमान द्वीप B. बिहार

C. नीलगिरि पहाड़ी D. मेघालय

59. राजपूत राजा राणा प्रताप ने किस लड़ाई में मुगल सेना से युद्ध किया था?

A. खानवा की लड़ाई

B. हल्दीघाटी संग्राम

C. थानेसर की लड़ाई

D. वंडीवास की लड़ाई

60. चांद बीबी जानी जाती हैं :
A. 1857 के विद्रोह में भाग लेने के लिए
B. सामाजिक धार्मिक सुधार के लिए
C. मुगल शासकों के खिलाफ बहादुरी से लड़ने के लिए
D. उपर्युक्त में से कोई नहीं

61. साइमन कमीशन किस वर्ष में भारत आया?
A. 1927 B. 1928
C. 1929 D. 1930

62. कांग्रेस किस वर्ष में चरमपंथियों और नरमपंथियों के बीच विभाजित हो गई?
A. 1906 B. 1917
C. 1907 D. 1927

63. चौरा-चौरी कांड के बाद किस आंदोलन को वापस ले लिया गया?
A. सविनय अवज्ञा आंदोलन
B. भारत छोड़ो आंदोलन
C. खिलाफत आंदोलन
D. असहयोग आंदोलन

64. कांग्रेस ने किस गोलमेज सम्मेलन में भाग लिया?
A. केवल प्रथम B. केवल दूसरे
C. प्रथम और तीसरे D. सभी तीनों में

65. भारत की स्वतंत्रता के समय ब्रिटेन पर किसका शासन था?
A. लेबर पार्टी B. कंजर्वेटिव पार्टी
C. लिबरल पार्टी D. राष्ट्रीय सरकार

66. ब्रिटिश सरकार ने दिल्ली को किस वर्ष में राजधानी बनाया?
A. 1892 B. 1905
C. 1911 D. 1927

67. बंगाल में कब स्थायी बंदोबस्त की शुरुआत हुई?
A. 1757 B. 1763
C. 1793 D. 1858

68. कांग्रेस के प्रथम अध्यक्ष थे :
A. ए.ओ. ह्यूम B. एस.एन. बनर्जी
C. डी.बी. नौरोजी D. डब्ल्यू.सी. बनर्जी

69. ग्रैंड ट्रंक रोड का निर्माण किसने करवाया था?
A. चंद्रगुप्त B. शेरशाह सूरी
C. जहांगीर D. लार्ड बैंटिक

70. बलबन संबद्ध था :
A. खिलजी वंश B. तुगलक वंश
C. गुलाम वंश D. सूरी वंश

71. निम्नलिखित में से कौन राजपूत राजवंश नहीं था?
A. सोलंकी B. राष्ट्रकूट
C. चौहान D. चंदेल

72. आर्यभट्ट किस रूप में प्रसिद्ध थे?
A. गुप्त राजा
B. खगोलविद् और गणितज्ञ
C. कवि
D. जासूस

73. ह्वेनसांग किसके शासनकाल में भारत आया था?
A. अशोक B. चंद्रगुप्त
C. स्कंदगुप्त D. हर्षवर्द्धन

74. निम्नलिखित में से कौन औषधियों का विशेषज्ञ था?
A. बाणभट्ट B. अश्वघोष
C. चरक D. सतकरणी

75. पूर्ववर्ती आर्यों की फुर्सतकालीन गतिविधि थी :
A. रथों की दौड़ B. पांसे खेलना
C. चित्रकारी D. नृत्य और संगीत

76. कवि अमीर खुसरो किसके समकालीन थे?
A. बलबन B. कुतुबुद्दीन एबक
C. इल्तुतमिश D. अलाउद्दीन खिलजी

77. चीनी तीर्थयात्री फाहियान कब भारत में आया था?
A. ईसापूर्व तीसरी शताब्दी
B. ईसापूर्व चौथी शताब्दी
C. ईस्वी सन् पांचवीं शताब्दी
D. ईस्वी सन् चौथी शताब्दी

78. अधिकांश सूफी संत संबंधित थे :
A. इस्लाम धर्म B. हिन्दू धर्म
C. ईसाई धर्म D. बौद्ध धर्म

79. निम्नलिखित में से किसे भारत का नेपोलियन कहा जाता है?
A. चंद्रगुप्त मौर्य B. समुद्रगुप्त
C. चंद्रगुप्त विक्रमादित्य D. बिंदुसार

80. बहमनी साम्राज्य किस शताब्दी में मौजूद था?
A. 13वीं शताब्दी B. 14वीं शताब्दी
C. 15वीं शताब्दी D. 16वीं शताब्दी

81. निम्नलिखित में से कौन सार्वजनिक क्षेत्र के अंतर्गत नहीं आता?
A. टिस्को B. इस्को
C. सेल D. ऑर्डिनेंस फैक्टरी

82. कुडनकुलम नाभिकीय विद्युत परियोजना किस राज्य में स्थित है?
A. कर्नाटक B. केरल
C. तमिलनाडु D. आंध्र प्रदेश

83. निम्नलिखित इस्पात संयंत्रों में से कौन रूस की सहायता से निर्मित हुआ है?
A. राऊरकेला B. भिलाई
C. दुर्गापुर D. कोथागुडम

84. 'नीली क्रान्ति' का सम्बन्ध निम्नलिखित में से किससे है?
A. नील की खेती
B. मुर्गी पालन
C. पीने योग्य जल की आपूर्ति
D. मत्स्यपालन

85. 'काला सोना' के नाम से किसे जाना जाता है?
A. नरम लोहा　　B. कोयला
C. खनिज तेल　　D. यूरेनियम

86. मुद्रास्फीति किस वजह से उत्पन्न होती है ?
A. साधारण ब्याज में कमी से
B. धन की आपूर्ति में कमी से
C. औद्योगिक और कृषि उत्पादन में वृद्धि से
D. सामान्य व्यय में बढ़ोतरी या धन आपूर्ति में वृद्धि से

87. विकसित भारत – जी राम जी अधिनियम किस वर्ष लागू हुआ?
A. 2025　　B. 2024
C. 2023　　D. 2022

88. भारत में गुड्स एंड सर्विसेज टैक्स (GST) किस वर्ष लागू किया गया?
A. 2017 में　　B. 2018 में
C. 2019 में　　D. 2020 में

89. श्वेत क्रांति किसका संकेत करती है ?
A. सीमेंट उद्योग
B. डेरी फार्मिंग
C. कपास और टैक्सटाइल उद्योग
D. संगमरमर उद्योग

90. भारत में सिंचाई का सर्वप्रमुख माध्यम है :
A. कुएं एवं नलकूप
B. नहरें
C. तालाब
D. पशु द्वारा खींचा गया जल

91. भारतीय खाद्य निगम का मुख्य कार्य है :
A. उच्च उत्पादकता वाले बीजों का वितरण
B. किसानों को ऋण उपलब्ध कराना
C. खाद्यान्नों की मांग पर नियंत्रण करना
D. आपूर्ति को नियंत्रित कर खाद्यान्नों के मूल्यों में उतार-चढ़ाव को नियंत्रित करना

92. राज्यों में से सर्वाधिक जनसंख्या किस राज्य की है ?
A. बिहार　　B. पश्चिम बंगाल
C. उत्तर प्रदेश　　D. मध्य प्रदेश

93. निम्नलिखित में से किसे 'सनराइज इंडस्ट्री' का नाम दिया जाता है ?
A. कॉफी　　B. उच्च प्रौद्योगिकी
C. लघु उद्योग　　D. भारी उद्योग

94. निम्नलिखित में से कौन आर्थिक संवृद्धि का माप नहीं है ?
A. प्रतिव्यक्ति आय
B. सकल राष्ट्रीय उत्पाद
C. कुल घरेलू उत्पाद
D. प्रसारित मुद्रा

95. एच-1बी वीजा का संबंध किस देश से है?
A. ब्रिटेन　　B. ऑस्ट्रेलिया
C. जर्मनी　　D. अमेरिका

96. एक ब्लू चिप कंपनी को इसलिए यह संज्ञा दी जाती है क्योंकि :
A. यह कंप्यूटर हार्डवेयर का उत्पादन करता है
B. यह कंप्यूटर सॉफ्टवेयर का उत्पादन करता है
C. यह उच्च लाभ देता है और इसमें कम जोखिम होता है
D. यह अपने अधिकांश उत्पादों का निर्यात करता है

97. निर्धनता रेखा का निर्धारण किस के आधार पर किया जाता है ?
A. लोगों की जीवन दशा
B. प्रत्येक परिवार पर बच्चों की संख्या
C. प्रति परिवार आय
D. प्रति व्यक्ति हेतु कैलोरी की आवश्यकता

98. निम्नलिखित में से किस दिन को विश्व उपभोक्ता अधिकार दिवस के रूप में प्रतिवर्ष मनाया जाता है?
A. 15 मार्च　　B. 15 जनवरी
C. 15 फरवरी　　D. 15 अप्रैल

99. भारत में सबसे प्राचीन वृहद् उद्योग किस क्षेत्र में है?
A. लोहा और इस्पात क्षेत्र
B. जूट क्षेत्र
C. कॉटन टैक्सटाइल क्षेत्र
D. चीनी क्षेत्र

100. मौसमी बेरोजगारी किस क्षेत्र में सर्वाधिक है ?
A. उद्योग क्षेत्र　　B. कृषि क्षेत्र
C. सेवा क्षेत्र　　D. हथकरघा क्षेत्र

101. भारत में सबसे पुराना ट्रेड यूनियन संगठन है :
A. हिन्द मजदूर सभा
B. भारतीय राष्ट्रीय ट्रेड यूनियन कांग्रेस
C. अखिल भारतीय ट्रेड यूनियन कांग्रेस
D. केन्द्रीय औद्योगिक ट्रेड यूनियन

102. सिन्दरी, हल्दिया और पारादीप में क्या है ?
A. बंदरगाह
B. इस्पात संयंत्र
C. विशाल बहुद्देश्यीय जलाशय
D. उर्वरक संयंत्र

103. आयात-निर्यात बैंक की स्थापना कब हुई ?
A. 1969　　B. 1980
C. 1982　　D. 1985

104. 'बुल' एवं 'बीयर' वाक्यांश का संबंध किससे है?

A. आयकर विभाग से
B. मुद्रा बाजार से
C. स्टॉक एक्सचेंज से
D. बिक्री से

105. बैंक दर कौन निश्चित करता है?

A. भारत सरकार B. वित्त मंत्रालय
C. नीति आयोग D. रिजर्व बैंक

106. निम्नलिखित में से किसकी भारतीय निर्यात में सबसे बड़ी हिस्सेदारी है?

A. इंजीनियरिंग उत्पाद B. रत्न एवं आभूषण
C. समुद्री उत्पाद D. खाद्य तेल

107. दीनदयाल (कांडला) बन्दरगाह किस राज्य में स्थित है?

A. महाराष्ट्र B. गुजरात
C. आन्ध्र प्रदेश D. तमिलनाडु

108. ब्याज दर नीति निम्नलिखित में से किसके अन्तर्गत आती है?

A. राजकोषीय नीति B. औद्योगिक नीति
C. मौद्रिक नीति D. इनमें से कोई नहीं

109. विश्व में चाय का सबसे बड़ा उत्पादक देश कौन-सा है?

A. केन्या B. इंडोनेशिया
C. चीन D. भारत

110. रुपए को कब चालू खाते में परिवर्तनीय बना दिया गया?

A. 1991 B. 1994
C. 1995 D. 1997

111. योजना आयोग के स्थान पर नीति आयोग की स्थापना कब हुई?

A. जनवरी 2013 B. जनवरी 2014
C. जनवरी 2015 D. जनवरी 2011

112. 'STEP' .... की सहायतार्थ कल्याण कार्यक्रम का संक्षिप्त नाम है।

A. बच्चों B. किसानों
C. वरिष्ठ नागरिकों D. महिलाओं

113. खाद्यान्नों का उत्पादन ..... में सर्वाधिक होता है :

A. खरीफ मौसम
B. रबी मौसम
C. खरीफ और रबी मौसम के मध्य
D. कोई तय मौसम नहीं

114. मोनो कल्चर एक विशिष्ट लक्षण है :

A. आजीविका कृषि का
B. स्थानान्तरित कृषि व्यवस्था का
C. व्यापारिक अनाज की कृषि
D. विशिष्ट बागवानी

115. उर्वरकों के इस्तेमाल हेतु एनपीके का आदर्श अनुपात है :

A. 2 : 4 : 1 B. 2 : 1 : 4
C. 4 : 2 : 1 D. 1 : 2 : 4

116. राजकोषीय नीति का निर्माण करता है :

A. भारत सरकार B. रिजर्व बैंक
C. नाबार्ड D. व्यापारिक बैंक

117. 2001-2011 में जनसंख्या की दशकीय प्रतिशत वृद्धि दर थी :

A. 18.2 प्रतिशत B. 20.34 प्रतिशत
C. 17.7 प्रतिशत D. 14.46 प्रतिशत

118. सबसे निम्न साक्षरता वाला राज्य है :

A. अरुणाचल प्रदेश B. राजस्थान
C. बिहार D. उत्तर प्रदेश

119. भारत में बैंकों का बैंक है :

A. रिजर्व बैंक B. मुद्रा कोष
C. विश्व बैंक D. औद्योगिक बैंक

120. एक रुपये के नोट पर किसके हस्ताक्षर होते हैं?

A. रिजर्व बैंक के गवर्नर के
B. वित्त मंत्री के
C. सचिव, वित्त मंत्रालय के
D. उप-वित्तमंत्री के

121. राष्ट्रीय विकास परिषद् की स्थापना किस वर्ष हुई थी?

A. 1949 B. 1950
C. 1951 D. 1952

122. बैंक कार्यालयों की सर्वाधिक संख्या किस राज्य में है?

A. महाराष्ट्र B. आंध्र प्रदेश
C. उत्तर प्रदेश D. दिल्ली

123. लद्दाख को किस वर्ष एक केन्द्रशासित प्रदेश बनाया गया?

A. 2018 में B. 2019 में
C. 2016 में D. 2017 में

124. निम्नलिखित में से किस प्रदेश को 'भारत का सिलिकॉन राज्य' कहा जाता है?

A. गोवा B. आन्ध्र प्रदेश
C. केरल D. कर्नाटक

125. किस पंचवर्षीय योजना का मुख्य उद्देश्य 'गरीबी हटाओ' रखा गया था?

A. पांचवीं पंचवर्षीय योजना
B. चौथी पंचवर्षीय योजना
C. छठी पंचवर्षीय योजना
D. सातवीं पंचवर्षीय योजना

126. भारत में सबसे अधिक ईंधन रिजर्व किसका है?

A. तेल B. गैस
C. कोयला D. जल

127. ऑपरेशन कुटीर ज्योति किससे संबंधित है ?
A. प्रौढ़ साक्षरता B. स्वरोजगार
C. गरीबी उतन D. ग्रामीण विद्युतीकरण

128. 'मुद्रा प्रसार' (Inflation) का क्या परिणाम होता है?
A. कीमतों में बहुत अधिक वृद्धि
B. कीमतों में बेहद गिरावट
C. कीमतों का स्थिर हो जाना
D. कीमतों में अस्थिरता

129. ग्रामीण विद्युतीकरण निगम की स्थापना कब की गई थी ?
A. 1979 में B. 1989 में
C. 1959 में D. 1969 में

130. ओ.एन.जी.सी. का सम्बन्ध निम्नलिखित में से किससे है ?
A. अणु ऊर्जा B. खनिज तेल एवं गैस
C. जल ऊर्जा D. तापीय ऊर्जा

131. सबसे बड़ा ग्रह कौन-सा है ?
A. शनि B. मंगल
C. बुध D. बृहस्पति

132. विश्व का सबसे छोटा महाद्वीप कौन-सा है ?
A. ग्रीनलैंड B. आस्ट्रेलिया
C. दक्षिण अमेरिका D. यूरोप

133. विश्व का सबसे निम्नतम जल भंडार है ?
A. काला सागर B. मृत सागर
C. एड्रियाटिक सागर D. लाल सागर

134. बांग्लादेश का स्वाधीन देश के रूप में उदय किस वर्ष हुआ?
A. 1968 B. 1969
C. 1970 D. 1971

135. विश्व का सबसे ठंडा प्रायद्वीप सागर है ?
A. कैरेबियन सागर B. मेडीटेरियन सागर
C. लाल सागर D. ब्योफोर्ट सागर

136. विश्व का सबसे बड़ा महाद्वीप है ?
A. एशिया B. अफ्रीका
C. आस्ट्रेलिया D. उत्तर अमेरिका

137. भारतीय उप-महाद्वीप की सबसे ऊंची चोटी का नाम :
A. नंदादेवी B. एवरेस्ट
C. त्रिशूल D. कंचनजंगा

138. विश्व का सबसे बड़ा द्वीप है ?
A. न्यू गुयाना B. बर्नियो
C. मेडागास्कर D. ग्रीनलैंड

139. मानचित्रों की पुस्तक को क्या कहते हैं?
A. एटलस B. विश्वकोश
C. शब्दकोश D. डायरी

140. सबसे बड़ा महासागर है ?
A. प्रशांत महासागर
B. अटलांटिक महासागर
C. अंटार्कटिक महासागर
D. हिन्द महासागर

141. विश्व का सबसे बड़ा प्रायद्वीप है ?
A. प्रशांत B. अरब
C. बांग्लादेश D. अफ्रीका

142. विश्व का सबसे बड़ा द्वीप समूह है ?
A. इंडोनेशिया B. मलेशिया
C. न्यूजीलैंड D. माल्टा

143. विश्व का सबसे गहरा महासागर है ?
A. आर्कटिक B. अटलांटिक
C. प्रशांत D. हिन्द

144. किस पर्वतमाला को नीला पर्वत कहते हैं ?
A. नीलगिरि पर्वत B. आल्पस
C. माउंट एवरेस्ट D. हिमालय

145. 'अंध महाद्वीप' किसे कहते हैं ?
A. अफ्रीका B. ऑस्ट्रेलिया
C. ग्रीनलैंड D. दक्षिण अमेरिका

146. एशिया माइनर स्थित है :
A. इराक में B. तुर्की में
C. जार्डन में D. ईरान में

147. उत्तर का वेनिस किस शहर को कहा जाता है?
A. पेरिस B. इस्तांबुल
C. स्टॉकहोम D. मैड्रिड

148. पेरिस किस नदी के किनारे बसा है ?
A. तिबिया B. सीन
C. डेन्यूब D. उपर्युक्त में से कोई नहीं

149. ऑस्ट्रेलिया है :
A. दक्षिणी गोलार्द्ध का एकमात्र देश
B. द्वीपीय महाद्वीप
C. सबसे छोटा महाद्वीप
D. उपर्युक्त सभी बिंदु सत्य हैं

150. कांगों (डेमोक्रेटिक रिपब्लिक) किस महाद्वीप में स्थित है ?
A. यूरोपीय B. ऑस्ट्रेलियाई
C. एशियाई D. अफ्रीकी

151. चीन का शोक है :
A. लिन पियाओ B. सिंकियांग
C. ह्वांगहो D. सैंग हो

152. विश्व का चीनी का कटोरा किसे कहा जाता है?

A. मनीला B. जापान
C. क्यूबा D. हवाना

153. उगते हुए सूरज की भूमि है :

A. जापान B. नार्वे
C. असम D. म्यांमार

154. विश्व का सबसे बड़ा कोयला उत्पादक है :

A. अमेरिका B. चीन
C. भारत D. फ्रांस

155. विश्व की सबसे लंबी नदी है :

A. नील B. अमेजन
C. यांग्त्ज D. मिसीसिपी-मिसौरी

156. मानसून वाली भूमि में लोगों का मुख्य धंधा है :

A. वानिकी B. कृषि
C. उद्योग D. खनन

157. क्षेत्रफल की दृष्टि से विश्व का सबसे बड़ा देश कौन-सा है?

A. यूएसए B. रूस
C. चीन D. कनाडा

158. भारत में थोक मूल्य सूचकांक का आधार वर्ष अब क्या है?

A. 2011-12 B. 2004-05
C. 2009-10 D. 2010-11

159. कोरबा—के लिए प्रसिद्ध है।

II. ताप ऊर्जा संयंत्र
II. अल्युमिनियम संयंत्र
III. हाइड्रो इलेक्ट्रिक ऊर्जा संयंत्र
IV. इनमें से सही उत्तर है

A. I और II B. केवल II
C. केवल I D. I, II और III

160. झारखंड का छोटा नागपुर क्षेत्र किसलिए प्रसिद्ध है?

A. तेल परिशोधनशाला B. उपजाऊ भूमि
C. लाख उद्योग D. टेक्सटाइल

161. निम्नलिखित में से कौन-सा युग्म सही है?

A. भिलाई-बिहार B. बोकारो-मध्य प्रदेश
C. दुर्गापुर-कर्नाटक D. राउरकेला-ओडिशा

162. खेतड़ी प्रसिद्ध है :

A. तांबा काम्प्लेक्स
B. सोने के क्षेत्र
C. अल्युमिनियम काम्प्लेक्स
D. उर्वरक

163. भारत के किस राज्य का क्षेत्रफल सबसे बड़ा है?

A. असम B. उत्तर प्रदेश
C. पश्चिम बंगाल D. राजस्थान

164. जादूगोड़ा किस लिए प्रसिद्ध है?

A. यूरेनियम B. तांबा
C. कोयला D. सैंडस्टोन

165. ब्राजील की राजधानी है :

A. साओ पोलो B. ब्राजीलिया
C. पोर्ट लुइस D. सेन सल्वाडोर

166. हीराकुड बांध किस नदी पर बना हुआ है?

A. गोदावरी B. महानदी
C. सतलज D. कृष्णा

167. भारत का ज्वारीय बंदरगाह है :

A. मुम्बई B. कांडला
C. मंगलुरु D. कोच्चि

168. महात्मा गांधी सेतु किस नदी पर बना है?

A. ब्रह्मपुत्र B. गोदावरी
C. गंगा D. कावेरी

169. पिम्परी किस लिए विख्यात है?

A. उर्वरक कारखाना
B. सीमेंट कारखाना
C. रसायन फैक्टरी
D. एंटीबायोटिक फैक्टरी

170. भारत की सबसे बड़ी नदी है?

A. ब्रह्मपुत्र B. गंगा
C. गोदावरी D. कृष्णा

171. 'तिस्ता जल' का भारत और किसके बीच बंटवारा होता है?

A. नेपाल B. भूटान
C. चीन D. बांग्लादेश

172. कार्बेट नेशनल पार्क कहां स्थित है?

A. गुजरात B. उत्तराखंड
C. मध्य प्रदेश D. असम

173. मैंगनीज पाया जाता है :

A. पंजाब में B. जम्मू-कश्मीर में
C. मध्य प्रदेश में D. उपर्युक्त सभी में

174. नागार्जुन सागर परियोजना किस नदी पर चलाई जा रही है?

A. कावेरी B. कृष्णा
C. गोदावरी D. तुंगभद्रा

175. निम्नलिखित में से कौन खरीफ फसल है?

A. चना B. जौ
C. गेहूं D. चावल

176. प्रसिद्ध पर्वतीय स्थल 'मसूरी' किस राज्य में स्थित है?

A. हिमाचल प्रदेश B. मेघालय
C. महाराष्ट्र D. उत्तराखंड

177. भारतीय संघ का क्षेत्रफल है ?
A. 32,87,263 वर्ग किमी.
B. 55,26,892 वर्ग किमी.
C. 32,00,000 वर्ग किमी.
D. 35,00,000 वर्ग किमी.

178. संपूर्ण भारतवर्ष के लिए औसत वार्षिक वर्षा है :
A. 180 सेमी. B. 105 सेमी.
C. 70 सेमी. D. 120 सेमी.

179. भारत इनके बीच स्थित है :
A. 8°4' उ. से 37°6' उ. अक्षांश और 60°7' पूर्व से 98°25' पूर्वी देशांतर
B. 8° उ. से 37° उ. अक्षांश और 68° पूर्वी और 97° पूर्वी देशांतर
C. 8° उ. से 38° उ. अक्षांश और 60° पूर्वी और 90° पूर्वी देशांतर
D. 9° उ. से 38° उ. अक्षांश और 64° पूर्वी से 100° पूर्वी देशांतर

180. भारत में सुशासन दिवस कब मनाया जाता है?
A. 25 सितम्बर B. 14 नवम्बर
C. 25 दिसम्बर D. 19 नवम्बर

181. किस विटामिन की कमी से रिकेट्स रोग होता है ?
A. A B. B
C. C D. D

182. घेंघा रोग किसकी कमी से होता है ?
A. साधारण नमक B. आयोडीन
C. चीनी D. शुद्ध जल

183. साइकिल के ट्यूब सबसे अधिक किस समय फटते हैं ?
A. जाड़े में B. गर्मी में
C. बरसात में D. वर्ष भर

184. हैपेटाइटिस रोग से मनुष्य के शरीर का कौन सा अंग प्रभावित होता है ?
A. यकृत B. फेफड़ा
C. हृदय D. मस्तिष्क

185. मलेरिया रोग निम्नलिखित में से किस मच्छर के काटने से होता है ?
A. नर क्यूलेक्स B. मादा एनोफ्लीज
C. नर एनोफ्लीज D. मादा क्यूलेक्स

186. ऑक्सीजन की आपूर्ति ········ के द्वारा होती है।
A. श्वेत रक्त कण
B. लाल रक्त कण
C. प्लाज्मा
D. सभी के द्वारा

187. 'कैटेरेक्ट' बीमारी शरीर के किस अंग से संबंधित है?
A. यकृत B. फेफड़े
C. आँख D. नांक

188. निकट दृष्टि दोष में उपयोग में लाया जाने वाला लैंस है—
A. उत्तल लैंस B. अवतल लैंस
C. बेलनाकार लैंस D. बायोफोकस लैंस

189. बरसात में कपड़े के देर से सूखने का क्या कारण है ?
A. वायुमंडल में अधिक आर्द्रता के कारण
B. गर्मी के कारण
C. बादल के कारण
D. इनमें से कोई नहीं

190. 'निमोनिया' किस अंग की बीमारी है?
A. फेफड़े B. आँत
C. मस्तिष्क D. दांत

191. 'डिप्थीरिया' रोग से प्रभावित होने वाला अंग है—
A. छाती B. पेट
C. आंख D. श्वास नली

192. वयस्क मानव में रुधिर की रचना किसके द्वारा की जाती है ?
A. हृदय B. तिल्ली
C. लाल अस्थिमज्जा D. पीत अस्थिमज्जा

193. सर्वदाता वह व्यक्ति है जिसका रुधिर वर्ग होता है—
A. B B. A
C. AB D. O

194. एक हॉर्स पावर (Horse Power) का मान होता है—
A. 576 वॉट B. 646 वॉट
C. 814 वॉट D. 746 वॉट

195. क्षयरोग (तपेदिक) से बचाव के लिए कौन-सा टीका लगाया जाता है ?
A. डी.पी.टी. B. बी.सी.जी.
C. ए.टी.एस. D. इनमें से कोई नहीं

196. अरक्तता (एनीमिया) किसकी कमी से होता है ?
A. आयोडीन B. लोहा
C. कैल्सियम D. फॉस्फोरस

197. शरीर को सबसे अधिक कैलोरी ऊर्जा प्रदान करता है—
A. कार्बोहाइड्रेट B. प्रोटीन
C. वसा D. खनिज लवण

198. कागज का आविष्कार सर्वप्रथम कहां हुआ ?
A. थाईलैंड में B. चीन में
C. भारत में D. जापान में

199. किसी वयस्क व्यक्ति का सामान्य रक्तचाप होता है—
A. 120/80 B. 90/60
C. 160/20 D. 140/100

200. कैलोरी किसकी इकाई है ?
A. कार्य B. ऊष्मा
C. ऊर्जा D. प्रकाश

201. जल का सबसे शुद्ध रूप है—
A. नदी का जल B. वर्षा का जल
C. झील का जल D. हिम नदी का जल

202. रक्त के थक्के जमने का कारण है—
A. थ्राम्बिन B. हीमोग्लोबिन
C. पेक्टिन D. उपरोक्त सभी

203. ध्वनि की तीव्रता नापी जाती है—
A. डेसीबल से B. डेसीमीटर से
C. ईकोबल से D. उपर्युक्त सभी से

204. पृथ्वी के पलायन वेग का मान है :
A. 11.2 किमी./से. B. 11.2 मी./से.
C. 7.0 किमी./से. D. 1.5 किमी./से.

205. टायफॉयड में शरीर का कौन-सा अंग प्रभावित होता है?
A. श्वासनली B. फेफड़ा
C. आंत D. यकृत (लीवर)

206. सौरमंडल का सबसे बड़ा और भारी ग्रह कौन-सा है?
A. पृथ्वी B. बृहस्पति
C. शनि D. वरुण

207. कुनैन कहां से प्राप्त होता है?
A. सिनकोना के छाल से B. पेड़ के रस से
C. पेड़ की जड़ से D. पशुओं से

208. विटामिन 'सी' क्या कहलाता है?
A. एस्कॉर्बिक एसिड
B. टारटारिक एसिड
C. अमीनो एसिड
D. ग्लाइकोलिक एसिड

209. किलोवाट किसकी इकाई है?
A. शक्ति की B. कार्य की
C. ऊर्जा की D. विद्युतधारा की

210. 'फैदम' किसकी माप की इकाई है?
A. समय B. गहराई
C. ध्वनि D. ऊर्जा

211. दूध में सबसे कम पाया जाता है—
A. लोहा B. कैल्शियम
C. प्रोटीन D. विटामिन

212. सबसे अधिक मात्रा में प्रोटीन प्रति ग्राम किसमें पाया जाता है?
A. मूंगफली B. सोयाबीन
C. गेहूं D. मक्का

213. सूर्य से सबसे अधिक दूरी पर स्थित ग्रह है—
A. यूरेनस B. शनि ग्रह
C. नेप्चून D. बुध

214. निम्नलिखित में कौन-सा रोग वंशानुगत है?
A. रतौंधी B. रक्ताल्पता
C. वृक्कशोध D. मधुमेह

215. शरीर की सरंचना का अध्ययन विज्ञान की किस शाखा में किया जाता है?
A. ऑटोमेशन B. एनाटोमी
C. बायोमेट्री D. बायोनिक्स

216. किसकी कमी के कारण भोजन का पाचन नहीं हो सकता?
A. एंजाइम B. हॉरमोन
C. विटामिन D. उपर्युक्त (B) और (C)

217. एलिसा नामक परीक्षण किस रोग से निदान के लिए किया जाता है?
A. एड्स B. टी.बी.
C. हेपेटाइटिस D. डिप्थीरिया

218. 'ग्लूकोमा' मानव शरीर के किस अंग से संबंधित बीमारी है?
A. फेफड़ा B. हृदय
C. कान D. आंख

219. 'जेट इंजन' का आविष्कारक कौन था?
A. जेम्स वाट
B. चार्ल्स पारसन्स
C. आर्विल और विल्टर राइट
D. फ्रेंक व्हीटल

220. विटामिन डी का उत्तम स्रोत है—
A. अंडा B. दूध
C. सूर्य की किरणें D. पालक

221. किस मच्छर के काटने से डेंगू बुखार होता है?
A. एनाफिलीज B. एडीज
C. बुचेरिया D. बाटफलाई

222. निम्नलिखित में कौन-सा सुमेलित नहीं है?
A. विटामिन ए - मलेरिया B. विटामिन बी - बेरीबेरी
C. विटामिन सी - स्कर्वी D. विटामिन ई - बांझपन

223. पेस मेकर का क्या कार्य है?
A. पाचन क्रिया का नियमन
B. मूत्र बनाने का नियमन
C. दिल की धड़कन प्रारम्भ करना
D. श्वास क्रिया प्रारम्भ करना

224. 'हीलियम गैस' को गुब्बारों में क्यों भरा जाता है?
A. वह एक उत्कृष्ट गैस है
B. वह वायु से हल्का है
C. उसका परमाणु क्रमांक 2 है
D. वह जल के अवयवों में से एक है

225. मोटर वाहनों में किस दर्पण का उपयोग होता है ?
A. उत्तल दर्पण B. अवतल दर्पण
C. समतल दर्पण D. गोलीय दर्पण

226. प्रकाश संश्लेण होता है—
A. रात्रि में B. दिन व रात्रि में
C. दिन में अथवा रात्रि में D. केवल दिन में

227. कौन-सा पेड़ सबसे शीघ्र बढ़ता है ?
A. पीपल B. नीम
C. बरगद D. युक्लिप्टिस

228. विटामिन सी सबसे अधिक किसमें पाया जाता है ?
A. संतरा B. आम
C. गाजर D. अमरूद

229. थायराइड भोजन में ·········की कमी से होता है ?
A. कैल्शियम B. आयरन
C. क्लोरीन D. आयोडीन

230. रक्त-स्कन्दन में कौन-सा विटामिन क्रियाशील होता है ?
A. डी B. ए
C. सी D. के

231. पेड़-पौधों के पत्तों का रंग हरा किस तत्त्व के कारण होता है ?
A. हीमोग्लोबिन B. क्लोरोफिल
C. लेटिन फ्लू D. पेयरीक्लीफ

232. निम्नलिखित में से किस ग्रह को लालतारा की संज्ञा दी जाती है ?
A. शनि B. मंगल
C. शुक्र D. बुध

233. एक स्वस्थ वयस्क व्यक्ति का हृदय एक मिनट में औसतन कितनी बार धड़कता है ?
A. 86 B. 98
C. 72 D. 64

234. बॉक्साइट किसका अयस्क है ?
A. जस्ता B. तांबा
C. ऐल्युमिनियम D. मैंगनीज

235. हॉर्स पावर क्या है ?
A. घोड़े की शक्ति B. बल का मात्रक
C. शक्ति का मात्रक D. इनमें से कोई नहीं

236. ग्रैंड स्लेम निम्नलिखित में से किस खेल से संबंधित है?
A. फुटबॉल B. टेनिस
C. हॉकी D. पोलो

237. वायु में कौन सी गैस सर्वाधिक मात्रा में उपस्थित है ?
A. ऑक्सीजन
B. नाइट्रोजन
C. कार्बन डाइ आक्साइड
D. हाइड्रोजन

238. वायुमंडलीय दाब ·······से नापा जाता है ?
A. हाइड्रोमीटर (द्रवमापी)
B. बैरोमीटर (दाबमापी)
C. हाइग्रोमीटर (आर्द्रतामापी)
D. एल्टीमीटर (ऊंचाई मापी)

239. विटामिन D किसमें पाया जाता है ?
A. मक्खन B. यकृत
C. अण्डा D. उपर्युक्त सभी में

240. प्रकाश वर्ष·········की इकाई है।
A. दूरी B. समय
C. वजन D. प्रकाश की तीव्रता

241. भारतीय ज्ञानपीठ पुरस्कार किसे प्रदान किया जाता है?
A. उत्कृष्ट हिन्दी कविता के लिए
B. भारतीय साहित्य में उत्कृष्ट योगदान के लिए
C. हिन्दी साहित्य में उत्कृष्ट योगदान के लिए
D. भारतीय दर्शन की उत्कृष्ट समीक्षा के लिए

242. अध्यापकों के लिए राष्ट्रीय पुरस्कारों की घोषणा कब की जाती है?
A. 14 नवम्बर B. 5 सितम्बर
C. 30 जनवरी D. 26 जनवरी

243. निम्नलिखित में से किस विषय पर नोबेल पुरस्कार नहीं दिया जाता है?
A. चिकित्सा B. गणित
C. अर्थशास्त्र D. रसायन शास्त्र

244. बुकर पुरस्कार किस क्षेत्र में प्रदान किया जाता है?
A. कल्पना साहित्य लेखन
B. औषधि
C. साहस के कार्य
D. विज्ञान

245. गांधी शान्ति पुरस्कार में कितनी धनराशि प्रदान की जाती है?
A. 50 लाख B. 2 करोड़
C. 1 करोड़ D. 10 लाख

246. सर्वोच्च शौर्य पुरस्कार 'परमवीर चक्र' के प्रथम विजेता कौन थे?
A. मेजर ध्यान सिंह
B. के॰ गुरुवचन सिंह
C. मेजर शैतान सिंह
D. मेजर सोमनाथ शर्मा

247. धन्वन्तरि पुरस्कार किस क्षेत्र में विशिष्ट योगदान के लिए दिया जाता है?
A. संगीत B. नृत्य
C. दर्शन D. चिकित्सा

248. कलिंग पुरस्कार किस क्षेत्र में दिया जाता है?
A. साहित्य के क्षेत्र में
B. विज्ञान के क्षेत्र में
C. सामाजिक कल्याण के लिए किये गए कार्य के लिए
D. अन्तर्राष्ट्रीय शान्ति एवं सद्भावना के लिए

249. नोबेल पुरस्कार का आरम्भ कब से हुआ?
A. सन् 1901 से B. सन् 1905 से
C. सन् 1896 से D. सन् 1934 से

250. अर्थशास्त्र के लिए नोबेल पुरस्कार कब से आरम्भ हुआ?
A. सन् 1969 ई॰ से
B. सन् 1939 ई॰ से
C. सन् 1901 ई॰ से
D. सन् 1935 ई॰ से

251. ग्रेमी पुरस्कार किस क्षेत्र में अभूतपूर्व उपलब्धियों के लिए दिए जाते हैं?
A. खेल B. कृषि
C. विज्ञान D. संगीत

252. होमी भाभा पुरस्कार किस क्षेत्र में विशेष योगदान के लिए दिया जाता है?
A. सैद्धान्तिक भौतिकी
B. नाभिकीय ऊर्जा
C. लेसर भौतिकी
D. अन्तरिक्ष अनुसन्धान

253. नेहरू पुरस्कार कौन-सी संस्था प्रदान करती है?
A. इंडियन कौंसिल ऑफ कल्चरल रिलेशन्स
B. इंडो-सोवियत कल्चरल सोसाइटी
C. भारतीय राष्ट्रीय कांग्रेस
D. भारतीय ज्ञानपीठ

254. वीरता का सर्वोच्च सम्मान सूचक पदक जो शत्रु के सामने असीम शौर्य और अदम्य साहस दिखाने या आत्म-बलिदान करने पर भेंट किया जाता है, उसका क्या नाम है?
A. चक्रव्यूह B. अशोक चक्र
C. महावीर चक्र D. परमवीर चक्र

255. प्रथम मरणोपरान्त 'भारत-रत्न' अलंकरण किसे प्रदान किया गया था?
A. के॰ कामराज नाडार
B. आचार्य विनोबा भावे
C. लाल बहादुर शास्त्री
D. एम॰जी॰ रामचन्द्रन

256. निम्नलिखित में से कौन-सा पुरस्कार केवल एशियावासियों को दिया जाता है?
A. नेहरू सद्भावना पुरस्कार
B. पुलित्ज़र पुरस्कार
C. इन्दिरा गांधी शान्ति पुरस्कार
D. मैग्सेसे पुरस्कार

257. अर्जुन पुरस्कार कब से प्रारम्भ हुए?
A. 1961 ई॰ से B. 1962 ई॰ से
C. 1963 ई॰ से D. 1964 ई॰ से

258. लोक संस्कृति के विकास के लिए 'तुलसी पुरस्कार' किस राज्य ने स्थापित किया है?
A. उत्तर प्रदेश ने B. बिहार ने
C. राजस्थान ने D. मध्य प्रदेश ने

259. ऑस्कर में नामित प्रथम भारतीय फिल्म कौन थी?
A. मदर इंडिया B. सलाम बॉम्बे
C. लगान D. पहेली

260. ललित कला के विभिन्न क्षेत्रों में उत्कृष्ट योगदान के लिए कालिदास सम्मान किस सरकार की ओर से प्रदान किया जाता है?
A. उत्तर प्रदेश B. राजस्थान
C. मध्य प्रदेश D. पश्चिम बंगाल

261. निम्नलिखित में से किसे सबसे पहले 'दादा साहेब फाल्के पुरस्कार से सम्मानित किया गया था?
A. शोभना समर्थ B. दुर्गा खोटे
C. देविका रानी D. कानन देवी

262. कृषि अनुसंधान के क्षेत्र में उत्कृष्ट योगदान के लिए एक पुरस्कार दिया जाता है, उसका नाम क्या है?
A. कृषि पंडित पुरस्कार
B. कालिंजर पुरस्कार
C. अर्जुन पुरस्कार
D. बोरलॉग पुरस्कार

263. रुइया ट्रॉफी निम्नलिखित में से किस खेल से संबंधित भारत की सर्वाधिक प्रतिष्ठित ट्रॉफी है?
A. स्क्वैश B. तैराकी
C. ब्रिज D. शतरंज

264. ओलंपिक पदक विजेता नीरज चोपड़ा का संबंध किस खेल से है?
A. भाला फेंक B. टेनिस
C. कुश्ती D. हॉकी

265. सर्वप्रथम क्रिकेट टैस्ट मैच किस देश में खेला गया था?
A. न्यूज़ीलैण्ड में B. भारत में
C. इंग्लैण्ड में D. ऑस्ट्रेलिया में

266. आधुनिक ओलंपिक खेलों में विजेताओं को स्वर्ण पदक देने की प्रथा कब से आरम्भ हुई?

A. 1908 से B. 1912 से
C. 1918 से D. 1922 से

267. ओवल (क्रिकेट) स्टेडियम विश्व के किस देश में है?
A. ऑस्ट्रेलिया B. भारत
C. न्यूज़ीलैंड D. इंग्लैंड

268. भारत ने पहली बार विश्व कप हॉकी स्पर्धा कब जीती थी?
A. 1975 B. 1971
C. 1979 D. 1967

269. किस खेल में प्रत्येक पक्ष में खिलाड़ियों की संख्या सर्वाधिक होती है?
A. फुटबॉल B. रग्बी फुटबॉल
C. हॉकी D. आइस हॉकी

270. 'ददा' के नाम से किसे जाना जाता है?
A. मेजर ध्यानचंद B. रूप सिंह
C. के. डी. सिंह D. उधम सिंह

271. निम्नलिखित में से कौन-सा कप / ट्रॉफी फुटबॉल से सम्बन्धित नहीं है?
A. मर्डेका कप B. डूरण्ड कप
C. सन्तोष ट्रॉफी D. दिलीप ट्रॉफी

272. सन् 1975 में प्रथम क्रिकेट विश्व कप किस देश में आयोजित किया गया था?
A. ऑस्ट्रेलिया B. इंग्लैंड
C. वेस्टइंडीज D. न्यूजीलैंड

273. मारिया शारापोवा किस देश की महिला टेनिस खिलाड़ी है?
A. स्पेन B. बेल्जियम
C. रूस D. सं. रा. अ.

274. निम्नलिखित में से कौन-सी अन्तर्राष्ट्रीय टेनिस खेल प्रतियोगिता घास के मैदान में खेली जाती है?
A. यू॰एस॰ ओपन B. फ्रेंच ओपन
C. विम्बलडन D. ऑस्ट्रेलियाई ओपन

275. 'विम्बलडन ट्रॉफी' का सम्बन्ध किस खेल से है?
A. पोलो (इंग्लैंड) से B. समुद्री दौड़ से
C. घुड़दौड़ से D. टेनिस से

276. निम्न में से किस पदक का सम्बन्ध हॉकी से नहीं है?
A. आगा खां कप B. वर्दवान ट्रॉफी
C. ध्यानचन्द ट्रॉफी D. बम्बई गोल्ड कप

277. 'रिवर्स स्विंग' एवं 'बीमर' नामक शब्दावलियां किस खेल से संबंधित हैं?
A. नौकायन B. क्रिकेट
C. फुटबॉल D. हॉकी

278. 'बोगी' शब्द किस खेल से जुड़ा हुआ है?
A. गोल्फ B. बेसबॉल
C. तैराकी D. मुक्केबाजी

279. 'ज्यूल्स रिमेट ट्रॉफी' का सम्बन्ध किस खेल से है?
A. फुटबॉल (विश्व) से
B. गोल्फ से
C. हॉकी (भारत) से
D. लॉन टेनिस (विश्व) से

280. 'मर्डेका' कप का सम्बन्ध किस खेल से है?
A. टेनिस B. बैडमिंटन
C. फुटबॉल D. क्रिकेट

281. प्रथम ओलम्पिक खेल ओलम्पिया (ग्रीस) में कब खेले गए थे?
A. 233 ई॰पू॰ में B. 1500 ई॰पू॰ में
C. 500 ई॰पू॰ में D. 776 ई॰पू॰ में

282. 394 ई॰ में रोम के बाद एक सम्राट् ने ओलम्पिक खेलों को बंद कर दिया था। इसको पुनः किसने शुरू किया?
A. मि॰ स्पोर्ट्समैन ने
B. बैरन पीयरे डी कोबर्टिन ने
C. जनरल फ्रेंको ने
D. अब्राहम लिंकन ने

283. 'थर्ड आई' शब्द किस खेल से संबंधित है?
A. तीरंदाजी B. बिलियर्ड्स
C. क्रिकेट D. हॉकी

284. ग्रैंड स्लेम (Grand Slam) निम्नलिखित में से किस खेल से संबंधित है?
A. फुटबॉल B. टेनिस
C. हॉकी D. पोलो

285. निम्नलिखित पुस्तकों में से कौन-सी पुस्तक महादेवी वर्मा द्वारा लिखित है?
A. यशोधरा B. यामा
C. ययाति D. उर्वशी

286. 'मेरी इक्यावन कवितायें' किसकी पुस्तक है?
A. धर्मवीर भारती
B. आशापूर्णा देवी
C. अटल बिहारी वाजपेयी
D. कुंवर नारायण

287. 'इण्डिया डिवाइडेड' किसकी रचना है?
A. आचार्य कृपलानी
B. डॉ॰ राजेन्द्र प्रसाद
C. मौलाना अबुल कलाम आजाद
D. डॉ॰ अम्बेडकर

288. 'सैटनिक वर्सेज़' किस लेखक की पुस्तक है?

A. मुल्कराज आनंद B. सलमान रुश्दी
C. आर॰के॰ नारायण D. तस्लीमा नसरीन

289. 'क्रिकेट माई स्टाइल' पुस्तक का लेखक कौन है?

A. सुनील गावस्कर B. इमरान खान
C. मो. अजहरुद्दीन D. कपिल देव

290. 'ए सूटेबल ब्वाय' पुस्तक का लेखक कौन है?

A. खुशवंत सिंह B. अरुण शोरी
C. विक्रम सेठ D. इनमें कोई नहीं

291. 'कैन्टरबरी टेल्स' पुस्तक का लेखक कौन है?

A. ज्योफरी चॉसर
B. लियो टॉलस्टाय
C. गुन्नार मिर्डल
D. विलियम शेक्सपियर

292. निम्नलिखित में से कौन-सी पुस्तक प्रेमचन्द द्वारा रचित नहीं है?

A. गोदान B. गबन
C. प्रेम पचीसी D. आनंदमठ

293. बांग्लादेश की लेखिका तस्लीमा नसरीन को किस पुस्तक से ख्याति मिली?

A. शर्म B. लज्जा
C. नारी स्वातन्त्रय D. अबला

294. 'पावर्टी एण्ड अन-ब्रिटिश रूल इन इण्डिया' का लेखक कौन है?

A. लाला लाजपत राय
B. लाला हरदयाल
C. विनायक दामोदर सावरकर
D. दादाभाई नौरोजी

295. 'मुद्राराक्षस' ग्रंथ का लेखक कौन है?

A. विशाखदत्त B. कालिदास
C. भारवि D. माघ

296. 'माई प्रेसिडेंशल ईयर्स' पुस्तक का लेखक कौन है?

A. ज्ञानी जैल सिंह
B. वी॰वी॰ गिरि
C. आर॰ वेंकटरमन
D. डॉ॰ शंकर दयाल शर्मा

297. 'माई कंट्री माई लाइफ' किस राजनेता द्वारा लिखी पुस्तक है?

A. एल.के. आडवाणी B. एम.एम. जोशी
C. सीताराम येचुरी D. नरेंद्र मोदी

298. वर्शिपिंग फाल्स गॉड्स (Worshiping False Gods) पुस्तक के लेखक हैं–

A. विक्रम सेठ B. अरुण शौरी
C. सलमान रुश्दी D. खुशवन्त सिंह

299. निम्नलिखित पुस्तकों में से कौन-सी पुस्तक सलमान रुश्दी की है?

A. दि वर्ल्ड ऑफ फतवाज़
B. दि मूर्स लास्ट साई
C. दि अदर हाफ
D. फूल्स पैराडाइज़

300. 'एस अगेंस्ट ऑड' किस खिलाड़ी की आत्मकथा है?

A. सायना नेहवाल B. सानिया मिर्जा
C. सचिन तेन्दुलकर D. एम.एस. धोनी

301. 'फ्रीडम एट मिडनाइट' के लेखक कौन हैं?

A. जवाहरलाल नेहरू तथा डॉ॰ राजेन्द्र प्रसाद
B. एम॰ओ॰ मथाई तथा फ्रैंक मोरेस
C. मैक्सिम गोर्की तथा दोस्तोवस्की
D. लैरी कॉलिन्स और डोमिनिक लापियर

302. 'अंकल टॉम्स केबिन' के लेखक का क्या नाम है?

A. एच॰बी॰ स्टोव B. एडम स्मिथ
C. टॉलस्टाय D. थॉमस मूर

303. 'वार एण्ड पीस' और 'अन्ना कैरेनिना' दोनों एक ही अन्तर्राष्ट्रीय ख्यातिप्राप्त लेखक की कृतियां हैं। उस लेखक का क्या नाम है?

A. ओलीवर गोल्डस्मिथ B. स्वेतलाना
C. लुई ब्रोमफील्ड D. लियो टॉलस्टाय

304. 'कोर्ट मार्शल' क्या होता है?

A. सैनिक कानूनों के तहत सैनिक अदालत में एक व्यक्ति के खिलाफ कानूनी कार्रवाई
B. कोर्ट में व्यवस्था बनाने वाला व्यक्ति
C. साधारण कोर्ट में किसी व्यक्ति के खिलाफ मुकदमा
D. इनमें से कोई नहीं

305. 'कैलिग्राफी' क्या होता है?

A. सुन्दर दिखने की कला
B. सुन्दर लिखने की कला
C. साहित्य अथवा कला के क्षेत्र में किया गया सर्वोत्कृष्ट कार्य
D. अच्छा गाने की कला

306. 'हॉटलाइन' का क्या अर्थ है?

A. दो व्यक्तियों के बीच एकल लाइन के रूप में सीधी टेलीफोन सेवा
B. बिजली के करंट दौड़ते हुए तार
C. ऐसी सीमा रेखा जहाँ गर्मी पड़ती है
D. गर्म प्रदेशों के बीच सीमा रेखा

307. 'शून्य काल' का क्या अर्थ होता है?

A. रात्रि और दिन के मिलने का समय
B. संसद के दोनों सदनों में प्रश्नकाल के ठीक बाद का समय

C. जिस समय कोई लाभ देने वाला काम नहीं हुआ हो
D. इनमें से कोई नहीं

308. 'काकस' का क्या अर्थ होता है?
A. किसी राजनीतिक दल अथवा गुट के प्रमुख सदस्यों की बैठक
B. बजट तैयार करने की प्रक्रिया
C. अनुदान मांगों में कटौती का प्रस्ताव
D. किसी मंत्री द्वारा सदन को दी गई जानकारी

309. 'रिसेशन' का क्या अर्थ होता है?
A. एक शासन पद्धति
B. एक आर्थिक प्रक्रिया जहाँ मांग उत्पादन से कम होती है
C. समाज सुधार की एक प्रक्रिया
D. खेल की एक विधि

310. 'बार्टर' क्या है?
A. व्यापार की एक प्राचीन प्रथा
B. जापान की चित्रकला
C. गाने की एक विधा
D. एक नृत्य रूपक

311. 'ब्लैक होल' क्या होता है?
A. चन्द्रमा पर पाए जाने वाले काले धब्बे
B. पृथ्वी पर स्थित गहरे काले धब्बे
C. प्राणी में मौजूद संरचनाएं
D. अंतरिक्ष में स्थित एक अदृश्य क्षेत्र

312. 'एंटीडॉट' क्या होता है?
A. एक ऐसा तत्व जो विष के प्रभाव का शमन करता है
B. सड़न रोकने वाला रसायन
C. फलों को पकाने वाला रसायन
D. कार्य स्थगन प्रस्ताव

313. 'हिंटरलैंड' से क्या तात्पर्य है?
A. महासागर के वह हिस्से जो तटों से काफी दूर होते हैं
B. वनस्पति अथवा प्राणी के लिए अनुकूल उनका प्राकृतिक परिवेश
C. एक समुद्री बंदरगाह का भीतरी क्षेत्र जो बंदरगाह की सुविधा का सर्वाधिक उपयोग करता है
D. इनमें से कोई नहीं

314. कम्प्यूटर–
A. एक उपकरण है, जो गणितीय और तार्किक संक्रियायें सम्पन्न करता है
B. एक उपकरण है, जो केवल गणितीय संक्रियायें सम्पन्न करता है
C. एक स्मृति उपकरण है
D. एक गणना उपकरण है

315. 'PC' का अर्थ है–
A. प्राइवेट कम्प्यूटर B. पर्सनल कैल्कुलेटर
C. पर्सनल कम्प्यूटर D. प्रोफेशनल कम्प्यूटर

316. 'बाइनरी अंक प्रणाली' में अधिकतम अंक (Digit) कितने होते हैं?
A. 1 B. 10
C. 2 D. 4

317. निम्नलिखित में से कौन-सा 'इनपुट' उपकरण है?
A. मॉनीटर B. प्रिंटर
C. प्लॉटर D. माउस

318. CPU का पूरा नाम है–
A. सेन्ट्रल प्रोग्रामिंग यूनिट
B. सेन्ट्रल प्रोसेसिंग यूनिट
C. सेन्ट्रल प्रोग्रामिंग अण्डरस्टैंडिंग
D. सेन्ट्रल प्रोसेसिंग अण्डरस्टैंडिंग

319. गणना हेतु प्रयोग में लाया गया पहला उपकरण था–
A. ENIAC B. ABACUS
C. एनालिटिकल इंजन D. EDSAC

320. ABACUS का प्रयोग कब शुरू हुआ था?
A. 250 ई॰ में B. 450 ई॰पू॰ में
C. 1200 ई॰पू॰ में D. 1200 ई॰ में

321. किस अंग्रेज को 'कम्प्यूटर का जनक' कहा जाता है?
A. ब्लेज़ पास्कल B. लेबनित्ज़
C. चार्ल्स बैबेज D. जे॰पी॰ एकर्ट

322. निम्नलिखित में से कौन-सी कम्प्यूटर की सेकेण्डरी मेमोरी है?
A. RAM B. ROM
C. रजिस्टर्स D. फ्लॉपी

323. निम्नलिखित में से कौन पैकेज नहीं है?
A. BASIC B. dBASE
C. वर्ड परफेक्ट D. पेज मेकर

324. कौन-सा बेमेल है?
A. वर्ड स्टार B. वर्ड परफेक्ट
C. DOS Editor D. विण्डो

325. डाटा के समुच्चय (Set) को क्या कहते हैं?
A. फील्ड B. रेकार्ड
C. फाइल D. इनमें से कोई नहीं

326. IBM का पूरा नाम क्या है?
A. इण्टरनेशनल बिजनेस मशीन
B. इण्टर बिजनेस मैकनिज्म
C. इण्टरनल बिजनेस मैनेजमेंट
D. उपरोक्त में से कोई भी नहीं

327. प्रिन्टर–
A. आउटपुट यूनिट है B. इनपुट यूनिट है
C. उपरोक्त दोनों हैं D. इनमें से कोई नहीं

328. फ्लॉपी–
A. इनपुट यूनिट है
B. आउटपुट यूनिट है
C. इनपुट यूनिट और आउटपुट यूनिट दोनों है
D. उपरोक्त में से कोई भी नहीं है

329. कम्प्यूटर की विशेषतायें हैं–
1. तेज रफ्तार
2. स्वचालन
3. कार्यशीलता
4. परिवर्तनशीलता
निम्नलिखित में से कौन-सी विशेषता सही है?
A. 1 और 2 सही हैं
B. 1, 2 और 4 सही हैं
C. 1, 2 और 3 सही हैं
D. उपरोक्त सभी सही हैं

330. 1 बाइट किसके बराबर है?
A. 8 बिट
B. 16 बिट
C. 36 बिट
D. 64 बिट

331. असंसाधित (Unprocessed) तथ्य को क्या कहा जाता है?
A. डाटा
B. डाटम
C. फाइल
D. फील्ड

332. कम्प्यूटर–
A. सूचना ग्रहण करता है
B. सूचना को निर्दिष्ट प्रयोजन के लिए अनुकूल बनाता है
C. परिणाम प्रदर्शित करता है
D. उपरोक्त सभी बातें सही हैं

333. भारत के राष्ट्रीय ध्वज में केसरिया, सफेद और हरे रंग की तीन–
A. आड़ी पट्टियाँ हैं
B. खड़ी पट्टियाँ हैं
C. एक दूसरे को काटती हुई पट्टियाँ हैं
D. तिरछी पट्टियाँ हैं

334. हमारे राष्ट्रीय ध्वज की लम्बाई और चौड़ाई का अनुपात–
A. 2 : 3 है
B. 3 : 4 है
C. 4 : 3 है
D. 3 : 2 है

335. भारत के राष्ट्रीय ध्वज के बीच में एक गोल चक्र है; यह चक्र–
A. तीनों रंग की पट्टियों पर है
B. केसरिया रंग की पट्टी पर है
C. सफेद रंग की पट्टी पर है
D. हरे रंग की पट्टी पर है

336. किसी भाषा को किसी राज्य की राजभाषा के रूप में अंगीकार करने का अधिकार किसे है?
A. राष्ट्रपति
B. संसद
C. राज्य विधान सभा
D. राजभाषा आयोग

337. हमारे राष्ट्रीय ध्वज में तीन पट्टियाँ हैं; उनमें सबसे नीचे वाली पट्टी किस रंग की है?
A. केसरिया
B. सफेद
C. हरे
D. इनमें से कोई नहीं

338. हमारे राष्ट्रगान 'जन–गण–मन' में कुल कितने पद हैं?
A. तीन
B. पाँच
C. चार
D. दो

339. राष्ट्रीय गीत 'वन्देमातरम्', 'आनन्दमठ' नामक ग्रंथ से लिया गया है, जिसके लेखक हैं–
A. बंकिम चन्द्र चटर्जी
B. रवीन्द्र नाथ टैगोर
C. व्योमेश चन्द्र बनर्जी
D. सुरेन्द्रनाथ बनर्जी

340. हमारे राष्ट्रीय चिन्ह में ऊपर तीन सिंह बने हैं और उनके नीचे देवनागरी लिपि में 'सत्यमेव जयते' लिखा है। यह 'सत्यमेव जयते' कहाँ से उद्धृत किया गया है?
A. भगवद्गीता से
B. मुण्डक उपनिषद से
C. ऋग्वेद से
D. स्कन्द पुराण से

341. भारत का राष्ट्रीय पंचांग–
A. शक् संवत् पर आधारित है
B. हिजरी संवत् पर आधारित है
C. विक्रमी संवत् पर आधारित है
D. विक्रमांक–चालुक्य संवत् पर आधारित है

342. भारत का राष्ट्रीय पशु है–
A. गाय
B. हाथी
C. अश्व
D. टाइगर

343. भारत की सशस्त्र रक्षा सेनाएं कितने भागों (वर्गों) में गठित है?
A. चार
B. पांच
C. तीन
D. छः

344. भारत की सशस्त्र रक्षा सेनाओं का सर्वोच्च सेनापति कौन है?
A. रक्षा मंत्री
B. स्थल सेनाध्यक्ष
C. प्रधानमंत्री
D. राष्ट्रपति

345. भारत के पहले चीफ ऑफ डिफेंस स्टाफ (CDS) कौन थे?
A. जनरल मोहन सिंह
B. जनरल राकेश आहूजा
C. जनरल अनिल अस्थाना
D. जनरल बिपिन रावत

346. कोस्ट गार्ड की स्थापना कब की गई थी?
A. 1980
B. 1978
C. 1985
D. 1963

347. असम राइफल्स का मुख्यालय कहाँ है?
A. इम्फाल
B. कोहिमा
C. नई दिल्ली
D. शिलांग

348. होमगार्ड का गठन कब हुआ था?
A. 1972
B. 1962
C. 1968
D. 1965

349. स्थल सेना के निम्नलिखित पदों में सबसे छोटा कौन–सा है?
A. लेफ्टीनेंट
B. ब्रिगेडियर
C. कर्नल
D. कैप्टन

350. प्रादेशिक सेना का गठन कब हुआ था?
A. 1949
B. 1957
C. 1962
D. 1972

उत्तरमाला

1	2	3	4	5	6	7	8	9	10
C	B	D	A	A	B	C	D	D	D
11	12	13	14	15	16	17	18	19	20
C	C	B	D	D	D	B	A	B	B
21	22	23	24	25	26	27	28	29	30
D	C	A	A	C	B	B	A	C	B
31	32	33	34	35	36	37	38	39	40
A	A	D	D	B	A	B	B	C	C
41	42	43	44	45	46	47	48	49	50
D	A	B	C	D	C	C	A	B	C
51	52	53	54	55	56	57	58	59	60
A	D	B	A	D	B	C	A	B	C
61	62	63	64	65	66	67	68	69	70
B	C	D	B	A	C	C	D	B	C
71	72	73	74	75	76	77	78	79	80
B	B	D	C	A	D	C	A	B	C
81	82	83	84	85	86	87	88	89	90
A	C	B	D	B	D	A	A	B	A
91	92	93	94	95	96	97	98	99	100
D	C	B	D	D	C	D	A	C	B
101	102	103	104	105	106	107	108	109	110
C	D	C	C	D	A	B	C	C	B
111	112	113	114	115	116	117	118	119	120
C	D	A	B	C	A	C	C	A	C
121	122	123	124	125	126	127	128	129	130
D	C	B	D	A	C	D	A	D	B
131	132	133	134	135	136	137	138	139	140
D	B	B	D	B	A	B	D	A	A
141	142	143	144	145	146	147	148	149	150
B	A	C	A	A	B	C	B	D	D
151	152	153	154	155	156	157	158	159	160
C	C	A	B	A	B	B	A	A	C
161	162	163	164	165	166	167	168	169	170
D	A	D	A	B	B	B	C	D	B
171	172	173	174	175	176	177	178	179	180
D	B	C	B	D	D	A	B	B	C
181	182	183	184	185	186	187	188	189	190
D	B	B	A	B	B	C	B	A	A
191	192	193	194	195	196	197	198	199	200
D	C	D	D	B	B	C	B	A	B
201	202	203	204	205	206	207	208	209	210
B	A	A	A	C	B	A	A	A	B
211	212	213	214	215	216	217	218	219	220
A	B	C	D	B	A	A	D	D	C

221	222	223	224	225	226	227	228	229	230
B	A	C	B	A	D	D	A	D	D
231	**232**	**233**	**234**	**235**	**236**	**237**	**238**	**239**	**240**
B	B	C	C	C	B	B	B	D	A
241	**242**	**243**	**244**	**245**	**246**	**247**	**248**	**249**	**250**
B	B	B	A	C	D	D	B	A	A
251	**252**	**253**	**254**	**255**	**256**	**257**	**258**	**259**	**260**
D	B	A	D	C	D	A	D	A	C
261	**262**	**263**	**264**	**265**	**266**	**267**	**268**	**269**	**270**
C	D	C	A	D	A	D	A	B	A
271	**272**	**273**	**274**	**275**	**276**	**277**	**278**	**279**	**280**
D	B	C	C	D	B	B	A	A	C
281	**282**	**283**	**284**	**285**	**286**	**287**	**288**	**289**	**290**
D	B	C	B	B	C	B	B	D	C
291	**292**	**293**	**294**	**295**	**296**	**297**	**298**	**299**	**300**
A	D	B	D	A	C	A	B	B	B
301	**302**	**303**	**304**	**305**	**306**	**307**	**308**	**309**	**310**
D	A	D	A	B	A	B	A	B	A
311	**312**	**313**	**314**	**315**	**316**	**317**	**318**	**319**	**320**
D	A	C	A	C	C	D	B	B	A
321	**322**	**323**	**324**	**325**	**326**	**327**	**328**	**329**	**330**
C	D	A	D	A	A	A	C	D	A
331	**332**	**333**	**334**	**335**	**336**	**337**	**338**	**339**	**340**
B	D	A	D	C	C	C	B	A	B
341	**342**	**343**	**344**	**345**	**346**	**347**	**348**	**349**	**350**
A	D	C	D	D	B	D	B	A	A

❑❑❑

हरियाणा

सामान्य ज्ञान एवं सचेतता

वस्तुनिष्ठ प्रश्नोत्तर

1. प्राचीन काल में हरियाणा राज्य अन्य किस नाम से जाना जाता था?
   A. ब्रह्मावर्त प्रदेश B. ब्रह्मर्षि प्रदेश
   C. ब्रह्मा की उत्तरवेदी D. सभी से

2. किस भरतवंशी शासक ने हरियाणा प्रदेश से अपना विजय अभियान शुरू किया था?
   A. सुदास B. अर्जुन
   C. भरत D. भीष्म

3. महाभारत का प्रसिद्ध युद्ध प्रदेश में किस स्थान पर लड़ा गया था?
   A. पानीपत B. कुरुक्षेत्र
   C. झज्जर D. बल्लभगढ़

4. मुगलकाल में इस प्रदेश में जनपदों का स्थान किसने लिया था?
   A. गण संघ ने B. गण-व्यवस्था ने
   C. खापों ने D. पंचायत ने

5. बौद्धकाल के किन महाजनपदों में आधुनिक हरियाणा के भाग शामिल थे?
   A. कुरु और पांचाल B. कौशल और वज्जी
   C. सूरसेन और अवन्ती D. अस्सक और वत्स

6. प्रदेश का कौन-सा स्थान, अग्रेयगण की राजधानी था?
   A. रिवाड़ी B. सिरसा
   C. हांसी D. अग्रोहा

7. महमूद गजनवी ने थानेश्वर पर कब आक्रमण किया था?
   A. 1013 ई॰ में B. 1014 ई॰ में
   C. 1016 ई॰ में D. 1017 ई॰ में

8. प्रदेश का थानेश्वर नामक नगर किस प्रसिद्ध राजा की राजधानी था?
   A. हर्षवर्धन B. अशोक
   C. चन्द्रगुप्त विक्रमादित्य D. कनिष्क

9. बारहवीं शताब्दी में किस चौहान शासक ने हरियाणा प्रदेश पर आक्रमण कर तोमरों को पराजित किया था?
   A. विग्रहराज VI B. विग्रहराज II
   C. अर्णोराजा D. पृथ्वीराज चौहान

10. गुलाम वंश के शासक बलबन ने हरियाणा के शक्तिशाली मेवों की शक्ति को नष्ट करने का प्रयास कब किया था?
    A. 1260 ई॰ में B. 1265 ई॰ में
    C. 1266 ई॰ में D. 1267 ई॰ में

11. तुगलक शासक फिरोज तुगलक ने प्रदेश में कौन-सा नगर बसाया था?
    A. टोहाना B. हांसी
    C. सिवानी D. फतेहाबाद

12. निम्नलिखित में से प्रदेश के किस नगर पर तैमूर ने आक्रमण किया था?
    A. सिरसा B. फतेहाबाद
    C. हिसार D. सभी पर

13. 1526 ई॰ में हरियाणा में किस स्थान पर बाबर और इब्राहीम लोदी के बीच प्रसिद्ध युद्ध हुआ था?
    A. पानीपत B. कुरुक्षेत्र
    C. तावडू D. जीन्द

14. प्रसिद्ध मुगल शासक अकबर के समय में रिवाड़ी का शासक कौन था?
    A. तुलाराम B. कर्णसिंह
    C. हेमचन्द्र (हेमू) D. फूलसिंह

15. अकबर और हेमचन्द्र (हेमू) के बीच पानीपत का प्रसिद्ध द्वितीय युद्ध कब लड़ा गया था?
    A. 1550 ई॰ में B. 1552 ई॰ में
    C. 1554 ई॰ में D. 1556 ई॰ में

16. मराठों और अहमदशाह अब्दाली के बीच प्रदेश में कौन-सा प्रसिद्ध युद्ध लड़ा गया था?
    A. पानीपत का तृतीय युद्ध B. पानीपत का द्वितीय युद्ध
    C. पानीपत का प्रथम युद्ध D. कोई नहीं

17. प्रदेश के किस स्थान को जार्ज टॉमस ने अपनी राजधानी बनाया था?
    A. रानिया B. टोहाना
    C. हांसी का दुर्ग D. बहरामपुर

18. 1802 ई॰ में जार्ज टॉमस की मृत्यु प्रदेश में किस स्थान पर हुई थी?
    A. महेन्द्रगढ़ B. बहरामपुर
    C. नारनौल D. बावल

19. सन् 1809-10 में समस्त हरियाणा किसके अधिकार में था?
    A. मराठों के B. सतनामियों के
    C. मुगलों के D. अंग्रेजों के

20. आधुनिक हरियाणा राज्य का निर्माण कब किया गया था?
    A. 1 नवम्बर, 1966 B. 5 जनवरी, 1967
    C. 1 नवम्बर, 1958 D. 15 अगस्त, 1947

21. प्राग्हड़प्पा, हड़प्पा, परवर्ती हड़प्पा आदि संस्कृतियों के प्रमाण हरियाणा में किस स्थान से प्राप्त हुए हैं?
    A. वणावली B. सोसवाल
    C. मिर्जापुर D. सभी से

22. महाभारत-काल से शताब्दियों पूर्व हुए आर्यवंशी कुरुओं ने इस प्रदेश में किस युग का प्रारम्भ किया था?

A. कृषि-युग B. ताम्र-युग
C. लोह-युग D. धातु-युग

23. भगवान श्रीकृष्ण द्वारा विश्व प्रसिद्ध गीता का उपदेश हरियाणा में किस स्थान पर दिया गया था?
A. रेवाड़ी B. पेहवा
C. कुरुक्षेत्र D. पानीपत

24. यौधेय-काल में हरियाणा प्रदेश को निम्नलिखित में से किस नाम की संज्ञा दी गई?
A. यौधेय गणराज्य B. बहुधान्यक-प्रदेश
C. मत्स्य प्रदेश D. गण-प्रदेश

25. प्रसिद्ध चीनी यात्री ह्वेनसांग ने अपनी पुस्तक में हरियाणा के किस नगर के वैभव और समृद्धि का वर्णन किया है?
A. स्थाण्वीश्वर (थानेश्वर) B. पानीपत
C. रोहतक D. अम्बाला

26. तोमर शासकों के शासनकाल में हरियाणा में व्यापार, कला व संस्कृति की उन्नति की जानकारी किस ग्रन्थ से मिलती है?
A. तहकीक-ए-हिन्द B. हर्षचरित
C. कादम्बरी D. यशस्तिलक चम्पू

27. 1526-27 में बाबर के आक्रमण के समय तावडू के परगने का शासक कौन था?
A. हसन खाँ B. मोहन सिंह मंढ़ार
C. फैजल खाँ D. जलाल खाँ

28. निम्नलिखित कथनों पर विचार कीजिए :
(*a*) नडा साहिब गुरुद्वारा अम्बाला में है।
(*b*) नडा साहिब गुरुद्वारा घग्गर नदी के तट पर है।
उपर्युक्त में से कौन-सा/से कथन सही है/हैं?
A. केवल (*b*) B. (*a*) और (*b*) दोनों
C. न तो (*a*) और न ही (*b*) D. केवल (*a*)

29. 1756-57 में हरियाणा निम्नलिखित में से किसके अधिकार क्षेत्र में रहा?
A. मुगलों के B. सिक्खों के
C. मराठों के D. सतनामियों के

30. अहमदशाह अब्दाली ने अपने देश लौटते समय हरियाणा का उत्तरी भाग (अम्बाला, जीन्द, कुरुक्षेत्र, करनाल जिला) किसको सौंप दिया?
A. मुगलों को
B. सिक्खों को
C. सरहिन्द के गवर्नर जैन खाँ को
D. दुर्रानी के गवर्नर गेन खाँ को

31. 1857 के मेरठ-विद्रोह में जिन सैनिकों ने भाग लिया था उनमें से अधिकतर हरियाणा के किस जिले से सम्बन्धित थे?
A. गुरुग्राम B. रोहतक
C. हिसार D. सभी से

32. हरियाणा का कौन वीर सेनानी मेरठ क्रान्ति के समय मेरठ का नायब कोतवाल था?
A. अब्दुस समद खान B. विक्रमसिंह
C. रावकृष्ण गोपाल D. रामेश्वर दयाल

33. नारनौल के समीप नसीबपुर नामक गांव में लड़े गये (स्वाधीनता-संग्राम के) युद्ध में अंग्रेजों ने किन तीन शक्तियों को नष्ट किया था?
A. रिवाड़ी, झज्जर और जोधपुर
B. गुड़गांव, रिवाड़ी और जोधपुर
C. जींद, जगादरी और पेहवा
D. पानीपत, झज्जर और तावडू

34. प्रथम स्वाधीनता संग्राम में बल्लभगढ़ के किस राजा ने दिल्ली में क्रान्तिकारी सेनाओं का नेतृत्व किया था?
A. राजा कर्णसिंह B. राजा नाहन सिंह
C. राजा सूरजभान D. राजा सत्यपाल

35. निम्नलिखित में से प्रदेश की किस रियासत ने 1857 की जन-क्रान्ति में अंग्रेजों को महत्त्वपूर्ण सहयोग दिया था?
A. बहादुरगढ़ B. तावडू
C. झज्जर D. जींद

36. कांग्रेस के दूसरे 1886 के कलकत्ता अधिवेशन में हरियाणा का प्रतिनिधित्व किसने किया था?
A. पं॰ दीनदयाल शर्मा B. लाला मुरलीधर
C. बालमुकन्द गुप्त D. सभी ने

37. लाला लाजपत राय ने हरियाणा के किस स्थान को अपना राजनीतिक और सामाजिक, कार्य-क्षेत्र बनाया था?
A. हिसार B. सोनीपत
C. गुरुग्राम D. नूह

38. सन् 1888 में इलाहाबाद में आयोजित हुए कांग्रेस के चौथे अधिवेशन में किस महत्त्वपूर्ण राष्ट्र नेता ने जिला हिसार के प्रतिनिधि के रूप में भाग लिया था?
A. लाला सुल्तान सिंह B. बलदेव सिंह
C. लाला लाजपत राय D. बैनी सिंह

39. 8 अप्रैल, 1919 के दिन गांधी जी हरियाणा में कहां से गिरफ्तार हुए थे?
A. कैथल B. पलवल
C. गुहला D. अम्बाला

40. रोहतक में पं॰ रामभजदत्त की अध्यक्षता में सम्मेलन का आयोजन कब हुआ था, जिसमें गांधीजी के असहयोग आन्दोलन को कार्यरूप देने का निर्णय लिया गया था?
A. जनवरी, 1919 में B. नवम्बर, 1919 में
C. नवम्बर, 1920 में D. सितम्बर, 1921 में

41. कांग्रेस के नागपुर में हुए वार्षिक अधिवेशन में हरियाणा प्रान्त का प्रतिनिधित्व किसने किया था?
A. सरदार बूटा सिंह B. लाला उग्रसेन
C. बाबू श्याम लाल D. पं॰ नेकीराम शर्मा

42. पंजाब प्रदेश-कांग्रेस के आदेश पर पूरे हरियाणा में स्वतंत्रता दिवस कब मनाया गया?
A. 12 जनवरी, 1932 B. 10 दिसम्बर, 1932
C. 15 अगस्त, 1935 D. 26 जनवरी, 1932

43. हरियाणा में कांग्रेस की स्वर्ण-जयन्ती कब मनाई गई थी?
A. 18 अगस्त, 1930 को B. 30 जनवरी, 1935 को
C. 28 दिसम्बर, 1935 को D. 10 दिसम्बर, 1936 को

44. आजाद हिन्द फौज से सम्बन्धित हरियाणा का वह शूरवीर कौन था, जिसने मणिपुर की भूमि पर सबसे पहले तिरंगा फहराया था?

A. मेजर प्रतापसिंह B. मेजर सूरजमल
C. दरबारा सिंह D. भजनलाल

45. हरियाणवी क्षेत्रों में यूनियनिस्ट पार्टी को लोकप्रिय बनाने के लिए चौधरी छोटूराम ने जोरदार अभियान चलाया। प्रदेश में इसे किस नाम से पुकारा जाता था?

A. 'जमींदारी लीग' B. जमींदारी प्रथा
C. हिन्दू-मुस्लिम D. कोई नहीं

46. सन् 1916 में चौधरी छोटूराम ने रोहतक में किस साप्ताहिक का संपादन शुरू किया था?

A. हिन्दू गजट B. सिख गजट
C. जाट गजट D. कोई नहीं

47. श्री फजली हुसैन के साथ मिलकर चौधरी छोटूराम ने पंजाब में यूनियनिस्ट पार्टी की स्थापना कब की थी?

A. 1919 में B. 1921 में
C. 1922 में D. 1923 में

48. पटियाला, जींद और नाभा रियासतों में राजनैतिक गतिविधियों पर अंकुश रखने के लिए संवत् 1988 विक्रमी में एक कानून लागू किया गया था, उसका नाम क्या रखा गया था?

A. हिदायत संवत B. हिजरी संवत
C. विक्रम संवत D. शक संवत

49. सन् 1938 में जींद प्रजामण्डल की नींव जींद की राजधानी संगरूर में किस प्रसिद्ध देशभक्त ने डाली थी?

A. राजेन्द्र कुमार जैन ने B. साधूराम ने
C. हंसराज रहबर ने D. नन्दकिशोर ने

50. गांधी जी पलवल में कब गिरफ्तार हुए थे?

A. 5 जनवरी, 1919 में B. 8 मई, 1920 में
C. 8 अप्रैल, 1919 में D. 17 अप्रैल, 1921 में

51. सनातन धर्म को पूरे उत्तर भारत में लोकप्रिय बनाने में महत्त्वपूर्ण योगदान देने वाले पं॰ दीनदयाल शर्मा हरियाणा में कहाँ के रहने वाले थे?

A. झज्जर B. कैथल
C. हिसार D. जीन्द

52. सन् 1892 के लाहौर अधिवेशन में हिसार का प्रतिनिधित्व किस प्रसिद्ध जन नेता ने किया था?

A. बालमुकुन्द गुप्त B. लाला मुरलीधर
C. लाला लाजपत राय D. पं॰ दीनदयाल शर्मा

53. लाला लाजपतराय और सरदार अजीतसिंह को ब्रिटिश सरकार द्वारा गिरफ्तार करके मांडले जेल में कब भेजा गया था?

A. सन् 1907 में B. सन् 1895 में
C. सन् 1902 में D. सन् 1896 में

54. महात्मा गांधी, मुहम्मद अली तथा शौकत अली के साथ रोहतक कब आये थे?

A. 10 जनवरी, 1919 को B. 8 अक्टूबर, 1920 को
C. 1 अक्टूबर, 1920 को D. 18 मार्च, 1920 को

55. अम्बाला मण्डल की डिवीजनल पोलिटिकल कान्फ्रेंस, जिसमें महात्मा गांधी अली भाइयों के साथ आये थे, भिवानी में कब हुई थी?

A. मार्च 1918 में B. जून 1920 में
C. अक्टूबर 1919 में D. अक्टूबर 1920 में

56. 1947 में भारत के स्वतन्त्र होने के पश्चात तक हरियाणा किस प्रान्त का भाग था?

A. दिल्ली B. पंजाब
C. उत्तर प्रदेश D. राजस्थान

57. 1955 में भारत सरकार द्वारा गठित राज्य पुनर्गठन आयोग ने किन दो स्थानों को हरियाणा क्षेत्र में शामिल करने की सिफारिश की थी?

A. महेन्द्रगढ़ व जीन्द B. पटियाला व हिसार
C. पानीपत व कैथल D. रोहतक व गुडगांव

58. हरियाणा राज्य की स्थापना कब हुई?

A. 10 नवम्बर, 1966 में B. 26 जनवरी, 1966 में
C. 1 नवम्बर, 1966 में D. 5 जून, 1966 में

59. हरियाणा के प्रथम राज्यपाल कौन बनाये गये?

A. श्री सत्यपाल B. श्री धर्मवीर
C. श्री देवीलाल D. श्री बंसीलाल

60. 24 मार्च, 1967 को बने हरियाणा के प्रथम गैर-कांग्रेसी मुख्यमंत्री का नाम बताइये।

A. चौधरी भजनलाल B. देवीलाल
C. बंसीलाल D. राव वीरेन्द्र सिंह

61. प्रदेश के किस प्रसिद्ध प्राचीन नगर की विस्तार से जानकारी चीनी यात्री ह्यूनसांग के वृत्तान्त से मिलती है?

A. रोहतक B. अम्बाला
C. थानेश्वर D. भिवानी

62. प्रदेश के थानेश्वर नगर की प्रसिद्धि निम्नलिखित में से किस काल में सर्वाधिक थी?

A. वर्धनकाल में B. गुप्तकाल में
C. शुंगकाल में D. मौर्यकाल में

63. 1526 ई॰ में बाबर और इब्राहिम लोदी के बीच युद्ध हरियाणा में किस स्थान पर लड़ा गया था?

A. झज्जर B. कुरुक्षेत्र
C. रोहतक D. पानीपत

64. पानीपत नगर को जिले का दर्जा कब मिला था?

A. 1 जनवरी, 1988 को B. 1 नवम्बर, 1989 को
C. 1 दिसम्बर, 1990 को D. 1 अगस्त, 1991 को

65. रेवाड़ी जिला कब बना था?

A. 10 जून, 1977 को B. 5 फरवरी, 1979 को
C. 1 नवम्बर, 1989 को D. 17 जून, 1980 को

66. हिसार नगर निम्नलिखित में से किस प्रसिद्ध शासक की जन्मभूमि है?

A. शेरशाह सूरी B. अकबर
C. मुहम्मद तुगलक D. फिरोज तुगलक

67. वर्तमान समय में किस नगर में प्रदेश का सबसे बड़ा पशुधन फार्म स्थित है?
A. नारनौल B. हिसार
C. पानीपत D. करनाल

68. सन् 1354 में किस प्रसिद्ध मध्यकालीन शासक ने हिसार की एक दुर्ग के रूप में स्थापना की थी?
A. मुहम्मद तुगलक B. बलबन
C. फिरोज तुगलक D. अलाउद्दीन खिलजी

69. प्रदेश का महेन्द्रगढ़ नामक नगर प्राचीन काल में निम्नलिखित में से किस नाम से जाना जाता था?
A. जानोवा B. कर्णपुर
C. महिपगढ़ D. कानौड

70. बल्लभगढ़ के अन्तिम राजा का नाम बताइये जो कि सन् 1857 के स्वतंत्रता संग्राम में शहीद हुआ था?
A. नाहर सिंह B. विजय सिंह
C. प्रताप सिंह D. महर सिंह

71. बल्लभगढ़ नामक नगर प्रदेश के किस जिले के अंतर्गत आता है?
A. रोहतक B. फरीदाबाद
C. गुरुग्राम D. करनाल

72. पलवल किस जिले से अलग होकर नया जिला बना है?
A. जींद B. हिसार
C. फरीदाबाद D. करनाल

73. प्रसिद्ध गुलाम शासिका रज़िया सुल्ताना की कब्र प्रदेश के किस जिले में स्थित है?
A. कैथल B. गुरुग्राम
C. अम्बाला D. फरीदाबाद

74. प्रदेश का कौन-सा नगर विश्व के मानचित्र में ''धान का कटोरा'' तथा ''हरियाणा का पैरिस'' जैसे उपमानों से जाना जाता है?
A. रोहतक B. सोनीपत
C. फरीदाबाद D. करनाल

75. 1607 ई॰ में फरीदाबाद नगर की स्थापना किसके द्वारा की गई थी?
A. फिरोजशाह B. मुबारकशाह
C. बाबा फरीद D. मनसूब अली

76. महाभारत काल में सिरसा किस नाम से जाना जाता था?
A. शिषिरा B. शैरीषकम
C. सोरीश D. सिरसा

77. गोहाना नगर प्राचीनकाल में किस नाम से जाना जाता था?
A. गवभ भवाना B. गढ़ना
C. गपत जमाना D. इनमें से कोई नहीं

78. प्राचीनकाल में बहादुरगढ़ नामक नगर किस नाम से जाना जाता था?
A. बहावलगढ़ B. शफीराबाद
C. शरफाबाद D. बलरामगढ़

79. अंग्रेजों ने बहादुरगढ़ को सिन्धिया राजा से छीन कर झज्जर के नवाब के भाई को कब जागीर के रूप में दिया था?
A. 1800 ई. में B. 1801 ई. में
C. 1805 ई. में D. 1803 ई. में

80. प्रदेश के किस नगर की स्थापना 14वीं शताब्दी में अम्बा नामक राजपूत द्वारा की गई थी?
A. झज्जर B. रोहतक
C. अम्बाला D. भिवानी

81. अब्दुररहमान खाँ, जिसने अंग्रेजों से टक्कर लेते हुए देश प्रेम के लिए अपना बलिदान दिया था, हरियाणा में किस नगर का नवाब था?
A. कुरुक्षेत्र B. झज्जर
C. फर्रुखनगर D. रेवाड़ी

82. फर्रुखनगर की स्थापना किस बिलोच शासक द्वारा की गई थी?
A. दलेल खाँ (फौजदार खाँ) B. शफूद्दीन खाँ
C. बदरखाँ D. जमालुद्दीन खाँ

83. बिलोच शासक दलेल खां (फौजदार खां) ने किस बादशाह के नाम पर फर्रुखनगर नगर बसाया था?
A. फखरुद्दीन अहमद B. फारूख अली
C. फिरोजशाह तुगलक D. फर्रुखसीयर

84. महर्षि वेदव्यास द्वारा अमर काव्य ''महाभारत'' की रचना हरियाणा के किस नगर में की गई थी?
A. पानीपत B. रेवाड़ी
C. कुरुक्षेत्र D. हिसार

85. शक्तिशाली वर्धन वंश का उदय हरियाणा में कहां पर हुआ था?
A. थानेसर (स्थाण्वीश्वर) B. रोहतक
C. पानीपत D. कुरुक्षेत्र

86. 1556 ई॰ में अकबर और रेवाड़ी के हेमचन्द्र (हेमू) के मध्य हरियाणा में किस स्थान पर प्रसिद्ध युद्ध हुआ था?
A. रेवाड़ी B. जीन्द
C. कुरुक्षेत्र D. पानीपत

87. 1761 ई. में पानीपत का तीसरा युद्ध किनके मध्य हुआ था?
A. बाबर और इब्राहिम लोदी के मध्य
B. अकबर और हेमचन्द्र (हेमू) के मध्य
C. अहमद शाह अब्दाली और मराठों के मध्य
D. अंग्रेजों और सिक्खों के मध्य

88. पानीपत नगर 31 अक्टूबर, 1989 तक हरियाणा के किस जिले के अन्तर्गत था?
A. रेवाड़ी B. अम्बाला
C. करनाल D. हिसार

89. निम्नलिखित में से प्रदेश का कौन-सा जिला 1989 से पूर्व गुरुग्राम और महेन्द्रगढ़ जिलों के अन्तर्गत था?
A. महेन्द्रगढ़ B. फरीदाबाद
C. जीन्द D. रेवाड़ी

90. हांसी को जिले का दर्जा कब मिला?
A. 2025 में B. 2023 में
C. 2024 में D. 2022 में

91. हरियाणा का ऐसा कौन-सा जिला है जिसका जिला मुख्यालय नारनौल नगर में स्थित है?
A. हिसार B. फरीदाबाद
C. महेन्द्रगढ़ D. करनाल

92. सन् 1818 में राजा अनुरूप सिंह की विधवा ने अपने पति की स्मृति में कहाँ पर एक छतरी व पक्के तालाब का निर्माण करवाया था?

A. करनाल B. बल्लभगढ़

C. सोनीपत D. कैथल

93. पलवल को जिले का दर्जा किस वर्ष मिला?

A. 2006 में B. 2005 में

C. 2008 में D. 2007 में

94. महाभारत काल में राजा युधिष्ठिर द्वारा निम्नलिखित में से कौन-सा स्थान अपने धर्मगुरु द्रोणाचार्य को उपहार स्वरूप दिया गया था?

A. गुरुग्राम गांव B. कैथल

C. होडल D. सिरसा

95. 1857 के स्वतंत्रता संग्राम के समय गुरुग्राम के कलेक्टर का नाम क्या था?

A. हेनरी B. सर हेली

C. जान मार्शल D. श्री फोर्ड

96. 1858 ई॰ में हरियाणा का कौन-सा जिला पंजाब प्रान्त में सम्मिलित कर दिया गया था?

A. फरीदाबाद B. गुरुग्राम

C. हिसार D. महेन्द्रगढ़

97. फरीदाबाद हरियाणा के 12वें जिले के रूप में कब अस्तित्व में आया?

A. 15 अगस्त, 1970 को B. 15 अगस्त, 1979 को

C. 26 जनवरी, 1979 को D. 8 मार्च, 1982 को

98. बहादुरगढ़ नगर हरियाणा के किस जिले के अन्तर्गत आता है?

A. झज्जर B. करनाल

C. यमुनानगर D. फरीदाबाद

99. गोहाना नामक ऐतिहासिक कस्बा हरियाणा के किस जिले में स्थित है?

A. पानीपत B. सिरसा

C. सोनीपत D. रेवाड़ी

100. हरियाणा का 22वाँ जिला कौन-सा है?

A. लोहारू B. चरखी दादरी

C. तोशाम D. बादड़ा

101. चरखी दादरी का नाम सन् 1939 में डालमिया दादरी रखा गया, इस कस्बे का नाम पुनः चरखी दादरी कब पड़ा?

A. सन् 1940 में B. सन् 1946 में

C. सन् 1958 में D. सन् 1968 में

102. जिला भिवानी में स्थित तोशाम नामक कस्बे को उपमण्डल का दर्जा कब मिला?

A. 27 अप्रैल, 1993 को B. 10 जून, 1995 को

C. 5 मार्च, 1997 को D. 27 अप्रैल, 1998 को

103. पूर्वी हरियाणा और उत्तर प्रदेश की सीमा पर निम्न में से कौन-सी नदी बहती है?

A. गंगा नदी B. सरस्वती नदी

C. घग्घर नदी D. यमुना नदी

104. हरियाणा प्रदेश भारत के उत्तर-पश्चिम में 27° 39' से 30° 55' उत्तर अक्षांश पर स्थित है। बताइये कि वह कितने पूर्व रेखांश के बीच स्थित है?

A. 74° 28' से 77° 36' B. 65° 33' से 77° 28'

C. 50° 28' से 64° 36' D. 84° 42' से 89° 41'

105. हरियाणा के उत्तर में निम्नलिखित में से कौन-सा प्रदेश स्थित है?

A. उत्तर प्रदेश B. पंजाब

C. हिमाचल प्रदेश D. राजस्थान

106. हरियाणा के पश्चिम में निम्नलिखित में से कौन-सा प्रदेश स्थित है?

A. पंजाब B. राजस्थान

C. उत्तर प्रदेश D. हिमाचल प्रदेश

107. हरियाणा में 1 नवम्बर किस रूप में मनाया जाता है?

A. गरीबी उन्मूलन दिवस B. हरियाणा दिवस

C. हरियाणा स्वतंत्रता दिवस D. हरियाणा पर्यावरण दिवस

108. निम्नलिखित प्रदेशों में से कौन-सा प्रदेश क्षेत्रफल की दृष्टि से हरियाणा से बड़ा नहीं है?

A. मेघालय B. बिहार

C. हिमाचल प्रदेश D. पंजाब

109. हरियाणा की आबादी निम्नलिखित में से किस प्रदेश से अधिक है?

A. अरुणाचल प्रदेश B. सिक्किम

C. नगालैंड D. सभी से

110. हरियाणा का मैदानी भाग समुद्रतल से कितनी ऊँचाई पर स्थित है?

A. 700 से 900 फीट B. 750 से 880 फीट

C. 800 से 1000 फीट D. 900 से 1100 फीट

111. हरियाणा के किस भाग में शिवालिक पर्वत श्रेणियां स्थित हैं?

A. उत्तर-पश्चिमी B. उत्तरी-पूर्वी

C. दक्षिणी-पश्चिमी D. दक्षिणी-पूर्वी

112. शिवालिक की पहाड़ियों से हरियाणा प्रदेश की कौन-सी नदी निकलती है?

A. घग्घर B. मारकण्डा

C. टांगरी D. सभी

113. हरियाणा का निम्नलिखित में से कौन-सा प्राकृतिक भाग सबसे बड़ा है?

A. शिवालिक का पहाड़ी भाग

B. रेतीला भाग

C. मैदानी भाग

D. अरावली की पहाड़ियों का शुष्क मैदानी भाग

114. प्रसिद्ध वीवीपुर व नजफगढ़ नामक झीलें हरियाणा के किस प्राकृतिक क्षेत्र में स्थित हैं?

A. मैदानी क्षेत्र

B. रेतीला क्षेत्र

C. शिवालिक का पहाड़ी क्षेत्र

D. अरावली की पहाड़ियों का शुष्क मैदानी क्षेत्र

115. हरियाणा की जलवायु है :

A. महाद्वीपीय प्रकार

B. अल्पार्द्र शीतोष्णीय प्रकार

C. उपोष्णीय शुष्क महाद्वीपीय प्रकार

D. अल्पार्द्र उपोष्णीय प्रकार

116. हरियाणा के किस भाग में वर्षा अधिक होती है?
A. दक्षिण-पश्चिमी भाग B. उत्तरी-पूर्वी भाग
C. उत्तरी-पश्चिमी भाग D. दक्षिणी-पूर्वी भाग

117. प्रदेश के किस भाग में वर्षा कम होती है?
A. उत्तरी-पूर्वी भाग B. दक्षिणी-पूर्वी भाग
C. उत्तरी-पश्चिमी भाग D. दक्षिणी-पश्चिमी भाग

118. प्रदेश में मोरनी की पहाड़ियों पर किस प्रकार की मिट्टी पाई जाती है?
A. रेतीली मिट्टी B. भूरे रंग की मिट्टी
C. पथरीली मिट्टी D. बलुई दोमट मिट्टी

119. हरियाणा के मैदानी भाग में अधिकांशतः किस प्रकार की मिट्टी पाई जाती है?
A. पीले भूरे रंग की उपजाऊ मिट्टी
B. पथरीली मिट्टी
C. रेतीली मिट्टी
D. बलुई दोमट मिट्टी

120. हरियाणा के निम्नलिखित में से किस जिले में लाल चैसटनट मिट्टी पाई जाती है?
A. रोहतक जिले में B. सिरसा जिले में
C. यमुनानगर जिले में D. भिवानी जिले में

121. प्रदेश की कौन-सी नदी मुलाना के समीप मारकण्डा नदी में मिलती है?
A. साहिबी नदी B. टांगरी नदी
C. कृष्णावती नदी D. दोहन नदी

122. हरियाणा की सबसे प्राचीन व प्रमुख नहर कौन-सी है?
A. गुड़गांव नहर B. भिवानी नहर
C. भाखड़ा नहर D. पश्चिमी यमुना नहर

123. प्रदेश की कौन-सी नहर जगाधरी-पोंटा सड़क पर स्थित ताजेवाला नामक स्थान से यमुना नदी से निकलती है?
A. भाखड़ा नहर B. पश्चिमी व पूर्वी यमुना नहर
C. जवाहर लाल नेहरू नहर D. कोई नहीं

124. हरियाणा की जवाहर लाल नेहरू नहर किस नहर से निकाली गई है?
A. भाखड़ा नहर से B. भिवानी नहर से
C. गुड़गांव नहर से D. यमुना नहर से

125. निम्नलिखित में से कौन-सी झील हरियाणा में स्थित है?
A. दमदमा झील B. कोटला झील
C. खलीलपुर झील D. सभी

126. प्रदेश के फरुखनगर खण्ड में निम्नलिखित में से कौन-सी झील स्थित है?
A. सुल्तानपुर झील B. दमदमा झील
C. खलीलपुर झील D. कोटला झील

127. प्रसिद्ध बड़खल झील हरियाणा के किस जिले में स्थित है?
A. गुरुग्राम B. भिवानी
C. फरीदाबाद D. रोहतक

128. हरियाणा की कौन-सी नहर दिल्ली में ओखला नामक स्थान से यमुना नदी से निकाली गई है?
A. भाखड़ा नहर B. गुड़गांव नहर
C. पूर्वी यमुना नहर D. कोई नहीं

129. भाखड़ा नहर द्वारा प्रदेश के किस जिले में सिंचाई कार्य किया जाता है?
A. सिरसा B. हिसार
C. रोहतक D. सभी में

130. 'ओटू' बांध हरियाणा में किस नदी पर है?
A. साहिबा B. टांगरी
C. घग्गर D. यमुना

131. प्रदेश में भिवानी नहर किस नहर से निकाली गई है?
A. भाखड़ा नहर से B. गुड़गांव नहर से
C. पश्चिमी यमुना नहर से D. पूर्वी यमुना नहर से

132. हरियाणा की प्रसिद्ध बड़खल झील का निर्माण कब किया गया था?
A. वर्ष 1940 में B. वर्ष 1950 में
C. वर्ष 1974 में D. वर्ष 1947 में

133. हरियाणा का कुल क्षेत्रफल कितने वर्ग कि॰मी॰ है?
A. 38,150 वर्ग कि॰मी॰ B. 44,212 वर्ग कि॰मी॰
C. 50,210 वर्ग कि॰मी॰ D. 52,300 वर्ग कि॰मी॰

134. हरियाणा में जनवरी 2025 तक कुल कितने मण्डल हैं?
A. 6 B. 5
C. 4 D. 8

135. हरियाणा प्रदेश में जनवरी 2025 तक में कुल उप-मण्डल कितने हैं?
A. 60 B. 65
C. 68 D. 80

136. हरियाणा में जनवरी 2025 तक कुल कितनी तहसीलें हैं?
A. 94 B. 68
C. 70 D. 85

137. हरियाणा प्रदेश में जनवरी 2025 तक उप-तहसीलों की कुल संख्या कितनी है?
A. 30 B. 31
C. 49 D. 40

138. हरियाणा प्रदेश में जनवरी 2025 तक कुल कितने खण्ड हैं?
A. 95 B. 143
C. 115 D. 119

139. सम्पूर्ण हरियाणा में गाँव (2011 जनगणना) कितने हैं?
A. 4,390 B. 4,950
C. 5,845 D. 6,841

140. 2011 की जनगणना के अनुसार हरियाणा की कुल जनसंख्या कितनी है?
A. 2,53,51,462 B. 2,40,55,400
C. 2,25,83,912 D. 2,20,45,657

141. हरियाणा साहित्य अकादमी की पत्रिका है :

A. हरियाणा संवाद B. हरियाणा संदेश
C. हरिगंधा D. पाञ्चजन्य

142. हरियाणा के किस जिले में तेल शोधक कारखाना स्थित है?

A. रोहतक B. पानीपत
C. रेवाड़ी D. अम्बाला

143. जिला महेन्द्रगढ़ में निम्नलिखित में से कौन-सा खनिज पदार्थ अधिक मात्रा में मिलता है?

A. चूने का पत्थर B. चीनी मिट्टी
C. तांबा D. उपरोक्त सभी

144. जिला रेवाड़ी में किस स्थान पर स्लेट-पत्थर बहुत मात्रा में मिलता है?

A. कुण्ड नामक स्थान पर B. बावल नामक स्थान पर
C. कुसल नामक स्थान पर D. खोल नामक स्थान पर

145. वह कौन-सा खनिज पदार्थ है जो भारत में सिर्फ हरियाणा के गांव कलियाणा में उपलब्ध होता है?

A. स्लेट का पत्थर B. रेत
C. हिलना पत्थर D. क्वार्ट्ज

146. जिला भिवानी में किस स्थान पर 'ग्रेनाइट' नामक पत्थर मिलता है?

A. गांव निगाणाकलां B. देल्हेड़ी
C. रिवासा D. उपरोक्त सभी में

147. हरियाणा में राष्ट्रीय मधुमक्खी पालन एवं शहद मिशन (NBHM) योजना की शुरुआत किस वर्ष में हुई?

A. 2020 B. 2018
C. 2019 D. 2017

148. हरियाणा के कितने प्रतिशत भू-भाग में वन क्षेत्र हैं?

A. 2.54 प्रतिशत B. 3.65 प्रतिशत
C. 5 प्रतिशत D. 6.58 प्रतिशत

149. किस वर्ष मॉडल के रूप में हरियाणा प्रदेश में "ग्रीनिंग ऑफ हरियाणा" नाम से वृक्षारोपण की व्यापक योजना शुरू की गई थी?

A. वर्ष 1982-83 में B. वर्ष 1985-86 में
C. वर्ष 1989-90 में D. वर्ष 1994-95 में

150. हरियाणा प्रदेश के किस जिले में सबसे ज्यादा वन हैं?

A. पंचकुला B. हिसार
C. रोहतक D. जीन्दं

151. प्रदेश के किस जिले में 'चौधरी देवीलाल प्राकृतिक पार्क' विकसित किया गया है?

A. भिवानी B. रोहतक
C. पानीपत D. यमुनानगर

152. रणदीप हुड्डा की ख्याति किस विधा के कारण है?

A. अभिनय B. सांग परम्परा
C. खेलकूद D. समाज सेवा

153. निम्नलिखित में से कौन-सा वृक्ष हरियाणा का राज्य वृक्ष है?

A. पवित्र अंजीर B. आम का वृक्ष
C. साल का वृक्ष D. बरगद का वृक्ष

154. हरियाणा में राष्ट्रीय खाद्य सुरक्षा योजना के तहत 'दाल-रोटी' योजना की शुरुआत किस वर्ष की गई?

A. वर्ष 2011 में B. वर्ष 2013 में
C. वर्ष 2010 में D. वर्ष 2012 में

155. जिला हिसार व करनाल में निम्नलिखित में से कौन-सा खनिज पदार्थ उपलब्ध होता है?

A. कच्चा लोहा B. अभ्रक
C. शोरा D. संगमरमर

156. जिला रोहतक में निम्नलिखित में से कौन-सा खनिज पदार्थ पाया जाता है?

A. चूना B. तांबा
C. मैंगनीज़ D. अभ्रक

157. हरियाणा के जीन्द जिले में निम्नलिखित में से कौन-से वृक्ष अधिक मात्रा में पाये जाते हैं?

A. शीशम B. कीकर
C. सफेदा D. उपरोक्त सभी

158. हरियाणा प्रदेश के कृषि विश्वविद्यालय हिसार में 'धान' पर शोधकार्य कब शुरू किया गया?

A. 1966 में B. 1970 में
C. 1974 में D. 1989 में

159. हरियाणा में सरस्वती वन्यजीव अभ्यारण्य किस जिले में स्थित है?

A. गुरुग्राम B. रेवाड़ी
C. जीन्द D. कैथल

160. हरियाणा का कौन-सा जिला खुम्बी की फसल के उत्पादन में भारत में अग्रणी है?

A. अम्बाला B. सिरसा
C. सोनीपत D. यमुनानगर

161. जिला रोहतक में निम्न में से किस चीज की खेती की जाती है?

A. गेहूँ B. ज्वार
C. गन्ना D. उपरोक्त सभी की

162. कुरुक्षेत्र में किस स्थान पर गन्ना मिल है?

A. पेहवा B. शाहबाद मारकण्डा
C. लाडवा D. बबैन

163. हरियाणा के किस जिले को बासमती चावल के उत्पादन में विश्व प्रसिद्ध होने के कारण "धान का कटोरा" नाम से जाना जाता है?

A. हिसार B. कुरुक्षेत्र
C. करनाल D. जीन्द

164. निम्नलिखित में से कौन हरियाणा के प्रमुख कपास उत्पादक जिलों में से एक नहीं है?

A. सोनीपत B. अम्बाला
C. रेवाड़ी D. सिरसा

165. हरियाणा का निम्नलिखित में से कौन-सा जिला अपनी सीमा किसी अन्य राज्य के साथ साझा नहीं करता?

A. चरखी दादरी B. गुरुग्राम
C. पलवल D. जींद

166. हरियाणा में किस फसल का उत्पादन सबसे ज्यादा होता है?
A. चावल B. गेहूँ
C. चना D. सरसों

167. हरियाणा की सबसे ऊँची पहाड़ी शृंखला मोरनी हिल्स अवस्थित है :
A. अम्बाला में B. जींद में
C. यमुनानगर में D. पंचकुला में

168. निम्नलिखित कथनों पर विचार कीजिए :
(*a*) सोनीपत और झज्जर की सीमा दिल्ली के साथ लगती है।
(*b*) रोहतक की सीमा दिल्ली से नहीं लगती है।
उपर्युक्त में से कौन-सा/से कथन सही है/हैं?
A. केवल (*b*) B. (*a*) और (*b*) दोनों
C. न तो (*a*) और न ही (*b*) D. केवल (*a*)

169. प्रदेश में जिला अम्बाला में नहरी सिंचाई सुविधा किस सिंचाई परियोजना के बनने से उपलब्ध हुई है?
A. नंगल उठान सिंचाई परियोजना
B. हथनी कुण्ड बैराज परियोजना
C. जवाहरलाल नेहरू सिंचाई परियोजना
D. सेवानी लिफ्ट सिंचाई परियोजना

170. हरियाणा के रेतीले भाग में सिंचाई का साधन क्या है?
A. नहरों द्वारा
B. कुओं द्वारा
C. नलकूप की सहायता से फव्वारों द्वारा
D. वर्षा द्वारा

171. पश्चिमी यमुना नहर द्वारा हरियाणा के निम्नलिखित में से किस जिले में सिंचाई की जाती है?
A. करनाल B. सोनीपत
C. रोहतक D. उपरोक्त सभी जिलों में

172. गुरुग्राम के अतिरिक्त किस जिले में "गुड़गांव नहर" द्वारा सिंचाई की जाती है?
A. पानीपत B. फरीदाबाद
C. सोनीपत D. कैथल

173. हथनी कुण्ड बैराज परियोजना हरियाणा के किस जिले से सम्बन्धित है?
A. यमुनानगर B. गुरुग्राम
C. रोहतक D. फरीदाबाद

174. महेन्द्रगढ़ जिले में कृषि की उन्नति के लिए कौन-सी सिंचाई परियोजना चलाई गई?
A. लोहारू लिफ्ट सिंचाई परियोजना
B. पश्चिमी यमुना नहर योजना
C. जे.एल.एन.उठान सिंचाई परियोजना
D. हथनी कुण्ड बैराज परियोजना

175. हरियाणा की कौन-सी नहर दिल्ली में ओखला नामक स्थान से यमुना नदी से निकाली गई है?
A. गुड़गाँव नहर B. भाखड़ा नहर
C. पूर्वी यमुना नहर D. इनमें से कोई नहीं

176. हरियाणा की किस सिंचाई योजना द्वारा स्वरूप कलौदा, खुर्ल कलां, भीखेवाला, खरड़वाला नेहरा, फुलिया कलां आदि गांवों को सिंचाई सुविधा प्राप्त हुई थी?
A. झज्जर उत्थान सिंचाई योजना
B. नखाना की सिंचाई परियोजना
C. नंगल उठान सिंचाई परियोजना
D. जवाहरलाल नेहरू सिंचाई योजना

177. हरियाणा के अहरिवाल क्षेत्र में सिंचाई सुविधा के अन्तर्गत निम्न में कौन-सी सिंचाई स्कीम प्रारम्भ की गई है?
A. रेवाड़ी लिफ्ट सिंचाई स्कीम
B. हथनी-कुण्ड बैराज सिंचाई स्कीम
C. मेवात उठान सिंचाई स्कीम
D. भाखड़ा नहर सिंचाई स्कीम

178. शिवालिक विकास एजेन्सी का मुख्यालय निम्न में कहाँ पर स्थित है?
A. रोहतक में B. अम्बाला में
C. पंचकुला में D. जीन्द में

179. हरियाणा की किस नस्ल की भैंसे सारे भारत में प्रसिद्ध हैं?
A. मुर्रा B. तुरा
C. पुस्प D. चस्सा

180. हरियाणा में निम्नलिखित में से किस स्थान पर सहकारी दूध संयन्त्र खुले हुए हैं?
A. अम्बाला B. भिवानी
C. जीन्द D. उपरोक्त सभी स्थानों पर

181. निम्नलिखित कथनों पर विचार कीजिए :
(*a*) रोहतक में पुलिस आयुक्तालय स्थित है।
(*b*) सोनीपत में पुलिस आयुक्तालय स्थित है।
उपर्युक्त में से कौन-सा/से कथन सही है/हैं?
A. केवल (*b*) B. (*a*) और (*b*) दोनों
C. न तो (*a*) और न ही (*b*) D. केवल (*a*)

182. हरियाणा में नीलोखेड़ी के अतिरिक्त निम्नलिखित में से किस स्थान पर पोल्ट्री का प्रशिक्षण दिया जाता है?
A. अम्बाला B. करनाल
C. हिसार D. कैथल

183. जिला फतेहाबाद में कहाँ पर अश्व स्टेलियन केन्द्र कार्यरत है?
A. टोहाना B. रतिया
C. भूना D. कूलां

184. जिला भिवानी में सघन पशु विकास परियोजना कब आरम्भ की गई थी?
A. वर्ष 1966 में B. वर्ष 1970 में
C. वर्ष 1972 में D. वर्ष 1978 में

185. हरियाणा में सर्वाधिक जनसंख्या वाला जिला कौन-सा है?
A. महेन्द्रगढ़ B. फरीदाबाद
C. हिसार D. रोहतक

186. जिला भिवानी में पशु रोगों के निदान हेतु, जिला ग्रामीण विकास निकाय द्वारा, "पशु रोग निदान प्रयोगशाला' की स्थापना कब की गई?
A. 1978 में B. 1980 में
C. 1984 में D. 1990 में

187. निम्न में कौन हरियाणा के मुख्यमंत्री नहीं रहे?
A. बंसीलाल B. देवीलाल
C. भजनलाल D. श्रीचन्द

188. कालका तहसील किस जिले में स्थित है?
A. पंचकुला B. अम्बाला
C. कैथल D. करनाल

189. हरियाणा में पहली स्थायी लोक अदालत की स्थापना कब हुई?
A. 17 जनवरी, 1955 B. 10 मई, 2005
C. 1 नवम्बर, 1966 D. 7 अगस्त, 1998

190. 2010 में किस भाषा को हरियाणा की दूसरी राजभाषा का दर्जा दिया गया?
A. अंग्रेजी B. उर्दू
C. हरियाणवी D. पंजाबी

191. सरस्वती शुगर मिल, हरियाणा के किस जिले में स्थित है?
A. रोहतक B. पानीपत
C. यमुनानगर D. फरीदाबाद

192. यमुनानगर में यमुना गैसेस लि॰ की स्थापना कब की गई?
A. 1973 में B. 1975 में
C. 1980 में D. 1981 में

193. यमुनानगर में यमुना गैसेस लि॰ कम्पनी को गैसों के उत्पादन में अग्रणी स्थान प्राप्त करने का गौरव कब मिला?
A. वर्ष 1969 में B. वर्ष 1973 में
C. वर्ष 1972 में D. वर्ष 1975 में

194. भारत स्टॉर्च कैमिकल लि॰ की स्थापना यमुनानगर में कब हुई थी?
A. 1929 में B. 1932 में
C. 1938 में D. 1948 में

195. यमुनानगर की टिम्बर मार्किट (मण्डी) वर्ष 1947 से पूर्व किस नाम से प्रसिद्ध थी?
A. अब्दुल्लापुर मण्डी B. सादापुर मण्डी
C. यमुनानगर मण्डी D. यमुनापुर मण्डी

196. जिला सोनीपत का एटलस साइकिल उद्योग विश्व के कितने प्रमुख साइकिल निर्माण प्रतिष्ठानों में से एक है?
A. तीन B. पाँच
C. सात D. नौ

197. हरियाणा में ''भिवानी टैक्सटाइल मिल'' की स्थापना कब हुई थी?
A. 1930 में B. 1937 में
C. 1942 में D. 1950 में

198. गिद्ध संरक्षण एवं प्रजनन केन्द्र कहाँ पर स्थित है?
A. पिन्जौर में B. कैरू में
C. मोरनी में D. झाबुआ में

199. गुरुग्राम महानगरीय विकास प्राधिकरण की स्थापना कब की गई थी?
A. वर्ष 2014 में B. वर्ष 2015 में
C. वर्ष 2016 में D. वर्ष 2017 में

200. हरियाणा की चरखी दादरी स्थित सीमेंट फैक्टरी का निर्माण सन् 1939 में जर्मन-इंजीनियरों के सहयोग से किसके द्वारा किया गया था?
A. सेठ सिंघानिया
B. सेठ करोड़ीमल
C. सेठ रामकृष्ण डालमिया
D. सेठ रामकुमार बिड़ला

201. हरियाणा के चरखी दादरी स्थित, सीमेंट फैक्टरी के भारत सरकार के उपक्रम भारतीय सीमेंट निगम ने अपने अधिकार में कब लिया था?
A. 5 अप्रैल, 1980 को B. 23 जून, 1981 को
C. 10 जून, 1984 को D. 23 जून, 1988 को

202. निम्नलिखित में से कौन-सी फसल 'भावान्तर भरपायी योजना' के अन्तर्गत सम्मिलित नहीं है?
A. आलू B. प्याज
C. टमाटर D. गन्ना

203. हरियाणा के निम्नलिखित में से किस जिले में कैप्टिव विद्युत संयंत्र की स्थापना की गई है?
A. पानीपत में B. हिसार में
C. रोहतक में D. करनाल में

204. जिला पानीपत के बाहौली क्षेत्र में कौन-सा कारखाना स्थापित किया गया है?
A. कपड़े बनाने का कारखाना
B. कृषि यन्त्र बनाने का कारखाना
C. तेल शोधक कारखाना
D. हवाई चप्पल बनाने का कारखाना

205. हरियाणा के निम्नलिखित में से किस जिले में ''अमोनिया प्लांट'' स्थापित है?
A. पानीपत B. कैथल
C. गुरुग्राम D. करनाल

206. जिला महेन्द्रगढ़ का किस चीज के उत्पादन में हरियाणा राज्य में प्रथम स्थान है?
A. चावल के उत्पादन में B. बर्तनों के उत्पादन में
C. सरसों के उत्पादन में D. साइकिलों के उत्पादन में

207. हरियाणा के किस जिले की सीमा अन्य राज्यों से नहीं लगती?
A. रेवाड़ी B. रोहतक
C. अम्बाला D. फरीदाबाद

208. रेवाड़ी जिले का निम्नलिखित में से कौन-सा उद्योग भारत भर में प्रसिद्ध है?
A. तिल्ला जूती उद्योग
B. पीतल बर्तन उद्योग
C. हीरो होण्डा मोटर साइकिल फैक्टरी
D. उपरोक्त सभी

209. 'टिक्कर झील' हरियाणा के किस जिले में स्थित है?
A. रोहतक B. करनाल
C. पंचकुला D. कैथल

210. हरियाणा शब्द किस कृति में प्राप्त हुआ है?
A. पासणा हचरिउ B. महापुराण
C. A और B D. इनमें से कोई नहीं

211. लकड़ी का विकल्प तैयार करने वाला, "न्यूवुड लकड़ी उद्योग" कहाँ पर स्थापित है?
A. बरवाला उपमण्डल में B. टोहाना उपमण्डल में
C. हांसी उपमण्डल में D. सिवानी उपमण्डल में

212. निम्न में से किस स्थान पर हरियाणा सरकार द्वारा फूड पार्क स्थापित किए गए हैं?
A. नरवाना B. साहा
C. राई D. उपरोक्त सभी में

213. जिला कुरुक्षेत्र की शाहबाद सहकारी चीनी मिल की स्थापना कब की गई थी?
A. 1976-77 में B. 1984-85 में
C. 1991-92 में D. 1994-95 में

214. जिला फरीदाबाद में निम्नलिखित में से किस चीज का कारखाना स्थापित है?
A. ट्रैक्टर B. रेफ्रीजरेटर
C. रबड़ टायर D. उपरोक्त सभी

215. किस शहर को 'हरियाणा का दिल' कहा जाता है?
A. जींद B. पानीपत
C. रोहतक D. करनाल

216. मारुति कारों का निर्माण कार्य हरियाणा में कहां पर होता है?
A. गुरुग्राम B. अम्बाला
C. फरीदाबाद D. हिसार

217. दिव्यावदान में किन नगरों का उल्लेख हुआ है?
A. रोहतक B. अग्रोहा
C. A और B D. सोनीपत

218. हरियाणा सरकार द्वारा स्वतंत्रता सेनानियों को सम्मानित करने का निर्णय किस वर्ष लिया गया था?
A. वर्ष 1980 में B. वर्ष 1981 में
C. वर्ष 1985 में D. वर्ष 1997 में

219. 'खोड़िया नृत्य' हरियाणा में किस अवसर पर किया जाता है?
A. शादी के अवसर पर
B. होली के अवसर पर
C. तीज के अवसर पर
D. गोगा नवमी के अवसर पर

220. प्रदेश में परमवीर चक्र प्राप्त सैनिकों को कितनी धनराशि एकमुश्त प्रदान की जाती है?
A. 1 करोड़ रुपये B. 3 करोड़ रुपये
C. 2 करोड़ रुपये D. 5 करोड़ रुपये

221. युद्ध सेवा मैडल प्राप्त करने वाले सैनिकों को नकद राशि, वार्षिकी और भूमि के बदले नकद राशि देने की स्कीम 1988 में बंद कर दी गई थी, उसे बंसी लाल की सरकार द्वारा पुनः कब चालू किया गया?
A. अप्रैल, 1995 में B. अप्रैल 1997 में
C. अप्रैल, 1996 में D. अप्रैल, 1998 में

222. किस वेद में हरियाणा की दो प्राचीन नदियों का उल्लेख है जो आज लुप्त हैं?
A. सामवेद B. यजुर्वेद
C. अथर्ववेद D. ऋग्वेद

223. अशोक का तोपरा स्तम्भ किस जिले में प्राप्त हुआ है?
A. अम्बाला B. रोहतक
C. सोनीपत D. हिसार

224. हरियाणा में दिसम्बर, 2024 तक कितने वृद्ध नागरिकों को वृद्धावस्था सम्मान भत्ता दिया जा रहा है?
A. 12,60,090 B. 13,08,045
C. 20,85,967 D. 25,18,145

225. हरियाणा की नई खेल नीति के अनुसार ओलंपिक में स्वर्ण पदक विजेता को कितनी राशि प्रदान की जाती है?
A. ₹ 6 करोड़ B. ₹ 4 करोड़
C. ₹ 3 करोड़ D. ₹ 2 करोड़

226. प्रदेश में अस्वच्छ व्यवसाय में लगे अनुसूचित जाति के बच्चों के लिए किस स्थान पर छात्रावास है?
A. करनाल B. फरीदाबाद
C. अम्बाला D. सभी में

227. विमुक्त जाति के बच्चों के लिए प्रदेश में किस स्थान पर छात्रावास खोला गया है?
A. रोहतक B. जीन्द
C. फरीदाबाद D. गुरुग्राम

228. हरियाणा में शराबबन्दी कानून कब लागू किया गया था?
A. 1 दिसम्बर, 1991 में B. 1 जून, 1993 में
C. 1 जुलाई, 1996 में D. 1 मई, 1997 में

229. प्रदेश सरकार द्वारा शराबबन्दी कानून कब समाप्त किया गया?
A. 1 मार्च, 1996 में B. 1 मई, 1997 में
C. 1 फरवरी, 1996 में D. 1 अप्रैल, 1998 में

230. निम्नलिखित में से कौन-सी बाल विकारा परियोजना हरियाणा राज्य से सम्बन्धित है?
A. समेकित बाल विकास परियोजना
B. बाल स्वास्थ्य परियोजना
C. शिशु पोषण परियोजना
D. असहाय बाल विकास परियोजना

231. हरियाणा में गरीब लड़कियों के कल्याण हेतु निम्नलिखित में से कौन-सी परियोजना चलाई जा रही है?
A. पराया धन पराई बेटी B. अपनी बेटी पराया धन
C. अपनी बेटी अपना धन D. कोई नहीं

232. हरियाणा में रैपिड मेट्रो की शुरुआत सर्वप्रथम किस शहर में हुई?
A. फरीदाबाद B. गुरुग्राम
C. पानीपत D. सोनीपत

233. हरियाणा राज्य में प्रत्येक गांव में बिजली पहुँचाने का कार्य कब पूर्ण किया गया?
A. 10 जून, 1966 को B. 25 मार्च, 1971 को
C. 15 अप्रैल, 1968 को D. 29 नवम्बर, 1970 को

234. हरियाणा में विद्युत उपभोक्ताओं की कुल संख्या दिसम्बर, 2024 तक कितनी थी?
A. 81.34 लाख B. 85 लाख
C. 90 लाख D. 95 लाख

235. अशोक के स्तम्भ लेख की लिपि कौन-सी थी?
A. फारसी B. देवनागरी
C. ब्राह्मी D. इनमें से कोई नहीं

236. इंदिरा गांधी अति ऊष्मीय शक्ति परियोजना हरियाणा के किस जिले में है?
A. सिरसा B. हिसार
C. जिंद D. झज्जर

237. हरियाणा में निम्नलिखित में से किस तरल स्थान पर आधारित 25-25 मैगावाट के बिजली संयन्त्र की स्थापना की गई है।
A. गुरुग्राम में B. फरीदाबाद में
C. करनाल में D. रोहतक में

238. हरियाणा में अपने बिजली उत्पादन संयन्त्रों से बिजली का उत्पादन वर्ष 2024-25 तक लगभग कितने मेगावाट है?
A. 1500 मेगावाट B. 1800 मेगावाट
C. 2,582.4 मेगावाट D. 3000 मेगावाट

239. किसानों की मांग पर नलकूपों की गहराई के आधार पर बिजली की कौन-सी प्रणाली पूरे प्रदेश में लागू की गई है?
A. स्टैव प्रणाली B. विद्युत नापन प्रणाली
C. टैस्ट प्रणाली D. इनमें से कोई नहीं

240. हरियाणा में निम्नलिखित में से किस स्थान पर ताप बिजलीघर स्थित है?
A. हिसार B. कैथल
C. जीन्द D. फरीदाबाद

241. प्रदेश में एन॰टी॰पी॰सी॰ द्वारा गैस पर आधारित 432 मैगावाट का पावर प्लान्ट कहाँ पर लगाया गया?
A. गुरुग्राम B. फरीदाबाद
C. पानीपत D. करनाल

242. हरियाणा में नवम्बर, 2024 तक सड़कों की कुल लम्बाई किलोमीटर में कितनी है?
A. 33,543 कि॰मी॰ B. 24,065 कि॰मी॰
C. 25,074 कि॰मी॰ D. 35,560 कि॰मी॰

243. प्रदेश में बड़े परिवहन बस डिपो की संख्या कितनी है?
A. 12 B. 13
C. 24 D. 30

244. हरियाणा का निम्नलिखित में से कौन-सा शहर राष्ट्रीय राजधानी क्षेत्र का हिस्सा नहीं है?
A. सोनीपत B. फरीदाबाद
C. हिसार D. गुरुग्राम

245. हरियाणा सरकार द्वारा यात्री-परिवहन का सम्पूर्ण राष्ट्रीयकरण कब किया गया?
A. सन् 1972 में B. सन् 1976 में
C. सन् 1980 में D. सन् 1985 में

246. हरियाणा को किस साल खुले में शौच मुक्त घोषित किया गया?
A. 2014 B. 2015
C. 2016 D. 2017

247. किस वर्ष हरियाणा विधानसभा की अधिकतम कुल संख्या 90 की गई?
A. 1977 B. 1967
C. 1971 D. 1985

248. दिल्ली से फिरोजपुर राष्ट्रीय मार्ग पर यात्रा करने पर हरियाणा का कौन-सा प्रमुख नगर पड़ता है?
A. रोहतक B. सिरसा
C. हिसार D. उपरोक्त सभी

249. हरियाणा में नवम्बर, 2024 तक राष्ट्रीय राजमार्गों की कुल लम्बाई कितने किमी है?
A. 1900 किमी B. 1200 किमी
C. 1600 किमी D. 3391 किमी

250. निम्नलिखित में से किस स्थान पर हरियाणा सिविल विमानन संस्थान का फ्लाइंग प्रशिक्षण केन्द्र स्थित है?
A. करनाल B. पिंजौर
C. A और B दोनों जगह D. इनमें से कोई नहीं

251. हरियाणा में निम्नलिखित में से कहाँ सिविल हवाई पट्टी स्थित है?
A. करनाल B. पिंजौर
C. हिसार D. उपरोक्त सभी जगह

252. कलेसर राष्ट्रीय उद्यान अवस्थित है :
A. यमुनानगर जिले में B. कुरुक्षेत्र जिले में
C. अंबाला जिले में D. पंचकुला जिले में

253. हरियाणा में भारी वाहन चालक प्रशिक्षण संस्थान निम्नलिखित में से किस स्थान पर स्थित है?
A. मुरथल B. चरखी दादरी
C. अम्बाला D. तावडू

254. हरियाणा की शिवालिक पहाड़ियों में पिंजौर-कालका के निकट किस काल के उपकरण प्राप्त हुए हैं?
A. पाषाण काल B. उत्तरवैदिक काल
C. हड़प्पा काल D. पूर्ववैदिक काल

255. मानव-जाति के जनक माने जाने वाले वैवस्त मनु को "अवन्ति सुन्दरी कथा" नामक ग्रन्थ में, किस स्थान का निवासी माना गया है?
A. पानीपत B. रोहतक
C. स्थाण्वीश्वर D. पंचकुला

256. हरियाणा के वणावली, सीसवाल, कुणाल, मिर्जापुर, दौलतपुर और भगवानपुरा नामक स्थानों के उत्खननों से किस काल की संस्कृतियों के प्रमाण मिले हैं?
A. आद्यौतिहासकालीन-प्रागहड़प्पा
B. हड़प्पा
C. परवर्ती हड़प्पा
D. उपरोक्त सभी कालों के

257. हरियाणा में पुरातात्विक अन्वेषण, सर्वप्रथम किसने आरम्भ किया था?
A. जॉनसर B. एलेक्जेण्डर कनिंघम
C. लार्ड मुनरो D. जॉन मार्शल

258. हरियाणा में पुरातात्विक अन्वेषण का आरम्भ कब हुआ?
A. 1862 ई. में B. 1892 ई. में
C. 1900 ई. में D. 1905 ई. में

259. डॉ सूरजभान के निर्देशन में हरियाणा में किस स्थान की खुदाई से महत्त्वपूर्ण ऐतिहासिक सामग्री प्राप्त हुई है?
A. मिथाथल B. दादरी
C. ऐलनाबाद D. सफीदों

260. हरियाणा में हड़प्पा परवर्ती संस्कृति व चित्रित स्लेटी पात्र सभ्यताओं के लोगों के साथ-साथ रहने का सर्वप्रथम प्रमाण कहाँ मिला है?
A. नारनौल B. भगवानपुरा
C. सिरसा D. महेन्द्रगढ़

261. हरियाणा में हड़प्पा संस्कृति का एक विराट टीला जीन्द के समीप किस स्थान पर है?
A. सफीदों B. उचाना
C. नरवाना D. राखीगढ़ी

262. जगाधरी से तीन कि.मी. पूर्व की ओर चनेती में एक स्तूप के अवशेष मिले हैं, इस स्तूप की ऊँचाई 8 मीटर है। बताइये इसकी परिधि कितने मीटर है?
A. 20 मीटर B. 30 मीटर
C. 45 मीटर D. 50 मीटर

263. आमीन जिला कुरुक्षेत्र से प्राप्त दो स्तम्भ किस काल की कला को दर्शाते हैं?
A. मौर्यकाल B. वर्धनकाल
C. गुप्तकाल D. शुंगकाल

264. समुद्रगुप्त का एक परशु प्रकार का सोने का सिक्का हरियाणा में कहाँ पर मिला है?
A. कोसली B. रोहाना
C. मिथाथल D. रानिया

265. हरियाणा के किस इलाके में तीसरी शताब्दी में यौधेयों का बोलबाला था?
A. पानीपत के इलाके में B. रोहतक के इलाके में
C. हिसार के इलाके में D. अम्बाला के इलाके में

266. जगाधरी से किस शासक की सोने की मुद्रा प्राप्त हुई है?
A. कनिष्क B. कुमारगुप्त
C. पुष्पमित्रशुंग D. समुद्रगुप्त

267. हरियाणा के किस स्थान से हर्षवर्धन की तांबे की मुद्रा मिली है जिसमें थानेश्वर के पुष्पमूर्ति वंशावली का वृत्तान्त मिलता है?
A. सोनीपत B. सिरसा
C. गुरुग्राम D. कैथल

268. भारतीय पुरातत्व सर्वेक्षण के एच.एल. श्रीवास्तव द्वारा हिसार में किस स्थान पर खुदाई कार्य करवाया गया था?
A. उकलाना B. बरवाला
C. अग्रोहा D. आदमपुर

269. हरियाणा प्रदेश में वर्ष 2023-24 तक मान्यता प्राप्त प्राथमिक/पूर्व प्राथमिक स्कूलों की संख्या कितनी है?
A. 9,872 B. 10,605
C. 11,582 D. 8,780

270. प्रदेश में 2023-24 तक मान्यता प्राप्त माध्यमिक स्कूलों की संख्या कितनी है?
A. 1,215 B. 2,312
C. 5,640 D. 3,850

271. हरियाणा में 2023-24 तक उच्च/वरिष्ठ माध्यमिक विद्यालयों की संख्या कितनी है?
A. 6,460 B. 9,354
C. 5,870 D. 4,960

272. हरियाणा के किस जिले की साक्षरता दर सबसे ज्यादा है?
A. गुरुग्राम B. झज्जर
C. रोहतक D. पलवल

273. प्रदेश के किस जिले की साक्षरता दर सबसे कम है?
A. करनाल B. कैथल
C. पानीपत D. नूंह

274. हरियाणा प्रदेश में 2022-23 तक कितने अध्यापक प्रशिक्षण महाविद्यालय हैं?
A. 489 B. 400
C. 300 D. 350

275. प्रदेश में कुल साक्षर जनसंख्या कितनी है?
A. 1,66,25,728 B. 1,65,98,988
C. 78,10,882 D. 1,32,58,652

276. प्रदेश में वर्ष 2023-24 तक कितने मान्यता प्राप्त विश्वविद्यालय हैं?
A. 58 B. 40
C. 35 D. 38

277. प्रदेश में निम्नलिखित में से किस स्थान पर नवोदय विद्यालय स्थित है?
A. तितरम B. ओढ़ा
C. देवराला D. उपरोक्त सभी में

278. हरियाणा सरकार द्वारा किस वर्ष 10+2+3 शिक्षा प्रणाली लागू की गई?
A. 1980-81 में B. 1976-77 में
C. 1988-89 में D. 1985-86 में

279. "महर्षि दयानन्द विश्वविद्यालय" हरियाणा के किस नगर में स्थित है?
A. रोहतक B. हिसार
C. फरीदाबाद D. रेवाड़ी

280. "चौधरी चरणसिंह कृषि विश्वविद्यालय" प्रदेश के किस नगर में स्थित है?
A. जीन्द B. गुरुग्राम
C. हिसार D. कुरुक्षेत्र

281. हरियाणा में पंजाबी भाषा को बढ़ावा देने के उद्देश्य से पंजाबी भाषा को किस स्थान पर रखा गया है?
A. प्रथम B. द्वितीय
C. तृतीय D. चतुर्थ

282. हरियाणा में चौधरी देवीलाल विश्वविद्यालय निम्नलिखित में से किस स्थान पर स्थित है?

A. कुरुक्षेत्र B. हिसार
C. रोहतक D. सिरसा

283. हरियाणा में खेलों को बढ़ावा देने के उद्देश्य से प्रदेश सरकार द्वारा कौन-सी महत्त्वपूर्ण योजना चलाई जा रही है?

A. खेल संस्थाओं को अनुदान B. प्रशिक्षण योजना
C. खेल स्टेडियम D. उपरोक्त सभी

284. खिलाड़ियों को आधुनिक और वैज्ञानिक ढंग से प्रशिक्षण देने के लिए हरियाणा में किस स्थान पर खेल छात्रावास की स्थापना की गई है?

A. गुरुग्राम में B. रोहतक में
C. फरीदाबाद में D. पानीपत में

285. हरियाणा के सोनीपत जिले के राई नामक स्थान पर एक खेलकूद स्कूल है, उसका नाम बताइये?

A. जवाहरलाल नेहरू खेलकूद स्कूल
B. इन्दिरा गांधी खेलकूद स्कूल
C. मोतीलाल नेहरू खेलकूद स्कूल
D. राजीव गांधी खेलकूद स्कूल

286. सोनीपत जिले के राई नामक स्थान पर स्थित मोतीलाल नेहरू खेलकूद स्कूल में स्थित कमला नेहरू नामक स्कूल की स्थापना कब की गई थी?

A. वर्ष 1970 में B. वर्ष 1974 में
C. वर्ष 1982 में D. वर्ष 1986 में

287. सुश्री सोनिया लाठेर किस खेल से संबंधित हैं?

A. कुश्ती B. कबड्डी
C. एथलेटिक्स D. मुक्केबाजी

288. टोक्यो ओलंपिक 2020 में हरियाणा के किस पहलवान ने रजत पदक प्राप्त किया था?

A. बजरंग पुनिया B. विनेश फोगाट
C. रवि कुमार दहिया D. बबिता कुमारी

289. जुलाई-अगस्त 2022 में बर्मिंघम में हुए 22वें राष्ट्रमंडल खेलों में हरियाणा के खिलाड़ियों ने कितने पदक प्राप्त किए थे?

A. 24 B. 12
C. 15 D. 20

290. हरियाणा के प्रसिद्ध खिलाड़ी नीरज चोपड़ा किस खेल से संबंधित हैं?

A. जिमनास्टिक B. भाला फेंक
C. बैडमिंटन D. टेनिस

291. पेरिस ओलंपिक 2024 में कांस्य पदक जीतने वाली मनु भाकर का सम्बन्ध किस खेल से है?

A. निशानेबाजी B. कबड्डी
C. जूडो D. हैंडबाल

292. हिन्दी के प्रसिद्ध कहानीकार श्री विशम्भरनाथ कौशिक का जन्म हरियाणा में कहां पर हुआ था?

A. अम्बाला छावनी में B. सिरसा में
C. पंचकूला में D. रोहतक में

293. हरियाणा के प्रसिद्ध लेखक पं. नेकीराम शर्मा ने भिवानी से कौन-सा पत्र हिन्दी में प्रकाशित किया था?

A. संवाहक B. सन्देश
C. निवारण D. वाणी

294. निम्नलिखित में से भारतीय क्रिकेट का कौन-सा पूर्व खिलाड़ी हरियाणा से सम्बन्धित है?

A. कपिल देव B. सुनील गावस्कर
C. अजय जडेजा D. अजहरुद्दीन

295. सूरजकुंड क्राफ्ट मेला प्रथम बार किस वर्ष आरम्भ हुआ था?

A. 1991 B. 1961
C. 1987 D. 2001

296. पेरिस ओलंपिक 2024 में निम्न में से हरियाणा के किस खिलाड़ी ने शूटिंग में कांस्य पदक जीता?

A. रमेश अवाना B. सरबजोत सिंह
C. राजेश कुमार D. मनदीप सिंह

297. टोक्यो ओलंपिक 2020 में हरियाणा के किस खिलाड़ी ने स्वर्ण पदक जीता था?

A. बजरंग पुनिया B. बबिता कुमारी
C. जितेन्द्र कुमार D. नीरज चोपड़ा

298. निम्नलिखित में से किस प्रमुख आदिकवि को हरियाणा का माना जाता है?

A. गोस्वामी तुलसीदास B. कबीरदास
C. कवि चन्दबरदाई D. रहीम दास

299. निम्नलिखित में से हरियाणा के किस मुस्लिम संत ने हिन्दी साहित्य के विकास में महत्त्वपूर्ण योगदान दिया?

A. शेख-यू-अलीशाह कलन्दर B. सन्त सादुल्ला
C. शेख बहाउद्दीन चिश्ती D. उपरोक्त सभी ने

300. निम्नलिखित में से कौन-सा प्राचीन कवि हरियाणा से सम्बन्धित नहीं है?

A. वीरभान B. महात्मा हरिदास
C. बनारसीदास D. नरोत्तम दास

301. हरियाणा राज्य को पूर्ण राज्य का दर्जा कब मिला?

A. 1 नवम्बर, 1964 को B. 10 दिसम्बर, 1965 को
C. 1 नवम्बर, 1966 को D. 15 जून, 1968 को

302. हरियाणा की राजधानी कौन-सा नगर है?

A. चण्डीगढ़ B. रोहतक
C. करनाल D. यमुनानगर

303. राज्यपाल जिलाधीश की नियुक्ति करता है-

A. केन्द्रीय सरकार की सलाह पर
B. राज्य की मंत्रिपरिषद की सलाह पर
C. राष्ट्रपति की सलाह पर
D. प्रधानमंत्री की सलाह पर

304. जनवरी 2026 तक हरियाणा में कितने जिले हैं?
A. 16　　B. 17
C. 20　　D. 23

305. प्रसिद्ध भोंडसी आश्रम हरियाणा के किस जिले में स्थित है?
A. पानीपत　　B. फतेहाबाद
C. गुरुग्राम　　D. कैथल

306. 'नरवाना' विधान सभा क्षेत्र किस जिले में स्थित है?
A. जींद　　B. फरीदाबाद
C. नूंह　　D. गुरुग्राम

307. 'किलोई' विधान सभा क्षेत्र किस जिले में स्थित है?
A. सोनीपत　　B. पानीपत
C. रोहतक　　D. करनाल

308. हरियाणा का 23वाँ जिला कौन सा है?
A. डबवाली　　B. हांसी
C. होडल　　D. नरवाना

309. निम्न में से कौन लोकसभा क्षेत्र अनुसूचित जाति के लिए आरक्षित है?
A. अम्बाला　　B. भिवानी
C. फरीदाबाद　　D. हिसार

310. निम्न में से कौन लोकसभा क्षेत्र अनुसूचित जाति के लिए आरक्षित है?
A. सोनीपत　　B. महेन्द्रगढ़
C. रोहतक　　D. सिरसा

311. हरियाणा प्रदेश में पुरुषों द्वारा पहनी जाने वाली पगड़ी क्या कहलाती है?
A. खंडवा　　B. पग्गड़
C. तोडा　　D. पगड़ी

312. प्रदेश में राजपूती ढंग की बड़ी पगड़ी को क्या कहते हैं?
A. साफा　　B. टोपी
C. पाग　　D. दोहरा

313. हरियाणा में चार नीले तथा चार लाल धागों की बुनाई वाले खद्दर से बना बिना कली का घाघरा क्या कहलाता है?
A. धारणा　　B. खारा
C. थारा　　D. कचारा

314. हरियाणा में महिलाओं द्वारा बुजली गहना शरीर के किस भाग में पहना जाता है?
A. माथा　　B. पैर
C. नाक　　D. कान

315. प्रदेश में निम्नलिखित में से कौन-सा आभूषण मुंह और सिर पर पहना जाता है?
A. सिंगार पट्टी　　B. तग्गा
C. बेस्सर　　D. उपरोक्त सभी

316. प्रदेश में प्रचलित आभूषणों में निम्नलिखित में से कौन-सा आभूषण नाक में नहीं पहना जाता है?
A. नांथ　　B. पुरली
C. ढेडे　　D. कोक्का

317. प्रदेश में प्रचलित निम्नलिखित में से कौन-सा आभूषण हाथों में नहीं पहना जाता है?
A. पौहची　　B. कडूल्ला
C. पछेल्ली　　D. बांकड़ी

318. प्रदेश में प्रचलित शकुन-अपशकुनों में निम्नलिखित में से किसे शकुन माना जाता है?
A. पानी भरा घड़ा　　B. हिरण दर्शन
C. मेहतर (झाड़ू लिए हुए)　　D. उपरोक्त सभी

319. प्रदेश में प्रचलित शकुन-अपशकुनों में निम्नलिखित में से किसे अपशकुन माना जाता है?
A. खाली घड़ा　　B. दूब का दर्शन
C. पैर का खुजाना　　D. भिस्ती का जल लिए मिलना

320. प्रदेश में पारम्परिक आभूषणों में निम्नलिखित में से कौन-सा आभूषण पुरुषों द्वारा पहना जाता है?
A. गोफ　　B. तागड़ी
C. नाड़ा　　D. कड़ी

321. हरियाणा में निम्नलिखित में से किस धार्मिक स्थान पर, सूर्य ग्रहण के अवसर पर भारत भर से लाखों यात्री स्नान व धर्मानुष्ठान के लिए आते हैं?
A. गुरुग्राम　　B. कुरुक्षेत्र
C. जगाधरी　　D. इनमें से कोई नहीं

322. गुरुग्राम जिले में इस्लामपुर नामक स्थान पर भादों मास के नौवें दिन कौन-सा मेला लगता है?
A. गूगा नौमी　　B. नागपूजा
C. यमुना स्नान　　D. शिव मेला

323. गुरुग्राम में चैत्र व आषाढ़ मास में प्रत्येक सोमवार व मंगलवार को निम्नलिखित में से कौन सा प्रसिद्ध मेला लगता है?
A. बुद्धो माता का मेला　　B. शिवजी का मेला
C. शीतला माता का मेला　　D. मेला बाबा बूढ़ा

324. हरियाणा के किस जिले में रामसराय और भूतेश्वर के प्रसिद्ध मेले लगते हैं?
A. फरीदाबाद जिले में　　B. जीन्द जिले में
C. रोहतक जिले में　　D. झज्जर जिले में

325. रोहतक के अस्थल बोहर में मठ में फरवरी-मार्च के महीने में कौन-सा मेला लगता है?
A. बाबा मस्तनाथ का मेला　　B. कपाल मोचन का मेला
C. देवी मेला　　D. पाथरी माता का मेला

326. जगाधरी के समीप बिलासपुर नामक स्थान पर कार्तिक पूर्णिमा के दिन कौन-सा मेला लगता है?
A. आदि बद्री मेला　　B. मेला काली माई
C. कपाल मोचन का मेला　　D. पंचमुखी मेला

327. रोहतक जिले में लाखन माजरा नामक स्थान पर ''मंजी साहब का गुरुद्वारा'' स्थित है यहां पर निम्नलिखित में से कौन-सा त्यौहार मनाया जाता है?
A. मेला सत्वा तीज　　B. मोहोला हल्ला का त्योहार
C. बावन द्वादशी　　D. माणु मेला

328. जिला पानीपत के पाथरी नामक स्थान पर चैत्र व आषाढ़ मास के हर बुधवार को कौन-सा मेला लगता है?

A. माता का मेला　B. शिव मेला
C. मेला देहाती　D. पाथरी माता का मेला

329. जीन्द जिले के खरक रामजी नामक स्थान पर होली के दिन कौन-सा मेला लगता है?

A. माता का मेला　B. नागदेवता का मेला
C. बाबा भालूनाथ का मेला　D. मेला सच्चा सौदा

330. रोहतक जिले के दुबलधन माजरा नामक स्थान पर फाल्गुन सुदी द्वादशी (फरवरी- मार्च) को कौन-सा मेला लगता है?

A. मेला माता　B. मेला देवी
C. मेला श्यामजी　D. मेला बाबा बूढ़ा

331. जिला गुरुग्राम के खोरी नामक स्थान पर अप्रैल, मई में कौन-सा मेला लगता है?

A. शाहचोखा खोरी मेला　B. शिव का मेला
C. नागपूजा मेला　D. बाबा मस्तनाथ का मेला

332. जिला सोनीपत में किस स्थान पर फाल्गुन सुदी-9 (फरवरी, मार्च) में डेरा नग्न बालकनाथ का मेला लगता है?

A. बेगा (तहसील सोनीपत)　B. मेहरीपुर (तहसील सोनीपत)
C. रभड़ा (तहसील गोहाना)　D. चुलकाना (तहसील सोनीपत)

333. जिला सोनीपत के खुबडु नामक स्थान पर फाल्गुन की पूर्णमासी (फरवरी, मार्च) को कौन-सा मेला लगता है?

A. सतकुम्भा मेला　B. मेला बाबा शमकशाह
C. मेला सांझी　D. देवी मेला

334. फरीदाबाद जिले के अलावलपुर नामक स्थान पर स्थित बाबा उदासनाथ की समाधि पर मेला कब लगता है?

A. भादों सुदी नवमी को　B. चैत्र बदी दूज को
C. लगते फाल्गुन बदी चौदस को　D. फाल्गुन बदी अमावस्या को

335. जिला भिवानी में किस स्थान पर रक्षा बंधन के दिन बाबा खेडेवाला का मेला लगता है?

A. नौरंगाबाद　B. खरक कलां
C. रिवासा　D. तोशाम

336. हरियाणा प्रदेश में मंगलमय ''पीलिया'' लोकगीत किस अवसर पर गाया जाता है?

A. सावन के महीने पर　B. पुत्र-जन्म के अवसर पर
C. विवाह के अवसर पर　D. फागुन के महीने में

337. हरियाणा प्रदेश में निम्नलिखित में से किस अवसर पर लोकगीत गाये जाते हैं?

A. पुत्र जन्म के समय　B. सावन के महीने में
C. पर्व-त्यौहार के अवसर पर　D. उपरोक्त सभी अवसरों पर

338. प्रदेश में पुरुषों द्वारा बीनों, खंजरी, तुम्बे, बांसुरी, खड़ताल पर, चांदनी रात में खुले मैदान में निम्नलिखित में से कौन-सा नृत्य किया जाता है?

A. धमाल नृत्य　B. मंजीरा नृत्य
C. लूर नृत्य　D. डमरु नृत्य

339. हरियाणा के मेवात क्षेत्र में बड़े-बड़े नक्कारों, डफ और मंजीरों के साथ निम्नलिखित में से कौन-सा नृत्य प्रचलित है?

A. घोड़ा नृत्य　B. धमाल नृत्य
C. मंजीरा नृत्य　D. छठी नृत्य

340. हरियाणा के बागर क्षेत्र में होली के मौसम में निम्नलिखित में से कौन-सा नृत्य किया जाता है?

A. डमरु नृत्य　B. मंजीरा नृत्य
C. घोड़ा नृत्य　D. लूर नृत्य

341. हरियाणा में प्रचलित घोड़ा लोकनृत्य का आयोजन प्रमुख रुप से किस अवसर पर किया जाता है?

A. विवाह के अवसर पर　B. फागुन माह में
C. पुत्र-जन्म के अवसर पर　D. सावन माह में

342. प्रदेश में भादों के महीने की नौमी के दिन गुग्गापीर की पूजा के बाद निम्नलिखित में से कौन-सा नृत्य किया जाता है?

A. धमाल नृत्य　B. छड़ी नृत्य
C. लूर नृत्य　D. डमरु नृत्य

343. प्रदेश में प्रचलित लोकनृत्यों में से कौन-सा नृत्य स्त्रियों द्वारा किया जाता है?

A. तीज नृत्य　B. धमाल नृत्य
C. डमरु नृत्य　D. मंजीरा नृत्य

344. प्रदेश में प्रचलित लोक नृत्यों में से कौन-सा नृत्य पुरुषों द्वारा किया जाता है?

A. छठी नृत्य　B. तीज का नृत्य
C. डमरु नृत्य　D. खोडिया नृत्य

345. हरियाणा में प्रचलित लोकनृत्यों में से कौन-सा नृत्य स्त्री-पुरुष दोनों के द्वारा किया जाता है?

A. तीज नृत्य　B. लूर नृत्य
C. खोडिया नृत्य　D. फाग नृत्य

346. हरियाणा के कैथल नगर में प्रताप गेट के निकट निम्नलिखित में से कौन-सा गुरुद्वारा स्थित है?

A. गुरुद्वारा नीम साहिब　B. गुरुद्वारा नौवीं पातशाही
C. रागधार गुरुद्वारा　D. गुरुद्वारा छठी पातशाही

347. गुरुद्वारा मंजी साहिब हरियाणा के किस नगर में स्थित है?

A. करनाल　B. पानीपत
C. कैथल　D. अम्बाला

348. हरियाणा में किस स्थान को, ''नवग्रह कुण्डों'' के स्थित होने के कारण ''छोटी काशी'' भी कहा जाता है?

A. नारनौल को　B. कैथल को
C. गुरुग्राम को　D. कुरुक्षेत्र को

349. हरियाणा में कैथल से कुछ दूरी पर किस महापुरुष की समाधि स्थित है, जिस पर प्रत्येक वर्ष दशहरे से अगले दिन भारी मेला लगता है?

A. बाबा काली कमली वाले की　B. बाबा हरिदास की
C. बाबा लदाना की　D. बाबा रामदास की

350. कुरुक्षेत्र में थानेसर सिटी स्टेशन के समीप निम्नलिखित में से कौन-सा प्रसिद्ध तीर्थ स्थल है?

A. ब्रह्म सरोवर B. हटकेश्वर
C. ढोसी तीर्थ स्थल D. पूण्डरीक सरोवर

351. कुरुक्षेत्र रेलवे स्टेशन के समीप कुरुक्षेत्र-पेहवा रोड पर निम्नलिखित में से कौन-सा तीर्थ स्थल स्थित है, जिसे भगवान विष्णु का स्थाई निवास स्थल माना जाता है?

A. ब्रह्म सरोवर B. कालेश्वर तीर्थ
C. सन्निहित तीर्थ D. मारकाण्डेय तीर्थ

352. जिला कुरुक्षेत्र में किस तीर्थ स्थान पर श्रीकृष्ण ने अर्जुन को गीता का उपदेश दिया था?

A. ब्रह्म सरोवर B. कमल नाभ तीर्थ
C. प्राचीतीर्थ D. ज्योतिसर सरोवर

353. जिला कुरुक्षेत्र में स्थित ज्योतिसर सरोवर के समीप स्थित अक्षयवट के चारों ओर पक्के चबूतरे का निर्माण महाराज दरभंगा द्वारा कब करवाया गया था?

A. सन् 1924 में B. सन् 1930 में
C. सन् 1932 में D. सन् 1949 में

354. जिला कुरुक्षेत्र में स्थित ज्योतिसर सरोवर के निकट एक कृष्ण-अर्जुन रथ तथा शंकराचार्य के मन्दिर का निर्माण किसने करवाया था?

A. महाराज दरभंगा ने
B. कामकोटि पीठ के शंकराचार्य ने
C. कश्मीर के राजा ने
D. स्वामी विशुद्धानन्द महाराज ने

355. जिला कुरुक्षेत्र में स्थित प्रसिद्ध तीर्थ ज्योतिसर सरोवर की लम्बाई कितनी है?

A. 1000 फुट B. 1500 फुट
C. 2000 फुट D. 2500 फुट

356. जिला कुरुक्षेत्र में स्थित "बाबा काली कमली वाले का डेरा' नामक धार्मिक स्थल के संस्थापक कौन थे?

A. स्वामी रामतीर्थ
B. श्री स्वामी विशुद्धानन्द महाराज
C. कामकोटि पीठ के शंकराचार्य
D. स्वामी परमानन्द महाराज

357. भक्तिकाल से सम्बन्धित गौड़ीय मठ नामक धार्मिक स्थल हरियाणा के किस जिले में स्थित है?

A. अम्बाला जिले में B. जीन्द जिले में
C. कुरुक्षेत्र जिले में D. महेन्द्रगढ़ जिले में

358. कुरुक्षेत्र जिले में वह कौन-सा धार्मिक स्थल है जहां पर बाबा लक्ष्मण गिरि महाराज द्वारा जीवित समाधि ली गई थी?

A. बाण गंगा B. प्राची तीर्थ
C. गौड़ीय मठ D. बाल्मिकि आश्रम

359. राजघाट गुरुद्वारा हरियाणा में कहाँ पर स्थित है?

A. कुरुक्षेत्र में B. यमुनानगर में
C. कैथल में D. भिवानी में

360. निम्नलिखित में से कौन-सा तीर्थस्थल हरियाणा के जिला कुरुक्षेत्र में स्थित नहीं है?

A. कालेश्वर तीर्थ B. प्राची तीर्थ
C. ढोसी तीर्थ D. कुबेर तीर्थ

361. जिला कुरुक्षेत्र के कुरुक्षेत्र विश्वविद्यालय के उत्तर-पश्चिम में एक कि॰मी॰ की दूरी पर से कौन-सा प्राचीन तीर्थ स्थल स्थित है?

A. मारकाण्डेय तीर्थ B. नरकातारी (अनरक तीर्थ)
C. प्राची तीर्थ D. कुबेर तीर्थ

362. हरियाणा में थानेसर से 25 कि॰मी॰ पश्चिम में कौन-सा महत्त्वपूर्ण तीर्थ स्थल स्थित है जिसको हरियाणा और उसके समीपवर्ती क्षेत्रों में वही स्थान प्राप्त है जो पूर्व में गया तीर्थ को है?

A. पेहोवा B. पंचवटी
C. सफीदों D. पाण्डू-पिण्डारा

363. जिला पलवल के होडल क्षेत्र में निम्नलिखित में से कौन-सा धार्मिक स्थल स्थित है?

A. पंचवटी B. रामराय
C. सती का स्थान D. कालेश्वर महादेव मठ

364. 'पंचवटी' नामक तीर्थस्थल किस जिले में स्थित है?

A. अम्बाला B. पंचकुला
C. कुरुक्षेत्र D. पलवल में

365. जिला जीन्द के समीप जीन्द-गोहाना मार्ग पर कौन-सा प्राचीन धर्म-स्थल है जहां पर प्रत्येक वर्ष सोमवती अमावस्या के दिन मेला लगता है?

A. पाण्डू-पिण्डारा B. सफीदों
C. हंसडैहर D. उपरोक्त में से कोई नहीं

366. थानेसर नगर से कुछ दूर स्थित स्थानेश्वर महादेव मन्दिर का निर्माण सम्राट हर्षवर्धन के किस पूर्वज राजा द्वारा करवाया गया था?

A. पुष्यभूति B. आधित्यवर्धन
C. नरवर्धन D. प्रभाकरवर्धन

367. महमूद गजनवी अपने भारत आक्रमण के दौरान हरियाणा के निम्नलिखित में से किस प्राचीन मन्दिर की मूर्ति को अपने साथ गजनी ले गया था?

A. दुखभंजनेश्वर मन्दिर (कुरुक्षेत्र)
B. भगवान शिव मन्दिर (नारनौल)
C. सर्वेश्वर महादेव मन्दिर (कुरुक्षेत्र)
D. स्थानेश्वर महादेव मन्दिर (थानेसर)

368. हरियाणा के स्थानेश्वर मन्दिर का पुनर्निर्माण निम्नलिखित में से किसके द्वारा करवाया गया था?

A. मराठा सदाशिव राव द्वारा B. चन्द्रगुप्त विक्रमादित्य द्वारा
C. हर्षवर्धन द्वारा D. नरवर्धन द्वारा

369. देवीकूप (भद्रकाली मन्दिर) भारत के 51 शक्तिपीठों में से एक है यह मन्दिर प्रदेश में कहाँ पर स्थित है?

A. रोहतक B. कुरुक्षेत्र
C. पानीपत D. थानेसर

370. कुरुक्षेत्र में सन्निहित सरोवर के समीप निम्नलिखित में से कौन-सा मन्दिर स्थित नहीं है?
A. नारायण मन्दिर B. लक्ष्मी नारायण मन्दिर
C. दुखभंजनेश्वर मन्दिर D. बिरला मन्दिर

371. कुरुक्षेत्र का निम्नलिखित में से कौन-सा मन्दिर गिरि सम्प्रदाय के सिद्ध फकीर बाबा शिव गिरि महाराज द्वारा बनवाया गया था?
A. सर्वेश्वर महादेव मन्दिर B. नारायण मन्दिर
C. लक्ष्मी नारायण मन्दिर D. दुखभंजनेश्वर मन्दिर

372. कुरुक्षेत्र के प्रसिद्ध 'सर्वेश्वर महादेव मन्दिर' को किसने बनवाया था?
A. बाबा श्रवण नाथ ने B. बाबा शिवगिरि ने
C. बाबा तारकनाथ ने D. श्री जुगल किशोर बिरला ने

373. कुरुक्षेत्र-पेहोवा मार्ग पर स्थित बिरला मन्दिर को श्री जुगल किशोर बिरला द्वारा कब बनवाया गया था?
A. 1950 में B. 1955 में
C. 1965 में D. 1978 में

374. ग्यारह रुद्री शिव मन्दिर हरियाणा के किस नगर में स्थित है?
A. जीन्द B. पानीपत
C. हिसार D. कैथल

375. मराठा सरदार मंगल रघुनाथ जी ने पानीपत की तीसरी लड़ाई के बाद पानीपत में निम्नलिखित में से कौन-सा मन्दिर बनवाया था?
A. देवी तालाब का शिव मन्दिर B. हनुमान मन्दिर
C. देवी मन्दिर D. रुद्र मन्दिर

376. अमीन नामक गांव में निम्नलिखित में से कौन-सा प्राचीन मन्दिर स्थित है?
A. पंचवटी मन्दिर B. शिव मन्दिर
C. अदिति का मन्दिर D. दाऊ जी का मन्दिर

377. फरीदाबाद से लगभग 55 कि॰मी॰ की दूरी पर स्थित वंचारी गांव में निम्नलिखित में से कौन-सा प्राचीन मन्दिर स्थित है?
A. दाऊजी का मन्दिर B. अदिति का मन्दिर
C. पंचवटी मन्दिर D. चामुण्डा देवी का मन्दिर

378. माता शीतला देवी का प्रसिद्ध और प्राचीन मन्दिर हरियाणा में कहां पर स्थित है?
A. रेवाड़ी में B. गुरुग्राम में
C. नारनौल में D. जीन्द में

379. गुरुग्राम गांव में स्थित माता शीतला देवी का मन्दिर महाराज भरतपुर द्वारा कब बनवाया गया था?
A. सन् 1620 में B. सन् 1645 में
C. सन् 1648 में D. सन् 1650 में

380. प्राचीन शिव मन्दिर जहां पर बाबा ठण्डीपुरी की समाधि भी है प्रदेश में कहां स्थित है?
A. पूण्डरीक तीर्थ B. गुरुग्राम
C. हिसार D. रोहतक

381. पिंजोर की प्राचीन विरासत को बढ़ावा देने के लिए प्रतिवर्ष दो महोत्सव मनाए जाते हैं, एक त्योहार तो पिंजोर विरासत महोत्सव है; दूसरा महोत्सव कौन-सा है?
A. खजूर महोत्सव B. आम महोत्सव
C. नींबू महोत्सव D. संतरा महोत्सव

382. झज्जर जिले में स्थित बेरी गांव के रूढ़मल मन्दिर में स्थित शिवालय की ऊँचाई कितनी है?
A. 116 फुट B. 122 फुट
C. 132 फुट D. 140 फुट

383. झज्जर जिले के बेरी गांव के रूढ़मल मन्दिर में स्थित शिवालय का निर्माण कब करवाया गया था?
A. सन् 1842 में B. सन् 1850 में
C. सन् 1892 में D. सन् 1899 में

384. झज्जर जिले में स्थित बेरी गांव के रूढ़ीमल मन्दिर के शिवालय का पहली बार जीर्णोद्धार कब करवाया गया था?
A. सन् 1943 में B. सन् 1945 में
C. सन् 1950 में D. सन् 1953 में

385. नारनौल नगर में स्थित चामुण्डा देवी के मन्दिर का निर्माण व जीर्णोद्धार किसके द्वारा करवाया गया था?
A. राजा परीक्षत द्वारा B. राजा दिलीप द्वारा
C. राजा नूरकरण द्वारा D. पांडवों द्वारा

386. हरियाणा में चिश्ती सम्प्रदाय की स्थापना किसके द्वारा की गई थी?
A. बू अलीशाह कलंदर
B. शेख फरीद (फरीदुद्दीन शकरगंज)
C. अल्ताफ हुसैन
D. इब्राहिम अबीदुल्ला

387. चिश्ती सम्प्रदाय के प्रमुख सूफी संत बू अलीशाह कलंदर ने प्रदेश में किस स्थान को अपनी साधना का प्रमुख केन्द्र बनाया था?
A. पानीपत B. रोहतक
C. सोनीपत D. गुरुग्राम

388. सूफी संत अल्ताफ हुसैन हाली की दरगाह हरियाणा में कहां पर स्थित है?
A. झज्जर B. रेवाड़ी
C. पानीपत D. रोहतक

389. पानीपत की किस दरगाह पर श्रद्धालुओं द्वारा माथा टेकने पर ही अजमेर के ख्वाजा का उर्स पूरा होता है? ऐसी धारणा है-
A. ख्वाजा शम्सुद्दीन मख्दूम जलालुद्दीन की दरगाह
B. शेख उसमान जिंदापीर की दरगाह
C. गौस अलीशाह की दरगाह
D. बू अलीशाह कलंदर की दरगाह

390. नारनौल से करीब दस कि॰मी॰ दूर गांव धरसूं में किस प्रसिद्ध संत की दरगाह स्थित है?
A. हजरत शाह कलमुद्दीन हमज़ापीर हुसैन
B. मीर शाह (बाबा शाहखान)
C. शेख निजामुद्दीन
D. शेख जुनैद

391. फतेहाबाद में स्थित किस सूफी संत की मज़ार के प्रांगण में एक पत्थर पर बादशाह हुमायूं का अभिलेख उत्कीर्ण है?
A. मीरतकी खान B. मीर जुनैदी
C. शेख निज़ामुद्दीन D. मीरशाह (बाबा शाहखान)

...स मकबरे को पुरातत्वीय स्थल और अवशेष अधिनियम, ... अधीन राष्ट्रीय महत्त्व का स्मारक घोषित किया गया है?
शेख चेहली
B. बू अलीशाह कलंदर
C. शेख फरीद (फरीदुद्दीन शकरगंज)
D. पीर जमाल

393. बाबा शाह कमाल की मज़ार प्रदेश में कहां पर स्थित है?
A. गोहाना में
B. फतेहाबाद में
C. कैथल में
D. रोहतक में

394. प्रदेश में किस स्थान पर निम्नलिखित चार सूफी संतों (कुतुबशेख जमालुद्दीन अहमद, कुतुब मौलाना, बसोहद्दीन सूफी कुतुबद्दीन मन्नवर, कुतुब नुरुद्दीन) की मज़ार एक स्थान पर स्थित है?
A. करनाल में
B. हिसार में
C. पलवल में
D. हांसी में

395. शाहाबाद और अम्बाला के बीच किसकी मज़ार है, जिस पर मनोकामना पूरी होने पर घड़ी चढ़ाई जाती है?
A. पीर नागौजी
B. हमज़ा पीर
C. पीर नौगज़ा
D. इब्राहिम अबीदुल्ला

396. रोहतक में स्थित किस मस्जिद को, जो पहले मन्दिर था, औरंगजेब के शासनकाल में मस्जिद का रूप दिया गया था?
A. काज़ी की मस्जिद
B. दीनी मस्जिद
C. लाल मस्जिद
D. इनमें कोई नहीं

397. रोहतक में स्थित लाल मस्जिद को प्रसिद्ध व्यापारी हाजी आशिक अली द्वारा कब बनवाया गया था?
A. सन् 1930 में
B. सन् 1931 में
C. सन् 1935 में
D. सन् 1939 में

398. गुरुग्राम जिले में स्थित सराय अलावरदी गांव की मस्जिद किस शासक के काल में बनवायी गई थी?
A. बाबर
B. जहाँगीर
C. शाहजहाँ
D. अलाउद्दीन खिलजी

399. झज्जर जिले के गांव दुजाना में कौन-सी प्राचीन, ऐतिहासिक मस्जिद स्थित है?
A. लाल मस्जिद
B. काजी की मस्जिद
C. करीम जी की मस्जिद
D. जामा मस्जिद

400. रेवाड़ी की प्रसिद्ध ऐतिहासिक लाल मस्जिद किस मुगल शासक के काल में बनवाई गई थी?
A. बाबर
B. हुमायूं
C. अकबर
D. जहाँगीर

401. नारनौल, पानीपत, अम्बाला के अतिरिक्त सूफी संतों ने हरियाणा के किस नगर को सूफी विचारधारा का इस्लाम प्रचार केन्द्र बनाया?
A. कैथल
B. थानेसर
C. करनाल
D. सोनीपत

402. हरियाणा में रहकर सूफी मत का प्रचार करने वाले अधिकांश सूफी संत निम्नलिखित में से किस सम्प्रदाय के थे?
A. चिश्ती
B. नक्शबंदी
C. कादरी
D. उपरोक्त सभी

403. हरियाणा का ताजमहल कहा जाने वाला, प्रसिद्ध सूफी संत शेख चेहली का मकबरा किस नगर में स्थित है?
A. हिसार
B. फतेहाबाद
C. थानेसर
D. पानीपत

404. चरखी दादरी जिले के कलियाणा गांव में किस संत की दरगाह स्थित है, जिस पर प्रत्येक बुधवार को मेला लगता है?
A. पीर मुबारकशाह
B. शेख उसमान जिंदापीर
C. शेख निज़ामुद्दीन
D. मुहम्मद अफज़ल

405. मीरां साहब का मकबरा हरियाणा के किस नगर में स्थित है?
A. अम्बाला
B. पानीपत
C. करनाल
D. कैथल

406. भगवान कृष्ण ने अर्जुन को गीता का प्रेरणादायक संदेश हरियाणा में किस स्थान पर दिया था?
A. पानीपत
B. कुरुक्षेत्र
C. होडल
D. थानेश्वर

407. प्रदेश का निम्नलिखित में से कौन-सा नगर प्राचीन काल में श्रीकंठ जनपद की राजधानी था?
A. थानेश्वर
B. चण्डीगढ़
C. रोहतक
D. गुड़गाँव

408. यमुनानगर जिले में स्थित 'सढौरा' नामक ऐतिहासिक कस्बे में निम्नलिखित में से कौन- सा प्रसिद्ध मन्दिर है?
A. मनोकामना
B. गागरवाला
C. तोरांवाला
D. उपरोक्त तीनों

409. जिला यमुनानगर के किस ऐतिहासिक कस्बे में 'पीर बुद्धुशाह' का गुरुद्वारा है, जिन्होंने भागनी युद्ध में गुरु गोविन्द सिंह की सहायता की थी?
A. सढौरा
B. रादौर
C. बिलासपुर
D. छछरौली

410. हरियाणा के बहादुरगढ़ नामक ऐतिहासिक कस्बे का प्राचीन नाम क्या था?
A. चरखाबाद
B. हसीनपुर
C. शरफाबाद
D. बेतवाबाद

411. महम नामक ऐतिहासिक कस्बा प्रदेश के किस जिले में स्थित है?
A. भिवानी जिले में
B. रोहतक जिले में
C. यमुनानगर जिले में
D. झज्जर जिले में

412. जिला रोहतक में स्थित महम नामक कस्बे का पुनः निर्माण बनिया जाति के पेशोरा नामक व्यक्ति द्वारा कब करवाया गया था?
A. सन् 1266 में
B. सन् 1295 में
C. सन् 1298 में
D. सन् 1299 में

413. जिला सिरसा में स्थित ऐलनाबाद नामक कस्बा पहले किस नाम से जाना जाता था?
A. एलिसाबाद
B. चाविपुर
C. कलिसाबाद
D. खड़ियल

414. सिरसा जिले में स्थित 'रानियां' नामक ऐतिहासिक कस्बे का प्राचीन नाम क्या था?
A. राजबपुर
B. साजूपुर
C. रजिपुर
D. रतिपुर

415. जिला अम्बाला में स्थित किस कस्बे को सिरमौर (हिमाचल प्रदेश) के राजा लक्ष्मी नारायण ने बसाया था?

A. बराड़ा B. मुलाना
C. नारायणगढ़ D. रायपुर रानी

416. सोनीपत जिले में स्थित किस प्राचीन ऐतिहासिक कस्बे में की गई खुदाई से महाभारत कालीन मिट्टी के बर्तन प्राप्त हुए हैं?

A. राई B. खेड़ी गुज्जर
C. गन्कौर D. गोहाना

417. आदि बद्री नामक पौराणिक गांव किस जिले में स्थित है?

A. यमुनानगर B. भिवानी
C. सिरसा D. रेवाड़ी

418. जिला यमुनानगर में स्थित किस ऐतिहासिक गांव का सम्बन्ध महाभारत कालीन राजा शान्तनु से माना जाता है?

A. छछरौली B. आदिबद्री
C. बसन्तर D. किसी का नहीं

419. 'जननायक देवीलाल पुरस्कार' का संबंध है-

A. पशुधन विकास B. कृषि पैदावार
C. उद्योग D. शिक्षा

420. जिला करनाल के अन्तर्गत आने वाले किस स्थान को पानीपत के तीसरे युद्ध से पूर्व अहमदशाह अब्दाली ने अपने सरदारों के लिए एक शक्तिशाली केन्द्र बनाया था?

A. घरौडा B. नील्पेखेड़ी
C. असन्ध D. कुन्जपुरा

उत्तरमाला

1	2	3	4	5	6	7	8	9	10
D	A	B	C	A	D	B	A	C	B
11	12	13	14	15	16	17	18	19	20
D	D	A	C	D	A	C	B	D	A
21	22	23	24	25	26	27	28	29	30
D	A	C	B	A	D	D	A	C	C
31	32	33	34	35	36	37	38	39	40
D	C	A	B	D	D	A	C	B	C
41	42	43	44	45	46	47	48	49	50
D	A	C	B	A	C	D	A	C	C
51	52	53	54	55	56	57	58	59	60
A	C	A	B	D	B	A	C	B	D
61	62	63	64	65	66	67	68	69	70
C	A	D	B	C	A	B	C	D	A
71	72	73	74	75	76	77	78	79	80
B	C	A	D	C	B	A	C	D	C
81	82	83	84	85	86	87	88	89	90
B	A	D	C	A	D	C	C	D	A
91	92	93	94	95	96	97	98	99	100
C	B	C	A	D	B	B	A	C	B
101	102	103	104	105	106	107	108	109	110
C	A	D	A	C	A	B	A	D	A
111	112	113	114	115	116	117	118	119	120
B	D	C	A	C	B	D	C	A	C
121	122	123	124	125	126	127	128	129	130
B	D	B	A	D	A	C	B	D	C
131	132	133	134	135	136	137	138	139	140
A	D	B	A	D	A	C	B	D	A
141	142	143	144	145	146	147	148	149	150
C	B	D	A	C	D	A	B	C	A
151	152	153	154	155	156	157	158	159	160
D	A	A	B	C	A	D	B	D	C
161	162	163	164	165	166	167	168	169	170
D	B	C	B	A	B	D	B	A	C

		173	174	175	176	177	178	179	180
		A	C	A	B	A	B	A	D
	182	183	184	185	186	187	188	189	190
	B	A	C	B	A	D	A	D	D
	192	193	194	195	196	197	198	199	200
C	A	D	C	A	A	B	A	D	C
201	202	203	204	205	206	207	208	209	210
B	D	A	C	A	C	B	D	C	A
211	212	213	214	215	216	217	218	219	220
B	D	B	D	A	A	C	B	A	C
221	222	223	224	225	226	227	228	229	230
B	D	A	C	A	D	B	C	D	A
231	232	233	234	235	236	237	238	239	240
C	B	D	A	C	D	A	C	A	D
241	242	243	244	245	246	247	248	249	250
B	A	C	C	A	D	A	D	D	C
251	252	253	254	255	256	257	258	259	260
D	A	A	A	C	D	B	A	A	B
261	262	263	264	265	266	267	268	269	270
D	A	D	C	B	D	A	C	A	C
271	272	273	274	275	276	277	278	279	280
B	A	D	A	B	A	D	D	A	C
281	282	283	284	285	286	287	288	289	290
B	D	D	A	C	B	D	C	A	B
291	292	293	294	295	296	297	298	299	300
A	A	B	A	C	B	D	C	D	D
301	302	303	304	305	306	307	308	309	310
C	A	B	D	C	A	C	B	A	D
311	312	313	314	315	316	317	318	319	320
A	C	B	D	D	C	D	D	A	A
321	322	323	324	325	326	327	328	329	330
B	A	C	B	A	C	B	D	C	C
331	332	333	334	335	336	337	338	339	340
A	C	B	D	A	B	D	A	C	D
341	342	343	344	345	346	347	348	349	350
A	B	A	C	D	A	C	B	C	A
351	352	353	354	355	356	357	358	359	360
C	D	A	B	A	B	C	D	A	C
361	362	363	364	365	366	367	368	369	370
B	A	C	D	A	A	D	A	B	D
371	372	373	374	375	376	377	378	379	380
C	A	B	D	A	C	A	B	D	A
381	382	383	384	385	386	387	388	389	390
B	A	C	D	C	B	A	C	D	A
391	392	393	394	395	396	397	398	399	400
D	A	C	D	C	B	D	D	B	C
401	402	403	404	405	406	407	408	409	410
B	D	C	A	C	B	A	D	A	C
411	412	413	414	415	416	417	418	419	420
B	A	D	A	C	B	A	C	B	D

❑ ❑ ❑

सम-सामयिक घटनाचक्र
(Current Affairs)

1. जनवरी 2026 में जारी हेनले (Henley) पासपोर्ट इंडेक्स, 2026 में भारतीय पासपोर्ट की रैंक क्या है?

A. 78वाँ B. 80वाँ
C. 82वाँ D. 85वाँ

2. U-19 पुरुष क्रिकेट विश्व कप 2026 की मेजबानी किन देशों द्वारा की गई?

A. भारत-श्रीलंका B. ऑस्ट्रेलिया-न्यूजीलैंड
C. जिम्बाब्वे-नामीबिया D. वेस्टइंडीज-अमेरिका

3. बांग्लादेश का नया प्रधानमंत्री फरवरी 2026 में कौन बना है?

A. शफीकुर रहमान B. तारिक रहमान
C. खलीलुर रहमान c. नाहिद इस्लाम

4. जनवरी 2026 में ITBP का नया महानिदेशक किसे बनाया गया?

A. शत्रुजीत कपूर B. अनीश दयाल
C. राहुल रसगोत्रा D. मनोज पांडे

5. जनवरी 2026 में राष्ट्रीय जाँच एजेंसी (NIA) का महानिदेशक किसे नियुक्त किया गया है?

A. पवनदीप सिंह B. अनिकेत मिश्रा
C. राघव अरोड़ा D. राकेश अग्रवाल

6. नवंबर 2025 में दुर्लभ-पृथ्वी अनुसंधान के लिए DAE द्वारा जारी स्वदेशी रूप से विकसित प्रमाणित संदर्भ सामग्री (CRM) का नाम क्या है?

A. कार्बोनेटाइट-X
B. फेरोकार्बोनेटाइट (FC) – BARC B140
C. REE-मानक 1
D. मिनरलमिक्स B210

7. विश्व मुक्केबाजी कप फाइनल 2025, 16-20 नवंबर तक कहाँ आयोजित किया गया था?

A. मुंबई B. ग्रेटर नोएडा
C. बेंगलुरु D. पुणे

8. किस भारतीय तीरंदाज ने नवंबर 2025 में लक्जमबर्ग के स्ट्रासेन में जीटी ओपन इंडोर वर्ल्ड सीरीज 2025 में पुरुषों की कंपाउंड स्पर्धा का स्वर्ण पदक जीता?

A. अभिषेक वर्मा
B. गणेश मणिरत्नम थिरुमुरु
C. कुशल दलाल
D. रितुल चटर्जी

9. 17-18 नवंबर को आयोजित दुबई एयर शो 2025 में किस भारतीय विमान और टीम ने भाग लिया?

A. राफेल और गरुड़ टीम
B. मिग-29 और आकाशगंगा टीम
C. एलसीए तेजस और सूर्यकिरण एरोबैटिक टीम
D. सुखोई-30MKI और सारंग हेलीकॉप्टर टीम

10. बिहार चुनाव 2025 में किस पार्टी ने सबसे ज्यादा सीटें जीतीं?

A. जद(यू) B. लोजपा (रामविलास)
C. भाजपा D. राजद

11. 14-27 नवंबर तक नई दिल्ली में आयोजित 44वें भारत अंतर्राष्ट्रीय व्यापार मेले (IITF) 2025 का विषय क्या है?

A. डिजिटल इंडिया B. आत्मनिर्भर भारत
C. एक भारत-श्रेष्ठ भारत D. मेक इन इंडिया

12. गरुड़-2025 अभ्यास भारत और किस देश के बीच एक द्विपक्षीय हवाई अभ्यास है?

A. जर्मनी B. फ्रांस
C. जापान D. ऑस्ट्रेलिया

13. विश्व मधुमेह दिवस हर साल 14 नवंबर को सर फ्रेडरिक बैंटिंग के जन्मदिन के उपलक्ष्य में मनाया जाता है। उन्हें किस प्रमुख चिकित्सा खोज के लिए जाना जाता है?

A. एंटीबायोटिक दवाओं की खोज
B. इंसुलिन की खोज
C. रक्त समूहों की खोज
D. टीकाकरण की खोज

14. भारत में बाल दिवस (14 नवंबर) किस नेता की जयंती के उपलक्ष्य में मनाया जाता है?

A. महात्मा गांधी B. डॉ. बी.आर. अम्बेडकर
C. पंडित जवाहरलाल नेहरू D. सरदार वल्लभभाई पटेल

15. भारत और किस देश के बीच नवंबर 2025 में मित्र शक्ति-2025 अभ्यास का 11वां संस्करण आयोजित किया गया था?

A. बांग्लादेश B. श्रीलंका

C. नेपाल D. म्यांमार

16. 10-18 नवंबर, 2025 को पश्चिमी प्रशांत क्षेत्र के गुआम में आयोजित मालाबार नौसैनिक अभ्यास में किन देशों ने भाग लिया?

A. भारत, अमेरिका, जापान और ऑस्ट्रेलिया

B. भारत, अमेरिका, फ्रांस और यूके

C. भारत, जापान, सिंगापुर और ऑस्ट्रेलिया

D. भारत, अमेरिका, इंडोनेशिया और जापान

17. क्रिकेट कितने वर्षों बाद 2028 के लॉस एंजिल्स ओलंपिक खेलों में वापसी करेगा?

A. 100 वर्ष B. 112 वर्ष

C. 128 वर्ष D. 140 वर्ष

18. 2028 के लॉस एंजिल्स ओलंपिक में क्रिकेट किस प्रारूप में खेला जाएगा?

A. एक दिवसीय अंतर्राष्ट्रीय (ODI)

B. टेस्ट क्रिकेट

C. T10

D. T20 (ट्वेंटी20)

19. नवंबर 2025 में प्रोजेक्ट चीता के तहत बोत्सवाना ने भारत को कितने चीते दान किए?

A. छह B. आठ

C. दस D. बारह

20. प्रधानमंत्री नरेंद्र मोदी ने नवंबर 2025 में अपनी भूटान यात्रा के दौरान किस प्रमुख जलविद्युत परियोजना का उद्घाटन किया?

A. मंगदेछु जलविद्युत परियोजना

B. पुनात्सांगछु-II जलविद्युत परियोजना

C. कुरिछु जलविद्युत परियोजना

D. ताला जलविद्युत परियोजना

21. MoSPI के आंकड़ों के अनुसार, 2025 की जुलाई-सितंबर तिमाही में भारत की बेरोजगारी दर थी :

A. 5.4% B. 5.2%

C. 4.8% D. 6.1%

22. 10 नवंबर, 2025 को दिल्ली के लाल किला मेट्रो स्टेशन के पास हुए शक्तिशाली कार विस्फोट को किस कानून के तहत दर्ज किया गया था, जो एक संदिग्ध आतंकी पहलू की ओर इशारा करता है?

A. भारतीय दंड संहिता

B. राष्ट्रीय सुरक्षा अधिनियम

C. गैरकानूनी गतिविधियाँ (रोकथाम) अधिनियम (UAPA)

D. जन सुरक्षा अधिनियम

23. भगवान बुद्ध के पवित्र अवशेष 2025 के किस महीने में सार्वजनिक प्रदर्शन के लिए भारत से भूटान भेजे गए थे?

A. अक्टूबर B. नवंबर

C. दिसंबर D. सितंबर

24. राष्ट्रपति द्रौपदी मुर्मू नवंबर 2025 में किस अफ्रीकी देश की यात्रा करने वाली पहली भारतीय राष्ट्राध्यक्ष बनीं?

A. केन्या B. अंगोला

C. नाइजीरिया D. दक्षिण अफ्रीका

25. भारतीय हॉकी के 100 वर्ष पूरे होने के उपलक्ष्य में शताब्दी समारोह किस वर्ष आयोजित किया गया था?

A. 2024 B. 2025

C. 2026 D. 2027

26. नवंबर 2025 में 30वां संयुक्त राष्ट्र जलवायु परिवर्तन सम्मेलन (COP30) कहाँ आयोजित किया गया था?

A. पेरिस, फ्रांस

B. बेलेम, ब्राजील

C. ग्लासगो, यूनाइटेड किंगडम

D. नैरोबी, केन्या

27. 2025 में वर्जीनिया की उपराज्यपाल चुनी गई गजाला हाशमी का जन्म भारत के किस शहर में हुआ था?

A. मुंबई B. हैदराबाद

C. दिल्ली D. चेन्नई

28. 6 नवंबर को आयोजित बिहार विधानसभा चुनाव 2025 का पहला चरण कितने निर्वाचन क्षेत्रों में आयोजित किया गया था?

A. 100 B. 118

C. 121 D. 140

29. क्यूएस वर्ल्ड यूनिवर्सिटी रैंकिंग 2026 में किस भारतीय संस्थान ने सर्वोच्च स्थान प्राप्त किया?

A. आईआईटी बॉम्बे B. आईआईटी मद्रास

C. आईआईटी दिल्ली D. आईआईटी कानपुर

30. आईसीए वर्ल्ड कोऑपरेटिव मॉनिटर 2025 रैंकिंग में किन दो भारतीय सहकारी संस्थाओं ने शीर्ष स्थान प्राप्त किया?

A. अमूल और नेफेड B. इफको और अमूल

C. कृभको और मदर डेयरी D. अमूल और एनडीडीबी

31. प्रधानमंत्री नरेंद्र मोदी ने किस कार्यक्रम के दौरान अनुसंधान, विकास और नवाचार (RDI) योजना निधि का शुभारंभ किया?

A. वैश्विक विज्ञान कांग्रेस 2025

B. उभरते विज्ञान, प्रौद्योगिकी और नवाचार सम्मेलन (ESTIC) 2025

C. भारत नवाचार शिखर सम्मेलन 2025

D. राष्ट्रीय अनुसंधान सम्मेलन 2025

32. 1 नवंबर 2025 से भारतीय मानक ब्यूरो (BIS) के महानिदेशक के रूप में किसे नियुक्त किया गया है?

A. राजेश कुमार सिंह B. संजय गर्ग
C. मनोज आहूजा D. अलका उपाध्याय

33. 2025 में आईसीसी महिला एकदिवसीय क्रिकेट विश्व कप का खिताब किस देश ने जीता?

A. ऑस्ट्रेलिया B. इंग्लैंड
C. दक्षिण अफ्रीका D. भारत

34. निम्नलिखित में से कौन-सा भारत का सबसे भारी संचार उपग्रह (4,410 किलोग्राम) है जिसे इसरो ने 3 नवंबर 2025 को श्रीहरिकोटा से LVM3-M5 'बाहुबली' रॉकेट का उपयोग करके प्रक्षेपित किया था?

A. GSAT-7A B. GSAT-6
C. GSAT-7R (CMS-03) D. GSAT-9

35. यूआईडीएआई द्वारा शुरू किए गए आधार विजन 2032 फ्रेमवर्क का प्राथमिक उद्देश्य क्या है?

A. आधार को मतदाता पहचान पत्र से जोड़ना
B. उन्नत तकनीकों का उपयोग करके आधार को भविष्य के लिए तैयार करना
C. मौजूदा आधार प्रणाली को एक नए पहचान पत्र से बदलना
D. विदेशों में आधार नामांकन केंद्रों का विस्तार करना

36. आर्य समाज की स्थापना किसने की, जिसकी 150वीं वर्षगांठ 2025 में मनाई गई?

A. स्वामी श्रद्धानंद B. स्वामी विवेकानंद
C. स्वामी दयानंद सरस्वती D. लाला लाजपत राय

37. भारत ने सेमीफाइनल में किस टीम को हराकर महिला क्रिकेट विश्व कप 2025 के फाइनल में प्रवेश किया?

A. इंग्लैंड B. ऑस्ट्रेलिया
C. दक्षिण अफ्रीका D. न्यूजीलैंड

38. भारत के 53वें मुख्य न्यायाधीश (CJI) के रूप में किसे नियुक्त किया गया है?

A. न्यायमूर्ति बी.आर. गवई B. न्यायमूर्ति डी.वाई. चंद्रचूड़
C. न्यायमूर्ति सूर्यकांत D. न्यायमूर्ति संजीव खन्ना

39. राष्ट्रपति द्रौपदी मुर्मू ने अक्टूबर 2025 में किस वायुसेना स्टेशन से राफेल लड़ाकू विमान में उड़ान भरी?

A. हिंडन वायुसेना स्टेशन
B. अंबाला वायुसेना स्टेशन
C. ग्वालियर वायुसेना स्टेशन
D. जोधपुर वायुसेना स्टेशन

40. अक्टूबर 2025 में शुरू की गई आदर्श युवा ग्राम सभा (MYGS) पहल का उद्देश्य छात्रों में निम्नलिखित में से किसको बढ़ावा देना है?

A. वित्तीय साक्षरता और उद्यमिता
B. लोकतांत्रिक मूल्य और सहभागी शासन
C. पर्यावरण जागरूकता और डिजिटल कौशल
D. खेल और शारीरिक फिटनेस

41. भारत में HAL और रूस की यूनाइटेड एयरक्राफ्ट कॉर्पोरेशन द्वारा संयुक्त रूप से कौन-से विमान का निर्माण किया जाएगा?

A. SJ-100 B. मिग-35
C. तेजस Mk2 D. डोर्नियर 228

42. चक्रवात मोन्था 28 अक्टूबर 2025 को आंध्र प्रदेश के किस तटीय क्षेत्र के पास पहुँचा?

A. विशाखापत्तनम B. काकीनाडा
C. नेल्लोर D. कलिंगपट्टनम

43. 8वें केंद्रीय वेतन आयोग (CPC) के अध्यक्ष कौन हैं?

A. न्यायमूर्ति ए.के. सीकरी
B. न्यायमूर्ति रंजना प्रकाश देसाई
C. श्रीमती निर्मला सीतारमण
D. डॉ. पुलक घोष

44. अक्टूबर 2025 के मध्यावधि चुनावों में अर्जेंटीना की सत्तारूढ़ पार्टी को भारी जीत दिलाने में किसने नेतृत्व किया?

A. अल्बर्टो फर्नांडीज
B. जेवियर माइली
C. मौरिसियो मैक्री
D. क्रिस्टीना फर्नांडीज डी किर्चनर

45. 27-30 अक्टूबर, 2025 तक 8वीं अंतर्राष्ट्रीय सौर गठबंधन (ISA) सभा किस स्थान पर आयोजित की गई थी?

A. विज्ञान भवन, नई दिल्ली
B. भारत मंडपम, नई दिल्ली
C. इंडिया हैबिटेट सेंटर, नई दिल्ली
D. हैदराबाद अंतर्राष्ट्रीय सम्मेलन केंद्र

46. 27 अक्टूबर से 2 नवंबर, 2025 तक मनाए जाने वाले सतर्कता जागरूकता सप्ताह 2025 का विषय क्या था?

A. भ्रष्टाचार को ना कहें
B. ईमानदारी - जीवन जीने का एक तरीका
C. सतर्कता : हमारी साझा जिम्मेदारी
D. भविष्य के लिए पारदर्शिता

47. भारत के चुनाव आयोग द्वारा संचालित विशेष गहन पुनरीक्षण (SIR) क्या है?

A. मतदाता जागरूकता को बढ़ावा देने के लिए एक अभियान
B. चुनाव से पहले मतदाता सूची को अद्यतन और सत्यापित करने का एक विशेष अभियान
C. जनमत सर्वेक्षण आयोजित करने का एक कार्यक्रम
D. राजनीतिक दलों के प्रतीकों और पंजीकरण की समीक्षा

48. 47वां आसियान शिखर सम्मेलन 2025, 26-28 अक्टूबर तक कहाँ आयोजित किया गया था?

A. जकार्ता B. बैंकॉक
C. कुआलालंपुर D. सिंगापुर

49. 2025 में भूमि संसाधन विभाग (DoLR) द्वारा शुरू किए गए कार्यक्रम में NAKSHA का क्या अर्थ है?

A. आवास और परिसंपत्तियों के लिए राष्ट्रीय विश्लेषणात्मक ज्ञान प्रणाली
B. शहरी आवासों का राष्ट्रीय भू-स्थानिक ज्ञान-आधारित भूमि सर्वेक्षण
C. पर्यावास क्षेत्रों के लिए राष्ट्रीय हवाई कार्टोग्राफिक सर्वेक्षण
D. आवास मूल्यांकन के लिए राष्ट्रीय उन्नत ज्ञान योजना

50. राष्ट्रीय विज्ञान पुरस्कार 2025 के अंतर्गत विज्ञान रत्न पुरस्कार किस प्रख्यात वैज्ञानिक को मरणोपरांत प्रदान किया गया?

A. एस. वेंकट मोहन B. जयंत विष्णु नार्लिकर
C. के. थंगराज D. ज्ञानेंद्र प्रताप सिंह

51. भारत-तिब्बत सीमा पुलिस (ITBP) का स्थापना दिवस कब मनाया जाता है?

A. 20 अक्टूबर B. 21 अक्टूबर
C. 24 अक्टूबर D. 26 अक्टूबर

52. राष्ट्रीय एकता दिवस हर साल 31 अक्टूबर को किस राष्ट्रीय नेता की जयंती के उपलक्ष्य में मनाया जाता है?

A. महात्मा गांधी B. सरदार वल्लभभाई पटेल
C. सुभाष चंद्र बोस D. लाल बहादुर शास्त्री

53. ऑस्ट्रेलियन ओपन-2026 का पुरुष एकल खिताब किसने जीता?

A. यानिक सिनर B. कार्लोस अल्कारेज
C. नोवाक जोकोविच D. राफेल नडाल

54. 2030 के राष्ट्रमंडल खेलों की मेजबानी किस देश को मिली है?

A. पाकिस्तान B. भारत
C. बांग्लादेश D. ब्रिटेन

55. मणिपुर का नया मुख्यमंत्री फरवरी 2026 में कौन बना है?

A. नेमचा किपगेन B. वाई. खेमचंद सिंह
C. के. लोकेन सिंह D. एल. दिखो

56. अक्टूबर 2025 में किस खिलाड़ी को प्रादेशिक सेना में लेफ्टिनेंट कर्नल की मानद उपाधि से सम्मानित किया गया?

A. पीवी सिंधु B. विराट कोहली
C. नीरज चोपड़ा D. अभिनव बिंद्रा

57. निंगोल चाकोबा उत्सव भारत के किस राज्य में मनाया जाता है?

A. असम B. त्रिपुरा
C. मणिपुर D. मेघालय

58. वैश्विक वन संसाधन आकलन (GFRA) 2025 के अनुसार, कुल वन क्षेत्र में भारत का वैश्विक स्थान क्या है?

A. 7वाँ B. 8वाँ
C. 9वाँ D. 10वाँ

59. अक्टूबर 2025 में जापान की पहली महिला प्रधानमंत्री कौन बनीं?

A. युरिको कोइके B. साने ताकाइची
C. फुमियो किशिदा D. योको कामिकावा

60. क्षेत्रीय संपर्क योजना - उड़ान (उड़े देश का आम नागरिक), जिसने 21 अक्टूबर 2025 को अपने 9 वर्ष पूरे कर लिए, किससे संबंधित है?

A. सभी प्रमुख शहरों को रेलवे से जोड़ना
B. सभी जिलों को जोड़ने के लिए सड़क मार्ग से बस सेवा
C. सभी गाँवों में ब्रॉडबैंड उपलब्ध कराना
D. हवाई यात्रा को सस्ता बनाना और छोटे शहरों और कस्बों को जोड़ना

61. FIDE शतरंज विश्व कप 2025, 31 अक्टूबर से 17 नवंबर तक कहाँ आयोजित किया गया?

A. चेन्नई B. मुंबई
C. अरपोरा, गोवा D. नई दिल्ली

62. 2025 में 125वीं भारतीय फुटबॉल संघ (IFA) शील्ड किस टीम ने जीती?

A. ईस्ट बंगाल FC B. रियल कश्मीर FC
C. मोहन बागान सुपर जायंट D. बेंगलुरु FC

63. अक्टूबर 2025 में अफगानिस्तान और पाकिस्तान के बीच युद्ध विराम में किन देशों ने मध्यस्थता की?

A. सऊदी अरब और ईरान B. कतर और तुर्किये
C. चीन और रूस D. अमेरिका और यूएई

64. बोलीविया का 2025 का राष्ट्रपति चुनाव किसने जीता?

A. इवो मोरालेस B. जॉर्ज टूटो क्विरोगा
C. रोड्रिगो पाज D. एडमैन लारा

65. पुलिस स्मृति दिवस हर साल 21 अक्टूबर को किस ऐतिहासिक घटना के उपलक्ष्य में मनाया जाता है?

A. कारगिल युद्ध
B. 26/11 मुंबई हमला
C. लद्दाख में हॉट स्प्रिंग्स की घटना (1959)
D. ऑपरेशन ब्लू स्टार

66. भारतीय हॉकी टीम अक्टूबर 2025 में मलेशिया में आयोजित किस अंतर्राष्ट्रीय टूर्नामेंट के फाइनल में पहुँची?

A. एशिया कप B. हॉकी चैंपियंस ट्रॉफी
C. सुल्तान जोहोर कप D. नेशंस कप

67. तेजस LCA Mk1A लड़ाकू विमान का विकास किस संगठन ने किया?

A. DRDO
B. ISRO
C. भारत डायनेमिक्स लिमिटेड
D. हिंदुस्तान एयरोनॉटिक्स लिमिटेड (HAL)

68. राष्ट्रीय सुरक्षा गार्ड (NSG) का स्थापना दिवस हर साल 16 अक्टूबर को मनाया जाता है। एनएसजी की स्थापना किस वर्ष हुई थी?

A. 1980 B. 1982
C. 1984 D. 1986

69. अंतर्राष्ट्रीय गरीबी उन्मूलन दिवस हर साल मनाया जाता है :

A. 15 अक्टूबर B. 17 अक्टूबर
C. 20 अक्टूबर D. 24 अक्टूबर

70. नौसैनिक अभ्यास 'समुद्र शक्ति' के पाँचवें संस्करण में किन दो देशों ने भाग लिया?

A. भारत और जापान B. भारत और इंडोनेशिया
C. भारत और श्रीलंका D. भारत और ऑस्ट्रेलिया

71. 2030 राष्ट्रमंडल खेलों की मेजबानी कौन-सा भारतीय शहर करेगा?

A. नई दिल्ली B. अहमदाबाद
C. मुंबई D. बेंगलुरु

72. रक्षा मंत्रालय ने भारतीय सेना की किस राइफल को उन्नत रात्रि दृष्टि से लैस करने के लिए अक्टूबर 2025 में ₹659.47 करोड़ के अनुबंध पर हस्ताक्षर किया है?

A. INSAS B. AK-203
C. SIG716 D. Tavor

73. "अक्टूबर 2025 में, वरिष्ठ नक्सली कार्यकर्ताओं ने गढ़चिरौली में आत्मसमर्पण किया। उनमें से कौन केंद्रीय नक्सल समिति का पोलित ब्यूरो सदस्य था?"

A. मल्लूजोला वेणुगोपाल राव उर्फ भूपति
B. गणेश पाटिल
C. रमेश यादव
D. सुरेश सिंह

74. अक्टूबर 2025 में प्रकाशित "रेडी, रेलेवेंट एंड रिसर्जेंट II : शेपिंग ए फ्यूचर रेडी फोर्स" नामक पुस्तक के लेखक कौन हैं?

A. राजनाथ सिंह B. जनरल अनिल चौहान
C. जनरल बिपिन रावत D. अशोक कुमार

75. अक्टूबर 2025 में भारत-दक्षिण कोरिया नौसैनिक द्विपक्षीय अभ्यास का उद्घाटन कहाँ हुआ था?

A. विशाखापत्तनम B. बुसान
C. चेन्नई D. सियोल

76. 'दृष्टिबाधित महिला' टी-20 विश्व कप 2025 किस देश की टीम ने जीता?

A. नेपाल B. श्रीलंका
C. भारत D. ऑस्ट्रेलिया

77. अमेरिका के बाहर Google का सबसे बड़ा AI और डेटा इंफ्रास्ट्रक्चर हब किस भारतीय शहर में स्थापित होगा?

A. बेंगलुरु B. हैदराबाद
C. विशाखापत्तनम D. पुणे

78. नवाचार और "रचनात्मक विनाश" पर अपने कार्य के लिए 2025 का अर्थशास्त्र का नोबेल पुरस्कार किसे मिला?

A. पॉल क्रुगमैन, मिल्टन फ्रीडमैन और बेन बर्नान्के
B. जोएल मोकिर, फिलिप अघियन और पीटर हॉविट
C. साइमन जॉनसन, जेम्स रॉबिन्सन और डैरन ऐसमोग्लू
D. राग्नार फ्रिस्क, जान टिनबर्गेन और निकोलास टिनबर्गेन

79. मंगोलिया के राष्ट्रपति कौन हैं जिन्होंने अक्टूबर 2025 में भारत का दौरा किया?

A. खाल्तमागीन बत्तुल्गा
B. खुरेलसुख उखना
C. लवसननम्नेन ओयुन-एर्डीन
D. त्साखियागीन एल्बेगदोर्ज

80. अक्टूबर 2025 में, केंद्रीय रेल मंत्री अश्विनी वैष्णव ने घोषणा की कि रेलवे सुरक्षा बल (RPF) के लिए हर साल भर्ती आयोजित की जाएगी। इस भर्ती का संचालन किस संगठन को सौंपा गया है?

A. संघ लोक सेवा आयोग (UPSC)
B. रेलवे भर्ती बोर्ड (RRB)
C. कर्मचारी चयन आयोग (SSC)
D. राष्ट्रीय भर्ती एजेंसी (NRA)

81. भारत और ऑस्ट्रेलिया के बीच 13-26 अक्टूबर 2025 तक पर्थ में आयोजित अभ्यास ऑस्ट्राहिंड 2025 का नेतृत्व भारतीय सेना की किस रेजिमेंट ने किया था?

A. राजपूत रेजिमेंट B. सिख रेजिमेंट
C. गोरखा राइफल्स D. मद्रास रेजिमेंट

82. अफगानिस्तान के विदेश मंत्री मावलवी अमीर ख़ान मुत्ताकी की 9-16 अक्टूबर 2025 तक की भारत यात्रा, 2021 के बाद तालिबान की पहली मंत्रिस्तरीय यात्रा थी। भारतीय मुसलमानों तक पहुँच बनाने के लिए उन्होंने अपने प्रवास के दौरान किस धार्मिक संस्थान का दौरा किया?

A. अलीगढ़ मुस्लिम विश्वविद्यालय
B. जामिया मिलिया इस्लामिया
C. दारुल उलूम देवबंद
D. नदवतुल उलमा, लखनऊ

83. भारत द्वारा आयोजित संयुक्त राष्ट्र सैन्य योगदान देने वाले देशों (UNTCC) के प्रमुखों का सम्मेलन 2025 किस शहर में आयोजित किया गया?

A. मुंबई
B. बेंगलुरु
C. नई दिल्ली
D. हैदराबाद

84. 2025 में नोबेल शांति पुरस्कार जीतने वाली मारिया कोरिना मचाडो किस देश की राजनीतिक नेता हैं?

A. ब्राजील
B. कोलंबिया
C. वेनेजुएला
D. अर्जेंटीना

85. असम के गुवाहाटी में आयोजित BWF विश्व जूनियर चैंपियनशिप 2025 में भारत ने किस स्पर्धा में कांस्य पदक जीता?

A. पुरुष एकल
B. महिला युगल
C. मिश्रित टीम स्पर्धा
D. पुरुष युगल

86. अक्टूबर 2025 में भारतीय दूतावास के उन्नयन से पहले, काबुल में भारत की राजनयिक उपस्थिति की प्रकृति क्या थी?

A. कोई राजनयिक मिशन नहीं
B. एक पूर्ण दूतावास
C. एक सीमित तकनीकी मिशन
D. एक वाणिज्य दूतावास कार्यालय

87. 2025 का साहित्य का नोबेल पुरस्कार किसे मिला?

A. ओरहान पामुक
B. सलमान रुश्दी
C. लास्ज़लो क्रास्जनाहोरकाई
D. काजुओ इशिगुरो

88. अक्टूबर 2025 में इजराइल-हमास शांति योजना के पहले चरण पर कहाँ हस्ताक्षर किए गए थे?

A. जिनेवा, स्विट्ज़रलैंड
B. शर्म अल-शेख, मिस्र
C. दोहा, कतर
D. यरुशलम, इजराइल

89. 2025 का रसायन विज्ञान का नोबेल पुरस्कार किसे मिला?

A. जॉन क्लार्क, मिशेल डेवोरेट और जॉन मार्टिनिस
B. सुसुमु कितागावा, रिचर्ड रॉबसन और उमर एम. याघी
C. कैरोलिन बर्टोजी, मोर्टेन मेल्डल और के. बैरी शार्पलेस
D. इमैनुएल चार्पेंटियर, जेनिफर डूडना और फेंग झांग

90. यूनाइटेड किंगडम के वर्तमान प्रधानमंत्री कौन हैं जिन्होंने अक्टूबर 2025 में भारत का दौरा किया था?

A. ऋषि सुनक
B. कीर स्टारमर
C. बोरिस जॉनसन
D. लिज़ ट्रस

91. विश्व मानसिक स्वास्थ्य दिवस हर साल कब मनाया जाता है?

A. 5 अक्टूबर
B. 10 अक्टूबर
C. 15 अक्टूबर
D. 20 अक्टूबर

92. 2025 का भौतिकी का नोबेल पुरस्कार किसे मिला?

A. पीटर हिग्स, फ्रांस्वा एंगलर्ट और जेम्स पीबल्स
B. जॉन क्लार्क, मिशेल डेवोरेट और जॉन मार्टिनिस
C. रोजर पेनरोज, एंड्रिया गेज़ और रीनहार्ड जेन्जेल
D. एलेन एस्पेक्ट, जॉन क्लॉसर और एंटोन जीलिंगर

93. भारतीय वायु सेना दिवस प्रतिवर्ष कब मनाया जाता है?

A. 26 जनवरी
B. 15 अगस्त
C. 8 अक्टूबर
D. 4 दिसंबर

94. नवी मुंबई अंतर्राष्ट्रीय हवाई अड्डा कहाँ स्थित है?

A. पनवेल
B. उल्वे, नवी मुंबई
C. ठाणे
D. बेलापुर

95. बिहार विधानसभा चुनाव 2025 में मतदान की तिथियां क्या थी?

A. 1 और 5 नवंबर
B. 4 और 9 नवंबर
C. 6 और 11 नवंबर
D. 8 और 12 नवंबर

96. 7 से 9 अक्टूबर 2025 तक मुंबई में आयोजित ग्लोबल फिनटेक फेस्ट 2025 का विषय क्या है?

A. सभी के लिए डिजिटल वित्त
B. विकास के लिए फिनटेक नवाचार
C. एआई द्वारा संचालित एक बेहतर दुनिया के लिए वित्त का सशक्तिकरण
D. सतत और समावेशी फिनटेक

97. 2025 का फिजियोलॉजी या मेडिसिन का नोबेल पुरस्कार किसे मिला?

A. विक्टर एम्ब्रोस, गैरी रुवकुन और मैरी ब्रुनकोव
B. मैरी ई. ब्रुनकोव, फ्रेड रैम्सडेल और शिमोन सकागुची
C. शिमोन सकागुची, तासुकु होंजो और जेम्स एलिसन
D. विक्टर एम्ब्रोस, गैरी रुवकुन और शिमोन सकागुची

98. विश्व पैरा एथलेटिक्स चैंपियनशिप 2025 में भारत ने समग्र रैंकिंग में कौन-सा स्थान हासिल किया?

A. शीर्ष-3 स्थान
B. शीर्ष-5 स्थान
C. शीर्ष-10 स्थान
D. शीर्ष-15 स्थान

99. अक्टूबर 2025 में भारत का नया एकदिवसीय कप्तान किसे नियुक्त किया गया है?

A. रोहित शर्मा
B. श्रेयस अय्यर
C. शुभमन गिल
D. केएल राहुल

100. अभ्यास कोंकण-2025 किन दो देशों के बीच एक द्विपक्षीय नौसैनिक अभ्यास है?

A. भारत और फ्रांस
B. भारत और यूनाइटेड किंगडम
C. भारत और जापान
D. भारत और संयुक्त राज्य अमेरिका

101. बच्चों के लिए आधार बायोमेट्रिक अपडेट अनिवार्य रूप से किस उम्र में आवश्यक है?

A. 3 वर्ष और 10 वर्ष B. 5 वर्ष और 15 वर्ष
C. 6 वर्ष और 12 वर्ष D. 7 वर्ष और 17 वर्ष

102. केंद्रीय मंत्रिमंडल ने 1 जुलाई 2025 से केंद्र सरकार के कर्मचारियों और पेंशनभोगियों के लिए महंगाई भत्ते (DA) और महंगाई राहत (DR) में कितनी वृद्धि की है?

A. 2% (55% से 57%) B. 3% (55% से 58%)
C. 4% (55% से 59%) D. 5% (55% से 60%)

103. 2026-27 विपणन सत्र के लिए ₹160 प्रति क्विंटल की वृद्धि के बाद गेहूँ का MSP क्या है?

A. ₹ 2,425 प्रति क्विंटल B. ₹ 2,585 प्रति क्विंटल
C. ₹ 2,650 प्रति क्विंटल D. ₹ 2,510 प्रति क्विंटल

104. भारत को अक्टूबर 2025 में किस उपलब्धि के लिए ISSA पुरस्कार 2025 से सम्मानित किया गया?

A. शिक्षा में उत्कृष्ट उपलब्धि
B. सामाजिक सुरक्षा में उत्कृष्ट उपलब्धि
C. डिजिटल नवाचार में उत्कृष्टता
D. वैश्विक व्यापार में नेतृत्व

105. SSC ने अपनी परीक्षाओं में पारदर्शिता सुनिश्चित करने के लिए अक्टूबर 2025 में कौन-सा प्रमुख सुधार पेश किया है?

A. केवल उत्तर कुंजी प्रकाशित करना
B. अभ्यर्थियों को अपने प्रश्न पत्र, उत्तर और सही उत्तर देखने की अनुमति देना
C. निःशुल्क कोचिंग कक्षाएं प्रदान करना
D. नकारात्मक अंकन हटाना

106. अक्टूबर 2025 में भारतीय रिजर्व बैंक (RBI) का नया डिप्टी गवर्नर किसे नियुक्त किया गया है?

A. एम. राजेश्वर राव B. शिरीष चंद्र मुर्मू
C. टी. रबी शंकर D. स्वामीनाथन जे

107. 2025 में गाजा के लिए 20 सूत्रीय शांति योजना का प्रस्ताव किसने रखा?

A. जो बिडेन B. बेंजामिन नेतन्याहू
C. डोनाल्ड ट्रम्प D. एंटोनियो गुटेरेस

108. आईसीसी महिला एकदिवसीय विश्व कप 2025, सितंबर 2025 में किस देश में आयोजित किया गया?

A. इंग्लैंड B. ऑस्ट्रेलिया
C. भारत D. दक्षिण अफ्रीका

109. सितंबर 2025 में, भारत ने किस देश के साथ अपनी पहली सीमा पार रेलवे परियोजना स्थापित करने पर सहमति व्यक्त की है?

A. नेपाल B. बांग्लादेश
C. भूटान D. म्यांमार

110. भारत ने सितंबर 2025 में दुबई में आयोजित एशिया कप क्रिकेट के फाइनल में किस देश को हराकर खिताब जीता?

A. श्रीलंका B. पाकिस्तान
C. बांग्लादेश D. अफगानिस्तान

111. भारत का शीत मरुस्थल जैवमंडल आरक्षित क्षेत्र, जिसे सितंबर 2025 में यूनेस्को के विश्व जैवमंडल आरक्षित क्षेत्र नेटवर्क में शामिल किया गया है, किस राज्य में स्थित है?

A. उत्तराखंड B. हिमाचल प्रदेश
C. सिक्किम D. अरुणाचल प्रदेश

112. भारतीय वायु सेना ने सितंबर 2025 में किस दिग्गज लड़ाकू विमान को आधिकारिक तौर पर विदाई दी?

A. जगुआर B. मिराज 2000
C. मिग-21 D. तेजस

113. सितंबर 2025 में शुरू की गई मुख्यमंत्री महिला रोजगार योजना के तहत, बिहार भर में 75 लाख महिलाओं को पहले चरण में प्रत्येक को कितनी वित्तीय सहायता मिली?

A. ₹ 5,000 B. ₹ 7,500
C. ₹ 10,000 D. ₹ 25,000

114. यूएई ने दुबई वर्ल्ड कांग्रेस फॉर सेल्फ-ड्राइविंग ट्रांसपोर्ट (24–25 सितम्बर 2025) में अपना पहला *सॉवरेन मोबिलिटी क्लाउड* लॉन्च किया। इस पहल को कौन-सा वैश्विक टेक्नोलॉजी प्लेटफॉर्म संचालित कर रहा है?

A. अमेजन वेब सर्विसेज
B. गूगल क्लाउड
C. माइक्रोसॉफ्ट अज्योर
D. ओरेकल क्लाउड

115. 24 सितम्बर 2025 को लद्दाख में राज्य का दर्जा और छठी अनुसूची में शामिल करने की मांग को लेकर हुए प्रदर्शन किस शहर में हिंसक हो गए?

A. कारगिल B. लेह
C. श्रीनगर D. जम्मू

116. 25-28 सितंबर 2025 तक वर्ल्ड फूड इंडिया 2025 कहाँ आयोजित किया गया है?

A. प्रगति मैदान, नई दिल्ली
B. भारत मंडपम, नई दिल्ली
C. इंडिया एक्सपो मार्ट, ग्रेटर नोएडा
D. BIEC, बेंगलुरु

117. 24 सितंबर 2025 को, केंद्रीय मंत्रिमंडल ने योजना के नए चरण के तहत सरकारी मेडिकल कॉलेजों में कितनी MBBS सीटें जोड़ने को मंजूरी दी?

A. 3,000 B. 5,023
C. 7,500 D. 10,000

118. सितंबर 2025 में, मंत्रिमंडल की नियुक्ति समिति ने मई 2026 तक चीफ ऑफ डिफेंस स्टाफ (CDS) के रूप में किस अधिकारी के सेवा विस्तार को मंजूरी दी?

A. जनरल मनोज पांडे B. जनरल अनिल चौहान
C. जनरल मनोज मुकुंद नरवणे D. जनरल दीपक कपूर

119. संयुक्त राष्ट्र महासभा (UNGA) के 80वें सत्र (2025) की थीम क्या है?

A. 21वीं सदी में वैश्विक शांति और सुरक्षा
B. बेहतर साथ : शांति, विकास और मानवाधिकारों के लिए 80 साल और आगे
C. एक सतत और समावेशी भविष्य की ओर
D. वैश्विक विकास के लिए बहुपक्षवाद को सुदृढ़ करना

120. 23 सितम्बर 2025 को रक्षा मंत्री राजनाथ सिंह ने टाटा एडवांस्ड सिस्टम्स लिमिटेड (TASL) की एक रक्षा उत्पादन इकाई का उद्घाटन किस देश में किया?

A. मिस्र B. मोरक्को
C. केन्या D. दक्षिण अफ्रीका

121. सितंबर 2025 में 7 वर्ष पूरे करने वाली दुनिया की सबसे बड़ी सरकारी-वित्तपोषित स्वास्थ्य बीमा योजना का नाम क्या है?

A. आयुष्मान भारत - प्रधानमंत्री जन आरोग्य योजना (PMJAY)
B. राष्ट्रीय स्वास्थ्य बीमा योजना
C. जननी सुरक्षा योजना
D. प्रधानमंत्री सुरक्षा बीमा योजना

122. वर्ष 2023 के लिए 71वें राष्ट्रीय फिल्म पुरस्कारों में सर्वश्रेष्ठ फीचर फिल्म का पुरस्कार किस फिल्म को मिला?

A. कथल : अ जैकफ्रूट मिस्ट्री
B. 12th फेल
C. रॉकी और रानी की प्रेम कहानी
D. मिसेज चैटर्जी वर्सेस नॉर्वे

123. 10वाँ राष्ट्रीय आयुर्वेद दिवस कब मनाया गया?

A. 21 सितंबर 2025 B. 22 सितंबर 2025
C. 23 सितंबर 2025 D. 24 सितंबर 2025

124. नए जीएसटी सुधारों (22 सितंबर 2025 से लागू) के तहत कितने मुख्य कर स्लैब हैं?

A. 3 (5%, 12%, 18%)
B. 4 (5%, 12%, 18%, 28%)
C. 2 (5% और 18%)
D. केवल 1 (5%)

125. 21 सितंबर 2025 को किन तीन देशों ने औपचारिक रूप से फिलिस्तीन राज्य को मान्यता दी?

A. यूके, कनाडा, ऑस्ट्रेलिया
B. यूके, फ्रांस, जर्मनी
C. कनाडा, अमेरिका, ऑस्ट्रेलिया
D. यूके, इजराइल, बेल्जियम

126. दादासाहेब फाल्के पुरस्कार 2023 से किसे सम्मानित किया गया?

A. ममूटी B. मोहनलाल
C. रजनीकांत D. कमल हासन

127. H-1B वीजा क्या है, जिसकी फीस सितंबर 2025 में बढ़ाकर 1,00,000 डॉलर कर दी गई?

A. अमेरिका में अल्पकालिक यात्रा के लिए टूरिस्ट वीजा
B. विशिष्ट क्षेत्रों में कुशल विदेशी पेशेवरों के लिए वर्क वीजा
C. अमेरिका में उच्च शिक्षा के लिए स्टूडेंट वीजा
D. स्थायी निवास कार्ड (ग्रीन कार्ड)

128. 21 सितंबर 2025 को मनाए गए अंतर्राष्ट्रीय शांति दिवस की थीम क्या है?

A. शांति के लिए सेतु निर्माण
B. अभी कार्य करें एक शांतिपूर्ण विश्व के लिए
C. जलवायु कार्रवाई शांति के लिए
D. सामंजस्य के लिए युवा

129. भारतीय सेना ने सितंबर 2025 में किस युद्ध की हीरक जयंती मनाई?

A. कारगिल युद्ध
B. 1971 भारत-पाकिस्तान युद्ध
C. 1965 भारत-पाकिस्तान युद्ध
D. द्वितीय विश्व युद्ध

130. सितंबर 2025 में केंद्रीय औद्योगिक सुरक्षा बल (CISF) के नए महानिदेशक के रूप में किसे नियुक्त किया गया?

A. राहुल रसगोत्रा B. प्रवीर रंजन
C. प्रवीण कुमार D. राजविंदर सिंह भट्टी

131. जलवायु परिवर्तन निष्पादन सूचकांक (CCPI) 2026 में भारत का रैंक कितना है?

A. 7वाँ B. 8वाँ
C. 23वाँ D. 20वाँ

132. सितंबर 2025 में 7 प्राकृतिक धरोहर स्थलों के जुड़ने के बाद, यूनेस्को की अस्थायी सूची में भारतीय स्थलों की कुल संख्या कितनी हो गई है?

A. 59 B. 65
C. 69 D. 72

133. सितंबर 2025 में आयोजित जापाद-2025 में भारत के अलावा किन देशों ने भाग लिया?

A. ईरान, बांग्लादेश, बुर्किना फासो, कांगो, माली
B. चीन, नेपाल, श्रीलंका, भूटान
C. अमेरिका, ब्रिटेन, फ्रांस, जर्मनी
D. जापान, दक्षिण कोरिया, वियतनाम, थाईलैंड

134. सितंबर 2025 में, डाक विभाग (DoP) और बीएसएनएल ने पूरे भारत में मोबाइल कनेक्टिविटी बढ़ाने के लिए एक समझौता ज्ञापन (MoU) पर हस्ताक्षर किए। यह कैसे पूरा किया जाएगा?
A. ग्रामीण क्षेत्रों में नए टेलीकॉम टावर लगाकर
B. बीएसएनएल सिम कार्ड और रिचाज सेवाओं की बिक्री के लिए डाकघरों का उपयोग करके
C. पूरे देश में संयुक्त 5G नेटवर्क शुरू करके
D. डाकियों के माध्यम से मुफ्त इंटरनेट कनेक्शन उपलब्ध कराकर

135. 2025 में भारत-अमेरिका के व्यापारिक रिश्तों में तनाव का मुख्य कारण क्या था?
A. आईटी सेवाओं पर विवाद
B. रूसी कच्चे तेल के आयात से जुड़ी भारतीय वस्तुओं पर 50% शुल्क
C. कृषि निर्यात पर प्रतिबंध
D. बौद्धिक संपदा विवाद

136. सितम्बर 2025 में टीम इंडिया का नया मुख्य प्रायोजक किसे घोषित किया गया है?
A. ड्रीम11 B. अपोलो टायर्स
C. बायजूस D. पेटीएम

137. विश्व मुक्केबाजी चैंपियनशिप 2025 में 48 किग्रा और 57 किग्रा भार वर्ग में स्वर्ण पदक किसने जीता?
A. निकहत जरीन और लवलीना बोरगोहेन
B. मिनाक्षी हूडा और जैस्मिन लाम्बोरिया
C. मैरी कॉम और सवीती बूरा
D. नीतू घंघस और सरिता देवी

138. सितंबर 2025 में प्रधानमंत्री मोदी द्वारा भारत की पहली बाँस-आधारित बायो-रिफाइनरी का उद्घाटन कहाँ किया गया?
A. डिब्रूगढ़, असम B. नूमालीगढ़, असम
C. गुवाहाटी, असम D. सिलचर, असम

139. 2025 से CBSE द्वारा कक्षा 10 और 12 की बोर्ड परीक्षाओं में शामिल होने के लिए न्यूनतम उपस्थिति कितनी अनिवार्य कर दी गई है?
A. 60% B. 65%
C. 70% D. 75%

140. भारत ने 14 सितम्बर 2025 को एशिया कप क्रिकेट 2025 में दुबई में पाकिस्तान को 7 विकेट से हराया। प्लेयर ऑफ द मैच किसे चुना गया?
A. हार्दिक पांड्या B. शाहीन अफरीदी
C. कुलदीप यादव D. सूर्यकुमार यादव

141. 12 सितम्बर 2025 को नेपाल की पहली महिला प्रधानमंत्री कौन बनीं?
A. विद्या देवी भंडारी B. सुशीला कार्की
C. ओंसारी घर्ती मगर D. सुजाता कोइराला

142. सितम्बर 2025 में उद्घाटित मिज़ोरम की पहली रेल संपर्क लाइन का नाम क्या है?
A. सिलचर-आइजोल लाइन
B. बैराबी-सैरांग लाइन
C. अगरतला-आइजोल लाइन
D. गुवाहाटी-सैरांग लाइन

143. मॉरीशस के प्रधानमंत्री डॉ. नवीनचंद्र रामगुलाम, जिन्होंने 9–16 सितम्बर 2025 तक भारत का दौरा किया, उनकी पैतृक जड़ें भारत के किस राज्य से जुड़ी हैं?
A. उत्तर प्रदेश B. बिहार
C. गुजरात D. तमिलनाडु

144. फिच रेटिंग्स ने सितम्बर 2025 में भारत की GDP वृद्धि दर का वित्त वर्ष 2025 के लिए अनुमान किससे संशोधित किया?
A. 6.0% से 6.5% B. 6.5% से 6.9%
C. 6.8% से 7.2% D. 7.0% से 7.5%

145. एशिया कप क्रिकेट 2025 का 17वां संस्करण 9–28 सितम्बर 2025 तक किस देश में खेला गया?
A. भारत
B. पाकिस्तान
C. संयुक्त अरब अमीरात (UAE)
D. श्रीलंका

146. *आदि* संस्कृति - दुनिया का पहला डिजिटल जनजातीय विश्वविद्यालय किस मंत्रालय ने शुरू किया?
A. संस्कृति मंत्रालय B. जनजातीय कार्य मंत्रालय
C. शिक्षा मंत्रालय D. कौशल विकास मंत्रालय

147. सितंबर 2025 में भारत के 15वें उपराष्ट्रपति के रूप में किसे चुना गया?
A. न्यायमूर्ति बी. सुदर्शन रेड्डी
B. सी. पी. राधाकृष्णन
C. जगदीप धनखड़
D. वेंकैया नायडू

148. 9 सितंबर 2025 को नेपाल के प्रधानमंत्री पद से किसने इस्तीफा दिया?
A. पुष्प कमल दहल B. शेर बहादुर देउबा
C. के. पी. शर्मा ओली D. रमेश लेखक

149. 2025 में भारतीय फुटबॉल टीम के नए मुख्य कोच कौन नियुक्त हुए?
A. इगोर स्तीमाक B. खालिद जमील
C. स्टीफन कॉन्स्टेंटाइन D. क्लिफर्ड मिरांडा

150. सितंबर 2025 में काठमांडू, नेपाल में 'Gen Z' द्वारा बड़े पैमाने पर विरोध प्रदर्शन हुए। उनकी मुख्य माँग क्या थी?
A. भंग संसद की बहाली
B. सोशल मीडिया प्रतिबंध वापस लेना
C. ईंधन की कीमतों में कमी
D. प्रधानमंत्री का इस्तीफा

151. 22 अप्रैल 2025 के घातक पहलगाम हमले में संलिप्तता के कारण जुलाई 2025 में संयुक्त राज्य अमेरिका द्वारा किस संगठन को विदेशी आतंकवादी संगठन (FTO) घोषित किया गया था?
A. जैश-ए-मोहम्मद B. द रेजिस्टेंस फ्रंट (TRF)
C. हिज्बुल मुजाहिद्दीन D. इंडियन मुजाहिद्दीन

152. स्वच्छ सर्वेक्षण 2024-25 में लगातार 8वें वर्ष किस शहर को भारत का सबसे स्वच्छ शहर घोषित किया गया?
A. अहमदाबाद B. सूरत
C. इंदौर D. नवी मुम्बई

153. जुलाई 2025 में शुभांशु शुक्ला को अंतरराष्ट्रीय अंतरिक्ष स्टेशन (ISS) ले जाने वाले मिशन का नाम क्या है?
A. चंद्रयान-3
B. गगनयान-1
C. एक्सिओम-4 (आकाश गंगा)
D. मिशन पृथ्वी

154. किस फुटबॉल क्लब ने 2025 में पहला फीफा क्लब विश्व कप जीता?
A. पेरिस सेंट-जर्मेन B. बायर्न म्यूनिख
C. मैनचेस्टर सिटी D. चेल्सी

155. जुलाई 2025 में उद्घाटन किए जाने वाले भारत के दूसरे सबसे लम्बे केबल-स्टेड ब्रिज का नाम क्या है?
A. बांद्रा-वर्ली सी लिंक B. शरावती ब्रिज
C. सिंगदूर ब्रिज D. कलसावल्ली ब्रिज

156. विम्बल्डन 2025 पुरुष एकल का खिताब किसने जीता?
A. नोवाक जोकोविच B. कार्लोस अल्काराज
C. जननिक सिनर D. डेनियल मेदवेदेव

157. विम्बल्डन 2025 महिला एकल का खिताब किसने जीता?
A. आर्याना सबालेंका B. अमांडा अनिसिमोवा
C. इगा स्विएटेक D. ऐलेना रयबाकिना

158. जुलाई 2025 में किस भारतीय धरोहर स्थल को 44वें यूनेस्को विश्व धरोहर स्थल के रूप में अंकित किया गया?
A. राजस्थान के पहाड़ी किले
B. भारत के मराठा सैन्य परिदृश्य
C. अजंता की गुफाएँ
D. चोल मंदिर

159. जुलाई 2025 में भारतीय सेना द्वारा शुरू किए गए ऑपरेशन शिवा 2025 का प्राथमिक उद्देश्य क्या है?
A. लद्दाख में सीमा निगरानी
B. बाढ़ प्रभावित क्षेत्रों में बचाव अभियान
C. श्री अमरनाथ यात्रा का सुरक्षित संचालन सुनिश्चित करना
D. विदेशी सेनाओं के साथ संयुक्त सैन्य अभ्यास करना

160. विमान दुर्घटना जाँच ब्यूरो (AAIB) की रिपोर्ट के अनुसार, एयर इंडिया की उड़ान संख्या AI 171 के दुर्घटनाग्रस्त होने का क्या कारण था?
A. पक्षी का टकराना
B. मौसम की गड़बड़ी
C. इंजनों को ईंधन की आपूर्ति बंद हो गई थी
D. इंजन में आग लग गई थी

161. 30 जुलाई 2025 को प्रक्षेपित नासा-इसरो सिंथेटिक अपर्चर रडार (NISAR) उपग्रह की क्या विशेषता है?
A. यह भारत का पहला उपग्रह है
B. यह मानव को ले जाने वाला पहला उपग्रह है
C. यह द्वि-आवृत्ति रडार (L-बैंड और S-बैंड) का उपयोग करता है
D. यह चंद्र अभियानों के लिए डिजाइन किया गया है

162. जुलाई 2025 में थाईलैंड-कम्बोडिया सीमा संघर्ष को सुलझाने के लिए किस देश के प्रधानमंत्री ने मध्यस्थता की और युद्धविराम की घोषणा की?
A. थाईलैंड B. कम्बोडिया
C. वियतनाम D. मलेशिया

163. FIDE महिला विश्व कप 2025 किसने जीता?
A. कोनेरू हम्पी B. हरिका द्रोणावल्ली
C. दिव्या देशमुख D. तानिया सचदेव

164. 1 जुलाई 2025 को लॉन्च किए गए नए भारतीय रेलवे ऐप का नाम क्या है?
A. रेलकनेक्ट
B. रेलवन
C. रेलमेट
D. यूटीएस ऑन मोबाइल

165. 1 जुलाई 2025 को यंतर शिपयार्ड, कलिनिनग्राद, रूस में कमीशन किए गए उन्नत स्टील्थ फ्रिगेट का नाम क्या है?
A. INS विक्रांत B. INS तलवार
C. INS तमाल D. INS शिवालिक

166. भारत ने जुलाई 2025 में अपना पहला इक्विन डिजीज-फ्री कम्पार्टमेंट (EDFC) कहाँ स्थापित किया है?
A. पुणे B. बीकानेर
C. मेरठ छावनी D. चेन्नई

167. जुलाई 2025 में नरेंद्र मोदी को त्रिनिदाद और टोबैगो से मिलने वाले पुरस्कार का नाम क्या है?
A. ऑर्डर ऑफ द कैरेबियन
B. नेशनल हीरो अवार्ड
C. ऑर्डर ऑफ द रिपब्लिक ऑफ त्रिनिदाद और टोबैगो
D. वेस्ट इंडीज मेडल ऑफ ऑनर

168. 2025 में BWF वर्ल्ड टूर खिताब जीतने वाले पहले भारतीय कौन बने?
A. लक्ष्य सेन B. किदांबी श्रीकांत
C. आयुष शेट्टी D. प्रणय एच.एस.

169. नाटो शिखर सम्मेलन 2025 कहाँ आयोजित किया गया था?
A. ब्रुसेल्स, बेल्जियम B. द हेग, नीदरलैंड
C. बर्लिन, जर्मनी D. पेरिस, फ्रांस

170. जून 2025 में संघर्ष के दौरान ईरान से भारत द्वारा शुरू किए गए निकासी मिशन का नाम क्या है?
A. ऑपरेशन वंदे भारत B. ऑपरेशन समुद्र सेतु
C. ऑपरेशन सिंधु D. ऑपरेशन सुरक्षा

171. जून 2025 में किस डायमंड लीग इवेंट में पुरुषों की भाला फेंक स्पर्धा में नीरज चोपड़ा ने जीत हासिल की?
A. दोहा डायमंड लीग
B. ज्यूरिख डायमंड लीग
C. पेरिस डायमंड लीग
D. रोम डायमंड लीग

172. QS वर्ल्ड यूनिवर्सिटी रैंकिंग 2026 में कौन-सा विश्वविद्यालय शीर्ष पर रहा?
A. स्टैनफोर्ड यूनिवर्सिटी
B. यूनिवर्सिटी ऑफ ऑक्सफोर्ड
C. मैसाचुसेट्स इंस्टीट्यूट ऑफ टेक्नोलॉजी (MIT)
D. हार्वर्ड यूनिवर्सिटी

173. 11वें अंतर्राष्ट्रीय योग दिवस (IDY) 2025 का विषय क्या है?
A. वैश्विक शांति के लिए योग
B. स्वास्थ्य और सद्भाव के लिए योग
C. एक पृथ्वी, एक स्वास्थ्य के लिए योग
D. जलवायु और समुदाय के लिए योग

174. किस भारतीय एनिमेटेड फिल्म ने एनेसी 2025 में सर्वश्रेष्ठ एनिमेटेड फिल्म के लिए जूरी पुरस्कार जीता?
A. द जंगल बुक B. माइटी लिटिल भीम
C. देसी ऊन D. हनुमान

175. भारत के अधिकांश हिस्सों में आगामी राष्ट्रीय जनगणना के लिए संदर्भ तिथि कब है?
A. 1 अक्टूबर, 2026 B. 1 जनवरी, 2026
C. 1 मार्च, 2027 D. 1 अप्रैल, 2027

176. ICC विश्व टेस्ट चैम्पियनशिप फाइनल 2025 किस टीम ने जीता?
A. ऑस्ट्रेलिया B. इंग्लैंड
C. भारत D. दक्षिण अफ्रीका

177. 12 जून 2025 को एयर इंडिया लंदन फ्लाइट क्रैश में किस प्रकार का विमान शामिल था?
A. एयरबस A320 B. बोइंग 777
C. बोइंग 737 मैक्स D. बोइंग 787-8 ड्रीमलाइनर

178. पुस्तकों की सस्ती डिलीवरी के लिए जून 2025 में डाक विभाग द्वारा शुरू की गई नई डाक सेवा का नाम क्या है?
A. बुक पोस्ट B. ज्ञान सेतु
C. ज्ञान पोस्ट D. शिक्षा मेल

179. जून 2025 में ईरान के परमाणु और सैन्य स्थलों को निशाना बनाकर किए जाने वाले इजरायल के सैन्य अभियान का नाम क्या है?
A. डेजर्ट थंडर B. आयरन शील्ड
C. राइजिंग लायन D. स्टॉर्म फाल्कन

180. जून 2025 में ICC हॉल ऑफ फेम में किस भारतीय क्रिकेटर को शामिल किया गया?
A. विराट कोहली B. राहुल द्रविड़
C. एमएस धोनी D. सचिन तेंदुलकर

181. फ्रेंच ओपन 2025 में पुरुष एकल का खिताब किसने जीता?
A. नोवाक जोकोविच B. यानिक सिनर
C. लोरेंजो मुसेट्टी D. कार्लोस अल्कारेज

182. फ्रेंच ओपन 2025 में महिला एकल का खिताब किसने जीता?
A. आर्यना सबालेंका B. सेरेना विलियम्स
C. कोको गॉफ D. इगा स्विएटेक

183. इंडियन प्रीमियर लीग (आईपीएल) 2025 का खिताब किसने जीता?
A. पंजाब किंग्स B. चेन्नई सुपर किंग्स
C. रॉयल चैलेंजर्स बेंगलुरू D. गुजरात टाइटन्स

184. जून 2025 में संयुक्त राष्ट्र महासभा के अध्यक्ष के रूप में किसे चुना गया?
A. हेल्गा श्मिड B. फिलेमोन यांग
C. एनालेना बेयरबॉक D. एंटोनियो गुटेरेस

185. निम्नलिखित में से कौन-सा पुल दुनिया का सबसे ऊँचा रेलवे आर्च ब्रिज है, जिसका उद्घाटन प्रधानमंत्री मोदी ने जून 2025 में किया?
A. हावड़ा ब्रिज B. अंजी खड्ड ब्रिज
C. पंबन ब्रिज D. चिनाब ब्रिज

186. 30 मई 2025 को कौन-सा भारतीय राज्य राष्ट्रीय रूप से निर्धारित 95% पूर्ण साक्षरता के मानदंड को पार करने वाला दूसरा राज्य बना?
A. केरल B. गोवा
C. तमिलनाडु D. हिमाचल प्रदेश

187. एशियाई एथलेटिक्स चैंपियनशिप 2025 कहाँ आयोजित की गई थी?
A. टोक्यो, जापान B. गुमी, दक्षिण कोरिया
C. बैंकॉक, थाईलैंड D. बीजिंग, चीन

188. निम्नलिखित में से किसे लोक संगीत में उनके योगदान के लिए मई 2025 में मरणोपरांत पद्म विभूषण मिला?
A. बिबेक देबरॉय B. शारदा सिन्हा
C. कोलीन गैंटजर D. अजय भट्ट

189. मई 2025 में F42 भाला फेंक श्रेणी में नया विश्व रिकॉर्ड किसने बनाया?
A. सुमित अंतिल B. रॉबर्टो फ्लोरियानी एडेनिलसन
C. महेंद्र गुर्जर D. नीरज चोपड़ा

190. प्रधानमंत्री नरेंद्र मोदी ने मई 2025 में नए लोकोमोटिव विनिर्माण संयंत्र का उद्घाटन कहाँ किया?
A. वडोदरा, गुजरात B. सूरत, गुजरात
C. दाहोद, गुजरात D. राजकोट, गुजरात

191. 15 मई 2025 को 78वें कान फिल्म महोत्सव मई 2025 को "पाल्मे डी ओर" किसने जीता?
A. हयाकावा ची B. सुज़ुकी यूई
C. जाफर पनाही D. असगर फरहादी

192. नीति आयोग के वर्तमान सीईओ (जनवरी 2026 तक) कौन हैं?
A. अमिताभ कांत B. परमेश्वरन अय्यर
C. बी.वी.आर. सुब्रह्मण्यम D. राजीव कुमार

193. मई 2025 में हुए एक समझौते में ब्रिटेन ने मॉरीशस को कौन-से द्वीप लौटाए?
A. मालदीव B. लक्षद्वीप
C. चागोस द्वीप D. सेशेल्स

194. मई 2025 में अमेरिकी राष्ट्रपति द्वारा घोषित गोल्डन डोम शील्ड का प्राथमिक उद्देश्य क्या है?
A. GPS के लिए उपग्रहों को लॉन्च करना
B. लंबी दूरी की मिसाइल खतरों का पता लगाना और उन्हें रोकना
C. अमेरिकी नौसेना रक्षा प्रणालियों को बदलना
D. साइबर हमलों को रोकना

195. 2025 में गुजरात की 16वीं शेर जनगणना में कितने एशियाई शेर दर्ज किए गए?
A. 721 B. 817
C. 891 D. 956

196. दक्षिण एशियाई फुटबॉल महासंघ (SAFF) अंडर-19 फुटबॉल चैंम्पियनशिप 2025 किसने जीती?
A. नेपाल B. बांग्लादेश
C. भारत D. श्रीलंका

197. राज्यों की राजधानियों में राज्यपालों के आवास-सह कार्यालयों को राजभवन के स्थान पर अब किस नाम से जाना जाता है?
A. महामहिम भवन B. लोक गृह
C. लोकभवन D. लोकसेवा भवन

198. जगद्गुरु रामभद्राचार्य को किस भाषा के साहित्य में उनके योगदान के लिए 58वें ज्ञानपीठ पुरस्कार से सम्मानित किया गया?
A. हिंदी B. उर्दू
C. संस्कृत D. तमिल

199. खेलो इंडिया यूथ गेम्स 2025 में कौन-सा राज्य ओवरऑल चैंपियन बनकर उभरा?
A. हरियाणा B. राजस्थान
C. उत्तर प्रदेश D. महाराष्ट्र

200. 2025 में 78वें कान फिल्म महोत्सव के उद्घाटन पर मानद पाल्मे डी'ओर किसे मिला?
A. लियोनार्डो डिकैप्रियो B. जूलियट बिनोचे
C. रॉबर्ट डी नीरो D. अनुपम खेर

201. जुलाई 2025 में हरियाणा सरकार ने सड़क दुर्घटना पीड़ितों की मदद के लिए कौन-सी योजना शुरू की?
A. जीवन रक्षा योजना
B. राहवीर योजना
C. सुरक्षित सड़क योजना
D. दुर्घटना बीमा योजना

202. राहवीर योजना के तहत सहायता करने वाले नागरिक को कितनी प्रोत्साहन राशि दी जाती है?
A. ₹ 10,000 B. ₹ 15,000
C. ₹ 25,000 D. ₹ 50,000

203. राहवीर योजना में नागरिकों को किस कानून के अंतर्गत कानूनी सुरक्षा दी गई?
A. BNS B. BNSS
C. मोटर वाहन अधिनियम D. साक्ष्य अधिनियम

204. जुलाई 2025 में हरियाणा के किस जिले में किन्नू जूस प्रोसेसिंग प्लांट को मंजूरी दी गई?
A. हिसार B. सिरसा
C. फतेहाबाद D. करनाल

205. किन्नू प्रोसेसिंग प्लांट किस मॉडल पर स्थापित किया गया?
A. सरकारी B. सहकारी
C. सरकारी-निजी भागीदारी D. विदेशी निवेश

206. जुलाई 2025 में हरियाणा सरकार ने EWS आय सीमा कितनी कर दी?

A. ₹ 6 लाख B. ₹ 7 लाख
C. ₹ 8 लाख D. ₹ 10 लाख

207. EWS आय सीमा बढ़ाने का लाभ मुख्यतः किसे मिलेगा?

A. निजी नौकरियाँ B. सरकारी भर्तियाँ व दाखिले
C. व्यापारी D. किसान

208. जुलाई 2025 में किस शहर में नया मेडिकल कॉलेज स्थापित करने की घोषणा की गई?

A. पलवल B. चरखी दादरी
C. जींद D. महेंद्रगढ़

209. जुलाई 2025 में हरियाणा में किस पोर्टल की शुरुआत शिक्षा नीति के क्रियान्वयन हेतु हुई?

A. शिक्षा साथी B. नीव (NEEV)
C. ज्ञान दीप D. शिक्षा सेतु

210. NEEV पोर्टल किस विभाग से संबंधित है?

A. IT B. वित्त
C. शिक्षा D. योजना

211. जुलाई 2025 में हरियाणा सरकार ने किस वर्ग के उद्योगों के लिए ₹ 2 प्रति यूनिट बिजली दर लागू की?

A. बड़े उद्योग B. मध्यम उद्योग
C. माइक्रो व स्मॉल इंडस्ट्री D. IT कंपनियाँ

212. बिजली सब्सिडी का मुख्य उद्देश्य क्या है?

A. राजस्व बढ़ाना B. MSME को बढ़ावा
C. निर्यात कम करना D. निजीकरण

213. जुलाई 2025 में किसानों ने जिंद में किस विषय पर महापंचायत की?

A. MSP B. फसल बीमा
C. स्मार्ट मीटर D. भूमि अधिग्रहण

214. किसानों का विरोध किस कानून संशोधन से जुड़ा था?

A. श्रम कानून
B. कृषि कानून
C. बिजली संशोधन विधेयक
D. पर्यावरण कानून

215. जुलाई 2025 में हरियाणा सरकार ने किन कॉलेजों की स्थापना का निर्णय लिया?

A. इंजीनियरिंग B. मॉडल संस्कृति कॉलेज
C. मेडिकल D. IT कॉलेज

216. अगस्त 2025 में हरियाणा सरकार ने कितने करोड़ का राज्य अनुसंधान कोष घोषित किया?

A. ₹ 10 करोड़ B. ₹ 20 करोड़
C. ₹ 50 करोड़ D. ₹ 100 करोड़

217. राज्य अनुसंधान कोष किस क्षेत्र को बढ़ावा देगा?

A. खेल B. उच्च शिक्षा
C. पर्यटन D. उद्योग

218. अगस्त 2025 में चिरायु हरियाणा योजना के अंतर्गत लाभार्थियों की संख्या कितनी पार हुई?

A. 15 लाख B. 20 लाख
C. 25 लाख D. 30 लाख

219. चिरायु योजना किससे संबंधित है?

A. बीमा B. स्वास्थ्य
C. शिक्षा D. पेंशन

220. अगस्त 2025 में हरियाणा में चिरायु कार्ड की संख्या लगभग कितनी बताई गई?

A. 80 लाख B. 1 करोड़
C. 1.3 करोड़ D. 2 करोड़

221. अगस्त 2025 में मुख्यमंत्री ने किस शहर में सिविल अस्पताल की कमी स्वीकार की?

A. फरीदाबाद B. गुरुग्राम
C. सोनीपत D. रोहतक

222. अगस्त 2025 में MSME बिजली सब्सिडी से लगभग कितने उद्योगों को लाभ मिला?

A. 2 लाख B. 4 लाख
C. 6-7 लाख D. 10 लाख

223. अगस्त 2025 में हरियाणा सरकार ने किस सेक्टर को रोजगार सृजन का प्रमुख साधन बताया?

A. IT B. कृषि
C. MSME D. पर्यटन

224. अगस्त 2025 में हरियाणा सरकार ने किस योजना में डिजिटल ट्रैकिंग जोड़ी?

A. राशन B. चिरायु
C. पेंशन D. स्कॉलरशिप

225. अगस्त 2025 में किस जिले को फूड प्रोसेसिंग हब के रूप में विकसित करने की घोषणा हुई?

A. करनाल B. सिरसा
C. झज्जर D. नूंह

226. हरियाणा बजट 2025-26 का कुल आकार कितना है?

A. ₹ 1.5 लाख करोड़ B. ₹ 1.8 लाख करोड़
C. ₹ 2.05 लाख करोड़ D. ₹ 2.5 लाख करोड़

227. हरियाणा बजट 2025-26 में किस क्षेत्र को सबसे अधिक प्राथमिकता मिली?

A. पर्यटन B. शिक्षा
C. इंफ्रास्ट्रक्चर D. रक्षा

228. सितंबर 2025 में किस एक्सप्रेसवे परियोजना पर काम तेज किया गया?
A. KMP B. पानीपत-डबवाली
C. अंबाला-यमुनानगर D. फरीदाबाद-नोएडा

229. पानीपत-डबवाली एक्सप्रेसवे का मुख्य उद्देश्य क्या है?
A. पर्यटन B. रक्षा
C. लॉजिस्टिक्स व व्यापार D. सिंचाई

230. सितंबर 2025 में हरियाणा ऑर्बिटल रेल कॉरिडोर का उद्देश्य क्या बताया गया?
A. माल ढुलाई
B. दिल्ली रेल नेटवर्क का दबाव कम करना
C. मेट्रो विस्तार
D. पर्यटन

231. ऑर्बिटल रेल कॉरिडोर किस एक्सप्रेसवे के साथ विकसित हो रहा है?
A. NH-44 B. ईस्टर्न पेरिफेरल
C. वेस्टर्न पेरिफेरल D. KMP

232. सितंबर 2025 में हरियाणा सरकार ने किस जिले में स्टार्टअप सपोर्ट सेंटर खोला?
A. करनाल B. हिसार
C. जींद D. सिरसा

233. स्टार्टअप नीति का उद्देश्य क्या है?
A. विदेशी निवेश B. स्थानीय रोजगार
C. टैक्स संग्रह D. निजीकरण

234. सितंबर 2025 में हरियाणा सरकार ने किस योजना में महिला स्वयं सहायता समूहों को जोड़ा?
A. आजीविका B. लखपति दीदी
C. मुद्रा D. स्वनिधि

235. लखपति दीदी पहल का उद्देश्य क्या है?
A. ऋण उपलब्ध कराना B. महिला उद्यमिता
C. शिक्षा D. पेंशन

236. अक्टूबर 2025 में हरियाणा सरकार ने किस जिले में नया औद्योगिक क्लस्टर घोषित किया?
A. रेवाड़ी B. जींद
C. सिरसा D. कैथल

237. नया औद्योगिक क्लस्टर मुख्यतः किस उद्योग के लिए है?
A. IT B. ऑटो व मैन्युफैक्चरिंग
C. टेक्सटाइल D. खनन

238. अक्टूबर 2025 में हरियाणा सरकार ने किस योजना में DBT प्रणाली मजबूत की?
A. वृद्धावस्था पेंशन B. छात्रवृत्ति
C. राशन D. बीमा

239. DBT का उद्देश्य क्या है?
A. टैक्स वसूली B. पारदर्शिता
C. निजीकरण D. नियंत्रण

240. अक्टूबर 2025 में हरियाणा सरकार ने किस सेक्टर में स्किल ट्रेनिंग बढ़ाई?
A. IT B. स्वास्थ्य
C. उद्योग D. कृषि

241. अक्टूबर 2025 में हरियाणा ने किस योजना के तहत सड़क सुरक्षा अभियान चलाया?
A. सुरक्षित भारत B. राहवीर
C. जीवन रक्षा D. सड़क मित्र

242. सड़क सुरक्षा अभियान का उद्देश्य क्या था?
A. चालान B. दुर्घटनाएँ कम करना
C. टैक्स D. बीमा

243. अक्टूबर 2025 में हरियाणा सरकार ने किस जिले में नया बस टर्मिनल स्वीकृत किया?
A. नूंह B. पलवल
C. झज्जर D. फतेहाबाद

244. बस टर्मिनल परियोजना से किस क्षेत्र को लाभ होगा?
A. कृषि B. पर्यटन
C. परिवहन D. शिक्षा

245. अक्टूबर 2025 में हरियाणा ने किस मिशन को गति दी?
A. हर घर जल B. हर घर सोलर
C. स्वच्छ भारत D. अमृत

246. नवंबर 2025 में हरियाणा सरकार ने किस जिले में सबसे अधिक सोलर इंस्टॉलेशन दर्ज किया?
A. अंबाला B. हिसार
C. रोहतक D. सोनीपत

247. सोलर मिशन का मुख्य लाभ क्या है?
A. रोजगार घटाना B. कार्बन फुटप्रिंट कम करना
C. राजस्व घटाना D. उद्योग बंद करना

248. नवंबर 2025 में हरियाणा के खिलाड़ियों ने किस खेल में अंतरराष्ट्रीय पदक जीते?
A. क्रिकेट B. कुश्ती
C. हॉकी D. टेनिस

249. हरियाणा किस खेल के लिए राष्ट्रीय स्तर पर प्रसिद्ध है?
A. बैडमिंटन B. कुश्ती
C. फुटबॉल D. तैराकी

250. नवंबर 2025 में किस योजना के तहत खिलाड़ियों को नकद पुरस्कार मिले?
A. खेलो इंडिया B. खेल नीति हरियाणा
C. फिट इंडिया D. अर्जुन

251. नवंबर 2025 में हरियाणा सरकार ने किस सामाजिक वर्ग के लिए नई सहायता घोषणा की?
A. किसान B. वरिष्ठ नागरिक
C. छात्र D. व्यापारी

252. वरिष्ठ नागरिक सहायता किस रूप में थी?
A. ऋण B. पेंशन वृद्धि
C. बीमा D. छात्रवृत्ति

253. नवंबर 2025 में हरियाणा ने किस जिले में महिला सुरक्षा हेतु नई पहल की?
A. गुरुग्राम B. पानीपत
C. करनाल D. कैथल

254. महिला सुरक्षा पहल किससे जुड़ी थी?
A. CCTV
B. हेल्पलाइन
C. फास्ट ट्रैक कोर्ट
D. पुलिस भर्ती

255. नवंबर 2025 में हरियाणा सरकार ने किस विभाग में ई-गवर्नेंस बढ़ाई?
A. शिक्षा B. राजस्व
C. स्वास्थ्य D. कृषि

256. दिसंबर 2025 में हरियाणा में सोने की कीमतों में तेज वृद्धि का मुख्य कारण क्या था?
A. टैक्स
B. वैश्विक आर्थिक अनिश्चितता
C. स्थानीय उत्पादन
D. निर्यात

257. हरियाणा का 23वाँ जिला कौन-सा है?
A. हसनपुर B. फनीना
C. हांसी D. अटेली

258. किस जिले से अलग होकर हांसी नया जिला बना है?
A. सिरसा B. हिसार
C. जींद D. रेवाड़ी

259. दिसंबर 2025 में हरियाणा सरकार ने किस योजना की समीक्षा की?
A. राहवीर B. उज्ज्वला
C. मुद्रा D. स्वनिधि

260. राहवीर योजना समीक्षा का उद्देश्य क्या था?
A. बजट कटौती B. प्रभावशीलता बढ़ाना
C. बंद करना D. निजीकरण

उत्तरमाला

1	2	3	4	5	6	7	8	9	10
B	C	B	A	D	B	B	C	C	C
11	**12**	**13**	**14**	**15**	**16**	**17**	**18**	**19**	**20**
C	B	B	C	B	A	C	D	B	B
21	**22**	**23**	**24**	**25**	**26**	**27**	**28**	**29**	**30**
B	C	B	B	B	B	B	C	C	B
31	**32**	**33**	**34**	**35**	**36**	**37**	**38**	**39**	**40**
B	B	D	C	B	C	B	C	B	B
41	**42**	**43**	**44**	**45**	**46**	**47**	**48**	**49**	**50**
A	B	B	B	B	C	B	C	B	B
51	**52**	**53**	**54**	**55**	**56**	**57**	**58**	**59**	**60**
C	B	B	B	B	C	C	C	B	D
61	**62**	**63**	**64**	**65**	**66**	**67**	**68**	**69**	**70**
C	C	B	C	C	C	D	C	B	B
71	**72**	**73**	**74**	**75**	**76**	**77**	**78**	**79**	**80**
B	C	A	B	B	C	C	B	B	C
81	**82**	**83**	**84**	**85**	**86**	**87**	**88**	**89**	**90**
C	C	C	C	C	C	C	B	B	B
91	**92**	**93**	**94**	**95**	**96**	**97**	**98**	**99**	**100**
B	B	C	B	C	C	B	C	C	B

101	102	103	104	105	106	107	108	109	110
B	B	B	B	B	B	C	C	C	B
111	112	113	114	115	116	117	118	119	120
B	C	C	C	B	B	B	B	B	B
121	122	123	124	125	126	127	128	129	130
A	B	C	C	A	B	B	B	C	B
131	132	133	134	135	136	137	138	139	140
C	C	A	B	B	B	B	B	D	C
141	142	143	144	145	146	147	148	149	150
B	B	B	B	C	B	B	C	B	B
151	152	153	154	155	156	157	158	159	160
B	C	C	D	C	C	C	B	C	C
161	162	163	164	165	166	167	168	169	170
C	D	C	B	C	C	C	C	B	C
171	172	173	174	175	176	177	178	179	180
C	C	C	C	C	D	D	C	C	C
181	182	183	184	185	186	187	188	189	190
D	C	C	C	D	B	B	B	C	C
191	192	193	194	195	196	197	198	199	200
C	C	C	B	C	C	C	C	D	C
201	202	203	204	205	206	207	208	209	210
B	C	C	B	C	C	B	B	B	C
211	212	213	214	215	216	217	218	219	220
C	B	C	C	B	B	B	C	B	C
221	222	223	224	225	226	227	228	229	230
B	C	C	B	B	C	C	B	C	B
231	232	233	234	235	236	237	238	239	240
B	B	B	B	B	A	B	A	B	C
241	242	243	244	245	246	247	248	249	250
B	B	B	C	B	B	B	B	B	B
251	252	253	254	255	256	257	258	259	260
B	B	A	B	B	B	C	B	A	B

●●●